LA GESTION DES RESSOURCES HUMAINES

Tendances, enjeux et pratiques actuelles

4ᵉ édition

LA GESTION
DES RESSOURCES HUMAINES

Tendances, enjeux et pratiques actuelles

4e édition

Tania Saba
École de relations industrielles
Université de Montréal

Simon L. Dolan
ESADE
Barcelone (Espagne)

Susan E. Jackson
Rutgers University

Randall S. Schuler
Rutgers University

Tania Saba
École de relations industrielles
Université de Montréal

COMPAGNON WEB

ÉDITIONS DU RENOUVEAU PÉDAGOGIQUE INC.

5757, RUE CYPIHOT, SAINT-LAURENT (QUÉBEC) H4S 1R3
TÉLÉPHONE: (514) 334-2690   TÉLÉCOPIEUR: (514) 334-4720
erpidlm@erpi.com    w w w . e r p i . c o m

DÉVELOPPEMENT DE PRODUITS :
Isabelle de la Barrière

SUPERVISION ÉDITORIALE :
Jacqueline Leroux

RÉVISION LINGUISTIQUE :
Louise Garneau et Philippe Sicard

CORRECTION D'ÉPREUVES :
Louise Garneau et Odile Dallaserra

RECHERCHE ICONOGRAPHIQUE :
Chantal Bordeleau

DIRECTION ARTISTIQUE :
Hélène Cousineau

COORDINATION DE LA PRODUCTION :
Muriel Normand

CONCEPTION GRAPHIQUE :
Martin Tremblay

COUVERTURE :
Gecko Graphik

ÉDITION ÉLECTRONIQUE :
Infographie DN

Dans cet ouvrage, le générique masculin est utilisé sans aucune discrimination et uniquement pour alléger le texte.

Dépôt légal – Bibliothèque et Archives nationales du Québec, 2008
Dépôt légal – Bibliothèque et Archives Canada, 2008
Imprimé au Canada

ISBN 978-2-7613-2192-1

4567890 IG 12 11 10
20417 ABCD   VO7

À Christian, Mariléa et Christopher.
Tania Saba

À mes anciens collègues de l'École de relations industrielles de l'Université de Montréal, où j'ai passé plus de 25 ans de ma vie, et à mon cher collègue et associé au Groupe canadien MDS, Adnane Belout, pour son infatigable travail de formation des cadres africains en science de la gestion.
Simon L. Dolan

À tous nos amis et aux professionnels de la gestion des ressources humaines.
Susan E. Jackson et Randall S. Schuler

AVANT-PROPOS

La *Gestion des ressources humaines* en est cette année à sa quatrième édition ! Comme les éditions précédentes, la présente offre aux étudiants aussi bien qu'aux personnes œuvrant dans le domaine de la gestion des ressources humaines un ouvrage de consultation et de référence riche en information et agréable à lire. Le contenu du manuel a été actualisé de manière à rendre compte des changements intervenus dans la pratique de la gestion des ressources humaines. Les efforts entrepris dans l'édition précédente concernant la simplification de la langue et la structure des chapitres ont été poursuivis, ce qui rend des plus stimulantes l'étude et la consultation du manuel.

Dans cette quatrième édition, nous insistons sur l'uniformité et la cohérence des activités de gestion des ressources humaines, c'est pourquoi la description de chaque activité s'accompagne d'explications sur les différentes étapes de la réalisation. Nous abordons aussi de nombreux thèmes d'actualité qui sont au cœur de la discipline :

- Le chapitre sur le développement organisationnel (chap. 3) présente les écoles de pensée en gestion des ressources humaines ; il traite de l'analyse des postes et décrit les nouvelles formes d'organisation du travail.

- Le nouveau chapitre consacré à l'étude des systèmes d'information et de la cybergestion des ressources humaines (chap. 16) permet de mettre en évidence les principaux outils technologiques qui facilitent la prise de décision et simplifient les tâches administratives relevant de la gestion des ressources humaines.

- Le chapitre sur la gestion des ressources humaines dans les entreprises internationales (chap. 17) a été révisé pour faire place à de nouvelles notions ; on s'intéresse notamment au rôle joué par la gestion des ressources humaines dans la mise en œuvre des stratégies internationales et dans l'apprivoisement de la diversité culturelle. Ce chapitre souligne la nécessité de bien saisir des notions aujourd'hui incontournables, de mieux comprendre les enjeux qui se présentent à nous au 21e siècle et d'envisager des solutions aux problèmes que connaissent les entreprises qui ont choisi d'élargir leurs horizons.

- Les aspects juridiques relatifs à la gestion des ressources humaines sont concentrés dans un seul chapitre (chap. 12), de sorte que le lecteur peut décider soit de s'y référer tout en étudiant les différentes activités décrites, soit de les examiner, en une seule fois, sous le thème du respect des droits des employés.

- Cette édition comporte une autre nouveauté : nous avons choisi de consacrer tout un chapitre (chap. 15) à l'évaluation de l'efficacité de la gestion des ressources humaines, ce qui reflète l'importance de cette activité.

De nombreux éléments concourent, dans cet ouvrage, à faciliter l'apprentissage. La lisibilité a été travaillée en profondeur, la nouvelle présentation graphique est attrayante, l'utilisation d'un vocabulaire sobre et le recours à des exemples concrets éclairent les concepts étudiés. La rubrique « Consultez Internet » fournit au lecteur l'adresse de sites qui l'aideront à se livrer à des recherches plus approfondies. Les figures, tableaux et graphiques illustrent les différents processus, résument la matière et soulignent les points importants. Les termes techniques empruntés aux disciplines apparentées à la gestion des ressources humaines apparaissent dans une couleur et dans des caractères qui les distinguent du texte courant, et ils sont en outre définis en marge. Chaque chapitre se termine par un résumé qui fait le rappel des principaux thèmes traités. Des références bibliographiques présentent les recherches québécoises, américaines et européennes sur les divers sujets traités. Des questions de révision et d'analyse permettent de récapituler la matière. Comme dans l'édition précédente, on trouve à la fin de chaque chapitre l'exposé d'une situation propre à un milieu de travail et s'inscrivant dans l'un ou l'autre cadre organisationnel. Rédigées par des spécialistes, ces « Études de cas » viennent concrétiser la matière étudiée. Toutes ces aides pédagogiques encadrent la discussion, aident le lecteur à réviser le chapitre et lui permettent d'élaborer sa propre réflexion à partir des idées essentielles de l'exposé.

Tous les chapitres de cette quatrième édition ont été remaniés. Le chapitre d'introduction traitant de l'essor de la gestion des ressources humaines est suivi de six sections. Parmi les changements, mentionnons d'abord celui qui touche la première section ; celle-ci a été entièrement renouvelée et s'intitule désormais « Les préalables de la gestion des ressources humaines ». Elle regroupe trois chapitres servant d'assise au déploiement des activités de gestion. Les chapitres « Gestion stratégique des ressources humaines », « Développement organisationnel » et « Gestion prévisionnelle des ressources humaines » décrivent l'organisation des activités dans leur ensemble et expliquent comment assurer la cohérence des processus. La section 2 présente une série d'activités consacrées à la dotation. Ses deux chapitres traitent des moyens à prendre pour satisfaire les besoins en main-d'œuvre de l'organisation, autrement dit il y est question de recrutement (chap. 5), ainsi que de sélection, d'accueil et de socialisation (chap. 6). Trois chapitres couvrent le thème suivant, consacré au développement des ressources humaines : l'évaluation du rendement des employés (chap. 7), le développement des compétences des ressources humaines (chap. 8) et la gestion des carrières (chap. 9) ; on y souligne la nécessité d'étendre les connaissances et les compétences des employés, et on montre l'importance de la satisfaction des besoins de réalisation au travail. Les chapitres sur la rémunération directe (chap. 10) et indirecte (chap. 11) abordent les notions de reconnaissance pécuniaire et non pécuniaire et constituent le quatrième thème, soit la rémunération et la reconnaissance du rendement des employés. La cinquième section est consacrée aux aspects juridiques de la gestion des ressources humaines. On y traite du respect des droits des employés (chap. 12), des rapports collectifs de travail (chap. 13), et de la santé et du bien-être au travail (chap. 14). Finalement, la sixième section présente les défis contemporains, à savoir les questions sur lesquelles des praticiens et des chercheurs se sont penchés récemment. Il s'agit de l'évaluation des activités de la gestion des ressources humaines (chap. 15), des systèmes d'information et de la cybergestion des ressources humaines (chap. 16), ainsi que des aspects internationaux de la gestion des ressources humaines (chap. 17).

Nous croyons avoir atteint notre but en publiant l'un des ouvrages les plus complets en la matière et les plus aptes à former et à guider la nouvelle génération de gestionnaires des ressources humaines. Que vous soyez étudiant, gestionnaire ou professionnel de la gestion des ressources humaines, nous espérons que vous apprécierez cette édition entièrement revue et corrigée de *La gestion des ressources humaines*. Nous l'avons voulue stimulante et enrichissante, propre à susciter la réflexion tout autant qu'à nourrir la pratique.

REMERCIEMENTS

Cet ouvrage n'aurait pu être réalisé sans la collaboration et l'appui de nombreuses personnes que nous tenons à remercier.

En premier lieu, nous désirons remercier nos collègues dont les précieux commentaires ont guidé la révision de certaines notions :

- M. Gilles Guérin, tout particulièrement, pour ses annotations et ses recommandations qui ont su nourrir notre réflexion.
- Mme Diane Veilleux, pour nous avoir éclairés dans les chapitres qui ont trait à des aspects juridiques.
- MM. Denis Morin, Daniel Beaupré et Michel Arcand, qui se sont aimablement prêtés à l'exercice d'évaluation de l'édition précédente et qui ont formulé des remarques judicieuses.

Nous remercions nos collègues qui ont rédigé à notre intention des études de cas qu'ils nous ont autorisés à reproduire. Ils font bénéficier les lecteurs de mises en situation stimulantes et nous font partager leur expérience et leurs opinions. Ce sont, par ordre alphabétique :

- M. Guy Arcand, Département des sciences de la gestion, Université du Québec à Trois-Rivières
- M. Adnane Belout, École de relations industrielles, Université de Montréal
- M. Jules Carrière, École de gestion, Université d'Ottawa
- Mme Lise Chrétien, Faculté d'administration, Université Laval
- Mme Marie-Ève Dufour, Faculté d'administration, Université de Sherbrooke
- M. André Durivage, Département des sciences administratives, Université du Québec en Outaouais
- Mme Sylvie Guerrero, École des sciences de la gestion, Université du Québec à Montréal
- M. Yves Hallé, Département des sciences économiques et administratives, Université du Québec à Chicoutimi
- Mme Murielle Laberge, Département de relations industrielles, Université du Québec en Outaouais
- M. Denis Morin, École des sciences de la gestion, Université du Québec à Montréal
- M. Vincent Rousseau, École de relations industrielles, Université de Montréal
- M. Tony Toufic, Département de management, Faculté des sciences de l'administration, Université Laval
- M. Jean M. Trudel, Faculté d'administration, Université de Sherbrooke

Nous tenons à souligner l'apport de nos étudiants, de leurs critiques constructives et de leurs suggestions. Pour cette quatrième édition, nous tenons à remercier Mme Marie-Christine Viens, qui nous a offert une collaboration de recherche soutenue et efficace. Notre gratitude va également à nos familles respectives, pour leur patience et leur indéfectible appui moral. Leurs encouragements furent d'un grand réconfort. Nous adressons nos remerciements aux réviseurs M. Philippe Sicard et Mme Louise Garneau, qui ont largement contribué à améliorer la qualité linguistique du texte. Nous tenons à remercier Mme Christiane Desjardins, et tout particulièrement Mme Jacqueline Leroux, notre éditrice, pour sa patience, son professionnalisme et sa grande disponibilité. Nous aimerions témoigner notre reconnaissance à Mme Isabelle de la Barrière, pour son soutien assidu, ainsi qu'à M. Jean-Pierre Albert, qui a cru en ce projet depuis le tout début.

Tania Saba
Simon L. Dolan
Susan E. Jackson
Randall S. Schuler

SOMMAIRE

TABLE DES MATIÈRES

CHAPITRE **3** LE DÉVELOPPEMENT ORGANISATIONNEL :
L'ANALYSE DES POSTES ET L'ORGANISATION DU TRAVAIL   **75**

CHAPITRE **6** LA SÉLECTION, L'ACCUEIL ET L'INTÉGRATION
DES RESSOURCES HUMAINES **173**

CHAPITRE **9** LA GESTION DES CARRIÈRES **291**

SECTION 4 **LA RÉMUNÉRATION ET LA RECONNAISSANCE DE LA PERFORMANCE** **323**

CHAPITRE **10** LA RÉMUNÉRATION DIRECTE **325**

CHAPITRE **11** LA RÉMUNÉRATION INDIRECTE **377**

SECTION 5 — LES ASPECTS JURIDIQUES DE LA GESTION DES RESSOURCES HUMAINES — 401

CHAPITRE 12 — LE RESPECT DES DROITS DES EMPLOYÉS — 403

CHAPITRE **14** LA SANTÉ ET LE BIEN-ÊTRE AU TRAVAIL   **487**

PARTIE I   LA SANTÉ ET LA SÉCURITÉ DU TRAVAIL   **488**

PARTIE II — LE BIEN-ÊTRE AU TRAVAIL — 514

SECTION 6 — LES DÉFIS CONTEMPORAINS — 531

CHAPITRE 15 — L'ÉVALUATION DE LA GESTION DES RESSOURCES HUMAINES — 533

CHAPITRE **16** **LES SYSTÈMES D'INFORMATION ET LA CYBERGESTION DES RESSOURCES HUMAINES** **567**

L'ESSOR
DE LA GESTION
DES RESSOURCES HUMAINES

La gestion des ressources humaines se définit comme l'ensemble des activités qui visent la gestion des talents et des énergies des individus dans le but de contribuer à la réalisation de la mission, de la vision, de la stratégie et des objectifs de l'organisation.

Au Canada, la gestion des ressources humaines s'est fortement inspirée des modèles utilisés aux États-Unis et au Royaume-Uni. L'évolution de la gestion des ressources humaines a notamment été marquée au cours des deux derniers siècles par son passage de la « gestion du personnel » à la « gestion des ressources humaines » et, parfois même, à la « gestion du capital humain ». Les nombreux changements sociaux, politiques, économiques et démographiques continuent d'influer sur son évolution. Si les organisations n'ont pas toujours accordé un rôle de premier plan à la gestion des ressources humaines, les chefs d'entreprise, les dirigeants, les politiciens et les gestionnaires s'entendent aujourd'hui pour lui accorder un rôle vital dans le milieu de travail – à condition toutefois que cette fonction fasse ses preuves et contribue au succès de l'organisation.

La première section de ce chapitre porte sur l'historique et l'importance de la gestion des ressources humaines. Dans la deuxième section, nous traitons des facteurs qui influencent son exercice. La troisième section est consacrée à l'examen des acteurs dont il faut tenir compte dans l'implantation des actions organisationnelles. Dans la quatrième section, nous passons en revue les objectifs de la fonction ressources humaines. Enfin, nous terminons par l'examen du service des ressources humaines : son rôle, ses activités, le partage des responsabilités, sa structure et sa dotation.

1.1 L'HISTORIQUE ET L'IMPORTANCE DE LA GESTION DES RESSOURCES HUMAINES

On distingue quatre périodes dans l'évolution de la gestion des ressources humaines[1].

La première période commence à la fin du 19e siècle et accompagne la révolution industrielle. C'est le début de la société salariale et de nouveaux concepts font leur apparition : la division du travail, la hiérarchie organisationnelle et l'autorité. C'est au contremaître qu'incombe la responsabilité de la gestion au quotidien des relations avec les employés. Pour les employés, les longues heures de travail vont de pair avec une faible rémunération, de sorte que les abus liés à la gestion autocratique rendent inévitables les changements de pratiques qui s'amorcent dès le début du 20e siècle.

La deuxième période commence au début des années 1900, alors que deux évènements majeurs marquent la gestion des ressources humaines : l'avènement de la gestion scientifique du travail et l'émergence des pratiques visant le bien-être des employés. D'une part, on réalise en effet que de mauvaises méthodes de travail entraînent des coûts importants. On prend alors conscience de l'importance des pratiques qui visent une meilleure organisation du travail. Les travaux de Frederick Taylor ainsi que ceux de Frank et Lilian Gilbreth débouchent sur une approche scientifique de la gestion du travail. En matière de pratiques de gestion des ressources humaines, on se penche surtout sur l'analyse des postes et la clarification de leurs exigences, de même que sur la description des emplois, la formation technique structurée et la rémunération au rendement. D'autre part, c'est la naissance des « welfare practices », les pratiques visant le bien-être des employés. Parallèlement au paradigme du fordisme, qui associe la division du travail avec les salaires élevés, les pratiques de gestion des ressources humaines s'inspirent des principes de la psychologie industrielle. Par exemple, la rémunération généreuse des salariés devient pratique courante, car l'objectif est de retenir ces derniers et de maintenir un avantage concurrentiel afin de réduire le problème majeur du roulement élevé. C'est durant cette période qu'on cherche à implanter des pratiques de gestion des ressources humaines qui permettent d'établir la stabilité d'emploi, les échelles salariales associées à l'ancienneté et les systèmes de promotion qui visent à garder ses employés.

La troisième période débute vers les années 1950. On assiste alors à l'enracinement des pratiques dans les réalités organisationnelles. Les tenants de l'école des relations humaines, comme Elton Mayo, contribuent à améliorer les relations entre les travailleurs et les superviseurs. Durant les années 1960 et 1970, les activités de gestion des ressources humaines sont principalement centrées sur les activités de dotation. L'économie florissante suscite l'émergence de grandes entreprises dans le secteur manufacturier et les services ; la fonction ressources humaines sert surtout à pourvoir les postes vacants par le recrutement des candidats compétents.

La quatrième période commence à la fin du 20e siècle. Au fil de chambardements majeurs, on pose les jalons de la gestion des ressources humaines, telle qu'elle s'exerce aujourd'hui dans les milieux de travail. D'abord, l'instabilité économique et la forte concurrence forcent la recherche et l'initiative ; les organisations doivent mieux comprendre comment les diverses activités de gestion des ressources humaines peuvent répondre adéquatement à leurs objectifs et les rendre plus compétitives. Par ailleurs, dans les milieux de travail, on se rend compte qu'il est primordial de considérer les activités de gestion des ressources humaines comme faisant partie d'un système global qui intègre diverses activités. C'est ainsi que, vers la fin des années 1980, la notion de *gestion stratégique* des ressources humaines est introduite. Elle vise essentiellement à relier les activités de gestion, d'une part, aux objectifs de l'organisation et, d'autre part, à la performance organisationnelle. Cette nouvelle conception de la gestion des ressources humaines fait référence à un ensemble de systèmes intégrés, établis dans une perspective à long terme, répondant aux objectifs de l'organisation et constituant la base de la performance de l'organisation. La gestion stratégique des ressources humaines (GSRH) gagne en importance pour finalement devenir un choix incontournable au 21e siècle.

Ces nouvelles orientations s'imposent à l'échelle mondiale, obligeant par le fait même les entreprises canadiennes à suivre le mouvement. L'instabilité du contexte économique et son caractère hautement compétitif, la croissance vertigineuse de certains secteurs industriels, en particulier des secteurs de pointe, et la nécessité de diversifier les stratégies de compétition entraînent de lourdes contraintes organisationnelles dont les répercussions sur les ressources humaines sont indéniables. Or, on observe que les entreprises prospères partagent certaines caractéristiques : elles accordent de plus en plus d'importance à la gestion des ressources humaines et elles sont conscientes de la nécessité à court, moyen et long terme d'avoir des employés compétents et motivés afin de relever de nouveaux défis et d'assurer le succès de leurs stratégies organisationnelles.

Si les entreprises considèrent la compétitivité comme une question prioritaire en gestion des ressources humaines, il ne faut pas oublier que la réalité du marché du travail l'est tout autant. De nombreux facteurs rendent impérative l'expansion du rôle de la gestion des ressources humaines dans les entreprises : la pénurie de gens compétents dans certains secteurs ; la diversification de la main-d'œuvre, liée notamment au nombre grandissant de femmes et de membres des minorités culturelles dans la population active ; la recherche d'un équilibre entre la famille et le travail ; le vieillissement des travailleurs ; la consommation d'alcool et l'usage de drogues sur les lieux de travail ; la propagation de maladies, comme le sida.

Or, pour assurer la survie et l'efficacité de la fonction ressources humaines au cours de la prochaine décennie, les professionnels de la gestion des ressources humaines devront redoubler d'ingéniosité et de dynamisme ; ils devront aussi proposer des solutions originales aux problèmes organisationnels ou individuels. On constate déjà que des fonctions et des activités jugées cruciales dans le passé sont progressivement déclassées par d'autres, et on reconnaît de plus en plus que la gestion efficace des ressources humaines peut faciliter l'atteinte des objectifs organisationnels. L'essor dans ce domaine est donc attribuable dans une large mesure au savoir-faire des professionnels de la gestion des ressources humaines et aux nouvelles pratiques instaurées pour faire face aux crises et composer avec les nouvelles tendances de la société en général, et du monde du travail en particulier.

1.2 L'INFLUENCE DES FACTEURS ENVIRONNEMENTAUX SUR LA GESTION DES RESSOURCES HUMAINES

Examinons les principaux facteurs environnementaux qui influent sur la gestion des ressources humaines, notamment les changements démographiques, les changements relatifs à l'emploi et à la structure du travail, les tendances et les perspectives économiques ainsi que la transformation des valeurs sociales.

1.2.1 | Les changements démographiques

Tout au long des deux dernières décennies, de nombreux changements démographiques ont touché la population en général et la main-d'œuvre en particulier. Notons le ralentissement de la croissance de la population, qui s'est répercuté sur la croissance de la main-d'œuvre, le vieillissement de la main-d'œuvre, la hausse du taux de participation des femmes au marché du travail et du niveau de scolarité des travailleurs. Ces divers phénomènes constituent des déterminants de la pratique de la gestion des ressources humaines dans les organisations.

LE RALENTISSEMENT DE LA CROISSANCE DE LA MAIN-D'ŒUVRE

Les projections de la population du Québec jusqu'en 2051 laissent entrevoir une croissance de plus en plus lente, ce qui aura sans nul doute des répercussions sur la population active. D'une part, la diminution du niveau de croissance s'explique par une chute de la fécondité et de la migration internationale. D'autre part, on assistera, dans les prochaines décennies, à une augmentation impressionnante et inévitable du nombre de décès, provoquée par le fait que les générations du baby-boom seront âgées de 85 ans ou plus en 2051[2]. La population du Québec passerait donc de 7,5 millions en 2003 à 8,1 millions en 2031, avant de s'engager dans un déclin d'abord lent, puis de plus en plus marqué[3] (voir l'encadré 1.1).

Baby-boom

Forte augmentation du taux de natalité, particulièrement de celle qui a suivi la Seconde Guerre mondiale dans les pays industrialisés.

La population du Québec observée et projetée, de 1971 à 2051

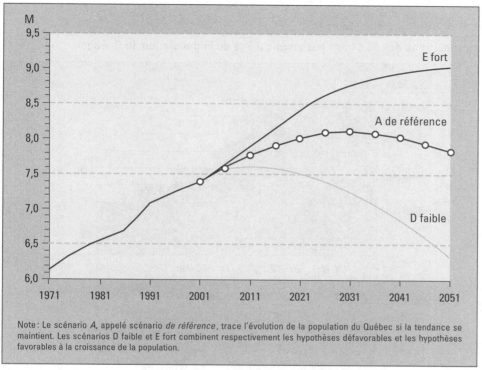

Note : Le scénario *A*, appelé scénario *de référence*, trace l'évolution de la population du Québec si la tendance se maintient. Les scénarios D faible et E fort combinent respectivement les hypothèses défavorables et les hypothèses favorables à la croissance de la population.

Source : Institut de la statistique du Québec, *Si la tendance se maintient… Perspectives démographiques, Québec et régions*, 2001-2051, 2003, p. 7-8.

LE VIEILLISSEMENT DE LA POPULATION ET DE LA MAIN-D'ŒUVRE

Selon l'Institut de la statistique du Québec, la première moitié du 21e siècle sera caractérisée par le vieillissement rapide de la population[4]. Les générations du baby-boom aborderont l'une après l'autre le dernier tiers de leur vie. Ce vieillissement démographique se traduira non seulement par l'explosion du nombre et de la proportion des aînés dans la population, mais aussi par la diminution graduelle de la population en général, notamment de l'effectif des moins de 20 ans. L'encadré 1.2 présente la répartition projetée de la population du Québec jusqu'en 2031.

Le vieillissement de la population aura pour effet de transformer le profil de la population à charge au cours des prochaines années. Le rapport de dépendance démographique est très éloquent. On calcule ce rapport en additionnant l'effectif des moins de 20 ans et celui des 60 ans et plus, et en divisant ce total par la population d'âge actif. Cet indice permet de prévoir les services requis pour les tranches de la population en croissance. Les services gouvernementaux, les institutions sociales et les organisations devront alors répondre aux besoins grandissants des membres de la population vieillissante, qu'on les considère comme bénéficiaires, clientèles ou main-d'œuvre. Ainsi, selon l'Institut de la statistique du Québec, le rapport de dépendance (voir l'encadré 1.3) est appelé à changer complètement. Alors qu'en 1971 on comptait six jeunes pour un aîné, la proportion n'était plus que de deux jeunes pour un aîné en 2001. Les deux

Rapport de dépendance démographique

Rapport de l'effectif des moins de 20 ans et des 60 ans et plus, divisé par la population d'âge actif.

groupes devraient être égaux entre 2016 et 2021, puis le groupe des personnes âgées dépassera celui des moins de 20 ans. Entre 2031 et 2051, la population comptera plus de trois aînés pour deux jeunes.

ENCADRÉ ▶ **1.2**

La répartition des 20-64 ans par groupe d'âge de la population du Québec

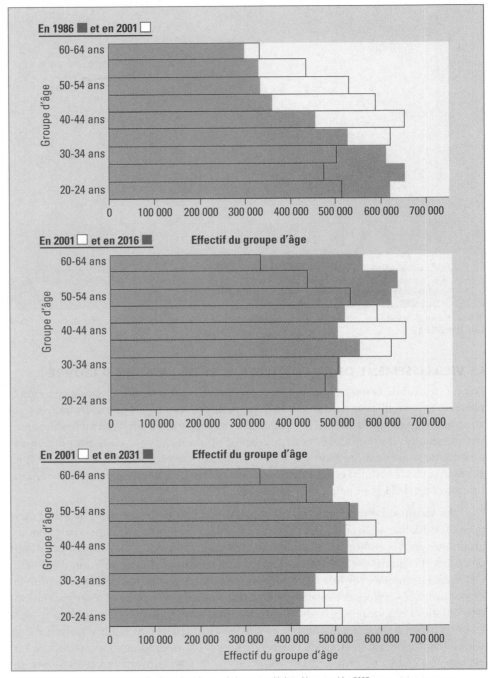

Source : Institut de la statistique du Québec, données statistiques, société et démographie, 2007, www.stat.gouv.qc.ca.

Le rapport de dépendance démographique au Québec observé et projeté, de 1971 à 2051 selon le scénario A

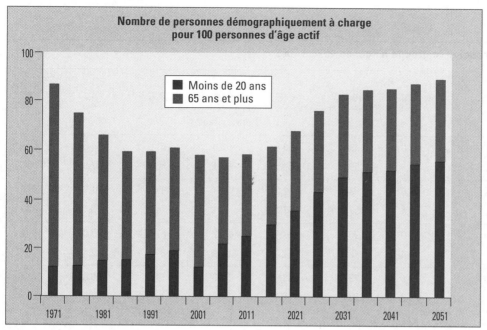

Source : Institut de la statistique du Québec, *Si la tendance se maintient… Perspectives démographiques, Québec et régions*, 2001-2051, 2003, p. 28.

Le vieillissement de la population et le ralentissement de sa croissance ont évidemment des effets directs sur la composition de la population active. L'adolescent qui vous sert vos hamburgers dans votre restaurant rapide préféré pourrait bien être remplacé par son grand-père ! Cette curieuse situation résulte principalement de la diminution de l'offre de jeunes travailleurs, qui est constante depuis 1996 et se poursuivra jusqu'en 2051. Sur un marché du travail qui compte de moins en moins de jeunes, il faut tenir compte de la population en âge de travailler qui entame la fin de sa carrière dans la majorité des cas. Le défi est multiple : comment retenir cette population, comment la renouveler, comment gérer les départs ?

LES TAUX D'ACTIVITÉ SELON LE GROUPE D'ÂGE

Après les taux de croissance élevés de la main-d'œuvre des années 1970, liés à l'arrivée massive sur le marché du travail des générations de l'après-guerre[5] et à l'entrée sur le marché du travail des femmes de plus de 25 ans, les années 1980 et 1990 ont été marquées par une baisse du taux d'activité dans tous les groupes d'âge. Cette diminution s'explique par deux phénomènes.

- Il y avait peu de débouchés pour les jeunes travailleurs.
- De nombreux hommes âgés de 55 ans et plus ont quitté le marché du travail, soit pour prendre une retraite anticipée, soit parce qu'il leur était difficile de rester dans ce marché.

Heureusement, les taux d'activité ont repris de la vigueur depuis le début du 21e siècle, notamment en 2005 pour tous les groupes d'âge (voir l'encadré 1.4).

ENCADRÉ ▶ 1.4

Le taux d'activité au Québec, selon le groupe d'âge, de 1976 à 2005

Québec		1976	1980	1985	1990	1995	2000	2005
					Pourcentage			
De 15 à 24 ans	Hommes	65,0	68,9	66,6	69,9	61,6	64,5	66,0
	Femmes	54,5	59,4	60,5	62,4	56,5	57,9	66,5
De 25 à 44 ans	Hommes	94,6	93,8	92,2	92,1	89,7	91,0	91,1
	Femmes	48,4	57,2	67,1	75,1	74,7	79,1	82,7
De 45 à 54 ans	Hommes	90,0	90,0	87,1	88,2	87,8	87,0	90,0
	Femmes	39,4	45,2	51,8	58,3	67,5	72,4	79,6
De 55 à 64 ans	Hommes	74,8	73,5	63,9	59,8	54,5	56,3	61,6
	Femmes	24,3	26,2	25,1	26,4	28,7	33,1	41,3
65 ans et plus	Hommes	13,4	11,2	10,2	7,6	6,4	5,8	9,0
	Femmes	4,1	3,6	3,6	2,6	2,0	1,5	3,6

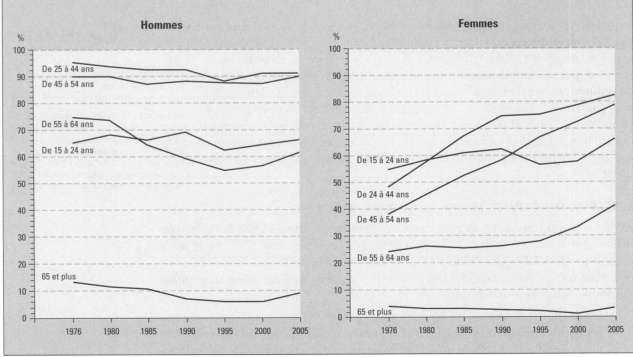

Source : Institut de la statistique du Québec, www.stat.gouv.qc.ca, données statistiques, société et marché du travail, 2007.

LA SITUATION DES FEMMES SUR LE MARCHÉ DU TRAVAIL

Depuis la fin de la Seconde Guerre mondiale, on observe une augmentation progressive du taux d'emploi des femmes. Au Québec, le taux d'activité des femmes est passé de 22,2 % en 1946 à 71,8 % en 2005. Pour l'ensemble du Canada, ce taux a atteint 73,1 % en 2005[6]. Par ailleurs, on constate une forte augmentation sur le marché du travail de femmes qui vivent avec un conjoint ou qui appartiennent à une famille monoparentale. En 1976 au Québec, le taux de participation des parents de famille monoparentale ayant au moins un enfant de moins de 16 ans était de 94 % chez les hommes et de 48,9 % chez les femmes. En 2004, le taux pour les hommes a légèrement diminué, tombant à 92,7 %, mais le taux pour les femmes a fait un bond jusqu'à 80,2 %[7] (voir l'encadré 1.5).

ENCADRÉ ▶ 1.5

Le taux d'activité des parents âgés de 25 à 44 ans, selon l'âge du plus jeune enfant, le sexe du parent et le type de famille au Québec, en 1976 et en 2004

	Hommes			Femmes		
	Total	Familles biparentales	Familles monoparentales	Total	Familles biparentales	Familles monoparentales
Âge du plus jeune enfant[a]	Pourcentage					
1976						
Moins de 16 ans	**97,0**	**97,0**	**94,0**	**37,1**	**36,3**	**48,9**
De 6 à 15 ans	96,5	96,5	94,4	44,9	44,0	54,5
Moins de 6 ans	97,3	97,4	–	30,0	29,5	39,7
2004						
Moins de 16 ans	**95,2**	**95,3**	**92,7**	**80,7**	**80,8**	**80,2**
De 6 à 15 ans	96,1	96,4	92,7	83,1	82,5	85,4
Moins de 6 ans	94,4	94,5	90,7	78,0	79,1	68,4

a. Enfant de moins de 16 ans.

Source : Statistique Canada, *Enquête sur la population active.* Traitement des données : Institut de la statistique du québec, 2004.

Malgré l'évolution des types d'emplois qui leur sont accessibles, la grande majorité des femmes assumaient encore, en 2001, des fonctions dans des secteurs traditionnellement féminins et souvent sous-payés, tels que le travail de bureau (secrétaires), les ventes (vendeuses, commis-vendeuses ou caissières), les services et les soins de santé (infirmières, aides ou auxiliaires médicales)[8]. L'encadré 1.6 présente les 20 principales professions à forte concentration de main-d'œuvre féminine et montre leur évolution de 1991 à 2001. On constate que les chiffres ont peu changé.

Le grand nombre de femmes sur le marché du travail continue d'imposer d'importants défis à la gestion des ressources humaines, notamment en ce qui concerne l'équilibre travail-famille, l'accès aux emplois non traditionnels et la ségrégation dans des emplois à temps partiel et moins bien rémunérés[9].

Les 20 principales professions féminines au Québec, en 1991 et en 2001

Structure professionnelle	Pourcentage de femmes dans la profession	
	1991	2001
Femmes		
Secrétaires (sauf domaines juridique et médical)	98,3	97,7
Éducatrices et aides-éducatrices de la petite enfance	95,9	95,7
Réceptionnistes et standardistes	93,2	92,4
Infirmières diplômées	91,4	91,0
Opératrices de machines à coudre	90,9	90,3
Caissières des services financiers	92,2	88,2
Commis à la comptabilité et personnel assimilé	81,6	87,8
Caissières	88,0	86,5
Institutrices à la maternelle et au niveau primaire	85,8	86,0
Tailleuses, couturières, fourreuses et modistes	84,7	84,3
Commis de travail général de bureau	79,1	83,2
Coiffeuses	81,2	82,3
Aides et auxiliaires médicales	74,7	79,6
Serveuses d'aliments et de boissons	80,9	79,1
Serveuses au comptoir, aides de cuisine et autres	56,8	60,5
Vendeuses et commis-vendeuses, vente au détail	58,7	58,7
Nettoyeuses	56,7	58,1
Professeures au niveau secondaire	49,5	54,0
Cuisinières	48,4	50,1
Directrices de la vente au détail	34,2	36,7
Total des 20 principales professions	**74,3**	**74,8**
Total des 506 professions répertoriées	**44,1**	**46,2**

Note : Les données sont présentées dans l'ordre décroissant pour 2001.

Source : Statistique Canada, *Recensement de 2001* (97F0012XCB01022). Traitement des données : Institut de la statistique du Québec, marché du travail et rémunération, 2006, www.stat.qc.ca.

LA SITUATION DES MINORITÉS CULTURELLES SUR LE MARCHÉ DU TRAVAIL

L'encadré 1.7 fait ressortir la très grande diversité ethnique des immigrants établis au Québec entre 2000 et 2004. On peut s'attendre à ce que cette caractéristique se reflète de plus en plus dans la main-d'œuvre québécoise. Les entreprises devront donc mettre sur pied des programmes pour intégrer cette main-d'œuvre dont les traits culturels sont manifestement différents de ceux de la main-d'œuvre nord-américaine[10].

**Les immigrants admis au Québec entre 2000 et 2004,
selon les 15 principaux pays de naissance**

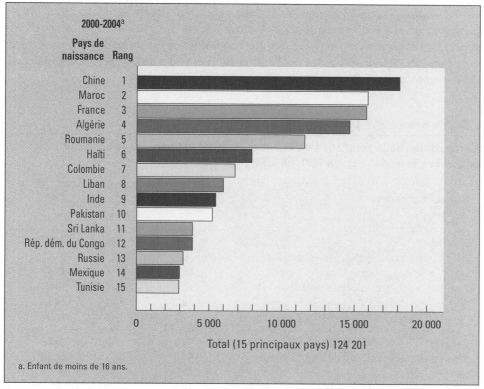

a. Enfant de moins de 16 ans.

Source : ministère de l'Immigration et des Communautés culturelles, Direction de la population et de la recherche, *Tableaux sur l'immigration au Québec : 2000-2004*, mars 2005.

LA SITUATION DES PERSONNES HANDICAPÉES SUR LE MARCHÉ DU TRAVAIL

Le rôle des personnes handicapées dans la main-d'œuvre canadienne s'est quelque peu modifié au cours des dernières années. Grâce aux techniques de pointe et aux programmes d'intégration au marché du travail, l'éventail des postes accessibles aux personnes handicapées s'est élargi considérablement, de sorte que celles-ci sont aujourd'hui plus nombreuses à occuper un emploi. Le taux d'activité de ce groupe est néanmoins peu élevé ; il devrait augmenter avec l'accroissement de l'équité en matière d'emploi.

LA HAUSSE DU NIVEAU DE SCOLARITÉ DES TRAVAILLEURS

La main-d'œuvre est plus instruite et mieux informée qu'elle ne l'était. Alors qu'au début des années 1970 seulement 18,9 % des travailleurs québécois avaient poursuivi des études au-delà du secondaire, c'était le cas de plus de 43,9 % d'entre eux en 1981. En 2001, on estimait que 68,3 % des Québécois avaient fait des études postsecondaires (voir l'encadré 1.8). Il s'agit donc d'une main-d'œuvre de haute qualité, potentiellement plus productive. Cependant, bien qu'elle représente pour l'entreprise un atout supplémentaire, l'amélioration du niveau d'instruction de la population active comporte aussi de nouveaux défis. En effet, les gens instruits sont généralement critiques et peu enclins à accepter aveuglément l'autorité. Cette situation touche particulièrement les jeunes travailleurs, qui résistent davantage que leurs aînés à l'autorité de leurs supérieurs et réclament une plus grande autonomie professionnelle. Or, pour gérer sainement les ressources humaines, il faut savoir mettre à contribution les compétences et l'expérience des travailleurs.

ENCADRÉ ▶ 1.8

La répartition de la population de 15 ans et plus, selon le niveau de scolarité au Québec et au Canada, en 1981, en 1991 et en 2001

Niveau de scolarité	1981	1991	2001
	Pourcentage		
Québec	**100**	**100**	**100**
Inférieur au certificat d'études secondaires	46,2	39,1	31,7
Certificat d'études secondaires[a]	25,4	25,5	25,8
Certificat ou diplôme d'une école de métiers	10,2	10,9	10,8
Certificat ou diplôme d'études collégiales	9,2	11,4	14,5
Certificat, diplôme ou grade universitaire	9,1	13,0	17,2
Canada	**100**	**100**	**100**
Inférieur au certificat d'études secondaires	47,9	38,2	31,3
Certificat d'études secondaires[a]	22,6	25,7	24,9
Certificat ou diplôme d'une école de métiers	10,6	11,0	10,9
Certificat ou diplôme d'études collégiales	9,0	11,7	15,0
Certificat, diplôme ou grade universitaire	9,8	13,4	17,9

a. Y compris les études postsecondaires partielles.

Source : Statistique Canada, *Recensement du Canada*, société et éducation, 2006, www.stat.gouv.qc.ca.

1.2.2 | Les changements relatifs à l'emploi et à la structure du travail

Au cours des dernières années, de nombreux changements se sont produits, tant dans la durée du travail que dans les professions elles-mêmes.

LES CHANGEMENTS LIÉS À LA DURÉE DU TRAVAIL

Travailleur autonome (ou travailleur indépendant)

Travailleur qui exerce une activité professionnelle pour son propre compte et sous sa propre responsabilité.

La situation relative à l'emploi varie beaucoup. L'encadré 1.9 brosse le tableau des types d'emplois sur le marché du travail en 2005 : on distingue les travailleurs qui occupent un emploi permanent, à temps plein ou à temps partiel, ceux qui ont un emploi temporaire, ceux qui travaillent à contrat et, enfin, les travailleurs autonomes (ou travailleurs indépendants)[11].

L'organigramme de la population active au Québec en 2006

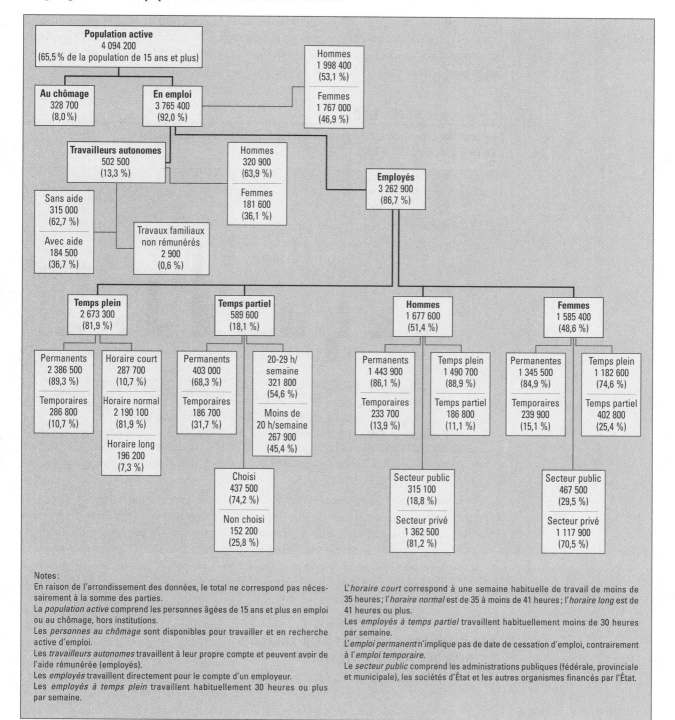

Notes :
En raison de l'arrondissement des données, le total ne correspond pas nécessairement à la somme des parties.
La *population active* comprend les personnes âgées de 15 ans et plus en emploi ou au chômage, hors institutions.
Les *personnes au chômage* sont disponibles pour travailler et en recherche active d'emploi.
Les *travailleurs autonomes* travaillent à leur propre compte et peuvent avoir de l'aide rémunérée (employés).
Les *employés* travaillent directement pour le compte d'un employeur.
Les *employés à temps plein* travaillent habituellement 30 heures ou plus par semaine.

L'*horaire court* correspond à une semaine habituelle de travail de moins de 35 heures ; l'*horaire normal* est de 35 à moins de 41 heures ; l'*horaire long* est de 41 heures ou plus.
Les *employés à temps partiel* travaillent habituellement moins de 30 heures par semaine.
L'*emploi permanent* n'implique pas de date de cessation d'emploi, contrairement à l'*emploi temporaire*.
Le *secteur public* comprend les administrations publiques (fédérale, provinciale et municipale), les sociétés d'État et les autres organismes financés par l'État.

Source : Statistique Canada, *Enquête sur la population active.* Traitement des données : Institut de la statistique du Québec, *Flash-info Travail et rémunération,* vol. 7, n° 1, février 2007.

Le travail permanent à temps partiel est à la hausse au Canada et au Québec, en particulier chez les femmes et chez les jeunes âgés de 15 à 24 ans. Cette tendance est liée à la fois à des facteurs structurels et à des facteurs cycliques (voir l'encadré 1.10). De nombreux changements sont survenus dans la structure et la composition de la main-d'œuvre, notamment l'augmentation du taux d'activité des femmes et l'expansion des industries spécialisées dans la prestation de services au détriment des industries manufacturières.

ENCADRÉ ▶ **1.10**

Le taux de croissance de l'emploi à temps plein et à temps partiel au Québec, de 1997 à 2005

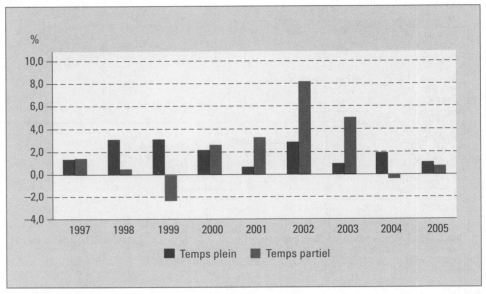

Source : Statistique Canada, *Enquête sur la population active*. Traitement des données : Institut de la statistique du Québec, 2007.

L'encadré 1.11 fait ressortir l'ampleur du travail à temps partiel au Québec et il présente les raisons de ce phénomène. On constate l'augmentation générale du nombre d'emplois à temps partiel et une légère hausse du nombre de personnes qui choisissent ce type d'emploi. L'offre d'emplois à temps partiel, qui s'explique par la conjoncture économique, est également en légère hausse, alors que le nombre d'emplois à temps partiel imposés par les employeurs a subi une baisse importante entre 1997 et 2002.

LES CHANGEMENTS LIÉS AUX EMPLOIS ET AUX SECTEURS D'ACTIVITÉ

L'Institut de la statistique du Québec a évalué l'effectif de certains secteurs d'activité entre 1999 et 2005. Ceux qui ont connu la plus importante croissance de l'emploi en 2005 sont la construction, les services aux entreprises, l'enseignement et l'agriculture, alors que les secteurs en déclin sont la fabrication (ou secteur manufacturier) et le transport[12] (voir l'encadré 1.12).

Les raisons du travail à temps partiel, selon le sexe au Québec, de 1997 à 2002

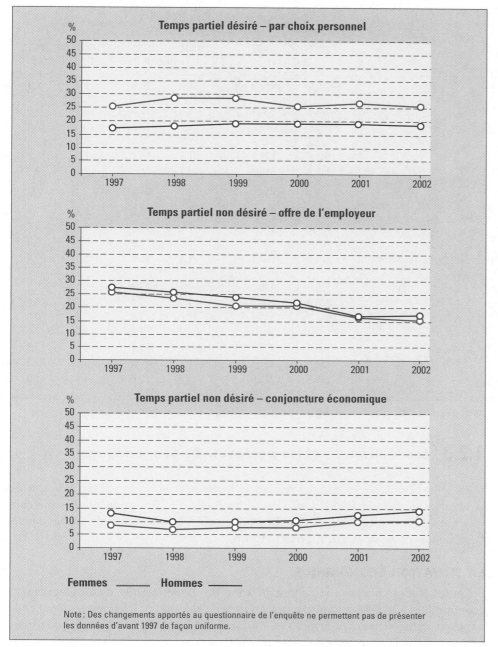

Note : Des changements apportés au questionnaire de l'enquête ne permettent pas de présenter les données d'avant 1997 de façon uniforme.

Source : Statistique Canada, *Enquête sur la population active 2002*. Traitement des données : Institut de la statistique du Québec, 2007.

L'entreprise doit tenir compte des changements liés à l'emploi et à l'organisation du travail, car ils sont susceptibles de se traduire par une forte demande de main-d'œuvre spécialisée, ce qui risque d'entraîner une pénurie de ces travailleurs.

L'emploi par secteur d'activité au Québec, en 2004 et en 2005

	Nombre		Variation			
	2004	2005	2004	2005	2004	2005
	(milliers)		(milliers)		Pourcentage	
Total pour toutes les industries	**3 680,5**	**3 717,3**	**51,7**	**36,8**	**1,4**	**1,0**
Secteur de la production de biens	913,3	925,9	− 3,9	12,6	− 0,4	1,4
Secteur primaire	86,4	99,2	− 9,6	12,8	− 10,0	12,9
Services publics	32,2	31,8	1,8	− 0,4	5,9	− 1,3
Construction	164,5	179,2	1,6	14,7	1,0	8,2
Fabrication	630,2	615,7	2,2	− 14,5	0,4	− 2,4
Secteur des services	2 767,1	2 791,4	55,5	24,3	2,0	0,9
Commerce	611,3	619,6	15,0	8,3	2,5	1,3
Transport et entreposage	177,7	164,4	7,9	− 13,3	4,7	− 8,1
Finance, assurances, immobilier et location	201,9	203,8	12,8	1,9	6,8	0,9
Services professionnels, scientifiques et techniques	223,1	224,1	11,3	0,9	5,3	0,4
Services aux entreprises, services relatifs aux bâtiments et autres services de soutien	116,9	130,6	− 0,1	13,7	− 0,1	10,5
Services d'enseignement	236,4	243,8	− 7,6	7,4	− 3,1	3,0
Soins de santé et assistance sociale	441,3	444,7	14,7	3,4	3,4	0,8
Information, culture et loisirs	166,1	167,9	4,6	1,8	2,8	1,1
Hébergement et services de restauration	208,6	215,7	− 7,5	7,1	− 3,5	3,3
Autres services	168,0	161,1	0,9	− 6,9	0,5	− 4,3
Administrations publiques	215,6	215,6	3,4	0,0	1,6	0,0

Source: Statistique Canada, *Enquête sur la population active 2005.* Traitement des données: Institut de la statistique du Québec, 2007.

Organisation de coopération et de développement économiques (OCDE)

Organisation internationale qui aide les gouvernements à relever les défis économiques, sociaux et environnementaux posés par la mondialisation de l'économie. L'OCDE regroupe de nombreux pays: en plus des pays européens, mentionnons les États-Unis, le Canada, le Japon, l'Australie et Nouvelle-Zélande. Son rôle est multiple et peut se résumer à trois objectifs: assurer la plus forte expansion possible de l'économie et de l'emploi ainsi que la progression du niveau de vie dans les pays membres tout en maintenant la stabilité financière; contribuer à l'expansion économique des pays en voie de développement, qu'ils soient membres ou non de l'organisation; contribuer à l'expansion du commerce mondial de façon multilatérale et non discriminatoire.

1.2.3 | Les tendances et les perspectives économiques

Dans toute activité de gestion des ressources humaines, il importe de tenir compte de la situation économique, de l'évolution technologique et de l'ouverture des marchés internationaux. Les ressources humaines ont en effet des répercussions sur les conditions de travail et sur la main-d'œuvre future.

LA SITUATION ÉCONOMIQUE

Selon les études effectuées par l'Organisation de coopération et de développement économiques (OCDE) en 2005, les perspectives d'évolution de l'économie canadienne à moyen terme demeurent favorables. Au Canada, l'emploi a continué de progresser depuis 2003 et le chômage est tombé en 2007 à son niveau le plus bas depuis 30 ans. On observe la même tendance au Québec, puisque le PIB et l'emploi ont connu une croissance soutenue depuis 2002[13] (voir l'encadré 1.13). On note cependant certaines tendances inflationnistes liées à l'appréciation du dollar canadien et à la hausse des prix à la consommation, cette dernière étant engendrée par la hausse des prix de l'énergie. Dans les études de l'OCDE, on constate que ces tendances inflationnistes sont temporaires et devraient s'amenuiser au cours des prochaines années[14].

L'évolution du produit intérieur brut et de l'emploi au Québec, de 2003 à 2006

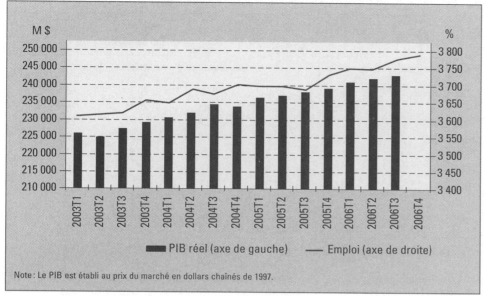

PIB réel (axe de gauche) — Emploi (axe de droite)

Note : Le PIB est établi au prix du marché en dollars chaînés de 1997.

Source : C. Desdossés et M.-F. Martin, « Le marché du travail au Québec en 2005 », *Flash-Info Travail et rémunération,* vol. 8, nº 1, février 2007, Institut de la statistique du Québec. Données de l'Institut de la statistique du Québec et de Statistique Canada.

L'ÉVOLUTION TECHNOLOGIQUE LIÉE À L'AUTOMATISATION, À LA ROBOTISATION ET AUX TECHNOLOGIES DE L'INFORMATION ET DE LA COMMUNICATION

Les secteurs dans lesquels le Canada connaît une progression très rapide et qui sont les plus susceptibles de maximiser l'utilisation des ressources humaines et d'augmenter la productivité sont la microélectronique, l'intelligence artificielle, la biotechnologie, la recherche sur les matériaux, la géologie, de même que l'exploration pétrolière et énergétique. L'encadré 1.14 montre que l'utilisation des technologies de l'information et de la communication (TIC) en milieu de travail au Québec est comparable à celle de nombreux pays européens.

Ces nouvelles techniques augmentent la productivité de façon considérable, mais elles ont aussi des répercussions importantes sur l'embauche. Le rôle joué par les technologies de l'information au Canada favorise la polarisation du marché du travail. Une étude publiée par l'Institut de la statistique du Québec illustre les conséquences de l'introduction des TIC en milieu de travail en 2001 (voir l'encadré 1.15). On constate que relativement peu d'employés considèrent que les TIC ont touché leur travail de façon considérable. Par contre, il semble bien que l'utilisation des TIC au travail ne fera que s'accroître dans les prochaines années.

Les plus grands utilisateurs des TIC sont les professionnels, tels que les chercheurs, les ingénieurs et les gestionnaires, c'est-à-dire les « travailleurs du savoir » ou

Technologies de l'information et de la communication (TIC)

Technologies de l'information qui se caractérisent par des développements récents dans les domaines des télécommunications (notamment les réseaux) et du multimédia, ainsi que par la grande convivialité des produits et services destinés à un large public de non-spécialistes. L'expression désigne l'évolution fulgurante de ces technologies, marquée par l'avènement des autoroutes de l'information (notamment par l'utilisation d'Internet) et par l'explosion du multimédia. On les appelle aussi « nouvelles technologies de l'information et de la communication (NTIC) ».

CONSULTEZ INTERNET

www.infometre.cefrio.qc.ca

Section « Infomètre » du site du Centre francophone d'informatisation des organisations (CEFRIO) présentant des données statistiques sur l'utilisation des technologies de l'information et de la communication au Québec, au Canada et dans le monde.

La proportion d'entreprises de 10 employés et plus utilisant diverses technologies de l'information, au Québec, au Canada et dans certains pays européens, en 2001[a]

	Ordinateur	Internet[c]	Site Web	Site d'une tierce partie	Intranet[d]
			Pourcentage d'entreprises		
Allemagne[b]	95,7	82,8	67,2	20,9	45,0
Autriche	92,2	83,7	54,3	26,1	28,4
Canada[b]	**92,9**	**83,7**	**50,4**	**–**	**29,9**
Danemark[b]	95,3	86,6	62,8	–	28,6
Espagne	90,8	67,0	6,9	28,8	31,1
Finlande[b]	97,8	90,8	60,0	–	26,0
Grèce	84,6	54,2	28,8	8,3	23,0
Italie	86,4	72,0	8,9	25,8	23,5
Luxembourg	90,8	54,6	40,7	12,6	22,4
Pays-Bas[d]	87,6	64,6	34,7	–	72,8
Portugal	88,7	71,8	30,3	2,4	27,6
Québec	**93,3**	**76,3**	**40,4**	**13,0**	**26,8**
Royaume-Uni[b]	91,9	63,4	50,0	11,4	27,1
Suède	96,5	90,0	67,7	–	41,2

a. Les secteurs suivants ne sont pas couverts : secteur primaire, la construction, les services publics, l'enseignement, la santé, les arts, les spectacles et les loisirs ainsi que les services personnels.

b. La couverture sectorielle diffère quelque peu d'un pays à l'autre. Pour plus de renseignements, voir l'*Enquête pilote sur le commerce électronique 2001* mentionnée dans les sources.

c. Pour les pays européens, il s'agit de l'accès Internet.

d. Le questionnaire d'enquête des pays européens ne proposait pas de définition d'intranet. Il est possible que la mesure ait été plus « large » (par exemple, on a pu inclure les réseaux locaux) dans certains pays, notamment aux Pays-Bas.

Source : Institut de la statistique du Québec, *Enquête sur l'adoption du commerce électronique par les entreprises québécoises en 2001,* ISQ, coll. L'économie du savoir, 2002.

DANS LES **FAITS**

L'utilisation des TIC dans la fonction publique québécoise

- En 2005, tous les ministères et organismes interrogés ont utilisé le courrier électronique et étaient branchés à Internet ; la plupart d'entre eux avaient leur propre site Web (98 %).

- Les ministères et organismes de grande taille ont le taux de branchement le plus élevé, peu importe le type de connexion Internet utilisée.

- Environ 20 % des ministères et organismes réalisent des ventes de produits et services à partir de leur site Web. En 2004-2005, 4,5 % de leurs revenus provenaient du commerce électronique.

- Les ministères et organismes qui font du commerce électronique ont une meilleure perception des avantages que procure l'utilisation d'Internet.

- Plus de 34 % des ministères et organismes interrogés considèrent que la nature des produits et services offerts nuit à l'essor du commerce électronique[15].

La proportion d'entreprises québécoises utilisant Internet dans leurs processus opérationnels, en 2001

	Entreprises branchées sur Internet		Ensemble des entreprises	
	Pourcentage	Cote[a]	Pourcentage	Cote
Recherche d'informations sur les prix et les caractéristiques des fournitures à acheter	64,1	A	44,2	A
Transactions financières (remises gouvernementales, paiements de cartes de crédit, consultations de soldes bancaires, etc.)	51,7	A	35,7	A
Surveillance de la concurrence (prix, nouveaux produits et services, etc.)	34,6	B	23,9	B
Marketing ciblé (listes de distribution, courriels personnalisés, publicités Web, etc.)	34,0	B	23,5	B
Réseautage avec l'industrie grâce à une place d'affaires électroniques[b]	17,5	B	12,1	B

a. Il s'agit d'une cote de précision des données. A: excellente. B: très bonne. C: bonne. D: passable. E: faible, à utiliser avec circonspection.

b. Le questionnaire d'enquête proposait la définition suivante pour «place d'affaires électroniques»: site Web consacré aux affaires électroniques et mettant en relation plusieurs agents. Entre autres services, on peut y trouver des ventes aux enchères, des regroupements d'achat et des appels d'offres. Synonyme: portail.

Source: Institut de la statistique du Québec, *Enquête sur l'adoption du commerce électronique par les entreprises québécoises en 2001,* ISQ, coll. L'économie du savoir, 2002.

ceux qui participent à la «nouvelle économie du savoir». L'utilisation des TIC est très diversifiée et repose sur de nombreux facteurs; il est intéressant de constater que ce sont les travailleurs les plus scolarisés qui s'en servent le plus (analyse fondée sur le fichier de microdonnées du cycle 14 de l'*Enquête sociale générale* de Statistique Canada, 2002. Traitement des données: Institut de la statistique du Québec, 2007).

L'OUVERTURE DES MARCHÉS ÉTRANGERS

Avec l'ouverture des marchés, la multiplication des accords et des traités de commerce international, notamment l'Accord de libre-échange nord-américain (ALENA), les entreprises doivent faire face à une compétition internationale de plus en plus vive, qui influe sur leurs opérations locales et les contraint à envisager d'étendre leur horizon au-delà des frontières nationales. Les échanges commerciaux des entreprises québécoises se font principalement avec les États-Unis (voir l'encadré 1.16). Notons qu'en adhérant à l'ALENA le Mexique est devenu partenaire commercial du Québec et de l'ensemble du Canada. Parmi les partenaires commerciaux importants du Québec et du Canada, on compte le Royaume-Uni, l'Allemagne et le Brésil.

ENCADRÉ ▶ 1.16

Les exportations internationales du Québec et du Canada, selon les principaux pays de destination, en 2005 et en 2006

	Exportations du Québec		Exportations du Canada		Variation de 2005 à 2006	
	2005	2006	2005	2006	Québec	Canada
	Pourcentage					
États-Unis	80,91	77,60	83,85	81,62	− 3,32	− 2,22
Royaume-Uni	2,07	2,20	1,89	2,29	0,12	0,40
Allemagne	1,23	2,10	0,74	0,88	0,86	0,14
France	1,40	1,62	0,58	0,66	0,23	0,08
Pays-Bas	1,05	1,46	0,50	0,70	0,41	0,19
Japon	1,66	1,28	2,10	2,15	− 0,38	0,05
Chine	1,14	1,21	1,63	1,74	0,07	0,11
Mexique	0,56	1,01	0,77	1,00	0,45	0,22
Italie	0,71	0,96	0,44	0,43	0,25	− 0,01
Espagne	0,49	0,77	0,27	0,27	0,28	0,00
Corée du Sud	0,40	0,67	0,65	0,74	0,27	0,10
Australie	0,45	0,62	0,38	0,42	0,17	0,05
Suisse	0,36	0,51	0,25	0,25	0,15	0,00
Brésil	0,34	0,50	0,25	0,30	0,16	0,05
Belgique	0,38	0,36	0,52	0,52	− 0,01	− 0,01
Inde	0,27	0,33	0,25	0,38	0,05	0,13
Russie	0,17	0,31	0,13	0,20	0,14	0,07
Hong-Kong	0,23	0,30	0,33	0,36	0,07	0,03
Afrique du Sud	0,17	0,28	0,10	0,15	0,11	0,04
Taiwan	0,26	0,27	0,31	0,32	0,01	0,01
Émirats arabes unis	0,26	0,26	0,13	0,18	0,00	0,04
Arabie saoudite	0,21	0,24	0,10	0,12	0,04	0,02
Autriche	0,31	0,24	0,10	0,10	− 0,07	0,00
Finlande	0,25	0,23	0,10	0,10	− 0,03	0,00
Irlande	0,28	0,21	0,10	0,09	− 0,07	− 0,01

Note : L'ordre des pays est déterminé par l'importance des exportations du Québec en 2006.

Source : Institut de la statistique du Québec, données statistiques mensuelles, commerce international, 2007, www.stat.gouv.qc.ca.

Par ailleurs, la mondialisation des marchés a entraîné la délocalisation des emplois nord-américains vers d'autres régions. L'encadré 1.17 montre le taux annuel de variation moyen des emplois susceptibles d'être touchés par cette délocalisation dans quatre régions du monde : l'Europe, les États-Unis, le Canada et l'Australie. Le taux de variation pour l'ensemble de l'Europe (15 pays) fait ressortir que le nombre de ces emplois a augmenté plus vite que l'emploi total. Par contre, aux États-Unis, on remarque que l'emploi total s'est développé plus vite que ces emplois, sauf en 1999 et en 2000 ; la tendance est sensiblement la même au Canada, excepté en 1997, en 1998 et en 2000. En Australie, cette tendance à la délocalisation des emplois semble être plus marquée qu'en Amérique du Nord.

20 | CHAPITRE 1 L'essor de la gestion des ressources humaines

Le taux annuel de variation du nombre d'emplois susceptibles d'être touchés par la délocalisation, dans quatre régions du monde

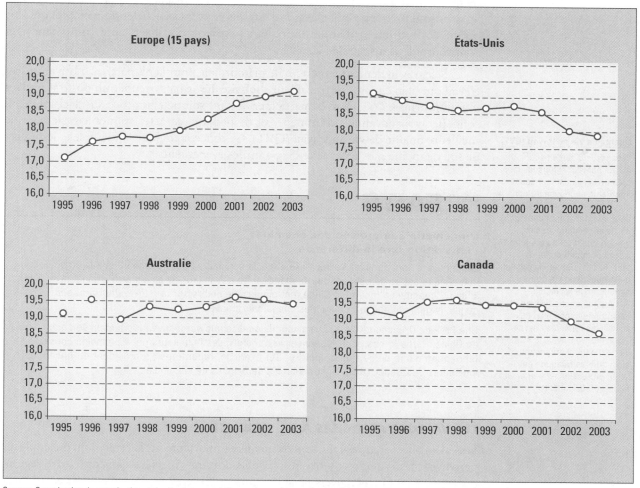

Source : Organisation de coopération et de développement économiques, *La part des emplois susceptibles d'être affectés par la délocalisation : enquête empirique,* Groupe de travail sur l'économie de l'information, Direction de la science, de la technologie et de l'industrie, Comité de la politique de l'information, de l'informatique et des communications, 2006.

Valeur sociale

Disposition de l'esprit selon laquelle on choisit pour réagir telle action plutôt que telle autre en fonction de règles issues de la conscience, de l'intelligence, du cœur, de l'éducation, de l'expérience ou d'un mélange de ces éléments[16].

1.2.4 | La transformation des valeurs sociales

Il existe un lien entre, d'une part, les changements qui portent sur la population, la main-d'œuvre et l'économie, et, d'autre part, ceux qui ont trait à la transformation actuelle des valeurs sociales et des préférences de la population. Les principales valeurs en changement qui touchent les activités de gestion des ressources humaines se rapportent au travail en général, à la mobilité et à la retraite[17].

LES VALEURS ASSOCIÉES AU TRAVAIL

La stagnation de la productivité est souvent liée au déclin ou à la disparition de l'importance que la main-d'œuvre accorde au travail ardu et soutenu. Certains analystes estiment cependant que l'implication au travail n'a pas disparu. Depuis les années 1980, les gens sont prêts à travailler avec ardeur, s'ils peuvent bénéficier d'un emploi qui leur donne suffisamment d'autonomie, leur permette d'utiliser leurs compétences et d'améliorer leur niveau de vie.

Si le travail demeure une activité primordiale pour la plupart, les motivations au travail ont bien changé. Le travailleur souhaite désormais occuper un poste stimulant qui lui fournisse l'occasion de participer un tant soit peu au processus décisionnel. Il souhaite avoir davantage d'influence et de pouvoir, caractéristiques associées à une meilleure qualité de vie au travail (QVT). Ce concept englobe la maîtrise et le respect de soi, de même que la capacité d'agir sur les événements[18].

Qualité de vie au travail (QVT)

Processus d'humanisation du travail par lequel tous les membres de l'organisation peuvent intervenir, au moyen de canaux de communication appropriés, pour adapter leurs conditions de travail à leurs besoins, en particulier en ce qui a trait à la conception de leurs tâches. Les principaux aspects de la qualité de vie au travail sont le poste lui-même, l'environnement physique et l'environnement social du travail, les relations interpersonnelles au travail, le système de gestion de l'organisation ainsi que les relations entre la vie professionnelle et la vie extraprofessionnelle.

DANS LES **FAITS**

L'ingénierie à la croisée des chemins : l'innovation fera la différence

Le génie a le vent dans les voiles au Québec. Les quelque 3 000 ingénieurs que la province produit chaque année ne risquent pas de manquer de travail tant les besoins en ingénierie se diversifient. Cependant, l'Inde et la Chine font planer une ombre sur la relève. Pour tirer son épingle du jeu, le génie québécois devra plus que jamais innover.

Une PME de Drummondville a récemment délocalisé une partie de sa production de caoutchouc en Chine. Partis là-bas pour superviser le transfert, ses ingénieurs ont néanmoins conservé la fabrication d'une pièce trop complexe. Cet exemple, raconté par le président du Réseau des ingénieurs du Québec (RIQ), illustre bien les deux faces de la mondialisation[19].

LES VALEURS ASSOCIÉES À LA MOBILITÉ

Les valeurs liées au travail influent de manière importante sur la façon dont les employés perçoivent les mutations, surtout lorsqu'ils doivent s'installer dans une autre région, ou même à l'étranger. Divers facteurs limitent l'intérêt des travailleurs à l'égard de la mobilité : la recherche d'un plus grand équilibre entre le travail et la famille, la recherche d'une certaine qualité de vie et la prise en considération de la carrière du conjoint. Comme c'est le cas des valeurs associées au travail, celles qui nuisent à la mobilité ont un effet important sur la gestion des ressources humaines, surtout en matière de recrutement, de formation, de promotions ou d'affectations internationales[20].

LES VALEURS ASSOCIÉES À LA RETRAITE

L'« âge d'or » pourrait bien se transformer en « âge de cuivre ». Les travailleurs se préoccupent beaucoup de leur retraite. Les périodes de récession des années 1980 et 1990 ont multiplié les retraites anticipées, ce qui a permis à de nombreux travailleurs de croire au fameux concept de « liberté 55 ». Cependant, les mesures destinées à favoriser la retraite anticipée ont engendré d'importants problèmes organisationnels, notamment la pénurie de main-d'œuvre dans certains secteurs et la perte de savoir causée par le départ massif des employés expérimentés. Aujourd'hui, les organisations sont

Retraite anticipée

Retraite prise avant l'âge normal, qui est généralement de 65 ans.

moins désireuses d'appliquer ces mesures. Compte tenu du grand nombre d'employés en âge de prendre leur retraite, on préfère recourir à des mesures de maintien en emploi et on explore de plus en plus les moyens de parfaire et de transmettre le savoir-faire de ces employés. Cette tendance contraste avec les années 1970, où on prévoyait que l'âge de la retraite passerait sous la barre des 55 ans vers l'an 2000[21].

Depuis les années 2000, on constate plutôt un accroissement du taux d'activité des personnes de 55 ans et plus, soit à cause d'un prolongement de la vie profession- nelle, soit à cause d'un retour sur le marché du travail après le départ à la retraite[22]. On assiste même à l'intensification du travail à temps partiel chez les employés vieil- lissants. Ce revirement de situation semble s'expliquer par divers facteurs : l'inflation, les inquiétudes à l'égard de la stabilité du système de sécurité sociale ainsi que les lois provinciales et fédérales protégeant les droits des travailleurs âgés[23]. La transformation des valeurs associées à la retraite aura des répercussions certaines sur la gestion des ressources humaines. Si on veut retenir les travailleurs motivés et performants, il sera nécessaire de faire preuve d'ingéniosité pour concilier les aspirations et les préférences de la main-d'œuvre plus âgée avec celles de la main-d'œuvre plus jeune[24].

LES VALEURS DES JEUNES GÉNÉRATIONS

Les employés qui appartiennent à la génération X, nés entre 1960 et 1966, et ceux de la génération creuse (ou génération Y, que les Américains ont aussi appelée « baby bust »), nés entre 1967 et 1979, ont acquis de nouvelles valeurs associées au travail. Les plus âgés de la génération X, plus proches de l'ancienne génération, ont apprivoisé l'insécurité liée à l'emploi en compensant par des possibilités d'enrichissement à court terme. Souvent admis tardivement sur le marché du travail, ils trouvaient irréaliste l'idée même de faire carrière, d'autant plus que le modèle de la retraite anticipée et les départs hâtifs leur montraient que seuls quelques-uns d'entre eux pouvaient se fixer des objec- tifs de carrière.

Les nouvelles générations ont compris qu'on pouvait créer la richesse en dehors du monde du travail. La montée des titres boursiers a favorisé l'enrichissement rapide, parfois même « virtuel », des individus, ce qui a favorisé l'abandon des modèles organisa- tionnels de gestion de carrière. Les membres de ces générations se rendent compte, plus que leurs prédécesseurs, à quel point il est important de consacrer du temps à ses enfants et de partager les responsabilités familiales avec son conjoint[25]. Ces nouvelles valeurs ont certainement des effets sur l'attrait exercé par les emplois et sur la réten- tion des employés. La conciliation des différences intergénérationnelles figure égale- ment parmi les défis que la gestion des ressources humaines doit relever.

1.3

L'INFLUENCE DES INTERVENANTS ORGANISATIONNELS SUR LA GESTION DES RESSOURCES HUMAINES

Les entités et les individus qui exercent un certain droit de regard sur le milieu de tra- vail déterminent en partie le rôle de la fonction ressources humaines dans l'entreprise : l'organisation elle-même, les actionnaires et les propriétaires, les employés, les clients, les partenaires et la société en général. Pour mieux saisir l'importance de la gestion des ressources humaines, il faut comprendre l'influence grandissante de chacun de ces intervenants, qui ont des intérêts, des droits et des obligations envers l'organisation et qui sont directement touchés par les activités organisationnelles.

1.3.1 | Les actionnaires et les propriétaires d'entreprise

Le pouvoir de l'argent pour « civiliser la mondialisation »

Conscients de leur influence mondiale, des investisseurs institutionnels se sont donné pour devoir d'orienter les entreprises sur la voie de la responsabilité sociale. Portrait de l'investissement responsable, un mouvement social économique en pleine effervescence.

« Je veux vous convaincre qu'il existe une véritable nouvelle tendance qui doit nous remplir d'espoir, parce qu'elle utilise le pouvoir de l'argent pour civiliser la mondialisation », a lancé le président de la Caisse de dépôt et de placement du Québec (CDP), Henri-Paul Rousseau, lors de la cérémonie d'ouverture des XIXes Entretiens Jacques Cartier, qui se tenait le 3 décembre [2006] à Lyon.

À première vue, la déclaration a de quoi faire sourciller l'altermondialiste. Elle décrit pourtant l'essentiel de l'investissement socialement responsable, baptisé aussi investissement éthique. Cette tendance mondiale est incarnée par de grands investisseurs institutionnels, qui se préoccupent autant du rendement financier que de la performance sociale et environnementale des entreprises dont ils acquièrent les titres. Après avoir subi les foudres d'observateurs qui leur reprochaient leur rôle dans la financiarisation de l'économie, ces investisseurs s'attellent désormais à « humaniser » le marché mondial[28].

La plupart des actionnaires et des propriétaires d'entreprise investissent des capitaux dans le but de les rentabiliser. Cette recherche d'avantages financiers s'observe dans toutes les entreprises, tant privées que publiques. Or, avec l'évolution des marchés financiers, les décisions d'investissement se prennent de moins en moins de manière individuelle et relèvent plutôt d'institutions ou de maisons de courtage qui tiennent compte d'une panoplie de facteurs avant de placer des capitaux. Ainsi, la réputation d'une entreprise, son image de marque, sa capacité d'innovation, sa flexibilité et les compétences de ses employés constituent des indices de succès.

Des études récentes ont montré l'existence d'un lien significatif entre la performance financière d'une organisation et ses pratiques de gestion des ressources humaines[26]. Or, comptabiliser la capacité d'innovation, les compétences des employés et le climat de travail constitue un exercice difficile, puisque ces données sont peu tangibles et difficilement quantifiables[27]. Par ailleurs, la reconnaissance publique de la saine gestion des ressources humaines contribue souvent à améliorer l'image d'une entreprise. Ainsi, quand une entreprise reçoit un prix parce qu'elle a mis sur pied un programme d'accès à l'égalité, un programme d'harmonisation du travail et de la famille ou un programme de formation, cela a un effet positif sur les décisions des investisseurs.

1.3.2 | Les clients

Étant donné la profusion d'entreprises de services, les employeurs favorisent beaucoup l'établissement d'une relation de confiance avec la clientèle. On n'a qu'à penser aux efforts déployés en ce sens par les institutions financières, les services de messagerie et les compagnies de transport. Le moment de vérité est celui où le client apprend comment l'organisation gère et traite ses employés. Un bon climat de travail, qui permet à l'entreprise de garder ses employés, se reflète nécessairement sur la manière de traiter avec la clientèle. Certains auteurs affirment même que ce sont de toute évidence les employés de première ligne, ceux qui sont en contact direct avec la clientèle, qui influencent les décisions les plus importantes. Les services qui remplissent d'autres fonctions organisationnelles, comme la production et le marketing, doivent assurer le soutien secondaire requis par la clientèle et adopter une approche client[29]. L'encadré 1.18 propose des méthodes de collecte de données à utiliser auprès de la clientèle.

ENCADRÉ ▶ **1.18**

Les méthodes de collecte de données utilisées auprès de la clientèle

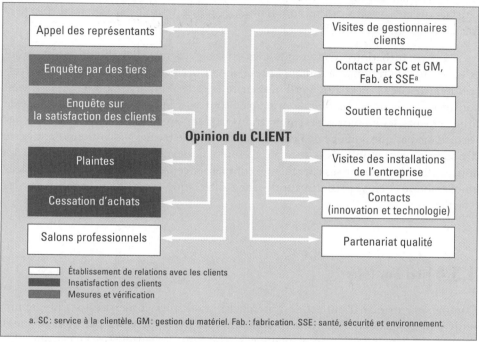

Source: C. Johnston, «La fidélisation du client, plus qu'une question de satisfaction», adaptation française de P. Brandt, note d'information destinée aux membres, Ottawa, Conference Board, 1997, p. 170-196.

1.3.3 | Les employés

Dans les grandes organisations, les employés peuvent exprimer directement leurs doléances aux gestionnaires ou les leur transmettre par l'intermédiaire de leurs représentants syndicaux. En dépit de la légère diminution du taux de syndicalisation observée au Canada et au Québec, les syndicats n'en continuent pas moins de jouer un rôle vital au sein des organisations qui s'efforcent de demeurer compétitives sur la scène tant nationale qu'internationale. Les questions jugées prioritaires par les employés ont généralement trait à la rémunération, aux conditions de travail, à la sécurité d'emploi et à l'équilibre travail-famille.

Les employés accordent à la *rémunération* une importance primordiale, car ils souhaitent non seulement être bien payés, mais aussi recevoir un traitement salarial adéquat et équitable. Depuis 1997, la Loi sur l'équité salariale consacre le principe de l'équité entre les emplois féminins et masculins et interdit toute discrimination fondée sur le sexe. Les congés payés, les congés de maladie, la pension de retraite et la rente d'invalidité sont des avantages sociaux qui, en règle générale, sont fort prisés par les employés.

Les conditions de travail figurent parmi les questions jugées très importantes par les employés. En effet, on cherche non seulement à améliorer ses conditions matérielles, mais on vise une meilleure qualité de vie. Les employés aiment se voir offrir par leur entreprise un plan de carrière, un emploi dans lequel utiliser leurs compétences, des pratiques conformes à la notion de justice organisationnelle et favorisant un environnement sain et sûr, de même qu'un milieu stimulant de travail d'équipe. De telles pratiques favorisent le sentiment d'appartenance chez les employés, elles accroissent leur satisfaction et leur sens des responsabilités, ce qui se traduit par une meilleure performance organisationnelle[30].

Les perturbations économiques, les nouvelles formes d'organisation du travail et les vagues de rationalisation apparues pendant les périodes de récession ont contribué à susciter l'incertitude et l'insécurité chez les employés, pour qui le travail constitue l'activité première et la principale source de subsistance. Dès l'annonce de licenciements, les employés se sentent trahis par leur organisation et, s'il y a une couverture médiatique, l'image de l'entreprise s'en trouve ternie. N'étant plus en mesure d'assurer à leurs employés la sécurité d'emploi à vie, comme c'était le cas dans les années 1960, les entreprises cherchent à compenser cette situation en améliorant leur employabilité et en se préoccupant de leur réaffectation en cas de rationalisation des effectifs[31].

Sentiment d'appartenance
Capacité de se considérer comme membre à part entière d'un groupe, d'une famille ou d'un ensemble.

1.3.4 | La société

Comme leur principal but est de générer des profits, les entreprises ont longtemps renié leur rôle social. Bien que ce soit toujours le cas dans les pays qui prônent l'économie de marché, il n'en demeure pas moins que les entreprises ne peuvent plus négliger leurs responsabilités sociales si elles veulent attirer des employés compétents et garder leur réputation[32].

Les décisions prises certains organismes sans but lucratif (OSBL) ou par les organisations publiques et parapubliques ont généralement des répercussions sur les citoyens et les contribuables. Ces décisions ont donc des conséquences sociétales plus lourdes que ne l'ont les décisions prises par les entreprises privées, ou même par les sociétés cotées en Bourse. Néanmoins, les décisions de certaines grandes entreprises en matière d'investissement ou de rationalisation des opérations et des effectifs ont nécessairement des répercussions sur la population de la région, en particulier lorsque ces entreprises constituent la principale source de revenus des habitants.

Rationalisation des opérations
Révision des modes d'organisation du travail en vue d'une meilleure efficacité, d'une meilleure efficience et d'une meilleure utilisation du capital et de la main-d'œuvre.

Les gouvernements légifèrent (voir les chapitres 12, 13 et 14) pour protéger les travailleurs et leur assurer un traitement équitable. Soucieuses de préserver leur *image de marque*, certaines organisations tiennent compte jusqu'à un certain point des intérêts de la société en général, même en l'absence de contraintes juridiques, et elles assurent une certaine protection aux employés, même au risque de réduire leurs bénéfices.

Le *respect des lois* s'impose aux organisations. Or, les lois du travail, en particulier, influent sur presque toutes les activités de gestion des ressources humaines des entreprises locales, nationales ou multinationales.

Les *relations avec la communauté* sont si cruciales pour les entreprises qu'il existe des lois et des règlements régissant leur comportement social. Cet aspect est encore plus important dans un marché qui s'internationalise toujours davantage, ce qui oblige les entreprises à s'adapter aux différences culturelles.

La *préservation de l'environnement* compte aujourd'hui parmi les défis les plus difficiles à relever, puisque cette préoccupation peut entraîner une réduction des bénéfices. De grandes entreprises accordent cependant de l'importance à cet objectif et en font même l'objet d'une politique. Or, l'engagement en faveur de la conservation de l'environnement influe nécessairement sur la gestion des ressources humaines : il faut alors recruter des candidats possédant les connaissances et les compétences requises dans le domaine.

1.4 LES OBJECTIFS DE LA GESTION DES RESSOURCES HUMAINES

Les fonctions et les activités propres à la gestion des ressources humaines sont essentielles à l'entreprise, car elles concourent à la mise en œuvre des objectifs organisationnels, entre autres la compétitivité et la rentabilité. Dans le cas des OSBL et des organismes gouvernementaux, les objectifs touchent leur capacité de survivre ou d'améliorer leurs services, alors qu'ils ne disposent plus que d'un niveau de ressources stable ou même réduit. Le service des ressources humaines contribue donc à l'essor des organisations en s'efforçant cependant d'atteindre ses propres objectifs fonctionnels.

1.4.1 | Les objectifs fonctionnels

La gestion des ressources humaines vise quatre objectifs fonctionnels (ou explicites), inhérents à son rôle organisationnel et à ses activités :

- Attirer des candidats qualifiés.
- Garder les employés fournissant un rendement satisfaisant.
- Accroître la motivation des employés.
- Favoriser l'épanouissement des employés dans l'entreprise par la pleine utilisation de leurs compétences.

Ainsi, la politique de recrutement de l'entreprise, aussi détaillée soit-elle, ne saurait à elle seule susciter l'intérêt des candidats possédant la qualification professionnelle recherchée. Bien sûr, un programme de formation solide et une politique de rémunération attrayante constituent de précieux atouts. Il faut cependant admettre que les activités de la gestion des ressources humaines sont étroitement liées : l'accomplissement de l'une d'elles exige la prise en compte des autres. La gestion des ressources humaines doit être efficace pour intéresser les employés compétents, favoriser leur maintien, susciter leur motivation et implanter des actions visant à les retenir au sein de l'organisation. Bref, l'atteinte des objectifs fonctionnels attribuables à la gestion des ressources humaines accroît indéniablement l'efficacité organisationnelle.

1.4.2 | Les objectifs organisationnels

La gestion des ressources humaines vise trois objectifs implicites, susceptibles d'influer sur l'organisation :

- Accroître la productivité du travail.
- Améliorer la qualité de vie au travail.
- Assurer le respect des lois et du cadre juridique.

Tout comme pour les objectifs fonctionnels, l'atteinte de ces objectifs organisationnels se traduira par des répercussions positives à long terme pour l'organisation.

L'ACCROISSEMENT DE LA PRODUCTIVITÉ

La recherche d'un gain de productivité est le moteur de l'activité économique de toute entreprise. Or, la gestion des ressources humaines peut favoriser l'amélioration du rendement de l'organisation grâce à son action directe sur les salariés. Conscientes de cette réalité, les entreprises les plus productives en Amérique du Nord reconnaissent le rôle joué par leur service des ressources humaines. Prenons l'exemple des activités liées à l'organisation du travail et à l'analyse des postes : on constate l'importance de la contribution des gestionnaires des ressources humaines au gain de productivité. Ainsi, l'organisation traditionnelle du travail, fondée sur une description détaillée des tâches et des responsabilités, inhibe la créativité des employés, limite leur capacité à fournir une contribution personnelle et nuit donc à la productivité. En raison de sa place privilégiée dans l'entreprise, le service des ressources humaines est en mesure de favoriser un gain de productivité en repensant les modes d'organisation du travail. Le chapitre 3 traite plus en détail des approches innovatrices dans ce domaine.

L'AMÉLIORATION DE LA QUALITÉ DE VIE AU TRAVAIL

Le caractère routinier de certains emplois engendre indéniablement de l'insatisfaction. Les salariés désireux de se voir confier davantage de responsabilités sont bien plus nombreux qu'on ne pourrait le penser. De plus, certains souhaitent une plus grande autonomie afin de contribuer davantage au succès de l'entreprise. Un nombre croissant d'employeurs comprennent à quel point il est important de répondre à ces aspirations, car la satisfaction qui en résulte améliore la qualité de vie au travail des employés. Des entreprises canadiennes, par l'entremise de leur service des ressources humaines, font l'essai de programmes visant à améliorer le climat de travail (voir le chapitre 3).

LE RESPECT DU CADRE JURIDIQUE

La gestion des ressources humaines doit respecter les lois et les règlements en vigueur, les décisions arbitrales ainsi que les jugements des tribunaux judiciaires. Ces impératifs d'ordre juridique touchent la plupart des activités de gestion des ressources humaines, d'où la nécessité pour les gestionnaires de ce service de connaître à fond les lois et les règlements touchant l'embauche, la rémunération, la santé et la sécurité au travail, de même que les relations de travail et les droits de la personne. Les chapitres 12 à 14 sont consacrés aux aspects juridiques de la gestion des ressources humaines.

1.5

LE SERVICE DES RESSOURCES HUMAINES

Le service des ressources humaines joue un rôle primordial dans l'entreprise. La présente section porte sur la nature de ce rôle ainsi que sur les fonctions et les activités du service. Comme la gestion du personnel relève également des cadres des autres services, nous abordons la question du partage des responsabilités en matière de gestion des ressources humaines. En dernier lieu, les paragraphes portant sur la structure et la dotation du service permettront de mieux cerner les nouvelles compétences requises chez les professionnels des ressources humaines.

1.5.1 | Le rôle du service

Le service des ressources humaines est appelé à jouer un rôle de plus en plus important et divers dans les organisations (voir l'encadré 1.19). Grâce à une saine gestion, fondée sur le respect des droits et des aspirations des individus, l'organisation peut améliorer la qualité de vie au travail de ses employés.

E N C A D R É ▶ 1.19

Les motifs de l'implantation d'un service des ressources humaines

- La gestion efficace du personnel a des effets positifs sur la rentabilité, la croissance et même la survie de l'organisation.
- Le personnel des ressources humaines a la compétence nécessaire pour mettre en œuvre des programmes et des directives qui se traduiront par une gestion plus efficace de l'entreprise.
- La gestion des ressources humaines relève de professionnels formés à cet effet.

Dans le milieu des années 1980, l'expression « service du personnel » a été remplacée par l'expression « ressources humaines », dont l'usage tend à se généraliser. Cette évolution témoigne de l'importance accordée aux êtres humains dans les organisations et du rôle vital de ce service. Elle correspond également, d'une part, au fait qu'on a pris conscience de la nécessité de posséder certaines connaissances précises pour exercer des fonctions dans ce domaine et, d'autre part, à la tendance à la professionnalisation qu'on observe depuis un certain nombre d'années.

Pour être accepté pleinement par les employés, le service des ressources humaines se doit d'assumer efficacement ses responsabilités dans l'entreprise, ce qui exige de ses professionnels une connaissance approfondie des diverses fonctions et activités présentées dans cet ouvrage. Les rôles de ces professionnels sont multiples. Ulrich en propose quatre : partenaire stratégique, agent de changement, expert administratif et défenseur des employés[33] (voir l'encadré 1.20).

Les rôles des professionnels des ressources humaines

Agent de changement

- Prévoir les besoins liés au changement organisationnel.
- Encourager les employés à accepter le changement organisationnel.
- Gérer le processus de changement.
- S'assurer que la gestion des ressources humaines vise l'adaptation.
- Trouver l'équilibre entre les besoins des employés et les besoins organisationnels.

Défenseur des employés

- Être à l'écoute des employés.
- Élaborer de nouvelles approches en gestion des ressources humaines.
- Créer un environnement favorable à l'apprentissage.
- Servir de lien entre les gestionnaires et les employés.
- Élaborer des mécanismes de valorisation des employés.

Expert administratif

- Superviser les processus administratifs.
- Faire respecter l'éthique du travail.
- S'investir dans les priorités opérationnelles.
- Gérer les coûts.
- Fournir une valeur ajoutée à l'organisation.

Partenaire stratégique

- Assurer la cohérence des stratégies.
- Faire partie de l'équipe de direction.
- Participer à la définition des stratégies d'affaires.
- Conseiller les gestionnaires.

Source : adapté de T. Saba et M.-È. Dufour, « Rôles, conditions d'emploi et carrière des professionnels de la gestion des ressources humaines », *Effectif*, vol. 9, n° 1, janvier-février-mars 2006, p. 32-35. Cet article, basé sur la typologie d'Ulrich, rend compte d'une enquête effectuée en 2005 par les auteures auprès d'environ 650 professionnels.

LA PARTICIPATION ACCRUE AUX STRATÉGIES ORGANISATIONNELLES

Traditionnellement, le service des ressources humaines participait peu à la gestion globale de l'organisation. Aujourd'hui, la situation a bien changé[34]. Les études les plus récentes font état de l'influence grandissante des gestionnaires des ressources humaines sur la formulation des stratégies organisationnelles, sans compter leur participation à la planification opérationnelle et aux finances. Nous présentons au chapitre 2 les raisons de l'intérêt qu'on porte au rôle stratégique du service des ressources humaines dans l'organisation.

Dans la plupart des entreprises, le cadre supérieur affecté aux ressources humaines porte le titre de vice-président et il dépend directement du président-directeur général. On s'attend donc à le voir entretenir des liens de plus en plus étroits avec les décideurs, élaborer des politiques, des programmes et des pratiques de main-d'œuvre susceptibles de favoriser l'atteinte des objectifs stratégiques organisationnels et, de façon générale, affirmer sa présence par son engagement dans d'autres sphères de l'organisation.

Des études récentes donnent à penser que le service des ressources humaines adoptera un style de gestion plus proactif que réactif : les gestionnaires chercheront à accroître la souplesse individuelle et organisationnelle ainsi qu'à résoudre les conflits internes ou externes[35].

LA GESTION DU CHANGEMENT

Les organisations doivent s'adapter constamment à de nouvelles technologies et concevoir des processus, des façons de procéder et des profils culturels nouveaux. On perçoit donc de plus en plus le service des ressources humaines comme un agent de transformation dont les compétences facilitent les changements organisationnels et maintiennent la flexibilité et la capacité d'adaptation de l'organisation.

Le service de gestion des ressources humaines n'échappe pas aux pressions qui s'exercent sur les autres services. Il lui faut rationaliser et automatiser ses opérations, chercher à éliminer le superflu, se concentrer sur les tâches essentielles et veiller à sa propre efficacité[36].

LA PARTICIPATION À LA FORMULATION DES POLITIQUES

Un des aspects essentiels du rôle du service des ressources humaines consiste à fournir à la haute direction des informations touchant notamment l'influence de l'environnement externe sur l'organisation, les problèmes des employés, les innovations en ressources humaines ou toute information susceptible d'accroître la compétitivité de l'entreprise.

Le service des ressources humaines participe activement au processus d'élaboration des politiques. Avant d'officialiser une politique liant l'entreprise, les membres de la direction, y compris le directeur des ressources humaines, doivent l'examiner. Par exemple, les rôtisseries St-Hubert et Mines Noranda ont mis sur pied des comités de direction composés de leurs premiers vice-présidents et ayant pour fonction d'étudier, avant leur mise en application, toutes les politiques ayant des effets sur les employés. En participant à ce comité, le directeur des ressources humaines favorise l'adhésion des dirigeants de l'entreprise au contenu des politiques organisationnelles et à leur mise en application.

L'ASSISTANCE ET LE CONSEIL

Les professionnels des ressources humaines sont devenus des partenaires stratégiques des directeurs assumant les autres fonctions organisationnelles. Leur nouveau rôle les oblige à intensifier leurs relations avec ces gestionnaires afin de mener à bien leurs programmes. Ils ont longtemps exercé auprès des cadres des fonctions de contrôle, de prestation de services ou de conseil. Cependant, un nombre croissant d'organisations délèguent maintenant la fonction de contrôle des ressources humaines aux cadres hiérarchiques. Dans les grandes entreprises, les cadres supérieurs affectés aux ressources humaines agissent à titre de consultants et ils mettent leur savoir-faire à la disposition de ces directeurs pour les aider à résoudre les problèmes opérationnels. Le succès des programmes de gestion des ressources humaines dépend largement de la collaboration apportée par les gestionnaires responsables de leur application, tant sur le plan de la gestion que sur le plan de l'exploitation. Le service des ressources humaines s'efforce d'aider les cadres hiérarchiques à assurer le déroulement adéquat des activités qui leur sont confiées.

Fonction organisationnelle

Service ou direction d'une organisation, dont l'autorité et les responsabilités sont bien déterminées et qui est lié aux autres services ou directions : par exemple, fonction marketing, fonction production, fonction ressources humaines, fonction finances, etc.

Les responsabilités traditionnelles des ressources humaines, comme la sélection, la réalisation d'entrevues, la formation, l'évaluation, la rémunération, le conseil, la promotion et l'embauche, constituent davantage une fourniture de services. Le service des ressources humaines procure à ces gestionnaires l'information dont ils ont besoin sur la législation du travail et sur la façon de l'interpréter. Les professionnels de la gestion des ressources humaines doivent donc bien connaître les lois du travail, la jurisprudence et les programmes gouvernementaux[37].

Bref, le service des ressources humaines fournit aux gestionnaires les services dont ils ont besoin quotidiennement. Il porte à leur connaissance toute information pertinente sur les lois et les règlements concernant la gestion des ressources humaines ; il met sur pied une banque de candidats qualifiés pour répondre à leurs besoins en main-d'œuvre. Pour montrer l'importance de l'accessibilité de ce service, un cadre a fait la réflexion suivante : « Si seulement les gens du service des ressources humaines nous rendaient visite de temps en temps, ils comprendraient mieux la nature de nos activités[38]. » Dans une entreprise, on s'attend en effet à ce que le personnel des ressources humaines soit à l'écoute des individus et sensibles à leurs problèmes afin d'assister adéquatement les gestionnaires dans l'exercice de leurs fonctions.

LE CONTRÔLE

Bien qu'il délègue quelques-unes de ses responsabilités aux cadres hiérarchiques, c'est néanmoins au service des ressources humaines qu'il incombe d'appliquer consciencieusement et équitablement les politiques et les programmes de l'entreprise. La complexité et la diversité des dispositions des lois en matière de travail exigent des gestionnaires une grande attention pour se conformer aux règlements fédéraux et provinciaux.

Les gestionnaires des ressources humaines doivent avoir l'expertise nécessaire pour effectuer leurs nombreuses activités de gestion. Bien qu'il faille parfois avoir recours à des experts de l'extérieur, cette démarche engendre toujours des coûts importants. Les professionnels de la gestion des ressources humaines qui possèdent des compétences diversifiées sont plus utiles à l'organisation et plus aptes à contrôler les activités imparties[39].

Par ailleurs, la hausse constante des coûts associés à la fonction de gestion des ressources humaines oblige les services responsables à évaluer les coûts et les bénéfices liés à l'application des politiques organisationnelles de main-d'œuvre. L'une des méthodes les plus couramment utilisées pour y parvenir est sans contredit l'évaluation des activités de gestion des ressources humaines (voir le chapitre 15).

Il faut également tenir compte d'un autre aspect du contrôle : la tenue et l'analyse de dossiers portant sur un vaste éventail de questions, telles que le respect des normes gouvernementales sur l'équité en matière d'emploi, le respect de l'équité salariale, les évaluations du rendement, le contrôle de l'absentéisme, etc. Les progrès de la technologie informatique et, plus particulièrement, la mise en place d'un système d'information sur les ressources humaines (SIRH) facilitent grandement l'accomplissement de ces tâches.

L'INNOVATION

Le service des ressources humaines s'efforce de fournir à l'organisation l'information la plus récente possible sur les nouvelles techniques. Il peut s'agir de l'élaboration ou de l'exploration d'approches innovatrices touchant les problèmes et les préoccupations des employés. Cet aspect de la fonction ressources humaines doit s'harmoniser avec la situation économique et les problèmes organisationnels. Ainsi, au cours d'une période inflationniste qui entraîne l'escalade des exigences salariales, on accordera la priorité aux questions touchant la rémunération et la négociation collective. Par ailleurs, une entreprise forcée de limiter ses activités ou de diminuer ses effectifs devra mettre au point des formules créatives pour redistribuer le travail et élaborer un plan de licenciements.

À l'heure actuelle, on sollicite le concours de la gestion des ressources humaines afin de découvrir des approches et des solutions innovatrices favorisant le gain de productivité. Ainsi, on met l'accent sur la satisfaction des clients, sur l'amélioration de la qualité de vie au travail, de même que sur le respect des lois et des règlements. De plus, il convient de rechercher des moyens originaux pour aider l'entreprise à faire face au climat d'incertitude actuel, à la nécessité de conserver l'énergie et aux exigences de la concurrence.

LES NOUVELLES PRIORITÉS CONCERNANT LES FONCTIONS ET LES ACTIVITÉS

Les études montrent qu'on s'intéresse de plus en plus à l'efficacité du travail ; on assiste donc à l'utilisation grandissante de moyens pour évaluer les activités de gestion des ressources humaines. Au cours des prochaines années, on accordera une importance accrue au développement des compétences du personnel (voir le chapitre 8). Il ressort aussi de ces études que les organisations seront plus sensibles aux besoins de leurs employés. Cette nouvelle attitude se traduira par la réalisation d'enquêtes sur les comportements au travail et par une gestion individuelle. La gestion informatisée des ressources humaines favorisera la décentralisation des activités et permettra à l'entreprise d'offrir un meilleur service à ses gestionnaires[40] (voir le chapitre 16).

1.5.2 | Les activités du service

Cette section porte sur les principales activités de gestion des ressources humaines dont le service des ressources humaines a la responsabilité. Il y a trois préalables à l'implantation de ces activités.

- La *gestion stratégique* vise l'alignement des activités de gestion des ressources humaines sur les objectifs organisationnels. Elle s'efforce également d'assurer une cohérence entre les diverses activités afin que les objectifs organisationnels puissent être atteints (voir le chapitre 2).
- Le *développement organisationnel* permet aux professionnels de la gestion des ressources humaines d'analyser et d'organiser le travail pour favoriser l'atteinte des objectifs organisationnels de profitabilité ou de rendement (voir le chapitre 3).
- La *gestion prévisionnelle* permet de déterminer les besoins en main-d'œuvre à court, moyen et long terme, données qui serviront à mettre en œuvre des mesures organisationnelles pour gérer efficacement les effectifs. La planification des effectifs a une influence cruciale dans l'ensemble de l'entreprise, notamment sur les fonctions de dotation et de formation (voir le chapitre 4).

LA DOTATION EN PERSONNEL

Une fois les besoins en personnel clairement définis, on passe à la dotation, qui comprend le recrutement des candidats (à l'interne ou à l'externe), leur sélection en fonction des exigences formulées pour les postes vacants ainsi que l'orientation et l'affectation des nouveaux employés (voir le chapitre 5).

Le recrutement interne s'effectue par mutation ou par promotion. Pour assurer la meilleure sélection possible en recrutement externe, l'entreprise doit avoir accès à un large bassin de candidats (voir le chapitre 6). Voici quelles sont les techniques de sélection les plus courantes : l'examen des formulaires de demande d'emploi ou des curriculum vitæ ; les entrevues, les tests d'aptitudes et les jeux de rôle pour évaluer les candidats ; l'analyse de la formation ou de l'expérience professionnelle ; la vérification des références. Soulignons que le choix des méthodes de sélection doit viser l'appariement entre les compétences du candidat et les exigences du poste à pourvoir. Ces façons de procéder doivent être conformes aux lois fédérales et provinciales sur la protection des droits de la personne. Le processus de dotation se termine par des mesures d'intégration qui facilitent la responsabilisation des individus, tout comme leur initiation à la culture et aux valeurs de l'entreprise (voir le chapitre 6).

L'ÉVALUATION DU RENDEMENT DES EMPLOYÉS

Les cadres n'aiment guère évaluer le rendement de leurs employés (voir le chapitre 7). En dépit de son impopularité, cette fonction n'en demeure pas moins cruciale pour apprécier et surveiller de près la contribution de chacun des employés, de même que pour favoriser les échanges entre les cadres et les employés sur les objectifs de travail. En effet, les décisions touchant les promotions, les mutations, la formation ou les congédiements se fondent dans une large mesure sur les résultats de ces évaluations. Or, les employés ne fournissent pas tous un rendement satisfaisant : par exemple, certains ont un problème chronique d'assiduité ou de ponctualité, alors que d'autres souffrent de problèmes personnels qui nuisent à leur rendement au travail. Diverses raisons poussent aujourd'hui les entreprises à fournir de l'aide aux employés aux prises avec de tels problèmes plutôt que de les congédier : la reconnaissance accrue des droits des employés, le coût élevé du remplacement du personnel et une plus grande responsabilisation sociale des organisations.

LE DÉVELOPPEMENT DES RESSOURCES HUMAINES

On a observé, au cours des dernières années, l'essor de deux dimensions de la gestion des ressources humaines : le développement des compétences (voir le chapitre 8) et la gestion des carrières (voir le chapitre 9).

La conception et la mise en application de programmes de formation visent avant tout à améliorer la compétence des employés et à accroître leur rendement. Nombre de firmes considèrent désormais la formation du personnel comme l'une des principales stratégies favorisant le maintien de leur compétitivité. La rapidité des changements technologiques et la nécessité de disposer d'un personnel toujours apte à remplir de nouvelles tâches justifient l'importance grandissante que les services de ressources humaines accordent aux activités de formation.

Par ailleurs, le coût exorbitant d'un roulement de main-d'œuvre élevé incite de nombreuses organisations à élaborer des politiques et à proposer des cheminements de carrière pour encourager les travailleurs à conserver leur emploi. Cet objectif apparaît fort ambitieux, compte tenu du fait que la croissance limitée des années 1990 a mis en péril les plans de carrière traditionnels.

LA RÉMUNÉRATION ET LA MOTIVATION DES EMPLOYÉS

Après l'embauche d'un candidat, l'entreprise doit évaluer son rendement afin d'établir une rémunération adéquate. L'étude des causes de rendement insatisfaisant peut conduire l'entreprise à modifier son système de rémunération, à mettre sur pied un programme de formation particulier ou à adopter de nouvelles mesures incitatives.

On fixe la rémunération des employés à l'aide de divers critères : la nature du poste, la contribution personnelle à la bonne marche de l'entreprise et le rendement (voir le chapitre 10). La rémunération au rendement renforce généralement la motivation au travail. La rétribution peut aussi être indirecte, comme les avantages sociaux (voir le chapitre 11), ce qui permet d'attirer de nouveaux éléments et de maintenir en poste les employés actuels. La rémunération, directe ou indirecte, doit absolument découler de décisions rationnelles et avoir fait l'objet d'une étude sérieuse par le service des ressources humaines. Ces considérations soulèvent de nombreuses questions. Quel système de rémunération est le plus efficace ? Lequel est le plus équitable ? Quels paramètres entrent en jeu dans l'évaluation salariale d'un poste ?

LE MAINTIEN DE BONNES RELATIONS DE TRAVAIL

Il ne suffit pas de trouver des employés compétents : l'entreprise doit se préoccuper de leur bien-être et de leur satisfaction. En plus de rémunérer adéquatement son personnel et de lui fournir un environnement sain et sécuritaire (voir le chapitre 14), l'organisation cherchera à lui offrir des conditions propices à son maintien en poste et lui assurer un bon climat de travail. Pour entretenir de bonnes relations de travail avec les employés, l'entreprise doit reconnaître et respecter leurs droits (voir le chapitre 12), elle doit comprendre les motifs de la syndicalisation ainsi que la structure et les fonctions du syndicat ; elle doit participer à la négociation et à l'arbitrage des griefs avec les employés et leurs représentants (voir le chapitre 13).

Durant les dernières décennies, les travailleurs ont réalisé des gains importants en matière de reconnaissance de leurs droits. Par conséquent, la direction doit faire preuve de prudence lorsqu'elle procède à des congédiements, à des licenciements ou à des rétrogradations ; toute sanction doit reposer sur des motifs fondés. Par ailleurs, il est de la plus haute importance que les dirigeants de l'entreprise soient au fait des lois protégeant les droits de leurs employés. Le directeur des ressources humaines est dans une position privilégiée pour renseigner les autres gestionnaires sur ces droits.

L'ÉVALUATION ET LE CONTRÔLE DE LA GESTION DES RESSOURCES HUMAINES

Un article paru dans le magazine *Fortune* en janvier 1996 réclamait l'abolition des services de ressources humaines[41]. L'auteur soutenait en effet que les professionnels de la gestion des ressources humaines étaient incapables de décrire et d'évaluer la contribution de leur service à l'amélioration de l'efficacité organisationnelle. Les gestionnaires qui ont lu cet article sont en droit de s'interroger sur la valeur que le service des ressources humaines ajoute à l'organisation. La nécessité de mesurer l'efficacité des activités et des pratiques mises en place par les clients, internes ou externes, devient alors un enjeu majeur pour assurer la crédibilité de la fonction ressources humaines. La tendance à l'évaluation des activités et des services de gestion des ressources humaines ne fait que se confirmer depuis[42] (voir le chapitre 16).

LA CYBERGESTION DES RESSOURCES HUMAINES

L'utilisation des TIC prend de plus en plus d'importance en gestion des ressources humaines. On a en effet dû recourir à la technologie pour améliorer l'efficacité de la fonction et pour répondre aux préoccupations relatives au contrôle des coûts, de même qu'à l'amélioration de l'efficacité et de la qualité des services. C'est ainsi qu'on profite des possibilités nombreuses et riches de la cybergestion des ressources humaines (« e-GRH »). Cette nouvelle technologie rehausse la crédibilité des professionnels des ressources humaines auprès des directions générales. La cybergestion des ressources humaines procure aux employés un accès libre-service à une expertise accrue ; ils sont de ce fait motivés à tenir à jour leur dossier individuel. De plus, employés et gestionnaires bénéficient d'un service de renseignements et d'expertise en temps réel, par l'intermédiaire d'un portail ou d'un centre d'appels spécialisé.

Cette percée technologique coïncide avec le déplacement des activités de la fonction ressources humaines vers les actions à forte valeur ajoutée, au détriment des tâches purement administratives (voir le chapitre 16).

LA MONDIALISATION DE LA GESTION DES RESSOURCES HUMAINES

Avec la mondialisation des marchés, les entreprises canadiennes, particulièrement les multinationales, doivent impérativement comprendre les principes sur lesquels se fonde la gestion des ressources humaines en usage dans les entreprises à l'étranger. La concurrence internationale fait de la recherche et de la gestion en ressources humaines un enjeu crucial pour les entreprises d'ici (voir le chapitre 17).

1.5.3 | Le partage des responsabilités avec les autres intervenants

Tout le monde s'entend sur le principe selon lequel la gestion des ressources humaines incombe à tous les cadres dirigeants de l'organisation, puisqu'elle fait partie intégrante de leurs responsabilités. Étant donné l'augmentation croissante du nombre de professionnels dans les entreprises, on a même émis l'idée que tous les employés, et non pas seulement les superviseurs, devraient être responsables de la gestion des ressources humaines.

LES DIRECTEURS ET LES SUPERVISEURS

La responsabilité première de la gestion des ressources humaines revient aux personnes formées dans le domaine. Cependant, d'autres membres du personnel, comme les superviseurs et les directeurs de service, sont également chargés d'en assurer l'application, bien qu'ils ne soient pas spécialistes dans le domaine. Cela ne signifie pas pour autant que les gestionnaires des ressources humaines ne s'occupent pas de la gestion de la main-d'œuvre au quotidien. En effet, la gestion efficace des ressources humaines exige une interaction constante entre les gestionnaires des ressources humaines et les autres directeurs ; sur ce plan, le soutien de la haute direction est primordial ; il se manifeste par la latitude accordée au service des ressources humaines et à son directeur dans la conduite de leurs activités.

LES EMPLOYÉS

Les employés sont appelés à jouer un rôle de plus en plus actif dans la gestion des ressources humaines : par exemple, on sollicite leur opinion, ils participent au processus de prise de décision, ils évaluent leur propre rendement ou celui de leurs collègues. On peut également leur demander de participer à la détermination de leurs normes de rendement et de leurs objectifs de production ou même d'effectuer la description de leur poste. Plus important encore, les employés s'engagent activement dans la gestion de leur carrière en analysant leurs aspirations et en établissant eux-mêmes le profil de leur poste.

1.5.4 | La structure du service

L'efficacité du service des ressources humaines repose sur une structure adéquate et intégrée. Sans être rigides, certains critères constituent néanmoins des guides utiles pour structurer le service. Une structure de gestion des ressources humaines efficace a nécessairement un caractère proactif et ouvert, elle permet de mettre en œuvre simultanément plusieurs fonctions et activités examinées dans cet ouvrage.

L'encadré 1.21 présente six paramètres destinés à guider l'organisation globale du service des ressources humaines. Il se peut toutefois qu'on ne retienne que certains de ces paramètres, selon la vision qu'a la haute direction du rôle de ce service dans l'organisation et selon les limites qu'elle peut poser à son expansion. L'importance accordée au service des ressources humaines dépend de la position hiérarchique de son directeur dans l'entreprise, position qui contribue à déterminer la nature de son rôle[43].

ENCADRÉ ▶ 1.21

Les paramètres à respecter dans l'organisation du service de gestion des ressources humaines

- Fournir au directeur du service les moyens d'assumer plusieurs rôles.
- Faciliter le travail des professionnels en leur fournissant de l'information sur les situations et les problèmes qui les concernent.
- Favoriser l'application cohérente et équitable de la politique de main-d'œuvre, quelles que soient la taille de l'entreprise et la diversification de ses activités.
- Incorporer l'orientation générale du service dans les politiques qu'il défend.
- Doter le service du pouvoir et de l'autorité nécessaires à la mise en œuvre de ses politiques, en évitant toute discrimination et en respectant la législation.
- Faire en sorte que le service constitue une ressource opérationnelle, et qu'il contribue de façon innovatrice à la gestion des ressources humaines.

LA POSITION HIÉRARCHIQUE DU SERVICE

Le directeur des ressources humaines doit siéger à la haute direction afin que son service puisse remplir efficacement ses diverses fonctions. C'est grâce à cette position privilégiée que le service participe à la formulation des politiques touchant les ressources humaines et qu'il dispose de l'influence et du pouvoir nécessaires à leur application. Le service peut ainsi remplir efficacement les fonctions liées à la gestion, à l'élaboration et à la mise en œuvre des stratégies organisationnelles. Il faut confier ces fonctions à des professionnels suffisamment compétents pour assumer tous les rôles associés au large éventail d'activités de la gestion des ressources humaines.

L'ORGANISATION DU SERVICE

Avant même de mettre sur pied un service des ressources humaines, on doit choisir le type de structure : centralisé ou décentralisé[44]. Cette décision repose sur certaines considérations. Ainsi, l'entreprise doit chercher l'équilibre entre la présence de professionnels des ressources humaines dans les différentes unités et la nécessité d'appliquer les politiques de façon uniforme et équitable ; elle doit évaluer les avantages liés à l'embauche de généralistes ou de spécialistes en ressources humaines.

La centralisation organisationnelle implique la concentration des processus de prise de décision et d'élaboration des politiques de main-d'œuvre en un lieu unique, c'est-à-dire au siège social de l'entreprise. Au contraire, la décentralisation entraîne la répartition de ces processus entre les services ou les divisions de l'entreprise. L'accroissement des exigences liées à l'application de la nouvelle législation sur l'utilisation de la main-d'œuvre rend de plus en plus nécessaire le recours à une expertise pointue. Par ailleurs, surtout dans les grandes entreprises, on tend à déplacer le personnel de gestion des ressources humaines vers les divisions, tout en centralisant certains aspects routiniers dans le service des ressources humaines. L'encadré 1.22 présente les facteurs dont il faut tenir compte quand on décide de centraliser ou de décentraliser la structure du service et les caractéristiques propres à chaque option. L'élément clé de cette prise de décision réside dans la structure adoptée, qui doit renforcer la stratégie organisationnelle.

LA TAILLE ET LE COÛT DE FONCTIONNEMENT DU SERVICE

De nombreuses petites entreprises n'affectent pas de personnel à temps complet à la gestion des ressources humaines. En fait, c'est quand l'entreprise parvient à un certain niveau de croissance qu'elle sent le besoin d'implanter un service de ressources humaines, mais il n'existe pas de règles strictes en la matière. La mise sur pied de ce service dépend autant de la taille et de la complexité de l'entreprise que de l'importance que lui accordent les membres de la direction. Il arrive fréquemment que le fondateur ou le dirigeant de l'entreprise assume lui-même la responsabilité de la gestion des ressources humaines au cours des premières années d'exploitation. Au fur et à mesure que d'autres aspects de l'organisation requièrent son attention, le dirigeant délègue les tâches liées à la gestion du personnel à un employé, qui pourra devenir par la suite directeur des ressources humaines.

D'autres motifs peuvent pousser une entreprise à créer un service des ressources humaines : l'augmentation du volume de travail dans le secteur des ressources humaines ; la persistance de problèmes liés, par exemple, au régime de retraite ou d'assurance ; la présence d'indicateurs révélant de sérieuses difficultés de main-d'œuvre, telles qu'un taux élevé d'absentéisme ou de roulement.

Pour décider de l'implantation d'un service de ressources humaines, on peut utiliser le ratio des normes de l'industrie (*regular ratio*). On obtient celui-ci en divisant le nombre d'employés du service des ressources humaines par le nombre total d'employés. Une étude effectuée par le Conference Board du Canada auprès de 500 entreprises canadiennes a établi un ratio de 8 professionnels en gestion des ressources

Les facteurs influant sur la structuration du service des ressources humaines

Facteur	Centralisation de toutes les activités	Décentralisation de certaines activités	Décentralisation de toutes les activités
Type d'entreprise et de structure	• Produit unique • Structure fonctionnelle • Emplacement unique (ou sites multiples de conception très uniformisée)	• Structures fonctionnelles, mais formation progressive d'unités • Sites multiples	• Produits multiples (approche uniforme pour un seul type de production) • Centres de profits • Haute autonomie divisionnaire • Mondialisation
Réalité économique	• Économie d'échelle • Marge de profit peu élevée • Productivité prioritaire • Industrie généralement à maturité	• Même réalité économique que dans la centralisation de toutes les activités • Nouvelles préoccupations quant à la main-d'œuvre se reflétant dans les structures	• Rapidité et flexibilité esentielles pour les structures locales
Flexibilité du service	• Pratiquement aucune flexibilité	• Flexibilité limitée	• Flexibilité considérable
Rôle du service	• Axé sur les services • Grands efforts de mise en œuvre • Service perçu comme assurant les intérêts des employés • Ratio peu élevé de personnel en ressources humaines	• Accent sur les services, mais déplacement vers une orientation en fonction des objectifs • Efficacité financière des services centralisés • Davantage de responsabilités en ressources humaines pour les autres services	• Conception et consultation auprès des directeurs de services • Contrôle étroitement centralisé de la planification et de la rémunération des dirigeants de haut niveau • Rôle proactif dans l'application des nouveaux programmes organisationnels • Ratio élevé de personnel en ressources humaines
Stratégie de changement organisationnel	• Centralisation descendante plutôt qu'ascendante dans la prise de décision • Stratégie ascendante plutôt que descendante	• Sélection attentive et restructuration de divers systèmes de ressources humaines pour les besoins urgents	• Culture organisationnelle locale représentant une donnée stratégique à exploiter • Entière responsabilité des directeurs de service quant à l'efficacité de la gestion des ressources humaines

Source : R.A. Dods, William M. Mercer, Conference Board du Canada, rapport 41-89, 1989, p. 14. Reproduction autorisée par A. Dods.

humaines pour 1 000 employés[45]. Ce ratio est inversement proportionnel à l'augmentation de la main-d'œuvre : plus l'entreprise est grande, plus le ratio est petit. Cette donnée met en évidence l'économie d'échelle que peut faire une grande organisation, puisque sa masse salariale relative diminue au fur et à mesure qu'elle croît. Inversement, les petites entreprises comptent proportionnellement plus de professionnels des ressources humaines que les autres en raison de la possibilité réduite de réaliser des économies d'échelle ainsi que de l'obligation dans laquelle se trouvent les gestionnaires d'accomplir des tâches administratives qui ne font normalement pas partie de leurs responsabilités.

LA RÉINGÉNIERIE ET L'IMPARTITION DES ACTIVITÉS DE GESTION DES RESSOURCES HUMAINES

La réingénierie du service des ressources humaines consiste en une réévaluation des processus des activités de la fonction ressources humaines. On réexamine l'ensemble des activités liées aux ressources humaines pour garder celles qui représentent une plus-value pour l'organisation et on confie à des sous-traitants (impartition) celles que l'on considère comme des processus coûteux[46].

Une étude menée en 2005 par l'Ordre des CRHA et CRIA du Québec (ORHRI) a révélé que les trois principaux motifs de l'impartition (partielle ou totale) des activités de gestion des ressources humaines étaient, dans l'ordre, les suivantes:

- La volonté de l'organisation de se concentrer sur ses activités principales.
- La possibilité de consulter des experts.
- Le désir de voir les professionnels de la gestion des ressources humaines se consacrer davantage aux stratégies[47].

On recourt à l'impartition pour compenser le manque d'expertise interne plutôt que pour réduire le coût des activités. Soulignons que certaines entreprises sont réticentes devant l'externalisation des services de gestion des ressources humaines parce qu'elles veulent continuer à entretenir des contacts individuels avec leurs employés, cultiver l'expertise interne, éviter de perdre le contrôle de certaines activités, et garder intacts les services offerts aux employés[48].

La sous-traitance concerne le plus souvent la formation et, dans une moindre mesure, la rémunération, la dotation, la gestion de la santé ainsi que la santé et la sécurité au travail. Les activités les moins touchées par l'impartition ont trait aux relations du travail. Par ailleurs, la tendance est à la sous-traitance des responsabilités relevant d'au moins trois activités de gestion des ressources humaines. Enfin, l'impartition semble avoir un effet d'entraînement, puisque les entreprises qui y ont le plus souvent recours déclarent vouloir le faire davantage dans les prochaines années[49].

1.5.5 | La dotation du service

La dotation du service des ressources humaines implique la recherche de professionnels dotés de compétences et de qualités particulières, la gestion de leur carrière ainsi que des efforts pour assurer la professionnalisation de la fonction.

LES COMPÉTENCES ET LES QUALITÉS DES PROFESSIONNELS

L'efficacité de la gestion des ressources humaines dépend dans une large mesure des compétences de son personnel[50]. Les multiples changements de l'environnement de travail et le rôle de premier plan que les professionnels des ressources humaines sont appelés à jouer exigent une grande polyvalence. On recherchera de plus en plus les compétences suivantes chez les professionnels de la gestion des ressources humaines[51].

Une excellente connaissance de la gestion d'entreprise. Pour faire partie intégrante de l'équipe de direction et apporter une véritable contribution à l'entreprise, les gestionnaires des ressources humaines doivent comprendre parfaitement les objectifs organisationnels et les moyens de les atteindre. C'est pourquoi ils doivent avoir une solide formation en planification stratégique, pouvoir lire des états financiers, avoir des connaissances pratiques en techniques de vente, de marketing et de production, ainsi que savoir utiliser les outils technologiques modernes. Les chefs d'entreprise déplorent souvent le faible niveau de formation en gestion d'entreprise chez les cadres des ressources humaines, dont la crédibilité se trouve alors minée, même dans leur propre domaine d'activité.

Une compréhension approfondie des phénomènes économiques. La mondialisation des marchés, l'internationalisation de nombreuses entreprises et le souci croissant de la qualité des produits et des services obligent les professionnels des ressources humaines à mieux comprendre les facteurs économiques qui interviennent dans la vie de l'organisation, puisqu'ils sont appelés à se prononcer sur des questions de productivité et de croissance. Parmi les facteurs économiques ayant un effet direct sur les domaines de compétence de ces gestionnaires figurent la compétitivité en regard des coûts de main-d'œuvre, les mutations internationales, les programmes de rémunération ainsi que l'équilibre entre le respect de l'équité dans l'organisation et le maintien de la compétitivité.

Une capacité d'analyse poussée. La nouvelle vision organisationnelle du rôle du directeur des ressources humaines exige des compétences nouvelles en gestion de processus – et cette fonction pourrait devenir plus importante que la gestion de programmes ou d'activités. Il s'agira de trouver des moyens de rétablir les processus décisionnels entravés par des conflits ou par la résistance au changement dans l'organisation. Les gestionnaires des ressources humaines devront faire preuve d'une capacité d'analyse poussée pour pouvoir diagnostiquer et résoudre les problèmes interpersonnels.

Un leadership efficace. Les temps ont bien changé : la position hiérarchique d'un cadre supérieur ne suffit plus, à elle seule, pour qu'on lui confie la responsabilité de la gestion des ressources humaines. La crédibilité personnelle du directeur, fondée sur des aptitudes reconnues, telles que la capacité de persuasion, l'habileté à influencer les autres, la capacité de se faire accepter dans l'organisation (particulièrement par la haute direction), deviendra le facteur déterminant du succès de la gestion des ressources humaines. Quand on ne dispose pas d'une véritable autorité, il n'est certes pas facile d'influer sur les processus décisionnels, de défendre ses positions et de convaincre les autres, mais ce seront là des responsabilités incontournables pour les gestionnaires des ressources humaines.

Une propension à l'action. Pour faire partie de l'équipe ayant le pouvoir d'influer sur les processus décisionnels, les gestionnaires des ressources humaines devront être proactifs. Il leur faudra donc prévoir les situations difficiles et prendre l'initiative des rencontres avec les personnes qui se trouvent au cœur des événements conflictuels.

Les gestionnaires des ressources humaines ne peuvent plus se permettre de se confiner dans leur propre territoire : ils doivent intervenir sur le terrain de leurs collègues tout en évitant d'être perçus comme une menace. Autrement dit, les gestionnaires qui se retranchent derrière les vieilles techniques, comme éviter de causer des difficultés, ne pourront plus prétendre à l'efficacité. Le nouveau contexte exige, au contraire, de se tenir au cœur de l'action, là où se prennent les décisions et où se trouvent les risques pour l'entreprise. C'est aussi là que ces gestionnaires s'exposeront à l'échec, en donnant un mauvais conseil par exemple.

Une grande capacité d'adaptation. La survie de l'organisation repose de plus en plus sur ses propres facultés d'adaptation. Les gestionnaires des ressources humaines se trouvent associés de très près au processus de changement parfois tumultueux que connaît l'entreprise. Ils apportent leur contribution à l'élaboration des plans et des stratégies visant à procurer à l'entreprise la main-d'œuvre nécessaire, tant sur le plan quantitatif que sur le plan qualitatif. Ils fournissent leur aide aux employés au cours des périodes d'augmentation ou de diminution d'effectifs et ils contribuent à gérer la relève en planifiant de la formation des employés clés de l'organisation.

Un sens poussé de la diplomatie. Les gestionnaires des ressources humaines doivent développer leur sens de la diplomatie, non pas pour chercher à exercer davantage de pouvoir dans l'organisation, mais plutôt pour tenter d'intégrer les ressources existantes et de rallier les intervenants autour des objectifs et des valeurs de l'organisation. La modification d'une culture d'entreprise requiert un sens aiguisé de la diplomatie.

Le souci de la clientèle. Le souci de la clientèle peut, au premier abord, sembler inconciliable avec les autres compétences recherchées chez les gestionnaires des ressources humaines. Il importe de préciser que ces gestionnaires doivent constamment rechercher l'équilibre entre, d'une part, les demandes externes et, d'autre part, les exigences de la haute direction et les besoins des employés. Alors que la conscience sociale est de plus en plus présente dans les organisations, les professionnels des ressources humaines se doivent d'être attentifs aux besoins de la communauté environnante et de connaître à fond les questions d'équité et de justice au sein même de l'organisation. Ils seront les premiers à déceler les problèmes de qualité de vie au travail et à suggérer des solutions. Bien sûr, on leur demande d'être de plus en plus sensibles aux besoins et aux intérêts organisationnels ; cependant, on continue de les considérer comme les protecteurs des droits des employés et comme des prestataires de services.

LES CARRIÈRES EN GESTION DES RESSOURCES HUMAINES

Un professionnel en gestion des ressources humaines peut faire carrière comme généraliste ou comme spécialiste.

Les généralistes. Les diverses fonctions hiérarchiques de l'organisation constituent une source importante de candidats qualifiés pour des postes de généralistes au service des ressources humaines. Par exemple, une brève affectation à un poste de généraliste aux ressources humaines peut fournir à un superviseur l'occasion de transmettre les connaissances, la terminologie, les besoins et les exigences propres à son poste antérieur. Le service des ressources humaines n'en deviendra que plus efficace. Les employés qui n'occupent pas de poste cadre peuvent aussi constituer d'excellents généralistes. En effet, tout comme les superviseurs, ces employés peuvent fournir de précieux renseignements sur le comportement et les attentes du personnel.

Les généralistes doivent posséder les mêmes qualités de base que les spécialistes, sans qu'il leur soit nécessaire d'avoir des compétences poussées dans un domaine d'activité particulier. Ils doivent toutefois posséder un niveau moyen de connaissances dans plusieurs secteurs de la gestion des ressources humaines et être capables de les approfondir, au besoin.

Les spécialistes. Les spécialistes de la gestion des ressources humaines doivent posséder de solides connaissances dans leur domaine ainsi que percevoir l'interdépendance de leur spécialité et des autres activités de gestion des ressources humaines ; ils doivent aussi connaître la structure organisationnelle et comprendre la place qu'y occupe leur service. Les spécialistes nouvellement embauchés ont avantage à approfondir la politique de l'organisation dans ses aspects concrets. Leur présence ne vise pas la promotion de la dernière idée à la mode et la mission d'une entreprise n'est pas de perpétuer les services de ressources humaines.

Les diplômés d'université constituent une source inépuisable de spécialistes dans pratiquement tous les domaines des ressources humaines. Les programmes d'études pertinents sont nombreux : le droit, la psychologie industrielle et organisationnelle, les relations industrielles, les relations de travail, l'orientation professionnelle, le développement organisationnel, les sciences de la gestion, etc.

Les possibilités. La gestion des ressources humaines offre des possibilités de carrière attrayantes. On y trouve un grand nombre d'emplois avantageusement comparables aux autres choix de début de carrière dans le monde des affaires, comme la comptabilité ou le marketing. Le salaire initial d'un spécialiste est très concurrentiel, grâce aux nouvelles possibilités de spécialisation en ressources humaines accessibles dans les programmes de maîtrise en administration des affaires et en relations industrielles offerts dans plusieurs universités. Enfin, la professionnalisation de la gestion des ressources humaines progresse constamment.

LA PROFESSIONNALISATION DE LA GESTION DES RESSOURCES HUMAINES

La reconnaissance du caractère professionnel de la gestion en ressources humaines a fait l'objet de nombreux débats. En dépit des attentes exprimées par la plupart des praticiens, des universitaires et des autres intervenants, la gestion des ressources humaines n'a pas encore obtenu de reconnaissance professionnelle comparable à celle d'autres professions, comme le droit, la médecine ou la psychologie, pour lesquelles on exige un diplôme déterminé et l'adhésion à un ordre ou à une association (ces conditions visent à assurer la protection du public et à imposer un code de déontologie). Soulignons toutefois que les cadres en ressources humaines et leurs associations ont adopté les critères généraux régissant la pratique des autres professions. Or, l'adoption volontaire d'un code de déontologie et l'adhésion à une association comptent justement parmi les caractéristiques des membres d'une profession.

CONSULTEZ **INTERNET**

www.stat.gouv.qc.ca
Site de l'Institut de la statistique du Québec, source d'information sur les salaires des conseillers en ressources humaines et en relations industrielles.

DANS LES **FAITS**

Deux titres, une profession

Deux titres sont réservés aux membres de l'ORHRI, soit conseiller en ressources humaines agréé et conseiller en relations industrielles agréé. Se rapportant à la même profession, ils ont donc la même valeur et sont également protégés par le Code des professions du Québec. Actuellement, 60 % des membres de l'Ordre portent le titre CRHA et 40 % le titre CRIA.

Quel que soit le titre adopté par un membre, sa profession consiste, selon le Code des professions, à « exercer l'art d'établir, de maintenir et de modifier les relations entre employés, entre employeurs ou entre employeurs et employés » (article 37f)[52].

CONSULTEZ **INTERNET**

www.orhri.org
Site de l'Ordre des conseillers en ressources humaines et en relations industrielles agréés du Québec (ORHRI). On y trouve le code de déontologie de l'Ordre.

RÉSUMÉ

La gestion des ressources humaines se définit comme l'ensemble des activités qui visent la gestion des talents et des énergies des individus dans le but de contribuer à la réalisation de la mission, de la vision, de la stratégie et des objectifs de l'organisation.

On distingue quatre périodes dans l'évolution de la gestion des ressources humaines : la révolution industrielle et la société salariale ; l'avènement de la gestion scientifique du travail et des pratiques visant le bien-être des employés ; l'enracinement des pratiques dans les réalités organisationnelles ; la recherche et l'initiative.

Divers facteurs influent sur la gestion des ressources humaines : les changements démographiques, les changements relatifs à l'emploi et à l'organisation du travail, les tendances et les perspectives économiques ainsi que la transformation des valeurs sociales.

Les changements démographiques concernent l'augmentation et le déclin de la population, le vieillissement de la population et de la main-d'œuvre, les taux d'activité selon le groupe d'âge, la situation des femmes, celle des minorités culturelles et celle des personnes handicapées sur le marché du travail, ainsi que la hausse du niveau de scolarité des travailleurs.

Les changements relatifs à l'emploi et à l'organisation du travail portent sur la durée du travail, de même que sur les emplois eux-mêmes et sur les secteurs d'activité.

Les tendances et les perspectives économiques influent sur la gestion des ressources humaines selon divers aspects : la situation économique elle-même, l'évolution technologique et l'ouverture des marchés étrangers.

La transformation des valeurs sociales influence aussi la gestion des ressources humaines sur divers plans : le travail, la mobilité, la retraite et les jeunes générations.

Les intervenants organisationnels qui influent sur la gestion des ressources humaines comprennent les actionnaires et les propriétaires d'entreprise, les clients, les employés et la société en général.

Les objectifs de la gestion des ressources humaines peuvent se regrouper en deux catégories : les objectifs fonctionnels et les objectifs organisationnels.

On décrit le service des ressources humaines en traitant de son rôle, de ses activités, du partage des responsabilités avec les autres intervenants, de sa structure et de sa dotation.

Questions de révision et d'analyse

1. Décrivez l'influence des facteurs internes et externes sur les activités de gestion des ressources humaines.

2. Quels sont les objectifs de la gestion des ressources humaines ?

3. De nombreux facteurs contribuent à l'essor de la gestion des ressources humaines dans les entreprises d'aujourd'hui. Choisissez-en deux et expliquez-en l'importance.

4. Analysez trois dimensions du rôle que joue le directeur des ressources humaines dans l'entreprise.

5. Nommez les principales qualités que doivent posséder les professionnels de la gestion des ressources humaines et dites pourquoi elles sont importantes.

ÉTUDE DE CAS

LA GESTION DU CHANGEMENT AU SEIN DE LA SOCIÉTÉ WWW

Avec un chiffre d'affaires d'environ 12 milliards de dollars, la société WWW est l'une des plus grandes entreprises de production de pâtes et papier au monde. La compagnie compte 40 000 employés qui travaillent au siège social et dans ses filiales internationales. L'immense succès que connaissait WWW ne l'a pas empêchée de vouloir continuer de prospérer. Louis Breton, le président de la compagnie, prônait les stratégies suivantes : faire de la qualité totale la responsabilité de tout individu dans l'organisation, s'assurer continuellement de la satisfaction de la clientèle, atteindre l'excellence dans la production et obtenir le meilleur rendement sur investissement pour les actionnaires.

Tout au long des années 1970, la compagnie a connu une croissance continue et un succès financier important. C'est durant les années 1980 que les choses ont commencé à se gâter : la concurrence nationale et internationale ainsi que la récession économique ont rendu impossible l'élaboration de stratégies à long terme susceptibles de vaincre l'instabilité de l'environnement et de répondre aux besoins d'une clientèle de plus en plus diversifiée. Devant cette crise qui menaçait la survie de l'entreprise, les dirigeants ont décidé de décentraliser les activités d'exploitation et de se concentrer sur la satisfaction des besoins de leurs clients. Cette décentralisation s'est traduite en un pouvoir accru des différentes divisions et filiales, qui ont atteint une plus grande autonomie de gestion et de décision.

Ces changements ont cependant soulevé certains problèmes, notamment l'émergence d'un sentiment de désengagement de la part des filiales qui ne reconnaissaient plus l'identité de la maison mère, la duplication de certaines activités, la faible synergie entre les unités et la résistance au changement, ainsi qu'un pessimisme quant à la possibilité pour la compagnie de connaître à nouveau le succès. Les défis qui consistent à minimiser les désavantages de la décentralisation sans en perdre les avantages relèvent du président de l'entreprise. Devant cette situation, ce dernier vous donne le mandat de lui proposer une nouvelle façon de gérer les ressources humaines.

QUESTIONS

1. Décrivez les objectifs stratégiques de la compagnie WWW tels qu'ils se présentent aujourd'hui.

2. Décrivez ensuite les objectifs correspondants en matière de gestion des ressources humaines.

3. Quels sont les programmes que vous entendez mettre en place ?

4. De combien de temps avez-vous besoin pour réaliser votre mandat ? Quelles sont les ressources dont vous aurez besoin ?

5. Quel doit être le rôle du service des ressources humaines au sein de WWW ?

NOTES ET RÉFÉRENCES

1. J. Butler, G. Ferris et N. Napier, *Strategy and Human Resources Management*, Cincinnati, South-Western Series in Human Resources Management, 1991. J.R. Ogilvie et D. Stork, « Starting the HR and Change Conversation with History », *Journal of Organizational Change Management*, vol. 16, n° 3, 2003, p. 254-271. V.M. Marciano, « The Origins and Development of Human Resource Management », *Academy of Management Journal*, 1995, p. 223-227.

2. D. Foot, *Entre le boom et l'écho*, chapitre 4, Montréal, Boréal, 1996.

3. Institut de la statistique du Québec, *Si la tendance se maintient… Perspectives démographiques*, Québec et régions, 2001-2051, édition 2003, p. 7.

4. *Ibid.*, p. 21.

5. B. Desjardins et J. Dumas, *Vieillissement de la population et personnes âgées : la conjoncture démographique*, produit n° 91-533 F dans le catalogue de Statistique Canada, hors série, 1993, 130 pages.

6. M. Cooke-Reynolds et N. Zukewich, « La féminisation du marché du travail », *Tendances sociales canadiennes*, printemps 2004, n° 72, p. 29-35, données statistiques sur le taux d'activité des femmes au Canada, www.statcan.ca.

7. « Étude : l'évolution de la population active féminine au Canada », *Le Quotidien*, Statistique Canada, 15 juin 2006, www.stat.gouv.qc.ca.

8. A. Shields, « Des femmes majoritaires : les professions libérales changent de visage », *Le Devoir*, 8 mars 2006.

9. F. Roy, « D'une mère à l'autre : l'évolution de la population active féminine au Canada », *L'Observateur économique canadien*, Statistique Canada, juin 2006.

10. Ministère de l'Immigration et des Communautés culturelles, Direction de la population et de la recherche, *Tableaux sur l'immigration au Québec*, 2000-2004, mars 2005.

11. C. Desdossés et M.-F. Martin, « Le marché du travail au Québec en 2005 », *Flash-Info Travail et rémunération*, vol. 7, n° 1, février 2006, Institut de la statistique du Québec.

12. *Ibid.*

13. K. Marshall, « Le Canada par rapport au G8 », *L'emploi et le revenu en perspective*, vol. 6, n° 6, juin 2005, p. 19-26. C. Desdossés et M.-F. Martin, « Le marché du travail au Québec en 2005 », *Flash-info Travail et rémunération*, vol. 7, n° 1, février 2006.

14. Organisation de coopération et de développement économiques, « Évolutions économiques au Canada », *Perspectives économiques de l'OCDE*, vol. 78, n° 2, 2005.

15. Adapté de « Portrait de l'emploi des technologies de l'information au sein du gouvernement québécois », *S@voir. stat, Bulletin de l'économie du savoir*, vol. 6, n° 4, septembre 2006, www.stat.gouv.qc.ca/publications/savoir/pdf2006/Savoirsept06.pdf.

16. J.-M. Grange, *Profession : cadre international. Tirer profit des différences culturelles dans les négociations*, Paris, Éditions d'Organisation, 1997.

17. T. Saba, « Gérer les carrières : un vrai défi pour les années 2000 », *Effectif*, vol. 3, n° 3, juin-juillet-août 2000, p. 20-26 (dossier dans un numéro spécial consacré à la gestion des carrières).

18. M. Roy et M. Audet, « La transformation vers de nouvelles formes d'organisation plus flexibles : un cadre de référence », *Gestion*, vol. 27, n° 4, hiver 2003, p. 43-49.

19. I. Laporte, « L'ingénierie à la croisée des chemins : l'innovation fera la différence », *La Presse*, La Presse Affaires, 15 mars 2007, p. 11.

20. S. Asselin, « Professions : convergence entre les sexes ? », *Données sociodémographiques en bref*, vol. 7, n° 3, juin 2003, p. 6-8. Publié par l'Institut de la statistique du Québec.

21. D. Gower, « L'âge de la retraite et l'estimation statistique », *L'emploi et le revenu en perspective*, produit n° 75-001-XPF dans le catalogue de Statistique Canada, été 1997, vol. 9, n° 2, p. 13-20.

22. T. Saba et G. Guérin, « Planifier la relève dans un contexte de vieillissement de la main-d'œuvre », *Gestion*, vol. 29, n° 3, automne 2004, p. 54-63.

23. E.R. Kingson, « Le vieillissement de la génération du baby-boom aux États-Unis : état du débat politique », *Revue internationale de sécurité sociale*, vol. 44, n°s 1-2, 1991, p. 5-31.

24. T. Saba, G. Guérin et T. Wils, « Managing Older Professionals in Public Agencies in Quebec », *Public Productivity Management Review*, vol. 22, n° 1, 1998, p. 15-34.

25. T. Saba, « Gérer les carrières : un vrai défi pour les années 2000 », *Effectif*, vol. 3, n° 3, p. 20-26 (dossier dans un numéro spécial consacré à la gestion des carrières). M. Audet, « La gestion de la relève et le choc des générations », *Gestion*, vol. 29, n° 3, automne 2004, p. 20-26.

26. J.-Y. Le Louarn et A. Gosselin, « GRH et profits : y a-t-il un lien ? », *Effectif*, vol. 3, n° 2, avril-mai 2000, p. 18-23. K. Noël, « Les employés heureux font augmenter les profits », *Les Affaires*, 18 décembre 1999, p. 22. B. Becker et B. Gerhart, « The Impact of Human Resource Management on Organizational Performance : Progress and Prospects », *Academy of Management Journal*, vol. 39, n° 4, 1996, p. 779-801.

27. T.M. Welbourne et A.O. Andrews, « Predicting the Performance of Initial Public Offerings : Should Human Resource Management Be in the Equation ? », *Academy of Management Journal*, vol. 39, 1996, p. 891-919.

28. M. Lambert-Chan, « Investissement responsable : le pouvoir de l'argent pour "civiliser la mondialisation" », *Le Devoir*, cahier spécial, 31 janvier 2007, p. B3.

29. C. Johnston, « La fidélisation du client, plus qu'une question de satisfaction », adaptation française de P. Brandt, note d'information destinée aux membres, Ottawa, Conference Board du Canada, 1997, p. 170-196.

30. G.M. Spreitzer, « Psychological Empowerment in the Workplace : Dimensions, Measurement, and Validation », *Academy of Management Journal*, vol. 38, n° 5, 1995, p. 1442-1465.

31. D.J. McDonald et P.J. Makin, « The Psychological Contract, Organizational Commitment and Job Satisfaction of Temporary Staff », *Leadership and Organization Development* Journal, vol. 21, n° 2, 2000, p. 84-91.

32. P.R. Sparrow, « New Employee Behaviours, Work Designs and Forms of Work Organization : What Is in Store for the Future of Work », *Journal of Managerial Psychology*, vol. 15, n° 3, 2000, p. 202-218.

33. D. Ulrich, « Human Resources Champions », *The Next Agenda for Adding Value and Delivering Results*, Boston Massachusetts, Harvard Business School Press, 1997. W.W. Burke, « What Human Resource Practitioners Need to Know for the Twenty-First Century », dans D. Ulrich, M.R. Losey et G. Lake (sous la dir. de), *Tomorrow's HR Management*, New York, John Wiley & Sons, 1997.

34. T. Wils, C. Labelle et G. Guérin, « Le repositionnement des rôles des profession-nels en ressources humaines : impacts sur les compétences et la mobilisation », *Gestion*, vol. 24, n° 4, hiver 2000, p. 20-31. A. Gosselin, « Un repositionnement s'impose… », *Effectif*, vol. 9, n° 1, janvier-février-mars 2006, p. 18-27.

35. G. Guérin et T. Wils, « Repenser les rôles des professionnels en ressources humaines », *Gestion*, vol. 22, n° 2, été 1997, p. 43-51.

36. C. Labelle et T. Wils, « Restructuration d'une direction de ressources humaines : le point de vue des acteurs », *Relations industrielles*, vol. 52, n° 3, 1997, p. 483-505.

37. L. Gosselin, « La fonction ressources humaines en contexte québécois : percep-tion et évolution », *Relations industrielles*, vol. 5, n° 1, 1995, p. 186-209.

38. F.K. Foulkes, « Organizing and Staffing the Personnel Function », *Harvard Business Review*, mai-juin 1977.

39. T. Wils, M. Saint-Onge et C. Labelle, « Décentralisation des services de ressources humaines : impacts sur la satisfaction des clients », *Relations industrielles*, vol. 49, n° 3, 1994, p. 483-502.

40. L. Spencer, *Reengineering Human Resources*, New York, John Wiley & Sons, 1995.

41. J. Stewart, « Blow up the HR Department », *Fortune*, 16 janvier 1996.

42. J. Fitz-enz, *How to Measure Human Resources Management*, 2e éd., New York, McGraw-Hill, 1995.

43. C. Labelle et T. Wils, « Restructuration d'une direction de ressources humaines : le point de vue des acteurs », *Relations industrielles*, vol. 52, n° 3, 1997, p. 483-505.

44. T. Wils, M. Saint-Onge et C. Labelle, *op. cit.*

45. P. Benimadhu, *Adding Value : The Role of the Human Resource Function*, rapport 157-95, Ottawa, Conference Board du Canada, 1995, p. 1-21. R. Charbonneau, « L'impartition des processus d'affaires en ressources humaines », *Effectif*, vol. 8, n° 3, juin-juillet-août 2005, p. 31-35.

46. L. Spencer, *op. cit.*

47. Ordre des CRHA et CRIA du Québec, « L'externalisation des fonctions : résultats d'un sondage de l'ORHRI auprès de ses membres », *Effectif*, vol. 8, n° 3, juin-juillet-août 2005, p.40-42.

48. *Ibid.*

49. T. Saba et A. Ménard, « Analyse de l'impartition en gestion des ressources humaines : fondements, activités visées et efficacité », *Relations industrielles*, vol. 55, n° 4, 2000, p. 675-677. M.M. Graddick-Weir, « Life After Outsourcing : Lessons Learned and the Role of Human Resources as a Strategic Business Partner », dans M. Losey, S. Meisinger et D. Ulrich (sous la dir. de), *The Future of Human Resource Management : 64 Thought Leaders Explore the Critical HR Issues of Today and Tomorrow*, Alexandria (Virginie), John Wiley & Sons, 2005, p. 71-77.

50. D. Morin, « Les nouvelles compétences des professionnels en ressources humaines », *Effectif*, vol. 9, n° 1, janvier-février-mars 2006. S.R. Meisinger, « The Four Cs of the Hr Profession : Being Competent, Curious, Courageous, and Caring About People », dans M. Losey, S. Meisinger et D. Ulrich (sous la dir. de), *The Future of Human Resource Management : 64 thought Leaders Explore the Critical HR Issues of Today and Tomorrow*, Alexandria (Virginie), John Wiley & Sons, 2005, p. 78-85.

51. R.S. Schuler, S.E. Jackson et J. Storey, « HRM and its Link with Strategic Management », dans John Storey (sous la dir. de), *Human Resource Management : A Critical Text*, chapitre 7, London, Thomson International, 2000. V. Haines et M. Arcand, « Évolution de la pratique de gestion des ressources humaines : une analyse de contenu d'annonces de presse (1975-1985-1995) », *Relations industrielles*, vol. 52, n° 3, 1997, p. 583-607. T. Wils, C. Labelle et G. Guérin, « Le repositionnement des rôles des professionnels en ressources humaines : impacts sur les compétences et la mobilisation », *Gestion*, vol. 24, n° 4, hiver 2000, p. 20-33.

52. Ordre des CRHA et CRIA du Québec, « Les professionnels et leur rôle », www.orhri.com/qui/fiche.aspx?f=28463.

53. Johanne Adam, « Beaucoup de boulot en ressources humaines », *Les Affaires*, 4 novembre 2006, p. 50.

LES PRÉALABLES
À LA GESTION
DES RESSOURCES HUMAINES

LA GESTION STRATÉGIQUE
DES RESSOURCES HUMAINES

La gestion stratégique des ressources humaines a beaucoup évolué au cours des dernières années. Elle a fait l'objet d'un développement théorique des plus stimulants. Durant les deux dernières décennies, diverses approches ont tenté d'expliquer pourquoi il importe de planifier les actions organisationnelles en les alignant sur les stratégies d'affaires. Les modèles stratégiques associent les pratiques de gestion des ressources humaines et les stratégies d'affaires ; ils reposent sur la prémisse suivante : le comportement de chaque employé joue un rôle dans la mise en œuvre d'une stratégie organisationnelle et, inversement, la mise en œuvre d'une stratégie organisationnelle influe sur le comportement de chaque employé. Dans ce chapitre, nous passons en revue l'évolution historique de la gestion stratégique et ses définitions, ainsi que le processus de gestion stratégique des ressources humaines et ses principales composantes.

2.1 L'ÉMERGENCE DE LA GESTION STRATÉGIQUE DES RESSOURCES HUMAINES

Gérer stratégiquement les ressources humaines suppose une bonne compréhension de la notion de stratégie et de son déploiement. Or, ce concept ne date pas d'hier. Plus de cinq cents ans av. J.-C., le philosophe chinois Sun Zi, auteur de *L'art de la guerre*, décrivait l'art de la stratégie militaire comme une pratique visant, par l'analyse et le calcul, à élaborer des manœuvres avant le début des combats et à assurer l'acquisition des aptitudes nécessaires à l'action stratégique. Alors que les stratégies font partie intégrante des systèmes politiques et militaires depuis des siècles, ce n'est que depuis le début des années 1970 que des chercheurs et des praticiens ont commencé à étudier leurs applications possibles au domaine des affaires. Dans le vaste domaine de l'économie politique, des finances et de l'administration, nous sommes témoins depuis quelques années de l'émergence de modèles susceptibles de nous aider à comprendre le lien existant entre la stratégie des facteurs tels que la structure organisationnelle et le comportement, les produits et leur cycle de vie, ainsi que, bien entendu, les profits et la survie de l'entreprise.

Selon Guérin[1], le concept de « stratégie » est de plus en plus associé à celui de « ressources humaines ». Cette tendance s'explique, à son avis, par la nécessité pour les organisations d'avoir une vision globale de la ressource humaine et de l'intégrer aux principaux enjeux organisationnels. Il ne suffit plus de s'améliorer progressivement pour atteindre l'efficience ou une productivité optimale. Les organisations doivent être en mesure de s'adapter à un nouveau contexte. Ce qui est approprié dans un contexte ne l'est pas forcément dans un autre, comme le prône la théorie de la contingence. Par ailleurs, le changement s'accélère, tant par son rythme que par les « nouveautés » qu'il met de l'avant, rendant plus crucial le défi de l'efficacité et, par le fait même, celui de la réflexion stratégique. Guérin rappelle que si, dans les années 1950, on pouvait encore gérer par extrapolation, ce n'était déjà plus possible dans les années 1960, où des ruptures de plus en plus fréquentes apparaissaient dans les processus d'évolution des stratégies organisationnelles. Il fallait alors gérer par anticipation. Aujourd'hui, dans un contexte où l'incertitude devient la seule certitude, il faut adopter de nouveaux modes de gestion en se préparant davantage à des événements imprévisibles. Cela exige des organisations qu'elles soient flexibles, c'est-à-dire capables de s'adapter, quelles que soient la nature et la fréquence du changement.

En somme, deux raisons justifient pleinement la prise en compte des ressources humaines à un autre niveau de gestion que le niveau opérationnel, soit au niveau stratégique[2]. La première a trait au contexte de turbulence accrue dans lequel évoluent les organisations modernes, et la seconde à la contribution des ressources humaines au succès (ou à l'échec) des stratégies d'adaptation de ces organisations.

Dans cette course à l'adaptation, la compétition est de plus en plus vive, et les organisations se doivent de mettre au point des stratégies pour être en mesure d'affronter la concurrence. Produire à un coût moindre, fournir un bien de meilleure qualité, innover, être le premier sur le marché sont, en ce domaine, les principales stratégies compétitives que Porter[3] a définies. Or, pour se concrétiser, ces stratégies doivent s'appuyer sur les forces internes, c'est-à-dire sur les capacités organisationnelles, notamment en matière de finances, de technologies, d'informations ou de ressources humaines[4]. Ce sont là les atouts dont dispose l'organisation ou ceux qu'elle doit se constituer pour se démarquer de ses concurrents. L'élément humain est au cœur de toutes ces stratégies car, pour réduire les coûts, il faut que les employés soient soucieux d'éviter le gaspillage et qu'ils rationalisent les systèmes de gestion et améliorent leur productivité. La qualité ne peut être atteinte en l'absence de compétence et d'engagement. L'innovation exige la créativité et le goût d'entreprendre, et le positionnement rapide sur le marché oblige l'entreprise à devenir polyvalente et à faire preuve d'agilité. La ressource humaine est donc l'atout de base qui constitue un avantage concurrentiel[5].

Historiquement, c'est le processus de planification qui a donné lieu à la formulation des premières théories dans le domaine des ressources humaines. Ces théories ont fortement contribué à l'élaboration de modèles conceptuels intégrant la gestion stratégique des ressources humaines aux stratégies de l'entreprise[6]. À l'origine, le processus de planification servait à prévoir les besoins en main-d'œuvre dans les grandes entreprises. Ces dernières années, on observe une volonté d'intégrer ce processus à l'ensemble des orientations stratégiques de l'organisation et d'harmoniser les activités de la gestion des ressources humaines.

2.2 LES DÉFINITIONS ET LES COMPOSANTES DE LA GESTION STRATÉGIQUE DES RESSOURCES HUMAINES

Les approches de la gestion des ressources humaines centrées sur la notion de stratégie sont apparues autour des années 1980. Deux courants principaux semblent émerger : l'un accorde une grande importance aux choix stratégiques, tandis que l'autre met l'accent sur la planification et l'élaboration de modèles de gestion stratégique. En effet, pour certains théoriciens, les stratégies sont des actions ou des règles concrètes qui montrent la voie à suivre selon les situations qui se présentent. Pour d'autres, la gestion stratégique repose sur une planification à long terme visant l'accomplissement de la mission de l'entreprise[7]. Ces deux conceptions en fait ne s'excluent pas l'une l'autre. Bien au contraire, elles concourent à définir la gestion stratégique des ressources humaines, qui est « l'ensemble des moyens auxquels une entreprise a recours pour assurer l'utilisation optimale de la structure, des compétences, des processus et des ressources dont elle dispose, afin de tirer profit des perspectives favorables que lui offre

> **Modèle conceptuel**
>
> Représentation des liens entre variables servant à expliquer les flux de données qui décrivent les événements auxquels le système réagit ou les processus qui sont stimulés par ces flux de données et qui provoquent une réaction du système. Le modèle conceptuel peut servir, entre autres, à confirmer les objectifs d'un projet.

son environnement, tout en réduisant au minimum l'effet des contraintes externes susceptibles de compromettre l'atteinte de ses objectifs[8] ». Cette définition fait référence à l'obligation dans laquelle se trouve l'entreprise d'assurer l'adéquation de ses ressources humaines avec, d'une part, ses objectifs fondamentaux et, d'autre part, les divers processus, structures et moyens mis en œuvre au sein même de la gestion des ressources humaines. En définissant la gestion stratégique des ressources humaines, Schuler met davantage l'accent sur la nécessité de modifier les comportements des individus en vue de répondre aux objectifs de l'organisation. Il définit la gestion stratégique des ressources humaines comme étant « l'ensemble des activités influant sur le comportement des individus dans leurs efforts pour formuler et satisfaire les besoins stratégiques de l'organisation[9] ». En 1992, Wright et MacMahan[10] ont présenté une définition plus large en affirmant que la gestion stratégique des ressources humaines consiste à élaborer des modèles planifiés d'activités qui seront implantés dans le but de permettre à une organisation d'atteindre ses objectifs.

Des définitions proposées, deux composantes principales émergent et représentent les conditions essentielles de la gestion stratégique. Selon la première condition, les pratiques de gestion doivent être étroitement liées à la stratégie organisationnelle ; selon la seconde, il convient de mettre en place des systèmes de gestion des ressources humaines qui soient cohérents, autrement dit l'organisation doit envisager d'implanter des pratiques de gestion qui soient compatibles et complémentaires[11].

Pratiques de gestion

Ensemble de mesures et de procédés qui permettent de mettre en œuvre les différentes activités de gestion.

2.3 LE PROCESSUS DE GESTION STRATÉGIQUE DES RESSOURCES HUMAINES

En règle générale, un processus de gestion stratégique est essentiellement constitué de trois étapes, comme l'illustre l'encadré 2.1. La première étape correspond à la planification stratégique – composée de trois activités –, la deuxième étape, à la mise en œuvre des plans stratégiques, et la troisième, à l'évaluation de ces derniers. Notons que, lors de leur formulation, les trois étapes doivent tenir compte tant de l'environnement interne que de l'environnement externe de l'entreprise.

ENCADRÉ ▶ **2.1**

Le processus type de gestion stratégique

Étape I : planification stratégique

- Élaboration d'une vision stratégique qui propose un ensemble de valeurs et une stratégie organisationnelle générale
- Détermination des enjeux stratégiques organisationnels
- Définition des objectifs stratégiques

Étape II : mise en œuvre des plans stratégiques

- Mise en œuvre des plans stratégiques au moyen d'activités bien définies

Étape III : évaluation des plans stratégiques

- Mesure, évaluation et révision des plans et repositionnement de l'organisation en fonction de l'avenir

Source : adapté de A.A. Thompson et A.J. Strickland, *Crafting and Implementing Strategy,* 10e édition, New York, McGraw-Hill, 1998.

Le processus de gestion stratégique des ressources humaines se déroule selon les mêmes étapes. Il vise cependant à définir des stratégies et des objectifs sur lesquels reposera la mise en place des activités de gestion stratégique associées à la gestion des ressources humaines[12]. Ces liens apparaissent clairement dans l'encadré 2.2.

ENCADRÉ ▶ 2.2

Les étapes du processus de gestion stratégique des ressources humaines

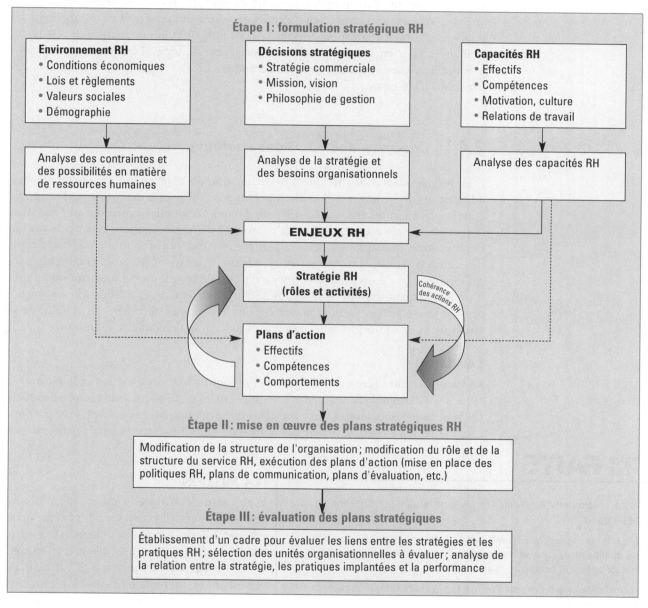

Afin d'établir les liens entre la gestion stratégique et la gestion des ressources humaines, nous aborderons dans les sections suivantes les étapes de formulation, de mise en œuvre et d'évaluation du processus de gestion stratégique des ressources humaines.

2.4

ÉTAPE 1 : LA FORMULATION STRATÉGIQUE

La formulation stratégique assure l'alignement des pratiques sur la stratégie organisationnelle et la cohérence interne des activités de gestion des ressources humaines. Comme l'indique l'encadré 2.2, les responsables des ressources humaines doivent analyser trois composantes essentielles : les décisions stratégiques, l'environnement des ressources humaines ainsi que les capacités de l'organisation en matière de ressources humaines. Pour en arriver à la formulation d'une stratégie, il est important de comprendre le contenu de toute stratégie en matière de ressources humaines ainsi que le processus d'alignement[13].

2.4.1 | L'analyse des décisions stratégiques

D'emblée, il faut reconnaître que la détermination des enjeux stratégiques attribuables à la gestion des ressources humaines présuppose de la part de l'organisation qu'elle établisse les mesures grâce auxquelles elle pourra accomplir sa mission, voir sa vision se matérialiser et sa stratégie générale couronnée de succès. Or, pour intégrer la gestion des ressources humaines à la gestion de la performance organisationnelle, il faut définir des objectifs stratégiques qui soient en harmonie tant avec les besoins des employés qu'avec ceux de l'entreprise. La réussite d'une telle opération n'est assurée qu'au prix d'un examen approfondi de la vision de l'organisation, de sa mission, de ses valeurs et de sa stratégie. Les facteurs favorables ou défavorables découlant de sa taille, de sa structure et de son organisation du travail doivent également être examinés.

LA VISION

La vision traduit l'idée que les dirigeants se font de leur organisation et la position à laquelle ils désirent la faire accéder. Chaque élément de l'énoncé de la vision a des effets sur la gestion des ressources humaines. De toute évidence, aucune entreprise ne parvient à satisfaire aux exigences exprimées dans cette définition sans la participation de ses employés.

DANS LES FAITS

Notre mission est d'être le chef de file mondial dans la fabrication d'avions et de trains.

Nous nous engageons à fournir à nos clients des produits et des services de qualité supérieure, et à nos actionnaires une rentabilité soutenue en misant sur notre personnel et nos produits.

Notre leadership repose sur l'innovation et sur le caractère exceptionnel de nos produits, sur les plans de la sécurité, de l'efficacité et de la performance.

Nos exigences sont élevées. Nous définissons l'excellence et nous respectons nos engagements[14].

LA MISSION

La mission constitue la raison d'être d'une entreprise, car elle correspond à ce que cette dernière désire offrir à ses clients. À ce titre, elle doit être formulée avec clarté et précision. C'est le cas de l'énoncé de la mission de Bombardier, présenté ci-contre. Pour accomplir sa mission, une organisation doit obligatoirement obtenir la collaboration de ses employés. Comme la mission se matérialise dans la gestion des ressources humaines, on la définit habituellement en référence à celle-ci.

LES VALEURS

Les valeurs sont les croyances auxquelles adhère une entreprise et qui la distinguent des organisations concurrentes. Les valeurs influent de façon directe sur la gestion des ressources humaines. Assimilées à la culture organisationnelle, elles ont cependant une portée plus large et une durée de vie plus longue que celle-ci.

DANS LES FAITS

Chez Alcan, nous partageons les valeurs d'intégrité, de responsabilité, de confiance, de transparence et de travail d'équipe. Ces valeurs nous guideront dans nos propres interactions ainsi que dans nos rapports avec nos clients, fournisseurs et autres partenaires.

- **Intégrité :** Nous croyons fermement que l'intégrité doit marquer toutes nos opérations commerciales. Nous nous conduisons de façon responsable, conformément à notre code de conduite mondial des employés et de l'entreprise, qui s'applique également à nos sous-traitants, à nos consultants et à nos fournisseurs.
- **Responsabilité :** Nous nous efforçons aussi d'assumer ouvertement la responsabilité de nos actes et nous voulons aligner le pouvoir décisionnel sur les responsabilités à tous les paliers de notre organisation. Pour chaque employé d'Alcan, il s'agit d'honorer ses engagements et d'assumer la responsabilité de ses actes et comportements.
- **Confiance et transparence :** Toutes nos relations d'affaires doivent être fondées sur la confiance, soit l'assurance que les autres respecteront leur parole et que nous en ferons autant. Pour parvenir à établir un climat de confiance, nous devons communiquer de façon transparente avec les autres et leur fournir des renseignements exacts et opportuns.
- **Travail d'équipe :** Nous croyons que nous devons miser sur les compétences de nos différents partenaires – employés, fournisseurs, sous-traitants et clients – en adoptant des méthodes de résolution de problèmes et de réalisation de projets fondées sur la coopération et le travail d'équipe[15].

LES STRATÉGIES ORGANISATIONNELLES

Les stratégies organisationnelles permettent à l'entreprise d'établir sa position sur le marché et de se doter de mesures et de moyens visant à améliorer la performance de ses diverses unités. À partir de ses stratégies, l'organisation décide de ses orientations afin d'épouser la vision qu'elle s'est donnée et d'accomplir sa mission. En définissant sa stratégie, l'entreprise cerne du même coup les mesures et les moyens qu'elle entend adopter pour devenir performante dans un domaine d'activité et assurer sa compétitivité à long terme. Lorsque vient le temps d'établir une stratégie organisationnelle, il est important de tenir compte des aspects énumérés dans l'encadré 2.3.

Parmi les nombreux cadres de référence propices à l'étude et à la compréhension des divers types de stratégies, nous avons choisi ceux qui sont le plus fréquemment utilisés en association avec la gestion stratégique des ressources humaines. Divers chercheurs, dont Miles et Snow[16], Porter[17], de même qu'Ansoff[18], ont étudié les stratégies utilisées par de nombreuses entreprises exerçant leurs activités dans des secteurs variés. L'encadré 2.4 décrit les stratégies organisationnelles associées au cycle d'un produit. Miles et Snow ont défini plusieurs stratégies d'adaptation que l'organisation peut adopter ; elles sont présentées dans l'encadré 2.5. Les stratégies de concurrence de Porter sont détaillées dans l'encadré 2.6.

Pour établir une stratégie organisationnelle

- Élaborer des plans à long terme.
- Construire un portefeuille rentable et en maximiser le rendement (par la voie d'acquisitions ou de rationalisations).
- Comprendre la synergie existant entre les domaines d'activité et en disposer comme d'un avantage concurrentiel.
- Établir des priorités d'investissements et orienter l'utilisation des ressources organisationnelles vers les investissements les plus attrayants.
- Revoir et unifier les approches stratégiques et les réalignements proposés par les dirigeants des domaines d'activité.

Source : adapté de R.S. Schuler, S.E. Jackson et J. Storey, « HRM and its Link with Strategic Management », dans J. Storey (sous la dir. de), *Human Resource Management : A Critical Text*, chapitre 7, London, Thomson International, 2000.

Les stratégies organisationnelles associées au cycle du produit

- **La stratégie entrepreneuriale :** Cette stratégie implique la réalisation de projets à haut risque financier et la mise en place de règles et de politiques minimales. De plus, les ressources disponibles étant insuffisantes pour répondre aux besoins de la clientèle, les priorités établies visent essentiellement à satisfaire à la demande des consommateurs. Cette stratégie se concentre sur le court terme et sur les conditions propres à favoriser le démarrage de l'entreprise.
- **La stratégie de croissance dynamique :** Cette stratégie cherche à limiter les risques inhérents à la mise en œuvre de projets. Un dilemme fondamental existe entre l'obligation de déployer de l'énergie pour l'accomplissement du travail courant et la nécessité de planifier l'avenir. L'élaboration de politiques et de règles est amorcée, car on ressent le besoin d'une supervision et d'une structuration accrues pour assurer l'expansion de l'entreprise.
- **La stratégie de rationalisation ou de maintien des bénéfices :** Cette stratégie vise à sauvegarder les niveaux de bénéfices existants. Certains efforts sont entrepris pour réduire les coûts et des mises à pied peuvent donc survenir. On constate que les systèmes de supervision et les structures ont atteint un niveau de développement important et qu'il existe un ensemble fort imposant de politiques et de règles.
- **La stratégie de liquidation ou de cession :** Cette stratégie consiste à liquider tous les avoirs de l'entreprise, à restreindre les pertes ultérieures et à réduire au minimum les effectifs. On ne vise pas à garder l'entreprise en activité, puisqu'il semble impossible d'infléchir la tendance à la baisse des bénéfices.
- **La stratégie de redressement :** Cette stratégie a pour objectif la sauvegarde de l'entreprise. La réduction des coûts et les licenciements s'accompagnent de l'implantation de programmes à court terme visant à assurer la survie de l'entreprise. Ces mesures ont souvent des effets positifs sur le moral des employés.

La stratégie d'adaptation

Alors que la stratégie globale à long terme s'applique à l'organisation dans son ensemble, la stratégie d'adaptation est utilisée plus particulièrement dans les secteurs ou les unités de travail. Elle a pour objet d'harmoniser l'entreprise avec son environnement externe. Elle se divise en trois sous-catégories : la stratégie de prospection, la stratégie de défense et la stratégie d'analyse.

- Les entreprises qui adoptent une *stratégie de prospection* sont continuellement à l'affût de de nouveaux marchés et de nouveaux produits. Elles évoluent généralement dans un environnement dynamique et en pleine croissance. Par conséquent, elles doivent disposer d'une structure interne suffisamment souple pour leur permettre d'innover.

- À l'opposé, les entreprises qui choisissent une stratégie de défense ont un souci de stabilité. Ainsi, plutôt que de procéder à des changements majeurs de technologie ou de structure, elles se concentrent sur l'amélioration de l'efficacité des méthodes existantes.
- La stratégie d'analyse vise, quant à elle, à maintenir un noyau organisationnel stable, tout en mettant en application certaines innovations. Cette stratégie constitue un juste milieu entre les deux stratégies précédentes[19].

Source: M. Jansens, « Evaluating International Managers' Performance : Parent Company Standards as Control Mechanism », *The International Journal of Human Resource Management,* vol. 5, n° 4, décembre 1994, p. 853-873.

ENCADRÉ ▶ **2.6**

La stratégie de concurrence

La stratégie de concurrence se fonde sur la typologie bien connue de Porter, qui distingue trois approches stratégiques : la stratégie de différenciation, la stratégie de domination par les coûts et la stratégie ciblée[20].

- La **stratégie de différenciation** a pour objet la création par une entreprise de produits ou de services qui se distinguent de ceux de ses concurrents. Pour mener à bien cette stratégie, l'entreprise mise sur le caractère unique de ses produits et services et investit considérablement en recherche et développement.
- Une entreprise qui applique une *stratégie de domination par les coûts* cherche à maximiser sa production et utilise des méthodes de contrôle strictes pour obtenir des avantages concurrentiels. Elle peut ainsi fixer le prix d'un produit à un niveau comparable ou inférieur à celui de ses concurrents, tout en maintenant une qualité et des marges de profits supérieures à la moyenne.
- La *stratégie ciblée*, pour sa part, se concentre sur un marché particulier, une gamme de produits ou un groupe de consommateurs (niche). L'organisation peut faire concurrence aux autres entreprises établies sur ce même marché en appliquant une stratégie de domination par les coûts ou une stratégie de différenciation.

L'intégration de la dimension humaine à la définition de la stratégie de l'entreprise suppose la mise en place d'un processus systématique et complet qui, à son tour, exige une compréhension approfondie des activités de l'organisation et de la gestion des ressources humaines. Cette intégration au processus de formulation de la stratégie a pour effet de faciliter la définition de la vision, de la mission et des valeurs de l'organisation, et, parallèlement, d'harmoniser la vision, la mission et les valeurs propres à la fonction ressources humaines avec les objectifs stratégiques généraux de l'entreprise.

LA TECHNOLOGIE ET LA STRUCTURE ORGANISATIONNELLE

On entend généralement par *technologie* les techniques et les connaissances nécessaires à la production des biens et des services de l'entreprise. Par exemple, la chaîne de montage est la principale technique utilisée pour la fabrication des automobiles. À la suite de la récession et des crises liées à la qualité et à la productivité, la technologie traditionnelle est de plus en plus contestée. Dans la foulée de ces changements, la structure organisationnelle de l'entreprise doit inévitablement s'alléger. Avec l'arrivée de la technologie informatique moderne, la supervision étroite des tâches n'est plus requise. Des systèmes de supervision électronique remplacent les inspecteurs et le travail s'effectue en fonction d'un horaire flexible, parfois même à l'extérieur de l'usine. Pour accroître leur efficacité sur le plan de la qualité et des coûts, les entreprises

Voici quelques exemples d'enjeux stratégiques :
- Faire preuve d'un plus grand dynamisme sur les marchés internationaux.
- Prendre de l'expansion à la faveur d'acquisitions profitables.
- Mettre l'accent sur l'innovation.
- Améliorer le service à la clientèle et s'orienter vers la résolution de problèmes.

tendent à se restructurer en procédant à une réduction de leurs effectifs ou à une décentralisation du processus de décision. Or, les technologies et les modes d'organisation du travail déterminent le choix des stratégies de gestion des ressources humaines et conditionnent les pratiques à implanter.

LA TAILLE DE L'ENTREPRISE

La taille de l'entreprise détermine également les stratégies de gestion des ressources humaines, car elle permet de réaliser des économies d'échelle qui raffermissent la compétitivité des entreprises. Ces dernières disposent alors d'une plus grande marge de manœuvre dans l'élaboration de leur politique en matière de ressources humaines, plus particulièrement en ce qui a trait à la rémunération, à l'évaluation du rendement et à la définition des cheminements de carrière.

2.4.2 | L'analyse de l'environnement des ressources humaines

Comme l'indique l'encadré 2.2, la planification stratégique doit nécessairement tenir compte autant de l'environnement externe de l'entreprise que des facteurs internes, puisque ceux-ci influent à la fois sur la capacité de faire un choix stratégique et sur l'implantation des mesures visant la mise en application de la stratégie choisie. Dans cette section, nous passons brièvement en revue les différents facteurs externes qui doivent être pris en considération au moment de la planification stratégique.

Pour effectuer une planification stratégique efficace, il est important que les entreprises analysent leur environnement. Il faut cependant noter que le poids des différents facteurs environnementaux sur l'activité dépend du type d'industrie dans lequel l'entreprise s'insère et de la stratégie que celle-ci a retenue. Lors de son analyse, l'entreprise devra donc prendre en considération les aspects sociaux, éducatifs, démographiques, politiques, juridiques et économiques de son environnement[21].

En ce qui a trait à la dimension sociale, les entreprises doivent se montrer sensibles aux valeurs et aux phénomènes présents dans la société. Ainsi, durant les périodes où le taux de chômage est très élevé, certaines entreprises s'efforcent de rehausser leur image en mettant sur pied des initiatives qui témoignent de leur intérêt pour les questions sociales. Par exemple, un quotidien pourrait, une fois par semaine, offrir gratuitement une partie de son espace publicitaire aux personnes sans emploi qui désirent proposer leurs services à des employeurs éventuels.

En ce qui concerne la dimension éducative, la pénurie de travailleurs qualifiés qui touche certains domaines peut causer des difficultés aux entreprises ; par conséquent, quelques-unes d'entre elles prêtent désormais leur concours à des écoles de formation professionnelle, à des collèges et à des universités afin d'élaborer des programmes particuliers permettant d'acquérir la formation nécessaire à l'exercice de fonctions dans un secteur d'activité déterminé. Nous reviendrons sur ce sujet au chapitre 8.

Pour ce qui est des dimensions politique et juridique de l'environnement, la mondialisation des marchés et la possibilité d'établir des unités de production dans des pays qui présentent des avantages sur de multiples plans – coût de la main-d'œuvre, disponibilité des matières premières, coûts sociaux, qualité du système d'éducation – inquiètent et modifient les rapports de force à l'intérieur de l'organisation. Enfin, l'analyse de la situation économique actuelle et des conséquences de la concurrence mondiale fournit à l'organisation des informations qui l'aideront à mener à bien sa planification globale ainsi qu'à définir le rôle de son service des ressources humaines dans le cadre de la stratégie adoptée.

2.4.3 | L'analyse des capacités en matière de ressources humaines

Certaines des caractéristiques propres à l'organisation elle-même déterminent les enjeux et les choix stratégiques relatifs à la gestion des ressources humaines. Elles influent également sur l'implantation des mesures qui en découlent. Les facteurs internes comprennent la culture d'entreprise, les caractéristiques de la main-d'œuvre sur le plan des effectifs, des compétences, de la performance ainsi que le type de relations de travail et le climat prévalant dans l'organisation.

La culture d'entreprise, ou culture organisationnelle, représente la somme des principes, des traditions, des codes sociaux et des coutumes auxquels celle-ci adhère. Fortement influencée par l'orientation que lui donne la haute direction, la culture d'entreprise définit les valeurs auxquelles l'organisation veut voir ses membres adhérer : volonté de participer au succès de l'entreprise, code moral et traitement souhaité[22].

Les pratiques de gestion des ressources humaines reflètent le plus souvent la culture d'entreprise. On peut cependant noter que celle-ci, à son tour, imprègne inévitablement la fonction et les activités de gestion des ressources humaines, dans la mesure où ce sont souvent ces activités qui expriment la culture d'entreprise. Les différentes pratiques de gestion des ressources humaines offrent à l'entreprise une foule de possibilités ; ces pratiques sont souvent choisies en fonction du profil culturel adopté par l'organisation[23]. Les professionnels de la gestion des ressources humaines doivent examiner leur rôle et leur contribution pour pouvoir définir les changements ou les améliorations nécessaires.

Finalement, l'analyse la plus cruciale a trait aux caractéristiques des ressources humaines : effectifs, compétences – voire potentiel de compétences –, attitudes et comportements, motivation. Il s'agit donc à cette étape de procéder à un inventaire des effectifs, de recenser les compétences et de déceler les comportements propres à faciliter la mise en œuvre des stratégies organisationnelles préalablement élaborées. Analyser le climat de travail et les relations avec les employés syndiqués et non syndiqués permettra également de mettre en lumière les faiblesses auxquelles la gestion des ressources humaines devra remédier.

2.4.4 | Les enjeux et les objectifs stratégiques des ressources humaines

À partir de l'analyse des décisions stratégiques, des facteurs environnementaux favorables et défavorables et des capacités en ressources humaines de l'organisation, les professionnels de la gestion des ressources humaines sont en mesure de mieux circonscrire le rôle qu'ils sont appelés à jouer et les actions qu'ils devraient planifier dans le but d'atteindre les objectifs organisationnels. En fait, l'étape d'établissement des enjeux et des objectifs stratégiques constitue le lien entre la stratégie organisationnelle et les actions concrètes que la fonction ressources humaines doit accomplir pour mettre celle-ci en application.

Pour établir les enjeux de la gestion des ressources humaines, on doit d'abord cerner les enjeux propres à la fonction ressources humaines, mais conformes avec la vision, la mission et les valeurs de l'entreprise. Par exemple, si une organisation décide de s'orienter davantage vers la satisfaction de sa clientèle, sa fonction ressources humaines devra indiquer, dans l'énoncé de son plan stratégique, comment elle comprend cette nouvelle orientation et ce que celle-ci représente par rapport à la gestion des ressources humaines dans l'ensemble de l'entreprise et dans son service en particulier.

Ainsi, la fonction ressources humaines commencera par établir ses propres défis fonctionnels :

- La nécessité d'élaborer elle aussi une nouvelle vision et de nouvelles valeurs, et de modifier la culture organisationnelle.
- La nécessité pour le service des ressources humaines d'adopter lui aussi une approche client, par exemple.

Du point de vue opérationnel, la fonction ressources humaines devra déterminer les mesures qu'elle doit prendre pour renforcer son plan fonctionnel, à savoir :

- Continuer à élaborer des mesures précises en vue de soutenir les plans des différentes fonctions organisationnelles et de répondre aux besoins organisationnels liés à l'atteinte des objectifs établis par les unités opérationnelles.
- Définir les besoins liés à la gestion des ressources humaines des unités fonctionnelles (finances, marketing, par exemple).

Ensuite, la fonction ressources humaines devra établir ses objectifs en regard des quatre activités essentielles de gestion qui la concernent. La formulation des objectifs à atteindre permet notamment à l'organisation :

- D'assurer une affectation efficace des employés.
- De se doter d'employés ayant les compétences requises pour exercer les fonctions qui leur sont confiées.
- De modeler le comportement des employés en fonction des objectifs à atteindre.
- De faire en sorte que les employés soient fortement motivés par leur travail.

Notons également qu'il importe de s'assurer la collaboration du syndicat pour l'application des mesures qui ont trait à la poursuite des objectifs stratégiques. Ceux-ci incombent essentiellement à la fonction ressources humaines, mais le fait de les atteindre profitera à toutes les fonctions organisationnelles, qui pourront ainsi mettre en pratique les orientations stratégiques de l'organisation.

2.4.5 | L'élaboration d'une stratégie des ressources humaines

Une fois définis les défis relatifs aux rôles et aux activités de gestion des ressources humaines, les professionnels devraient arrêter une stratégie qui permettrait de les relever. Dans cette section, nous précisons ce qu'on entend par *stratégie des ressources humaines,* pour ensuite en déterminer le contenu.

La stratégie des ressources humaines énonce la façon dont on utilisera les moyens dont on dispose pour gérer les ressources humaines. Or, comme nous l'avons mentionné plus tôt, la gestion stratégique des ressources humaines est liée à deux impératifs : les pratiques à implanter doivent s'aligner sur les stratégies organisationnelles tout en étant cohérentes entre elles.

Plusieurs typologies vont dans ce sens. Delery et Doty[24] ou Baron et Kreps[25] distinguent les stratégies en matière de ressources humaines selon la définition qu'on donne de la main-d'œuvre : on peut considérer celle-ci comme un actif dans lequel il faut investir ou comme un bien de consommation qu'on peut se procurer sur le marché du travail. Schuler et Jackson[26], Dyer et Holder[27], et Snell[28] différencient les stratégies de gestion des ressources humaines selon le mode de supervision de la main-d'œuvre et le degré d'autonomie qui lui est consenti dans l'accomplissement de ses tâches[29].

Parmi les typologies décrivant le contenu des stratégies de gestion des ressources humaines, celle de Bamberger et Meshoulam[30], qui se base sur une recension de toutes les typologies jusque-là présentées, est sans doute la plus complète à ce jour. Bamberger et Meshoulam proposent une typologie qui met en évidence quatre modèles stratégiques de ressources humaines, que nous regroupons en deux catégories : les modèles axés sur le capital humain et les modèles axés sur la flexibilité[31].

LES MODÈLES AXÉS SUR LE CAPITAL HUMAIN

Parmi les modèles stratégiques axés sur le capital humain, on trouve les *stratégies de mobilisation* (ou de *commitment*) et les *stratégies paternalistes*.

Les stratégies de mobilisation. Dans les stratégies de mobilisation (ou de *commitment*), les ressources humaines sont un actif dans lequel l'employeur doit investir pour obtenir les compétences dont il a besoin. Les pratiques organisationnelles visent alors à préserver la sécurité d'emploi. Elles s'attachent à responsabiliser les individus, à augmenter leur autonomie, à favoriser leur développement de carrière, à promouvoir la dotation interne, à encourager la mobilité selon les besoins de l'employeur, à procéder à du recrutement ciblé et à une sélection fondée sur les traits culturels. Ce type de stratégie suppose qu'on mette l'accent sur l'équité interne, qu'on privilégie la rémunération au mérite, qu'on multiplie les avantages sociaux et qu'on offre une aide complémentaire aux employés en difficulté. Dans ce type d'environnement, la communication est soutenue et les systèmes d'expression et de résolution des conflits à l'interne comptent parmi les moyens favorisant les échanges entre les employés et l'employeur.

Les stratégies paternalistes. Lorsque le travail à accomplir est peu complexe, notamment dans des environnements relativement stables, l'employeur procède généralement à des définitions étroites des tâches. Il augmente la supervision par le fait même et tente de réguler les comportements. Dans les contextes qui se prêtent aux stratégies paternalistes, les compétences exigées des employés sont limitées. Néanmoins, on y accorde la sécurité d'emploi, on rémunère l'ancienneté, on offre de généreux avantages sociaux, on favorise l'équité interne et on encourage la formulation des griefs et leur résolution. Ces pratiques ont une contrepartie : l'employeur s'attend à ce que ses employés soient fidèles à l'entreprise. Souvent qualifiées d'hybrides ou de transitoires, les stratégies paternalistes découlent soit de la philosophie de gestion de l'employeur – qui croit à la valeur du capital humain même si les compétences de celui-ci sont limitées –, soit d'un contexte de syndicalisation favorisant l'établissement de règles administratives et la création d'un marché interne du travail[32].

LES MODÈLES AXÉS SUR LA FLEXIBILITÉ

Les organisations choisissent des modèles axés sur la flexibilité et plus précisément des stratégies axées sur le marché externe de l'emploi ou des stratégies dites d'*externalisation* lorsque les stratégies énoncées précédemment comportent plus d'inconvénients que d'avantages. Elles se procureront sur le marché externe les compétences dont elles ont besoin plutôt que de les laisser se développer à l'interne, comme dans les cas décrits plus haut. Pour être compétitives, elles devront néanmoins se préoccuper de l'équité externe et verser les salaires en vigueur sur le marché. Cependant, elles comptent réaliser des économies sur la formation, et surtout sur la masse salariale, qui sera ajustée aux besoins réels de l'organisation.

Une telle modulation de la main-d'œuvre favorisera la réactivité, l'adaptation aux cycles économiques et permettra à l'organisation de profiter des occasions qui se présentent. Bamberger et Meshoulam distinguent deux types de stratégies, selon l'importance du travail effectué par la main-d'œuvre et la difficulté de l'organiser d'une manière rigide et de le superviser : les *stratégies d'agent libre* et les *stratégies secondaires*.

Les stratégies d'agent libre. Dans le cas de tâches complexes, pouvant difficilement être régulées, il sera préférable d'engager des experts ou des professionnels autonomes capables de faire face aux incertitudes du processus de travail plutôt que de laisser se développer les compétences à l'interne. Les pratiques de gestion des ressources humaines accordent alors une grande autonomie, tout en veillant à évaluer fréquemment les employés et à les rémunérer selon les résultats obtenus. La responsabilité de l'acquisition des compétences est entièrement abandonnée aux employés. Les compétences sont recherchées sur le marché du travail, selon les besoins. Les stratégies d'agent libre se retrouvent notamment dans les entreprises de haute technologie.

Les stratégies secondaires. Dans des contextes organisationnels où les emplois sont moins complexes et plus prévisibles, la stratégie visera l'uniformisation des comportements, la simplification du travail et l'augmentation de la productivité. Les pratiques de gestion des ressources humaines appuyant cette stratégie misent sur une main-d'œuvre homogène, peu qualifiée et disponible sur le marché externe. Elles veillent à juguler les coûts et à stimuler la performance, notamment par une supervision étroite, de fréquentes évaluations et une rémunération basée sur le rendement.

2.4.6 | Le processus d'alignement

La symbiose de la stratégie – essentielle au développement de l'organisation – et des ressources humaines – essentielles au succès de la stratégie – est illustrée dans l'encadré 2.7[33]. Guérin l'explique par un double processus d'influence et d'alignement[34].

Le premier processus influe sur la stratégie organisationnelle par l'intermédiaire des capacités des ressources humaines : plus le savoir-faire des employés est étendu, plus les valeurs, les attitudes et les comportements évoluent dans le sens des exigences futures (culture de participation, culture de développement continu, souplesse des mentalités ou style de gestion « transformationnel », par exemple) ; plus l'organisation est avantagée par ses ressources humaines, plus ses stratégies compétitives peuvent être ambitieuses, la compétitivité de demain étant largement fonction des capacités acquises aujourd'hui. En travaillant à bâtir les forces qui seront à la base des stratégies futures, la stratégie en matière de ressources humaines devient proactive et associée au long terme, donc à une certaine incertitude. Elle suppose une bonne connaissance ou une vision claire de ce que seront les exigences de demain. Elle vise particulièrement à modifier les aspects qui sont les plus lents à évoluer – lesquels étant aussi ceux qui contribuent le plus au succès de l'entreprise –, soit les aspects culturels (valeurs, attitudes).

ENCADRÉ ▶ **2.7**

L'alignement de la stratégie de ressources humaines sur la stratégie organisationnelle

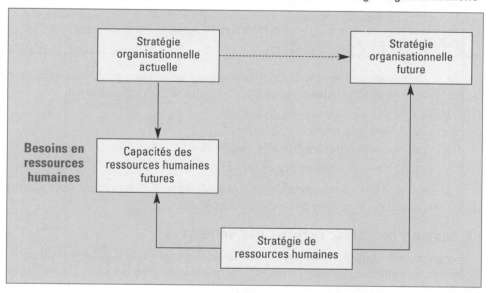

Plus classique, toujours selon Guérin, le second processus aligne les ressources humaines sur les besoins en ressources humaines qui découlent de la stratégie organisationnelle. La formulation d'une stratégie organisationnelle suppose un certain nombre de choix et d'hypothèses, et il faut travailler à les concrétiser dans les plans de gestion des ressources humaines. La stratégie de ressources humaines est ici réactive et son horizon est celui de la stratégie organisationnelle. Comme cette dernière est de plus en plus volatile étant donné la difficulté de prévoir à long terme les conditions du marché, le temps alloué à l'alignement se réduit de plus en plus, ce dont peuvent s'accommoder les mesures qui se rapportent aux effectifs et aux compétences, mais pas nécessairement celles qui se rapportent à un aspect comportemental, telle une modification de la culture organisationnelle.

2.4.7 | L'élaboration des plans de gestion des ressources humaines : le modèle des quatre activités

Les plans de gestion des ressources humaines constituent des guides permettant à la fonction ressources humaines de s'acquitter de ses responsabilités (voir l'encadré 2.8). D'après les travaux de Capelli et Crocker-Hefter[35], de même que ceux de Becker et Huselid[36], il est préférable de choisir des pratiques de gestion des ressources humaines qui coexistent sous forme de grappes ou d'ensembles, car elles sont source de performance. Celles qu'on retiendra devront également satisfaire à l'environnement externe et interne influant sur l'entreprise.

ENCADRÉ ▶ **2.8**

Les plans de ressources humaines : des guides pour la fonction

1. Fournir à l'organisation les effectifs appropriés au bon moment, en s'assurant qu'ils sont conscients de la vision, de la mission, des valeurs et de la stratégie organisationnelles.
2. Procurer à l'organisation des employés possédant les compétences requises pour effectuer leurs tâches et assumer leurs responsabilités.
3. Doter l'organisation d'employés qui adoptent des comportements conformes à la stratégie organisationnelle et à ses objectifs.
4. Permettre à l'organisation de compter sur des employés performants dans les activités journalières et faire en sorte qu'elle soit capable d'attirer un grand nombre de candidatures et de fidéliser les personnes recrutées.

Les principales responsabilités de la fonction ressources humaines sont bien résumées dans le modèle suivant, constitué de quatre activités prioritaires :

- La gestion des affectations des employés.
- La gestion des compétences des employés.
- La gestion des comportements des employés.
- La gestion des motivations des employés.

Considérées dans leur ensemble, ces activités servent de ligne directrice dans le choix des pratiques de gestion des ressources humaines.

LA GESTION DES AFFECTATIONS DES EMPLOYÉS

Une organisation doit toujours pouvoir compter sur le nombre d'employés dont elle a besoin à un moment donné. C'est la règle d'or qui doit présider à tout processus de planification des ressources humaines. Une planification efficace des besoins en main-d'œuvre permet de parer à toutes les éventualités. Quand vient le temps de procéder à de nouvelles affectations, on se heurte notamment à la difficulté de décider de l'endroit où il convient de recruter le personnel requis : faut-il puiser dans le bassin interne des ressources humaines ou recruter à l'extérieur de l'entreprise, sur le marché local ou international ? En outre, il y a lieu de déterminer si le processus de dotation en personnel sera confié à une agence privée de placement ou sera pris en charge par un service de l'entreprise. Par ailleurs, au moment de l'embauche, il est important d'expliquer au nouvel employé la vision, la mission et les valeurs de l'organisation. Pour obtenir un rendement maximal de la part de ses employés, l'entreprise doit favoriser les interactions, l'apprentissage, la communication et la participation à la prise de décision. L'encadré 2.9 résume quelques-unes des priorités de la fonction ressources humaines en matière de gestion des effectifs.

La gestion des effectifs : quelques questions clés

- De combien d'employés aura-t-on besoin ?
- Pour quels postes et à quel moment les embauchera-t-on ?
- Où devra-t-on les recruter ?
- Quelles sont les possibilités de perfectionnement, d'avancement et de récompense qui les attireront dans notre entreprise ?

LA GESTION DES COMPÉTENCES DES EMPLOYÉS

Cette activité vise à pourvoir le personnel des compétences, des connaissances et des habiletés nécessaires à l'exécution de ses tâches. La sélection méthodique des employés dont les compétences correspondent aux exigences établies au cours de l'analyse des postes assure l'adéquation entre les qualités qu'ils présentent et le travail à accomplir. Dans ce domaine, on doit miser de préférence sur une planification à long terme ; les employés ont ainsi la possibilité de développer leurs talents pour se préparer aux défis qu'ils devront relever.

L'encadré 2.10 fait état de certaines préoccupations relatives à la gestion des compétences.

ENCADRÉ ▶ 2.10

La gestion des compétences : quelques questions clés

- Quelles compétences les employés possèdent-ils ?
- Quelles sont les compétences dont l'organisation aura besoin dans l'avenir ?
- Quelles seront les compétences moins importantes dans l'avenir ?
- Quels employés devront acquérir de nouvelles compétences ? Quelles seront ces compétences ?
- Les compétences nécessaires pourront-elles être acquises à l'interne ou l'organisation devra-t-elle recruter à l'extérieur ?

LA GESTION DU COMPORTEMENT DES EMPLOYÉS

Cette activité consiste à faire en sorte que les employés se comportent de façon appropriée au travail. Étant donné que le comportement reflète généralement les valeurs et les compétences d'un individu, il est important de comprendre ces phénomènes d'interdépendance. On considère de plus en plus le comportement des employés comme un outil indispensable : il permet à l'entreprise d'atteindre ses buts et de satisfaire les attentes des divers partenaires. Ainsi, une entreprise dont la politique commerciale est axée sur le service à la clientèle a besoin d'hommes et de femmes capables de converser avec les clients avec aisance, de répondre avec courtoisie aux questions qu'on leur pose et d'offrir une assistance allant au-delà de la stricte observation des instructions reçues de l'employeur. L'encadré 2.11 énumère quelques préoccupations en matière de gestion du comportement des employés.

LA GESTION DES MOTIVATIONS DES EMPLOYÉS

Cette activité a pour objectif de maintenir un degré élevé de motivation parmi les employés. Son succès est évidemment tributaire de l'attention apportée à la sélection du personnel. Il importe de recruter des employés compétents, qui manifestent l'intention d'être performants au travail. Lorsque les employés sont disposés à être productifs à 90 % au lieu de l'être à 75 %, par exemple, il en résulte des gains substantiels pour l'entreprise. Il faut considérer que l'amélioration de la productivité peut exiger de la part du personnel qu'il travaille avec plus d'ardeur, plus longtemps ou de façon plus rationnelle.

ENCADRÉ ▶ 2.11

La gestion du comportement des employés : quelques questions clés

- Quels sont les comportements valorisés par l'entreprise ?
- Quels sont les comportements incompatibles avec la stratégie organisationnelle et qui devraient de ce fait être éliminés ou modifiés ? Par exemple, comment les comportements des employés peuvent-ils influer sur ceux des clients et sur leurs habitudes d'achat ?

Outre le rendement et la compétence, le comportement est d'une importance capitale pour assurer la bonne marche de l'organisation. Le fait de pouvoir compter sur des employés sérieux et réfléchis, qui affichent une ferme volonté d'accomplir leur travail et pour lesquels on enregistre un faible taux d'absentéisme aide l'enreprise à maintenir un taux de productivité élevé. Les retards et les absences, particulièrement lorsqu'ils n'ont pas été planifiés, pèsent lourd sur la productivité globale et les coûts de rémunération. Par ailleurs, un faible taux de roulement permet aux ressources humaines de mettre en place des politiques viables à long terme : gestion des carrières, développement organisationnel, plan de relève, etc. L'encadré 2.12 fait état des préoccupations relatives à la motivation des employés.

ENCADRÉ ▶ 2.12

L'évaluation de la motivation des employés : quelques questions clés

- Quels efforts les employés sont-ils prêts à déployer ?
- Quelle est la moyenne d'années d'ancienneté des employés dans l'organisation ?
- Peut-on réduire les coûts de production et du service à la clientèle en réduisant l'absentéisme et les retards ?

LES POLITIQUES DE GESTION DES RESSOURCES HUMAINES

Politiques de gestion des ressources humaines

Mesures établies en vue de diffuser l'application de certaines activités ou pratiques de gestion des ressources humaines et de les rendre plus cohérentes.

Les politiques de gestion des ressources humaines, qui s'appliquent à des activités organisationnelles cruciales comme la planification de la main-d'œuvre, la dotation en personnel, la formation et le perfectionnement des employés, la gestion de la performance, la rémunération, la santé et la sécurité, les relations de travail et l'organisation du travail, doivent s'attacher à rendre opérationnels les plans stratégiques de l'entreprise. Selon le modèle des quatre activités, les pratiques de gestion des ressources humaines définissent les mesures à prendre pour satisfaire aux besoins énoncés au moment de la formulation de la stratégie. Comme l'a précisé Schuler[37], c'est le lien unissant, d'une part, les politiques et pratiques de gestion des ressources humaines et, d'autre part, les objectifs stratégiques de l'entreprise qui différencie le nouveau modèle de gestion des ressources humaines du modèle traditionnel. Pour faire en sorte qu'elle soit le plus efficace possible, chacune de ces politiques doit présenter un contenu conforme au modèle des quatre activités décrit plus haut. C'est seulement en examinant avec soin le rôle respectif de chacune de ces activités qu'on peut formuler des politiques cohérentes, alignées sur les objectifs stratégiques de l'organisation.

Préalablement à la mise en place des politiques, il est indispensable :
- De prendre note des prévisions établies et des objectifs poursuivis.
- D'inventorier les difficultés susceptibles d'entraver l'adoption des pratiques retenues et de tenter de les surmonter.

La mise en œuvre d'une stratégie des ressources humaines implique la sélection de pratiques propres à renforcer les comportements nécessaires au succès de la stratégie organisationnelle. L'encadré 2.13 nous livre les résultats de l'examen de politiques et

---

E N C A D R É ▶ 2.13

L'examen des politiques et pratiques stratégiques en matière de ressources humaines

1.   **Planification**

informelle	formelle
à court terme	à long terme
analyse explicite des postes	analyse implicite des postes
simplification des tâches	enrichissement des tâches
faible engagement des employés	fort engagement des employés

2.   **Dotation**

sources internes	sources externes
possibilités de carrière restreintes	possibilités de carrière ouvertes
échelle unique	échelles multiples
critères explicites	critères implicites
socialisation limitée	socialisation étendue
procédures fermées	procédures ouvertes

3.   **Évaluation du rendement**

critères axés sur le comportement*	critères axés sur les résultats*
faible participation des employés	forte participation des employés
critères à court terme	critères à long terme
critères individuels	critères de groupe

4.   **Rémunération**

faible niveau du salaire de base	niveau élevé du salaire de base
équité interne	équité externe
peu de services	nombreux services
avantages sociaux fixes	avantages sociaux flexibles
faible participation aux bénéfices	forte participation aux bénéfices
absence de stimulants	nombreux stimulants
stimulants à court terme	stimulants à long terme
absence de sécurité d'emploi	forte sécurité d'emploi
système hiérarchique	forte participation des employés

5.   **Formation et perfectionnement**

à court terme	à long terme
application restreinte	application large
accent sur la productivité	accent sur la qualité de vie au travail
improvisation, absence de planification	planification, systématisation
orientation individuelle	orientation de groupe
faible participation	forte participation

6.   **Relations de travail**

tendance à exclure le syndicat	tendance à coopérer avec le syndicat
affrontement	collaboration
faible respect des droits des employés	respect élevé des droits des employés
relations formelles	relations informelles
tendance au secret	tendance à l'ouverture

* buts : amélioration/correction/maintien

Source : adapté de R.S. Schuler et E. Jackson, « Linking Competitive Strategies with Human Resource Management Practices », *Academy of Management Executive*, vol. 1, n° 3, 1987, p. 207-219.

CONSULTEZ INTERNET

www.hrcouncil.ca

Site du Conseil RH pour le secteur bénévole et communautaire, où vous sont proposés des outils et des renseignements pratiques sur la gestion des ressources humaines qui sont adaptés aux besoins des organismes à but non lucratif.

de pratiques touchant six domaines relevant des ressources humaines et nous présente les caractéristiques dichotomiques de chacune. Un choix intermédiaire est possible pour la plupart d'entre elles, puisque leurs caractéristiques s'inscrivent dans un continuum.

L'établissement d'un lien efficace entre la stratégie organisationnelle et la gestion des ressources humaines requiert toutefois une action poussée qui va au-delà de la simple sélection de pratiques appropriées. Il s'agit de faire en sorte qu'on puisse proposer des ensembles de pratiques de ressources humaines propres à assurer le succès de la stratégie organisationnelle.

2.5 | ÉTAPE II : LA MISE EN ŒUVRE DE LA STRATÉGIE DES RESSOURCES HUMAINES

L'entreprise a tout intérêt à implanter des pratiques et des politiques propres à satisfaire ses besoins en main-d'œuvre sur le plan qualitatif et sur le plan quantitatif, à encourager les comportements appropriés de la part de son personnel et à offrir à celui-ci des conditions de travail motivantes.

2.5.1 | L'élaboration et l'application des plans stratégiques des unités fonctionnelles

Les stratégies organisationnelles établissent le cadre à l'intérieur duquel sont élaborés les plans des diverses fonctions organisationnelles : finances, marketing, recherche et développement, ressources humaines, etc. Le service des ressources humaines doit donc s'assurer qu'il dispose de la structure et des moyens nécessaires afin de mettre en œuvre le plan stratégique inhérent à sa fonction. Qui plus est, il doit veiller à ce que certains facteurs organisationnels – la culture et le style de gestion, par exemple – soient conformes aux nouvelles orientations et stratégies de l'entreprise. Une fois qu'il a compris et interprété toutes les étapes préalables à la formulation de la stratégie organisationnelle, le service des ressources humaines élabore des plans de gestion plus précis.

2.5.2 | L'appui de la haute direction et le rôle de la fonction ressources humaines

L'importance que la haute direction accorde à la gestion des ressources humaines se reflète dans l'ensemble de l'organisation. Si les stratégies élaborées par les dirigeants laissent peu de place aux initiatives du service des ressources humaines, les directeurs des divers services auront tendance à faire de même. Le directeur des ressources humaines s'appliquera alors à limiter son action aux activités les plus routinières et à adopter un mode de gestion plus réactif que proactif. Comme nous l'avons indiqué au premier chapitre, le terme « personnel » a peu à peu cédé la place, au cours des dernières années, à l'expression « ressources humaines », ce qui traduit un changement de perception de la part de la haute direction des entreprises. Le rôle primordial que joue la gestion des ressources humaines au sein de l'entreprise est désormais reconnu.

2.6

ÉTAPE III : L'ÉVALUATION DE LA GESTION STRATÉGIQUE DES RESSOURCES HUMAINES

Il est impératif que la fonction ressources humaines prévoie des activités d'évaluation de son propre plan d'action. Cette évaluation peut se faire à partir de critères établis à cette fin, de même qu'à la lumière des résultats enregistrés par le plan d'évaluation et de révision de la stratégie organisationnelle.

2.6.1 | L'évaluation, la révision et le repositionnement

La troisième phase du processus de gestion stratégique consiste à évaluer les conséquences découlant de la formulation et du processus de mise en œuvre de la stratégie ainsi que les réactions des divers intervenants, et à décider des mesures correctives à prendre ou, le cas échéant, à établir un nouveau plan d'action[38]. L'application d'un processus d'évaluation exige la formulation de critères objectifs auxquels seront confrontés les résultats atteints. À cette fin, l'élaboration d'un tableau de bord visant à évaluer la gestion stratégique constitue une méthode d'évaluation tout à fait appropriée (voir le chapitre 16). Ces critères doivent refléter les résultats escomptés : il ne s'agit pas d'évaluer dans quelle mesure le plan respecte les échéanciers et les budgets prévus. Le processus d'évaluation doit mesurer la pertinence des actions entreprises pour atteindre les objectifs fixés. Il doit donc nécessairement tenir compte des divers partenaires de l'organisation. Le résultat des évaluations doit servir d'intrant aux décisions portant sur le mode de révision du plan d'action et il doit alerter les dirigeants quant à l'existence de nouveaux enjeux stratégiques. Il arrive fréquemment que, faute d'avoir été piloté correctement, le processus de changement fasse avorter les plans stratégiques.

2.6.2 | L'évaluation en gestion des ressources humaines

Pour que les politiques et pratiques de gestion des ressources humaines obtiennent le succès escompté, il est souvent nécessaire de les évaluer systématiquement. Cette étape est cruciale parce qu'elle permet d'amorcer un processus d'apprentissage et d'amélioration continus. Au cours de cette phase, la fonction ressources humaines analyse les raisons d'une performance organisationnelle déficiente à la lumière des réactions et des commentaires des divers intervenants. Lorsque des lacunes sont mises au jour, la fonction ressources humaines doit déterminer si elles sont dues à des problèmes de mise en œuvre des politiques de gestion des ressources humaines ou à une faiblesse liée au plan lui-même. Étant donné que l'application des politiques des ressources humaines incombe aux gestionnaires, leur refus de modifier leur style de gestion peut être à l'origine de la mauvaise performance. Les employés peuvent également résister à des pratiques qui exigent davantage de sens critique, qui leur confèrent des responsabilités accrues et qui les obligent à établir des communications plus fréquentes avec leurs pairs et leurs supérieurs. Outre qu'il tient compte de l'appréciation des divers intervenants, le processus d'évaluation utilisé en gestion des ressources humaines

www.oecd.org

Site présentant les résultats de l'enquête sur la gestion stratégique des ressources humaines qui a été réalisée en 2003 par 29 pays membres de l'OCDE. L'enquête cible tous les aspects de la gestion des ressources humaines, y compris le cadre légal de la gestion des ressources humaines, le rôle des organes centraux de gestion, le recrutement, la formation et le développement de carrière, la promotion, la gestion des performances, la haute fonction publique et les relations avec les syndicats.

s'intéresse à la dynamique qui entre en jeu quand un être humain doit s'adapter au changement. Des évaluations fréquentes et qui commencent au tout début du processus permettront de détecter rapidement les défaillances qui se sont produites et d'y apporter des correctifs. On peut également s'attendre, à juste titre, à ce que le rendement de certains employés baisse lorsque des changements organisationnels d'envergure se produisent; c'est pourquoi il est important de se fier aux modèles de gestion des ressources humaines susceptibles d'expliquer la dynamique du changement et permettant d'éviter d'avoir à appliquer des mesures correctives précoces qui risquent d'avoir un effet contraire à celui que l'entreprise recherche[39].

RÉSUMÉ

Le domaine de la gestion des ressources humaines a subi de profondes transformations. À une époque où les organisations deviennent plus complexes, plus dynamiques, et exigent des changements et des remaniements rapides, la gestion des ressources humaines doit suivre le courant et devenir stratégique. Il n'est plus nécessaire de faire la preuve de l'importance d'une saine gestion des ressources humaines ni des bénéfices que procure aux organisations la présence de professionnels de la gestion des ressources humaines. La gestion stratégique des ressources humaines met en évidence l'intérêt du facteur humain dans les entreprises, notamment par l'harmonisation des pratiques de gestion des ressources humaines et des objectifs organisationnels. Dans ce chapitre, nous avons examiné précisément l'articulation des pratiques de gestion des ressources humaines et des objectifs stratégiques de l'entreprise. Nous avons montré comment la gestion des ressources humaines peut être associée à la fois aux étapes de formulation, de mise en œuvre et d'évaluation de la stratégie organisationnelle. Nous avons indiqué que toutes les activités de gestion des ressources humaines peuvent avoir une finalité stratégique et qu'elles sont donc liées aux objectifs organisationnels, d'une part, et aux intérêts des différents intervenants du milieu de travail, d'autre part.

Ce chapitre insiste sur la nécessité de situer les activités de gestion des ressources humaines dans une perspective stratégique. Pour pouvoir adopter des moyens efficaces permettant de répondre aux attentes des décideurs et de réagir adéquatement aux contraintes externes, les entreprises doivent élaborer des politiques et pratiques de gestion des ressources humaines qui correspondent à leurs besoins stratégiques globaux. L'entreprise qui opte pour une stratégie de ressources humaines s'harmonisant parfaitement avec sa stratégie organisationnelle bénéficie alors d'un atout pour acquérir un avantage concurrentiel.

Questions de révision et d'analyse

1. Qu'est-ce qui explique l'émergence de la gestion stratégique des ressources humaines?

2. Quelles sont les étapes du processus de gestion stratégique des ressources humaines?

3. Quelles sont les répercussions en matière de gestion des ressources humaines de chacune des étapes de la gestion stratégique?

4. Donnez des exemples concrets de stratégie des ressources humaines.

5. Quelle différence faites-vous entre le processus d'alignement et le processus d'influence? Expliquez le rôle de la fonction ressources humaines dans les deux processus.

6. Quelle est l'utilité du modèle des quatre activités de gestion des ressources humaines dans la formulation stratégique?

7. Expliquez les différences entre les concepts de stratégie globale, de stratégie d'adaptation et de stratégie de concurrence.

8. Vous occupez depuis peu un poste de cadre supérieur des ressources humaines au sein d'une firme qui se spécialise dans la conception de logiciels. Votre tâche principale consiste à élaborer une stratégie de gestion des ressources humaines. À partir de la connaissance que vous avez de ce secteur, énumérez les principales étapes que vous devrez suivre pour remplir votre mandat et appuyez votre réponse sur des exemples concrets.

ÉTUDE  DE CAS

L'IMPLANTATION D'UNE NOUVELLE CULTURE ORGANISATIONNELLE

Lorsque Bruno Petit, président et fondateur de la société BPJ inc., a décidé de prendre sa retraite en 2005, il a désigné son fils Jean, âgé de 28 ans, comme PDG de l'entreprise familiale. BPJ, qui comptait trois employés il y a une quarantaine d'années, emploie aujourd'hui environ 500 personnes. L'entreprise se spécialise dans la fabrication de mobilier à usage médical, destiné principalement aux établissements hospitaliers. Une équipe de techniciens est chargée de l'installation et de l'entretien du mobilier vendu.

Jean détient une maîtrise en administration des affaires (MBA) et il a travaillé pendant deux ans au sein de l'en-

treprise. Selon lui, BPJ a toujours été gérée d'une façon très paternaliste, le fondateur tenant beaucoup à prendre seul toutes les décisions importantes. Depuis quelque temps, Jean Petit se montrait très impatient de diriger l'entreprise. À présent, la première mesure qu'il entend prendre, c'est de mettre en place une nouvelle structure organisationnelle qui donnerait aux gestionnaires plus de pouvoir et d'autonomie. Comme ceux-ci s'occuperaient de toutes les questions liées à l'exploitation, le directeur aurait davantage de temps à consacrer aux aspects plus stratégiques de la gestion. Pour favoriser la décentralisation de l'autorité, Jean envisage de constituer des équipes de travail.

Environ un mois après le départ de son père, il convoque une réunion afin d'informer les gestionnaires de ses projets et de leur donner plus de responsabilités en ce qui a trait à l'exploitation journalière. Il s'attend à ce que ses superviseurs obtempèrent sur-le-champ à ses directives...

QUESTIONS

1. Comment la décision de Jean peut-elle influer sur la culture organisationnelle existante?

2. Quelles sont les conséquences possibles de ce changement rapide de la culture organisationnelle?

3. Quelles mesures le service des ressources humaines devrait-il prendre pour éviter que des problèmes surgissent?

1. G. Guérin, « Les tendances en gestion stratégique des ressources humaines », Avis d'expert dans Dolan, Saba, Jackson et Schuler, *La gestion des ressources humaines : tendances, enjeux et pratiques actuelles*, 3e édition, 2002.

2. G. Guérin et T. Wils, « La gestion stratégique des ressources humaines », *Gestion*, vol. 27, no 2, 2002, p. 14-23.

3. M. Porter, *Competitive Advantage : Creating and Sustaining Superior Performance*, New York, Free Press, 1990.

4. D. Ulrich et D. Lake, *Organizational Capability : Competing from the Inside/out*, New York, Wiley, 1990.

5. P. Wright et G.C. McMahan, « Theoretical Perspectives for Strategic Human Resource Management », *Journal of Management*, vol. 18, no 2, 1992 p. 295-320.

6. S. A Snell, M. A. Youndt et P. M. Wright, « Establishing a Framework for Research in Strategic Human Resource Management : Merging Resource Theory and Organizational Learning », *Research in Personnel and Human Resource Management*, vol. 14, 1996, p. 61-90.

7. R.P. Rumlet, « Evaluation of Strategy : Theory and Models », dans D.E. Scendel et C.W. Hoffer (sous la dir. de), *Strategic Management*, Boston, Little, Brown, 1979, p. 196-215.

8. L. Baird et I. Meshoulam, « The HRS Matrix : Managing the Human Resource Function Strategically », *Human Resource Planning*, vol. 7, no 1, 1984, p. 1-21.

9. R.S. Schuler, « Strategic Human Resources Management : Linking the People with the Strategic Needs of the Business », *Organizational Dynamics*, été 1992, p. 18-32.

10. P. Wright et G.C. McMahan, « Theoretical Perspectives for Strategic Human Resource Management », *Journal of Management*, vol. 18, no 2, 1992 p. 295-320.

11. J. Purcell, « Corporate Strategy and the Link with Human Resource Management », dans J. Storey (sous la dir. de), *Human Resource Management : A Critical Text*, London, Routledge, 1995. R.S. Schuler et S.E. Jackson, « Linking Competitive Strategies with Human Resource Management Practices », *Academy of Management Executive*, août 1997, p. 207-219.

12. S.E. Jackson et R.S. Schuler, *Managing Human Resources : A Partnership Perspective*, Cincinnati, South-Western Publishing, 2005. R.S. Schuler, S.E. Jackson et J. Storey, « HRM and its Link with Strategic Management », dans J. Storey (sous la dir. de), *Human Resource Management : A Critical Text*, London, International Thomson, 2000, chapitre 7.

13. G. Guérin et T. Wils, *op. cit.*

14. www.bombardier.com.

15. www.alcan.com.

16. R.E. Miles et C.C. Snow, *Organizational Strategy, Structure and Process*, New York, McGraw-Hill, 1978. R.E. Miles et C.C. Snow, « Designing Strategic Human Ressources Systems », *Organizational Dynamics*, vol. 13, 1984, p. 36-52.

17. M.E. Porter, *op. cit.*

18. I. Ansoff, *Implanting Strategic Management*, Englewood Cliffs, Prentice Hall, 1984.

19. R.E. Miles et C.C. Snow, *Organizational Strategy : Structure and process*, New York, McGraw Hill, 1978. R.E Miles et C.C. Snow, « Designing Strategic Human Ressources System », Organizational Dynamics, vol. 13, 1984, p. 36-52.

20. M.E. Porter, *op. cit.*

21. S.E. Jackson et R.S. Schuler, « Understanding Human Resource Management in the Context of Organizations and their Environments », *Annual Review of Psychology*, vol. 46, 1995, p. 237-264.

22. N. Lemaître, « La culture d'entreprise, facteur de performance », *Gestion*, vol. 10, no 1, 1985, p. 19-25. F. Belle, « Pour une gestion culturelle des RH », *Gestion*, mai 1992, p. 16-27.

23. B.E. Becker et M.A. Huselid, « High Performance Work System and Firm Performance : A Synthesis of Research and Managerial Implications », dans G. Ferris (sous la dir. de), *Research in Personnel and Human Resource Management*, Greenwich, Conn., JAI Press, 1998. D. Bouteiller et G. Guérin, « La philosophie de gestion des ressources humaines », *Gestion*, mai 1989, p. 20-29.

24. J.E. Delery et A. Doty, « Modes of Theorizing in Strategic Human Resources Management Tests of Universalistic, Contingency and Configurational Performance Predictions », *Academy of Management Journal,* vol. 39, 1996, p. 802-835.

25. J.N. Baron et D.M. Kreps, *Strategic Human Resources : Frameworks for General Managers*, Wiley, 1999.

26. R.S. Schuler et S. Jackson, « Linking Competitive Strategies with Human Resource Management Practices », *Academy of Management Executive*, vol. 1, no 3, 1987, p. 207-219.

27. L. Dyer, et G.W. Holder (sous la dir. de), « A Strategic Perspective of Human Resources Management », *Human Resource Management : Evolving Roles and Responsibilities*, American Society for Personnel Administration, 1988.

28. S.A. Snell, « Control Theory in Strategic Human Resource Management : The Mediating Effect of Administrative Information », *Academy of Management Journal*, vol. 35, 1992, p. 292-327.

29. T. Wils, J.-Y. Lelouarn et G. Guérin, *Planification stratégique des ressources humaines*, Montréal, PUM, 1991.

30. P. Bamberger et I. Meshoulam, *Human Resource Strategy*, Sage, 2000.

31. G. Guérin et T. Wils, *op. cit.*

32. P. Doeringer et M. Piore, *Internal Labor Markets and Manpower Analysis*, Lexington, 1971.

33. G. Guérin, « Les tendances en gestion stratégique des ressources humaines », avis d'expert dans S.L. Dolan, L.T. Saba, S.E. Jackson et R.S. Schuler, *La gestion des ressources humaines : tendances, enjeux et pratiques actuelles*, 3e édition, 2002.

34. G. Guérin, « Le changement technologique et la gestion stratégique des ressources humaines : un cadre de référence », dans R. Jacob et J. Ducharme (sous la dir. de), *Changement technologique et gestion des ressources humaines*, Montréal, Gaétan Morin. G. Guérin, « La planification stratégique des RH : les processus d'alignement et d'influence », dans R. Bourque et G. Trudeau (sous la dir. de), *Le travail et son milieu*, Montréal, PUM, 1995.

35. P. Capelli et A. Crocker-Hefter, « Distinctive Human Resources Are the Core Competencies of Firms », *Rapport no R117Q00011-91*, Washington, US Department of Education, 1994.

36. B.E. Becker et M.A. Huselid, « High Performance Work System and Firm Performance : A Synthesis of Research and Managerial Implications », dans G. Ferris, *op. cit.*.

37. R.S. Schuler, « Strategic Human Resources Management : Linking the People with the Strategic Needs of the Business », *Organizational Dynamics*, été 1992, p. 18-32.

38. E.P. Marquardt, « Aligning Strategy and Performance with the Balances Scorecard », *ACA Journal*, automne 1997, p. 18-27. P.S. Kaplan et D.P. Norton, « Linking the Balanced Scorecard to Strategy », *California Management Review* 39, automne 1996, p. 53-79.

39. E.W. Rogers et P.M. Wright, « Measuring Organizational Performance in Strategic Human Resource Management : Problems, Prospects, and Performance Information Markets », *Human Resource Management Review*, vol. 8, no 3, 1998, p. 311-331. M.A. Huselid, S.E. Jackson et R.S. Schuler, « Technical and Strategic Human Resource Management Effectiveness as Determinants of Firm Performance », *Academy of Management Journal*, vol. 40, 1997, p. 171-188.

LE DÉVELOPPEMENT ORGANISATIONNEL : L'ANALYSE DES POSTES ET L'ORGANISATION DU TRAVAIL

« Le développement organisationnel est un processus de changement planifié dans une organisation, fondé sur des variables psychosociales, qui a pour but d'améliorer la résolution des problèmes, l'aptitude à atteindre les objectifs à court et à long terme, et d'accroître les possibilités d'adaptation ou d'innovation en agissant sur la culture organisationnelle et les groupes de travail[1]. » Dans ce chapitre, nous traitons plus particulièrement de l'analyse des postes et de l'organisation du travail, qui représentent deux éléments essentiels de ce processus.

En gestion des ressources humaines, l'analyse des postes sert de fondement à de nombreuses activités. Elle permet d'établir la description de chaque emploi et les exigences qui y sont associées ; elle éclaire également sur les liens entre l'individu et le poste qu'il occupe. Ces rapports sont aujourd'hui d'une importance vitale pour les entreprises, car ils influent grandement sur le rendement de l'employé, sur sa satisfaction et sa participation au travail. La principale raison d'être des nouvelles approches en matière d'organisation du travail est de revoir les structures et les procédés afin de les rendre plus conformes aux nouvelles réalités économiques et sociales. Il s'agit d'améliorer tant la qualité de vie au travail que la productivité. D'une part, on s'applique à redéfinir les emplois dans le but d'accroître la satisfaction au travail, de réduire l'absentéisme et le roulement du personnel, d'inciter les employés à participer à la prise de décision pour favoriser leur engagement au sein de l'entreprise ; d'autre part, on veut améliorer la qualité des biens ou des services produits par l'entreprise. En augmentant le niveau de rendement au travail et en s'assurant la fidélité de la clientèle, on préserve la rentabilité de l'organisation, sa compétitivité et sa survie.

Nous passons d'abord en revue les grandes écoles de pensée qui ont influencé l'organisation du travail, puis nous examinons le processus d'analyse des postes. Nous étudions ensuite les nouvelles formes d'organisation du travail, selon trois perspectives : la perspective organisationnelle, la perspective collective et la perspective individuelle. Nous terminons ce chapitre en présentant les aménagements de l'organisation du travail qui correspondent le mieux à la flexibilité requise par le contexte social, politique et économique.

3.1 LES ÉCOLES DE PENSÉE

Les fondements théoriques sur lesquels reposent la conception des tâches et l'organisation du travail ont connu ces dernières années des transformations considérables. Aux approches traditionnelles qui avaient marqué le début du 20e siècle ont succédé des façons de faire qui correspondent davantage aux nouvelles exigences des organisations et des individus. Il est important de le souligner : les théories du comportement et de l'organisation ayant donné naissance aux formes traditionnelles d'organisation du travail, qui se caractérisaient par la rigidité et par la centralisation du pouvoir, ont encore un certain poids. Nous fournirons un aperçu de ces théories et approches, ainsi que des hypothèses qui les sous-tendent, ce qui nous aidera à comprendre les changements survenus au cours des dernières années en matière de conception des tâches et d'organisation du travail.

3.1.1 | Les théories classiques

L'approche classique de l'organisation du travail comprend quatre grandes théories : la division du travail selon Adam Smith, l'organisation scientifique du travail élaborée par Frederick Taylor, le modèle bureaucratique de Max Weber et le modèle administratif d'Henri Fayol.

Adam Smith a soutenu que la meilleure façon d'exécuter un ouvrage consistait à le séparer en plusieurs parties, donc à accentuer au maximum la spécialisation du travail. Reprenant quelques années plus tard les idées de Smith, Frederick Taylor a déclaré que la spécialisation du travail et sa décomposition en un ensemble de tâches simples et susceptibles d'être effectuées mécaniquement contribuaient à accroître le rendement des employés et permettaient d'avoir une meilleure emprise sur leur travail. Selon lui, chaque tâche doit être d'une telle simplicité que tout travailleur possédant un minimum de formation doit pouvoir l'accomplir en peu de temps. Taylor a mis au point l' « organisation scientifique du travail », comprenant une analyse du travail et sa recomposition en un ensemble de mouvements à effectuer en un temps donné afin d'améliorer la productivité et la qualité de la production. Il a soutenu que pour maximiser le rendement il était nécessaire d'arracher aux travailleurs la maîtrise de leur travail pour la confier aux dirigeants de l'entreprise. Le principe de la séparation entre la conception des tâches et l'exécution du travail a fortement influencé la gestion des entreprises tout au long du 20e siècle. Un certain nombre d'usines de fabrication, surtout dans les secteurs du vêtement et de l'automobile, se conforment encore aujourd'hui à ce principe[2].

Le modèle bureaucratique mis au point par Max Weber se caractérise par les notions de hiérarchie, de ligne d'autorité et de comportements structurés. On considère le travail comme une fonction qui doit s'effectuer de façon routinière et impersonnelle et s'insérer dans un cadre rigide comportant des règles et des préceptes très stricts. Tout doit être planifié et accompli dans un laps de temps déterminé ; il ne faut laisser aucune place à l'improvisation ni à la créativité de l'individu. Cette description correspond presque parfaitement à la situation dans laquelle vit une bonne partie du personnel du secteur public, en particulier les employés des hôpitaux et des prisons. Le nombre de directives, de règles, de façons de faire prescrites par certaines organisations témoigne de cette réalité.

Pour sa part, Henri Fayol a mis en évidence les quatre fonctions que remplit, selon lui, l'administrateur compétent : la planification, l'organisation, la direction et le contrôle. Sa théorie fait également référence aux notions suivantes : l'unité de commandement, à savoir le principe selon lequel un subordonné ne doit recevoir d'ordres que d'une seule personne, son superviseur ; la distinction entre l'autorité hiérarchique (*line*) et l'autorité de conseil (*staff*) ; l'étendue de l'autorité, notion qui a trait au nombre d'employés qu'un gestionnaire peut superviser efficacement ; et la spécialisation du travail, principe selon lequel il est avantageux de regrouper les activités similaires au sein du même service (par exemple la production, les finances, le marketing, les ressources humaines, la recherche et le développement).

Pendant de nombreuses années, la philosophie sous-jacente à la restructuration du travail menée par un grand nombre d'organisations canadiennes s'est appuyée sur les principes suivants : (1) le travailleur est utilisé en fonction des besoins de l'organisation ; (2) il est embauché pour accomplir des tâches bien définies ; et (3) il doit atteindre un niveau de production donné.

3.1.2 | Les théories humanistes

En réaction aux conceptions rigides et impersonnelles de l'organisation du travail qui caractérisaient les théories classiques (voir l'encadré 3.1), les humanistes ont proposé des théories axées sur les besoins des êtres humains. Selon l'école des relations humaines, fondée notamment par Elton Mayo, l'établissement de relations humaines satisfaisantes au sein d'une organisation peut avoir un effet positif sur le rendement des employés, d'où la nécessité de déployer des efforts pour humaniser les conditions de travail. On encourage par conséquent les travailleurs à s'identifier à l'organisation et on souhaite qu'ils se sentent fiers d'en faire partie.

ENCADRÉ ▶ **3.1**

Les caractéristiques du modèle traditionnel

- L'employé est considéré comme un facteur de production qu'on peut remplacer aisément. Il est engagé pour accomplir un certain nombre de tâches bien définies et pour produire une quantité de biens donnée, selon des normes de qualité déterminées.
- Le travail fait l'objet d'une spécialisation. Il se divise en tâches simples, décrites de façon précise et détaillée. L'employé ne peut faire preuve de créativité ni prendre de décisions.
- Les normes de rendement sont basées essentiellement sur les études de temps et mouvements. L'employé reçoit une prime si sa production est supérieure aux normes.
- Les rôles respectifs de la direction et des subordonnés sont clairement définis.
- Le style de direction adopté est autoritaire. Les activités sont soumises à une supervision constante et étroite.
- La communication est verticale et elle emprunte le canal hiérarchique.
- Le travail est encadré par une multitude de règles, d'instructions et de manuels décrivant les procédés et les méthodes.
- La motivation au travail est encouragée par un système de récompenses et de punitions.

L'évolution de l'organisation du travail débouche logiquement sur la participation des employés à la prise de décision. On a constitué des groupes et des comités chargés d'examiner cette question. Le travailleur s'est vu accorder le droit de parole et il a acquis également plus de pouvoir et de responsabilités qu'il n'en avait auparavant. Les tenants de l'approche humaniste visent à satisfaire les besoins fondamentaux de la personne, à savoir l'estime de soi et l'aspiration à la croissance personnelle. Ils mettent aussi l'accent sur le rôle du groupe dans l'établissement des normes de travail et sur sa contribution au rendement individuel. Travailler en collaboration avec des groupes exige cependant du temps, de l'énergie, des aptitudes et des habiletés particulières, de même que la capacité à motiver les gens. Par conséquent, il faut que les groupes soient dirigés comme il convient pour qu'il y ait une augmentation de la productivité.

3.1.3 | Les modèles sociotechniques

En matière d'organisation du travail, l'école de pensée sociotechnique repose sur le principe de l'interdépendance des systèmes issus du travail, c'est-à-dire du système technologique, du système social et du système de production. Les chercheurs scandinaves qui sont à l'origine de cette approche ont examiné en priorité les rapports entre l'individu et son milieu de travail. Ils insistent sur la nécessité de démocratiser les lieux de travail et de les rendre plus humains ; mentionnons néanmoins que les initiatives de réaménagement du travail auxquelles cette approche a donné lieu sont guidées également par la volonté d'accroître le rendement des employés. Les équipes de travail semi-autonomes, la polyvalence et la responsabilisation de l'employé sont les mots clés qui permettent de décentraliser la prise de décision et de réduire le nombre d'échelons dans la hiérarchie, ce qui entraîne la réduction, voire la disparition, des postes de cadres intermédiaires, de contremaîtres et d'agents chargés du contrôle de la qualité[3].

Deux autres approches se rattachent aux modèles sociotechniques de la réorganisation du travail, soit l'approche systémique et la théorie de la contingence. La première tient compte des interactions existant entre les éléments internes d'un système de travail et son environnement externe. Dans la seconde, chaque interaction est considérée comme un système en soi et on cherche à trouver la combinaison de circonstances ou de facteurs susceptible de produire le meilleur rendement possible dans une situation donnée.

3.1.4 | Les modèles japonais

Les modèles japonais ont eu une grande influence sur la réorganisation du travail. Afin d'accroître la qualité des produits ou des services, ils prônent l'adoption de techniques axées sur l'apprentissage continu. Les ingénieurs japonais ont appris à collaborer étroitement avec les employés chargés de la production et à appliquer les principes de la gestion de la qualité totale. Le recours aux méthodes de gestion scientifiques et l'élaboration de programmes de formation à l'intention des travailleurs figurent parmi les éléments clés visant à améliorer à la fois la qualité des produits et la productivité.

Apprentissage continu
Processus permettant de se tenir à jour dans son domaine en fournissant des efforts assidus et en participant à diverses activités de formation et d'éducation.

Dans le cadre de la gestion de la qualité totale, les entreprises japonaises ont opté pour des pratiques de gestion des ressources humaines visant à renforcer chez les employés le sentiment d'appartenance à l'endroit de leur organisation et à accroître leur capacité à résoudre les problèmes auxquels ils font face. Le type de rémunération, la sécurité d'emploi et la formation comptent parmi les principaux incitatifs stimulant la productivité de la main-d'œuvre. Le travail en équipe assure également le maintien de normes de qualité. Contrairement à ce que proposent les modèles suédois, les équipes japonaises ne constituent pas des groupes autonomes régis par les principes de la démocratie industrielle. Bien que les paliers hiérarchiques soient peu nombreux et que les employés jouissent de beaucoup d'initiative au sein des équipes de travail, les décisions reviennent en fin de compte aux supérieurs hiérarchiques[4].

3.1.5 | Les nouvelles formes d'organisation du travail

Les nouvelles formes d'organisation sont nées de l'intérêt pour l'accroissement de la productivité qui s'est manifesté dans des environnements économiques plus turbulents et plus complexes que ceux que les entreprises ont connus par le passé. Elles s'appuient sur le principe selon lequel le milieu de travail peut et doit satisfaire les besoins et les attentes du travailleur, partiellement du moins. Cette approche se fonde sur la nécessité d'établir une collaboration et un respect mutuel entre les parties.

De façon concrète, les nouvelles formes d'organisation du travail s'attachent à rendre les tâches plus intéressantes, plus stimulantes et plus sécuritaires et, par conséquent, à assainir le milieu de travail. En ce qui a trait à l'individu, la restructuration du travail vise à ce que le travailleur soit plus disposé à travailler et qu'il se sente plus heureux. Il pourra accroître ses habiletés et ses connaissances ; il sera alors en mesure de mieux accomplir son travail, d'occuper des fonctions plus stimulantes et d'assumer davantage de responsabilités[5]. Quant au travail proprement dit, ce type de programmes tend à rendre l'emploi soit plus intéressant, plus motivant et plus agréable pour la personne qui l'effectue.

Nous examinons dans ce chapitre divers moyens permettant d'étendre les responsabilités reliées à un emploi. Notons entre autres l'élargissement des tâches qui vise à incorporer à l'emploi des activités plus variées. Ainsi, la rotation des emplois est une façon de réduire l'ennui inhérent à certains postes, de permettre à l'employé d'acquérir de nouvelles habiletés et de lui offrir de nouvelles perspectives d'emploi. On peut également opter pour l'enrichissement du travail, autrement dit le rendre plus complexe et y incorporer de plus grandes responsabilités. Certains programmes visent à accroître l'autonomie de l'employé en lui accordant une plus grande liberté en ce qui a trait à la planification de son travail et à la façon de l'accomplir.

L'environnement du travail comprend l'environnement interne et l'environnement externe. À l'intérieur de l'organisation, le fait de prêter attention à l'environnement physique permet de surveiller, de prévenir et d'atténuer les problèmes causés par l'humidité, la température, le bruit, l'éclairage, les odeurs, les vibrations, etc. Par environnement technique on entend les outils et le matériel qui peuvent aider l'employé à accomplir son travail, mais qui peuvent par ailleurs nuire à sa santé. Mentionnons le syndrome des immeubles à bureaux, qui est une maladie bien connue, causée par la piètre qualité de l'air et par une ventilation déficiente, de même que par la présence de matériaux irritants dans les bâtiments. Par ailleurs, les travailleurs se plaignent fréquemment de maux de dos et de pertes auditives. Il est important de remédier à ces problèmes, car la productivité est liée à l'individu et à son environnement, à la satisfaction au travail et à l'amélioration de la qualité de vie, au travail (QVT) également.

L'environnement organisationnel est ciblé par l'ensemble des actions organisationnelles qui visent à offrir aux employés un environnement stimulant où il fait bon travailler. La culture d'entreprise, le style de gestion, les règles régissant l'organisation et ses structures, le soutien technique, les systèmes d'information et les systèmes de communication permettent de juger si le milieu organisationnel est adéquat. On peut aussi prendre en considération d'autres facteurs tels que le niveau de participation de l'employé à la planification et à la prise de décision, les possibilités de mutations latérales ou de promotion, le nombre de paliers hiérarchiques et les obstacles à la communication. Parmi les pratiques qui touchent l'organisation du travail, les cercles de qualité, les équipes de travail semi-autonomes et le système Scanlon permettent aux travailleurs de participer davantage au processus décisionnel, tout en leur donnant davantage de responsabilités regardant leur emploi, leurs collègues et l'organisation.

Les nouvelles formes d'organisation du travail tiennent compte également de l'environnement externe. Par exemple, comme la nécessité de concilier vie familiale et vie professionnelle peut avoir des effets sur le rendement des travailleurs, un certain nombre d'organisations ont eu recours au travail flexible et à divers aménagements des horaires de travail afin que le travailleur puisse mieux répartir son temps entre ses responsabilités professionnelles, ses responsabilités familiales et sa vie privée[6].

Après avoir brossé le tableau général des orientations théoriques en matière d'organisation du travail, nous nous concentrerons sur l'analyse des postes, puis sur les nouvelles formes d'organisation du travail.

3.2 L'ANALYSE DES POSTES

L'analyse des postes constitue un préalable aux activités de gestion des ressources humaines. Les organisations la considèrent comme un outil important pour bien connaître les caractéristiques des postes, les exigences et les responsabilités qui y sont associées. D'une part, l'analyse des postes leur permet d'être de plus en plus concurrentielles en mettant pleinement à contribution les compétences des employés, en élaborant des structures efficaces, qui évitent par exemple de dédoubler certaines responsabilités, et en procédant à des évaluations valides et fiables ; d'autre part, l'analyse des postes leur permet de composer avec certaines contraintes juridiques. Bref, les professionnels de la gestion des ressources humaines doivent, plus que jamais, avoir en main des informations précises sur tous les aspects d'un poste, et par conséquent des informations précieuses sur toutes les activités des ressources humaines ; ils pourront ainsi prévoir les besoins auxquels le service des ressources humaines devra bientôt répondre.

3.2.1 | La définition et l'importance de l'analyse des postes

L'*analyse des postes* permet de décrire les diverses composantes d'un poste : d'une part, les tâches, les responsabilités et le contexte de travail et, d'autre part, les habiletés, les connaissances et les comportements requis. Il s'agit d'un processus fondamental, sur lequel s'appuient les activités de gestion des ressources humaines. Son but est de fournir aux gestionnaires toutes les informations nécessaires sur les emplois appartenant à la structure organisationnelle et sur la façon dont l'entreprise remplit ses fonctions et atteint ses objectifs. Grâce aux données fournies par l'analyse des postes, ceux-ci peuvent s'atteler aux problèmes énumérés dans l'encadré 3.2.

Le terme *poste* désigne l'ensemble des activités et des responsabilités qui représentent la tâche d'un employé. Il y a généralement autant de postes que d'employés dans une organisation. Un emploi peut être constitué de deux ou de plusieurs postes, aux tâches et responsabilités identiques. Une famille d'emplois ou une catégorie d'emplois regroupe parfois plusieurs postes ou plusieurs emplois, qu'on peut fusionner pour des raisons administratives.

L'analyse des postes est associée à plusieurs notions qu'il convient d'éclaircir. Ainsi, la *description de l'emploi* est un document qui nomme le poste, fournit un résumé de la mission et des objectifs poursuivis, des responsabilités et des tâches à accomplir ; il peut contenir d'autres informations, notamment la position hiérarchique de celui qui l'occupe, les qualifications requises pour l'obtenir, etc. Bref, au moyen de la description de l'emploi, il est possible de saisir immédiatement ce que fait le titulaire du poste (voir la section 3.3). L'*évaluation des emplois* sert à cerner la valeur des emplois (voir

Les problèmes traités par l'analyse des postes

Structure organisationnelle	• L'analyse des postes aide à déterminer la façon dont l'ensemble des tâches sera réparti entre les unités administratives, les services, les unités de travail, etc.
Structure du poste	• Elle aide à déterminer comment les tâches peuvent être regroupées au sein d'un poste ou d'une famille de postes.
Niveau d'autorité	• Elle aide à comprendre la répartition du pouvoir au sein de l'organisation.
Responsabilités	• Elle aide à comprendre la structure hiérarchique de l'organisation et à déterminer le nombre et le type de personnes qui relèvent de chaque supérieur.
Égalité des chances dans l'obtention d'un emploi	• Elle aide à élaborer une politique qui offre des chances égales à tous et prévient les pratiques discriminatoires, contraires aux chartes des droits de la personne.
Normes de rendement	• Les normes de rendement ayant un rapport direct avec les exigences mises au jour par l'analyse des postes, celle-ci permet de mesurer la performance des individus, tout autant que des groupes.
Excédent de personnel	• L'analyse des postes aide à déterminer l'excédent de personnel lors des acquisitions ou des fusions d'entreprises, ou encore lors des réductions d'effectifs.
Orientation	• Elle aide les superviseurs et les titulaires de postes à rédiger des lettres de recommandation pour les employés qui quittent l'entreprise et sont à la recherche d'un emploi.

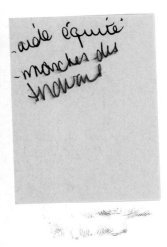

le chapitre 10) ; découlant de l'analyse des postes, elle sert principalement à comparer les emplois à l'intérieur de l'entreprise et sur le marché du travail, de même qu'à respecter l'équité. L'analyse des emplois est également un préalable à la *classification des emplois*. Celle-ci désigne le regroupement de certains postes au sein des familles d'emploi ou des catégories d'emploi, ce qui aide à les évaluer ou permet de déterminer une rémunération appropriée. En dernier lieu, il faut faire la différence entre, d'une part, l'analyse des postes et, d'autre part, *la conception des tâches (job design)* ou la *redéfinition des tâches (job redesign)*, qui consistent principalement à concevoir de nouveaux emplois. La conception des tâches réunit des tâches et des unités de travail en un tout qui portera le nom d'un poste de travail. La redéfinition des tâches a généralement pour origine la volonté d'accroître la productivité liée à un emploi. On s'efforce de réviser l'ensemble des tâches et des responsabilités associées à un poste en vue de les réduire, de les élargir ou de les enrichir. Dans les milieux de travail, on procède souvent à une redéfinition des tâches dans le but d'accroître la motivation des employés, de stimuler leur désir d'occuper certains postes ou d'atteindre un objectif de rationalisation ou d'efficacité. Il est important de noter que l'analyse des postes s'effectue postérieurement à la conception ou à la redéfinition des tâches[7].

3.2.2 | Le processus d'analyse des postes

Le processus d'analyse des postes comporte plusieurs étapes[8] (voir l'encadré 3.3). Dans un premier temps, les analystes précisent les postes à étudier. Ensuite, ils déterminent la nature des informations qu'ils souhaitent recueillir ; puis ils mettent au point la démarche qui produira les résultats les plus précis. Ils choisissent la méthode la plus appropriée pour recueillir les données. À l'étape suivante, on effectue la collecte proprement dite des informations; ensuite, on procède à la compilation et à la vérification des données obtenues, qui seront consignées dans les descriptions des emplois. Celles-ci serviront à leur tour à déterminer les exigences associées aux emplois et aux responsabilités, ainsi que les critères de performance accompagnant les divers postes qui prennent place dans la structure organisationnelle.

ENCADRÉ ▶ 3.3

Le processus d'analyse de l'emploi

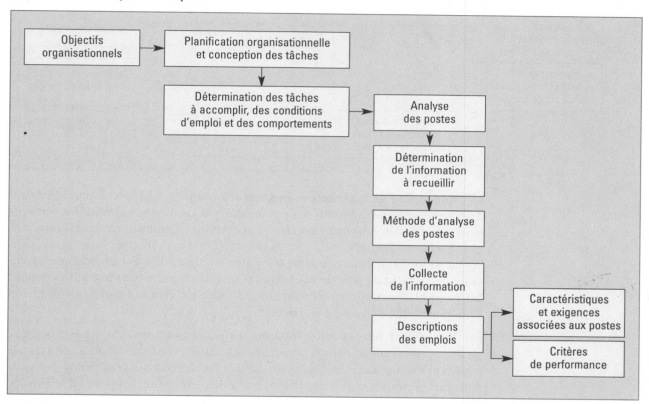

LES DONNÉES À RECUEILLIR EN VUE DE L'ANALYSE DES POSTES

L'analyse des postes sert à définir les caractéristiques, les tâches et les objectifs associés à un poste. La manière dont on détermine le profil d'un poste influe sur la productivité et la motivation des individus, de même que sur leur qualité de vie au travail[9]. Une description trop floue risque d'engendrer de l'ennui lors de l'exécution des tâches, un taux d'absentéisme élevé ou, à la limite, des comportements déviants. Par ailleurs, quand le profil du poste s'accompagne de responsabilités et de défis plus importants, pareille valorisation engendrera des attitudes et des comportements positifs de la part de celui qui l'occupe.

Pour procéder à une analyse des postes, il convient de recueillir des données ayant trait aux aspects suivants[10] (voir l'encadré 3.4).

Les types d'information à recueillir pour effectuer une analyse des postes

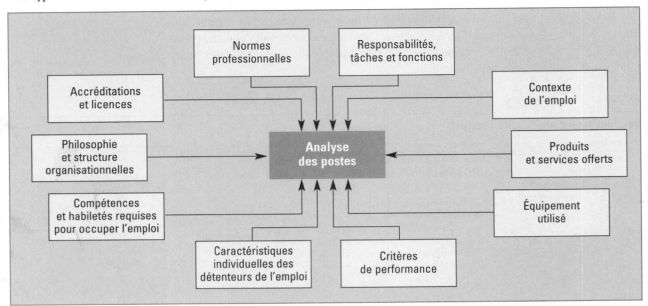

La philosophie et la structure organisationnelles. L'aspect le plus important d'un poste est lié aux objectifs qui ont présidé à sa création et qui justifient son existence. Pour quelles raisons a-t-on créé tel ou tel poste ? Comment concourt-il aux buts visés par l'organisation ? Quels sont les rapports entre ce poste et les autres postes dans l'organisation ? D'habitude, ce genre d'information figure dans l'organigramme organisationnel : il suffit d'y jeter un coup d'œil pour situer le poste dans une fonction, pour déterminer les postes dont il dépend hiérarchiquement, ceux qui sont au même niveau de responsabilité et ceux qui en relèvent.

Les licences et autres autorisations ou accréditations. Si le poste doit être occupé nécessairement par des personnes accréditées, il est crucial de le savoir ; cette condition s'ajoute aux autres compétences exigées, de sorte qu'on ne peut proposer le poste aux personnes qui ne détiennent pas le titre nécessaire. Les postes d'infirmiers, d'avocats ou d'ingénieurs ne peuvent être détenus que par les personnes qui sont membres d'un ordre professionnel. Cette information aide à cerner les responsabilités associées aux postes et établit les compétences exigées de leurs titulaires.

Les responsabilités, les tâches et les fonctions. Il faut recueillir l'information permettant de déterminer les tâches et les responsabilités qui caractérisent l'emploi. Parmi celles-ci, mentionnons la diversité des compétences exigées, le niveau d'autonomie, autrement dit le degré d'indépendance et de liberté dont jouit l'employé dans l'exécution de ses tâches et dans l'organisation de son travail, ainsi que les éléments cognitifs qui ont trait à la communication, à la prise de décision, à l'analyse, au traitement de l'information et à la rétroaction.

Les normes professionnelles. Qu'ils appartiennent ou non à un ordre professionnel, les techniciens et les professionnels doivent respecter les normes établies dans l'exercice de leurs fonctions. Ainsi, les professionnels de la gestion des ressources humaines doivent se conformer aux normes quand ils se livrent à des activités de gestion des ressources humaines. Il leur faut, par exemple, éviter toute pratique discriminatoire lors de la sélection du personnel ou de l'évaluation du rendement, de la tenue des dossiers, protéger la confidentialité de l'information traitée, etc.

Le contexte de l'emploi. On doit joindre à la description de l'emploi des informations qui renseignent sur le contexte dans lequel se déroule le travail, notamment les éléments de l'exécution des tâches qui ont trait au bruit, à l'éclairage, à la position corporelle et aux contraintes physiques, comme la rapidité d'exécution ou le poids des charges à soulever.

Les produits et les services offerts. Le profil d'un poste varie considérablement selon sa finalité et selon que la contribution du titulaire au produit fini est minime ou considérable. Si cet apport est minime, le poste pourra être considéré comme un segment relativement simple; le travailleur s'identifiera peu à son travail, qui exigera peu d'habiletés. À l'inverse, si la contribution au produit est importante, le poste correspondra à un segment plus complexe, les habiletés requises seront plus nombreuses et l'identification au travail sera plus forte. C'est donc la relation entre les tâches inhérentes à un poste et le produit fini qui détermine fondamentalement le profil d'un poste.

L'équipement utilisé. Les caractéristiques de l'équipement utilisé ont trait aux méthodes et aux matériaux dont on se sert pour réaliser le produit fini. Le type de technologie employé par l'entreprise a une influence considérable sur le contenu de l'analyse des postes. La chaîne de montage représente bien un type de technique qui s'accompagne de tâches extrêmement simples et répétitives. Elle se situe à l'opposé d'une technique faisant appel aux connaissances et aux habiletés de travailleurs hautement qualifiés ou de gestionnaires en quête de défis. Les entreprises peuvent utiliser différentes techniques pour fabriquer le même produit et la définition des postes variera d'autant.

Les critères de performance du poste. L'analyste doit aussi recueillir les informations qui déterminent la performance dans un poste donné; citons, par exemple, le temps requis pour exécuter une tâche, les critères de qualité, etc.

Les caractéristiques individuelles des détenteurs de l'emploi. La connaissance des caractéristiques des individus est cruciale pour déterminer le profil d'un poste. Il est essentiel d'être au fait du niveau de concentration, de l'intensité et de la nature des efforts physiques, du stress, de l'endurance physique qui sont associés à l'exercice du poste.

Les compétences et habiletés requises. Quelles sont les compétences, les connaissances et les habiletés requises pour occuper un emploi? Quelles sont les attitudes, les valeurs et les traits de personnalité qui favorisent le succès? Ces informations seront d'une grande utilité pour mener à bien un certain nombre d'activités de gestion des ressources humaines, notamment la dotation et la formation.

OUTILS SERVANT À COLLECTER DES DONNÉES SUR LES POSTES

Il peut y avoir autant de méthodes de collecte qu'il y a d'aspects à considérer dans les différents postes. Les méthodes le plus fréquemment utilisées sont les suivantes: (1) l'observation, à l'aide d'instruments tels que le chronomètre, le compteur ou les enregistrements audiovisuels; (2) les entrevues avec le ou les titulaires des postes; (3) les rencontres avec les spécialistes de l'analyse des postes ; (4) les notes prises par les titulaires des postes ; et (5) les questionnaires, structurés ou non structurés, auxquels ont répondu les titulaires des postes ou certains observateurs tels que le superviseur ou l'analyste des postes. Quand on choisit une méthode, on doit tenir compte des trois facteurs suivants : la validité, la fiabilité et le coût. Il est possible d'élever sensiblement les taux de validité et de fiabilité en utilisant simultanément plusieurs méthodes. Nous en décrivons brièvement ci-dessous les principales.

L'observation. Si on remonte dans l'histoire, on constate que l'observation fut la première méthode employée pour recueillir des données. Au tout début du 20e siècle, Frederick Taylor recommanda d'adopter cette méthode et il en fit le fondement de son « approche scientifique de la gestion ». D'autres ingénieurs industriels ont utilisé des photographies prises à intervalles très courts pour disséquer les mouvements des travailleurs et ainsi parvenir à réorganiser la structure des tâches de façon plus efficace. L'information obtenue en interrogeant une personne qui ne participe pas à la production a plus d'objectivité et de crédibilité que celle qui est fournie par le titulaire du poste ou par son superviseur. Cependant, l'observation présente certains inconvénients : elle risque d'influencer le comportement de l'employé, particulièrement lorsque les tâches exigent un certain effort intellectuel ; par ailleurs, l'observation est inefficace s'il s'agit d'un long cycle de travail.

Afin de maximiser l'efficacité de la méthode d'observation, il est donc essentiel d'avoir un échantillon suffisamment important de sujets ; ainsi, l'observateur ne s'attardera pas au comportement d'un seul individu, mais il se concentrera plutôt sur les comportements habituels des personnes qui effectuent le même genre de travail. Il notera ensuite le type ou la fréquence des comportements sur sa feuille d'observation.

L'entrevue avec le titulaire du poste. Lors de l'entrevue avec le titulaire du poste, l'analyste pose à l'employé une série de questions relatives aux tâches qu'il accomplit. La méthode de l'entrevue a comme principal avantage de favoriser les interactions entre le titulaire du poste, le superviseur et l'analyste. Toutefois, l'entrevue présente un inconvénient majeur : la qualité de l'information obtenue est largement tributaire des rapports qui s'établissent entre l'analyste et le titulaire du poste. Parmi les autres inconvénients, notons que cette méthode exige beaucoup de temps et qu'elle est déterminée par des facteurs subjectifs.

Les rencontres avec les spécialistes de l'analyse des postes. Les rencontres avec les spécialistes de l'analyse des postes ont des points communs avec les entrevues. Parmi les personnes qui peuvent être mises à contribution, mentionnons les concepteurs de machines ou de matériel, ou encore les ingénieurs industriels. Cette méthode est utilisée avec succès pour décrire les nouveaux emplois ou pour élaborer la description des emplois à créer prochainement.

Les notes prises par le titulaire du poste. On peut aussi demander au titulaire du poste de noter ses activités, à intervalles réguliers, dans un carnet ou un journal de bord ; les activités de chaque jour peuvent être consignées sur une ou deux pages. Cette méthode est relativement efficace pour décrire les postes comportant un long cycle de travail. Toutefois, son principal inconvénient vient de ce que le titulaire a tendance à énumérer ses activités plutôt qu'à exposer les résultats obtenus. De plus, le titulaire, s'il est laissé à lui-même, risque d'omettre des renseignements importants.

Les questionnaires.   Les questionnaires sont fréquemment utilisés pour la collecte des données. On recourt généralement à deux types de questionnaires : les questionnaires structurés et les questionnaires non structurés. Dans les questionnaires structurés, on demande aux participants de cocher un élément dans une échelle de notation, d'encercler des réponses à choix multiples ou de remplir des espaces. Dans les questionnaires non structurés, les participants doivent donner des réponses complètes à des questions précises. Leur coût assez faible et la possibilité de traiter rapidement les données au moyen de l'ordinateur constituent les principaux avantages des questionnaires ; leur inconvénient majeur tient au caractère hautement subjectif des réponses.

L'analyste a intérêt à revoir les descriptions des postes effectuées auparavant afin de se familiariser avec les différents emplois et de choisir la méthode la plus appropriée. Il peut aussi demander à des collègues travaillant dans d'autres organisations de lui fournir les descriptions des emplois qu'ils ont élaborées ou encore se référer à des ouvrages spécialisés.

SOURCES D'INFORMATION POUR L'ANALYSE DES POSTES

Qui peut-on consulter pour effectuer une analyse des postes ?

- Les analystes des postes
- Le titulaire du poste
- Le supérieur du titulaire du poste
- Un membre de la haute direction
- Un expert dans un domaine technique (ergonome, ingénieur industriel, etc.)
- Un formateur professionnel
- Des clients ou des consommateurs
- Des personnes appartenant à d'autres fonctions organisationnelles
- Des documents écrits (rapports annuels, guides d'utilisation du matériel, classification nationale des professions, etc.)
- Les descriptions des emplois rédigées antérieurement

Précisons que le fait de consulter les clients aide à mieux cerner les critères de performance ; les personnes appartenant à d'autres fonctions organisationnelles pourraient fournir de l'information pertinente sur les liens entre le poste analysé et les autres postes dans la structure organisationnelle.

3.2.3 | Les approches de l'analyse des postes

Les analystes des postes peuvent choisir entre deux approches. Ils peuvent décider de se pencher principalement sur le poste de travail pour décrire les tâches et les responsabilités qu'il comporte, ou encore analyser les emplois en tenant compte des compétences et des habiletés des individus. Il est possible d'envisager une troisième approche, hybride celle-là, par exemple celle qui est fournie par la classification nationale des professions et qui permet d'analyser les emplois à la fois en fonction des responsabilités et des compétences requises de la part des individus. Il est possible également de combiner plusieurs approches afin de réaliser des analyses complètes, fiables et utiles.

LES ANALYSES DE POSTES AXÉES SUR L'EMPLOI

Parmi les approches servant à effectuer des analyses axées sur l'emploi, mentionnons l'étude des méthodes, la mesure du temps de travail, l'analyse fonctionnelle, les inventaires de tâches et les incidents critiques.

L'étude des méthodes de travail. L'étude des méthodes de travail se concentre sur l'analyse d'un élément du travail, sur une composante minimale du poste ; tirant son origine du génie industriel, cette approche se présente sous plusieurs formes. Outre l'analyse des processus de travail et des rapports entre l'individu et les machines, elle s'intéresse à la mesure du travail (l'étude des temps et mouvements) et aux processus de travail[11]. On cherche à décrire le poste selon des critères d'efficacité et de rendement ; de nombreux postes peuvent faire l'objet de ce type d'analyse, mais celle-ci convient surtout aux postes autres que les postes de gestion, c'est-à-dire à ceux dans lesquels on peut plus aisément repérer les unités d'activité individuelle. Elle est utile lorsque des modifications sont apportées : (1) aux outils et à l'équipement ; (2) à la conception du produit ; (3) aux matériaux utilisés ; (4) à l'équipement et à l'exécution du travail effectuées afin de les adapter aux besoins des travailleurs handicapés ; et (5) aux mesures concernant la santé et la sécurité au travail.

L'étude des méthodes connaît aujourd'hui un nouvel essor lié à l'implantation des technologies dites d'automatisation programmable. Ces techniques de pointe comprennent la conception, la fabrication et l'ingénierie automatisées, ainsi que la fabrication intégrée. De nombreuses organisations ayant amorcé des virages technologiques importants ont constaté que les employés préfèrent leurs anciennes méthodes de travail et qu'ils s'abstiennent de mettre à profit les techniques qui viennent d'être implantées. Pareille attitude peut avoir des conséquences désastreuses pour l'entreprise. En effet, si on ne saisit pas l'ampleur des changements effectués dans les techniques de production, les avantages liés à l'adoption de la nouvelle technologie risquent de se transformer rapidement en inconvénients particulièrement coûteux. L'entreprise qui désire utiliser une technique de pointe de façon rentable doit en étudier attentivement tous les mécanismes d'application. L'étude des méthodes ne sera véritablement utile qu'à cette condition.

La mesure du travail. La mesure du travail détermine le temps d'exécution de toutes les unités de travail pour une tâche donnée. La combinaison de ces différents temps établit le temps normalisé pour l'exécution de l'ensemble des tâches relevant du poste. Ces temps normalisés permettent au gestionnaire des ressources humaines d'élaborer le régime de rémunération au rendement (primes accordées pour l'accomplissement des tâches dans un temps moindre que le temps normalisé), de déterminer les coûts de production, d'évaluer les coûts des nouveaux produits et d'équilibrer la production. Le processus visant à déterminer le temps normalisé constitue un défi de taille, car le temps requis pour l'exécution d'une tâche peut être influencé tant par le titulaire du poste que par la nature du travail. Par conséquent, le temps normalisé doit tenir compte des efforts effectivement déployés par l'individu et des efforts qu'il devrait « réellement » déployer ; pour cela, l'analyste doit faire montre d'un minimum d'intuition. Le processus de collecte des données permettant de déterminer les temps normalisés comprend habituellement le chronométrage, l'établissement des données de référence, la méthode des temps prédéterminés et l'échantillonnage du travail.

L'analyse fonctionnelle des emplois. L'analyse fonctionnelle des emplois désigne le système mis au point en vue de définir la nature des postes relativement aux personnes qui les occupent, aux objets et aux données, et d'établir ainsi les diagrammes des emplois, la description et les exigences des postes. Cette technique avait d'abord été conçue par le gouvernement américain dans le but de faciliter l'embauche des chômeurs se présentant à leur centre d'emploi local. De nos jours, de nombreuses organisations du secteur privé ou public recourent à l'analyse fonctionnelle des postes ; il s'agit tout à la fois d'un système conceptuel servant à définir les paramètres de l'activité du travailleur et d'une méthode permettant de mesurer son niveau d'activité. Les prémisses de ce système sont résumées dans l'encadré 3.5[12].

ENCADRÉ ▶ **3.5**

Les prémisses de l'analyse fonctionnelle des emplois

- Il faut différencier de manière fondamentale les tâches qu'un travailleur doit accomplir et ce qui constitue le résultat de son travail. Par exemple, les tâches du conducteur d'autobus ne comprennent pas le transport des passagers, mais seulement la conduite du véhicule et la collecte des billets.

- La notion de poste suppose l'existence de relations entre trois types d'éléments : des personnes, des objets et des données.

- Dans sa relation avec les objets, le travailleur utilise ses capacités physiques ; dans sa relation avec les données, il utilise ses aptitudes intellectuelles ; dans sa relation avec d'autres personnes, il utilise son aptitude à communiquer.

- Le travailleur est appelé à établir ce genre de relations dans tout type d'emploi.

- Bien que le comportement et les tâches des employés puissent être décrits de multiples façons, ils se résument en fait à un nombre limité de fonctions. Ainsi, dans la relation entre l'individu et les machines, les tâches de l'opérateur consistent à alimenter, à surveiller, à faire fonctionner et à régler les machines. De même, le travailleur qui utilise un véhicule se borne à le conduire et à en conserver la maîtrise. Bien que ces fonctions présentent des difficultés et des contenus différents, chacune d'entre elles ne relève, du point de vue du rendement, que d'une catégorie relativement limitée d'habiletés et de caractéristiques.

- Les fonctions décrivant les relations entre les personnes, les données et les objets sont classées de façon ordinale et hiérarchique, de la plus complexe à la plus simple. Ainsi, pour qu'une fonction particulière, comme la compilation de données, décrive bien les exigences du poste, on doit indiquer qu'elle inclut des fonctions plus simples telles que la comparaison et qu'elle exclut des fonctions plus complexes telles que l'analyse.

L'Inventaire analytique des emplois. L'Inventaire analytique des emplois (IAE), ou Occupational Analysis Inventory, comprend notamment les objectifs de travail. Il se fonde sur plus de 600 éléments répartis en cinq catégories : (1) les informations reçues ; (2) les activités intellectuelles ; (3) le comportement au travail ; (4) les objectifs de travail ; et (5) le contexte de travail. Les informations sont évaluées par les superviseurs ou par les titulaires des postes, d'après trois critères : la signification, l'occurrence et les possibilités d'application. Les deux premiers critères mesurent les données selon une échelle de six points ; le troisième critère est dichotomique (classification binaire). Cette méthode offre l'avantage de donner des résultats précis, mais elle comporte par contre un très grand nombre d'éléments. Elle est néanmoins très utile pour déterminer les besoins de formation.

La méthode des incidents critiques (MIC). La méthode des incidents critiques (MIC) sert le plus souvent à établir des critères de comportement. Elle exige une connaissance particulière des incidents qui ont jalonné l'histoire du poste afin de pouvoir les transmettre à l'analyste. Ces incidents survenus au cours de l'exécution des tâches, de 6 à 12 mois auparavant, donnent des indications sur l'efficacité ou l'inefficacité du rendement. L'analyste peut demander aux personnes qui ont signalé ces incidents de lui fournir la liste des cinq aptitudes les plus remarquables du titulaire de poste, ou encore de lui décrire le comportement des titulaires les plus efficaces[13].

L'analyste peut aussi demander qu'on lui décrive les circonstances de l'incident, ainsi que ses effets sur le comportement du titulaire, et qu'on lui indique dans quelle mesure celui-ci avait conservé la maîtrise de son comportement. Lorsqu'un certain nombre d'incidents ont été relevés, on les évalue selon la fréquence d'apparition, la gravité et l'ampleur des efforts déployés. L'information ainsi réunie, qui a parfois trait à une centaine d'incidents par poste de travail, est ensuite regroupée selon les dimensions des postes. Celles-ci, qui souvent ne retiennent que certains aspects des incidents observés, servent à établir les descriptions des emplois. Les principaux désavantages de la méthode des incidents critiques résident dans la quantité de temps nécessaire pour obtenir la description des incidents et dans la difficulté à déterminer une moyenne de rendement ; les méthodes de ce type utilisent des valeurs maximales (un très bon ou un très mauvais rendement, par exemple) et elles font abstraction des valeurs moyennes. On peut pallier cet inconvénient en recourant à plusieurs échantillons comportant différents niveaux de rendement. La méthode étendue des incidents critiques propose des solutions de ce genre.

La méthode étendue des incidents critiques. Au lieu de dresser la liste des comportements caractéristiques du rendement efficace ou inefficace, la méthode étendue des incidents critiques, de conception plus récente, cerne les domaines d'activité liés à un poste de travail[14]. Par exemple, la formation peut constituer, pour le gestionnaire, un domaine d'activité regroupant les tâches suivantes : l'enseignement structuré ou non structuré de nouvelles techniques aux employés ; la réalisation d'études pour améliorer la productivité ; et l'intégration des nouveaux employés à l'entreprise.

Les tâches précises comprises dans un domaine d'activité varient d'une organisation à l'autre. Lorsque les domaines d'activité ont été définis (on en compte généralement de 10 à 20 par poste), l'analyste dresse la liste des tâches associées à chaque domaine d'activité après avoir demandé aux titulaires des postes de rédiger à son intention des scénarios illustrant trois niveaux de rendement pour chacun de ces domaines. Dans ces scénarios, les titulaires de postes décrivent le principal incident, le comportement adopté par les individus et les effets de ce comportement. L'analyste formule alors les énoncés de tâches ; chaque énoncé est constitué d'un exemple de comportement (ou de plusieurs exemples, selon les scénarios). On indique s'il permet d'accomplir les tâches, dans quelle proportion, on décrit les difficultés éprouvées et on évalue l'importance des tâches. Une fois qu'il a obtenu ces informations, l'analyste rédige les descriptions des emplois.

La méthode étendue des incidents critiques peut en outre servir à élaborer de nouvelles formes d'évaluation du rendement, à jauger le rendement lui-même, ainsi qu'à déterminer des exigences particulières en matière de formation. Il suffit de demander aux titulaires de postes (appartenant à un autre groupe afin d'accroître la fiabilité des résultats) d'estimer le niveau de rendement pour chaque énoncé de tâches et d'inscrire cet énoncé dans le domaine d'activité désigné au préalable par le premier groupe de titulaires. Si on demande ensuite aux titulaires des postes de dire quelles sont les habiletés physiques et intellectuelles nécessaires pour effectuer les tâches dans chacun des domaines, on dispose de toute l'information nécessaire pour établir les processus de sélection. À cette étape, on présente aux titulaires des postes une liste des habiletés, accompagnées de courtes descriptions, et on leur demande de déterminer le niveau de rendement satisfaisant pour chaque tâche. La liste de ces habiletés peut aussi être utilisée pour énumérer les exigences ou rédiger la description des emplois.

Bien que la méthode étendue des incidents critiques demande plus de temps que la méthode des incidents critiques classique, on recueille grâce à elle une grande quantité d'information auprès des titulaires de postes, principalement en ce qui a trait aux aptitudes requises, aux niveaux de rendement et aux domaines d'activité. Des analyses supplémentaires peuvent également être réalisées. Néanmoins, les deux méthodes se basent sur la définition des comportements au travail, c'est pourquoi elles sont utiles pour évaluer le rendement et déterminer les exigences en matière de formation.

LES ANALYSES DE POSTES AXÉES SUR L'INDIVIDU

Parmi les approches axées sur l'individu, mentionnons l'approche basée sur les compétences, qui gagne en importance dans les organisations. Cette méthode propose trois types de questionnaires qui servent à analyser les postes en fonction des habiletés requises pour les occuper, à savoir le *Questionnaire d'analyse des postes* (QAP), l'*Inventaire analytique des emplois* (IAE) et le *Questionnaire d'analyse des postes de direction* (QAPD).

L'approche basée sur les compétences. L'approche basée sur les compétences, ou Ability Requirements Approach, permet aux analyses des postes de s'adapter au nouvel environnement de travail. Cette approche met l'accent sur le profil de compétences des employés, tandis que l'approche traditionnelle définissait les tâches et les comportements requis pour le poste analysé. Les employés seront désormais choisis en fonction de leur capacité à s'intégrer dans l'organisation et à enrichir leurs compétences tout au long de leur carrière. Cette façon de voir permet de concevoir de façon plus efficace des programmes de formation destinés à améliorer les compétences des employés, qui de ce fait deviendront plus flexibles.

Puisant dans un bassin renfermant 50 dimensions de compétences distinctes, les analystes qui emploient cette méthode dressent la liste de celles qui sont requises pour occuper un emploi[15].

À Ressources humaines et Développement social Canada, on a élaboré récemment un *Guide d'interprétation des profils de compétences essentielles*. Ce document fort utile propose une méthode pour cerner les compétences fondamentales, autrement dit les compétences qui aident une personne à accomplir ses tâches professionnelles, qui offrent au travailleur une base pour acquérir des connaissances liées plus particulièrement à sa profession et qui renforcent sa capacité à s'adapter aux changements dans son milieu de travail. Ces compétences fondamentales comprennent la lecture de textes, l'utilisation de documents, la rédaction, le calcul, la communication verbale, la capacité de raisonnement, le travail d'équipe, l'informatique et l'apprentissage continu. Le guide

www.conferenceboard.ca/ nbec/eprof-e.htm

Site du Conference Board du Canada offrant un répertoire *(Employability Skills Profile)* des compétences qui influent sur l'employabilité d'une personne, soit la formation universitaire, les aptitudes à la gestion et la capacité de travailler en équipe.

http://srv108.services.gq.ca/ French/general/readers_ guide_whole.shtml

Site de Ressources humaines et Développement social Canada sur lequel on peut se procurer le *Guide d'interprétation des profils de compétences essentielles.*

fournit une méthode détaillée pour définir les compétences fondamentales grâce à des termes et à des concepts normalisés : les termes normalisés aident à décrire les différents aspects des compétences fondamentales et, grâce aux concepts normalisés, on peut savoir dans quelle mesure un groupe professionnel donné utilise une compétence fondamentale précise.

Le Questionnaire d'analyse des postes. Le Questionnaire d'analyse des postes (QAP), ou Position Analysis Questionnaire, se compose de 187 éléments répartis en six catégories (voir l'encadré 3.6). Chacun de ces éléments est ensuite évalué en fonction des six critères suivants : (1) l'ampleur de l'utilisation ; (2) l'importance du poste ; (3) le temps alloué ; (4) l'occurrence de l'élément ; (5) l'applicabilité ; et (6) les autres aspects. L'utilisation de ces deux types de classement, soit les six catégories et les six critères énumérés précédemment, permet de cerner la nature du poste, selon les composantes suivantes : communication, prise de décision et responsabilités sociales ; rendement dans les activités spécialisées ; conditions environnementales et capacités physiques ; conduite de véhicule et utilisation d'équipement ; traitement de l'information. Ces cinq composantes permettent de comparer et de regrouper les postes ; on peut alors déterminer la description, les exigences et les effectifs des postes.

ENCADRÉ ▶ **3.6**

Les six composantes du Questionnaire d'analyse des postes (QAP)

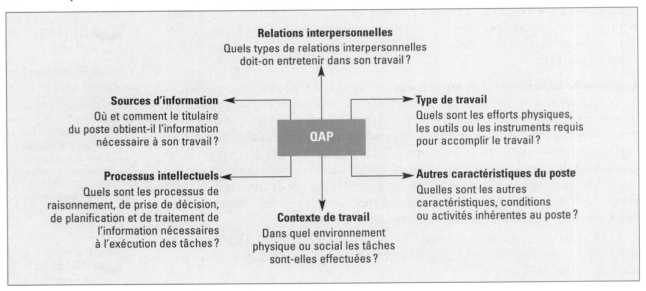

Alors que le simple inventaire des tâches ne permet de comparer que les emplois de même type, la méthode du QAP, qui dépend essentiellement de facteurs axés sur la personne, peut s'appliquer à un grand nombre de postes et d'organisations, sans qu'il soit nécessaire d'y apporter des modifications. On soumet les réponses obtenues à un traitement informatique et on établit ainsi un profil de poste indiquant les points de comparaison possibles entre un poste donné et d'autres postes. Les données de base du QAP comportent aussi des informations sur les liens entre les réponses obtenues, les aptitudes au travail et les niveaux de rémunération. Cette méthode, très utile en analyse des postes, offre des possibilités intéressantes en matière de sélection des candidats et d'évaluation du rendement[16].

L'Inventaire des éléments de travail.   L'Inventaire des éléments de travail (IET), ou Job Element Inventory, est une méthode modelée sur celle du QAP, mais qui comporte des possibilités d'application plus étendues; l'IET a été conçu afin de faciliter la sélection des employés de la fonction publique des États-Unis. Le terme «élément» peut désigner une connaissance, une habileté, une aptitude ou toute autre caractéristique personnelle associée de quelque façon que ce soit à la réussite de l'exécution des tâches. L'IET contient 153 éléments de travail facilement repérables et il a été élaboré à l'intention des titulaires des postes. Ceux-ci doivent évaluer chacun des éléments à l'aide d'une échelle de notation comportant les trois énoncés suivants: (1) absent du poste; (2) présent, mais non important; et (3) présent et important. Les avantages majeurs de cette méthode sont sa simplicité et son coût d'utilisation relativement bas. Puisque les réponses s'inscrivent dans un système numérique, les résultats peuvent être emmagasinés dans une base de données et analysés par ordinateur[17].

Le Questionnaire de description des postes de direction.   Le Questionnaire de description des postes de direction (QDPD), ou Management Position Description Questionnaire, est une méthode d'analyse fondée sur une liste de pointage. Celle-ci contient 197 éléments touchant les fonctions et responsabilités des gestionnaires, les exigences et les limites, ainsi que diverses particularités liées à leurs fonctions. Ces 197 éléments ont été classés selon les 13 dimensions présentées dans l'encadré 3.7. Le QDPD s'applique plus particulièrement aux postes de gestionnaires et les réponses varient selon le niveau du poste et le type d'organisation. Cette méthode est très utile pour évaluer les postes de gestionnaires, déterminer les besoins en matière de formation des employés qui obtiennent ces postes, créer des familles d'emplois qui incorporent adéquatement

ENCADRÉ ▶ 3.7

Les 13 dimensions du Questionnaire de description des postes de direction

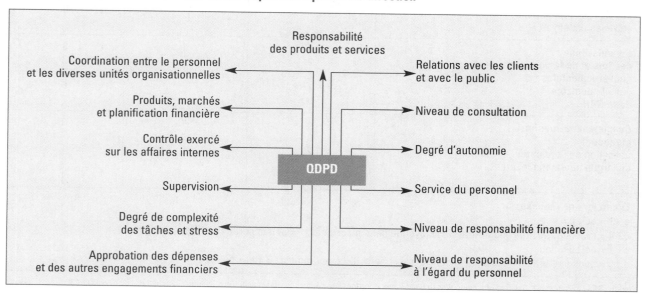

les nouveaux postes de gestion, fixer la rémunération rattachée à ces postes, de même que pour élaborer les processus de sélection et d'évaluation du rendement.

L'approche sur mesure. Dans l'approche sur mesure, on élabore un questionnaire selon le modèle présenté dans l'encadré 3.8. L'analyste demande au titulaire du poste et à son superviseur d'énumérer les compétences, les habiletés, les connaissances, les attitudes et les valeurs qu'ils croient nécessaires pour accomplir le travail[18]. Il est possible aussi de former un groupe de discussion, comprenant des personnes occupant le même poste, qui se chargera de dresser la liste des compétences à examiner. Un questionnaire est alors mis au point pour aider les participants à évaluer l'importance des différentes compétences dont il faudra tenir compte lors du recrutement et afin d'établir le niveau du poste en fonction des compétences exigées. Les organisations pourront ainsi décider du niveau de compétences requis à l'embauche et proposer à leur personnel d'acquérir ces compétences grâce à des programmes de formation.

ENCADRÉ ▶ **3.8**

L'approche sur mesure

COMPÉTENCES	Cette compétence est-elle utilisée dans le cadre du poste[a] ?	Quelle est l'importance de cette compétence dans l'accomplissement des tâches liées au poste[b] ?	Cette compétence est-elle nécessaire dans le cas des personnes nouvellement recrutées pour cet emploi[c] ?	Dans quelle mesure cette compétence permet-elle d'évaluer les candidatures à ce poste[d] ?
Connaissance des façons de faire propres aux ressources humaines : réglementation portant sur l'absentéisme, les actions disciplinaires, l'évaluation du rendement, etc.	1 0	4 3 2 1 0	1 0	3 2 1 0
Connaissance de la structure organisationnelle : personnes à contacter en cas d'urgence, relations entre les unités, etc.	1 0	4 3 2 1 0	1 0	3 2 1 0
Connaissance des lois et de la politique gouvernementales dans le domaine de la GRH	1 0	4 3 2 1 0	1 0	3 2 1 0
Compétences en informatique : utilisation de l'ordinateur, du jargon informatique, etc.	1 0	4 3 2 1 0	1 0	3 2 1 0

Encercler une réponse :
a. 1 = oui ; 0 = non.
b. 4 = cruciale ; 3 = très importante ; 2 = moyennement importante ; 1 = peu importante ; 0 = pas importante.
c. 1 = oui ; 0 = non.
d. 3 = dans une grande mesure ; 2 = considérablement ; 1 = modérément ; 0 = pas du tout.

Source : S.E. Jackson et R.S. Schuler, *Managing Human Resources : A Partnership Perspective*, Cincinnati (Ohio), South-Western Publishing, 2000, p. 238.

LES ANALYSES DES POSTES HYBRIDES

Parmi les analyses des postes hybrides, la plus importante est celle de la classification des professions, qui permet d'analyser les postes en fonction des responsabilités, des tâches requises et des compétences des titulaires de postes.

Au Canada, on a développé ces dernières années un savoir-faire reconnu à l'échelle mondiale grâce à la *Classification nationale des professions* (CNP), publiée par Ressources humaines et Développement social Canada. Cet ouvrage offre un index comprenant 25 000 postes regroupés par type de compétences, par secteur d'activité et par niveau de scolarité requis ; il constitue une description cohérente des profils de professions (voir l'encadré 3.9). Les gouvernements, les entreprises et les éducateurs utilisent cette information de multiples façons. Ainsi, on se fonde sur la CNP pour élaborer des politiques de reconnaissance professionnelle et de formation, et pour aider les personnes qui cherchent des renseignements précis sur leur carrière. Le système de la CNP favorise la mobilité de la main-d'œuvre ainsi que le jumelage des employeurs et des employés dans le cadre du Service de placement électronique.

Classification nationale des professions

Ouvrage publié par le gouvernement fédéral, renfermant des définitions détaillées sur les emplois occupés au Canada.

CONSULTEZ INTERNET

www.hrdc-drhc.gc.ca

Site de Ressources humaines et Développement social Canada proposant une méthode qui sert à établir des profils de compétences et donne accès à la *Classification nationale des professions*.

ENCADRÉ ▶ **3.9**

La Classification nationale des professions (exemple)

Cadres supérieurs/cadres supérieures — production de biens, services d'utilité publique, transport et construction

Fonctions principales

Les cadres supérieurs de ce groupe de base exercent une partie ou l'ensemble des fonctions suivantes :

- Établir les objectifs de la compagnie, et formuler ou approuver ses politiques et ses programmes.
- Autoriser et organiser l'établissement des principaux services de la compagnie et la création des postes de niveau supérieur qui s'y rattachent.
- Allouer les ressources humaines, matérielles et financières nécessaires à la mise en oeuvre des politiques et des programmes de la compagnie ; établir les contrôles administratifs et financiers, formuler et approuver les campagnes de promotion et approuver le plan d'ensemble de la gestion des ressources humaines.
- Sélectionner les cadres intermédiaires, les directeurs et autre personnel de direction.
- Coordonner le travail des régions, des divisions ou des services de la compagnie.
- Représenter la compagnie, ou déléguer des représentants pour agir au nom de la compagnie, lors de négociations ou autres fonctions officielles.

Conditions d'accès à la profession

- Un diplôme d'études universitaires ou collégiales en génie, en administration des affaires, en commerce ou dans une autre discipline se rattachant au produit de la compagnie est habituellement exigé.
- Plusieurs années d'expérience en tant que cadre intermédiaire dans les secteurs de la production des biens, des services d'utilité publique, du transport ou de la construction sont habituellement exigées.
- Il est possible de se spécialiser dans un domaine ou un produit particulier en acquérant soit de l'expérience, soit une formation universitaire ou collégiale spécifique.
- Les cadres supérieurs du secteur de la finance doivent habituellement détenir un titre professionnel en comptabilité.

Source : Ressources humaines et Développement des compétences Canada, *Classification nationale des professions*, Description des professions, www.23.hrdc-drhc.gc.ca/2001/f/groups/0016.shtml.

3.3

LA RÉDACTION D'UNE DESCRIPTION DE L'EMPLOI

Dans la description de l'emploi, on dresse la liste des aspects les plus importants du poste et on énumère les connaissances, les aptitudes et les habiletés nécessaires pour exécuter les tâches. Cette description doit être suffisamment détaillée pour qu'il soit possible de comprendre sur-le-champ en quoi consistent : (1) la nature du travail (domaines d'activité, tâches, comportements requis et résultats escomptés) ; (2) les produits ou services engendrés par ces activités (les objectifs du poste) ; (3) les normes d'exécution (sur le plan de la qualité ou de la quantité) ; (4) les conditions de travail ; et (5) les caractéristiques des tâches à accomplir. Par conséquent, le document provenant de l'analyse des postes devrait renfermer les éléments suivants :

1. La *désignation de la fonction*, ou *appellation d'emploi*. Elle se réfère à une famille de postes dont les fonctions sont similaires. Quant au titre du poste, il est souvent trompeur : selon les services ou les organisations, l'appellation peut renvoyer à des tâches qui ne sont pas équivalentes. Il est important de vérifier les responsabilités et les tâches associées à un poste et de ne pas se fier seulement au titre pour déterminer le mode de sélection ou de rémunération.

2. Le *service* (ou la division) dont relève le poste.

3. La *date* (ou le moment) à laquelle la description de l'emploi a été effectuée et, s'il y a lieu, les dates de mise à jour.

4. Le *nom* du titulaire du poste ainsi que celui de l'analyste des postes sont utiles pour effectuer la compilation. Toutefois, dans le cadre des évaluations, le nom du titulaire doit être omis afin de ne pas influencer les évaluateurs.

5. Le *schéma de l'emploi*, ou *objectif du poste*, est un résumé succinct du poste. Il peut être utilisé pour l'affichage des postes, le recrutement ou l'évaluation salariale.

6. La *supervision*. Lorsque certaines tâches exigent une surveillance, l'analyste doit en faire une description particulière à l'intérieur de la description générale du poste.

7. Les *principales fonctions et responsabilités*. Elles ont trait aux fonctions de base nécessaires à la réalisation d'un produit ou d'un service. Il s'agit des principales tâches liées au poste, pouvant généralement se répéter. Afin de donner des informations pertinentes, l'analyste doit hiérarchiser les tâches en fonction de leur durée et de leur importance. En effet, une tâche peut ne requérir qu'un temps d'exécution minime, mais être primordiale dans une perspective d'efficacité globale.

8. Les *exigences du poste*. On énumère de façon détaillée l'expérience, les connaissances précises, la formation, les aptitudes et les habiletés requises pour occuper le poste. Les connaissances se réfèrent à la somme d'informations dont le titulaire doit pouvoir extraire les éléments particuliers qui lui permettront d'accomplir efficacement une tâche (par exemple, la connaissance des lois du travail). Les termes *aptitudes* et *habiletés* sont souvent utilisés indistinctement pour désigner la capacité de mettre en pratique un comportement appris (le maniement d'une grue, par exemple). Toutefois, ces exigences devraient se limiter aux qualifications minimales qu'on peut attendre d'un nouvel employé.

9. Le *contexte de travail*. Il s'agit de l'environnement immédiat du poste. Par exemple, il se peut que le travail doive être exécuté à l'extérieur (domaine de la construction), dans un endroit éloigné (sur une plateforme de forage), à très basse température (lieux réfrigérés) ou dans un espace clos (tour de contrôle dans un aéroport). Il peut aussi nécessiter une adaptation particulière au bruit (opérateurs d'outils de forage), aux produits toxiques (techniciens de laboratoire, travailleurs de l'industrie chimique) ou comporter des conditions de stress particulières (infirmière au service des urgences). Le contexte de travail aide à comprendre dans quelles conditions exactes les tâches sont effectées[19].

www.tbs-sct.gc.ca

Site du Secrétariat du Conseil du Trésor du Canada sur lequel on peut consulter le *Guide de rédaction des descriptions de postes*.

Quel qu'en soit le contenu, la description de l'emploi doit être rédigée en tenant compte des règles suivantes :

- Employer un style clair et concis.
- Utiliser, de préférence, des verbes au présent tout au long du texte.
- Commencer chaque phrase par un verbe actif (tel que vérifie, analyse, compile, etc.).
- S'assurer que chaque phrase reflète un objectif de l'emploi ; on pourra l'énoncer explicitement ou implicitement, mais il faut le faire d'une manière qui soit facilement perceptible par le lecteur. Toutefois, un même verbe peut désigner à la fois un objectif du poste et une activité de l'employé.
- N'utiliser que les mots nécessaires à la transmission de l'information ; s'abstenir de tout mot superflu. Dans la mesure du possible, on doit employer des termes qui n'ont qu'une seule signification et qui décrivent avec précision la façon dont le travail est accompli.
- S'assurer que la description des tâches expose clairement comment il faut effectuer le travail et quelles seront les normes d'exécution.

3.4

LES NOUVELLES FORMES D'ORGANISATION DU TRAVAIL : LES PRINCIPAUX DÉTERMINANTS

Si les analyses des postes permettent de bien comprendre les rapports entre l'individu et son poste de travail, l'organisation du travail touche non seulement les rapports entre l'individu et son poste, mais aussi les rapports entre les divers postes, et par conséquent la conception des tâches. Les milieux de travail adoptent de nouvelles formes d'organisation du travail afin d'atteindre des niveaux de performance élevés, d'être plus compétitifs sur le marché et plus efficient dans leur secteur d'activité. Ces transformations s'expliquent notamment par les facteurs suivants : la volonté de faire participer les travailleurs aux décisions, l'utilisation plus intense des nouvelles technologies et la nécessité d'atteindre une meilleure qualité ou une meilleure performance organisationnelle.

www.infometre.cefrio.qc.ca

Site consacré à l'utilisation des technologies de l'information au Québec et offrant sur ce thème des données statistiques d'origine québécoise, canadienne et internationale.

3.4.1 | La participation accrue des travailleurs

L'une des premières tentatives visant à instaurer la démocratie industrielle sur une grande échelle a vu le jour en Allemagne de l'Ouest – selon le nom que le pays portait alors – et a révélé les mérites de la cogestion. Cette forme de participation permet aux représentants des travailleurs d'être partie prenante des décisions de l'organisation. Les efforts déployés par les entreprises canadiennes qui ont expérimenté différentes formes de participation ont conduit dans de nombreux cas à une augmentation des bénéfices pour l'entreprise et de la satisfaction des employés. Quelques formules intéressantes de gestion participative ont vu le jour ces dernières années et d'autres expériences similaires pourraient être tentées à l'avenir.

3.4.2 | L'utilisation intensive des nouvelles technologies dans les milieux de travail

Les entreprises industrielles canadiennes poursuivent l'automatisation qu'elles ont amorcée il y a deux décennies. On recourt de plus en plus aux techniques de pointe et à la robotisation. Les systèmes informatisés se sont également répandus dans les bureaux et on voit se multiplier les systèmes de soutien informatique destinés aux équipes de travail. Essentielles, ces nouvelles technologies font entrer les entreprises dans la nouvelle économie du savoir. Elles ont la capacité de modifier la définition d'un grand nombre de postes, et même d'en créer de nouveaux. Ces changements auront à leur tour un effet sur l'ensemble des activités de gestion des ressources humaines[20], notamment sur le recrutement et la sélection des employés, sur l'évaluation du rendement et sur la formation.

L'engouement des entreprises pour les nouvelles technologies peut néanmoins provoquer chez les employés une résistance au changement attribuable à la peur et à l'incertitude, et pouvant avoir des effets négatifs. Un certain nombre d'études indiquent que l'introduction de nouvelles technologies doit être précédée d'une planification minutieuse et s'effectuer avec prudence si on veut atténuer cette résistance.

Les professionnels du service des ressources humaines peuvent jouer un rôle important dans la mise en place des nouvelles technologies, d'abord en participant à la prise de décision et à la planification qui précèdent cette introduction. Ils doivent ensuite se charger des activités qui facilitent la mise en œuvre des changements, notamment informer les travailleurs, les inciter à collaborer à la gestion du changement, mettre à leur disposition des mécanismes d'aide et de soutien afin que ceux-ci acceptent d'utiliser les nouvelles technologies, relocaliser les travailleurs dont les postes seront abolis ou qui sont incapables de prendre le virage technologique, définir les exigences en matière de formation, etc. Idéalement, la stratégie de ce service devrait être proactive, de façon à maximiser les chances de réussite du projet.

3.4.3 | La gestion de la qualité totale

Satisfaire le client en lui offrant des produits et services de qualité devient un impératif pour les entreprises de même qu'une priorité incontournable. Ce modèle de gestion comprend trois composantes — la totalité, la qualité et la gestion – qui doivent être

Économie du savoir

Nouvelle économie, appelée aussi « économie de la connaissance ». Axée sur les nouvelles technologies et sur Internet, elle s'oppose à l'économie traditionnelle. Les secteurs de l'informatique, des télécommunications et de la biotechnologie en font partie, ainsi que toutes les entreprises qui s'adaptent aux nouvelles façons de faire. Comme elle marque le passage d'une économie des ressources et des matières premières à une économie de la valeur ajoutée et de la matière grise, dans le cadre de la transformation de notre structure industrielle on l'appelle parfois « nouvelle économie des connaissances et de la communication ».

Résistance au changement

Phénomène psychologique qui se manifeste chez les salariés, les cadres et les dirigeants habitués depuis de longues années à effectuer le même type de travaux, dans les mêmes conditions. Bien que les innovations proposées aient pour but de rendre leur travail plus simple ou plus attrayant, ils refusent de les adopter et s'y opposent par tous les moyens.

présentes toutes les trois pour assurer la réussite. La totalité renvoie à l'obligation d'orienter tous les aspects de l'organisation vers le consommateur, tant à l'intérieur qu'à l'extérieur de l'organisation. La qualité désigne l'établissement d'un critère d'excellence en matière de satisfaction du client et la détermination du niveau de rendement nécessaire pour atteindre cet objectif, aussi bien en ce qui concerne la production que le service après-vente. La gestion englobe les pratiques et les stratégies adoptées par l'organisation dans le but de promouvoir les objectifs touchant la qualité[21].

Le concept de qualité a évolué, passant d'une approche axée sur l'inspection effectuée à la fin du processus de production à une approche axée sur l'élaboration de mesures de qualité orientées vers un objectif appelé *erreur zéro*. Au début, on s'intéressait surtout à la prévention et on ne s'efforçait guère de relier ces efforts aux objectifs stratégiques de l'organisation[22]. Cette approche était assez efficace dans un environnement stable; cependant, au cours des années 1980, elle s'est révélée insuffisante, en raison de la déréglementation et de l'intensification de la concurrence qui ont marqué les rapports économiques à l'échelle mondiale.

L'ORGANISATION DU TRAVAIL DANS UNE PERSPECTIVE ORGANISATIONNELLE

La vive concurrence que les organisations se livrent sur le marché mondial et la rapidité avec laquelle se produisent les changements environnementaux ont conduit les organisations à revoir leur structure. Pour se démocratiser et être davantage en mesure de s'adapter aux changements, certaines d'entre elles sont passées d'une structure hiérarchique à une structure décentralisée. Ces aménagements ont eu sur tous les aspects des rapports entre les gestionnaires et les employés des effets pouvant aller jusqu'à remettre en question le lien d'emploi existant[23].

3.5.1 | La structure bureaucratique

La structure bureaucratique, ou mécaniste, se caractérise par la présence de nombreux paliers hiérarchiques et de multiples fonctions. Fondée sur un processus de décision centralisé, la structure bureaucratique est généralement constituée d'emplois spécialisés, indépendants les uns des autres. À l'intérieur de cette pyramide, les systèmes de gestion des carrières planifient la progression des carrières selon le principe de la mobilité verticale entre les divers postes relevant d'une même fonction. La structure bureaucratique peut survivre dans un environnement stable, mais dans un environnement plus dynamique, en proie à une vive compétition, cette structure présente de nombreux inconvénients attribuables à sa rigidité.

3.5.2 | La structure organique

La raison d'être de nombreuses théories contemporaines des organisations est d'affirmer la nécessité de remplacer la notion d'autorité qu'exerce la direction par la responsabilisation et la mobilisation des individus[24]. Dans les organisations qui adoptent l'approche

Déréglementation

Réduction ou suppression de la réglementation de nature économique, dans un secteur donné, ayant pour but de laisser jouer les forces du marché. La déréglementation vise à éliminer les entraves au marché libre, à stimuler la concurrence et à encourager les innovations.

axée sur le client ou qui font la promotion de la qualité totale, il convient de réduire le nombre de niveaux hiérarchiques et de mettre à plat la structure organisationnelle. Ces mesures ont pour effet d'accélérer le processus de travail, puisque les employés sont chargés d'un ensemble de procédés, et non d'un travail spécialisé, aux contours bien définis.

Les principales différences entre la structure de gestion traditionnelle et la nouvelle structure de gestion sont énumérées dans l'encadré 3.10. Il faut noter cependant que l'adoption d'une structure organique exige que les employés acquièrent de nouvelles compétences, allant au-delà des connaissances techniques. Pour survivre dans ce nouvel environnement, les individus doivent diversifier leurs connaissances, maîtriser les nouvelles technologies de l'information, travailler en équipe, assumer des responsabilités, prendre des décisions et accepter d'effectuer des changements d'emploi latéraux[25]. Des sociétés comme la Banque de Montréal et la CIBC, qui avaient opté pour des structures pyramidales géantes au début des années 1980, ont amorcé des restructurations, ce qui réduit considérablement les possibilités de promotion pour le personnel, qui doit suivre des cheminements latéraux[26]. Ce type de structure s'adapte parfaitement à un environnement dynamique, qui connaît une foule de changements et est soumis à de nombreuses perturbations, puisqu'il s'attache à créer une culture organisationnelle prônant la participation des employés.

ENCADRÉ ▶ **3.10**

Les différences entre la structure de gestion traditionnelle et la nouvelle structure de gestion

Structure traditionnelle	Nouvelle structure
• L'homme, prolongement de la machine ; pièce de rechange, accessoire	• L'homme, complément de la machine ; ressources à développer
• Parcellisation maximale des tâches	• Groupement optimal des tâches
• Ressources humaines soumises à des contrôles externes (superviseurs, règles, procédures)	• Ressources humaines soumises à des contrôles internes (autogestion, autodiscipline)
• Structure hiérarchique	• Décentralisation des pouvoirs
• Style de gestion autocratique	• Style de gestion démocratique
• Conflits et rivalité	• Collaboration
• Aliénation	• Délégation de pouvoirs
• Peu de risque	• Innovations, créativité

Source : adapté de S.L. Dolan et G. Lamoureux, *Initiation à la psychologie du travail*, Montréal, Gaëtan Morin éditeur, 1990, p. 427. Reproduction autorisée.

3.5.3 | **L'impartition**

Un consensus semble émerger des dernières recherches sur les nouvelles configurations organisationnelles, mettant en évidence le fait que le noyau d'employés permanents semble diminuer considérablement au sein des entreprises (voir l'encadré 3.11). D'une part, la tendance à compter sur les employés contractuels s'accentue, en réaction aux exigences de flexibilité organisationnelle ; d'autre part, l'impartition prend des allures de panacée, en dépit des dangers qu'elle présente[27]. L'impartition permet en effet aux organisations d'alléger leur structure en confiant certaines de leurs activités à des fournisseurs de l'extérieur ; elle s'explique par la nécessité de réduire les coûts, de se consacrer au développement des compétences clés, c'est-à-dire de celles qui représentent une valeur ajoutée pour l'organisation, et de s'adjoindre les services d'experts[28]. Bien qu'elle comporte certains aspects très bénéfiques pour les organisations, l'impartition n'est pourtant pas exempte de dangers. Certains auteurs expliquent que, mal utilisée, l'impartition peut compromettre l'avenir d'une organisation. Ils vont même jusqu'à considérer cette option comme un facteur important du fléchissement de la compétitivité des organisations américaines[29]. En fait, l'impartition s'accompagne de divers types de contraintes, dont certaines relèvent de l'organisation et d'autres sont liées aux effectifs qui occupent les postes faisant l'objet de cette mesure[30].

ENCADRÉ ▶ 3.11

Les nouvelles configurations organisationnelles

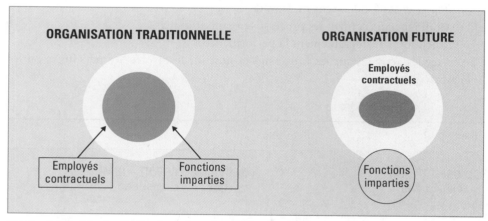

Source : adapté de J. Purdie, « The New Career Strategist », *The Futurist*, septembre-octobre 1994, p. 8-14.

3.5.4 | La structure en réseau

L'organisation en réseau constitue une réponse stratégique aux profondes transformations que l'environnement interne et externe a subies. Cette structure organisationnelle obéit à la logique du changement[31]. Grâce à l'organisation en réseau, l'entreprise peut nouer des relations avec des clients, des fournisseurs, et même des compétiteurs, pour mettre en commun les ressources afin de réaliser des gains ou de coopérer dans certains domaines. Les ressources que les organisations sont susceptibles de partager sont les ressources humaines, les brevets d'invention, les réseaux de distribution et les ressources financières. Les organisations en réseau et les structures organiques ont certaines caractéristiques communes, puisqu'il est possible, dans les deux formes de structures, d'entretenir une plus grande collaboration entre les fonctions organisationnelles. Un expert en contrôle de la qualité travaillant dans une usine d'alimentation doit s'entendre avec les fournisseurs pour décider de la qualité des produits. Généralement, les structures en réseau se forment lorsque les entreprises souscrivent à une stratégie de qualité totale, au moment de la mise en application d'une nouvelle technologie coûteuse ou quand on pénètre dans des marchés étrangers.

3.5.5 | La réorganisation des processus de travail : la réingénierie

Pour procéder à la réingénierie des processus, on examine les plans de déroulement du travail qui détaillent la séquence d'une opération en mettant l'accent soit sur les activités des opérateurs, soit sur l'acheminement du matériel. Par exemple, une réingénierie des processus a été élaborée dans des institutions financières pour étudier le traitement de certains documents (voir l'encadré 3.12), dans des supermarchés pour étudier le passage du client à la caisse et l'emballage des marchandises (*check-out*), dans des industries manufacturières pour étudier la progression des produits d'une machine à l'autre[32].

Selon Hammer et Champy[33], la réingénierie est un processus qui vise à :

- Repenser les fondements du travail.
- Modifier radicalement les processus organisationnels.
- Améliorer considérablement la performance.
- Axer les activités sur les processus, et non sur les postes, les personnes ou les structures.

ENCADRÉ ▶ **3.12**

Le processus de réingénierie (exemple)

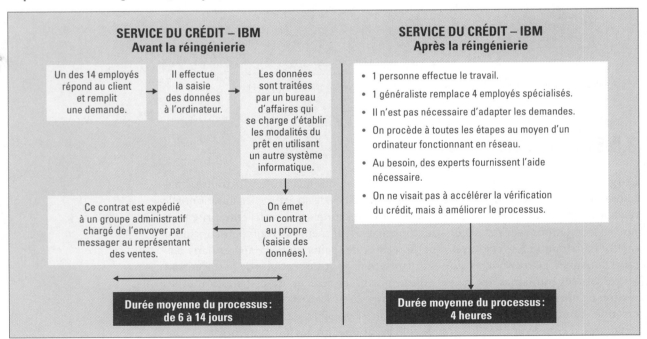

Source : M. Hammer et J. Champy, *Reengineering the Corporation*, New York, Harper Business, 1993, p. 32.

Lorsqu'elles décident d'adopter les nouvelles technologies de l'information et de la communication, les entreprises qui procèdent à une réingénierie s'engagent à réorganiser fondamentalement leurs processus de travail. Telle a été l'expérience menée par le Mouvement Desjardins, qui a consacré 500 millions de dollars à la réingénierie des processus d'affaires dans ses établissements. Cette opération entraînera l'élimination de 2 000 postes, sans toutefois qu'il en résulte des mises à pied[34].

L'instauration d'un processus de réingénierie, qui refaçonne entièrement les procédés de travail, n'est cependant pas exempt de risque. Selon les conclusions d'une étude, de 50 % à 70 % des projets de réingénierie n'atteignent pas les objectifs fixés[35]. Leur échec est attribuable à divers facteurs, tels que l'envergure du projet, la complexité des processus, l'environnement organisationnel et les innovations technologiques[36].

3.6

L'ORGANISATION DU TRAVAIL DANS UNE PERSPECTIVE DE GROUPES : LES ÉQUIPES DE TRAVAIL

Une fois adoptées les structures organiques et les structures en réseau, la mise sur pied d'équipes de travail s'impose. L'*équipe de travail* se définit comme un ensemble d'individus dont les compétences et les habiletés se complètent et qui travaillent en commun afin d'atteindre des objectifs dont ils assument collectivement la responsabilité. Même si on a tendance à traiter les équipes de travail comme un phénomène homogène, il en existe pourtant de nombreux types (voir l'encadré 3.13), que nous allons examiner successivement.

Mohrman établit une typologie des équipes de travail en retenant trois dimensions : la mission qu'elles remplissent, leur structure et leur durée[37].

ENCADRÉ ▶ **3.13**

Les types d'équipes de travail

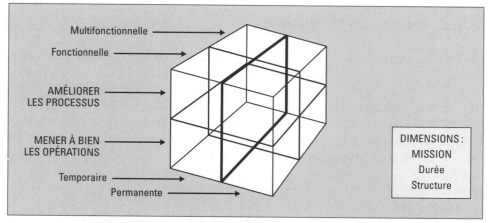

Source : J.R. Galbraith III, E. Lawler et Associés, *Organizing for the Future : The New Logic for Managing Complex Organizations*, San Francisco, Jossey Bass, 1993.

Les organisations peuvent choisir de créer des équipes dans le but d'améliorer les processus de travail (comme les cercles de qualité) ou encore décider d'avoir des équipes chargées de mener à bien les opérations (comme les équipes de production). On peut attribuer à une équipe de travail des fonctions temporaires (comme dans le cas des équipes de projets) ou permanentes. Une équipe peut être constituée de membres effectuant une même fonction ; on la désigne alors sous le nom d'équipe fonctionnelle. Des employés appartenant à divers services peuvent mettre en commun leurs efforts au sein d'une équipe de travail ; il s'agit alors d'une équipe multifonctionnelle (*task force*).

3.6.1 | Les équipes de travail traditionnelles

Si on les place dans un continuum portant sur l'autonomie décisionnelle (voir l'encadré 3.14), les équipes de travail traditionnelles se situent au bas de l'échelle, leur niveau d'autonomie étant à peu près nul. C'est le superviseur responsable de l'équipe qui prend les décisions, unilatéralement, et les membres de l'équipe n'ont plus que des rôles d'exécutants. Même si elles ne répondent pas aux critères qui s'imposent dans les nouveaux modèles de gestion, les équipes de ce genre constituent cependant les premières formes d'organisation en équipe réunie autour d'un chef, ce qui s'écarte de la notion de parcellisation du travail.

Parcellisation du travail

Division du travail en opérations simples.

ENCADRÉ ▶ **3.14**

Le continuum de l'autonomie décisionnelle

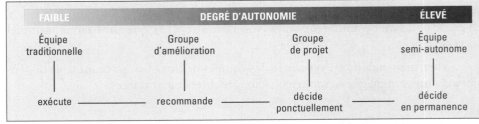

Source : M. Roy, « Les équipes semi-autonomes au Québec et la transformation des organisations », *Gestion*, vol. 24, n° 3, 1999, p. 76-85.

3.6.2 | Les cercles de qualité

Les cercles de qualité représentent un concept moderne de la gestion qui a contribué à l'essor de l'industrie japonaise. Après 40 ans d'expérience réussie au Japon, ils sont devenus le modèle le plus populaire au Canada au cours des années 1980. Les cercles de qualité ont été créés dans les entreprises manufacturières japonaises au cours des années 1940 par un Américain nommé John Deming. Ses conseils portant sur le contrôle de la qualité dans la production ont contribué à faire du Japon le chef de file mondial sur le plan de l'excellence des produits. Les cercles de qualité, qui constituent une technique d'organisation du travail, regroupent de 8 à 10 personnes qui se rencontrent volontairement chaque semaine pour déceler, analyser et résoudre les problèmes liés notamment à la qualité, au coût, à la sécurité, à la motivation, à l'entretien et à l'environnement du travail. Diverses techniques de résolution de problèmes, dont le remue-méninges, l'analyse de Pareto, l'analyse de cause à effet, les histogrammes, les

Analyse de Pareto

Loi dite « des 80/20 », selon laquelle 20 % des causes produisent 80 % des effets ; cette loi suppose qu'en déterminant les causes qui produisent le maximum d'effets on parvient à élaborer les solutions les plus efficaces.

Analyse de cause à effet

Analyse qui permet d'établir des liens entre les causes d'un événement et ses répercussions.

Histogramme

Représentation graphique de la distribution d'une variable continue. Après avoir fait choix d'une unité sur un axe, on porte sur cet axe les limites des classes dans lesquelles on a réparti les observations et on trace une série de rectangles ayant pour base chaque intervalle de classe et ayant une aire proportionnelle à l'effectif ou à la fréquence de la classe[38].

tableaux de contrôle, la stratification et les diagrammes de dispersion, qui sont des techniques empruntées à la dynamique de groupe, à l'ingénierie industrielle et au contrôle de la qualité, facilitent la prise de décision dans les cercles de qualité. Malgré les avantages qu'ils présentent sur le plan de la productivité, les cercles de qualité ont connu un succès relatif; les attentes trop élevées, le peu de soutien, les objectifs mal définis au préalable figurent parmi les facteurs ayant pu conduire à leur échec. L'encadré 3.15 fournit plus de détails sur les caractéristiques des cercles de qualité.

ENCADRÉ ▶ **3.15**

Les caractéristiques des cercles de qualité

- Le rôle de l'animateur est l'aspect le plus important d'un programme axé sur la création de cercles de qualité. La personne qui assume ce rôle doit être capable de travailler en collaboration avec des gens se situant à différents paliers de l'organisation, être créative et souple, et être au courant des règles d'action et du climat de travail régnant au sein de l'organisation.
- La direction et les syndicats doivent soutenir les cercles de qualité et mettre en application les décisions qui en émanent.
- La participation des employés doit être optionnelle, mais encouragée par la direction.
- Les membres du cercle doivent se sentir libres de parler des problèmes qu'ils ont eux-mêmes choisi d'aborder, à l'intérieur des limites établies.
- Les animateurs doivent informer la direction de tout ce qui touche les réalisations des cercles et leurs progrès. On devrait d'abord prendre en compte la qualité, plutôt que la quantité.
- Pour réussir, il faut que le programme s'en tienne aux concepts et aux principes mis de l'avant par les cercles de qualité efficaces. L'une des principales tâches de l'animateur est de veiller à ce que les cercles se conforment aux façons de faire établies, sinon ils risquent de devenir improductifs et de se dissoudre.

3.6.3 | Les équipes de projets

Comme les cercles de qualité, les équipes de projets figurent parmi les groupes axés sur l'amélioration continue. Elles évoluent dans des structures parallèles à la structure organisationnelle officielle, celle-ci étant chargée de veiller à l'application des recommandations. Les cercles de qualité ont pour mandat de faire des suggestions, alors que les équipes de projets disposent d'un pouvoir plus important que ceux-ci et qu'ils doivent en outre s'acquitter d'un projet précis. Les membres des équipes de projets ont plus de latitude que ceux des cercles de qualité pour prendre des décisions se situant dans les limites du mandat qui leur a été confié; ils peuvent en outre déterminer les paramètres de leur organisation et définir le rôle qu'ils y joueront. Les équipes de projets ont souvent un responsable ou bien ils nomment un chef d'équipe.

3.6.4 | Les équipes de travail autogérées et les équipes de travail semi-autonomes

Il existe beaucoup de confusion dans les textes autour de la définition de l'équipe de travail semi-autonome. Les diverses appellations utilisées – équipes de travail autogérées, équipes autonomes, groupes autodirigés, cellules autonomes – désignent la même réalité, à quelques nuances près, les distinctions touchant essentiellement les niveaux d'autonomie atteints par les équipes[40]. Les équipes de travail semi-autonomes

Tableau de contrôle

Représentation de l'ensemble des postes de travail permettant de suivre la progression des activités et l'état d'avancement de chaque commande de fabrication ou d'un ensemble d'activités planifiées, sur le modèle du diagramme de Gantt. Ces tableaux sont constitués par des éléments mobiles, faciles à modifier pour pouvoir rajuster les prévisions en fonction des réalisations et des changements intervenus dans les besoins ou les moyens. Il en existe de nombreux modèles, qui se différencient essentiellement par le mode de figuration des prévisions et par les détails de construction. Dans tous les modèles, des lignes horizontales, fixées sur le tableau les unes au-dessus des autres, comportent une échelle des temps, intégrée ou parallèle aux lignes, et généralement un fil mobile vertical indiquant la date[39].

Stratification

Opération qui consiste à diviser une population donnée en strates, ce qui permet d'axer l'analyse sur les éléments les plus importants et de réduire la taille de l'échantillon.

Diagramme de dispersion

Représentation graphique permettant de reproduire les écarts entre la valeur d'une caractéristique et celle d'une autre. Le diagramme de dispersion permet de tracer deux variables numériques l'une par rapport à l'autre, par exemple le nombre d'absences par catégorie d'âge.

La société Volvo a été une pionnière dans la création d'équipes de travail semi-autonomes. En 1974, elle a intégré l'une de ces équipes à son programme de QVT, à son usine de Kalmar, en Suède. L'attention du monde entier s'est alors portée vers elle. Vingt ans plus tard, on peut dire que l'aventure en a valu la peine, tant en ce qui a trait au volume de la production qu'à la productivité des travailleurs et à la qualité des automobiles.

sont constituées dans le but d'améliorer la qualité et la productivité et de réduire les charges d'exploitation. Ces équipes assument des responsabilités qui relèvent normalement de la direction, comme le choix de la méthode de travail, l'achat du matériel, l'évaluation de la performance et l'application des sanctions. Ceux qui appartiennent à ces équipes doivent acquérir des compétences techniques et administratives, ainsi que des habiletés interpersonnelles, afin d'être en mesure de travailler efficacement ; souvent, ces équipes n'atteignent un niveau de performance élevé qu'au bout de quelques années.

Dans les années 1970, des pays scandinaves tels que la Norvège et la Suède, s'inspirant des approches sociotechniques, ont contribué de façon importante à la création des équipes de travail semi-autonomes. Au Canada, l'une des expériences les plus connues est celle de Shell, à Sarnia, en Ontario[41].

Dans l'encadré 3.16, on compare la structure de travail traditionnelle et la structure de travail semi-autonome. La partie A présente un groupe de personnes qui, ayant accepté de poursuivre un but commun, se sont engagées dans un processus d'apprentissage axé sur l'utilisation de leurs propres ressources et habiletés. La partie B illustre la forme traditionnelle de l'organisation du travail de type bureaucratique. Il existe une différence marquée entre les deux structures : lorsqu'un groupe de travailleurs se

ENCADRÉ ▶ **3.16**

La structure de travail traditionnelle et la structure de travail semi-autonome

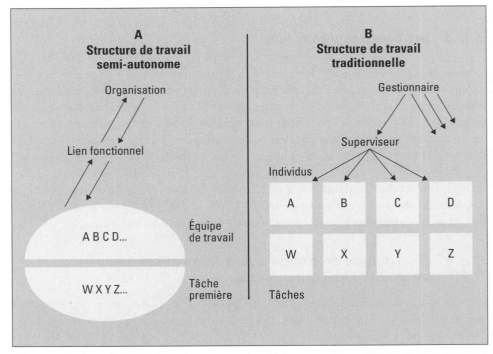

Source : E. Emery, « Learning and the QWL », *QWL Focus, News Journal of the Ontario Quality of Working Life Centre*, vol. 3, n° 1, février 1983, p. 4. Traduction et reproduction autorisées par le ministère du Travail de l'Ontario.

voit confier le mandat d'atteindre un but commun, ses membres doivent apprendre à partager les responsabilités en matière de coordination et d'autorité, ainsi que les habiletés propres à chacune des fonctions prises individuellement.

L'organisation du travail en équipes semi-autonomes repose sur un ensemble de valeurs qui vont à l'encontre de la conception traditionnelle du travail et de la façon de percevoir les travailleurs qui en découle[42]. L'entreprise qui met sur pied des équipes de travail semi-autonomes accepte de passer d'un paradigme d'autorité et de supervision à un paradigme d'habilitation et de responsabilisation. Certains auteurs affirment que la constitution de groupes de travail semi-autonomes entraîne nécessairement des changements dans la structure organisationnelle, mais qu'elle modifie également les méthodes d'évaluation, le système de rémunération, les descriptions des emplois et la politique d'embauche, entre autres. Les membres des équipes doivent également avoir des habiletés qui dépassent leurs connaissances techniques. Il est alors nécessaire de reconsidérer les relations entre les employés et les superviseurs. Le pouvoir hiérarchique et décisionnel du superviseur disparaît pour laisser place à une certaine autonomie en ce qui a trait aux décisions que les membres de l'équipe peuvent prendre, en fonction de leur maturité.

> **Responsabilisation**
>
> Processus par lequel des employés d'une organisation acquièrent la maîtrise des moyens qui leur permettent de mieux utiliser leurs ressources professionnelles et de renforcer leur autonomie d'action.

3.7  L'ORGANISATION DU TRAVAIL DANS UNE PERSPECTIVE INDIVIDUELLE

Il y a différentes façons d'aménager les emplois. Nous présentons trois approches qui permettent d'expliquer le processus de réorganisation du travail réalisé dans une perspective individuelle : l'approche scientifique, les approches innovatrices axées sur l'individu et qui s'inspirent des modèles sociotechniques, de même que l'approche ergonomique.

3.7.1 | L'approche scientifique

Dans l'approche scientifique, les analystes des emplois, qui sont généralement des ingénieurs industriels, prêtent une attention particulière, sur le plan de la conception des tâches, à l'harmonisation entre le travail à accomplir et les habiletés des travailleurs. Cette approche a souvent pour effet de parcelliser le travail, de le diviser en opérations simples. Les tâches sont ensuite soumises à des études de temps et mouvements, à un système de rémunération au rendement ou à des quotas de production destinés à augmenter la productivité. L'approche scientifique représente encore aujourd'hui une composante importante dans un grand nombre de structures organisationnelles. Elle repose sur l'hypothèse selon laquelle les travailleurs sont surtout motivés par des gains économiques. Les emplois ainsi conçus ne semblent offrir qu'un minimum de variété, de même que très peu d'autonomie, de rétroaction et d'identification à l'organisation. Ils sont tellement fractionnés que les travailleurs en viennent à se désintéresser de la qualité de la production. Dans ce cas, l'argent constitue la seule récompense valable que l'employé est susceptible de retirer de son emploi.

De nombreux travailleurs ont manifesté très rapidement leur mécontentement devant de telles conditions de travail. En effet, la relation entre l'individu et l'emploi est construite de manière à ce que les buts de l'organisation (obtenir une forte productivité) soient atteints au détriment de ceux que poursuit l'individu (accomplir un travail intéressant et stimulant). Pourtant, dans les organisations, on continue de penser que la structure des tâches ne peut être modifiée. On a donc conçu des méthodes de recrutement permettant de sélectionner des gens qui se satisfont d'emplois comportant des tâches restreintes, autrement dit des gens qui se contentent plus facilement que les autres de réaliser des gains sur le strict plan économique. Cette stratégie n'a pas remporté beaucoup de succès. Les gestionnaires ont constaté qu'un certain nombre d'employés préfèrent occuper des emplois qui, outre un bon salaire, leur offrent des responsabilités et de l'autonomie. En fin de compte, certaines organisations ont répondu à cette demande en structurant les emplois de façon à favoriser une plus grande créativité de la part des employés.

3.7.2 | Les approches innovatrices axées sur l'individu

Étant donné les coûts en ressources humaines associés à l'approche scientifique, les organisations ont commencé à explorer d'autres possibilités. La conception moderne des tâches individuelles vise à accroître la motivation, le rendement et la satisfaction au travail du personnel, de même qu'à réduire les taux d'absentéisme et de roulement. On obtient ces résultats en créant un environnement présentant les caractérisques suivantes : le travail a un sens pour l'employé, celui-ci a pleine connaissance des résultats et il sent qu'il a apporté sa contribution à ces résultats. Parmi les différentes mesures adoptées pour satisfaire ces besoins, il convient de mentionner la rotation des emplois, l'élargissement des tâches et l'enrichissement du travail.

LA ROTATION DES EMPLOIS

La rotation des postes ne modifie pas la nature de l'emploi, mais elle accroît le nombre de tâches qu'un employé est appelé à accomplir dans un temps donné. Cette méthode, qui permet aux employés de se familiariser avec les composantes de divers postes et de devenir polyvalents, les aide également à s'identifier davantage à leur travail.

L'ÉLARGISSEMENT DES TÂCHES

L'extension des tâches diffère de la rotation des emplois, en ce sens qu'elle consiste à accroître les tâches associées à un emploi plutôt qu'à déplacer l'employé d'un poste à l'autre. Cette méthode a des buts opposés à ceux de l'approche scientifique, qui cherche plutôt à réduire le nombre de tâches qui doivent être effectuées par le travailleur ; elle a pour effet d'aider les employés à acquérir de nouvelles habiletés.

L'ENRICHISSEMENT DU TRAVAIL

Cette méthode consiste à accroître les responsabilités rattachées à un poste. L'élargissement (ou extension) des tâches entraîne souvent une augmentation horizontale des tâches, alors que l'enrichissement du travail se traduit plutôt par une augmentation verticale des tâches. Dans l'augmentation horizontale des tâches, on ajoute du travail de même nature à un poste, tandis que l'augmentation verticale des tâches consiste à augmenter la charge de travail liée à un poste, mais en l'associant à certaines caractéristiques comme l'autonomie, la rétroaction, diverses habiletés, les responsabilités, l'autorité, etc. (voir l'encadré 3.17). Selon J.R. Hackman et G.R. Oldham, l'enrichissement du travail contribue à améliorer l'état psychologique de l'employé.

ENCADRÉ ▶ **3.17**

Les effets des caractéristiques d'un poste sur l'état psychologique d'un individu

Caractéristiques du poste	État psychologique	Résultats
Habiletés diverses Raison d'être du poste Importance du poste	Expérience de travail importante	Réduction du taux d'absentéisme Réduction du taux de roulement
Autonomie	Responsabilité relativement aux résultats à atteindre	Augmentation de la motivation au travail
Rétroaction	Connaissance des résultats du travail accompli	Amélioration du rendement

Source : adapté de J.R. Hackman et G.R. Oldham, *Work Redesign,* Reading (Massachusetts), Addison-Wesley, 1980, p. 77. © 1980 par Addison-Wesley Publishing. Traduction et reproduction autorisées par l'éditeur.

L'APPROCHE ERGONOMIQUE

Dans l'approche ergonomique, on cherche à concevoir et à adapter les emplois aux habiletés physiques et aux caractéristiques des individus, de manière à ce qu'ils accomplissent mieux leur travail. Les organisations y ont recours pour redéfinir certains emplois afin de mieux les adapter aux femmes et aux personnes handicapées. Cette méthode est souvent liée à l'atteinte d'objectifs en matière d'accès à l'égalité en emploi. Des études indiquent que la productivité du travailleur augmente lorsque les emplois sont conçus en fonction des principes ergonomiques.

Accès à l'égalité en emploi

Processus global visant à assurer l'équité de représentation de groupes désignés sur les lieux de travail, de même qu'à corriger et à prévenir les effets de la discrimination intentionnelle et de la discrimination systémique.

L'Allemagne a effectué un travail considérable dans ce domaine. Ce pays est à l'heure actuelle considéré comme le chef de file en ce qui concerne la modification des chaînes de montage et l'allongement du cycle de travail des employés. Parmi les modifications qui visent à atténuer la fatigue physique et mentale des travailleurs et à accroître leur productivité, on compte l'utilisation de surfaces de travail et de chaises ajustables, l'ajout de classeurs et de repose-pieds, la modification des dimensions de l'aire de travail, ainsi que de l'éclairage et des couleurs, la réduction du bruit, l'amélioration de la qualité de l'air et de la température. Du fait qu'on a prévu un temps de pause, les problèmes musculaires des travailleurs ont diminué de moitié et leur fatigue visuelle du tiers[43].

3.8 LES AMÉNAGEMENTS DU TRAVAIL AXÉS SUR LA FLEXIBILITÉ

Les aménagements axés sur la flexibilité ont trait soit aux horaires de travail, soit au lieu de travail[44]. Nous les examinons succinctement.

3.8.1 | L'aménagement des horaires de travail

Cette décennie sera peut-être celle au cours de laquelle les Canadiens se libéreront de la tyrannie exercée par l'horloge. Loin de correspondre à un affaiblissement de la valeur accordée au travail, l'aménagement de l'horaire de travail semble plutôt avoir comme effet de réduire le stress causé par les exigences conflictuelles du travail, de la vie familiale, des loisirs et de la formation[45]. Les types d'horaire de travail auxquels on a le plus souvent recours sont l'horaire flexible, la semaine de travail comprimée, le travail permanent à temps partiel, l'emploi partagé et le travail à la maison.

DANS LES **FAITS**

Les 9 400 nouveaux emplois recensés au Québec en juin 2006 cachent une bien triste réalité : ils sont le résultat net de la disparition de 18 800 postes à temps plein et de la création de 28 200 postes à temps partiel, comportant moins de 30 heures par semaine. « Depuis un an, l'emploi à temps partiel domine largement. En fait, 13 700 emplois à temps plein ont disparu et 77 500 à temps partiel ont été créés[46]. »

L'HORAIRE FLEXIBLE

Mesure aujourd'hui très populaire au sein des organisations, l'horaire flexible aide à réduire l'absentéisme, à rehausser le moral du personnel, à améliorer les relations entre l'employeur et ses employés. Il favorise largement la participation de l'employé à la prise de décision, ainsi que la maîtrise de soi et l'autonomie. Soulignons brièvement que l'horaire flexible accorde aux employés la possibilité d'effectuer des choix en ce qui a trait à l'aménagement de leurs heures de travail. La journée de travail est divisée en deux zones : la plage fixe, période au cours de laquelle l'employé doit être présent physiquement au travail pour accomplir ses tâches, et la plage mobile, soit les heures de la journée que l'employé peut choisir pour faire son travail. La plage fixe et la plage mobile se divisent à leur tour en tranches de travail ou en périodes diverses.

Un exemple nous permettra de mieux comprendre le fonctionnement du système. La journée de travail peut s'étendre de 7 h 30 à 18 h. De 9 h 15 à 11 h 30 et de 14 h à 15 h 30, tous les employés doivent être à leur poste et travailler (plage fixe). Les autres tranches sont des périodes mobiles. Ainsi, la plage mobile comprise entre 7 h 30 et 9 h 15 permet aux travailleurs qui habitent en banlieue d'arriver plus tard s'ils le désirent, à 9 h par exemple. Les deux autres plages mobiles, soit de 11 h 30 à 14 h et de 15 h 30 à 18 h, sont les heures où les employés sont libres de consulter le dentiste ou d'aller chercher les enfants à la garderie, par exemple. Selon les rapports présentés par l'entreprise, la flexibilité de l'horaire a contribué à augmenter de façon générale la satisfaction au travail, à assurer un meilleur équilibre entre le travail et la vie personnelle et à réduire les taux d'absentéisme et de roulement du personnel, et cela sans engendrer de coûts supplémentaires pour la société. Cependant, il a fallu assurer une plus grande coordination de l'horaire de travail et des mécanismes de surveillance ont dû être institués, comme l'installation d'un appareil de pointage, afin de vérifier les allées et venues des employés.

LA SEMAINE DE TRAVAIL COMPRIMÉE

On offre la semaine de travail comprimée aux employés qui souhaitent travailler moins de cinq jours par semaine. Bon nombre d'entreprises ont proposé cet aménagement de la semaine de travail en réponse au désir exprimé par les employés de consacrer au travail un plus grand nombre d'heures par jour, mais un nombre moins élevé de jours par semaine. Ils ont ainsi davantage de temps pour s'occuper de leur famille ou pour pratiquer les activités de leur choix.

LE TRAVAIL PERMANENT À TEMPS PARTIEL ET L'EMPLOI PARTAGÉ

Traditionnellement, le travail à temps partiel ne s'appliquait qu'à des postes de courte durée, comme ceux qu'on offrait dans les magasins de vente au détail pendant la période des Fêtes. À présent, certaines organisations créent des postes à temps partiel qui sont permanents. Les travailleurs qui aiment particulièrement cet aménagement de l'horaire de travail sont toujours plus nombreux, notamment les femmes qui sont mères de jeunes enfants, les ménages qui ont des personnes à charge, les familles à double revenu, les étudiants et les travailleurs âgés. Le travail permanent à temps partiel, tout comme l'emploi partagé, fournit des possibilités d'emploi qui n'existeraient pas autrement et il permet une certaine flexibilité, ce qui assure un meilleur équilibre entre les exigences du travail et la vie personnelle.

L'emploi partagé est un type particulier de travail à temps partiel selon lequel deux employés se partagent les responsabilités rattachées à un poste régulier à temps plein. Les deux employés peuvent consacrer le même nombre d'heures à leur travail, ou encore l'un des deux peut faire plus d'heures que l'autre. Dans un programme d'emploi partagé, l'assurance-chômage assume 60 % du salaire de l'employé pour les heures pendant lesquelles il n'a pas travaillé. Une limite maximale de 26 semaines de participation est prévue. Pour être admissible à ce programme, les entreprises doivent être en activité pendant au moins trois jours par semaine. Une étude portant sur cinq expériences québécoises nous donne un aperçu des différents programmes susceptibles d'être mis en œuvre pour offrir à leurs employés la possibilité d'aménager et de réduire leur temps de travail (voir l'encadré 3.18).

3.8.2 | Les aménagements touchant le lieu de travail

Parmi les nouvelles formes de travail, certaines touchent le lieu de travail, puisque les employés sont appelés à effectuer du travail à domicile, ou encore ils sont des travailleurs indépendants qui ne sont pas obligés de se rendre à leur lieu de travail de façon régulière. Ils sont plutôt tenus de fournir des résultats à leur employeur.

LE TÉLÉTRAVAIL OU TRAVAIL À DOMICILE

Les gens travaillent de plus en plus à la maison. En fait, la définition du télétravail englobe «tout travail intellectuel effectué hors du cadre spatiotemporel traditionnel par une personne appartenant à une organisation[48]». Ce phénomène a vu le jour dans

Les modalités d'application des programmes de réduction du temps de travail : cinq expériences québécoises

MODALITÉS	Alcan	Bell[a]	Ministère de l'Environnement et de la Faune	Les Papiers Scott	Les Peintures Sico
Programme (obligatoire ou optionnel)	Volontaire	Obligatoire	Volontaire (avec l'accord de la direction)	Volontaire	Programme offert à tous et accepté à la suite d'un vote favorable de 95 % des employés
Temps libre supplémentaire	Journées de vacances supplémentaires	Réduction de la semaine de travail	Réduction de la semaine de travail ou journées de vacances supplémentaires	Réduction de la semaine de travail	Réduction de la semaine de travail
Choix offerts	40 h → 38 h ou 35 h → 33 h	5 h → 4 j et 40 h → 36 h	35 h → 32 h ou 35 h → 28 h	5 j → 4 j ou 5 j → 3 j	5 j → 4 j et 40 h → 36 h
Travailleurs touchés	Tous les travailleurs, à l'exception des cadres	Techniciens	Tous les travailleurs	Accès limité (60 sur 400 travailleurs)	Tous les travailleurs, à l'exception des cadres
Effets sur les avantages sociaux	Aucun	Aucun	Aucun	Réduction proportionnelle	Aucun
Durée de l'entente	Renouvelable après avoir accumulé 33/38 h	Un an	Renouvelable au bout de 6 mois	Renouvelable annuellement	Renouvelable (collectivement), à la suite d'une évaluation, au terme de la première année d'implantation

a. Cette information renvoie au programme touchant les techniciens.

Source : adapté de H. Huberman et P. Lanoie, « L'aménagement et la réduction du temps de travail : leçons à tirer de cinq expériences québécoises », *Gestion*, vol. 24, n° 2, 1999, p. 32-41.

les années 1970, au moment où l'introduction des technologies de l'information a permis aux employés d'être reliés à l'entreprise par des terminaux et d'effectuer leur travail à distance. Le télétravail représente aujourd'hui une nouvelle forme d'organisation du travail qui assure une grande flexibilité aux employés. En effet, dans le contexte du télétravail, les technologies de l'information deviennent l'outil de travail principal des employés, grâce auquel ils sont en contact constant avec l'employeur. Le lien d'emploi est maintenu : la personne qui effectue du télétravail n'est pas un travailleur autonome, mais un employé rattaché à une entreprise et qui dispose des mêmes avantages que tout autre employé. Le télétravail libère l'employé des contraintes habituelles de temps et d'espace inhérentes à l'organisation. En fait, il contribue à renforcer ce qu'on appelle fréquemment une organisation virtuelle, dans laquelle les individus sont invisibles, même si les liens sont maintenus. La compagnie d'assurances

Sun Life du Canada, de même que Nortel Networks et Hewlett Packard, comptent parmi les entreprises qui ont décidé de faire l'essai du télétravail. Bien que les études sur le télétravail n'aient pas encore établi si l'expérience est concluante, eu égard aux coûts, et si le travail à la maison peut devenir une pratique courante, elles constatent une augmentation de la productivité et de la rentabilité. Ces résultats ne peuvent être obtenus qu'à condition de respecter certains éléments essentiels au succès d'un programme de télétravail, lesquels sont énumérés dans l'encadré 3.19.

ENCADRÉ ▶ **3.19**

Les éléments essentiels au succès d'un programme de télétravail

- Établir clairement les buts et les objectifs du programme de télétravail. Désire-t-on mettre sur pied un programme à grande échelle ou vise-t-on un groupe d'individus en particulier ? Évaluer l'interdépendance des groupes visés.
- Élaborer des lignes directrices ; établir une politique concernant l'admissibilité au programme, sa durée, le matériel requis, le processus d'approbation des candidats, etc.
- Une bonne sélection des employés et des gestionnaires est primordiale pour assurer le succès du programme de télétravail : liberté d'adhérer ou non au programme, évaluation du profil psychologique des candidats, type de tâches, etc.
- Assurer la formation des gestionnaires et des employés. Les préparer à travailler en contexte de télétravail : utilisation du matériel informatique, utilisation efficace des moyens de communication, planification du temps.
- Rédiger un contrat type qui décrit les responsabilités et attentes de base des participants ; vérifier, entre autres, les assurances, la responsabilité de l'entretien du matériel, la rémunération des heures supplémentaires, etc.
- Assurer un environnement physique et technologique adéquat, ainsi que tout le soutien technique nécessaire ; évaluer les capacités télématiques de l'organisation si on entend utiliser les technologies de l'information (courrier électronique, vidéoconférence, etc.).
- Déterminer le mode d'évaluation du télétravail quant à la rémunération, aux avantages sociaux, aux promotions, etc. S'assurer qu'il sera perçu comme équitable, tant par le télétravailleur que par les collègues de travail.
- Prévoir un calendrier d'événements regroupant tous les membres de l'organisation à intervalles réguliers.
- S'assurer que la sécurité des données n'est pas un élément vital pour l'organisation (autrement dit que les systèmes de sécurité habituels sont en place et qu'ils sont adaptés au télétravail).

Source : A. Pinsonneault et M. Boisvert, « Le télétravail : l'organisation de demain », *Gestion*, vol. 21, n° 2, 1996, p. 76-82.

LE TRAVAIL ATYPIQUE

Ces dernières années, la recherche d'une plus grande flexibilité a conduit au remplacement de la permanence et de la sécurité d'emploi par du travail contractuel et temporaire, ce qui a de ce fait provoqué un réexamen des valeurs, des attitudes et des croyances des employés. Selon les estimations du Conference Board du Canada, environ un employé sur quatre est aujourd'hui travailleur autonome. On désigne ainsi le collaborateur indépendant, le travailleur à forfait, l'employé temporaire ou le salarié à temps partiel. De cette façon, les organisations peuvent réduire rapidement leur personnel pour répondre à leurs besoins ; la flexibilité en matière de dotation en personnel s'accroît. Il faut souligner que les employés autonomes ou occasionnels ne reçoivent

L'emploi atypique : définition

L'insécurité d'emploi est un aspect essentiel de la définition du travail atypique. Au Canada, la notion d'emploi atypique, entendue au sens large, englobe quatre situations qui diffèrent de l'emploi rémunéré permanent, à temps plein et s'étendant sur toute l'année. Énumérons-les : (1) l'emploi à temps partiel ; (2) l'emploi temporaire, y compris pour une durée déterminée ou à contrat, l'emploi saisonnier, occasionnel, et l'emploi trouvé par l'intermédiaire d'une agence, ainsi que tous les autres emplois dont la date de cessation est déterminée ; (3) le travail autonome à compte propre (travailleur autonome sans employés) ; et (4) le cumul d'emplois (deux emplois, ou plus, occupés en même temps)[51].

pas de prestations de retraite de leur employeur et qu'ils ne bénéficient pas de vacances ni de congés payés. De plus, l'employeur n'est pas tenu de veiller à leur formation. Il lui en coûte par conséquent moins cher... Or, les avantages organisationnels divergent en fonction du type d'emploi[49]. Rousseau[50] affirme que les employés ayant un statut précaire sont généralement liés à l'employeur par un contrat de type transactionnel. L'entente porte sur la prestation de travail et la contrepartie à recevoir et il ne comporte pratiquement pas de dimension relationnelle.

RÉSUMÉ

La concurrence internationale grandissante, les exigences des consommateurs sur le plan de la qualité des produits et les modifications des valeurs sociales et individuelles contraignent les organisations à revoir la conception des tâches et l'organisation du travail, notamment en mettant en place de nouvelles formes d'emplois qui visent une plus grande productivité et qui tiennent davantage compte des préférences et des valeurs individuelles des travailleurs.

Chercheurs et praticiens sont convaincus que l'analyse des postes joue un rôle de plus en plus important dans les organisations, bien que ceux qui s'y livrent doivent faire face à de nombreux défis. Les techniques sur lesquelles repose l'analyse des postes ont été élaborées durant une période où les emplois étaient stables et se définissaient facilement. Or, le contexte actuel exige une plus grande flexibilité, tant de la part des employeurs que des travailleurs ; les uns et les autres doivent s'adapter aux changements organisationnels récurrents et prendre davantage conscience de la nécessité d'adopter une « approche client ». Les employeurs s'attendent, par exemple, à ce que les employés fassent preuve d'initiative pour répondre aux exigences de la clientèle, au lieu de simplement se plier aux règles. Néanmoins, la flexibilité est difficile à définir si on utilise le système traditionnel d'évaluation des emplois. Les emplois étant de moins en moins spécialisés, le partage d'emploi, le travail d'équipe, l'enrichissement et l'élargissement des tâches sont autant de concepts qui remettent en question l'utilité même de la description des emplois. Cependant, même si l'approche traditionnelle de l'analyse des postes présente quelques faiblesses, on peut recourir à diverses techniques pour les effectuer, ce qui permet aux organisations d'évaluer des emplois, de procéder à des classifications, d'élaborer des critères de performance et de respecter certaines exigences légales, notamment l'accès à l'égalité en emploi et l'équité salariale.

Les principales formes d'organisation du travail se répartissent en quatre catégories : (1) celles qui ont été conçues dans une perspective organisationnelle ; (2) celles qui correspondent à une organisation en équipes ; (3) celles qui reflètent une approche individuelle ; et (4) celles qui visent une plus grande flexibilité dans le temps et dans l'espace. Les nouvelles formes d'organisation du travail ont non seulement le mérite d'améliorer la productivité et d'accroître la qualité de vie au travail en tenant compte à la fois des environnements externe et interne, mais elles ont des répercussions importantes sur la manière de gérer les ressources humaines, comme nous le verrons dans les chapitres suivants.

Questions de révision et d'analyse

1. Sur quels courants théoriques les formes d'emplois et d'organisation du travail actuelles se fondent-elles ?

2. Expliquez pourquoi l'analyse des postes est une activité importante en gestion des ressources humaines.

3. À quels outils de collecte de l'information peut-on recourir pour procéder à l'analyse des postes dans une entreprise ?

4. Parmi les approches utilisées pour effectuer l'analyse des postes, choisissez-en deux, définissez-les et énumérez-en les avantages et les inconvénients.

5. À quoi la classification nationale des professions sert-elle ?

6. En quoi l'analyse des profils de compétences consiste-t-elle ?

7. Rédigez la description du poste que vous occupez actuellement (ou du dernier poste occupé) en précisant les exigences qui s'y rattachent.

8. Comment peut-on distinguer l'organisation du travail conçue dans une perspective individuelle de celle qui aborde ce phénomène dans une perspective de groupes ?

9. Quels sont les facteurs qui influent sur les initiatives de réorganisation du travail ? Quelle évaluation en faites-vous ?

10. Qu'est-ce qu'un cercle de qualité ?

11. Quelles sont les caractérisques des équipes de travail semi-autonomes ? Quelles sont les conditions pouvant assurer leur succès ?

12. Pouvez-vous donner quelques arguments en faveur et à l'encontre des diverses formes d'aménagement de l'horaire de travail ?

13. Qu'est-ce qui différencie les programmes d'enrichissement du travail des programmes d'élargissement des tâches ?

UN CHANGEMENT DONT ON AURAIT PU SE PASSER

Jean M. Trudel
Professeur, Faculté d'administration,
Université de Sherbrooke

L'entreprise Grandchamp, PME du centre du Québec se spécialisant dans la fabrication de machines de levage hydraulique, a connu un essor important au cours des 15 premières années de son existence ; elle était alors dirigée par la famille Grandchamp, plus particulièrement par le fondateur, Arnold Grandchamp, que les employés appelaient affectueusement « Monsieur Arnold ». Son chiffre d'affaires pour la dernière année d'exploitation sous l'autorité du fondateur (fin 2004) s'éleva à 12,5 millions de dollars et le nombre d'employés atteignit 260 ; ce furent des points culminants dans les deux cas.

Les difficultés commencèrent au début de l'année 2005, quand la conduite de l'entreprise fut confiée à Hervé Grandchamp, fils du fondateur, qui décida d'instaurer un style de gestion plus contemporain en réorientant la production de masse vers la fabrication « sur mesure ». D'après lui, la personnalisation de la fabrication selon les spécifications du client représentait une solution pour les petites entreprises québécoises aux prises avec une compétitivité de plus en plus vive de la part des entreprises asiatiques.

Il fit donc appel à la société d'experts-conseils ConsulPro avec laquelle il entretenait des contacts étroits depuis la fin de ses études en administration des affaires, par l'entremise de l'un de ses vice-présidents. ConsulPro proposa d'adopter une importante batterie de mesures dites de rationalisation : réingénierie des processus, redéfinition des postes, fusion de postes, suppression de quelque 25 postes et élimination d'un échelon de supervision, soit la strate des chefs d'équipe. Les experts étaient d'avis que ces mesures seraient susceptibles d'engendrer une réduction considérable des coûts de production, une plus grande flexibilité entre les départements et une plus forte participation des employés aux processus de fabrication.

Ces mesures de restructuration et de rationalisation furent présentées aux employés lors d'une rencontre qui eut lieu un vendredi en fin de journée et fut animée par un représentant de la société d'experts-conseils. La période de questions fut particulièrement houleuse, les employés comprenant mal comment de telles mesures pouvaient avoir été envisagées sans qu'on les ait consultés au préalable. On entendit des commentaires semblables à ceux-ci : « On ne s'y retrouve plus ! » ; « Qui seront les prochains à écoper ? » ; « Comment voulez-vous que je m'implique à fond, alors que vous n'avez pas cru bon de me consulter avant de passer à l'action ! » ; « Peut-être devrions-nous penser à introduire un syndicat afin d'être écoutés ». Hervé Grandchamp, excédé par ces remarques qu'il juge inappropriées, lance alors : « Vous allez devoir vous adapter aux nouvelles réalités du marché. Vous n'avez qu'à vous prendre en main ! »

QUESTIONS

1. La réaction négative des employés à ce projet de changement vous surprend-elle ? Comment s'explique-t-elle ?

2. Les employés peuvent-ils véritablement « se prendre en main », comme le laisse entendre Hervé Grandchamp, et faire de ce changement un succès ?

3. Le projet de changement tel qu'il est envisagé s'apparente à une stratégie de réduction des coûts. Y aurait-il d'autres façons de procéder qui auraient moins d'effets négatifs sur la mobilisation des ressources humaines ?

1. *Le grand dictionnaire terminologique*, Office québécois de la langue française ; http://w3.granddictionnaire.com/

3. M. Brossard, « La spécialisation du travail », *Introduction aux relations industrielles*, vol. II, recueil de textes, Montréal, École de relations industrielles, 2000.

3. M. Applebaum et R. Batt, *The New American Workplace : Transforming Work Systems in the United States*, New York, ILR Press, 1994.

4. *Ibid.*

5. E. Lawler et S. Mohrman, « With HR Help All Managers Can Practice High Involvement Management », *Personnel*, 26-31 avril 1989.

6. G. Guérin, S. Saint-Onge, R. Trottier, M. Simard et V. Haines, « Les pratiques organisationnelles de l'équilibre travail-famille : la situation au Québec », *Gestion*, mai 1994, p. 74-82.

7. M.T. Brannick et E.L. Levine, *Job Analysis : Methods, Research and Applications for Human Resource Management in the New Millennium*, Thousand Oaks, Sage Publications, 2002.

8. R.J. Harvey, « Job Analysis », dans M.D. Dunnette et L.M. Hough, *Handbook of Industrial Organizational Psychology*, 2e éd., Palo Alto (Californie), Consulting Psychologists Press, 1991.

9. A. Mongeon, V. Haines, S. Saint-Onge, M. Archambault et F. Boily, « Productivité et rétention, performance et qualité de vie : l'expérience de Nortel », *Effectif*, juin-juillet-août 1999, p. 34-37.

10. M.T. Brannick et E.L. Levine, *op.cit.*, chapitre 1.

11. R.H. Hayes et R. Jaikumar, « Manufacturing's Crisis : New technologies, Obsolete Organizations », *Harvard Business Review*, septembre-octobre 1998, p. 77-85.

12. S.A. Fine et M. Getkate, *Benchmark Tasks for Job Analysis : A Guide for Functional Job Analysis (FJA) Scales*, Hillsdale (New Jersey), Lawrence Eribaum, 1995.

13. J.C. Flanagan, « The Critical Incident Technique », *Psychology Bulletin*, vol. 51, 1954, p. 327-358. M.T. Brannick et E.L. Levine, *op. cit.*, chapitre 2.

14. La méthode étendue des incidents critiques a été élaborée et mise au point par S. Zedeck, S.J. Jackson et A. Adelman, dans *A Selection Procedure Reference Manual*, Berkeley, University of California, 1980.

15. E.A. Fleishman et M.D. Mumford, *The Job Analysis Handbook for Business, Industry, and Government*, vol. II, New York, John Wiley and Sons, 1988.

16. E.J. McCormick et J.Tiffin, *Industrial Psychology*, 6e éd., Englewood Cliffs, Prentice-Hall, 1974.

17. R.J. Harvey, F. Friedman, M.D. Hakel et E.T. Cornelius, « Dimensionality of the Job Element Inventory – A Simplified Worker-Oriented Job Analysis Questionnaire », *Journal of Applied Psychology*, vol. 73, 1988, p. 639-646. M.T. Brannick et E.L. Levine, *op. cit.*, chapitre 3.

18. S.E. Jackson et R.S. Schuler, *Managing Human Resources : A Partnership Perspective*, Cincinnati (Ohio), South-Western Publishing, 2005.

19. R.J. Plachy, « Writing Job Descriptions that Get Results », *Personnel*, octobre 1987, p. 56-63.

20. A. Rondeau, « Transformer l'organisation. Comprendre les forces qui façonnent l'organisation et le travail », *Gestion*, vol. 24, nº 3, 1999, p. 12-19. L. Aucoin, *La réorganisation du travail : efficacité et implication*, sous la direction de R. Blouin et autres, Québec, Les Presses de l'Université Laval, 1995, p. 129-133. M. Grant, P.R. Bélanger et B. Lévesque, *Nouvelles formes d'organisation du travail : études de cas et analyses comparatives*, Montréal, L'Harmattan, 1997.

21. N. Laplante et D. Harrisson, « La qualité totale : une démarche conjointe patronale-syndicale », *Gestion*, juin 1995, p. 34-41.

22. *Changements organisationnels pour améliorer la produtivité et l'emploi : recueil de cas vécus*, ministère du Travail du Québec, 2005 ; http://travail.gouv.qc.ca/actualite/productivite_emploi/Recueil-cas.pdf.

23. J. Gibson, « Corporate Restructuring : Lessons Learned », *Conference Board du Canada*, mai 1997. H. Mintzberg, B. Ahlstrand et J. Lampel, « Transformer l'entreprise », *Gestion*, vol. 24, nº 3, 1999, p. 122-130.

24. G.M. Spretzer, « Psychological Empowerment in the Workplace : Dimensions, Measurement and Validation », *Academy of Management Journal*, vol. 38, nº 5, 1995, p. 1442-1465. T. Wils, M. Tremblay et G. Guérin, « Repenser la mobilité intra-

organisationnelle : une façon de contrer le plafonnement de carrière », *Gestion 2000*, vol. 13, nº 1, 1997, p. 151-164.

25. M. Tremblay et T. Wils, « Les plateaux de carrière : analyse d'un phénomène complexe et sensible », *Gestion 2000*, juin 1995, p. 177-193. L. Lemire, T. Saba et Y.-C. Gagnon, « Managing Career Plateauing in the Quebec Public Sector », *Public Personnel Management*, vol. 28, nº 3, 1999, p. 375-39.

26. S.H. Appelbaum et V. Santiago, « Career Development in the Plateaued Organization », *Career Development International*, vol. 2, nº 1, p. 11-20.

27. T. Saba et A. Ménard, « Analyse de l'impartition en gestion des ressources humaines : fondements, activités visées et efficacité », *Relations industrielles*, vol. 55, nº 4, 2000, p. 675-696. M. Poitevin (sous la dir. de), *Impartition : Fondements et analyses*, Québec, Les Presses de l'Université Laval, 1999.

28. O.E. Williamson, « Transactions-Cost Economics : The Governance of Contractual Relations », *The Journal of Law and Economics*, vol. 19, 1979, p. 233-261. O.E. Williamson, « The Economics of Organization : The Transaction-cost Approach », *American Journal of Sociology*, vol. 87, 548-577. J.B. Quinn et F.G. Hilmer, « Strategic Outsourcing », *Sloan Management Review*, été 1994, p. 43-55. B.A. Aubert., S. Rivard et M. Patry, *A Transactionnal Costs Approach to Outsourcing : Evidence from Case Studies*, Montréal, GreSI, 1993.

29. W. Eckerson, « CIOs Eagerly Embracing Open Systems, Survey Finds », *Network World*, mars 1992, p. 27-28. R.A. Bettis, S.P. Bradley et G. Hamel, « Outsourcing And Industrial Decline », *Academy of Management Executive*, vol. 6, nº 1, 7-22.

30. T. Saba et A. Ménard, *op. cit.*

31. D. Poulin, B. Montreuil et S. D'Amours, « L'organisation virtuelle en réseau », *Le management aujourd'hui : une perspective nord-américaine*, Québec, Les Presses de l'Université Laval, et Paris, Economica.

33. M. Hammer et J. Champy, *Reengineering the Corporation*, New York, Ed. Harper Business, 1993. F. Bergeron et M. Limayem, « Le paradoxe de la réingénierie : le difficile choix des projets », *Gestion*, juin 1995, p. 63-70.

33. *Ibid.*, p. 32.

34. J.P. Gagné, « Desjardins consacrera 500 M $ à la réingénierie des processus de ses caisses d'ici l'an 2000 », *Les Affaires*, samedi 8 avril 1995, p. 4.

35. T.A. Stewart, « Reengineering the Hot New Managerial Tool », *Fortune*, 23 août 1993.

36. C. Bernier, A. Pinsonneault, S. Rivard et H. Blouin, « La réingénierie : un processus à gérer », *Gestion*, juin 1995, p. 44-55. D.W. Conklin, *Reengineering to Compete : Canadian Business in the Global Economy*, Prentice-Hall Scarborough, 1994. D.B. Harrison et M. Pratt, « A Methodology for Reengineering Business », *Planning Review*, mars-avril 1993, p. 6-11.

37. J. R. Galbraith III, E. Lawler et Associés, *Organizing for the Future : The New Logic for Managing Complex Organizations*, San Francisco, Jossey Bass, 1993.

38. *Le grand dictionnaire terminologique*, Office québécois de la langue française ; http://w3.granddictionnaire.com.

39. *Ibid.*

40. M. Roy, « Les équipes semi-autonomes au Québec et la transformation des organisations », *Gestion*, vol. 24, nº 3, 1999, p. 76-85.

41. T. Rankin, *New Forms of Work Organization : The Challenge for North American Unions*, Toronto, University of Toronto Press, 1999. M. Brossard et M. Simard, *Groupes semi-autonomes de travail et dynamique du pouvoir ouvrier. L'évolution du cas Steinberg*, Montréal, Les Presses de l'Université du Québec, 1990

42. W.E. McClane, « Performance Implication of Self-managing Workteams : Lessons from National Culture and Worker Participation », *International Conference on Self-Managed Work Teams*, Texas, University of North Texas, Interdisciplinary Center for Study of Work Teams, cité dans M. Roy, *op. cit.*

43. J. Purdie, « Better Offices Mean Greater Productivity », *The Financial Post*, section 4, rapport spécial, 26 novembre 1990, p. 35.

44. M. Roy et M. Audet, « La transformation vers de nouvelles formes d'organisation plus flexibles : un cadre de référence », *Gestion*, vol. 27, nº 4, hiver 2003, p. 43-49. A. Bourhis et T. Wils, « L'éclatement de l'emploi traditionnel : les défis posés par la diversité des emplois typiques et atypiques », *Relations industrielles*, vol. 56, nº 1, 2001, p. 66-91.

45. S. Saint-Onge, G. Guérin, R. Trottier, V. Haines et M. Simard, « L'équilibre travail-famille, un nouveau défi pour les organisations », *Gestion*, mai 1994, p. 64-73.

46. R. Le Cours, *Marché du travail : les deux solitudes*, La Presse, Affaires, 8 juillet 2006, p. 1.

47. D.-G. Tremblay, « L'aménagement et la réduction du temps de travail (ARRT) : d'une solution au chômage à une amélioration de la qualité de vie et des difficultés de la conciliation emploi-famille », *Regards sur le travail*, vol. 1, n° 3, février 2005, p. 38-40.

48. « Teleworking : The Quiet Revolution », Gartner Group Paper, avril 2005. A.S. Saint-Onge et G. Lagassé, « Les conditions de succès du télétravail : qu'en disent les employés ? », *Gestion*, vol. 21, n° 2, 1996, p. 83-89. A. Pinsonneault et M. Boisvert, « Le télétravail : l'organisation de demain », *Gestion*, vol. 21, n° 2, 1996, p. 76-82.

49. K. Béji, « Recherche sur les nouvelles formes de précarité de l'emploi », dans *La précarité du travail : une réalité aux multiples visages*, sous la direction de G. Fournier, B. Bourassa et K. Béji, Québec, Les Presses de l'Université Laval, 2003, p. 23-38. J. Bernier, G. Vallée et C. Jobin, *Les besoins de protection sociale des personnes en situation de travail non traditionnelle*, synthèse du rapport final, ministère du Travail, 2003.

50. D. M. Rousseau, « Changing the Deal While Keeping the People », *Academy of Management Executive*, vol. 10, 1995, p. 50-61.

51. L F. Vosko, N. Zukewich et C. Cranford, « Le travail précaire : une nouvelle typologie de l'emploi », *L'emploi et le revenu en perspective*, vol. 4, n° 10, octobre 2003, p. 17-28.

CHAPITRE 4

LA GESTION PRÉVISIONNELLE
DES RESSOURCES HUMAINES

La gestion prévisionnelle des ressources humaines[1] comprend l'ensemble des activités qui permettent à une organisation de disposer des ressources compétentes nécessaires, et cela au moment où elle en a besoin. Elle correspond au processus de planification des effectifs, dans la mesure où l'organisation dresse le bilan de la structure démographique des ressources humaines pour réaliser une prospective à moyen terme, le plus souvent à horizon de deux à cinq ans. La gestion prévisionnelle requiert en outre un diagnostic de la structure par âge de l'entreprise, lequel permet de déceler les écarts et d'y apporter des correctifs dans le but de rétablir l'équilibre entre le bien-être des employés et les objectifs de productivité du facteur travail[2].

La main-d'œuvre représente pour la plupart des organisations un facteur de succès déterminant, dont dépendent la qualité des produits et des services offerts ainsi que leur compétitivité sur le marché. La gestion prévisionnelle des ressources humaines fait partie intégrante de la gestion stratégique des ressources humaines ; c'est un processus qui se concentre sur la gestion des effectifs afin de répondre aux objectifs stratégiques et de contribuer à la performance organisationnelle. Il faut également souligner que la gestion prévisionnelle des ressources humaines sert d'assise à un bon nombre de tâches connexes, puisqu'elle détermine notamment les activités de dotation, de développement des compétences, d'évaluation du rendement et de gestion des carrières.

Les enjeux de la gestion prévisionnelle des ressources humaines sont multiples. D'une part, les organisations doivent limiter le nombre de leurs employés pour assurer leur survie financière. D'autre part, elles doivent pouvoir compter sur les meilleurs talents disponibles dans leur créneau d'activité si elles veulent espérer croître et se distinguer face à la concurrence. Dans ce chapitre, nous traitons de l'importance de la gestion prévisionnelle des ressources humaines, de la démarche qu'elle emprunte, des contraintes associées à sa mise en œuvre et des pratiques visant la rationalisation des effectifs.

4.1 LA GESTION PRÉVISIONNELLE DES RESSOURCES HUMAINES : DÉFINITION ET RÔLE

La gestion prévisionnelle des ressources humaines est étroitement liée à la gestion stratégique, et plus particulièrement à la planification stratégique, puisque les plans d'action visés par la gestion prévisionnelle des ressources humaines doivent se réaliser en accord avec les stratégies organisationnelles, les contraintes environnementales et les capacités internes. Une fois établis les plans stratégiques de l'organisation, souvent de concert avec le service des ressources humaines, le responsable de la planification prend part à la mise en place des structures organisationnelles ainsi qu'à l'évaluation du nombre et du type d'employés nécessaires, en tenant compte du niveau de production souhaité et des contraintes financières[3].

La gestion prévisionnelle des ressources humaines joue un rôle crucial, car elle contribue à la concrétisation d'un grand nombre d'objectifs, que nous avons résumés dans l'encadré 4.1. Elle vise d'abord et avant tout à prévoir l'offre et la demande de main-d'œuvre, et à concevoir des programmes conformes aux intérêts des individus et de l'organisation.

Pour parvenir à équilibrer l'offre et la demande, la gestion prévisionnelle des ressources humaines requiert la mise en place de plusieurs activités de gestion des ressources. L'analyse des postes — technique servant à déterminer les éléments qui composent un poste, les exigences et les responsabilités qui y sont rattachées, ainsi que

Les objectifs de la gestion prévisionnelle des ressources humaines

- Équilibrer l'offre et la demande de ressources humaines et en assurer le développement continu.
- S'assurer que la capacité de production peut soutenir les objectifs organisationnels.
- Coordonner les activités de ressources humaines nécessaires à l'équilibre de l'offre et de la demande de ressources humaines.
- Accroître la productivité de l'organisation.

les connaissances, la qualification et les aptitudes exigées du titulaire — constitue un préalable à la gestion prévisionnelle des ressources humaines. Comme elle permet de définir les besoins en ressources humaines d'une organisation, la gestion prévisionnelle constitue à son tour un préalable à la mise en œuvre des activités de gestion des ressources humaines. Ce n'est que lorsque l'on connaît le nombre de candidats dont on a besoin et leur profil qu'il est possible de déclencher les activités de dotation, notamment de définir les sources de recrutement et le processus de sélection. Grâce à la gestion prévisionnelle des ressources humaines, l'organisation est en mesure de prévoir les cas de pénurie de main-d'œuvre et de cerner les secteurs d'activité les plus susceptibles d'être touchés par l'obsolescence des compétences. Elle peut ainsi anticiper ses besoins de formation en vue de développer et de maintenir les compétences requises. La gestion prévisionnelle des ressources humaines dicte la mise en place d'un système de gestion des carrières visant à promouvoir les employés qualifiés, à reconnaître la valeur de leurs compétences et à maximiser leur contribution aux objectifs organisationnels. Toutes les activités qui soutiennent la gestion prévisionnelle des ressources humaines seront examinées plus en détail dans les chapitres suivants.

4.2
LE PROCESSUS DE GESTION PRÉVISIONNELLE DES RESSOURCES HUMAINES

Comme nous l'avons précisé plus haut, la gestion prévisionnelle des ressources humaines détermine les besoins en main-d'œuvre d'une organisation, soit l'offre et la demande de ressources humaines, au cours d'un processus en six étapes, décrit dans l'encadré 4.2.

4.2.1 | Étape I : l'analyse des données en vue des prévisions d'offre et de demande de ressources humaines

La première étape du processus de gestion prévisionnelle de la main-d'œuvre consiste à analyser les objectifs de l'organisation, son secteur d'activité, sa structure, sa productivité et les facteurs environnementaux qui risquent d'entraver la bonne marche du processus ou qui sont susceptibles de la favoriser.

Le secteur d'activité d'une entreprise détermine ses possibilités d'évolution. Les organisations qui font appel à des techniques de pointe évoluent dans un environnement particulièrement complexe et dynamique. Elles offrent une gamme étendue

Le processus de gestion prévisionnelle des ressources humaines

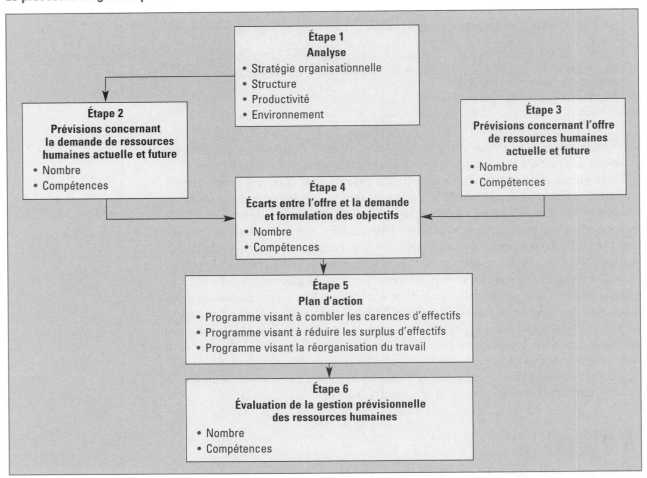

Taux de roulement

Rapport, exprimé en pourcentage, entre le nombre de travailleurs qui, au cours d'une période donnée, ont quitté une organisation et le nombre moyen de travailleurs que l'organisation a employés au cours de la même période. On obtient ce taux en multipliant par cent le nombre total des employés qui ont quitté l'organisation et en le divisant par le nombre moyen des employés durant la période de référence.

de produits et services et sont donc dotées d'une grande variété de postes. Le type d'organisation et la stratégie poursuivie jouent de ce fait un rôle important dans la prévision des besoins en ressources humaines. Cette première étape sert également à examiner la structure organisationnelle et à faire certaines prévisions, notamment en ce qui a trait à la position hiérarchique des postes à pourvoir et à leur rôle stratégique pour l'organisation. L'analyse de la structure fournit de l'information sur les variations des besoins en ressources humaines ainsi que sur les fonctions ou activités susceptibles de connaître des fluctuations.

Au cours de la première étape du processus, on s'intéresse aussi à l'évaluation de la productivité de l'entreprise de même qu'aux prévisions qui peuvent être faites à cet égard. Les taux de roulement et d'absentéisme, par exemple, influent sur le niveau de la productivité et, par conséquent, il faut les prévoir pour être capable d'évaluer les besoins futurs en ressources humaines. Grâce à ces prévisions, l'organisation est à même d'analyser les raisons qui ont conduit à de tels taux de roulement et d'absentéisme, et d'élaborer des stratégies pour y remédier. Notons cependant que le roulement des employés peut être avantageux, voire souhaitable, dans certaines circonstances, notamment lorsque l'organisation fait face à un surplus de main-d'œuvre ou lorsque le roulement est le fait d'employés au piètre rendement.

À partir de l'analyse de l'environnement, l'organisation est en mesure de prévoir la composition future de la main-d'œuvre dans la société en général ; pour ce faire, elle se fonde la plupart du temps sur les groupes de professions, les groupes de salaires et les groupes industriels. Les données démographiques, économiques et historiques recueillies sont employées en vue d'effectuer des prévisions en matière de ressources humaines. Ces prévisions, qui s'appliquent à un secteur d'activité, peuvent être utiles pour l'organisation, car elles lui fournissent une quantité de renseignements concernant notamment ses besoins en ressources humaines, à moyen ou à long terme.

emploiquebec.net/francais/imt/index.htm

Site d'Emploi-Québec qui fournit un grand nombre d'informations sur le marché du travail, concernant aussi bien les employeurs que les travailleurs.

L'analyse des objectifs, de la structure, de la productivité et de l'environnement permet d'évaluer la situation de l'entreprise et d'établir ses besoins actuels et futurs en ressources humaines. Au cours de cette première étape, on effectue également l'inventaire des ressources humaines et des emplois disponibles, inventaire à partir duquel on pourra déduire la capacité de l'entreprise à combler ses besoins immédiats et futurs en main-d'œuvre. L'inventaire consiste, dans un premier temps, à déterminer les habiletés et les préférences des employés et, dans un deuxième temps, à définir les caractéristiques des emplois et les compétences nécessaires pour occuper les postes de façon performante. C'est la mise en œuvre régulière du processus d'analyse des postes qui facilite la mise à jour de l'inventaire ainsi que l'appariement entre les individus et les emplois.

Plusieurs types d'inventaires ont été effectués manuellement avec succès dans le passé, mais l'avènement de l'informatique a permis de réaliser des compilations beaucoup plus efficaces et il a favorisé l'élaboration de programmes de ressources humaines plus dynamiques et plus intégrés. Les systèmes informatiques ont facilité l'intégration de tous les employés, quelles que soient les divisions de l'entreprise ou les régions du pays où ils sont affectés, au réseau d'appariement entre les emplois et les individus.

DANS LES **FAITS**

Dans les régions du Québec, de nombreuses entreprises sont devant une pénurie de main-d'œuvre qualifiée. De leur côté, les immigrants scolarisés, qui arrivent en nombre chaque année, trouvent difficilement leur place sur le marché du travail. Afin de pallier ces deux problèmes, la Fédération des chambres de commerce du Québec (FCCQ) a créé un programme de sensibilisation et de mise en valeur de la main-d'œuvre immigrante auprès des entreprises, qui sera mis en application à partir de l'automne (2006). Chaque année, le Québec accueille près de 45 000 personnes, dont 60 % qui parlent français et sont détentrices d'un diplôme. Le programme prévoit la tenue d'une cinquantaine d'ateliers de sensibilisation, destinés autant aux dirigeants de grandes entreprises que de PME et qui se dérouleront sur l'ensemble du territoire. En plus de souligner l'importance de la gestion prévisionnelle des ressources humaines, ces ateliers permettront de parler des réalités de l'accueil des travailleurs immigrants. Ils seront mis sur pied par le ministère de l'Immigration et des Communautés culturelles, partenaire dans le projet avec Emploi-Québec. La série de rencontres sera lancée dès septembre avec la participation du réseau des 170 chambres de commerce de la province[4].

Les systèmes d'information utilisés pour la gestion des ressources humaines sont appelés habituellement *systèmes d'information sur les ressources humaines (SIRH)* ou *systèmes intégrés de gestion des ressources humaines (SIGRH)*. Ils fournissent l'inventaire des postes et des compétences existant au sein d'une organisation donnée. Leurs fonctions dépassent cependant la simple compilation et la gestion de l'inventaire; ils sont à l'origine de nombreux instruments qui aident les gestionnaires à formuler les objectifs en matière de ressources humaines et à évaluer si ceux-ci ont été atteints (voir l'encadré 4.3). Avec l'avènement de la cybergestion (e-GRH), les employés ont libre accès à leur dossier: ils peuvent le mettre à jour, s'inscrire à des formations, postuler à des postes vacants et indiquer leurs préférences relativement à leur cheminement de carrière (voir le chapitre 16).

ENCADRÉ ▶ **4.3**

L'utilisation d'un SIRH (système d'information sur les ressources humaines) dans le cadre de la planification des ressources humaines

- Accroître la quantité de données pouvant être recueillies sur les individus, telles que l'âge, le sexe, le niveau d'études, les états de service, l'origine ethnique, etc.; celles-ci permettent aux gestionnaires de prendre des décisions dans plusieurs domaines, comme la planification de la relève, l'analyse coûts-avantages et l'analyse salaire-productivité.
- Créer, planifier et faire le suivi des programmes d'équité en matière d'emploi.
- Élaborer des scénarios prévisionnels: les données recueillies au moyen d'un SIRH peuvent servir de base à d'autres scénarios, consistant, entre autres, à prévoir les pénuries ou les surplus de main-d'œuvre ainsi que les taux de roulement, à comparer le recrutement passé au recrutement projeté, à ébaucher les plans de carrière, à planifier les promotions des employés dont le rendement est élevé et à remédier au problème du faible rendement de certains employés, etc.
- Analyser la productivité de l'entreprise et évaluer les différents programmes: évaluer les effets des programmes de formation, ainsi que d'autres programmes d'amélioration de la productivité, à l'aide de diverses méthodes d'évaluation du rendement.

4.2.2 | Étape 2: les prévisions concernant la demande de ressources humaines

Il existe une grande variété de méthodes de prévision, à la fois simples et complexes, permettant d'évaluer la demande de ressources humaines d'une organisation. Dans tous les cas, toutefois, on n'obtient que des approximations, non des certitudes. En réalité, la qualité des prévisions est tributaire à la fois de la possibilité de prévoir les événements et de l'exactitude des renseignements sur lesquels on s'appuie. Les événements seront en outre d'autant plus prévisibles et l'information d'autant plus exacte que la période examinée sera courte. Par exemple, les organisations sont généralement capables d'estimer avec justesse le nombre d'employés d'un type donné dont elles peuvent avoir besoin au cours de l'année suivante, mais évaluer leurs besoins pour les cinq années suivantes sera un exercice nettement moins aisé.

Deux techniques de prévisions sont généralement utilisées pour estimer la demande de ressources humaines. Ce sont les *prévisions raisonnées* et les *projections statistiques* traditionnelles.

LES PRÉVISIONS RAISONNÉES

Les prévisions raisonnées sont établies sous la super-vision d'experts. Elles constituent la méthode de prédilection pour évaluer la demande de ressources humaines. Les estimations sont faites par les cadres supérieurs de chacun des services, en partant du niveau le moins élevé au plus élevé, de façon que les résultats soient les plus précis possible. Examinons deux méthodes de prévisions raisonnées : la *technique Delphi* et la *technique du groupe nominal*.

La *technique Delphi* est un procédé particulière-ment efficace du processus de prévision raisonnée. Elle consiste à regrouper un grand nombre d'experts qui font leurs prévisions à tour de rôle et formulent des hypothèses concernant la demande de ressources humaines. Un intermédiaire est ensuite chargé de faire parvenir ces prévisions aux autres membres du groupe afin que ceux-ci les évaluent et les commentent. On procède ainsi jusqu'à l'obtention d'un certain consensus. Celui-ci peut aboutir aussi bien à des données très précises qu'à des fourchettes de prévisions, selon les positions des experts engagés dans le processus.

La technique Delphi est basée sur la théorie de la décision, qui combine les avan-tages du processus de prise de décision individuelle avec les avantages du processus de prise de décision de groupe, et qui élimine certaines des difficultés liées à chacun d'eux. Le processus de groupe est préféré au processus individuel dans les cas suivants : (a) lorsqu'on cherche à atteindre un consensus ; et (b) lorsque le groupe n'est pas dominé par une personne en particulier. La technique Delphi permet d'éviter le phénomène de domination tout en favorisant le consensus. Il semble qu'en ce qui concerne les prévisions à court terme (un an) cette technique produit de meilleurs résultats que bien d'autres méthodes quantitatives[5]. Elle comporte cependant certaines limites, notamment la difficulté de concilier les opinions des experts. La technique Delphi est particulièrement utile dans des domaines non structurés ou en croissance, comme la planification des ressources humaines.

La *technique du groupe nominal* est une méthode similaire. Dans ce cas, un certain nombre de personnes sont regroupées autour d'une table, et chacune note ses idées et suggestions. Après avoir réfléchi pendant 10 à 20 minutes, les personnes expriment à tour de rôle leurs idées au groupe. Tout au long de la rencontre, les idées sont inscrites sur de grandes feuilles de papier de façon que chaque personne puisse s'y référer facilement à tout moment.

Bien que ces deux techniques adoptent un processus semblable, l'une — la tech-nique Delphi — est plus utilisée pour établir des prévisions, et l'autre — la technique du groupe nominal — pour déceler les problèmes organisationnels courants et y trouver des solutions. Les prévisions raisonnées sont moins complexes et font intervenir moins de données que les projections statistiques, que nous allons étudier à présent.

LES PROJECTIONS STATISTIQUES

Les projections statistiques les plus courantes sont l'*analyse de régression linéaire simple* et l'*analyse de régression linéaire multiple*.

Selon l'analyse de régression linéaire simple, les prévisions concernant la demande de ressources humaines se fondent sur la relation entre deux variables : le niveau de l'emploi dans une organisation et un facteur lié à l'emploi, par exemple les ventes. S'il est possible d'établir une relation précise entre le niveau des ventes et le niveau de l'emploi, les prévisions concernant les ventes peuvent elles-mêmes servir à faire des prévisions concernant l'emploi. Cependant, bien que l'on puisse préciser le lien qui existe entre les ventes et le niveau de l'emploi, celui-ci est souvent influencé par un phénomène lié à l'apprentissage ou à l'expérience. Par exemple, le niveau des ventes peut doubler sans que l'organisation double nécessairement ses effectifs. Et si les ventes doublent encore, le nombre d'employés nécessaires pour satisfaire ce surcroît de demande peut être moindre que lors du premier bond. Pour établir avec plus de précision les futurs niveaux de l'emploi, on trace une courbe d'apprentissage à l'aide de calculs logarithmiques.

L'*analyse de régression linéaire multiple* est une extension de l'analyse de régression linéaire simple. Plutôt que d'établir une relation entre le niveau de l'emploi et un facteur lié à l'emploi, on utilise concurremment plusieurs variables. Par exemple, on peut mettre à profit les données sur la productivité ou sur l'utilisation du matériel, plutôt que de se limiter à la seule utilisation des données sur les ventes pour établir les prévisions. Comme elle fait intervenir plusieurs variables liées à l'emploi, l'analyse de régression linéaire multiple engendre des prévisions plus précises que l'analyse de régression linéaire simple. Il semble cependant que seules les entreprises de grande taille utilisent l'analyse de régression linéaire multiple.

Outre ces deux types d'analyse, d'autres méthodes statistiques, présentées dans l'encadré 4.4, peuvent être utilisées pour prévoir les besoins en main-d'œuvre.

Au cours de cette deuxième étape de la gestion prévisionnelle des ressources humaines consacrée à la demande d'effectifs, notons le rôle joué par le facteur budgétaire. L'activité de l'organisation dans son ensemble est examinée dans une perspective

ENCADRÉ ▶ **4.4**

Autres méthodes statistiques utilisées pour prévoir les besoins en main-d'œuvre

- *Les ratios de productivité :* À partir des données recueillies, on examine l'indice de productivité antérieur[6].
- *Les ratios de ressources humaines :* On analyse les données antérieures en matière de ressources humaines pour définir les relations entre les employés dans différents postes ou catégories d'emploi. Recourant à l'analyse de régression, on établit ensuite des prévisions concernant les besoins en main-d'œuvre pour diverses catégories d'emploi[7].
- *L'analyse de séries chronologiques :* Sur la base des niveaux de main-d'œuvre antérieurs, on établit des prévisions concernant les besoins en ressources humaines. On examine ces niveaux en vue de dégager les variations cycliques, les mouvements saisonniers, les tendances à long terme et les fluctuations accidentelles. On extrapole les tendances à long terme en utilisant la méthode de la moyenne mobile, la méthode de lissage exponentiel ou les analyses de régression[8].
- *L'analyse stochastique :* On combine la probabilité d'obtenir un certain nombre de contrats avec les besoins particuliers en matière de ressources humaines que chacun des contrats requiert pour sa réalisation de façon à prévoir les besoins en main-d'œuvre. Cette méthode est utilisée plus particulièrement par les entrepreneurs qui ont signé des contrats avec le gouvernement ou qui travaillent dans l'industrie de la construction[9].

économique. Les besoins en main-d'œuvre s'expriment ici en unités monétaires. On doit cependant fixer les sommes affectées aux ressources humaines en respectant les objectifs de l'organisation quant au bénéfice et en tenant compte de ses contraintes budgétaires. Bien sûr, ce processus peut aussi mettre en évidence la nécessité d'adapter le budget aux particularités du programme des ressources humaines. Finalement, cette étape donne l'occasion au service des ressources humaines d'adapter sa politique et ses objectifs à ceux de l'organisation.

4.2.3 | Étape 3 : les prévisions concernant l'offre de ressources humaines

Bien que les prévisions de l'offre de ressources humaines puissent être établies à partir de sources d'information internes et externes, ce sont généralement les renseignements provenant de sources internes qui sont les plus accessibles et les plus déterminants. Comme pour la demande de ressources humaines, les deux mêmes méthodes de base — les prévisions raisonnées et les projections statistiques — permettent d'établir les prévisions de l'offre de travail interne. Une fois celles-ci établies, on peut les comparer avec les prévisions concernant la demande de façon à concevoir un programme visant, entre autres, à trouver les meilleures ressources et à équilibrer les prévisions de l'offre et de la demande. Cependant, la plupart de ces prévisions se font à court terme ; elles servent à contrôler les coûts et à satisfaire aux exigences budgétaires. Les prévisions établies pour une période de cinq ans sont utilisées à des fins de planification stratégique, de planification des installations et de remplacement des cadres. Les organisations ont recours à deux méthodes pour établir des prévisions concernant l'offre de ressources humaines : la *planification du remplacement* et la *planification de la relève*.

CONSULTEZ INTERNET

www.technocompetences.qc.ca
Site destiné à aider les entreprises à planifier leurs besoins en main-d'œuvre, notamment dans le secteur des technologies de l'information et des communications.

La *planification du remplacement* s'effectue à l'aide de tableaux sur lesquels figurent les noms des titulaires des postes au sein de l'organisation et ceux de leurs remplaçants potentiels. Ces tableaux mettent en évidence les postes qui pourraient devenir vacants, grâce à l'examen des niveaux de rendement des employés qui les occupent. Les postes dont les titulaires n'ont pas un niveau de rendement très élevé risquent plus de devenir vacants. Les noms des titulaires des postes sont placés immédiatement sous les appellations d'emploi ; ceux des remplaçants potentiels, sous les noms des titulaires. Ce type de tableau permet à l'organisation d'avoir une idée assez juste des postes qui seront bientôt vacants et des individus susceptibles de les occuper[10]. Vous trouverez un exemple de tableau de planification de remplacement dans l'encadré 4.5.

La *planification de la relève* varie énormément. Les plans de relève peuvent être très simples et se résumer à fournir les noms des remplaçants pour les postes administratifs. Ils peuvent également être très structurés et contenir des façons de faire et des règles générales qui visent à assurer la relève de tous les niveaux hiérarchiques[11].

Les programmes de planification de la relève peuvent comprendre cinq niveaux au maximum ; ils varient selon leur complexité ou selon l'expertise requise pour leur mise en application[12]. Dans un système de base, par exemple, la responsabilité de la relève reviendra au président de l'entreprise, qui demandera à ses gestionnaires de désigner les candidats qui seraient un jour en mesure d'occuper des postes de gestion. Dans un système un peu plus complexe, le processus de relève sera alimenté par un

Exemple de tableau de planification des remplacements

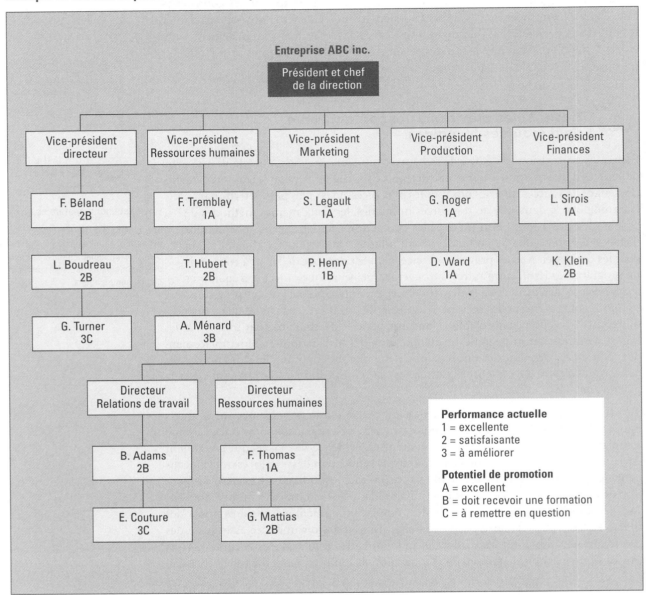

système d'évaluation du rendement. Si on ajoute un troisième niveau, le plan de relève tiendra compte des orientations de carrière et du potentiel de développement des individus qui sont considérés comme des candidats appelés un jour à occuper des postes décisionnels. Le plan de relève du niveau suivant adjoindra un plan de développement des talents de gestion pour les candidats à fort potentiel. Finalement, le plan de relève optimal tiendra compte de toutes les étapes et considérations précédentes et sera mis en œuvre pour tous les niveaux hiérarchiques de l'organisation.

Généralement, dans les programmes détaillés de planification de la relève, on retrouve un certain nombre d'éléments clés :

- Un énoncé de la vision stratégique
- Une base de données informatisée dans laquelle il est possible de trouver des candidats prometteurs
- Des canaux de communication ouverts et favorisant la transparence
- L'aide des gestionnaires pour la sélection des candidats au fort potentiel
- Un système fiable pour déceler les candidats et un système de reconnaissance à l'égard des gestionnaires qui participent à la promotion de la carrière de leurs employés
- Des plans de développement des compétences, une rétroaction constante et un système d'évaluation des processus mis en place

Un plan de relève efficace devrait être structuré, doté de systèmes de vérification et d'un budget de fonctionnement adéquat, se basant sur un système d'information et sur des critères techniques élaborés à partir des responsabilités des ressources humaines. Il faut admettre que les critères politiques et les jeux de coulisses peuvent largement nuire à la crédibilité d'un système de planification de la relève.

Au fil des années, de nombreuses études ont été consacrées à l'évaluation de la performance des plans de relève. Les entreprises dotées d'un plan de relève structuré pour leurs hauts dirigeants ont bénéficié d'un meilleur rendement du capital investi que celles qui n'en avaient pas.

4.2.4 | Étape 4 : les écarts entre l'offre et la demande et la formulation des objectifs en matière de gestion prévisionnelle des ressources humaines

La quatrième étape de la gestion prévisionnelle des ressources humaines, illustrée dans l'encadré 4.2, consiste à formuler les objectifs inhérents au processus de planification. La formulation des objectifs doit tenir compte des besoins de l'organisation en matière d'effectifs et de compétences qu'on a décelés en comparant la demande et l'offre de main-d'œuvre. Il s'agit d'une étape cruciale, puisque les objectifs serviront à déterminer les pratiques, les politiques et les programmes de gestion des ressources humaines qu'on choisira afin de combler les écarts et d'assurer à l'entreprise une main-d'œuvre compétente et disponible en temps voulu. Il ne faut pas oublier que les objectifs doivent être conformes aux orientations stratégiques de l'organisation et les refléter. Une participation efficace du service des ressources humaines à la formulation des objectifs et à la préparation des plans d'action témoigne indéniablement de l'existence d'un lien réel entre la politique générale de l'organisation et la politique en matière de ressources humaines.

4.2.5 | Étape 5 : l'élaboration d'un plan d'action

La cinquième étape du processus de gestion prévisionnelle des ressources humaines est la suite logique des quatre premières. Lorsque l'évaluation des besoins en main-d'œuvre est achevée, il est nécessaire de concevoir des programmes visant à combler ces besoins. Ces programmes visent soit à accroître l'offre de ressources humaines (lorsque les prévisions établies au cours de la première étape montrent que la demande excède l'offre), soit à réduire le nombre d'employés au service de l'entreprise (lorsque les prévisions indiquent que l'offre excède la demande)[13].

LES PROGRAMMES VISANT À GÉRER LES CARENCES EN MAIN-D'ŒUVRE

Lorsque l'offre interne de main-d'œuvre ne répond pas à la demande, le service des ressources humaines doit élaborer des programmes permettant de remédier à la situation. Si l'organisation veut s'adjoindre une main-d'œuvre additionnelle, le recrutement est indéniablement la solution au problème. À court terme, d'autres mesures peuvent également être envisagées, telles que le recours aux heures supplémentaires ou encore l'embauche d'une main-d'œuvre temporaire. Certains employeurs auront recours à la sous-traitance (lorsqu'elle n'est pas interdite par la convention collective en vigueur), de manière temporaire ou permanente.

Les vacances de postes offrent également des occasions de mobilité horizontale ou verticale pour les employés. Ainsi, une bonne gestion de la performance des employés permettra de déceler les personnes qui ont la capacité d'occuper des postes plus élevés dans la hiérarchie ou de changer de filière professionnelle. Il faut cependant noter que la mobilité interne ne comble pas les besoins en main-d'œuvre, mais qu'elle permet de libérer des postes d'entrée qui sont généralement plus faciles à pourvoir par le recrutement. Par ailleurs, les employés de l'organisation admissibles à l'une ou l'autre forme de mobilité verront leurs efforts reconnus. Dans un contexte de vieillissement

Filière professionnelle

Ensemble de postes qui constituent une progression dans un domaine de spécialisation.

DANS LES **FAITS**

Les stratégies que les entreprises devront employer pour retenir les travailleurs vieillissants ne sont qu'un élément du plan de gestion prévisionnelle de la main-d'œuvre qu'elles ont intérêt à élaborer. Par le passé, toutefois, nombre d'entreprises ont décidé de ne pas se doter d'un tel plan, car elles n'en voyaient pas la nécessité et le trouvaient trop coûteux à gérer. Dans le contexte actuel, plusieurs facteurs concourent à les faire changer d'idée : le vieillissement de la main-d'œuvre, bien sûr, mais aussi la pénurie d'employés dans certains secteurs, les nouvelles attentes des jeunes employés à l'égard de l'employeur, etc.

Proportion de travailleurs de 45 ans et plus, selon les secteurs
Primaire : 47 %
Secondaire : 37 %
Tertiaire : 37 %

Proportion de travailleurs de 45 ans et plus, selon l'industrie
Services publics : 55 %
Transport : 51 %
Administrations publiques : 45 %
Enseignement : 42 %
Santé : 42 %
Construction : 39 %
Fabrication en général : 36 %
Fabrication textiles : 53 %
Fabrication métaux primaires : 46 %
Fabrication papier : 44 %[14]

de la main-d'œuvre, des stratégies de maintien des employés d'âge mûr sont à envisager, car de cette manière les organisations peuvent compter sur des employés expérimentés et veiller au transfert des connaissances[15].

LES PROGRAMMES VISANT À GÉRER LES SURPLUS DE MAIN-D'ŒUVRE

Une situation économique difficile, ou encore l'introduction de nouvelles techniques, contraint les entreprises à réduire leurs effectifs. Les organisations doivent donc se préoccuper des conséquences néfastes de cette situation sur les employés et tenter de les limiter. Elles peuvent procéder à la planification du personnel excédentaire; cette étape de la planification des ressources humaines les amène à se défaire de la main-d'œuvre dont elles n'ont plus besoin. Dans ce processus de planification, on trouve l'aide au replacement, l'incitation au départ volontaire, le recyclage et la mutation.

DANS LES FAITS

Dans ses analyses régionales, Emploi-Québec note : « Les défis sont grands, notamment en ce qui concerne la rareté de la main-d'œuvre. La gestion prévisionnelle de la main-d'œuvre [...] est plus que jamais un élément important. » Ces remarques rejoignent les conclusions de la Communauté métropolitaine de Québec (CMQ) dans son document *Le choc démographique*. Pour le territoire de la Communauté métropolitaine, celle-ci note : « Le vieillissement sera déjà bien enclenché en 2011. À ce moment-là, le seuil de remplacement de la main-d'œuvre ne sera plus assuré, et on comptera deux fois plus d'aînés que de jeunes. À Lévis, qui représente aussi une bonne part de la CMQ, c'est plutôt vers 2021 que le vieillissement atteindra la même intensité. » Les secteurs visés sont notamment ceux du tourisme, de l'industrie du plastique, de la transformation du bois, du multimédia et des jeux informatiques, de la construction, de l'assurance, de la science et des technologies[16].

Les syndicats peuvent évidemment jouer un rôle de premier plan dans ce type de planification. Celle-ci fait partie des divers projets auxquels ils participent et ils la considèrent comme un moyen d'améliorer la qualité de vie au travail.

Ainsi, la gestion prévisionnelle et l'élaboration de programmes en matière de ressources humaines peuvent aider une organ&isation à réduire les goulots d'étranglement aussi bien qu'à supprimer ou à réduire le personnel excédentaire, tout en s'assurant que divers programmes d'orientation ou de relocalisation professionnelle sont mis à la disposition des employés qui seront touchés. Il est important toutefois que les congédiements et les efforts déployés dans le cadre de ces programmes ne soient pas utilisés comme des moyens de se débarrasser des travailleurs vieillissants.

L'ÉLABORATION DE NOUVELLES STRUCTURES ORGANISATIONNELLES

Le planificateur des ressources humaines prend part à l'élaboration de la structure organisationnelle, laquelle doit servir les objectifs de planification et de programmation permettant d'attirer, de retenir et de motiver les employés. Cependant, il semble que, actuellement, les structures organisationnelles ne soient pas toujours adaptées à la situation. En effet, les nombreux changements sociaux intervenus tout particulièrement dans le système de valeurs de la main-d'œuvre ont sérieusement ébranlé les relations traditionnelles entre les organisations et leurs membres. Cette situation a engendré au sein des organisations une crise qui ne peut être résolue que par la mise en place des nouvelles structures organisationnelles que nous avons passées en revue dans le chapitre 3. Les nouvelles formes d'organisation du travail tendent à donner plus de latitude aux employés, sont plus enclines à respecter leur qualité de vie et permettent leur épanouissement au travail.

DANS LES **FAITS**

Conscientes du fait que les structures organisationnelles actuelles ne sont pas suffisantes pour attirer, retenir et motiver les employés, certaines organisations — comme Honeywell et Control Data — se sont engagées dans la mise en place de nouvelles structures. Celles-ci se caractérisent par un droit de regard accru de la part des employés, une participation élargie au processus décisionnel, une communication dans les deux sens avec la hiérarchie, une reconnaissance plus marquée des droits des travailleurs, la mise en valeur des récompenses intrinsèques (telles que le sens des responsabilités et l'accomplissement personnel) et des récompenses extrinsèques, une conception étendue des tâches laissant plus de latitude aux titulaires, ainsi qu'un intérêt aiguisé pour la qualité de vie au travail, la productivité et l'appariement adéquat entre les individus et les emplois. Le processus de sélection des candidats se fonde dans ce cas sur leurs compétences techniques, mais aussi sur les caractéristiques des postes et de l'organisation, de manière à combiner convenablement la personnalité et les préférences des individus avec les emplois appropriés.

4.2.6 | Étape 6 : le contrôle et l'évaluation de la gestion prévisionnelle des ressources humaines

Le contrôle et l'évaluation des programmes de planification correspond à la dernière étape du processus de gestion prévisionnelle des ressources humaines (voir l'encadré 4.2). Cette étape est essentielle à l'efficacité de la planification des effectifs ; l'objectif est alors de quantifier la valeur des ressources humaines et de considérer celles-ci comme un actif de l'organisation.

Plus précisément, on peut évaluer les activités de gestion prévisionnelle des ressources humaines en examinant la manière dont les organisations attirent efficacement de nouveaux éléments, gèrent les pertes d'emploi et s'adaptent à l'évolution des facteurs environnementaux. Puisque les prévisions constituent une bonne part de ce type de planification, on peut évaluer celle-ci en établissant dans quelle mesure les prévisions se rapprochent de la réalité (compte tenu des besoins particuliers de la gestion des ressources humaines ou des tendances environnementales particulières). La justesse des prévisions est ici d'une grande importance, puisque leur invraisemblance pourrait entraîner l'échec de la planification sur une échelle plus large. Mentionnons un autre critère à partir duquel on peut évaluer la gestion prévisionnelle des ressources humaines : la pertinence du choix des outils utilisés pour établir le lien entre la planification des effectifs et les objectifs généraux de l'organisation. Vous trouverez d'autres critères d'évaluation dans l'encadré 4.6. L'un des instruments élaborés à cet effet, ces dernières années, est le système d'information sur les ressources humaines.

Les critères d'évaluation de la planification des ressources humaines

- Le nombre d'emplois comparé aux besoins établis préalablement
- Les niveaux de productivité comparés aux buts qui ont été fixés
- Le taux de roulement comparé au taux souhaitable
- Les programmes mis en œuvre comparés aux plans d'action établis
- Les résultats des programmes comparés aux résultats prévus (amélioration du bassin de candidats, réduction des taux d'abandon, amélioration des ratios de remplacement)
- Les coûts de la main-d'œuvre et des programmes comparés au budget
- Les ratios des bénéfices résultant de l'application des programmes comparés aux coûts des programmes

Les systèmes d'information sur les ressources humaines (SIRH) facilitent le contrôle et l'évaluation des programmes, car ils permettent de se livrer à une collecte fréquente et rapide des données nécessaires à la vérification des prévisions. Cette opération est capitale non seulement comme moyen de contrôle, mais aussi comme méthode d'évaluation des programmes. Elle met aussi en évidence la nécessité de procéder à certains ajustements[17].

De préférence, la collecte des données devrait avoir lieu à la fin de chaque année et à intervalles réguliers durant l'année. L'évaluation devrait se faire au même moment dans le but de procéder au plus tôt à la révision des prévisions et des programmes. De plus, il est probable que ces révisions auront des effets sur les prévisions, à court, à moyen et à long terme.

L'évaluation des programmes est cruciale pour déterminer l'efficacité de la planification des ressources humaines ainsi que pour mettre en évidence l'importance des activités de planification et du service des ressources humaines au sein de l'organisation.

4.3
LES ASPECTS À CONSIDÉRER DANS LA GESTION PRÉVISIONNELLE DES RESSOURCES HUMAINES

Plusieurs éléments sont susceptibles d'entraver le processus de gestion prévisionnelle des ressources humaines. Certains sont issus de l'organisation, notamment le manque d'appui de la haute direction ou encore le manque d'engagement des cadres dans le processus de planification. D'autres sont inhérents à la mise en œuvre du processus de gestion prévisionnelle des ressources humaines, notamment la difficulté d'analyser l'environnement ou d'intégrer les activités de gestion des ressources humaines de manière ponctuelle et efficace.

4.3.1 | La participation des gestionnaires à la gestion prévisionnelle des ressources humaines

D'une part, le manque d'appui de la haute direction constitue un obstacle majeur ayant limité par le passé le développement de la planification des ressources humaines. C'est également ce manque d'appui qui pourrait empêcher le service des ressources humaines d'assumer tous ses rôles auprès de l'organisation, comme nous l'avons indiqué au chapitre 1. Le service de gestion des ressources humaines peut vaincre cet obstacle en montrant à la haute direction que la gestion prévisionnelle de la main-d'œuvre ne peut avoir que des effets positifs sur l'organisation, notamment sur sa productivité.

D'autre part, il faut noter que les planificateurs débutants commettent fréquemment l'erreur de ne pas solliciter la participation des cadres hiérarchiques à l'élaboration et à la mise en place du système de planification. La tentation de recourir à des approches quantitatives ou de ne pas insister auprès des gestionnaires pour qu'ils s'engagent pleinement dans le processus de planification risque de mettre en péril l'exercice. Les gestionnaires doivent composer, par exemple, avec un taux de roulement excessif, ce qui les amène à s'investir dans le recrutement et la formation des remplaçants aux postes clés, tâches qui leur laissent alors moins de disponibilité pour se consacrer à la prévision des besoins en main-d'œuvre. Pour être efficace, la gestion prévisionnelle doit prendre en compte les besoins des gestionnaires.

4.3.2 | La difficulté de prévoir les facteurs environnementaux

La planification des ressources humaines est liée à un ensemble de facteurs sociaux, démographiques, économiques et gouvernementaux qui exercent une influence sur la main-d'œuvre d'une organisation. Lorsqu'ils travaillent au processus de planification, les gestionnaires doivent de plus en plus tenir compte de l'environnement externe tout autant que du système de valeurs de la main-d'œuvre prévalant aujourd'hui[18]. Des changements profonds se produisent dans la population canadienne et, par conséquent, dans la composition de la main-d'œuvre. En outre, la nature des postes et la place occupée par certaines industries subissent également des modifications cruciales.

Les nouvelles exigences qui se posent sur le plan démographique et économique contribuent à accroître l'importance de la gestion prévisionnelle des ressources humaines[19]. Ainsi, les entreprises qui parviennent à planifier leurs besoins en main-d'œuvre bénéficieront indéniablement d'un avantage concurrentiel. Notre époque est témoin de changements radicaux sur le plan de la composition de la main-d'œuvre. Alors que la période de l'après-guerre avait engendré des professionnels et des gestionnaires en nombre excessif, la nouvelle génération contraste par son petit nombre. C'est pourquoi l'échelon intermédiaire et l'échelon supérieur de la hiérarchie dans le secteur de la gestion représentent des créneaux où la compétition est très forte et où les emplois comportant des responsabilités et des possibilités de promotion sont très recherchés. À l'opposé, le nombre de personnes qui se trouvent en début de carrière et sont destinées à occuper des emplois spécialisés (en nombre croissant) connaît une forte diminution. Le début des années 1990 a été marqué par la rationalisation des processus et les réductions de personnel. Depuis ces dernières années et au cours de la prochaine décennie, les organisations consacreront leurs efforts à attirer et à conserver les employés clés dont les compétences sont déterminantes pour le succès de l'organisation.

D'autres considérations environnementales viennent s'ajouter à celles que nous avons mentionnées précédemment et témoignent de l'importance accrue de la gestion prévisionnelle des ressources humaines. À cet effet, notons la diversité de la main-

Avantage concurrentiel

Avantage résultant du fait que le coût global d'exécution de toutes les activités de la chaîne de valeur est inférieur à celui des concurrents.

d'œuvre (vieillissement, féminisation, diversité ethnique), les lois adoptées dans le domaine du droit du travail, les mesures touchant l'équité en matière d'emploi entérinées par les provinces et diverses questions connexes[20]. Les prévisions concernant les pénuries qui frapperont les postes occupés par les cols bleus ou par les cols blancs représentent aussi un facteur dont il faut tenir compte. Les nouvelles possibilités offertes aux travailleurs en matière de retraite ont créé de nouveaux problèmes, différents de ceux qu'on avait prévus, en ce qui concerne l'acquisition de ressources humaines. En effet, les travailleurs disposent maintenant de plusieurs possibilités, qui vont de la retraite anticipée, vers l'âge de 55 ans, à la retraite différée, vers l'âge de 70 ans. Cependant, le fait que les employés de 50 ans et plus sont largement représentés dans les organisations amène ces dernières à consacrer davantage de temps et d'efforts à cette catégorie d'employés[21].

L'*obsolescence des compétences* compte aussi parmi les facteurs importants. En effet, l'évolution rapide des connaissances rend difficile la mise à jour des compétences. Par conséquent, les professionnels tout autant que les gestionnaires doivent pouvoir bénéficier d'une formation continue. Or, le fait de ne pas y recourir représente une menace pour la croissance et la survie des organisations.

Obsolescence des connaissances

Désuétude des connaissances causée par les innovations techniques, commerciales, organisationnelles, ou par l'inadaptation aux nouveaux besoins.

4.3.3 | La difficulté d'intégrer toutes les activités de la gestion des ressources humaines

Concevoir un système de gestion des ressources humaines capable d'intégrer et de coordonner toutes les activités qui soutiennent la gestion prévisionnelle des ressources humaines représente un défi de taille[22].

D'abord, les nouvelles technologies adoptées dans les entreprises et les nombreuses fusions et acquisitions continuent d'occasionner des réorganisations du travail et une redéfinition des tâches, d'où la nécessité de procéder périodiquement à des analyses des postes. Les professionnels des ressources humaines auront, par ailleurs, à évaluer la situation des employés qui ont été déplacés ou dont les tâches se chevauchent. L'introduction de nouvelles technologies, comme les systèmes d'information de pointe, la robotisation et l'automatisation, les obligera en outre à trouver la réponse à des questions telles que : Comment la main-d'œuvre s'adapte-t-elle aux changements technologiques ? Quelles répercussions ces changements ont-ils sur le profil des postes et sur la structure organisationnelle ? Quelles aptitudes et connaissances exigent-ils ? Lesquelles ne sont pas essentielles ? En raison des changements imposés par la gestion prévisionnelle, les professionnels des ressources humaines auront à composer avec des cas de résistance au changement ou à la mobilité des employés. Il leur faudra donc gérer avec tact et sensibilité ces questions cruciales dont dépend la bonne marche de l'organisation.

Ensuite, il est essentiel de souligner l'apport de ceux dont les efforts ont concouru à la réalisation des objectifs de l'organisation et de les encourager à continuer dans ce sens. Les professionnels de la gestion des ressources humaines doivent veiller au développement du potentiel des employés afin que les capacités réelles s'harmonisent avec les emplois. Soulignons un autre facteur clé : le développement des compétences, qui représente un investissement considérable. Lorsqu'une organisation investit dans ses ressources humaines par des programmes de formation ou des affectations, il est primordial que ses employés utilisent efficacement leurs compétences dans leur cheminement de carrière ; c'est pourquoi il est nécessaire d'établir des règles servant à mesurer les compétences et de prévoir les affectations qui permettront de tirer pleinement parti de celles-ci.

L'expansion et la diversification des organisations suscitées par la forte concurrence qu'entraîne la mondialisation des marchés ont élargi le champ de la gestion prévisionnelle. Recruter et gérer la mobilité à l'échelle internationale deviennent des préoccupations pressantes et contraignent le service des ressources humaines à composer avec différentes cultures.

4.4 LA GESTION DE LA DÉCROISSANCE DES EFFECTIFS EN RESSOURCES HUMAINES

La rationalisation, ou gestion des effectifs dans un contexte de décroissance, compte parmi les tendances qui ont vu le jour au début des années 1980 et qui ont prévalu au début des années 1990. Intimement liée à la gestion des surplus de main-d'œuvre examinée dans ce chapitre, cette tendance semble se maintenir, et cela pour plusieurs raisons. En effet, la baisse de la performance financière de l'entreprise, l'accentuation de la concurrence, l'introduction de nouvelles technologies et la réingénierie des procédés organisationnels engendrée par les impératifs de décentralisation et de flexibilité entraînent les organisations, de manière cyclique, vers des remises en question qui se soldent souvent par l'élimination de postes. Ainsi, la rationalisation des effectifs survient fréquemment à la suite d'une période de croissance et elle se fixe pour objectif d'améliorer l'efficience de l'organisation. Cette opération, communément appelée « redimensionnement » ou « rajustement » (*downsizing* ou *rightsizing*), a introduit dans la planification des ressources humaines des éléments nouveaux que nous allons examiner ici.

La réduction des effectifs a des effets préjudiciables sur les personnes congédiées et sur leur famille, sur le moral des employés qui gardent leur poste et qui assistent, impuissants, au départ de leurs collègues, ainsi que sur l'image de l'entreprise dans la communauté et sur sa performance financière. Nous traiterons d'abord de la gestion des départs, puis nous nous intéresserons à la gestion des « survivants », autrement dit des employés qui restent au service de l'organisation à la suite de vagues de mises à pied massives.

4.4.1 La gestion des départs

Les employés visés par les restructurations perdent leur emploi et se retrouvent sur le marché du travail. Selon leur âge et leurs qualifications, ils retrouveront un emploi à plus ou moins court terme. Dans le but de protéger leur image de marque et leur réputation de bon employeur, les organisations veillent à gérer habilement les départs, en cernant, dans un premier temps, les difficultés que peuvent vivre les employés licenciés et en prenant des mesures susceptibles de limiter les effets négatifs des licenciements[23].

LES PRÉOCCUPATIONS DES EMPLOYÉS VICTIMES DE LICENCIEMENT

Les victimes de licenciement vivent une situation qui s'apparente à un deuil. L'appréhension de se retrouver au chômage pendant une période prolongée est plus ou moins vive ; elle varie selon la situation financière de la personne, son âge, son niveau de scolarité et son champ de spécialisation. Il n'en demeure pas moins que la personne éprouve de l'incertitude concernant son avenir, ce qui risque d'avoir des conséquences néfastes sur sa santé, ses relations familiales ou son statut social et engendre une attitude négative à l'égard de l'employeur.

LES PRATIQUES LIÉES AUX RÉDUCTIONS D'EFFECTIFS

On peut réduire les effectifs de plusieurs façons. Certaines ont un caractère permanent et obligent les employés à quitter leur emploi de manière définitive. D'autres constituent des solutions de rechange au licenciement et permettent de préserver certains emplois au moyen de changements apportés aux conditions de travail.

Parmi les pratiques visant à rompre définitivement le lien d'emploi, notons les licenciements, accompagnés ou non de primes de séparation, et les offres de retraite anticipée, grâce auxquelles les employés d'un certain âge peuvent prendre leur retraite avant la date prévue, et cela sans risque de pertes actuarielles ou de pénalités associées à leur rente.

Retraite anticipée
Retraite prise avant l'âge normal, qui est généralement de 65 ans.

Le congé sans solde pendant un an ou deux, le prêt de service ou la mutation, le travail partagé entre deux employés, la réduction des heures de travail et le gel de l'embauche comptent parmi les pratiques visant à préserver les emplois dans l'entreprise grâce à des solutions de rechange qui modifient le lieu ou la durée du travail. Ces mesures sont souvent temporaires et peuvent être suspendues, une fois la situation financière de l'entreprise rétablie.

Outre les pratiques qui visent à réduire les effectifs, les organisations ont prévu des mesures pour faciliter la transition à un nouvel emploi. Des ateliers sur la gestion du stress, sur l'amélioration des compétences et sur l'exploration de nouvelles options comptent parmi les interventions possibles auprès des employés licenciés. L'accès à un programme d'aide aux employés permet à l'individu ainsi qu'à sa famille de rencontrer un conseiller afin de traverser la période difficile qui accompagne la perte de son emploi. Finalement, les organisations mettent généralement en place un service de réaffectation ou concluent des ententes avec des agences de placement qui aident leurs anciens employés à trouver un nouvel emploi. Des interventions auprès de la communauté et notamment auprès des centres d'emplois régionaux permettent de replacer les employés licenciés dans des entreprises de la région qui recrutent. Les préavis de licenciement et les indemnités facilitent également les périodes de transition[24].

4.4.2 | La gestion des survivants

Depuis quelques années, une nouvelle tendance se dessine : on se préoccupe du sort des survivants. Par « survivants », nous faisons référence aux personnes qui demeurent au service d'une organisation après des vagues de mises à pied massives[25].

La gestion des survivants a particulièrement retenu l'attention au cours de la forte vague de restructuration qui a marqué le début des années 1990[26]. Bien qu'il semble paradoxal de se préoccuper des personnes qui gardent leur emploi, alors que des milliers d'autres se retrouvent sans travail, il n'en demeure pas moins que plusieurs considérations entrent en jeu. Les vagues de rationalisation entraînent des changements organisationnels profonds qui touchent, d'une part, les conditions et le contenu du travail, et d'autre part, le moral des employés qui restent au sein de l'organisation. Ces changements engendrent de nombreux problèmes auxquels il faut trouver une solution.

LES PRÉOCCUPATIONS DES SURVIVANTS

Les employés réchappés des restructurations s'interrogent sur leur performance, leur avancement et le développement de leurs compétences dans l'entreprise. En effet, sachant que l'entreprise est dans une situation financière précaire, ils s'inquiètent des ressources matérielles et humaines qui leur seront octroyées. La perte de leurs collègues de travail entraîne le démantèlement des réseaux organisationnels structurés et non structurés sur lesquels ils pouvaient compter et ajoute à leur inquiétude concernant leur capacité à bien effectuer leur travail. Ainsi, les nouvelles normes de performance qui seront établies par les supérieurs, la nouvelle charge de travail qui sera imposée et le style de gestion qui sera adopté devraient nécessairement être précisés afin que les employés puissent s'acquitter efficacement de leurs nouvelles tâches[27].

Les restructurations qui accompagnent les vagues de rationalisation jettent une ombre sur l'avenir de l'entreprise et sur l'évolution professionnelle de ses employés, aussi les survivants se font-ils généralement du souci à propos de leurs possibilités d'avancement. Bien d'autres questions les inquiètent également : Pourront-ils développer leurs compétences dans l'entreprise ? Valorisera-t-on leur expertise ? Qu'en sera-t-il du partage de leur expérience avec la génération montante ? Quelle assurance ont-ils de ne pas être à leur tour abandonnés ?

LES PRATIQUES DE GESTION SUSCEPTIBLES DE SOIGNER LE SYNDROME DU SURVIVANT

Une panoplie de pratiques peut être mise de l'avant pour aider les employés à surmonter les difficultés qui surviennent après une vague de rationalisation des effectifs. Ces pratiques se divisent en cinq grands ensembles, présentés dans l'encadré 4.7 ; il s'agit des pratiques de communication, de développement des carrières, de réorganisation du travail, de reconnaissance et d'évaluation[28].

Dans un contexte de décroissance, il est essentiel de répondre aux inquiétudes des employés, car c'est en partie sur eux que repose le succès du redressement de l'entreprise. Il est donc nécessaire de faire valoir une nouvelle vision et de procéder à plusieurs modifications. Ainsi, il faut élaborer un plan de développement à moyen et à long terme qui devrait être communiqué aux employés. On devrait également les mettre au courant des attentes de la direction au sujet de leur nouveau rôle dans l'organisation. L'organisation devrait aussi se soucier du développement des compétences des survivants. Il serait bon qu'un plan de carrière pour les employés fasse l'objet d'une élaboration conjointe avec les supérieurs afin de mettre les employés en confiance quant à leur avenir dans l'organisation.

Les pratiques visant la gestion des survivants

Communication
- Exposer la vision de l'entreprise.
- Établir des plans à long, à moyen et à court terme.
- Préciser le rôle des survivants dans le cadre des restructurations.

Réorganisation du travail
- Transformer les rôles conseils en rôles opérationnels.
- Élargir les fonctions centrales.
- Redéfinir les postes de généralistes.

Évaluation du rendement
- Évaluer les individus (adaptation aux nouvelles fonctions).
- Évaluer les équipes (sur la base des résultats, de l'autoévaluation, de l'évaluation par les pairs).

Développement des carrières
- Accroître la mobilité interne (entre les fonctions, entre les niveaux hiérarchiques et d'une région à l'autre).
- Mettre à jour les compétences (transfert de connaissances, acquisition de nouvelles compétences).

Reconnaissance
- Reconnaître les performances (reconnaissance du comportement de bon citoyen organisationnel, reconnaissance de l'effort, rétroaction).
- Reconnaître la contribution des équipes (orientation et participation, flexibilité et confiance, gestion des conflits).

En outre, une restructuration entraîne nécessairement des changements dans l'organisation du travail. Par exemple, alors que certains postes devraient comporter des tâches et des responsabilités plus variées, ceux des généralistes devraient être redéfinis. Les professionnels de la gestion des ressources humaines devraient aussi prévoir des modalités d'évaluation du rendement individuel, une fois les tâches redéfinies, pour évaluer les nouveaux comportements. Il conviendrait d'évaluer les équipes de travail pour savoir si les objectifs ont été atteints dans le nouveau contexte. Toute modification des emplois entraîne une révision des mesures de récompense. En effet, une des pratiques mises en œuvre pour encourager les employés à accepter les changements est de revoir les systèmes de rémunération ; ce faisant, on valorise l'effort et on récompense les bons comportements. En dernier lieu, n'oublions pas la contribution des équipes de travail ; il faut récompenser la collaboration, la flexibilité et l'aptitude à gérer les conflits.

Il est intéressant de noter que les entreprises qui ont effectué des mises à pied massives, ces dernières années, ont procédé à des recrutements peu de temps après[29]. Ce phénomène donne à penser que les vagues de rationalisation sont loin d'être terminées. Les entreprises procèdent de plus en plus à une planification stratégique de leurs effectifs ; les emplois créés ont souvent trait à la stratégie organisationnelle. En effet, les employeurs déterminent les emplois clés, ceux qui fournissent des compétences cruciales pour l'organisation et qui confèrent une valeur ajoutée. Les emplois considérés comme secondaires par rapport à la réalisation des objectifs stratégiques sont éliminés. Cette orientation s'inscrit dans la tendance selon laquelle les organisations conservent un noyau dur de titulaires d'emplois qui seront assistés par une main-d'œuvre contingente[30].

RÉSUMÉ

La gestion prévisionnelle est essentielle à la continuité des organisations et à leur prospérité. Dans ce chapitre, nous avons cerné ses enjeux les plus déterminants, clarifié son processus de mise en oeuvre et précisé ses contraintes. La gestion prévisionnelle doit nécessairement se baser sur une analyse exhaustive de la situation de chaque milieu de travail. Une fois décelées, les forces et les faiblesses, on peut décider des mesures susceptibles de répondre aux objectifs établis. Il convient de prendre en considération les réalités démographiques, de concilier les différences individuelles et de composer avec des milieux de travail imprévisibles. La gestion prévisionnelle des ressources humaines doit tenir compte des réalités du marché du travail et être cohérente avec les orientations stratégiques de l'organisation. Elle est nécessaire parce que la société se transforme ; la mondialisation des marchés, l'évolution de la main-d'œuvre, les fluctuations de la situation économique, les modifications des valeurs et des lois forcent les organisations à élaborer diverses stratégies pour réagir à ces changements. Or, la gestion prévisionnelle des ressources humaines est une composante essentielle du plan stratégique de l'organisation : elle requiert, d'une part, un bilan de la structure démographique des ressources humaines — lequel rend possible une prospective à moyen terme, le plus souvent à horizon de deux à cinq ans — et, d'autre part, un diagnostic de la structure par âge des entreprises — lequel révèle les écarts et permet d'y apporter des correctifs. L'objectif est de retrouver un équilibre qui allie idéalement le bien-être des employés et la productivité du facteur travail.

Malgré sa complexité, le travail des planificateurs des ressources humaines a pu profiter de la technologie informatique. Bon nombre d'organisations utilisent un système d'information intégré sur les ressources humaines (SIRH/SGRH) qui accroît l'efficacité du processus décisionnel lors des activités de planification.

Questions de révision et d'analyse

1. Quel est l'objectif fondamental de la gestion prévisionnelle des ressources humaines ?

2. Décrivez et expliquez le processus de gestion prévisionnelle des ressources humaines.

3. Énumérez les différents obstacles à la gestion prévisionnelle des ressources humaines. Comment peut-on les surmonter ?

4. Quelle est la méthode de prévision raisonnée le plus fréquemment utilisée ? Décrivez-la en indiquant ses avantages et ses désavantages.

5. Pourquoi les méthodes de prévision quantitatives ou statistiques sont-elles limitées ?

6. Quelles sont les pratiques à mettre en œuvre en cas de réduction des effectifs ?

ÉTUDE DE CAS

PREMIÈRE PARTIE : LES MAGASINS A ET B

Sylvie Guerrero
Professeure, École des sciences de la gestion,
Université du Québec à Montréal

A et B sont deux grandes surfaces, de taille moyenne et identique, situées l'une et l'autre dans la partie est de Montréal. Elles appartiennent au même groupe, mais dans chaque commerce le directeur est libre de gérer son personnel comme il l'entend. Ces magasins se livrent à une concurrence sur les prix. Pour A et B, les contraintes de flexibilité sont les mêmes : horaires, irrégularités des flux de clientèle selon les heures et les jours, etc. On y vend les mêmes produits, on a à peu près la même proportion de « rayons à service » et de « rayons en libre-service », ainsi que la même proportion de produits alimentaires et non alimentaires. Par le passé, A et B étaient gérés par le même directeur, qui a pris sa retraite en 2004. Deux directeurs ont été embauchés pour le remplacer. L'un s'occupe du magasin A, l'autre du magasin B. Bien qu'ils aient bénéficié d'une formation universitaire similaire (MBA) et qu'ils possèdent une expérience comparable, chacun d'entre eux a sa propre conception de ce qu'est la « bonne » gestion des ressources humaines.

Dans le magasin A, la flexibilité est obtenue par le recours à une gestion des ressources humaines *néotaylorienne* à très court terme : la plupart des employés travaillent à temps partiel et ils sont souvent liés par un contrat hebdomadaire court ; on observe un volume important et variable d'heures supplémentaires ; les horaires sont imprévisibles pour les caissiers qui peuvent être sollicités par téléphone chez eux en cas d'affluence dans le magasin. Certaines heures travaillées ne sont pas payées, il n'y a pas de jour de repos déterminé, aucune formation ni concertation, pas de progression salariale ni de prime ; le directeur du magasin estime que ces façons de faire correspondent aux normes d'une gestion efficace de la flexibilité.

Dans le magasin B, on atteint le même niveau de flexibilité (capacité à répondre aux aléas), mais selon des modalités opposées point par point aux précédentes. Le directeur s'en explique ainsi : « Je veux avoir un personnel stable, engagé dans son travail, et cela passe par des emplois à temps plein, à moins que l'employé ne choisisse le temps partiel. » Par conséquent, la part des emplois à temps partiel n'est que de 11 % dans ce magasin. Même chez les caissiers, on trouve peu d'employés liés par un contrat non permanent (à durée déterminée) et on ne fait presque jamais appel aux agences de placement. Pour fidéliser le personnel, la direction a mis en place un système de rémunération plus favorable que celui que pratiquent les concurrents. Ajoutons au tableau une participation aux résultats, représentant en moyenne un ou deux mois de salaire par personne. Les horaires sont négociés en tenant compte des obligations familiales. Les heures supplémentaires, peu nombreuses, sont reprises au cours des semaines suivantes. En effet, la direction ne souhaite pas les voir se multiplier pour éviter que les cadres n'en utilisent trop. Les entretiens effectués auprès des salariés révèlent un degré élevé de satisfaction. Le taux de roulement annuel du personnel est de 2 %, ce qui est étonnamment bas pour ce secteur d'activité.

TABLEAU ▶ 1

Les caractéristiques des magasins A et B, en 2004 et en 2006

	2004	2006	
	Magasin A et magasin B (séparément)	Magasin A	Magasin B
Nombre d'employés	70	70	70
Frais de personnel (en milliers de dollars)	8 500	8 000	9 700
Chiffre d'affaires (en milliers de dollars)	18 000	17 000	19 000
Taux d'absentéisme (en pourcentage)	7	10	5
Taux de roulement (en pourcentage)	20	30	10

QUESTIONS

1. On affirme couramment que les ressources humaines coûtent cher, surtout quand on cherche à les fidéliser. D'après vous, lequel des deux établissements dégage le plus de bénéfices : à court terme ? à moyen et à long terme ? Justifiez votre réponse.

2. a) Peut-être avez-vous une opinion sur la rentabilité des magasins A et B, dont vous voulez vérifier la validité. En 2004, lors du départ de l'ancien directeur, les deux magasins avaient des niveaux de performance similaires. Après l'arrivée des nouveaux directeurs, les magasins A et B ont été gérés de manière différente. Nous présentons à la page précédente les résultats des magasins A et B en 2004 et à la fin de 2006.

   b) Combien d'employés ont-ils quitté les magasins A et B en 2004 ? en 2006 ?

   c) Le taux de roulement s'explique surtout par le départ volontaire des employés. Il conduit à un recrutement intensif, s'accompagnant d'une période de formation d'une semaine, au cours de laquelle la personne embauchée est moins efficace. On estime les pertes de chiffre d'affaires à 2 000 $ par personne recrutée. Calculez le chiffre d'affaires qu'auraient réalisé les magasins A et B en 2004 si le taux de roulement avait été nul. Faites de même pour 2006.

   d) Quelles mesures proposez-vous pour que l'entreprise ait à sa disposition les effectifs et les compétences nécessaires ainsi que pour limiter le roulement du personnel ?

DEUXIÈME PARTIE : LE MAGASIN C

À la fin de 2007, le magasin C disposait des effectifs suivants.

TABLEAU ▶ 2

Les effectifs du magasin C

	Hommes	Femmes	Total
Effectifs	37	33	70
Contrats temporaires	30	26	56
Nombre de départs en raison d'une démission	11	9	20
Nombre de départs en raison d'un congédiement	2	3	5
Nombre de départs en raison de la fin d'un contrat	17	19	36
Moins de 25 ans	16	10	26
25-34 ans	6	13	19
35-44 ans	4	3	7
45-54 ans	5	4	9
55 ans et plus	6	3	9

QUESTIONS

1. Quelle est la répartition des effectifs par type de contrat de travail ? Faites le calcul pour l'effectif total, puis par sexe.

2. Construisez la pyramide des âges du magasin C.

3. Calculez le taux de roulement volontaire de l'effectif total, puis le taux de roulement global (incluant toutes les causes de départ).

4. Compte tenu de la pyramide des âges, du taux de roulement global, du type de contrat de travail, analysez les besoins pour 2008. Combien d'hommes, de femmes et d'employés faudra-t-il recruter au total pour avoir un effectif constant ?

NOTES ET RÉFÉRENCES

1. « Partant d'une analyse des organigrammes présents et futurs et de la détermination des besoins en ressources humaines, la gestion prévisionnelle aboutit, d'une part, à la fixation du calendrier de glissement de fonction des individus et, d'autre part, à la prévision des remplacements. Elle se doit aussi de contribuer au bien-être des employés tout en maintenant à son plus haut niveau possible la productivité du facteur travail. » www.granddictionnaire.com.

2. C. Minni et A. Topiol, « Quelle gestion du vieillissement démographique dans les entreprises ? », *Problèmes économiques*, n° 2761, 2002, p. 21-24

3. T. Saba, « La planification de la relève démystifiée : les aspects techniques et humains à considérer », *Effectif*, vol. 6, n° 1, 2003, p. 19-26.

4. S. Lemieux, « Nouveau programme de sensibilisation pour les régions : la Fédération des chambres de commerce veut inciter les entrepreneurs à embaucher des immigrants », *Les Affaires*, Entreprendre, 1er avril 2006, p. 28

5. M.J. Gannon, *Organizational Behavior,* Boston, Little, Brown, 1979, p. 97.

6. Pour de plus amples renseignements, voir S. Makridaki et S.C. Wheelwright (sous la dir. de), *Forecasting,* New York, North-Holland Publishing, 1979.

7. Voir, par exemple, J.R. Hinrichs et R.F. Morrison, « Human Resource Planning in Support of Research and Development », *Human Resources Planning*, vol. 3, 1980, p. 201-210.

8. E.H. Burack et N.J. Mathys, *Human Resource Planning : A Pragmatic Approach to Manpower Staffing and Development,* Lake Forest (Illinois), Brace-Park, 1979.

9. N.K. Kwak, W.A. Garrett Jr et S. Barone, « A Stochastic Model of Demand Forecasting for Technical Manpower Training, *Management Science*, vol. 23, 1977, p. 1089-1098.

10. C.C. Snow et S.A. Snell, « Staffing as Strategy », dans N. Schmidt, W.C. Boeman et Associés (sous la dir. de), *Personnel Selection in Organisations,* San Francisco (Californie), Jossey-Bass, 1993, p. 448-480. S.E. Jackson et R.S. Schuler, *Managing Human Resources : A Partnership Perspective,* Cincinnati (Ohio), South-Western Publishing, 2005.

11. T. Saba, *op. cit.*

12. R.J. Stahl, « Succession Planning : A Blueprint for Your Company's Future ». *Personnel Administrator*, vol. 32, n° 9, 1987, p. 101-106.

13. R. Foucher et A. Gosselin, « Mettre en place une gestion de la relève : comment procéder, quelles pratiques adopter ? », *Gestion*, vol. 29, n° 3, automne 2004, p. 38-48.

14. Statistique Canada, « Enquête sur la population active », 2004. N. Vallerand, « Les travailleurs québécois rêvent toujours à la " Liberté 55 "», *Les Affaires*, cahier spécial, 5 novembre 2005, p. B7

15. T. Saba et G. Guérin, « Planifier la relève dans un contexte de vieillissement de la main-d'œuvre », *Gestion*, vol. 29, n° 3, automne 2004, p. 54-63.

16. B. Plante, « D'ici 2008, la région devra combler 85 000 emplois », *Les Affaires*, Entreprendre, 5 novembre 2005, p. 44

17. V.Y. Haines III, « Les technologies de l'information et la gestion de la relève », *Gestion*, vol. 29, n° 3, 2004, p. 50-53.

18. M. Audet, « La gestion de la relève et le choc des générations », *Gestion*, vol. 29, n° 3, automne 2004, p. 20-26.

19. J. Légaré, « Les fondements démographiques de la main-d'œuvre québécoise de demain », *Gestion*, vol. 29, n° 3, automne 2004, p. 13-19.

20. T. Saba, « La planification de la relève démystifiée : les aspects techniques et humains à considérer », *op. cit.*

21. T. Saba, G. Guérin et T. Wills, « Managing Older Professionals in Public Agencies in Quebec », *Public Productivity Management Review*, vol. 22, n° 1, 1998, 15-34. T. Saba, G. Guérin et T. Wils, « Gérer l'étape de fin de carrière », dans M. Côté et T. Hafsi (sous la dir. de), *La gestion des organisations : une anthologie québécoise*, Editions Économica et Presses de l'Uuniversité Laval, 2000.

22. R. Foucher et A. Gosselin, *op. cit.*

23. N. Labib et S.H. Appelbaum, « Strategic Downsizing : A Human Resources Perspective », *Human Resource Planning,* vol. 16, n° 4, 1993, p. 69-93

24. N. Labib et S.H. Appelbaum, *ibid.*

25. J.-J. Bourque, « Le syndrome du survivant dans les organisations », *Gestion,* vol. 20, n° 3, septembre 1995, p. 114-118.

26. S. Boyes, « Restructuring Survivors », *Human Resources Professional*, vol. 12, n° 4, juillet-août 1995, p. 17-18.

27. L.A. Isabella, « Downsizing : Survivors Assessments », *Business Horizons,* mai-juin 1989, p. 35-41

28. N. Labib et S. H. Appelbaum, *op. cit.*

29. G. MacDonald, « The Tough Task of Downsizing », *The Globe and Mail,* 28 juillet 1997, p. B11.

30. J. Purdie, « The New Career Strategist », *The Futurist,* septembre-octobre 1994, p. 8-14.

LES ACTIVITÉS
DE DOTATION

CHAPITRE 5

LE RECRUTEMENT
ET LA FIDÉLISATION
DES EMPLOYÉS

Les activités de dotation découlent du processus de gestion prévisionnelle des ressources humaines dont l'objectif est la détermination des besoins en effectifs et en compétences nécessaires aux objectifs et aux stratégies d'affaires de l'organisation. Les activités de dotation comprennent le processus de recrutement, le processus de sélection ainsi que l'accueil et l'intégration des ressources humaines.

Doter l'organisation de ressources humaines compétentes, capables de relever les défis présents et futurs, fait partie des grandes préoccupations des dirigeants et des profession-nels de la gestion des ressources humaines. C'est pourquoi les activités de dotation doivent viser à attirer des candidats compétents, à mettre en place des mécanismes pour sélectionner les personnes dont le profil correspond aux objectifs et aux valeurs de l'organisation, à mettre en œuvre des stratégies de maintien de l'effectif et à restreindre le roulement. Ce chapitre porte sur le recrutement et les straté-gies de maintien de l'effectif ; le chapitre suivant traitera de la sélection, de l'accueil et de l'intégration des ressources humaines.

5.1

LE PROCESSUS DE RECRUTEMENT

Le recrutement est généralement défini comme le processus visant à fournir un nombre suffisant de candidats qualifiés, parmi lesquels l'organisation pourra choisir les plus aptes à occuper les postes à pourvoir. Autrement dit, le principal objectif du recrute-ment est d'attirer des individus qualifiés. Par ailleurs, le recrutement est tributaire de la capacité de l'organisation à conserver ses employés. La fidélisation des employés exige qu'on mette sur pied des stratégies pour favoriser le maintien des employés compétents et productifs.

Le mot *recrutement* est un terme générique couramment utilisé pour désigner le processus d'embauche. En gestion des ressources humaines, on utilise plutôt le terme *dotation*, qui recouvre les trois phases de ce processus : le recrutement ; la sélection ; l'accueil et l'intégration.

5.1.1 | L'importance du recrutement

En plus de l'objectif principal mentionné plus haut, le recrutement comporte plusieurs objectifs précis (voir l'encadré 5.1), dont l'atteinte favorise l'embauche de candidats qualifiés, leur maintien dans l'entreprise, l'amélioration de la qualité de vie au travail, la diminution du risque de poursuites judiciaires coûteuses, etc. Le recrutement est donc d'une importance capitale pour l'organisation, puisqu'il lui fournit les compé-tences nécessaires à la mise en œuvre de ses stratégies d'affaires[1].

5.1.2 | Les étapes du processus de recrutement

Le processus de recrutement comprend quatre étapes (voir l'encadré 5.2).

À la première étape, on détermine les postes à pourvoir établis selon le processus de gestion prévisionnelle des ressources humaines ou en réponse aux demandes des gestionnaires. La gestion prévisionnelle des ressources humaines joue un rôle essentiel

Les objectifs du recrutement

- Fournir à l'entreprise les effectifs et les compétences dont elle a et aura besoin.
- Augmenter les chances de réussite du processus de sélection et d'intégration des ressources humaines.
- Respecter les normes et les programmes d'équité en emploi.
- Tenir compte des considérations juridiques, sociales et économiques tout au long du processus.
- Réduire le risque de départ hâtif d'employés lié à l'incompatibilité entre les profils d'emplois, les besoins individuels et les valeurs organisationnelles.
- Rehausser l'image de l'entreprise comme bon employeur.
- Augmenter l'efficacité de l'organisation, en particulier de la fonction ressources humaines.

Les étapes du processus de recrutement

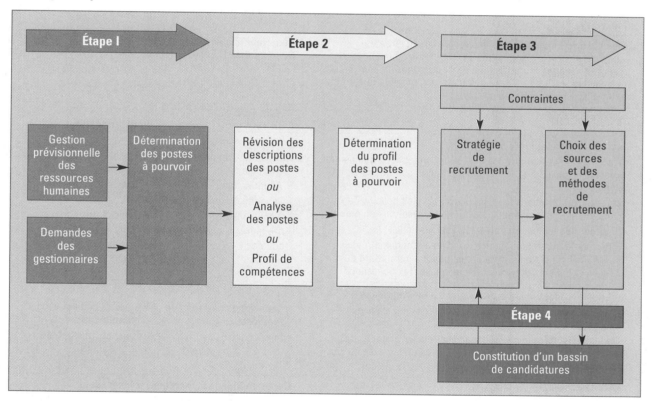

dans le déclenchement du processus de recrutement ; elle permet à l'organisation de cerner ses besoins actuels en main-d'œuvre et d'anticiper ses besoins futurs. On élabore généralement les programmes de recrutement en même temps que les activités de gestion prévisionnelle des ressources humaines afin de déterminer où et comment trouver les candidats qualifiés. Cette planification précise les postes à pourvoir ainsi que les qualifications et les habiletés requises pour les occuper. Elle permet également de décider si les postes seront pourvus à l'externe ou à l'interne.

À la deuxième étape, on détermine les exigences de chaque poste, les conditions d'emploi ainsi que la qualification professionnelle, les aptitudes et le profil de compétences requis. Sans ces données, il serait difficile, voire impossible, de recruter efficacement du personnel. Il faut donc mettre à jour les descriptions des postes existantes ; autrement, il faut faire l'analyse des postes visés pour déterminer les qualifications et les aptitudes, ainsi que les profils de compétences recherchés. Les professionnels de la gestion des ressources humaines élaborent le profil complet de chaque poste à pourvoir : le titre, la raison d'être, le niveau hiérarchique dans l'organisation, les responsabilités, les compétences requises, les indicateurs de performance, les exigences de formation et les caractéristiques recherchées chez le candidat, ainsi que les conditions de travail offertes par l'employeur (voir l'encadré 5.3). Le profil du poste sert ensuite à rédiger l'offre d'emploi (voir l'encadré 5.4).

ENCADRÉ ▶ **5.3**

Exemple de profil de poste : analyste en TI

Nom du titulaire :	
Raison d'être du poste : sous la supervision du directeur, l'analyste en TI est responsable de traduire les demandes des usagers en langage informatique et d'effectuer une analyse de faisabilité de celles-ci. Il est également responsable des architectures fonctionnelles des systèmes en place.	**Supérieur immédiat :** directeur **Subordonné(s) :** aucun

ACTIVITÉS CLÉS	**COMPÉTENCES REQUISES**	**INDICATEURS DE PERFORMANCE**
Analyse informatique (75 %) • Analyser et comprendre les besoins informatiques des usagers. Évaluer la faisabilité fonctionnelle et technique de leurs demandes. • Élaborer des solutions fonctionnelles selon les besoins de l'organisation, tout en assurant l'entretien des systèmes en place. • Effectuer la planification et le suivi des projets. • Effectuer le contrôle de qualité des implantations à réaliser, par le biais de plans, scripts et simulations permettant de minimiser les conséquences négatives sur les opérations.	• Capacité d'analyse et de synthèse • Vulgarisation • Capacité à communiquer • Disponibilité • Aptitude à travailler en équipe	• Atteinte des objectifs fixés en début de projet • Respect des délais • Rigueur • Stabilité des applications • Taux de satisfaction des usagers
Architecture fonctionnelle des systèmes informatiques (25 %) • Planifier l'élaboration d'analyses fonctionnelles liées aux demandes ou projets retenus. • Documenter, faire évoluer et maximiser les architectures en place en fonction des évolutions internes et des mises à jour par les fournisseurs.	• Capacité d'analyse et de synthèse • Rôle conseil	• Stabilité des activités informatiques • Taux de satisfaction des usagers

Formation exigée et expérience • Baccalauréat en informatique et • Cinq ans d'expérience en informatique	**Caractéristiques recherchées à l'embauche** • Connaissances informatiques liées au système AS/400 • Connaissance des outils d'analyse pertinents à ce type de poste • Capacité d'anticiper les besoins ou les demandes des usagers (proactivité) • Bilinguisme (atout)

Source : TECHNO*Compétences*, Comité sectoriel de main-d'œuvre en technologies de l'information et des communications, *Guide de gestion des ressources humaines destiné aux entreprises des technologies de l'information*, p. 32, TECHNO*Compétences*, Emploi Québec et Direction de la planification et du partenariat, Montréal, 2003, www.technocompetences.qc.ca (section Guide et outils).

Exemple d'offre d'emploi

Logo et nom de l'entreprise

POSTE D'ANALYSTE EN TI

Jeune entreprise innovatrice fondée en 1999, [Nom de l'entreprise] conçoit des programmes informatiques destinés à la réalisation d'animations cinématographiques. Chef de file dans son domaine tant à l'échelon national qu'à l'échelon international, l'entreprise est en pleine expansion.

Nous sommes présentement à la recherche d'un analyste en TI qui aura pour fonctions principales la construction, la modification et l'application des normes de programmes informatiques.

Qualifications requises

- Baccalauréat en informatique
et
- Cinq ans d'expérience en informatique

Caractéristiques recherchées

- Connaissances informatiques liées au système AS/400
- Connaissance des outils d'analyse pertinents à ce poste
- Bilinguisme (atout)

Les candidats intéressés devront faire parvenir leur curriculum vitæ au service du personnel avant le 10 mars.

- Par courriel, à courriel@nom.ca
- Par télécopieur, au (000) 000-0000
- Par la poste, à l'adresse suivante :

  Nom de l'entreprise
  Service du personnel
  Adresse

Source : TECHNO*Compétences*, Comité sectoriel de main-d'œuvre en technologies de l'information et des communications, *Guide de gestion des ressources humaines destiné aux entreprises des technologies de l'information*, p. 34, TECHNO*Compétences*, Emploi Québec et Direction de la planification et du partenariat, Montréal, 2003, www.technocompetences.qc.ca (section Guide et outils).

À la troisième étape, on détermine la stratégie, les sources et les méthodes de recrutement, en tenant compte des catégories de postes et des contraintes de recrutement (voir les sections 5.2 et 5.3).

La quatrième étape consiste à constituer un bassin de candidats qui répondent aux exigences, ce qui permet d'enclencher le processus de sélection (voir la section 6.1).

5.2

LES STRATÉGIES, LES SOURCES ET LES MÉTHODES DE RECRUTEMENT

Après avoir dressé le profil des postes vacants, il faut choisir les moyens qui permettent le plus efficacement de recueillir en un laps de temps donné les candidatures de personnes compétentes.

5.2.1 | Les stratégies de recrutement

Avant de choisir une méthode de recrutement, il faut recueillir de l'information sur le marché du travail afin de mieux cibler les sources de ce recrutement. On peut trouver de l'information en rapport avec les postes vacants auprès d'organismes publics chargés de tenir des statistiques sur la situation du marché du travail et auprès d'associations professionnelles ou industrielles. Au Québec, les publications de plusieurs ministères et organismes fédéraux ou provinciaux peuvent s'avérer utiles : Ressources humaines et Développement social Canada, le ministère du Travail du Québec, le ministère de l'Emploi et de la Solidarité sociale du Québec et l'Institut de la statistique du Québec. Les employés qui y travaillent, en particulier les chercheurs, soutiennent les employeurs dans leurs efforts de recrutement. Statistique Canada, par exemple, publie régulièrement sur son site des informations relatives aux caractéristiques de la main-d'œuvre nationale, provinciale, et même régionale ; l'organisme y fait état du nombre de postes vacants au pays.

Après avoir dressé la liste des employés en place susceptibles de satisfaire aux exigences des postes vacants, il faut choisir entre le recrutement interne ou externe. Les principaux avantages du recrutement interne sont le faible coût, la satisfaction des employés et la possibilité de garder le personnel qualifié et prometteur.

CONSULTEZ INTERNET

www.rhdsc.gc.ca
Site de Ressources humaines et Développement social Canada.

www.statcan.ca
Site de Statistique Canada.

www.stat.gouv.qc.ca
Site de l'Institut de la statistique du Québec.

www.mess.gouv.qc.ca
Site du ministère de l'Emploi et de la Solidarité sociale du Québec.

www.travail.gouv.qc.ca
Site du ministère du Travail du Québec.

Il y a cependant des inconvénients au recrutement interne. D'abord, il peut susciter des conflits entre employés et miner la crédibilité du système quand la direction choisit à l'avance les candidats pour les promotions ou les mutations. Ensuite, il peut être particulièrement difficile de choisir entre deux ou trois employés dont les compétences sont équivalentes. De plus, un employé dont on ne retient pas la candidature peut se sentir lésé, surtout s'il n'y a pas été préparé. Enfin, la relation entre le supérieur et le subordonné peut être compromise lorsqu'un employé pose fréquemment sa candidature à un poste hors de son unité de travail. À ces considérations s'ajoute la possibilité de ne pas trouver le candidat idéal parmi les employés en poste. On peut mentionner d'autres inconvénients : le faible renouvellement de la main-d'œuvre ainsi que l'amenuisement des perspectives et des centres d'intérêt organisationnels. Par ailleurs, en période de croissance rapide, la pénurie de gestionnaires peut entraîner des promotions sans rapport avec les compétences des employés et, par conséquent, des problèmes de rendement au travail.

Le recrutement externe permet, bien sûr, d'éviter plusieurs de ces inconvénients. Il est aussi possible d'allier la mobilité interne au recrutement externe. Par ailleurs, certaines entreprises ont tendance à privilégier l'une des deux sources pour embaucher des candidats d'un type particulier. Par exemple, on recourt au recrutement externe pour l'embauche de professionnels ou de gestionnaires hautement qualifiés. Une fois la stratégie de recrutement définie, les recruteurs sont appelés à choisir la méthode de recrutement appropriée.

5.2.2 | Le recrutement à partir du bassin organisationnel interne

Les sources internes de recrutement sont les employés de l'organisation qui peuvent être candidats aux postes vacants par voie de promotion, de rétrogradation ou de mutation. Une fois que le poste vacant a été annoncé, on déclenche le processus de recrutement interne, semblable au processus de recrutement externe.

Examinons les méthodes qui permettent de pourvoir les postes vacants à partir de candidatures à l'interne.

L'AFFICHAGE DES POSTES

L'affichage d'un poste vacant consiste à publier un avis pour inviter les employés intéressés à poser leur candidature. Cette méthode offre des chances égales d'avancement à tous les employés en les informant des emplois vacants qui peuvent correspondre à leurs aspirations dans l'entreprise.

Autrefois, on affichait les postes sur des tableaux prévus à cet effet. De nos jours, on informe les employés des postes vacants par des bulletins, des courriels ou encore des annonces verbales au cours d'une réunion. Les entreprises qui disposent d'un intranet privilégient ce moyen pour informer leur personnel sur les postes vacants. En règle générale, on affiche tous les postes vacants, à l'exception des postes de direction, en indiquant l'échelon et l'échelle de salaire. L'affichage des postes comporte plusieurs avantages : il stimule le moral des employés et leur offre une variété de postes ; il favorise l'harmonisation des compétences individuelles et des besoins de l'organisation ; il permet de pourvoir des postes à un coût relativement bas.

LA PROMOTION

Une promotion correspond à l'affectation d'un employé à un poste dont le niveau hiérarchique et le salaire sont plus élevés. Plusieurs raisons militent en faveur de la promotion interne. En premier lieu, les employés de l'entreprise sont souvent mieux préparés à un poste que les nouveaux arrivants, même de niveau plus élevé, puisque la plupart des postes requièrent généralement une certaine connaissance de l'organisation (personnel, politiques, caractéristiques, etc.). En deuxième lieu, un employé qui bénéficie d'avancement se sent plus valorisé et associe volontiers ses intérêts à long terme avec ceux de l'organisation. Enfin, les promotions incitent les employés à fournir un meilleur rendement et elles permettent à l'organisation d'économiser temps et argent.

LA MUTATION OU LE DÉPLACEMENT

La mutation et le déplacement (sous l'influence de l'anglais, on utilise encore parfois le mot *transfert* dans ce sens) sont d'autres formes de recrutement interne : on affecte un employé à un autre poste, de même niveau hiérarchique ou professionnel, avec un salaire identique, donc sans promotion. Précisons que la mutation se fait à la demande de l'employé ou avec son accord, alors que le déplacement est imposé par l'employeur.

La mutation permet aux employés d'acquérir une vision d'ensemble de l'organisation et l'expérience nécessaire pour une éventuelle promotion ; soulignons qu'elle peut être géographique et nécessiter le relogement de l'employé. Selon la tendance actuelle, la mutation ou le déplacement dans une autre localité ne sont pas très appréciés, notamment des employés qui font partie d'un couple à deux carrières. Pour résoudre les problèmes qui en découlent, les entreprises recourent à des conseillers en mobilité ou offrent un programme de relogement.

LA ROTATION DES POSTES

Alors que la mutation a un caractère permanent, la rotation des postes est habituellement temporaire. C'est une pratique particulièrement utile dans un processus d'acquisition de compétences, puisque les employés sont appelés à apprendre de nouveaux aspects techniques et à parfaire leur connaissance de l'ensemble du processus de production dans leur organisation. La rotation des postes est un bon moyen de sensibiliser les gestionnaires débutants aux rouages de l'organisation et elle facilite le remplacement temporaire des employés susceptibles de s'absenter pour diverses raisons. De plus, elle joue un rôle important dans la gestion des carrières (voir la section 9.4).

LE RÉEMBAUCHAGE OU LE RAPPEL AU TRAVAIL

Chaque semaine, des milliers d'employés sont temporairement licenciés, alors que d'autres sont rappelés au travail. Le réembauchage d'un ancien employé est un moyen relativement peu coûteux et efficace de pourvoir un poste vacant. L'entreprise possède des informations sur le rendement, l'assiduité et le comportement général de ses anciens employés. En outre, ces derniers ont une bonne connaissance des responsabilités rattachées à leur poste et ils fournissent souvent un meilleur rendement que les employés recrutés au moyen d'autres sources.

Le réembauchage et le rappel d'anciens employés conviennent tout à fait aux entreprises qui subissent des fluctuations saisonnières de main-d'œuvre. Cependant, le recours généralisé au réembauchage peut se révéler peu efficace à la longue, à cause de la fragilité du lien qui unit l'employé à l'entreprise. En effet, entre les rappels, le travailleur qualifié a suffisamment de temps pour se trouver un autre emploi, parfois même dans une entreprise concurrente.

Dans le contexte du vieillissement de la main-d'œuvre, le rappel des employés retraités constitue un moyen de recrutement efficace, puisque des personnes d'expérience peuvent reprendre temporairement leur poste pour répondre aux carences en main-d'œuvre[2].

LE RÉPERTOIRE DES COMPÉTENCES

Une autre méthode de recrutement interne consiste à constituer un répertoire des compétences de tout le personnel grâce à l'information contenue dans les dossiers individuels. Cette approche, qui facilite l'identification des candidats dont les compétences correspondent aux exigences du poste vacant, requiert beaucoup de temps et d'effort. Toutefois, on peut simplifier la tâche en utilisant un système d'information sur les ressources humaines (SIRH) ou un système de gestion des ressources humaines (SGRH). Le répertoire comprend habituellement, pour chaque employé, son nom, son numéro matricule, la classification de son poste, ses emplois antérieurs, son expérience, ses connaissances et aptitudes particulières, sa scolarité, ses permis de travail, ses attestations, son niveau de salaire, ses résultats aux évaluations de rendement et la liste de ses préférences en matière d'emploi.

L'APPARIEMENT DES EMPLOIS

L'appariement des emplois consiste à mettre en parallèle les postes disponibles et les candidats en déterminant le plus précisément possible, pour chaque candidat, ses aptitudes, ses habiletés, sa personnalité, ses intérêts et ses préférences. Pour répondre à ses besoins de recrutement, de sélection et de placement, l'entreprise a intérêt à informatiser le processus d'appariement, tant pour les postes existants que pour les nouveaux postes. On utilise souvent ce système pour trouver un poste aux employés qui désirent changer d'emploi afin de s'adapter à l'évolution technologique ou à toute autre forme de réorganisation du travail. L'appariement permet aussi de s'assurer qu'on n'a oublié aucun employé de l'entreprise avant de procéder au recrutement externe.

Le système d'appariement des emplois a deux composantes majeures : les profils des postes et les profils des candidats. Un profil de poste consiste en une description détaillée d'un poste et de ses exigences. Dans le cas du candidat, le profil décrit ses compétences, son expérience, ses intérêts et ses préférences en matière d'emploi. En pratique, la mise en parallèle de ces deux types de profils permet à l'organisation de découvrir un plus grand nombre de candidats potentiels pour un poste donné.

5.2.3 | Le recrutement sur le marché du travail

Le recrutement interne ne fournit pas toujours le nombre de candidats souhaité, particulièrement lorsque l'entreprise connaît une croissance rapide ou a un besoin urgent de gestionnaires et de professionnels hautement qualifiés. L'entreprise doit alors recourir au recrutement externe, qui comporte plusieurs avantages. D'abord, il permet de s'adjoindre des employés ayant des idées neuves. De plus, il est rentable d'embaucher un professionnel déjà formé, surtout quand on recherche une qualification rare sur le marché de l'emploi. Enfin, le recrutement externe permet de pourvoir les emplois temporaires, qui procurent à l'organisation une plus grande flexibilité que les emplois permanents. Examinons maintenant les méthodes grâce auxquelles on peut pourvoir les postes vacants à partir de candidatures à l'externe.

LE PROGRAMME DE RECOMMANDATION DE CANDIDATS

La recommandation de candidats se fait essentiellement de bouche à oreille, sans recours à la publicité. Un tel programme propose aux employés de participer à la recherche de candidats qualifiés en contrepartie d'une rétribution. Il a été prouvé que cette méthode, très populaire dans les situations de pénurie de main-d'œuvre, est la moins coûteuse par candidat embauché, même si la plupart des candidatures soumises sont externes. Elle s'appuie sur le fait que les employés connaissent bien leur organisation, en particulier le contenu et les exigences des postes à pourvoir. Comme le processus de recrutement implique un aspect de « vente », les employés sont probablement les mieux placés pour conclure ce genre de marché[3].

Pour être efficace, le programme de recommandation de candidats doit être assorti de primes aux employés ; celles-ci varient de 150 $ à 2000 $ par candidat embauché à la suite d'une recommandation. Cette approche permet de recruter des personnes qui ne recherchent pas nécessairement un nouvel emploi. Par ailleurs, elle facilite l'intégration des nouveaux employés, puisque c'est souvent la personne qui recommande un individu qui se chargera de son intégration. On utilise fréquemment la prime (ou gratification) de recommandation pour trouver des professionnels (comptables, avocats, etc.) et du personnel spécialisé (techniciens, opérateurs, etc.). Le programme peut viser une seule ou toutes les catégories de main-d'œuvre dans l'organisation.

Soulignons que les programmes de recommandation réduisent le taux de roulement du personnel, puisque les individus savent à quoi s'attendre. Par contre, il faut veiller à ce que cette pratique ne débouche pas sur le népotisme ou sur la formation de « cliques », ce qui pourrait évidemment nuire au rendement des employés.

LA COMMUNICATION DIRECTE AVEC L'EMPLOYEUR

CONSULTEZ INTERNET

jb-ge.hrdc-drhc.gc.ca
Guichet emplois de Service Canada, réseau d'offres d'emploi.

Il arrive souvent que des personnes prennent l'initiative de soumettre leur candidature au service des ressources humaines d'une organisation pour laquelle elles souhaitent travailler. Cette méthode est aussi relativement souple, peu coûteuse et bénéfique pour la stabilité du personnel embauché. Toutefois, un candidat non recommandé connaît généralement moins bien les emplois disponibles et les employés en place ne recommandent habituellement que les candidats les plus qualifiés.

La communication directe avec l'employeur est une source passive de recrutement, elle ne permet pas de cibler des compétences. Pour pallier cet inconvénient, l'employeur peut organiser des journées portes ouvertes et les annoncer dans les journaux locaux ou nationaux. On attire ainsi un grand nombre de candidats dont on peut évaluer le profil sur place en leur faisant passer une entrevue.

LES CENTRES D'EMPLOI GOUVERNEMENTAUX

Les gouvernements fédéral et provinciaux ont mis sur pied des centres d'emploi destinés aux employeurs et aux chercheurs d'emploi. Au Québec, ces services de placement sont coordonnés par Ressources humaines et Développement social Canada et par Emploi Québec. On a créé récemment une banque d'emplois informatisée reliée à chaque centre d'emploi provincial. Les employeurs peuvent faire parvenir au centre d'emploi leurs postes à pourvoir. Les personnes intéressées par un poste rencontrent un conseiller du centre d'emploi qui sélectionne, grâce à des entrevues, le candidat le plus qualifié pour occuper le poste et le recommande ensuite à l'entreprise.

LES AGENCES DE PLACEMENT PRIVÉES

Les agences de placement privées s'adressent à deux grandes catégories de candidats : d'une part, les travailleurs spécialisés ; d'autre part, les cadres et les professionnels. Les ressources de ces agences facilitent la tâche aux employeurs en les aidant à sélectionner les candidats les plus aptes à occuper les postes spécialisés vacants. En matière de recherche de cadres, les agences privées n'ont cessé de se multiplier au Canada au cours des dernières décennies. Les frais exigés pour leurs services peuvent atteindre 33 % du salaire annuel total de la personne engagée. Ces firmes ont habituellement une vaste clientèle. Leur leitmotiv est que le meilleur candidat à un poste n'est pas nécessairement celui qui cherche un emploi. Leurs dirigeants, communément appelés « chasseurs de têtes », présument qu'il est toujours possible de mettre la main sur un candidat de choix si la structure et la rémunération du poste sont intéressantes.

DANS LES FAITS

Depuis deux ans, la recherche de cadres pose un réel défi aux cabinets de recrutement. « Auparavant, les recherchistes faisaient entre cinquante et soixante appels pour trouver deux candidats. Aujourd'hui, ils en font entre 300 et 400. Et, à la fin du processus, il faut vendre l'employeur aux candidats retenus », explique Louise Martel, associée chez Raymond Chabot Ressources humaines à Montréal[4].

LES AGENCES DE PLACEMENT TEMPORAIRE

Alors que les agences de placement privées recrutent des candidats intéressés par des postes à temps plein, les agences de placement temporaire recrutent les individus à la recherche d'un poste temporaire ou à temps partiel. Ces agences constituent généralement le moyen le plus facile pour trouver des travailleurs spécialisés désireux d'occuper des postes temporaires. Les petites entreprises qui ne peuvent pas consacrer beaucoup de temps au recrutement peuvent faire appel à ces agences. Avec l'évolution du marché du travail et le recours de plus en plus soutenu à une main-d'œuvre temporaire, ce type d'agence connaît une grande expansion. L'utilisation de personnel temporaire permet à l'organisation d'alléger la tâche des employés permanents en période de surcharge de travail, de se procurer la main-d'œuvre nécessaire pour des projets spéciaux ou de remplacer les employés absents (maladie, vacances, etc.).

LES ASSOCIATIONS PROFESSIONNELLES ET LES SYNDICATS

Dans certains secteurs, comme l'industrie de la construction, les travailleurs spécialisés sont recrutés par leur syndicat. C'est un mode de recrutement pratique pour les travailleurs saisonniers. Les associations professionnelles sont également d'importantes sources de recrutement. En effet, elles peuvent annoncer les postes vacants dans leur bulletin ou dans une circulaire, sur leur site Internet ou à l'occasion de leurs activités. Les assemblées annuelles sont de bonnes occasions de rencontres entre les employeurs et les candidats. Certains ordres professionnels et certains établissements scolaires organisent ainsi des salons de l'emploi. Bien sûr, on ne consacre que peu de temps aux entrevues ; ces salons ne constituent qu'une étape préliminaire du processus de recrutement, mais ils contribuent efficacement à l'embauche.

LES ÉTABLISSEMENTS D'ENSEIGNEMENT

Les collèges, les universités et les établissements d'enseignement technique ou professionnel constituent une importante source de recrutement. Dans les universités, on considère généralement que les programmes de recrutement de nouveaux diplômés suscitent beaucoup d'intérêt chez les étudiants à la recherche de leur premier emploi, c'est pourquoi on met à leur disposition des services d'orientation et de placement. Les entreprises peuvent y recruter des stagiaires ou des apprentis afin d'assurer la relève de leurs gestionnaires[5]. Les employeurs doivent évidemment consacrer du temps au recrutement du stagiaire qui s'adaptera le mieux à la culture de leur organisation. Il est indispensable aussi de bien définir ses tâches et de l'encadrer tout en lui proposant un défi éducatif et professionnel intéressant[6].

DANS LES **FAITS**

Au Québec, l'industrie ferroviaire compte 6 500 emplois directs ; près de 900 de ces travailleurs pourraient avoir pris leur retraite d'ici 2008. Le salaire annuel moyen des employés dépasse 62 000 $. Malgré les salaires attrayants, la relève se fait rare à cause des conditions de travail difficiles, en particulier des longues périodes en région éloignée. Pierre Fallu, président de la Société de promotion de l'industrie ferroviaire du Québec, souligne que les jeunes travailleurs se préoccupent de leur qualité de vie. Selon lui, si la main-d'œuvre est difficile à recruter, la former représente aussi un défi de taille. « Ce qu'on essaie de faire, c'est d'une part, pour la formation en préemploi, de se rapprocher des établissements d'enseignement pour qu'ils puissent ajouter un volet ferroviaire à leur formation. Il y a des commissions scolaires au Québec qui donnent des très bons programmes en mécanique diesel ou en mécanique d'engins de chantier », explique-t-il[7].

LES MÉDIAS

www.monster.ca
www.jobboom.com
Sites populaires de recherche d'emploi.

Certaines entreprises cherchent à pourvoir diverses catégories de postes par un recrutement intensif dans les médias, que ce soit à la télévision, à la radio, dans les journaux régionaux ou dans les journaux à grand tirage, tels que *La Presse* ou *Les Affaires*. Traditionnellement, on choisit les quotidiens parce qu'il est possible d'y annoncer un grand nombre de candidatures à un coût relativement peu élevé, que les postes vacants soient peu ou très spécialisés. Contrairement aux quotidiens, les publications spécialisées (journaux et revues) permettent de cibler des groupes, professionnels ou autres ; les annonces y sont généralement plus soignées. On annonce également les postes sur des sites Internet ; les candidats intéressés peuvent alors répondre par courrier électronique.

carrieres.lesaffaires.com
Section du journal *Les Affaires* consacrée aux offres d'emploi.

La préparation d'une annonce exige un grand soin, étant donné qu'elle doit refléter clairement les exigences du poste et le profil recherché. L'annonce est le reflet de l'entreprise et de ses valeurs, on doit donc y présenter l'organisation sous son meilleur jour de façon à susciter les candidatures. Une annonce mal formulée risque de donner lieu à d'innombrables candidatures dont le profil de compétences ne correspond pas au poste et dont le traitement sera une perte de temps.

LE RECRUTEMENT INFORMATISÉ

Les entreprises de recrutement informatisé maintiennent à jour deux listes : les postes vacants et les candidats. Certaines firmes proposent une banque de données montée à partir d'informations de sources diversifiées. Grâce à un terminal, les clients peuvent sélectionner les candidats intéressants en quelques minutes ; il faudrait sept ou huit heures de recherche par les moyens habituels pour arriver au même résultat. La recherche peut se faire en ligne ou à partir d'un cédérom mis à jour régulièrement.

INTERNET

Internet se trouve au cœur des stratégies de recrutement. Grâce à ce réseau de communication, l'entreprise peut recevoir des candidatures du monde entier et retenir rapidement celles qui répondent à ses exigences. Cette méthode de recrutement devient incontournable[8]. Internet aide les candidats à se procurer une foule de renseignements sur le poste vacant et le profil recherché, sur l'entreprise et sa culture, etc. Le site Internet d'une entreprise doit consacrer aux postes à pourvoir une section bien définie et accessible à partir de la page d'accueil. Des entreprises intègrent même dans leur site Internet des témoignages d'employés. Internet n'est cependant pas une panacée. Il ne suffit pas d'afficher un poste sur le site de l'entreprise : il faut inciter les candidats éventuels à consulter ce site en publiant une annonce soit dans les journaux, soit sur des sites Internet de recherche d'emploi.

Grâce à Internet, l'entreprise peut toucher rapidement un très grand nombre de candidats. De la même façon, les personnes intéressées peuvent poser leur candidature à de nombreux postes en peu de temps. L'entreprise doit donc réagir rapidement aux candidatures soumises pour éviter de se priver d'aspirants intéressants qui postulent à plusieurs postes. C'est pourquoi il faut pouvoir gérer beaucoup d'information et mener rondement les processus de sélection et de prise de décision.

LES ACQUISITIONS ET LES FUSIONS D'ENTREPRISES

Les acquisitions et les fusions d'entreprises augmentent de façon significative la réserve de candidats potentiels pour les postes vacants. En effet, bon nombre d'employés ne pourront être immédiatement intégrés à la nouvelle organisation. On disposera donc d'une banque d'employés qualifiés afin de pourvoir les postes vacants. Les postes anciens ou inchangés seront pourvus par les candidats les plus qualifiés qui occupaient un poste équivalent au sein de l'organisation.

Contrairement aux autres méthodes de recrutement externe, celle-ci élargit rapidement la réserve de candidats hautement qualifiés et facilite considérablement la gestion prévisionnelle des ressources humaines. De plus, cette soudaine abondance de talents peut permettre à l'organisation de lancer de nouveaux produits ou services. Cependant, cette situation implique le déplacement d'un grand nombre d'employés et leur intégration rapide dans la nouvelle entité. Pour cette raison, il faut relier étroitement ce type de recrutement aux activités de planification et de sélection des ressources humaines.

5.2.4 | L'efficacité des méthodes de recrutement

Quelle est la méthode la plus adaptée au recrutement de candidats pour telle ou telle catégorie de postes ? Une étude menée par le Bureau of National Affairs montre que l'efficacité des méthodes varie selon le type de postes vacants. Par exemple, le recours aux agences privées se révèle très efficace dans le secteur de la vente, dans celui des services professionnels et techniques ainsi que pour le personnel cadre, tandis que les démarches entreprises par l'organisation s'avèrent plus efficaces lorsqu'il s'agit d'emplois de bureau et d'usine[9].

L'analyse coûts-bénéfices des méthodes de recrutement n'est pas toujours facile à effectuer. Par exemple, si les frais de déplacement et de séjour ainsi que le salaire d'un recruteur envoyé sur un campus sont assez faciles à déterminer, les avantages tirés de cette même activité sont difficiles à mesurer et plus difficiles encore à estimer sur le plan monétaire. Le fait qu'un candidat embauché reste longtemps à son poste constitue-t-il un avantage découlant du recrutement? Si c'est le cas, comment l'évaluer? Comment convertir en dollars la valeur du maintien d'un employé?

En fait, il est plutôt illusoire de vouloir évaluer en dollars les bénéfices liés au recrutement. Il est cependant possible de mesurer la durée d'embauche propre à chaque méthode de recrutement et d'analyser ces résultats en fonction des coûts. Un autre mode d'évaluation consiste à déterminer, pour chaque catégorie de postes, le nombre de candidats qualifiés que chaque méthode a permis d'embaucher. Ainsi, pour une catégorie donnée de postes, la méthode liée au taux d'embauche le plus élevé est considérée comme la plus efficace, même si ce n'est pas la moins coûteuse.

5.3

LES ASPECTS À CONSIDÉRER DANS LE PROCESSUS DE RECRUTEMENT

Quand vient le temps de choisir les stratégies et les méthodes de recrutement, il faut tenir compte de plusieurs contraintes, notamment des pratiques de l'entreprise, des conditions économiques et des contraintes juridiques. Examinons-les brièvement[10].

5.3.1 | Les politiques de l'entreprise

Les politiques et les programmes de ressources humaines peuvent constituer des contraintes ou des balises dont il faut tenir compte avant d'enclencher le processus de recrutement.

Certaines entreprises privilégient le recrutement interne, quel que soit le poste à pourvoir ou le profil recherché. Ce genre de politique de recrutement, malgré les avantages qu'elle comporte, peut retarder passablement l'embauche d'un candidat, puisqu'on ne déclenche le recrutement externe qu'après avoir constaté l'absence de candidat adéquat à l'interne. La politique de rémunération est aussi une contrainte, puisqu'elle influe directement sur l'attrait d'un poste aux yeux des candidats éventuels. La gestion prévisionnelle des ressources humaines permet de réduire l'effet de ces contraintes, puisqu'on peut déterminer les stratégies de recrutement en tenant compte des compétences des employés en place.

Par ailleurs, le statut de l'emploi influe sur les moyens de recrutement. Par exemple, le recrutement des employés temporaires de certains organismes publics ne se conforme pas au même processus que celui des employés permanents, qui se fait par voie de concours.

Dans une entreprise internationale, le recrutement est souvent assujetti aux pratiques organisationnelles, qui peuvent encourager l'expatriation des employés, le recrutement local, ou encore l'engagement de candidats d'un pays tiers, c'est-à-dire issus d'un pays autre que celui du siège social ou de la filiale.

Enfin, la politique budgétaire de l'entreprise, qui dépend de sa capacité de payer et qui détermine le budget du recrutement, influe nécessairement sur le choix des méthodes et sur le temps alloué au processus.

5.3.2 | Les conditions socioéconomiques et le marché du travail

On sait que les incitatifs, pécuniaires ou non pécuniaires, renforcent l'attrait de l'organisation en matière de recrutement. C'est pourquoi les professionnels de la gestion des ressources humaines doivent tenter d'offrir des conditions comparables à celles des concurrents. Or, ce qui représente un avantage pour le candidat constitue une contrainte pour l'organisation si celle-ci n'est pas en mesure de l'offrir. Pour rester compétitive dans sa recherche de candidats, l'organisation doit donc concevoir des incitatifs non pécuniaires en compensation de l'absence ou de la faiblesse des incitatifs pécuniaires. Parmi ces incitatifs non pécuniaires, on compte l'horaire flexible, un milieu de travail stimulant et la possibilité de développer ses compétences. Voilà autant d'attraits qu'il faut faire connaître aux candidats qui sont à la recherche d'un premier emploi ou d'un nouvel environnement de travail.

L'indice de croissance et la performance financière de l'organisation constituent d'autres contraintes associées au recrutement. Par exemple, dans les années 1990, de nombreuses organisations ont procédé à un gel de l'embauche, tout en annonçant à l'interne plusieurs postes vacants. Une telle mesure entraîne une surcharge de travail pour les employés en place et fragilise l'équilibre de la pyramide des âges en augmentant la proportion de personnes plus âgées dans certains secteurs.

Gel de l'embauche

Suspension du processus de dotation pour une durée déterminée, généralement pour des raisons économiques.

Des statistiques récentes mettent en évidence un autre problème : la pénurie croissante de travailleurs qualifiés ou spécialisés, main-d'œuvre jugée essentielle dans le contexte de la mondialisation des marchés. Les organisations doivent élaborer de nouvelles stratégies de recrutement. Il leur faudra délaisser les approches traditionnelles (par exemple, les annonces dans les journaux) et utiliser davantage des moyens dérivés des systèmes d'information ou d'autres moyens, plus innovateurs. Les employeurs devront donc faire preuve d'une plus grande créativité dans leurs méthodes de recrutement.

Le partenariat entre les organisations et les milieux de l'éducation dans l'élaboration de programmes adaptés au marché du travail permet de recruter des finissants dont on sait qu'ils détiennent les connaissances et les compétences requises. Les organisations peuvent aussi décider de rechercher à l'échelle internationale des candidats compétents. Les accords avec les gouvernements facilitent l'émission des permis de travail. La constitution d'une liste de rappel des retraités constitue un moyen efficace de pourvoir des postes temporaires ou à temps partiel, tout en permettant aux employés plus âgés de bénéficier d'un revenu supplémentaire. Au cours de la dernière décennie, ces divers moyens sont devenus de plus en plus populaires parce qu'ils sont adaptés à la fois aux besoins des organisations et aux attentes des individus à la recherche d'un emploi[11].

Le marché du travail est de plus en plus diversifié. Le nombre d'immigrants et leurs difficultés d'intégration ajoutent aux contraintes associées au recrutement. Au Québec, les minorités visibles représentent 10 % de la main-d'œuvre. Les groupes généralement visés par des mesures spéciales d'intégration au marché du travail sont les femmes, les personnes handicapées, les allophones et les autochtones. Malgré la pénurie de main-d'œuvre dans certains secteurs, les préjugés à l'égard de ces groupes nuisent à leur intégration. Il faut tenir compte de cette réalité pour recruter conformément aux lois sur l'accès à l'égalité et sur la non-discrimination. Par ailleurs, on doit privilégier les moyens de recrutement susceptibles d'inciter davantage ces personnes à postuler, comme les annonces dans les journaux communautaires, les recommandations d'employés en poste, etc.[12]

Notons également qu'il faut concilier les stratégies et les moyens de recrutement non seulement avec les aptitudes des employés, mais aussi avec leur personnalité, leurs intérêts et leurs goûts. Le niveau de scolarité de plus en plus élevé et les différences intergénérationnelles de plus en plus marquées obligent les employeurs à faire preuve d'une plus grande souplesse et d'une plus grande capacité d'adaptation. Qu'ils soient jeunes ou moins jeunes, les gens recherchent des emplois propices au développement de leurs compétences, à l'équilibre de leur vie professionnelle et personnelle, à l'exercice de leur autonomie et à la stabilité. Pour leur part, les employeurs recherchent des employés polyvalents et capables d'assumer davantage de responsabilités ; ces personnes occuperont plusieurs postes différents avant de gravir les échelons de la hiérarchie organisationnelle[13].

5.3.3 | Les contraintes juridiques

Il est d'une importance capitale de tenir compte des contraintes juridiques tout au long du processus de recrutement. Il s'agit principalement des programmes d'accès à l'égalité et des dispositions de la *Charte canadienne des droits et libertés*. Nous examinerons ces contraintes en détail dans la section 12.1.

5.4

LES ACTIONS ORGANISATIONNELLES VISANT À FAVORISER LE RECRUTEMENT

Pour favoriser le recrutement, on peut mettre en œuvre diverses stratégies portant sur la planification du processus, l'élaboration d'une politique claire sur le traitement des candidatures, la communication d'une information réaliste et honnête au candidat et le maintien de l'image de marque.

5.4.1 | La planification chronologique du processus de recrutement

Dans certains secteurs comme l'éducation, le recrutement suit un cycle périodique ; les organisations ont alors la possibilité d'en devancer ou d'en retarder le processus. Si l'on tient pour acquis que la plupart des candidats évaluent les offres d'emploi au rythme de leur parution, les organisations augmentent sensiblement leurs chances d'attirer des candidats hautement qualifiés en lançant très tôt le processus de recrutement. Par exemple, les entreprises qui utilisent des techniques de pointe commencent à recruter au moment des stages de formation d'été. Certaines organisations audacieuses délaissent les entrevues traditionnelles du trimestre universitaire d'hiver et invitent plutôt dès le trimestre d'automne les candidats les plus qualifiés à se présenter à leur siège social. Enfin, la plupart des grandes firmes comptables embauchent des candidats avant la fin de l'année scolaire.

De telles stratégies visent à inciter les diplômés talentueux à s'associer à une entreprise avant même qu'ils aient pu être contactés par les organisations concurrentes. Les entreprises qui attendent les entrevues du trimestre d'hiver ou dont le processus de recrutement est très long se trouvent alors dans une position de faiblesse par rapport aux entreprises qui recrutent de façon plus dynamique.

5.4.2 | L'élaboration d'une politique d'acceptation des offres

Le délai de réponse des offres d'emploi est un autre facteur à considérer. L'absence de date limite pour la réponse est désavantageuse pour l'organisation, qui se trouve en quelque sorte à la merci des candidats qui n'ont pas encore exploré toutes les possibilités d'emploi. Une telle situation favorise les demandeurs d'emploi et place l'entreprise dans une position difficile : elle ne peut pas faire d'offre à d'autres candidats tant qu'elle n'a pas reçu la réponse de la personne qui correspond à son premier choix[15].

5.4.3 | La communication de l'information sur le poste et sur l'organisation

Le processus de recrutement traditionnel vise à faire coïncider les qualifications, les connaissances et les habiletés d'un candidat avec les exigences du poste à pourvoir. Récemment, on a ajouté à ces éléments la personnalité, les intérêts et les préférences du candidat, ainsi que les valeurs de l'organisation.

À cet égard, l'entrevue de sélection est un élément clé du processus de recrutement, même si elle suit l'étape du recrutement proprement dit. Il est donc essentiel que l'organisation fournisse des renseignements réalistes sur elle-même afin d'éviter de décevoir les candidats, ou même de les amener à retirer leur candidature. L'entrevue doit donc confirmer l'information fournie à l'étape du recrutement et renforcer ainsi le désir d'appartenance chez le candidat ; sur ce plan, une mauvaise entrevue risque de faire fuir les bons candidats[16].

5.4.4 | Le maintien de l'image de marque

La perte d'un emploi peut être une expérience traumatisante. La vague de rationalisation qui a déferlé en Amérique du Nord pendant les deux périodes de récession consécutives, dans les années 1980 et 1990, a provoqué un licenciement massif dans de nombreuses entreprises. La manière dont les entreprises ont géré leur décroissance ou ont traité leurs employés a préservé ou terni leur image de marque sur le marché du travail. Le climat de travail et ce que les employés en disent participent à l'image de l'entreprise. La réputation d'une organisation influe indéniablement sur sa capacité d'attirer des candidats qualifiés. Or, la plupart des personnes préfèrent certainement travailler pour une entreprise ayant une saine gestion des ressources humaines[17].

5.5 LES STRATÉGIES D'ATTRACTION ET DE FIDÉLISATION DES EMPLOYÉS

De façon évidente, le recrutement est un processus difficile et coûteux pour l'entreprise. Par conséquent, la réduction des besoins en matière de recrutement grâce à des pratiques qui visent à retenir les employés et à encourager leur loyauté peut s'avérer une stratégie gagnante et un investissement rentable pour l'organisation. Examinons d'abord les causes du roulement volontaire et, ensuite, les stratégies de fidélisation des employés[18].

5.5.1 | Les causes du roulement volontaire

Pour attirer des candidats compétents, l'entreprise doit s'intéresser à eux, elle doit chercher à comprendre leurs besoins et s'efforcer d'y répondre. L'examen des causes des départs volontaires peut mener à l'élaboration de meilleures pratiques d'attraction et de fidélisation des employés.

Vandenberghe[19] a recensé trois approches théoriques susceptibles d'expliquer pourquoi une personne décide de quitter volontairement son emploi. Il s'agit de l'approche basée sur l'attitude, de l'approche holistique et de l'approche cognitive. Le schéma de l'encadré 5.5 synthétise ces trois approches.

L'approche basée sur l'attitude explique les départs volontaires par l'affaiblissement du lien entre l'individu et son organisation d'appartenance. Ainsi, bien des gens seraient enclins à manifester leur intention de quitter leur organisation : l'individu qui perçoit l'incompatibilité de ses valeurs avec celles de l'organisation, celui qui n'a aucune obligation morale de maintenir son lien d'emploi, ou encore celui pour qui la rupture du lien d'emploi n'entraîne pas de grands sacrifices ni la perte d'avantages pécuniaires ou matériels.

Selon l'*approche holistique,* les individus ne quittent pas nécessairement leur emploi par insatisfaction. En fait, le départ d'un employé est généralement déclenché par un *choc* qui échappe entièrement au contrôle de l'organisation. Une travailleuse qui décide de quitter son emploi au retour d'un congé de maternité en est un exemple. Le choc peut cependant être provoqué par l'organisation (par exemple, la mauvaise gestion d'un changement organisationnel important) ou par un événement sur lequel l'organisation n'a qu'une emprise limitée (par exemple, une offre d'emploi externe faite à un employé). Le degré d'enracinement dans l'emploi influence également les intentions de départ, il fait partie de la théorie holistique. Ainsi, certains types d'investissement lient l'employé à son milieu de travail. Un individu peut être lié à son organisation si les conditions d'emploi sont favorables, si les rapports avec ses collègues sont agréables, si ses valeurs sont en accord avec celles de l'organisation et s'il bénéficie d'une certaine autonomie. Par ailleurs, certains éléments de son milieu de vie peuvent encourager un salarié à garder son emploi. L'accès facile à des activités en dehors de la sphère de travail, l'insertion dans un réseau social ainsi qu'un environnement de travail agréable et sécuritaire comptent parmi les conditions favorables au maintien en poste et peuvent rendre plus difficile le déracinement d'un individu.

Enfin, selon l'*approche cognitive*, le départ est un processus évolutif et séquentiel. L'individu entre dans une phase de recherche active d'emploi quand il estime avoir les ressources nécessaires au maintien d'une bonne qualité de vie, même en cas de baisse de salaire, voire de perte d'emploi, et en présence d'offres d'emploi non sollicitées.

Ces trois approches sont instructives et utiles pour élaborer une politique de fidélisation des employés performants. Soulignons que la relation entre la performance et le départ volontaire est curvilinéaire : les départs sont plus fréquents à la fois chez les employés les moins performants et chez les plus performants. Les moins performants cherchent à fuir leur échec et les plus performants répondent aux sollicitations du marché du travail. Les organisations ont donc tout intérêt à élaborer des programmes en vue de maintenir en poste les employés les plus productifs.

Le Centre hospitalier universitaire de Sherbrooke, le CHUS, a recruté quatre chirurgiens suisses au cours des quatre dernières années. Trois d'entre eux sont retournés en Europe. Le premier, embauché en août 2002, est reparti en mars 2005 ; le deuxième, arrivé en septembre 2002, est parti en novembre 2005 ; tandis que le troisième a pratiqué au CHUS de janvier 2003 à avril dernier.

« Ces chirurgiens ont quitté leur poste en raison d'opportunités professionnelles qui leur ont été offertes pour des postes de chef de chirurgie dans d'autres hôpitaux », précise une porte-parole du CHUS, France Champagne. [...]

- Médecin omnipraticien : près de 240 000 $
- Médecin spécialiste avec cinq ans de résidence : autour de 491 000 $
- Médecin spécialiste avec sept années de résidence : 682 300 $[20]

ENCADRÉ ▶ **5.5**

Les facteurs influant sur le départ volontaire d'un employé

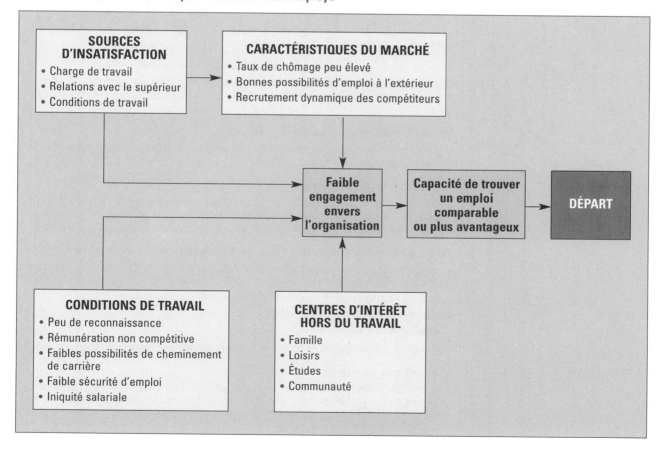

5.5.2 | La réduction des besoins en matière de recrutement par la fidélisation des employés

Le sondage « Great Managers and Great Workplaces », effectué par The Workplace Column Gallup's Discoveries, a répertorié 12 caractéristiques des milieux de travail qui sont susceptibles de les aider à garder leurs employés (voir l'encadré 5.6).

ENCADRÉ ▶ **5.6**

Un super environnement de travail

> **Le recrutement d'un candidat de choix n'est qu'un des défis à relever. Une fois qu'elle a trouvé la perle rare, l'entreprise doit pouvoir la retenir. Un véritable tour de force !**

Quelles caractéristiques distinguent les « super » milieux de travail, où la fidélisation des employés, la satisfaction de la clientèle, la productivité et le bénéfice sont élevés ? La firme américaine Gallup en a déterminé 12, grâce à une vaste enquête.

1. « Je sais ce qu'on attend de moi au travail. »

Les grands gestionnaires définissent les objectifs à atteindre tout en laissant aux employés l'autonomie nécessaire pour y arriver, ce qui permet à ces derniers d'utiliser leur plein potentiel.

2. « Au travail, j'ai l'occasion tous les jours d'accomplir ce que je fais de mieux. »

Les grands gestionnaires définissent les compétences requises pour chaque poste et trouvent la bonne personne pour l'occuper, ce qui permet à l'employé d'utiliser ses forces et ses talents.

3. « Au cours des sept derniers jours, on m'a félicité pour mon travail. »

Les grands gestionnaires prennent le temps de reconnaître la performance des employés et de les féliciter. Cela fait une différence dans la qualité du travail et des services rendus.

4. « Au travail, on encourage mon développement. »

Les grands gestionnaires aident les employés à mieux se connaître ; ils leur donnent l'occasion d'utiliser leurs talents et de s'améliorer.

5. « Mon superviseur semble se soucier de moi. »

Les grands gestionnaires s'assurent que chaque employé a une bonne relation avec quelqu'un qui peut le guider et lui laisse suffisamment de latitude pour s'épanouir. En effet, on ne quitte pas une entreprise, on quitte son directeur ou son superviseur.

6. « J'ai les matériaux et le matériel dont j'ai besoin pour bien faire mon travail. »

Les grands gestionnaires laissent les employés décider du bien-fondé de l'acquisition d'un nouvel outil de travail, selon trois critères.
- En quoi ce nouveau bien est-il utile à l'employé ?
- En quoi est-il utile à l'entreprise ?
- En quoi est-il utile aux clients ?

Cela élargit la perspective de l'employé et permet une meilleure communication.

7. « Au travail, mon opinion semble compter. »

Les grands gestionnaires font sentir aux employés que leur contribution est appréciée. Ils les consultent avant de prendre des décisions qui les concernent directement et, s'ils ne retiennent pas leurs suggestions, ils leur expliquent pourquoi.

8. **« Par sa mission ou son but, l'entreprise me fait sentir que mon travail est important. »**

Les grands gestionnaires aident les employés, quel que soit le niveau de leur poste, à faire le lien entre la mission de l'entreprise et leur travail. Les employés comprennent ainsi leur rôle dans l'organisation et acquièrent un sentiment d'appartenance.

9. **« Mes collègues sont consciencieux. »**

Les grands gestionnaires aident les membres de l'équipe à déterminer ce qui leur permet de faire des produits ou des services de qualité. Les employés comprennent ainsi comment devenir plus efficaces ; leur productivité augmente et ils cherchent à améliorer les produits et les services.

10. **« J'ai un excellent ami au travail. »**

Les grands gestionnaires reconnaissent que les employés veulent bâtir des relations de qualité avec leur collègues et qu'une loyauté accrue envers l'organisation peut en découler. La présence d'amis au travail peut aussi être la clé de l'adaptation au changement.

11. **« Au cours des six derniers mois, on m'a parlé de mes progrès au travail. »**

Les grands gestionnaires fournissent aux employés une rétroaction positive et personnalisée. Ils aident les employés à mieux se connaître et à prendre conscience de leurs forces et de leurs talents. Cela rend les employés encore plus productifs.

12. **« Cette année, j'ai eu l'occasion d'apprendre et de croître au travail. »**

Les grands gestionnaires ne sont jamais entièrement satisfaits de la façon dont les choses se font. Ils sont ouverts aux nouvelles idées et trouvent des façons de travailler plus efficaces.

Sources : D. Bonneau, « Un super environnement de travail », *La Presse*, cahier spécial, 7 octobre 2000, p. 8. *The Workplace Column, Gallup's Discoveries About Great Managers and Great Workplaces*, gmj.gallup.com/management_articles/default.aspx.

Une organisation a plus de chances d'attirer des candidats en proposant une gamme d'avantages intéressante. Les avantages qui ont des effets sur le maintien du personnel et qu'on trouve le plus fréquemment sont le plan de carrière et les aménagements qui tiennent compte des contraintes individuelles et familiales liées au travail.

L'organisation peut adapter les perspectives de carrière aux groupes ou aux catégories d'employés. La possibilité de mobilité interne réduit le risque de plafonnement professionnel : l'organisation peut offrir à ses employés de fréquentes occasions d'avancement et de perfectionnement.

L'entreprise peut réduire les contraintes liées au travail en offrant aux employés divers services. Ainsi, l'organisation peut proposer une forme d'aide au relogement aux employés qui ont accepté une mutation géographique. L'obtention d'un prêt hypothécaire à un faible taux d'intérêt pour le nouvel employé qui doit vendre sa maison et en acheter une nouvelle est un bon exemple du soutien que l'entreprise peut apporter.

Aide au relogement

Indemnité ou allocation accordée par l'employeur à un employé qui doit déménager en raison d'une mutation dans un autre établissement de l'entreprise ou d'un licenciement.

Un bon nombre d'employeurs canadiens facilitent la vie de leurs employés grâce à une garderie en milieu de travail. Ce service contribue à réduire le taux de roulement, les retards et l'absentéisme ; il a une influence favorable sur le processus de recrutement, la satisfaction et le rendement des employés, les relations de travail et la productivité. Parmi les autres avantages qui contribuent d'une façon ou d'une autre à améliorer la qualité de vie au travail, mentionnons l'horaire de travail flexible, la semaine de travail comprimée, le partage des tâches et le travail à temps partiel[21]. L'encadré 5.7 présente les pratiques d'attraction et de maintien du personnel compétent de trois organisations.

Des avantages à faire rêver !

De nombreuses entreprises mettent en œuvre des stratégies pour attirer des candidats intéressants…
et les maintenir en poste. Elles s'efforcent donc d'offrir des « emplois à valeur ajoutée ». En voici deux exemples.

Nom de l'entreprise	Style de vie et mieux-être	Formation professionnelle	Rémunération
Alcan Entreprise manufacturière active à l'échelle internationale dans la plupart des secteurs de l'industrie de l'aluminium	• Recherche d'un certain équilibre entre les exigences professionnelles et familiales • Garderie en milieu de travail • Accès à des soins médicaux dans ses propres installations • Gymnase • Physiothérapie • Remboursement des frais d'études du conjoint	• Défis intéressants à relever • Possibilité de participer à des projets d'envergure • Possibilité de promotion • Possibilité de carrière à l'étranger • Programmes de formation	• Salaires compétitifs • Reconnaissance pécuniaire des performances individuelles • Système universel de gratifications • Régime d'achat d'actions pour certains niveaux de cadres • Régime d'avantages sociaux (assurance des soins dentaires, assurance vie, caisse de retraite, etc.)
Zero-Knowledge Systems Firme spécialisée en protection de l'identité et de la vie privée des internautes	• Absence de code vestimentaire • Horaire flexible • Salle de jeu aménagée avec des tables de ping-pong et de billard, des jeux vidéo, etc. • Salle de méditation et de repos • Salle de détente aménagée avec un téléviseur à écran géant et un magnétoscope • Gymnase • Massothérapie • Buanderie • Café espresso gratuit • Distributrices de boissons gazeuses et de jus (gratuits) • Deux immenses atriums fournissant la lumière du jour partout dans l'entreprise • Possibilité de venir au travail avec son chien (ou son poisson rouge) • Rencontre mensuelle de tous les employés avec le président de l'entreprise, suivie d'une activité de groupe	• Semaine d'intégration et de formation pour tous les nouveaux employés • Participation des employés à des conférences et à des activités de formation à l'extérieur (budget individuel) • Programmes de formation à l'interne • Partage de connaissances par les experts • Mentorat • Abonnement individuel à une revue en lien avec le travail • Possibilité d'avancement et de promotion • Accès à une bibliothèque virtuelle	• Salaires compétitifs • Rémunération liée à la performance individuelle et réévaluée tous les six mois • Détention d'actions de la société par tous les employés • Régime d'avantages sociaux en partie traditionnel (assurance des soins dentaires, etc.) et en partie personnalisé (allocation de 1 200 $ à chaque employé qui décide lui-même comment il améliorera son bien-être physique et moral ; par exemple, raquette de tennis, livres, cédéroms, massothérapie sur le lieu de travail, etc.) • Programme d'aide, gratuit et confidentiel, destiné à soutenir les employés et les membres de leur famille aux prises avec des difficultés

Source : adapté de D. Bonneau, « De nombreux avantages à faire rêver », *La Presse,* cahier spécial, 7 octobre 2000, p. 6.

RÉSUMÉ

Le recrutement est une activité majeure de la gestion des ressources humaines de l'entreprise. Une fois les besoins en effectifs déterminés et après l'analyse des postes à pourvoir (exigences et qualifications), le service des ressources humaines met en œuvre le processus de recrutement pour constituer une réserve de candidats qualifiés. Les sources de recrutement peuvent être internes ou externes. Pour être efficace, le recrutement doit répondre non seulement aux besoins organisationnels, mais également aux besoins individuels et sociaux. L'entreprise satisfait les besoins individuels quand elle sait attirer et maintenir en poste des candidats qualifiés. Les besoins sociaux se reflètent dans les lois fédérales et provinciales, particulièrement dans celles qui touchent l'équité en matière d'emploi ; dans ce domaine, l'entreprise a l'obligation juridique d'instaurer des programmes pour recruter des personnes appartenant aux groupes désignés.

Compte tenu des contraintes juridiques, l'organisation doit recruter un nombre suffisant de candidats qualifiés pour être capable d'apparier adéquatement les individus et les postes à pourvoir. Un tel appariement assure le rendement et la stabilité des individus au sein de l'organisation. Il existe plusieurs méthodes de recrutement pour attirer et retenir les meilleurs candidats. Certaines de ces méthodes sont plus efficaces que d'autres, mais leur utilisation est essentiellement liée au type de candidats recherchés.

Pour attirer un nombre suffisant de candidats qualifiés, l'entreprise peut offrir des conditions de travail qui correspondent aux plus hautes normes de la « qualité de vie au travail ».

Questions de révision et d'analyse

1. Quels nouveaux défis les organisations doivent-elles relever en ce qui concerne le recrutement des candidats ? En quoi ces défis sont-ils liés à la situation socioéconomique ?

2. Expliquez en quoi consistent le processus de recrutement et ses objectifs.

3. Expliquez comment l'équité en emploi peut toucher les activités de recrutement.

4. Nommez une entreprise canadienne de grande envergure qui a implanté avec succès un programme d'équité en matière d'emploi (conforme à l'esprit de la loi). Expliquez les principales raisons de la réussite de l'implantation.

5. Quelles sont les raisons de recruter à l'interne ? à l'externe ?

6. Existe-t-il une méthode idéale pour recruter des « candidats hautement qualifiés » ? Donnez des exemples.

7. Comment une organisation peut-elle accroître sa capacité d'attirer les candidats éventuels ? Quels moyens peut-elle utiliser pour conserver ses nouveaux employés ?

8. Vous êtes un professionnel des ressources humaines. Votre mandat est de recruter des employés de bureau dans un bassin comportant une importante proportion de personnes qui assument les responsabilités de chef de famille monoparentale. Quels programmes préconiseriez-vous pour attirer ces candidats dans votre organisation ? Exposez les grandes lignes de ces programmes et leur raison d'être en tenant compte des contraintes juridiques.

ÉTUDE DE CAS

LE RECRUTEMENT CHEZ BONITEL

Jules Carrière
Professeur, École de gestion, Université d'Ottawa

Lorsque Bonitel, une entreprise de haute technologie, a planifié l'ouverture d'une usine à Ottawa, le recrutement représentait un défi de taille pour la directrice des ressources humaines, Marie-Pierre Nadeau. De nombreux postes étaient à pourvoir : en programmation informatique, en élaboration de logiciels, en conception de sites Web, en rédaction technique, en génie de réseaux locaux et en gestion de projet. Comme l'entreprise allait devoir s'en remettre à un petit groupe d'employés, il fallait absolument trouver les candidats les plus qualifiés. Les entreprises qui se font concurrence sur ce marché en forte évolution doivent tenir compte d'un élément primordial : la rapidité. En effet, c'est l'élément clé de tout un enchaînement : déterminer la réponse aux demandes actuelles et futures du marché, élaborer de nouveaux produits brevetés pour répondre à ces demandes et aider les nouveaux employés à devenir productifs.

Mme Nadeau et le personnel des ressources humaines avaient tout un défi à relever : trouver les candidats les plus compétents dans un marché du travail restreint pour doter des postes de professionnels en début de carrière. Pour diverses raisons, la demande en nouveaux diplômés était particulièrement élevée. D'abord, le taux de natalité peu élevé du milieu des années 1980 se traduisait par un nombre limité de jeunes au début de la vingtaine. La croissance de l'entreprise avait également augmenté l'offre de postes professionnels subalternes. De plus, l'innovation technologique et la demande de professionnels spécialisés en technique se trouvaient à un niveau record, sans compter que moins de 40 000 diplômés arrivaient annuellement sur le marché technologique, tandis que le nombre de postes offerts approchait les 200 000. Au fait de ces tendances, Mme Nadeau savait que ses concurrents s'efforceraient de découvrir les meilleurs moyens d'entrer en contact avec les finissants afin de les solliciter.

Bonitel espérait créer un message de recrutement gagnant afin d'employer de jeunes adultes prometteurs. Pour attirer les plus talentueux, on miserait sur une stratégie de mise en valeur de l'employabilité à long terme, fondée sur le programme de croissance professionnelle de l'entreprise. La démarche reposait sur l'hypothèse voulant que la possibilité de formation continue représente une offre attrayante, particulièrement pour les personnes qui doivent habituellement changer d'employeur pour obtenir de l'avancement. Bonitel savait que la sécurité d'emploi était rare, que la situation de l'emploi était instable et que les occasions pour le personnel de mettre à jour ses compétences et d'acquérir de nouvelles expériences rendraient l'entreprise attrayante pour les chercheurs d'emploi. On mettrait aussi de l'avant la possibilité d'assurer l'équilibre entre la vie personnelle et le travail, d'accéder à des postes de gestion et de toucher un salaire concurrentiel. Enfin, il faudrait projeter une image juste de la culture d'entreprise de Bonitel, et non une image idéale, l'objectif étant de convaincre les candidats qui partageaient la vision et la culture organisationnelles de Bonitel et qui voulaient prendre part à la réussite de l'entreprise. Dès le début, les attentes envers les nouvelles recrues et envers l'entreprise allaient être mises à l'épreuve. Les gestionnaires étaient prêts à confier des tâches significatives aux nouveaux employés. Des personnes qualifiées tiendraient des séances d'orientation le plus tôt possible.

Bonitel a décidé d'offrir une prime pour intéresser les candidats et les inciter à travailler chez elle. Afin d'éviter que les candidats qui avaient accepté un poste reviennent sur leur décision pour accepter une offre plus intéressante ailleurs, la lettre d'entente précisait qu'il leur faudrait rembourser la somme s'ils ne venaient pas effectivement travailler pour Bonitel.

Dans le but de susciter l'intérêt de plusieurs milliers de postulants, Bonitel a utilisé de nombreuses méthodes de recrutement. Pendant la construction de l'usine, des panneaux fixés au bâtiment en indiquaient la date d'ouverture et les moyens à prendre pour y postuler un emploi. À l'approche de la date d'ouverture, des annonces ont été faites à la radio et dans les journaux, mais non sur Internet.

De plus, les gestionnaires de Bonitel ont distribué des cartes professionnelles aux employés des entreprises de haute technologie locales au cours des mois et des semaines qui ont précédé la principale période de recrutement. Encouragés à postuler un emploi, certains d'entre eux se sont présentés au salon de l'emploi organisé par Bonitel au Centre des congrès d'Ottawa.

Le salon de l'emploi a été une source de recrutement importante : Bonitel a recueilli 600 demandes en 2 jours. Pour attirer le plus grand nombre possible de jeunes, les recruteurs de Bonitel se sont rendus aux arrêts d'autobus, chaque matin pendant la durée du salon, et ils ont remis des invitations aux passants. Pendant le salon, des employés des autres usines canadiennes de Bonitel ont servi des boissons ; des musiciens invités ont créé une atmosphère attrayante.

Sur place, on proposait aux candidats de remplir un formulaire de demande d'emploi et de répondre à des questions de sélection préliminaires. Une vingtaine d'entre eux sont passés immédiatement à l'étape suivante, c'est-à-dire à une entrevue plus complète d'une heure et demie qui consistait en une série de 60 questions. Une dizaine ont pris rendez-vous pour passer l'entrevue à un autre moment. Pourtant, Mme Nadeau et le personnel des ressources humaines n'ont pas réussi à doter tous les postes à temps pour l'ouverture de l'usine.

QUESTIONS

1. Pourquoi, selon vous, Bonitel n'a-t-elle pas réussi à recruter tout le personnel nécessaire avant l'ouverture de l'usine ?

2. Quels moyens proposeriez-vous pour que Bonitel améliore son recrutement ?

NOTES ET RÉFÉRENCES

1. H.G. Heneman III, T.A. Judge et R.L. Heneman, *Staffing Organizations*, 3e éd., Boston, Irwin–McGraw-Hill, 2000.

2. T. Saba, G. Guérin et T. Wils, « Gérer l'étape de fin de carrière », *Gestion 2000*, février 1997, p. 165-181.

3. A. Halcrow, « Employees Are Your Best Recruiters », *Personnel Journal*, novembre 1988, p. 42-49. G. Boucher, « Recruter facilement à moindre coût », *Effectif*, vol. 5, n° 1, janvier-février-mars 2002, p. 16-17.

4. A. Richard, « Qu'est-ce qui fait courir les jeunes ? », *Les Affaires*, 4 février 2006, dossier spécial, p. 35.

5. T. Saba et G. Guérin, « Planifier la relève dans un contexte de vieillissement de la main-d'œuvre », *Gestion*, vol. 29, n° 3, automne 2004, p. 54-63.

6. M. De Smet, « La culture stagiaire semble la nouvelle mode dans les entreprises », *Les Affaires*, 29 janvier 2000, p. 39. Voir également M.E. Scott, « Internships Add Value to College Recruitment », *Personnel Journal*, avril 1992, p. 59-63.

7. « Pénurie de main-d'œuvre : l'industrie ferroviaire aussi touchée », Radio-Canada, 8 novembre 2006, www.radio-canada.ca/regions/Quebec/2006/11/08/007-penurie_personnel_train.shtml.

8. R.T. Cober, D.J. Brown, L.M. Keeping et P.E. Levy « Recruitment on the Net: Do Organizational Web Site Characteristics Influence Applicant Attraction ? », *Journal of Management*, vol. 30, 2004, p. 6236-6246. S. LeBrun, « Is the Future of Recruiting Online ? », *Canadian HR Reporter*, vol. 10, n° 9, 3 novembre 1997, p. 1-6. L. Goodson, « Recruiting on the Web », *Human Resources Professional*, vol. 14, n° 2, avril-mai 1997, p. 27.

9. M. Saks, « A Psychological Process Investigation for the Effects of Recruitment Source and Organization Information on Job Survival », *Journal of Organizational Behavior*, vol. 15, 1994, p. 225-244.

10. S. Rynes et D. Cable « Recruiting Research in the 21st Century: Moving to a Higher Level », dans W.C. Borman, D.R. Ilgen et R.J. Kilmoski (sous la dir. de), *Handbook of Psychology*, vol. 12: *Industrial and Organizational Psychology*, Hoboken (New Jersey), John Wiley, 2003.

11. T. Saba, G. Guérin et T. Wils, « Gérer l'étape de fin de carrière », *op. cit.*, p. 165-181. Voir également E. Miller, « Capitalizing on Older Workers », *Canadian HR Reporter*, vol. 10, n° 2, 16 juin 1997, p. 14.

12. S. LeBrun, « Booklets to Connect Disabled with Work », *Canadian HR Reporter*, vol. 10, n° 18, 20 octobre 1997, p. 8. M.T. Chicha, « La gestion de la diversité : l'étroite interdépendance de l'équité et de l'efficacité », *Effectif*, vol. 5 n° 1, mars 2002, p. 18-27.

13. T. Saba, « Gérer les carrières : un vrai défi pour les années 2000 », *Effectif*, vol. 3, n° 3, 2000, p. 20-26.

14. *La Presse*, 18 mars 2006, section Carrières et professions, p. 8.

15. C.J. Collins et C.K. Steven, « The Relationship Between Early Recruitment Related Activities and the Application Decisions of New Labor-Market Entrants : A Brand Equity Approach to Recruitment », *Journal of Applied Psychology*, vol. 87, n° 6, 2002, p. 1121-1133.

16. R.R. Reily, B. Brown, M.R. Blood et C.Z. Malatesta, « The Effects of Realistic Previews: A Study and Discussion of the Literature », *Personnel Psychology*, vol. 34, 1981, p. 823-834.

17. A. Van Vianen, « Person-Organization Fit: The Match Between Newcomers' and Recruiters' Preferences for Organizational Cultures », *Personnel Psychology*, n° 53, 2000, p. 113-149.

18. J.D. Dawson, J.E. Delery, G.D. Jenkins et N. Gupta, « An Organizational Level Analysis of Voluntary and Involuntary Turnover », *Academy of Management Journal*, vol. 41, 1998, p. 511-525. P. Paillé, *La fidélisation des ressources humaines*, Economica, Paris, 2004.

19. C. Vandenberghe, « Conserver ses employés productifs : nature du problème et stratégies d'intervention », *Gestion*, vol. 29, n° 3, automne 2004, p. 64-72.

20. J. Roy, « Santé, pénurie de médecins. Des offres mirobolantes... demain », *Journal de Québec, Canoë infos*, 8 novembre 2006.

21. R.C. Barnett et D.T. Hall, « How to Use Reduced Hours to Win the War for Talent », *Organizational Dynamics*, vol. 29, n° 3, 2001, p. 192-210. E.B. Akyeampong, « Work Arrangements: 1995 overview », *Perspectives on Labour and Income*, Ottawa, Statistique Canada, printemps 1997, cat. n° 75-001-SPE.

CHAPITRE 6

LA SÉLECTION,
L'ACCUEIL ET L'INTÉGRATION
DES RESSOURCES HUMAINES

La sélection, l'accueil et l'intégration des ressources humaines permettent aux entreprises de déterminer les meilleurs candidats et de les intégrer dans leur nouveau poste afin de favoriser leurs chances de succès et leur productivité en un court laps de temps. Le processus de sélection tient compte d'une variété d'éléments : il faut recruter des employés capables non seulement de répondre aux exigences de l'emploi, mais aussi d'adhérer à la culture organisationnelle et de partager les valeurs et les normes de l'entreprise. L'accueil et l'intégration, dernière étape du processus de dotation, visent deux objectifs : maximiser l'adaptation des employés à leur milieu de travail ; accélérer leur appropriation des normes et des valeurs organisationnelles en vue de susciter leur engagement et leur loyauté.

Dans ce chapitre, nous examinons d'abord le processus de sélection, les contraintes qui y sont associées, et les instruments de sélection. Nous traitons ensuite de l'accueil et de l'intégration des ressources humaines.

6.1 LE PROCESSUS DE SÉLECTION DES RESSOURCES HUMAINES

Le processus de sélection consiste à recueillir et à évaluer l'information sur chaque candidat à un poste donné afin de déterminer le meilleur possible pour l'embauche. L'accueil et l'intégration des ressources humaines sont la phase qui consiste à présenter le nouvel employé à ses collègues et à le familiariser avec les différentes composantes de son milieu de travail, ce qui lui permet de s'adapter le plus rapidement possible (dans la littérature spécialisée, on trouve parfois le terme *socialisation* comme synonyme d'*intégration*). Les processus de sélection et d'intégration visent à assortir les caractéristiques du poste et de l'organisation aux connaissances, aux habiletés et aux aptitudes de l'individu afin d'augmenter ses chances de devenir un employé satisfait, stable et productif.

6.1.1 | L'importance du processus de sélection

Le processus de sélection procure à l'organisation une catégorie de ressources essentielles à son bon fonctionnement, les ressources humaines[1] ; il l'aide en outre à atteindre un certain nombre d'objectifs précis (voir l'encadré 6.1).

ENCADRÉ ▶ 6.1

Les objectifs du processus de sélection

- Embaucher les meilleurs candidats possible.
- Contribuer à la mise en œuvre de la stratégie de l'organisation et à l'atteinte de ses objectifs.
- Renforcer la culture organisationnelle.
- Concilier les besoins organisationnels et les intérêts individuels.
- Favoriser à l'interne la mobilité des employés et la réalisation de leur plan de carrière.
- Respecter les programmes d'équité en emploi.
- Se conformer aux lois, notamment en matière de non-discrimination.

6.1.2 | Les responsables du processus de sélection

Tant les professionnels de la gestion des ressources humaines que les gestionnaires jouent un rôle important dans les activités de sélection. Les gestionnaires aident à préciser les besoins en ressources humaines, participent à l'analyse des postes, évaluent le rendement des employés, procèdent à la sélection et contribuent à l'intégration des nouveaux employés. Quant au service des ressources humaines, il établit les étapes du processus de sélection, de la collecte d'information sur les candidats (parfois par la vérification des références, l'administration de tests, etc.) et de l'organisation des entrevues des candidats avec les gestionnaires. La plus grande partie des activités de sélection est assurée par le service des ressources humaines, et cela pour plusieurs raisons. Comme les professionnels de la gestion des ressources humaines sont formés aux techniques de recrutement et de sélection, ils peuvent se conformer aux normes existantes. Même si le choix définitif des candidats relève des gestionnaires, ce sont les professionnels de la gestion des ressources humaines qui s'assurent du respect de l'éthique, des normes juridiques ainsi que des critères d'équité et de justice organisationnelle[2]. Il est donc important que ces professionnels soient chargés de l'ensemble du processus de dotation.

6.1.3 | Les étapes du processus de sélection

Le processus de sélection des ressources humaines vient immédiatement après le processus de recrutement et comprend plusieurs étapes (voir l'encadré 6.2). Dans la section suivante, nous verrons les aspects dont il faut tenir compte au cours de la sélection.

ENCADRÉ ▶ **6.2**

Modèle de processus de sélection

Étape 1	**Étape 4**
Établir les critères de sélection du poste à pourvoir.	À l'aide des instruments de sélection de l'étape 2, comparer les candidatures de la liste restreinte pour déterminer les meilleures candidatures.
Étape 2	
Déterminer les instruments de sélection pertinents et en établir la séquence pour réaliser les étapes 3 et 4.	**Étape 5**
	Choisir le candidat.
Étape 3	**Étape 6**
Procéder à la présélection, c'est-à-dire ne conserver que les candidatures qui correspondent aux critères de sélection exposés aux étapes 1 et 2.	Négocier, s'il y a lieu, les conditions d'emploi avec le candidat et lui faire une offre.
	Étape 7
	Informer les autres postulants que leur candidature n'a pas été retenue.

Le processus de sélection classique débute par l'établissement des critères de sélection. C'est à partir du profil de poste déterminé dans l'activité de recrutement que les professionnels de la gestion des ressources humaines établissent la grille de critères de sélection des candidats (voir l'encadré 6.3).

ENCADRÉ ▶ 6.3

Exemple de grille de sélection

Poste : Analyste technique des affaires	
L'analyste technique des affaires assure directement auprès des principaux clients des services d'analyse de veille technologique et commerciale concurrentielle, dans les secteurs de la science, de la technologie et de la médecine, tout en mettant l'accent sur les technologies de l'information. Le titulaire du poste participe aux activités de prévision technologique, d'établissement de cartes routières technologiques et de planification stratégique. Il acquiert et cultive une connaissance approfondie des outils d'analyse, collabore avec les spécialistes de l'information en vue de concevoir et de fournir des services de veille technologique concurrentielle.	
CRITÈRES DE SÉLECTION	**PONDÉRATION**
Critères de présélection : Les candidats doivent démontrer qu'ils répondent à tous les critères suivants.	
Scolarité	• Baccalauréat en science ou en génie, ou expérience technique équivalente • Maîtrise en administration des affaires (de préférence)	
Expérience	• Solide expérience en prestation de services de veille technologique et commerciale concurrentielle • Solide expérience en commercialisation de technologie • Solide expérience de l'industrie dans un ou plusieurs domaines scientifiques ou techniques • Expérience en entreprenariat, surtout auprès de PME (atout)	
Condition d'emploi	• Vérification approfondie de fiabilité	
Exigences linguistiques	• Bilinguisme impératif	
Critères d'évaluation : Les candidats seront évalués selon les critères suivants.	
Compétences techniques	• Connaissance de secteurs scientifiques, techniques ou médicaux particuliers • Connaissance d'industries scientifiques ou techniques particulières • Connaissance des outils et des techniques d'analyse de veille technologique concurrentielle • Connaissance des processus commerciaux • Connaissance de la commercialisation des technologies • Capacité de planifier, d'organiser et de prioriser ses tâches • Capacité de travailler dans un contexte de gestion matricielle, sous supervision minimale • Capacité de promouvoir des produits et des services • Capacité de communiquer efficacement par écrit, en français et en anglais	
Compétences comportementales	• Capacité de concevoir et d'analyser (niveau 3) • Orientation vers les résultats (niveau 3) • Travail en équipe (niveau 4) • Priorité au client (niveau 3) • Communication (niveau 3) • Réseautage (niveau 2) • Connaissance du milieu des affaires (niveau 3)	

Source : Conseil national de recherches du Canada, careers-carrieres.nrc-cnrc.gc.ca/careers/career_main.nsf/pagef/home, Carrières, Emplois disponibles, 2007.

À la deuxième étape du processus de sélection, on détermine les instruments de sélection et on en établit la séquence (voir l'encadré 6.4), de façon à d'abord réduire l'ensemble des candidatures à une liste restreinte pour ensuite en tirer le ou les meilleurs candidats à chaque poste vacant. Pour y arriver, on pondère les critères, la somme des coefficients totalisant 100. Une fois la pondération établie, on détermine le ou les instruments de sélection qui serviront à évaluer chacun des critères. Par exemple, on pourrait dresser la liste restreinte en faisant remplir aux candidats un formulaire de demande d'emploi ou en examinant leur curriculum vitæ. On pourrait tout aussi bien faire des entrevues, administrer des tests ou vérifier les références pour évaluer ces critères.

Grâce à ces instruments, on attribue une cote de performance à chaque critère, pour chaque candidat. Il reste ensuite à multiplier chaque cote de performance par le coefficient de pondération déterminé au début de cette étape et à additionner les résultats pour obtenir les cotes pondérées. À partir de ces cotes, on retient les meilleurs candidats. Afin de déterminer le meilleur candidat pour le poste, on utilise ensuite d'autres instruments de sélection, notamment l'entrevue avec le supérieur hiérarchique ou avec des membres de la haute direction.

ENCADRÉ ▶ 6.4

Exemple de séquence des instruments de sélection

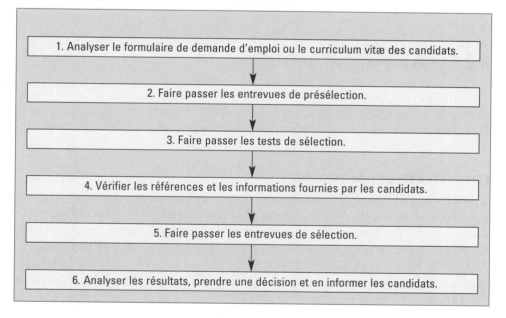

1. Analyser le formulaire de demande d'emploi ou le curriculum vitæ des candidats.

2. Faire passer les entrevues de présélection.

3. Faire passer les tests de sélection.

4. Vérifier les références et les informations fournies par les candidats.

5. Faire passer les entrevues de sélection.

6. Analyser les résultats, prendre une décision et en informer les candidats.

La troisième étape du processus de sélection consiste à dresser la liste restreinte, à partir du bassin de candidatures soumises, en utilisant les instruments de sélection déterminés à la deuxième étape.

À la quatrième étape, on choisit les meilleurs candidats à l'aide des instruments de sélection déterminés aussi à la deuxième étape.

À la cinquième étape, on compare les candidatures retenues et on choisit le candidat qui occupera le poste à pourvoir.

C'est à la sixième étape que les professionnels de la gestion des ressources humaines négocient les conditions d'emploi, s'il y a lieu, en tenant compte des attentes du candidat et ils lui font une offre en fonction des pratiques de l'entreprise. Selon les lois en vigueur, on prévoit généralement une période de probation à l'entrée en fonction du candidat. Cette période sert à confirmer le processus de sélection et à s'assurer de la capacité d'intégration du candidat dans son milieu de travail.

À la septième étape, on communique avec les autres postulants pour les remercier de leur candidature et les informer de la clôture du processus de sélection.

6.2 LES ASPECTS À CONSIDÉRER DANS LE PROCESSUS DE SÉLECTION

Pour organiser le processus de sélection et départager la meilleure candidature, il faut tenir compte d'une variété d'éléments liés aux informations pertinentes, aux critères de sélection, aux prédicteurs, aux compétences, ainsi qu'à la fidélité et à la validité des instruments de sélection.

6.2.1 | Les informations pertinentes

Pour améliorer la justesse et l'efficacité d'un processus de sélection, le professionnel de la gestion des ressources humaines doit rassembler les renseignements pertinents sur trois aspects fondamentaux : le contexte organisationnel, le contexte du poste et le candidat.

LE CONTEXTE ORGANISATIONNEL

La sélection, l'accueil et l'intégration des ressources humaines permettent à l'entreprise de départager les bons candidats et de les rendre rapidement productifs dans leur nouveau poste. Les entreprises sont à la recherche d'employés capables non seulement de bien faire leur travail, mais aussi d'adhérer à la culture organisationnelle et de partager les valeurs et les normes de l'entreprise. Par exemple, dans une entreprise dont la structure est organique et qui valorise le travail d'équipe, les nouveaux employés doivent pouvoir s'approprier cette culture pour s'intégrer. Une bonne connaissance du contexte organisationnel constitue donc un atout précieux pour planifier le processus de sélection.

LE CONTEXTE DU POSTE

Pour poser sa candidature à un poste de façon éclairée, le candidat doit en connaître les conditions de travail et les fonctions. C'est dans l'intérêt du candidat comme de l'organisation qu'il faut préciser les conditions matérielles de l'exécution du travail. On associe généralement au contexte du poste des aspects tels que les contraintes de temps liées aux tâches, l'horaire et le lieu de travail. Certains spécialistes de la gestion des ressources humaines proposent de brosser un tableau réaliste du poste à pourvoir. Des informations précises sur les conditions de travail et sur le niveau de rendement attendu faciliteront l'harmonisation des connaissances, des habiletés et des aptitudes de l'individu avec les exigences du poste. Ces informations aideront le candidat potentiel à évaluer la compatibilité de ses intérêts personnels avec les caractéristiques du poste.

L'INFORMATION FOURNIE PAR LE CANDIDAT

On estime qu'environ 50 % de l'information pertinente sur les chances de réussite d'un candidat dans ses fonctions provient du candidat lui-même. On peut obtenir directement du candidat divers renseignements précis : d'une part, ses connaissances, ses habiletés et ses aptitudes ; d'autre part, ses préférences et ses intérêts personnels. La combinaison de ces données avec les caractéristiques du milieu organisationnel et du contexte de l'emploi constitue une excellente base pour prédire le rendement éventuel d'un candidat dans un poste déterminé. Dans ce chapitre, nous examinerons quelques techniques employées pour vérifier l'exactitude des renseignements recueillis.

6.2.2 | Les critères de sélection

Il est certain que les critères de sélection doivent être établis en fonction du poste à pourvoir. Dans n'importe quel domaine, la réussite repose rarement, voire jamais, sur une seule caractéristique. Le gestionnaire doit préciser toute la gamme des comportements qu'il associe au succès d'un individu dans un poste donné. Ainsi, on s'attend à ce qu'un enseignant compétent ait une bonne connaissance de la matière qu'il enseigne, possède une bonne capacité de communiquer, fasse preuve d'une attitude à la fois ferme et juste envers ses étudiants, soit ponctuel, etc. Le « succès » se compose donc d'un ensemble de comportements qu'il est possible de reconnaître et de mesurer. Le choix de critères adéquats et la mise en évidence de leur importance relative sont essentiels à la définition de prédicteurs fiables et à l'établissement d'un processus de sélection efficace.

La pertinence des critères retenus est cruciale, car ils contribuent à déterminer le genre d'information à obtenir des candidats. Par ailleurs, la nature des critères influe sur la méthode de collecte de ces informations. Par exemple, pour s'assurer de l'assiduité d'un candidat, la vérification des références ou l'analyse des antécédents professionnels constituent des méthodes de sélection adéquates. On ne saurait trop insister sur le fait que l'analyse d'un poste est le moyen le plus sûr d'en déterminer les critères les plus pertinents.

LA DÉTERMINATION DES CRITÈRES DE SÉLECTION

Il convient de définir avec précision les critères de succès associés à un poste. Les études traitant de la validité de la sélection font souvent mention de deux catégories de critères : le critère théorique et le critère réel. Le critère théorique est une construction mentale, une idée abstraite qui fait référence à un ensemble de facteurs représentant la réussite dans un emploi. Le critère réel a plutôt trait à des facteurs mesurables permettant de circonscrire le succès. Par exemple, certaines organisations évaluent périodiquement le rendement ou calculent le nombre de jours d'absence pour rendre compte du niveau de performance d'un employé. Les relations existant entre les deux catégories de critères s'expriment en fonction de deux problèmes : la déficience et la contamination[3]. La coïncidence d'un critère réel avec un critère théorique correspond sur le plan conceptuel à la pertinence du critère, c'est-à-dire qu'il s'agit d'un indicateur valide du succès (voir l'encadré 6.5).

ENCADRÉ ▶ **6.5**

La déficience, la pertinence et la contamination d'un critère

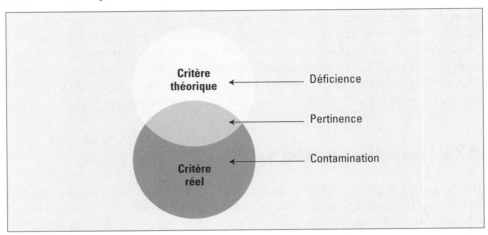

La déficience du critère indique le degré d'inadéquation du critère réel au critère théorique. Cette inadéquation est due à l'omission d'une dimension importante du poste dans les critères de sélection. C'est le cas, par exemple, d'une entreprise qui oublierait d'inclure l'aptitude à gérer son temps ou l'aptitude à travailler en équipe dans les critères d'embauche d'un gestionnaire. En fait, les critères réels utilisés par les organisations comportent toujours un certain degré de déficience. Des études montrent qu'on accroît le risque d'oublier des dimensions importantes d'un poste si on ne tient pas compte de sa description et qu'il s'ensuit des critères de sélection déficients.

À l'opposé, la contamination du critère indique aussi le degré d'inadéquation du critère réel au critère théorique, mais cette inadéquation est due à l'ajout de dimensions non liées au poste. C'est le cas, par exemple, d'une entreprise qui inclut l'aptitude à préparer le café dans les critères d'embauche d'une secrétaire. Un critère erroné peut également être source de contamination. Ainsi, l'utilisation du volume des ventes pour évaluer le rendement d'un agent immobilier est un facteur de contamination, puisqu'on sait très bien que les conditions du marché influent directement sur son rendement. Pour remédier à cette contamination, on pourrait tenir compte des conditions du marché en utilisant un critère de volume des ventes pondéré.

Bien des dirigeants éprouvent des difficultés à prévoir les chances de succès d'un candidat à un poste. En fait, la décision de sélection n'est jamais simple. Le faible taux de succès de la sélection du personnel dans certaines entreprises s'explique

surtout par l'absence, dans les critères, de compétences comportementales ou de résultats attendus. C'est pourquoi le succès du processus de sélection repose d'abord sur la précision des critères de mesure de la réussite professionnelle.

6.2.3 | Les prédicteurs

Une organisation souhaite disposer d'un prédicteur ou d'un ensemble de prédicteurs lui permettant de prévoir le rendement d'un candidat en fonction des critères établis pour un poste donné. Un bon prédicteur doit donc prévoir adéquatement les chances de réussite d'un candidat dans un domaine déterminé. Les décisions de sélection de l'organisation se fondent généralement sur les résultats obtenus par le candidat pour un prédicteur de rendement. Ces résultats déterminent dans quelle mesure le rendement du candidat pourra correspondre à chacun des critères définis.

La première décision que doit prendre le gestionnaire des ressources humaines, avant même de déterminer les étapes du processus de sélection, consiste à choisir le mode de sélection du personnel[4]. Il existe une grande variété de prédicteurs dont l'utilité dépend du niveau de validité et de fidélité. Les approches les plus courantes sont l'approche à prédicteur unique et l'approche à prédicteurs multiples.

> **Prédicteur**
>
> Test ou élément d'information utilisé en ressources humaines pour prédire le degré de succès potentiel d'un candidat.

L'APPROCHE À PRÉDICTEUR UNIQUE

On utilise l'approche à prédicteur unique pour sélectionner les candidats à partir d'un seul élément d'information. Nombre d'entreprises retiennent cette approche, surtout si la validation du prédicteur est rapide (par exemple, un prédicteur correspondant à la principale dimension du poste). Cependant, la majorité des postes comportent plusieurs dimensions, qui exigent plusieurs critères de sélection (par exemple, l'expérience, le savoir-être, le savoir-faire, ou même la disponibilité). La prise en compte de plusieurs critères de sélection exige généralement plusieurs prédicteurs et souvent plusieurs instruments de sélection.

> **Approche à prédicteur unique**
>
> Méthode de sélection des candidats se fondant sur un seul élément d'information.

L'APPROCHE À PRÉDICTEURS MULTIPLES

L'approche à prédicteurs multiples est liée à une prise de décision effectuée à partir de la combinaison d'informations provenant de diverses sources. En voici les principales variantes : l'approche non compensatoire, l'approche compensatoire et l'approche combinée.

> **Approche à prédicteurs multiples**
>
> Méthode de sélection des candidats combinant plusieurs tests ou types d'information.

L'approche non compensatoire à prédicteurs multiples

Dans l'approche non compensatoire à prédicteurs multiples, les décisions de sélection font appel à l'un des modèles suivants : le modèle à seuils multiples ou le modèle à étapes multiples. Puisque le poste comporte plusieurs dimensions, la prise de décision doit se fonder sur plusieurs prédicteurs.

Selon le modèle à seuils multiples, le candidat doit dépasser un certain niveau de compétence pour tous les prédicteurs retenus. Ainsi, un score élevé pour l'un des prédicteurs ne compense pas un score faible ou l'échec pour un autre prédicteur. Par exemple, le candidat à un poste de contrôleur aérien ne peut en aucun cas compenser

> **Modèle à seuils multiples**
>
> Processus de sélection du personnel comportant plusieurs seuils de réussite et exigeant du candidat un niveau de compétence déterminé pour chacun d'entre eux. Dans ce modèle, l'ordre des tests est variable.

son échec à un test de reconnaissance visuelle. Pour cette raison, on qualifie cette approche de *non compensatoire*. La sélection s'effectue donc à partir des seuls candidats ayant atteint ou dépassé le score minimal requis pour chacun des prédicteurs.

Le modèle à étapes multiples se distingue du précédent par l'ordre préétabli des décisions. Selon ce modèle, la réussite d'une étape est une condition essentielle pour passer à l'étape suivante. Le candidat doit donc réussir chacun des tests. Par exemple, la condition préalable à une entrevue peut être la réussite d'un test écrit.

En réalité, on applique parfois le modèle de sélection à étapes multiples sans exiger des candidats un score minimal pour chacun des prédicteurs définis. Il arrive ainsi qu'on choisisse un candidat ayant eu un résultat insuffisant pour l'un des prédicteurs. Cette embauche est alors conditionnelle ou provisoire, l'organisation se réservant le droit d'évaluer ultérieurement le rendement de l'employé en poste. L'embauche peut devenir définitive si le rendement est satisfaisant pour les dimensions dont le score était insuffisant.

Bien que son taux de succès soit plus élevé dans les décisions finales de sélection, ce modèle conduit à l'embauche de candidats qui n'auraient pas dépassé l'étape de l'acceptation provisoire ou auraient simplement été écartés avec une autre méthode, comme le modèle à seuils multiples. Malgré ses coûts plus élevés, ce modèle permet de retenir un plus grand nombre de candidats. Il peut être pertinent pour les postes sujets à une pénurie de main-d'œuvre.

L'enchaînement des épreuves. Comme les étapes constituent chacune le préalable de la suivante dans le modèle à étapes multiples, la justesse de leur enchaînement est primordial. Or, bien des organisations se basent sur des considérations pratiques pour établir l'ordre des épreuves, qui ainsi ne respecte pas nécessairement l'ordre l'importance des critères de validité. Il faut plutôt ordonner les épreuves en fonction de leur validité relative, de la plus importante à la moins importante. En somme, les critères de validité doivent primer toute autre considération.

L'approche compensatoire à prédicteurs multiples

Les modèles de l'approche non compensatoire se fondent sur le postulat qu'un résultat, même exceptionnel, pour un prédicteur donné ne peut compenser l'échec pour un autre prédicteur. À l'opposé, selon l'approche compensatoire à prédicteurs multiples, un résultat supérieur au seuil pour un prédicteur donné peut compenser le piètre score pour un autre. Par exemple, un score élevé de motivation pourrait compenser un faible score d'aptitude. À partir de cette hypothèse, on analyse les prédicteurs en fonction des « combinaisons gagnantes » pour un poste donné (les techniques statistiques sont généralement appropriées à ce genre d'analyse).

L'approche combinée à prédicteurs multiples

Un grand nombre d'organisations associent les approches dès le début du recrutement. L'approche combinée à prédicteurs multiples fait intervenir des éléments tant de l'approche compensatoire que de l'approche non compensatoire. On débute généralement par le modèle à seuils multiples. À partir de l'étape de l'entrevue, on a recours à l'approche compensatoire. Par exemple, le préalable à l'embauche peut être une exigence minimale, telle qu'un diplôme de premier cycle en comptabilité ou une note moyenne élevée. Une fois cette condition satisfaite, on examine les autres caractéristiques. Ainsi, l'utilisation de prédicteurs multiples oblige les entreprises à étudier les caractéristiques des postes afin de déterminer le nombre de prédicteurs retenus et le degré de compensation jugé acceptable entre ces prédicteurs.

Afin de réduire le risque de poursuites et les dépenses inutiles, l'employeur doit s'assurer que les critères de sélection sont liés aux exigences du poste et qu'aucune façon de procéder ou information sans rapport avec les fonctions n'intervient dans le processus de décision.

6.2.4 | L'approche par compétences

Selon Durivage[5], l'approche par compétences permet aux gestionnaires de sélectionner les candidats en fonction d'un profil de compétences préalablement déterminé en fonction des orientations stratégiques de l'entreprise. Cette approche débute par une analyse stratégique destinée à déterminer les compétences clés liées au succès de l'entreprise. Ensuite, on évalue ces compétences auprès des employés en poste ou des nouveaux candidats : leur présence chez tous les employés est garante du succès de l'organisation et de sa capacité à mettre en œuvre ses plans stratégiques.

> **Approche par compétences**
> Méthode de sélection des candidats se fondant sur un profil de compétences préalablement déterminé en fonction des orientations stratégiques de l'entreprise.

Selon les approches traditionnelles, on recherche la spécialisation des postes. L'intérêt de l'approche par compétences réside dans le regroupement des postes par fonctions (par exemple, les fonctions de gestion, de vente ou de soutien administratif). On classe ensuite les postes dans chacune des fonctions pertinentes. Pour bien définir chaque fonction, on établit quatre ou cinq responsabilités globales. On associe ensuite à chacune de ces responsabilités les compétences de base et les compétences cruciales pour la réalisation de la fonction, par exemple, la capacité de communication interpersonnelle ou l'aptitude à négocier (voir l'encadré 6.6). On considère que les compétences de base et les compétences cruciales sont essentielles à l'ensemble des postes au sein d'une même fonction. Toutefois, pour tenir compte des différences inhérentes aux postes de même fonction (qui peuvent varier, par exemple, selon le contexte), on définit des compétences complémentaires.

Les employés en poste et les candidats à sélectionner doivent correspondre à ce profil. Par ailleurs, il faut déterminer les compétences qui permettent de différencier les employés performants des moins performants. Au cours du processus de sélection, il faut donc mettre l'accent sur les compétences cruciales, puisque leur acquisition est plus difficile une fois l'employé en poste.

L'approche par compétences remet en cause toute la structure des postes de l'organisation. Soulignons qu'elle est malgré tout intéressante et actuelle : elle s'avère très utile dans les secteurs qui s'y prêtent, notamment dans le secteur bancaire, les services professionnels et le commerce de l'automobile. Soulignons également que cette approche a évidemment des répercussions sur la détermination des critères de sélection et sur le choix des instruments de sélection[6].

Le profil de compétences d'un gestionnaire

Les compétences décrites ci-dessous sont considérées comme les principaux comportements d'un gestionnaire. Ce n'est cependant pas la liste exhaustive des compétences nécessaires pour réussir dans un poste donné et les titulaires doivent aussi posséder une expertise technique précise.

Compétences de base	Compétences cruciales
Priorité accordée au client	• Mettre l'accent sur la détermination et la satisfaction des besoins des clients, internes ou externes, afin de les aider à atteindre l'excellence.
Communication	Communiquer ouvertement, de façon convaincante, honnête, persuasive et bien articulée, en s'assurant que le message est clair, bien compris et conforme aux objectifs de l'organisation.
Capacité de concevoir et d'analyser	• Comprendre, analyser, résumer et présenter des données complexes et des variables abstraites. • Tirer des conclusions logiques et proposer des solutions de remplacement raisonnables et créatives.
Esprit d'initiative	• Prévoir les problèmes et les traiter avec constance et persévérance. • Profiter des occasions qui se présentent. • Dépasser les attentes.
Réseautage	• Cultiver un réseau de relations comme sources d'information, de conseil et de soutien.
Connaissance de l'organisation et des milieux de travail	• Comprendre le fonctionnement, la structure et la culture de l'organisation, de même que le climat politique, social et économique dans lequel elle s'inscrit.
Établissement de partenariats	• Rechercher et établir des alliances internes et externes, ainsi que des ententes de collaboration et de service avec les clients, afin de faire progresser les relations d'affaires, le savoir, le développement économique et l'innovation.
Orientation vers les résultats	• Mettre l'accent sur l'atteinte de résultats de haute qualité, conformément à la vision de l'organisation.
Connaissance de soi et perfectionnement personnel	• Évaluer ses points forts et ses points faibles, et se perfectionner de façon continue. • Maintenir son efficacité en dépit des changements ou des situations peu claires.
Travail en équipe	• Faire preuve d'entregent. • Coopérer et travailler avec efficacité, au sein des unités de l'organisation et de concert avec d'autres unités, en vue de la réalisation d'objectifs communs.

Source : adapté de Conseil national de recherches du Canada, careers-carrieres.nrc-cnrc.gc.ca/careers/career_main.nsf/pagef/home, Carrières, Emplois disponibles, Visionnez les compétences, 2007.

6.2.5 | La fidélité et la validité des instruments de sélection

La qualité et l'efficacité des décisions de sélection sont liées au nombre de candidats retenus. Or, ces décisions peuvent influer sur le niveau global de la productivité de l'organisation. Lorsqu'une organisation fonde ses décisions de sélection sur des activités qui contribuent à améliorer la productivité, on peut conclure qu'elle utilise des prédicteurs (critères) valides et fiables.

LA FIDÉLITÉ

La fidélité fait appel à la stabilité et à la cohérence de l'instrument de sélection, c'est-à-dire du prédicteur ou du critère. Cette caractéristique implique que l'instrument choisi (données d'un test écrit, impressions notées au cours d'une entrevue, etc.) puisse reproduire les mêmes résultats quand on le réutilise dans des conditions identiques. La littérature en gestion des ressources humaines traite de deux mesures de fidélité : la stabilité et la cohérence interne[7].

La fidélité du test-retest. Le moyen le plus simple d'évaluer la fidélité d'un instrument de mesure consiste à comparer les scores obtenus à deux moments différents. C'est ce qu'on appelle fidélité du test-retest. On peut, par exemple, administrer un test d'intelligence à un groupe de candidats trois mois avant l'embauche et l'administrer de nouveau un mois avant la prise de décision. La mise en corrélation des deux scores produit le coefficient de corrélation (ou coefficient de stabilité), qui reflète la stabilité du test dans le temps. Un coefficient de stabilité élevé traduit habituellement un haut niveau de fidélité de l'instrument de mesure. En règle générale, on juge acceptable un coefficient de stabilité de 0,70 et plus[8].

La fidélité par cohérence interne. La fidélité par cohérence interne désigne le degré d'homogénéité du contenu de l'instrument de sélection. Elle permet de déterminer dans quelle mesure les différents éléments de l'instrument (par exemple, d'un test) évaluent la même caractéristique. On mesure la cohérence interne grâce au coefficient alpha de Cronbach, qui doit être supérieur à 0,70[9].

LA VALIDITÉ

La notion de validité a trait au niveau de précision ou d'exactitude de la mesure d'un attribut plutôt qu'à la cohérence interne de l'instrument. Alors que la fidélité s'applique au test (ou à l'instrument de sélection), la validité est plutôt liée à son utilisation. Elle implique l'utilisation appropriée d'un instrument de mesure donné afin de tirer des conclusions à partir de critères définis. Le faible degré de validité d'un test implique l'impossibilité de prédire qu'un candidat réussira mieux qu'un autre. De façon générale, la plupart des tests utilisés par les entreprises n'ont pas une validité parfaite et ne constituent donc pas des prédicteurs fiables du rendement des candidats. Cependant, selon son niveau de validité, un test peut être utile à l'entreprise pour déceler les candidats les plus susceptibles d'un rendement exceptionnel. Par ailleurs, il est souvent impossible de démontrer la validité du prédicteur utilisé à l'aide de données empiriques. Dans ce cas, on utilise d'autres méthodes de validation ; la validité de contenu et la validité de construit sont les plus courantes.

Les ouvrages de gestion des ressources humaines recensent plusieurs catégories de validité. Quatre d'entre elles paraissent particulièrement pertinentes pour les décisions de sélection et d'affectation du personnel : la validité empirique (ou validité critérielle), la validité de contenu, la validité de construit (ou validité conceptuelle) et la validité apparente[10].

La validité empirique. La validité empirique (ou validité critérielle) désigne la relation entre un prédicteur et un critère donné permettant de mesurer le succès d'un candidat à un poste. On distingue deux stratégies de validation empirique : la validité concourante et la validité prédictive.

Fidélité

Qualité d'un instrument de mesure (par exemple, d'un test ou d'un élément d'un test) qui permet d'obtenir un résultat de façon constante, à la suite de mesures répétées dans des conditions identiques.

Fidélité du test-retest

Relation entre les résultats d'un même test effectué à deux moments différents.

Coefficient de corrélation (ou coefficient de stabilité)

Mesure du degré de correspondance entre deux variables : par exemple, les résultats d'un employé à un test et son rendement au travail.

Fidélité par cohérence interne

Mesure du degré de correspondance ou d'homogénéité entre des éléments, des dimensions ou des énoncés censés se rapporter à un même objet : par exemple, les 10 éléments d'un test d'aptitude mécanique ou d'une mesure de contrôle de la réussite à un emploi.

Validité

Degré auquel un prédicteur (par exemple, un test de sélection) ou un critère mesure effectivement ce qu'il est censé mesurer. La validité d'un test de sélection pour un poste donné est généralement démontrée par l'existence d'un lien significatif entre les prédictions du test sur le rendement d'un candidat et son rendement réel, une fois qu'il est en poste.

La *validité concourante* détermine, pour un critère donné, la relation entre un prédicteur et les scores de tous les employés participant à une étude qui porte sur une même période. Par exemple, pour déterminer la validité concourante de la corrélation existant entre les années d'expérience et le rendement des superviseurs de premier niveau, les gestionnaires des ressources humaines peuvent recueillir de l'information portant sur les années d'expérience des superviseurs dans leurs fonctions respectives et sur leurs résultats aux dernières évaluations de rendement global. Un coefficient de corrélation élevé signifierait que les superviseurs possédant le plus d'expérience fournissent un meilleur rendement que les autres, et vice versa.

Pour évaluer la *validité prédictive*, il faut effectuer la mesure du prédicteur avant celle du critère. Par exemple, on évalue d'abord un groupe donné de candidats à l'aide d'un test ou d'un prédicteur et on évalue ultérieurement les résultats obtenus en fonction du critère choisi. Cette procédure est assez coûteuse, c'est pourquoi on lui préfère généralement la validité concourante.

Validité de contenu

Estimation de la pertinence d'un test pour mesurer une bonne proportion des compétences nécessaires à l'accomplissement des fonctions requises par un poste.

La validité de contenu. La validité de contenu correspond à la capacité d'un instrument de mesure à appréhender les aspects pour lesquels il a été conçu. Le test de traitement de texte utilisé pour la sélection d'adjoints administratifs est un exemple classique de prédicteur auquel on attribue une validité de contenu. Ce genre de prédicteur renvoie alors à une aptitude directement liée à une tâche de la description du poste. La validité de contenu est établie si l'ensemble des aspects à mesurer sont pris en compte. Il apparaît donc évident que l'analyse des postes constitue un élément essentiel du processus de validation ; elle devrait, en effet, être à la fois le point de départ du processus de sélection et l'élément permettant de faire le lien entre la sélection et la validation.

Validité de construit (ou validité conceptuelle)

Degré auquel un test mesure les concepts (ou construits) jugés essentiels au titulaire d'un poste pour exercer adéquatement ses fonctions et fournir un rendement satisfaisant.

La validité de construit. La validité de construit (ou validité conceptuelle) requiert la démonstration de l'existence d'une relation entre une technique de sélection ou un test, une mesure du construit et le trait psychologique (c'est-à-dire le construit lui-même) qu'on cherche à mesurer. Ainsi, le construit peut correspondre aux traits psychologiques nécessaires pour occuper un poste : l'aptitude à diriger et à communiquer, la sensibilité interpersonnelle, la capacité d'analyse, etc.

Par exemple, on peut se demander si une étude de cas est un test qui permet de mesurer de façon fiable la capacité d'analyse des étudiants universitaires. Afin d'en vérifier la validité conceptuelle, il faudrait présenter des données montrant que les meilleurs étudiants au test analysent réellement une matière plus difficile et font preuve d'une plus grande capacité de réflexion que les candidats dont les résultats sont plus faibles. Par ailleurs, pour utiliser ce même test dans un processus de formation de gestionnaires, il faudrait démontrer que la capacité d'analyse est une qualité reliée aux tâches relevant de la description de poste de ces gestionnaires.

Le choix du meilleur candidat et le choix du moyen de sélection le plus approprié pour parvenir à cette décision ne sont pas des processus simples. Bien sûr, on peut choisir une technique moins complexe, mais il faut tenir compte de plusieurs facteurs d'ordre technique si on veut améliorer le processus de sélection. À cet égard, le choix du prédicteur demeure un élément déterminant. Les principales étapes de tout processus de validation sont présentées dans l'encadré 6.7.

Les étapes du processus de validation

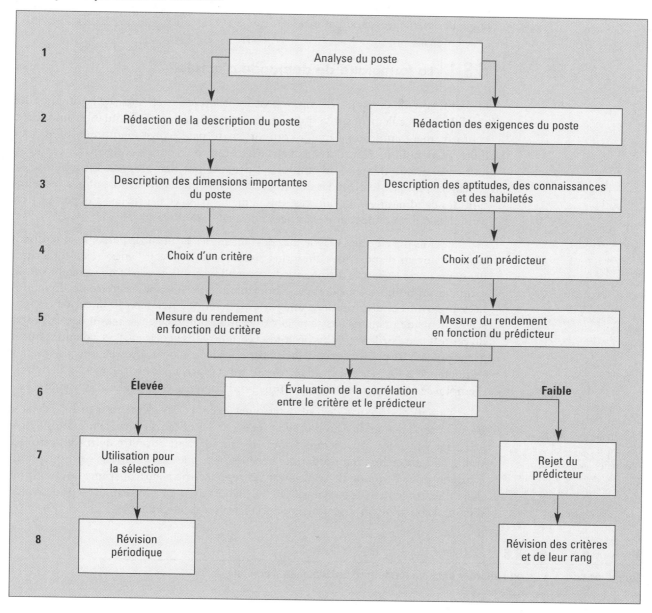

LES INSTRUMENTS DE SÉLECTION

Cette section porte sur les instruments de sélection les plus utilisés dans les organisations. Comme nous l'avons mentionné précédemment, ce sont les professionnels de la gestion des ressources humaines qui procèdent au choix des instruments de sélection, après avoir établi les critères de sélection et après avoir tenu compte de l'ensemble des considérations essentielles à la bonne marche du processus de sélection. Ces instruments servent à recueillir l'information nécessaire à la validation des critères et au choix des meilleures candidatures.

6.3.1 | Le formulaire de demande d'emploi

Le formulaire de demande d'emploi procure des renseignements sur la situation du candidat, non seulement sur sa situation actuelle, mais aussi sur sa situation antérieure, conformément au postulat que le comportement passé constitue un bon prédicteur du rendement futur. Contrairement au curriculum vitæ, qui est rédigé par le candidat, le formulaire de demande d'emploi est préparé par l'employeur. En fonction de rubriques précises, le candidat donne des renseignements qui serviront à la présélection des candidatures. En fait, ces renseignements servent souvent à départager les candidats qui répondent aux exigences minimales du poste.

Les lois provinciales et fédérales portant sur les droits de la personne interdisent à un employeur de poser des questions discriminatoires (voir l'encadré 6.8). En dépit des contraintes légales, le formulaire de demande d'emploi permet de recueillir sur un candidat un nombre considérable d'informations relatives à l'exercice des fonctions liées au poste. Les organisations ont parfois tendance à pondérer la valeur de ces renseignements de manière à assurer leur utilisation optimale en fonction des exigences du poste. On accorde ainsi plus de poids à certains renseignements qu'à d'autres quant à leur pouvoir de prédire le rendement. Par exemple, on peut accorder une plus grande importance à l'expérience qu'au niveau de scolarité. Le formulaire de demande d'emploi se révèle particulièrement utile pour analyser les candidatures nombreuses.

La nature du poste devrait déterminer le choix des éléments à inclure dans le formulaire de demande d'emploi (voir les exemples de la rubrique *Consultez Internet*, à la page suivante). Par exemple, pour un emploi dont l'horaire de travail est fractionné, il faut inclure dans le formulaire biographique des questions sur l'intérêt du candidat pour ce mode de travail, car les réponses peuvent constituer un bon prédicteur du roulement de la main-d'œuvre. Élaboré avec soin, le formulaire de demande d'emploi constitue un instrument de prédiction utile et équitable.'

Formulaire biographique

Formulaire destiné à recueillir des renseignements portant sur les réalisations, les intérêts et les préférences du candidat. Il complète le formulaire de demande d'emploi.

ENCADRÉ ▶ **6.8**

Quelques sujets à ne pas aborder dans un formulaire de demande d'emploi

- Le nom d'un membre du clergé ou d'un chef religieux à titre de référence
- Le nombre d'enfants ou l'intention d'en avoir
- La taille et le poids (sauf pour des exigences directement liées au poste)
- L'état civil
- Le lieu et l'année d'obtention d'un diplôme (sauf pour les postes professionnels requérant un permis)
- L'existence d'un casier judiciaire (sauf pour des exigences directement liées aux fonctions)
- Le lieu de naissance (de la personne, du conjoint ou des parents)
- Les affiliations ou les activités politiques
- L'âge, la couleur de la peau ou la race, le sexe, la religion, l'origine ethnique, l'origine nationale

Cependant, l'utilisation de ce type de prédicteurs soulève certains problèmes. On peut ainsi s'interroger sur l'honnêteté des candidats qui remplissent un formulaire de demande d'emploi ; c'est pourquoi il importe de vérifier l'exactitude des réponses. Un autre problème est lié au fait que la validité de l'information contenue dans les formulaires peut décroître avec le temps, ce qui est attribuable aux changements observés dans les banques de candidats, les conditions du marché du travail et les postes eux-mêmes ; il est donc souhaitable de réviser périodiquement la justesse des éléments du formulaire.

CONSULTEZ
INTERNET

www.canadacouncil.ca/aproposdenous/emplois/rr127237563301718750.htm

www.spvm.qc.ca/fr/pdf/F320_12_Demande_emploi_agtquartier.pdf

ville.montreal.qc.ca/pls/portal/docs/page/PES_Formulaires_FR/Formulaires/06.20.753-8Demandeemploi.pdf

www.renaud-bray.com/grh/ApplyForJob.aspx

Quelques exemples de formulaires de demande d'emploi.

6.3.2 | La vérification des références

On vérifie généralement les références à la quatrième étape de la séquence des instruments de sélection (voir l'encadré 6.4). Cependant, on peut le faire plus tôt. Cette vérification consiste à corroborer, auprès d'autres personnes ou d'autres sources, les renseignements du curriculum vitæ ou ceux du formulaire d'emploi. Un employeur peut vouloir vérifier l'exactitude des informations fournies, telles que la durée et le salaire des emplois précédents, les diplômes, l'appartenance en règle à un ordre ou à une corporation et, même, le droit de travailler au pays (conformément aux lois sur l'immigration).

La vérification des références permet de compléter l'information sur les comportements et les attitudes du candidat dans un emploi précédent : sa motivation, sa compétence technique, sa capacité à travailler en équipe, son assiduité, etc. Cette façon de faire, largement répandue, soulève certaines inquiétudes d'ordre juridique, car elle peut engendrer des pratiques discriminatoires. Par ailleurs, les employeurs devraient pouvoir rechercher assez librement l'information susceptible de leur permettre de départager les meilleurs candidats en matière de rendement. Cependant, l'enquête menée sur un candidat peut empiéter sur sa vie privée[11]. Par conséquent, la possibilité de poursuites pour diffamation rend difficile la recherche de tels renseignements. Les employeurs sont devenus prudents et fournissent une information limitée sur leurs anciens employés. La personne qui vérifie des références devrait, d'une part, se conformer à certains principes et, d'autre part, éviter de poser des questions tendancieuses ; l'information recueillie pourra alors être plus exacte et plus fiable (voir l'encadré 6.9).

Les recherches sur la vérification des références montrent que les candidats peuvent proposer des noms de répondants qui ne fourniront pas une information aussi utile que celle qui provient d'anciens employeurs, collègues ou subordonnés. En fait, certaines des informations les plus fiables résultent de l'observation des candidats en entrevue, car celle-ci permet de découvrir s'il existe une correspondance entre leur comportement et leurs réponses aux questions posées[12].

Les règles de conduite à observer lors de la vérification des références

À faire
- Demander une évaluation chiffrée du candidat (par exemple, sur une échelle de 1 à 10, comparativement à d'autres employés).
- Vérifier auprès d'autres sources tout élément défavorable signalé.
- Si l'interlocuteur se montre réservé, faire usage de diplomatie pour obtenir quand même des renseignements.
- Vérifier si le candidat satisfait aux conditions de réembauchage de l'ancien employeur : c'est à la fois le bilan et l'élément décisif de la vérification des références.
- Demander si une autre personne de l'organisation pourrait aussi donner son avis.

À éviter
- Formuler les questions en suggérant les réponses (par exemple, « La candidate est une bonne gestionnaire, n'est-ce pas ? »).
- Négliger de mentionner des données évidentes, telles que les dates ou les périodes sur lesquelles portent les questions.
- Décrire l'emploi sollicité par le candidat avant la fin de la conversation.
- Permettre à l'interlocuteur de n'aborder que les aspects positifs (il faut plutôt mener un interrogatoire serré).
- S'intéresser exclusivement aux sujets liés aux exigences du poste (il importe d'obtenir des commentaires relatifs à d'autres comportements, tels que l'engagement, le sens de l'urgence, la méticulosité, etc.).
- S'il y a lieu, tenir compte du lien personnel entre le candidat et les personnes ayant fourni des références (celles-ci ont tendance à taire les aspects défavorables au candidat).

CONSULTEZ
INTERNET

www.psc-cfp.gc.ca/ppc/assessment_cp5_f.htm

Section du site de la Commission de la fonction publique du Canada portant sur la vérification des références.

Notons que peu d'employeurs utilisent uniquement les lettres de recommandation comme sources de renseignements sur le candidat. Il semble que seules les références provenant des superviseurs antérieurs (qui ont observé récemment le candidat en situation de travail) soient des prédicteurs précis du succès dans un nouvel emploi.

6.3.3 | L'entrevue de sélection

CONSULTEZ
INTERNET

www.cdpdj.qc.ca/fr/guides

Guides proposés par la Commission des droits de la personne et des droits de la jeunesse, utiles pour déterminer les questions à éviter au cours d'une entrevue de sélection.

L'entrevue demeure l'une des méthodes de sélection les plus courantes. Bien qu'on reconnaisse la pertinence de l'entrevue pour recueillir des renseignements factuels sur les antécédents du candidat, on souligne cependant ses faiblesses comme méthode d'évaluation en raison de sa trop grande subjectivité[13]. Les employeurs continuent d'utiliser l'entrevue pour obtenir de l'information et appuyer leurs décisions, en dépit des pressions exercées par la Commission des droits de la personne au fédéral et par la Commission des droits de la personne et de la jeunesse au provincial pour les inciter à adopter des méthodes plus objectives, plus précises et plus fiables. Ces organismes insistent, en effet, sur le manque de fidélité de cette méthode et font observer que des entrevues réalisées par des personnes différentes avec le même candidat peuvent amener la mise en évidence de faits différents et entraîner des conclusions divergentes. De plus, les renseignements obtenus au cours d'une entrevue pourraient devenir une source de discrimination à l'égard du candidat[14].

Malgré ces problèmes, certaines raisons militent en faveur de l'entrevue de sélection. Les professionnels de la gestion des ressources humaines et les autres gestionnaires apprécient en effet les possibilités que leur offre l'entrevue : se faire une impression générale des candidats ; mettre en valeur le poste et l'organisation ; répondre aux questions des candidats. C'est pourquoi ils favorisent l'utilisation de cette méthode.

Comme l'entrevue de sélection est largement utilisée, nous en ferons une présentation détaillée et critique en faisant ressortir les moyens de la rendre plus fiable et de la relier davantage au contexte du poste. En général, les renseignements obtenus au cours de l'entrevue se limitent aux exigences du poste, surtout si le recruteur évite les questions discriminatoires, comme celles qui figurent dans l'encadré 6.8 au sujet du formulaire de demande d'emploi. L'encadré 6.10 propose une grille d'entrevue de sélection.

L'entrevue peut jouer un rôle important à deux moments du processus de sélection : soit au début, soit à la fin. La conduite de l'entrevue dépend du genre de poste disponible. Dans certains cas, une entrevue téléphonique permet de compléter les renseignements du curriculum vitæ que le candidat a soumis directement à l'employeur ou par l'intermédiaire d'une agence de placement. Quand la candidature fait suite à une annonce parue dans le journal ou sur Internet, on organise une première entrevue après la présélection effectuée à partir des curriculum vitæ.

CONSULTEZ INTERNET

www.polymtl.ca/sp/etudiant/rliberte/preparation.php

Renseignements utiles aux intervieweurs et aux interviewés sur le site du service de placement de l'École polytechnique de Montréal.

LES TYPES D'ENTREVUES

On classe les entrevues selon la technique ou la forme. L'entrevue en profondeur est relativement courante. À l'aide du plan général des sujets à aborder, l'intervieweur privilégie souvent une approche non structurée. Il donne ainsi la possibilité aux personnes interviewées de s'exprimer sur des thèmes de leur choix. Il est difficile de s'assurer de la qualité d'une entrevue en profondeur, car celle-ci dépend de la compétence de l'intervieweur. C'est pourquoi les organisations font souvent passer une entrevue dirigée (ou structurée). Pour maintenir une certaine constance dans l'information recueillie, on pose généralement une série de questions prédéterminées. Les études de validation indiquent que l'entrevue dirigée est véritablement utile pour prédire la réussite d'un candidat[15].

Entrevue en profondeur

Entrevue au cours de laquelle l'intervieweur formule un nombre limité de questions globales et qui requiert de l'interviewé des réponses détaillées.

Quand plusieurs personnes participent à l'entrevue, il s'agit d'une entrevue en comité. Le coût relativement élevé de la constitution d'un comité incite les organisations à réserver ce genre d'entrevue au recrutement du personnel de gestion. Si on veille à une représentation adéquate au sein des comités de sélection, cette pratique s'avère très utile dans le cadre des programmes d'équité en emploi pour favoriser le recrutement de femmes ou de membres de minorités et pour éviter les décisions discriminatoires.

Entrevue en comité

Entrevue réalisée par plusieurs intervieweurs.

On a parfois recours à l'entrevue axée sur le stress pour certains postes de gestion ou d'exécution exigeant la capacité de demeurer calme et de travailler sous pression. Au cours d'une telle entrevue, l'intervieweur peut intentionnellement ennuyer, embarrasser ou frustrer le candidat dans le but de provoquer et de connaître ses réactions. On s'en sert, entre autres, pour des postes de policier ou de militaire, mais elle ne convient pas à la plupart des emplois.

Entrevue axée sur le stress

Entrevue au cours de laquelle l'intervieweur cherche intentionnellement à contrarier ou à embarrasser le candidat pour pouvoir apprécier sa résistance et ses réactions au stress.

Exemple de grille d'entrevue de sélection

Nom:	Prénom:
Poste à pourvoir:	
Date:	Recruteur:

1. Accueil du candidat	**Points à observer**
Présentation Objectifs de l'entretien Durée de la rencontre Titre de la fonction Entreprise (profil du marché, nombre d'employés, etc.)	Tenue vestimentaire Présentation Attitude
2. Expérience et carrière	**Points à observer**
Résumez en quelques minutes votre expérience par rapport au poste. Parlez-moi de vos études.	Élocution Esprit de synthèse Pertinence de la formation
Quel a été votre cheminement de carrière? Poser plusieurs questions: principales activités? réalisations? préférences? motif de départ? L'objectif est d'en arriver à savoir précisément ce que la personne a réalisé dans chacun de ses postes précédents.	Niveau de responsabilités assumées Diversité et étendue de l'expérience Importance et retombées des réalisations
Qu'est-ce qui est important pour vous dans un emploi? Quel emploi vous a le plus satisfait? Pour quelles raisons? Quel défi aimeriez-vous relever à cette étape-ci de votre carrière?	Champs d'intérêt Degré d'initiative Cohérence du plan de carrière
3. Critères	**Points à observer**
Sur quels critères vous basez-vous pour évaluer la qualité de votre travail?	Exigences personnelles
4. Compétences et attitudes	**Points à observer**
Êtes-vous capable d'utiliser tel ou tel système? Quel genre de travail avez-vous eu à faire en lien avec la programmation informatique? De quelle façon planifiez-vous votre travail? Décrivez-nous une situation où vous avez eu à travailler sous pression et à respecter des échéances. Quels moyens avez vous pris pour vous en sortir? Décrivez-nous une situation où vous avez collaboré avec des collègues. Comment décririez-vous vos rapports avec vos collègues? vos supérieurs? vos subordonnés?	Connaissances techniques Capacité à s'organiser Capacité à garder son calme Capacité à travailler en équipe
5. Traits de personnalité	**Points à observer**
Comment procédez-vous pour ne rien oublier? Comment gérez-vous les consignes qu'on vous donne?	Bonne mémoire Respect des procédures

Décrivez la relation que vous souhaitez avoir avec votre supérieur ? avec vos collègues ?	Aptitude au travail d'équipe
Avez-vous déjà dû résoudre un conflit avec un collègue ? avec un client ? Comment avez-vous procédé ?	Capacité à gérer les conflits
	Capacité à gérer son temps de travail
Qu'est-ce qu'une journée chargée pour vous ?	Capacité de réalisation
Comment vous y prenez-vous pour faire patienter quelqu'un ?	Qualités personnelles
Quelle a été votre plus grande réalisation ? Pourquoi la considérez-vous comme telle ?	
Selon vous, à l'aide de quels adjectifs qualificatifs un ami vous décrirait-il ?	

6. Description du poste	**Points à observer**
Revoir la description et les exigences du poste avec le candidat. Préciser les éléments suivants : • Horaire de travail • Heures supplémentaires • Salaire • Avantages sociaux • Travail en équipe Vérifier les attentes du candidat par rapport à ces éléments et son intérêt pour le poste.	

7. Conclusion	**Points à observer**
Demander au candidat s'il souhaite aborder d'autres points. Faire la synthèse de l'entrevue. Préciser les prochaines étapes du processus de sélection.	

Source : adapté de TECHNO*Compétences*, Comité sectoriel de main-d'œuvre en technologies de l'information et des communications, *Guide de gestion des ressources humaines destiné aux entreprises des technologies de l'information*, TECHNO*Compétences*, Emploi Québec et Direction de la planification et du partenariat, Montréal, 2003, www.technocompetences.qc.ca, Guide et outils.

L'entrevue situationnelle couvre généralement des situations de travail hypothétiques. À l'occasion d'une mise en situation ou d'une simulation, le candidat doit décrire comment il accomplirait une tâche donnée.

L'entrevue de connaissances est destinée à évaluer les compétences techniques ou fondamentales nécessaires à l'exécution des fonctions rattachées au poste. Même si les tests papier-crayon se prêtent mieux à ce type d'évaluation, les entrevues de connaissances fourniront un complément d'information sur le savoir-faire du candidat.

Enfin, l'entrevue axée sur le comportement (EAC) repose sur le postulat selon lequel le comportement passé du candidat constitue le meilleur prédicteur de son rendement futur. Par conséquent, le candidat doit illustrer par des exemples les moyens qu'il a utilisés antérieurement pour résoudre des problèmes ou s'acquitter de responsabilités.

Entrevue situationnelle

Entrevue au cours de laquelle le candidat explique ce qu'il ferait dans une situation hypothétique donnée.

Entrevue de connaissances

Entrevue au cours de laquelle le candidat est soumis à des questions visant à évaluer ses capacités et ses connaissances pour occuper une fonction ou un poste déterminé.

Entrevue axée sur le comportement (EAC)

Entrevue au cours de laquelle le candidat explique, exemples à l'appui, comment il s'est acquitté de ses responsabilités par le passé.

DANS
LES **FAITS**

À l'usine de GE située à Bromont, toutes les décisions d'embauche sont prises par des comités de sélection formés d'ouvriers de production, de superviseurs et de membres de la direction. Le consensus du comité est essentiel à l'acceptation d'une candidature[16].

LES PROBLÈMES LIÉS À L'ENTREVUE DE SÉLECTION

Plusieurs éléments peuvent influer défavorablement sur une entrevue, quelles que soient la technique et la forme retenues. Pour en réduire le risque, il faut prendre conscience de ce genre de problèmes ; le gestionnaire des ressources humaines doit donc informer les intervieweurs des pièges qui les guettent.

Au cours de l'entrevue, l'intervieweur est susceptible de se heurter à plusieurs problèmes, souvent liés à la collecte et à l'évaluation de l'information (voir l'encadré 6.11). Les informations que l'intervieweur recueille ne concernent pas toujours des dimensions pertinentes pour évaluer les chances de réussite d'un candidat dans ses futures fonctions. En effet, il arrive que l'intervieweur ne dispose pas de la description exhaustive du poste à pourvoir ni d'une évaluation adéquate des principales exigences ou des conditions de travail qui s'y rattachent. Néanmoins, tant pour des motifs de rendement au travail que de respect des lois, il importe de rechercher une information pertinente.

ENCADRÉ ▶ **6.11**

Les principaux pièges de l'entrevue de sélection

> - Recueillir auprès du candidat de l'information sans rapport avec les exigences du poste.
> - Accorder trop d'importance à certaines dimensions et laisser de côté des aspects importants.
> - Se faire une idée du candidat dès le début de l'entrevue (jugement instantané) et négliger ainsi des données utiles.
> - Évaluer le candidat selon une seule dimension de l'emploi (effet de halo).
> - Se laisser influencer dans son jugement sur un candidat par la performance des autres candidats (effet de contraste) ou par ses premières et dernières impressions (effet d'ordre).
> - Ne pas soumettre tous les candidats au même processus de sélection.
> - Ne pas analyser et évaluer systématiquement toute l'information recueillie sur le candidat.

L'intervieweur s'attarde parfois sur certains sujets, ce qui l'empêche de couvrir des aspects importants liés à l'accomplissement des fonctions. Ce problème survient surtout quand il y a plusieurs intervieweurs dans une même entrevue : en fait, le candidat ne passe pas quatre entrevues dans une, mais quatre fois la même.

Il faut éviter de porter un jugement instantané sur le candidat dès le début de l'entrevue de façon à rester ouvert à d'autres données utiles. Des recherches ont montré que la plupart des intervieweurs se forment une opinion sur le candidat au cours des quatre ou cinq premières minutes et qu'ils cherchent ensuite des indices et des faits pour confirmer cette opinion.

L'intervieweur peut se laisser guider par une seule dimension de l'emploi pour évaluer le candidat. Cet effet de halo survient quand l'intervieweur juge le potentiel d'un candidat pour un emploi donné à partir d'une caractéristique comme la présentation, la tenue ou le langage. Dans certains cas, l'intervieweur peut même effectuer des choix douteux ou discriminatoires. De plus, il influence le candidat, qui aura alors tendance à le percevoir comme un reflet de l'entreprise dans son ensemble et qui accordera plus d'importance à son propre jugement sur l'intervieweur qu'à la documentation organisationnelle dont il a pris connaissance.

Effet de halo

Tendance de l'évaluateur à apprécier globalement un employé en fonction de son rendement exceptionnellement élevé ou exceptionnellement bas dans une dimension du comportement. L'impression favorable ou défavorable qui se dégage de l'évaluation de cette dimension influence le jugement de l'évaluateur et est source de distorsion ou d'erreur.

Le processus de sélection doit être le même pour tous les candidats : il faut donc en structurer minutieusement les divers éléments. Par exemple, si les principales références du candidat n'ont pas été vérifiées, l'intervieweur peut se retrouver devant un candidat non qualifié pour le poste à pourvoir. Si les candidats ne suivent pas tous le même processus (par exemple, on soumet seulement certains d'entre eux à des tests), on sème la confusion, sans compter qu'il s'agit de pratiques de sélection inéquitables et inefficaces.

Par ailleurs, il faut analyser et évaluer systématiquement l'information recueillie au cours de l'entrevue. Si plusieurs intervieweurs ont recueilli des informations sur le candidat, ils peuvent partager cette information au petit bonheur, mais ils risquent alors de négliger l'information pertinente pour le poste ou les données conflictuelles (ou données contradictoires). Cette approche désinvolte en matière de prise de décision permet parfois de gagner du temps et d'éviter les conflits, mais ce sont des avantages à très court terme. À long terme, toute l'organisation souffrira d'une mauvaise décision d'embauche.

L'urgence à pourvoir le poste influe souvent sur le jugement des intervieweurs, en les incitant à abaisser les normes de sélection. S'il en résulte une décision fâcheuse, les gestionnaires sauront toujours trouver une justification de leur piètre performance. Il arrive également que les gestionnaires décident d'embaucher un candidat dont les demandes salariales sont faibles. Les responsables des ressources humaines peuvent éviter de telles situations en ne communiquant pas ces données aux intervieweurs. En fait, la meilleure ligne de conduite consiste à d'abord sélectionner la personne la plus compétente pour le poste et ensuite à se soucier des coûts.

L'ensemble des candidatures à un poste influence le jugement des gestionnaires sur un candidat en particulier. À cet égard, il faut se méfier de deux pièges : l'effet de contraste et l'effet d'ordre. L'effet de contraste nous fait considérer un bon candidat comme excellent par comparaison avec d'autres candidats moyens ou médiocres. De la même façon, on jugera bon ou médiocre un candidat moyen selon qu'on le compare avec un groupe de bons candidats ou avec un groupe d'excellents candidats. Dans l'effet d'ordre, il peut s'agir de la première impression ou de la dernière. L'effet de la première impression est souvent important et durable ; c'est ainsi que le premier candidat à passer une entrevue devient, dans l'esprit de l'intervieweur, la norme d'évaluation des autres candidats. L'effet de la dernière impression est tout aussi important pour l'intervieweur, qui se rappellera plus facilement, surtout à la fin d'une longue journée d'entrevues, le dernier candidat que les précédents. Le candidat qui veut tirer profit de ces effets doit donc tenter d'obtenir une entrevue au milieu de l'horaire, bien que ce ne soit pas toujours possible[17].

La résolution des problèmes liés à l'entrevue. On le voit bien, les écueils sont nombreux. Pour les esquiver, il faut viser à accroître la validité et la fiabilité de l'entrevue : en se concentrant sur les seules exigences du poste, en élargissant l'éventail des caractéristiques mesurées ainsi qu'en s'assurant de la constance et de l'objectivité de l'information recueillie[18] (voir l'encadré 6.12).

L'intervieweur doit donc se limiter aux informations pertinentes pour le poste en ne posant que des questions dont la réponse peut servir de prédicteur du rendement futur. Comme nous l'avons mentionné plus haut, il est préférable d'effectuer une analyse

Effet de contraste

Déformation de l'évaluation résultant de la succession de candidats de capacités différentes. Ainsi, un bon candidat apparaîtra excellent s'il est évalué à la suite de candidats moyens ou médiocres, et apparaîtra moyen s'il est comparé avec un groupe de candidats exceptionnels.

Effet d'ordre

Première impression ou dernière impression.

Effet de la première impression

Effet d'ordre causé par la tendance de l'intervieweur à accorder une importance primordiale à l'information initiale qu'il a reçue ou à ses premières impressions, au détriment de l'information subséquente. L'intervieweur peut ainsi être porté à évaluer les candidats en s'appuyant sur l'information initiale.

Effet de la dernière impression

Effet d'ordre causé par la tendance de l'intervieweur à accorder à la dernière information reçue ou à l'information récente un poids excessif par rapport aux autres éléments d'information. L'intervieweur se rappellera ainsi avec plus de netteté le rendement des derniers candidats évalués que celui des premiers, et son évaluation pourra en être influencée.

préalable du poste vacant et de valider les prédicteurs utilisés. La structuration de l'entrevue et l'utilisation de multiples intervieweurs facilite l'arrimage de l'entrevue et des exigences de l'emploi. Cette façon de procéder accroît la validité de l'entrevue et la fiabilité des résultats.

ENCADRÉ ▷ **6.12**

Les principaux moyens pour déjouer les pièges de l'entrevue de sélection

- Ne recueillir que des informations ayant trait au poste.
- Utiliser le comportement passé comme prédicteur du comportement futur en recherchant des exemples précis de rendement.
- Coordonner l'entrevue préliminaire avec les entrevues subséquentes et avec les autres étapes de la collecte de l'information.
- Faire participer plusieurs gestionnaires à l'entrevue et à la prise de décision.

DANS LES **FAITS**

Les indices non verbaux donnés par le candidat représentent une dimension importante de l'entrevue. Une partie de l'information se communique sans le recours à la parole, c'est-à-dire par les mouvements du corps, les gestes, la fermeté de la poignée de main, le contact visuel et l'apparence physique. Les intervieweurs attachent souvent plus d'importance aux indices non verbaux qu'aux idées formulées par le candidat. On estime que la communication verbale ne représente qu'entre 30 % et 35 % du message que le candidat transmet. Ainsi, le candidat exprime ses sentiments à l'aide de la parole dans une proportion de 7 %, alors que les indices non verbaux comptent pour 93 % de cette information. Il est donc essentiel que les intervieweurs aient conscience du fait que ces indices contribuent fortement, souvent à leur insu, à la formation de leurs impressions sur le candidat[19].

Pour utiliser le comportement passé comme prédicteur du comportement futur, l'intervieweur doit se concentrer essentiellement sur la recherche d'informations concernant les précédentes expériences de travail du candidat et son rendement. On peut facilement obtenir ces données à l'entrevue préliminaire.

Un autre moyen d'améliorer l'efficacité du processus de sélection consiste à coordonner l'entrevue préliminaire avec les entrevues subséquentes et avec les autres étapes de la collecte de l'information. Par ailleurs, il faut faire preuve d'objectivité et de méthode dans la recherche de données pertinentes. La coordination et la mise en commun systématique des informations réduisent le risque de décision précipitée et subjective.

Enfin, la décision définitive peut relever d'un seul individu, mais il est préférable que plusieurs gestionnaires participent à la collecte de l'information et à l'évaluation des candidats.

6.3.4 | Les tests de sélection

Le choix des tests est une étape importante du processus de sélection. Grâce à ces tests, on recueille, on évalue et on transmet l'information sur les aptitudes, les expériences et les motivations du candidat. On estime qu'environ le tiers des employeurs canadiens ont recours à des tests de sélection. Les tests les plus courants mesurent les aptitudes cognitives, mécaniques et psychomotrices du candidat, ainsi que sa personnalité, ses intérêts, ses préférences et son intégrité.

La validité et la fidélité des tests écrits revêtent une grande importance aux yeux du candidat, car elles lui garantissent l'équité du processus de sélection[20]. Soulignons que l'utilisation des tests écrits soulève une vive controverse et est l'objet de nombreuses critiques liées à l'équité, aux préjugés culturels, à la validité et à la pertinence des caractéristiques des postes.

Bien des tests utilisés au Canada ont été conçus et validés aux États-Unis auprès de différents groupes de travailleurs, d'où un risque important de discrimination, puisque les populations des deux pays sont différentes. Il est, bien sûr, essentiel qu'une organisation valide auprès de son personnel les tests qu'elle utilise, mais elle n'a pas pour autant l'obligation de les concevoir, ce qui pourrait s'avérer très coûteux. Il existe plus de 1 000 tests sur le marché! Les firmes de consultants en gestion qui fournissent ces tests sont prêtes à les adapter ou à en concevoir de nouveaux selon les besoins des organisations.

Bon nombre de ces tests facilitent les décisions d'embauche parce que ce sont des prédicteurs efficaces de réussite dans une grande variété d'organisations, mais on ne devrait pas se limiter à ceux-là. La meilleure approche demeure la combinaison d'un test (ou d'une série de tests) avec d'autres méthodes de sélection, telles que les données biographiques, les entrevues, les simulations de situations de travail, etc.

Il est utile aux professionnels de la gestion des ressources humaines de connaître les tests le plus fréquemment utilisés pour la sélection. On classe les tests en fonction de l'information recherchée (caractéristiques, aptitudes, compétences, comportements, etc.). Les principales catégories sont les tests d'aptitudes, les tests de performance (ou de compétence), les tests de préférences, les tests de personnalité et les tests d'intérêts[21].

LES TESTS D'APTITUDES

Les *tests d'aptitudes* servent à évaluer le rendement potentiel d'un individu. On mesure les aptitudes générales à l'aide de tests d'intelligence, comme l'Échelle d'intelligence de Wechsler pour adultes et l'Échelle d'intelligence Stanford-Binet. Le principal objectif de ces tests est de prédire le succès scolaire dans un contexte d'enseignement traditionnel.

Parmi les *tests multidimensionnels d'aptitudes* conçus pour les organisations, on compte le Test différentiel d'aptitudes, le Test de classification d'aptitudes Flanagan, la Batterie générale de tests d'aptitudes et l'Employee Aptitude Survey. Ces tests standardisés sont relativement fiables et suffisamment généraux pour être utilisés comme instruments de sélection dans diverses catégories d'emplois et comme compléments de tests plus pointus.

Les *tests psychomoteurs* évaluent une gamme d'aptitudes physiques et mentales. Les deux tests psychomoteurs les plus utilisés sont le Test d'aptitude mécanique de MacQuarrie et le O'Connor Finger and Tweezer Dexterity Test. Le premier mesure l'aptitude à dessiner, à pointer, à copier, à localiser, à organiser en blocs, etc. Il semble être un prédicteur valide du succès pour des postes de mécanicien ou de sténographe. Le second est un prédicteur efficace du succès pour les opérateurs de machines à coudre industrielles, les étudiants en médecine dentaire et d'autres professionnels qui doivent posséder des habiletés de manipulation. L'encadré 6.13 illustre le contenu d'un test de compréhension mécanique.

Un dernier groupe de tests d'aptitudes permet d'analyser les compétences personnelles et interpersonnelles. Un *test de compétence personnelle*, comme le Career Maturity Inventory, mesure la capacité des individus à prendre les bonnes décisions au moment opportun et à fournir l'effort nécessaire pour réussir. Les *tests de compétence interpersonnelle* visent à mesurer l'intelligence sociale. Ils incluent les aspects de l'intelligence se rapportant à l'information sociale et à l'information non verbale des interactions humaines, dans lesquelles il est important d'avoir conscience de l'attention, des perceptions, des pensées, des désirs, des sentiments, des humeurs, des émotions, des intentions et des actions des autres personnes.

ENCADRÉ ▶ **6.13**

Les questions d'un test de compréhension mécanique

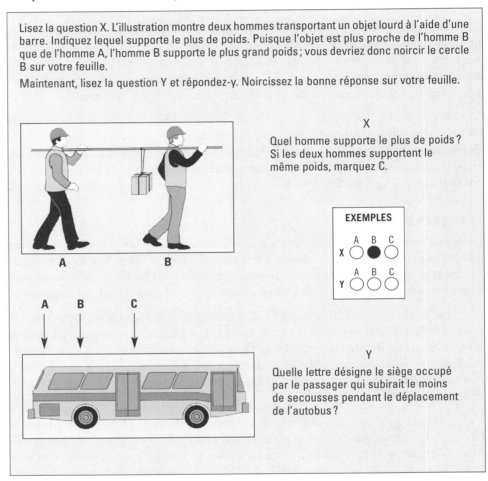

Lisez la question X. L'illustration montre deux hommes transportant un objet lourd à l'aide d'une barre. Indiquez lequel supporte le plus de poids. Puisque l'objet est plus proche de l'homme B que de l'homme A, l'homme B supporte le plus grand poids ; vous devriez donc noircir le cercle B sur votre feuille.

Maintenant, lisez la question Y et répondez-y. Noircissez la bonne réponse sur votre feuille.

X

Quel homme supporte le plus de poids ?
Si les deux hommes supportent le même poids, marquez C.

EXEMPLES

Y

Quelle lettre désigne le siège occupé par le passager qui subirait le moins de secousses pendant le déplacement de l'autobus ?

LES TESTS DE PERFORMANCE

L'objectif des *tests de performance* (ou de compétence) est de prédire le rendement d'un individu en fonction de ses connaissances. L'organisation doit valider tous les tests qu'elle utilise, mais il s'agit d'un processus direct. Les tests de performance se réduisent pour ainsi dire à un échantillon du travail à accomplir. Cependant, en prenant une décision d'embauche basée sur des tests de performance, on risque d'exclure des candidats qui n'ont pas eu la possibilité d'acquérir les compétences requises pour occuper le poste. Soulignons que les tests de performance ne sont pas tous liés aux exigences du poste au même degré.

Les *tests de performance par écrit* ont tendance à être moins liés à l'emploi parce qu'ils mesurent les connaissances théoriques des candidats et non leur capacité d'utilisation de ces connaissances. En dépit de cet inconvénient, on continue d'utiliser ces tests dans de nombreux domaines parce qu'ils sont bien connus et répandus. Par exemple, l'admission à la pratique du droit implique la réussite de l'examen du Barreau et l'admission à la pratique de la médecine est régie par un ordre professionnel. L'utilisation de tests écrits se fonde alors sur leur lien réel ou présumé avec le rendement exigé par le poste. Enfin, le lien avec l'emploi peut servir de justification légale à l'usage de ces tests.

On utilise souvent les *tests de reconnaissance* pour la sélection des publicitaires et des mannequins : à l'entrevue, les candidats présentent leur portfolio ou des échantillons de leur travail. Cependant, ces travaux ne renseignent aucunement sur les conditions ou les circonstances de leur réalisation. Certaines organisations insistent pour voir des exemplaires de travaux scolaires, surtout pour un poste exigeant une aptitude à rédiger. Ces tests font appel au comportement antérieur.

LES TESTS DE PRÉFÉRENCES, LES TESTS DE PERSONNALITÉ ET LES TESTS D'INTÉRÊTS

L'objectif des tests de préférences et des tests de personnalité (ou inventaires de personnalité) est de mesurer les préférences et la personnalité de l'individu à l'aide de ses traits caractéristiques[22]. Les tests multidimensionnels de personnalité les plus courants sont les suivants : l'Inventaire de préférences personnelles d'Edwards, le California Psychological Inventory, l'Inventaire de personnalité de Gordon, l'Échelle de mesure de l'attitude de Thurstone, l'Inventaire de tempérament de Guilford et Zimmerman et l'Inventaire multiphasique de la personnalité de l'université du Minnesota.

Ces inventaires de personnalité sont utiles pour prédire le rendement, entre autres, des employés de bureau et des commis vendeurs. En fait, l'utilité des tests de personnalité à l'embauche apparaît plutôt limitée pour la plupart des emplois. Cependant, ces tests et les tests d'intérêts peuvent, après l'embauche, faciliter les décisions relatives à l'affectation du personnel et à la planification des carrières.

Deux tests d'intérêts se démarquent : le Questionnaire d'intérêts professionnels de Strong (Strong Vocational Interest Blank) et le Questionnaire de Kruder (Kuder Preference Record). Malgré leur faible valeur prédictive du rendement au travail, ils indiquent néanmoins le degré de correspondance entre la profession et les intérêts d'un individu[23].

LES AUTRES CATÉGORIES DE TESTS

Les professionnels de la gestion des ressources humaines peuvent aussi recourir à la graphologie, au détecteur de mensonge, au test écrit d'intégrité et à la simulation de situation de travail.

La graphologie. Munis d'un texte manuscrit et d'une description détaillée du poste à pourvoir, les graphologues examinent, entre autres, la pression exercée par le stylo, l'inclinaison de l'écriture, la forme des lettres, les marges et l'espacement du texte[24]. Née en France, la graphologie demeure pour l'essentiel une « technique » française. Elle

Graphologie

Technique d'interprétation de l'écriture manuscrite permettant de déceler la personnalité de son auteur.

sert à brosser le portrait détaillé d'un candidat[25] ; elle en révèle la capacité intellectuelle (vivacité d'esprit, logique, analyse, jugement), les réactions affectives (volonté, émotivité), le rythme d'activité (dynamisme, initiative), l'aptitude à la direction (indépendance d'esprit, autorité) et les qualités morales (intégrité, franchise, discrétion). Bien des chercheurs doutent de la pertinence, de la fidélité et de la validité de la graphologie et affirment qu'elle est dénuée de tout fondement. Selon Aharon Tziner, « La graphologie peut à la rigueur être utilisée conjointement avec d'autres outils, mais uniquement pour mesurer la personnalité, jamais l'intelligence[26]. »

Le détecteur de mensonge. Un nombre croissant d'organisations soumettent les candidats au *test du détecteur de mensonge* pendant le processus de sélection, en particulier pour un poste de confiance ou un poste donnant accès à des produits pharmaceutiques ou à de petits articles dotés d'une valeur de rachat[27]. L'usage du détecteur de mensonge a fait l'objet de contestations sur le plan psychométrique et sur le plan éthique. En effet, cet appareil ne détecte pas vraiment les mensonges, il mesure plutôt les variations de la respiration, de la pression sanguine et du pouls d'une personne. C'est à partir de ces informations qu'un opérateur formé interprète les réponses données par la personne soumise au test. Les opposants à l'utilisation du détecteur de mensonge mettent en doute la compétence des opérateurs, en faisant valoir l'insuffisance de leur formation (de six à huit semaines). Le manque de fidélité observé dans l'interprétation des résultats de plusieurs candidats en fait un instrument de sélection contesté. Sur le plan éthique, on peut s'interroger sur la légalité de l'utilisation du détecteur de mensonge et se demander s'il ne s'agit pas d'une atteinte à la vie privée[28].

Le test écrit d'intégrité. Les coûts et les problèmes liés à l'utilisation du détecteur de mensonge incitent plusieurs entreprises à lui préférer le *test écrit d'intégrité*. C'est un test qui mesure des comportements précis à l'aide de questions : Informeriez-vous votre patron si vous saviez qu'un collègue vole l'entreprise ? Est-il licite d'emprunter du matériel d'entreprise pour l'utiliser à des fins personnelles ? Etc.

Le test d'intégrité est légal et coûte moins cher que le détecteur de mensonge. Il est facile à corriger et à administrer. Étant donné que le test d'intégrité vise des objectifs semblables à ceux du détecteur de mensonge, il mérite les mêmes critiques, particulièrement pour sa validité et sa fidélité. Très peu de recherches ont porté sur ce test jusqu'à maintenant et les connaissances qu'on a sur le sujet proviennent de cas isolés[29].

Simulation de situation de travail (ou test d'exécution)

Instrument de sélection consistant à assigner au candidat des tâches à réaliser dans des conditions analogues à celles du poste sollicité.

La simulation de situation de travail. La simulation de situation de travail (ou test d'exécution) consiste à faire réaliser aux candidats des activités verbales ou physiques sous une supervision structurée et dans les conditions de travail habituelles. Ce test est fréquemment utilisé en vue de pourvoir les postes de personnel de bureau. On invite le candidat à exécuter une tâche donnée (par exemple, à rédiger une lettre) dans le bureau où il serait appelé à travailler. Ce genre de test comporte une dimension artificielle, car le processus de sélection est une source additionnelle d'anxiété et de tension. Néanmoins, la simulation de situation de travail est très utilisée, en raison de sa pertinence et de sa validité[30].

L'anxiété et la tension font partie intégrante des conditions de travail d'un gestionnaire. On a donc conçu divers tests destinés à évaluer les réactions et les comportements d'un aspirant à un poste de gestionnaire.

L'épreuve du courrier (ou exercice du courrier) simule une situation réelle et suscite des comportements propres à l'emploi. On place dans une corbeille à courrier des descriptions de situations et de problèmes qui touchent différents groupes de personnes : des collègues de travail, des subordonnés et des personnes extérieures à l'organisation. On demande au candidat de classer les documents dans un ordre de priorité ; on peut aussi lui demander de prendre des décisions pour résoudre les problèmes présentés. Le temps est limité et le candidat doit souvent répondre au téléphone, ce qui accroît la pression et la tension.

On utilise aussi d'autres tests pour la sélection des gestionnaires, tels que la *discussion de groupe non hiérarchisé* (ou échange en équipe sans animateur) et la *simulation de gestion* (ou jeu d'entreprise). Dans le premier cas, on invite un groupe de personnes à s'entretenir d'un sujet précis autour d'une table, pendant un laps de temps déterminé. Dans le second cas (une variante du premier), on demande aux candidats de prendre des décisions, comme dans l'épreuve du courrier.

6.3.5 | Le centre d'évaluation

Les centres d'évaluation utilisent fréquemment les formes de simulations présentées dans la section précédente. En effet, on y évalue le rendement des candidats ou des employés en place qui sollicitent un poste de gestionnaire ou d'un niveau hiérarchique supérieur. Diverses organisations, telles que la Commission de la fonction publique du Canada, Hydro-Ontario et Nortel, ont adopté la technique du centre d'évaluation.

Habituellement, l'organisation sélectionne de 6 à 12 personnes et les convoque au centre d'évaluation, dont elle retient les services et les locaux pour une période de 1 à 3 jours. Des gestionnaires de l'organisation, formés dans le domaine, évaluent le rendement des participants. Il s'agit d'une évaluation globale des compétences. Le programme inclut un large éventail de techniques d'évaluation, telles que la résolution collective de problèmes, l'entrevue, l'épreuve du courrier, les tests, les exercices enregistrés sur DVD ou vidéocassettes et les questionnaires. On tente de simuler des situations et des problèmes auxquels se heurtent régulièrement les superviseurs de la fabrication. Pendant le déroulement des activités, des équipes d'évaluateurs observent le rendement des participants. À la fin du programme, les évaluateurs rencontrent les candidats, puis ils préparent un rapport commun.

Le rendement des candidats sert souvent à établir les plans de carrière à l'interne, à planifier les exigences et les besoins de l'organisation en matière de formation ainsi qu'à appuyer les décisions de sélection et d'affectation. On transmet au candidat les résultats de son évaluation ; il peut ainsi les utiliser à des fins personnelles, par exemple pour la planification de sa carrière.

Technique du centre d'évaluation

Méthode d'évaluation des compétences d'un candidat par l'observation des comportements dans des situations de travail simulées.

6.3.6 | L'examen médical

L'examen médical constitue souvent l'une des étapes finales du processus de sélection. Certains employeurs font passer un examen médical général à tous les candidats et ne soumettent que certains d'entre eux à des examens spéciaux. Par exemple, on peut faire passer une radiographie du dos au candidat à un poste de production, mais pas à celui qui postule un emploi de bureau. Certains examens sont obligatoires en vertu d'une réglementation gouvernementale. Par ailleurs, les examens médicaux ne devraient constituer une étape éliminatoire que si l'état de santé de l'individu risque de s'aggraver ou de mettre en péril la santé et la sécurité des autres employés (voir la section 12.1.1).

On peut associer les examens médicaux avec des tests de capacité physique pour s'assurer que les candidats satisfont aux exigences de la tâche. De plus, un dossier médical complet protège l'employeur contre les revendications : un employé ne peut pas faire passer une blessure antérieure à l'embauche pour un accident de travail. Les capacités physiques que vérifient les tests courants sont la force dynamique, la force statique et la force d'arrêt.

Il faut s'assurer que les tests de capacité physique sont étroitement liés aux exigences du poste : en cas de résultats négatifs, il faut en effet pouvoir démontrer l'existence de ce lien. Par ailleurs, ce processus de vérification a d'autres utilités : d'un côté, il permet la modification ou le remplacement d'un test inadéquat ; de l'autre, il peut conduire au changement de certains aspects du poste tout en préservant son intégrité, de façon à en favoriser l'égalité d'accès, en particulier pour les femmes et les personnes handicapées.

On a commencé à utiliser l'examen médical pour présélectionner les candidats en fonction de leurs caractères génétiques. La présélection génétique s'appuie sur le principe selon lequel les individus ne sont pas également sensibles aux éléments de l'environnement de travail, tels que les produits chimiques. La présélection s'effectue à partir de l'analyse du sang ou de l'urine du candidat. Les avantages de la présélection génétique sont évidents pour les millions de travailleurs canadiens exposés quotidiennement à de tels produits. En renseignant les candidats à un emploi sur leur sensibilité génétique, on leur permet de décider eux-mêmes s'ils veulent travailler dans ce genre d'environnement. Cette pratique soulève toutefois des problèmes d'ordre juridique et éthique. Peut-on permettre aux entreprises de rejeter les candidats selon la probabilité génétique de telle ou telle maladie ? L'employeur est-il tenu d'aménager les lieux de travail pour les employés les plus menacés ?

Malgré ces problèmes, les applications de la présélection génétique se multiplient. Par ailleurs, des recherches récentes montrent que la présélection génétique serait plus adéquate pour appuyer les décisions d'affectation que pour appuyer les décisions de sélection. Enfin, dans le cas où tous les candidats manifesteraient une sensibilité égale aux agents chimiques présents dans un milieu de travail donné, on devrait modifier ce milieu à l'aide de l'information obtenue grâce à la présélection génétique.

Deux sujets ont marqué le domaine de l'emploi ces dernières années et suscitent l'inquiétude tant des employeurs que des employés : l'usage de drogues par les employés et la présence de personnes atteintes du sida sur les lieux de travail. Il devient donc important de considérer ces phénomènes dans le contexte du monde du travail et d'y accorder une attention particulière au cours du processus de sélection en évitant les risques de discrimination.

LE DÉPISTAGE DES DROGUES

Plusieurs problèmes associés à l'usage de drogues ont des effets sur les résultats de la sélection. Nous les examinerons de manière plus détaillée dans la section 12.1.1. Ces problèmes sont d'ordre économique et juridique. Comme la consommation de drogues est de plus en plus répandue, bien des employeurs sont partisans de l'administration de tests de dépistage afin d'assurer leur protection et celle de leurs clients. Tout le monde n'est cependant pas d'accord. En effet, ces tests peuvent menacer le droit à la vie privée, que reconnaît clairement la *Charte canadienne des droits et libertés.* On interprète généralement l'obligation faite par un employeur de se soumettre à un test de dépistage comme une atteinte à l'intégrité de la personne (voir la section 12.2.2).

LA PROBLÉMATIQUE DU SIDA

En matière d'emploi, le sida soulève une controverse encore plus vive que le dépistage des drogues. Certaines entreprises tentent actuellement d'élaborer des lignes directrices claires sur cette maladie. Cependant, seules quelques-unes d'entre elles ont décidé de s'attaquer véritablement au problème, et les tentatives se réduisent, la plupart du temps, à un simple programme d'éducation ou d'aide aux employés. Il n'existe pas encore de principes directeurs qui tiennent compte de cette maladie lors de la sélection et du recrutement de personnel. Cependant, certaines situations justifient un traitement particulier à l'égard d'un employé en poste atteint du sida (voir l'encadré 6.14).

ENCADRÉ ▶ **6.14**

Trois situations justifiant un traitement particulier à l'égard d'un employé atteint du sida

- L'employé met en œuvre des procédés effractifs tels que la chirurgie.
- Il devrait se rendre dans un pays qui interdit l'accès aux personnes atteintes du sida.
- Une détérioration soudaine de son état le rend susceptible de compromettre la sécurité du public.

Les enjeux du problème du sida portent sur la recherche d'un équilibre : d'une part, entre les droits des employés et les responsabilités des entreprises ; d'autre part, entre le droit à la vie privée des employés et le droit à l'information des employeurs. La controverse se déroule sur la place publique et fait parfois penser à une hystérie collective. D'un côté, les partisans du dépistage du sida invoquent des précédents historiques. En effet, le risque d'épidémie de tuberculose ou de syphilis a entraîné des mesures de dépistage justifiées à une époque où aucun traitement n'avait été mis au point. De l'autre côté, les opposants au dépistage soutiennent que cette mesure constitue une importante atteinte à l'intégrité de la personne.

Sur le plan juridique, les entreprises qui veulent élaborer une politique en la matière peuvent s'inspirer de quelques décisions arbitrales, mais elles doivent respecter les dispositions de la *Charte canadienne des droits et libertés,* de même que celles de la *Charte des droits et libertés de la personne* du Québec (voir la section 12.2).

6.4 L'ACCUEIL ET L'INTÉGRATION DES NOUVEAUX EMPLOYÉS

L'accueil consiste à présenter au nouvel employé l'organisation, les tâches qui lui sont confiées et ses collègues. Il est suivi du processus d'intégration, qui fait habituellement partie intégrante du processus de dotation et vise plusieurs objectifs (voir l'encadré 6.15).

Dans son ensemble, le processus d'intégration informe le nouvel employé sur la culture et les normes organisationnelles, ce qui l'aide à devenir plus efficace. Dans un cadre organisationnel donné, l'individu fait l'apprentissage des valeurs et des comportements à adopter ainsi que des connaissances sociales nécessaires pour assumer adéquatement son rôle. La faiblesse du processus d'intégration ajoute au stress du nouvel employé et peut l'amener à démissionner.

ENCADRÉ ▶ **6.15**

Les objectifs du programme d'intégration

- **Réduire les coûts d'intégration.** Durant la période d'adaptation, l'employé a une efficacité limitée. Une initiation adéquate contribue toutefois à en raccourcir la durée.
- **Réduire le stress et l'anxiété.** Le nouvel employé qui veut répondre aux attentes de son employeur et faire ses preuves ressent inévitablement du stress s'il perçoit que son rendement ne correspond pas aux normes établies. Une autre source de stress réside dans les efforts de l'employé pour se faire accepter par ses collègues. On peut restreindre ces sources de stress par un programme d'intégration efficace.
- **Réduire le roulement de la main-d'œuvre.** Une intégration rapide favorise le sentiment d'appartenance chez l'employé et réduit le risque de départ hâtif.
- **Faire gagner du temps aux superviseurs et aux collègues.** Pour devenir vraiment efficace dans ses fonctions, le nouvel employé a besoin de l'aide de son superviseur et de ses collègues. Un programme d'intégration adéquat contribue à réduire le temps consacré à ce soutien.

DANS LES FAITS

L'intégration de nouveaux salariés dans une entreprise est souvent [un processus clé]. Didier Bichon, directeur de l'éditeur Vurv [...] en France, ressort à point nommé une étude sur le sujet. « Quatre pour cent des nouvelles recrues ne reviennent pas la semaine suivante à cause d'un manque d'intégration, d'après une enquête menée en Angleterre en 2003. Le chiffre serait le même aujourd'hui, y compris en France. » Alors, pourquoi ne revient-on pas en deuxième semaine ? C'est que l'intégration est une affaire compliquée : remise de matériels [...], de codes d'accès divers, d'un accès aux documents clés de l'entreprise, etc. « Un gros problème pour les grandes entités. Dans la banque ou les assurances par exemple, on recrute 1 000 à 5 000 personnes par an. À ce niveau-là, il y a un certain nombre de processus à automatiser[31]. »

Les nouveaux employés constituent un apport considérable pour l'organisation et lui permettent d'élargir ses perspectives. Cependant, une intégration déficiente et un soutien inefficace pendant la période d'intégration nuisent souvent à l'enthousiasme, à la créativité et à l'engagement du nouvel employé. Il faut donc mettre sur pied un programme d'intégration qui complète les efforts de recrutement et de sélection et qui favorise l'efficacité, la motivation et l'engagement des employés.

6.4.1 | Le programme d'intégration

Les programmes d'intégration mis en place par les entreprises canadiennes varient en contenu, en étendue et en durée. Cependant, ils ont généralement en commun les cinq phases suivantes.

Phase 1. À l'entrée en fonction de l'employé, l'initiation commence par l'accueil. On lui fournit l'information nécessaire pour faciliter son intégration dans l'environnement de travail.

Phase 2. Le premier mois sert à la mise en perspective de l'emploi. On informe le nouvel employé des attentes des gestionnaires du service, des objectifs du service et de la direction ainsi que de la place du service dans l'entreprise.

Phase 3. Au cours des deux mois suivants, on continue de fournir à l'employé diverses informations de base. Le nouvel employé peut ainsi recueillir les données essentielles qui touchent ses responsabilités et ses objectifs. Il se familiarise avec la philosophie et les objectifs de l'organisation.

Phase 4. L'intégration en tant que telle se déroule du quatrième au sixième mois. Le nouvel employé peut faire sienne la philosophie de l'organisation. Il comprend mieux les processus organisationnels, entre autres le processus d'évaluation du rendement, et ses liens avec le programme de perfectionnement.

Phase 5. Du septième au douzième mois, le nouvel employé acquiert l'information, les connaissances et les compétences nécessaires à la planification de son propre programme de formation continue.

Compte tenu de sa grande influence sur l'engagement et le maintien des employés, de plus en plus de gestionnaires prennent à cœur la mise en place d'un programme d'intégration. Certaines entreprises fournissent au nouvel employé une brochure institutionnelle contenant des informations générales et présentant les produits et les services, la rentabilité et les principaux clients. La même information peut se retrouver sur une cassette vidéo ou un DVD. L'entreprise peut aussi promouvoir le mentorat (*coaching*) ou l'apprentissage individualisé ; ce sont des pratiques qui favorisent les liens de confiance et le transfert des connaissances. Pour concevoir un programme d'intégration efficace, il faut en déterminer dès le départ les composantes, les moyens d'apprentissage et les intervenants.

Dans la plupart des cas, la responsabilité de la conception et de la coordination du programme d'intégration incombe au service de la gestion des ressources humaines. Le superviseur joue un rôle clé dans la mise en œuvre de ce programme, puisqu'on s'attend à ce qu'il connaisse les politiques et les pratiques de l'organisation. L'encadré 6.16 permet de cerner les principales composantes d'un programme d'intégration.

6.4.2 | Les aspects à considérer dans le processus d'intégration

L'intégration d'un nouvel employé est influencée par les caractéristiques de l'emploi initial, la nature des premières expériences à ce poste et le style du superviseur immédiat. La fonction initiale détermine souvent le succès futur du nouvel employé. Plus le poste comporte de défis et de responsabilités, plus l'employé est susceptible de réussir au sein de l'organisation. L'affectation à des tâches intéressantes, mais non écrasantes, laisse voir à l'employé que l'organisation lui accorde une grande valeur et croit en sa capacité de réussir. Souvent, on assigne des tâches simples aux nouveaux employés ou on leur fait faire une rotation de postes dans les différents services pour leur permettre de se familiariser avec eux. Cependant, certains employés peuvent interpréter ces pratiques comme un manque de confiance en leurs capacités ou en leur loyauté[32].

L'expérience acquise par le nouvel employé, dans un nouveau poste de travail et auprès d'un nouveau superviseur, contribue à son apprentissage des valeurs, des normes, des attitudes et des comportements appropriés au sein de l'entreprise. Le superviseur peut servir de modèle au nouvel employé. Il peut lui transmettre ses attentes, exerçant ainsi sur lui une influence positive, qu'on appelle l'effet Pygmalion : un employé qui bénéficie de la confiance de son superviseur a davantage de chances de réussir qu'un employé dirigé par une personne qui doute de lui.

Effet Pygmalion

Tendance des employés à se conformer à l'image que les supérieurs se font d'eux.

Les composantes d'un modèle d'intégration d'un nouvel employé

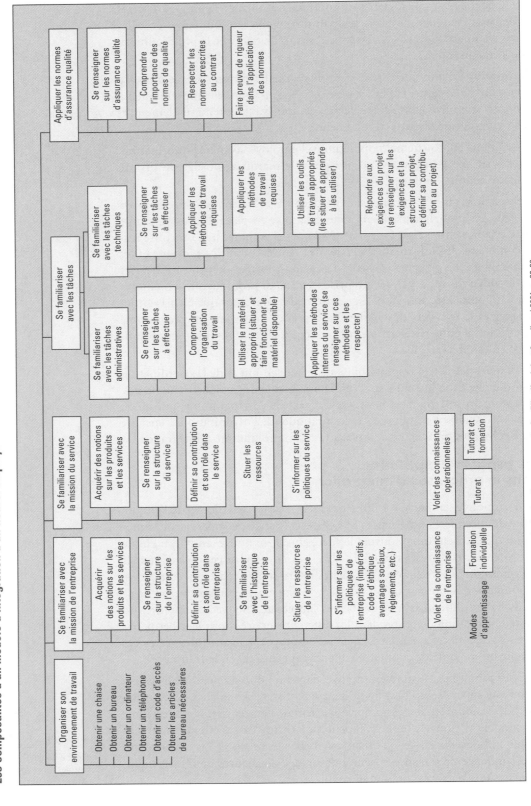

Source : adapté de L. Desrochers, « L'intégration des nouveaux employés : faut-il encore en parler ? », *Effectif*, vol. 4, n° 2, avril-mai 2001, p. 32-36.

La clé du succès d'un employé dans sa première affectation réside dans la réaction de l'organisation à ses succès et à ses échecs, réaction transmise par l'intermédiaire du superviseur immédiat[33]. Les employés éprouveront un sentiment favorable envers l'entreprise s'ils ne reçoivent pas de sanctions pour leurs premières erreurs, s'ils obtiennent une rétroaction claire à propos de leurs réalisations et de leurs faiblesses, si on leur explique les motifs de leur réussite ou de leur échec et s'ils peuvent bénéficier de conseils adéquats de leur superviseur. Il importe donc d'informer les superviseurs des effets de leur comportement sur le succès futur d'un nouvel employé.

Une fois l'intégration terminée, l'organisation doit surveiller le rendement des nouveaux employés. Non seulement ce suivi est essentiel au succès organisationnel, mais il facilite l'amélioration des processus de sélection et d'orientation.

RÉSUMÉ

Les processus de sélection, d'accueil et d'intégration des ressources humaines visent à apparier emplois et employés de manière à satisfaire les intérêts mutuels, à court et à long terme, de l'organisation et des personnes. En la matière, les décisions organisationnelles exigent donc une solide information sur le candidat (sa motivation à accepter un emploi, ses aptitudes, etc.) et sur les exigences du poste à pourvoir. L'appariement de ces deux aspects permet à l'entreprise d'atteindre ses objectifs de sélection et d'affectation.

Les décisions liées au processus de sélection requièrent une quantité considérable d'informations sur les candidats. Les instruments pour recueillir ces informations sont nombreux : le formulaire de demande d'emploi, la vérification des références, les entrevues, les tests, les simulations, etc. Le choix de ces instruments dépend, d'une part, de l'information dont on a besoin (selon le poste à pourvoir) et, d'autre part, de leur validité et de leur fidélité.

La validité des instruments de sélection utilisés est essentielle pour départager les candidats les plus compétents. Cette caractéristique permet à l'entreprise d'améliorer continuellement ses décisions par l'utilisation de prédicteurs étroitement liés aux exigences des postes à pourvoir et lui garantit le meilleur rapport coûts-bénéfices.

L'efficacité des décisions en gestion des ressources humaines passe également par un programme d'intégration. Une intégration efficace présente plusieurs avantages pour l'organisation : les coûts du processus sont réduits ; le nouvel employé subit moins de stress ; le roulement de la main-d'œuvre est limité ; les superviseurs et les collègues gagnent du temps. Le programme d'intégration fournit l'information nécessaire aux nouveaux employés sur les politiques, les valeurs et les normes de l'organisation, ainsi que sur les attitudes et les comportements qu'on attend d'eux.

Questions de révision et d'analyse

1. Comment planifieriez-vous le processus de sélection pour un poste de vice-président à l'administration et aux ressources humaines ?

2. En entreprise, on entend régulièrement des phrases comme la suivante : « François est le résultat d'une erreur de sélection, nous n'aurions pas dû l'embaucher. » Quelles sont les conséquences à court et à long terme des erreurs de ce genre ?

3. Pourquoi les instruments de sélection doivent-ils être à la fois valides et fidèles ?

4. Les décisions fructueuses en matière de sélection et d'intégration dépendent souvent d'autres activités de la gestion des ressources humaines. Précisez la nature de ces activités et expliquez leur relation avec la sélection et l'intégration.

5. Dans quelles circonstances le modèle à étapes multiples est-il plus approprié que l'approche compensatoire ?

6. Comment peut-on améliorer le caractère prédictif d'un formulaire de demande d'emploi ?

7. Pourquoi les employeurs utilisent-ils l'entrevue de sélection, même s'ils savent qu'elle comporte des pièges et qu'elle peut faire intervenir des préjugés ?

8. Présentez la controverse au sujet des tests de dépistage de drogues et de dépistage génétique.

9. Quels sont les avantages et les inconvénients de l'utilisation d'un centre d'évaluation pour sélectionner les gestionnaires ?

10. Pourquoi l'intégration des ressources humaines est-elle un processus crucial pour toute entreprise ?

ÉTUDE DE CAS

LA VILLE DE GRANDCOURT

André Durivage
*Professeur, Département des sciences administratives,
Université du Québec en Outaouais*

Il y a deux ans, Grandcourt a été fondée par la fusion de trois municipalités. Pour respecter la volonté populaire, la nouvelle entité s'était donné l'objectif d'intégrer rapidement les services des anciennes municipalités et de créer une fonction publique qui soit moderne, dynamique et efficace, et qui réponde aux besoins de la population.

Au lendemain de la fusion, la directrice des ressources humaines s'est attaquée aux problèmes les plus urgents, soit l'harmonisation des conventions collectives, l'intégration des systèmes de paie, la répartition des ressources et l'organisation du travail. Ces changements en profondeur des anciennes façons de faire ont créé un climat d'incertitude qui a fait fuir rapidement plusieurs ressources de qualité.

Deux ans après la fusion, la ville doit pourvoir une cinquantaine de postes à tous les niveaux de l'organisation, allant du manutentionnaire au cadre de direction. Selon les propos mêmes du directeur général, « on doit faire vite, tout en s'assurant de mettre les bonnes personnes aux bons endroits ».

La tâche est lourde et de nombreux problèmes aggravent la situation :

- Les descriptions d'emploi ne sont pas à jour, certaines d'entre elles datant d'avant la fusion.

- Les compétences exigées pour des emplois similaires varient considérablement, particulièrement pour les postes des anciennes municipalités. Par exemple, il n'est pas rare qu'on exige une vingtaine de caractéristiques pour un poste donné et à peine une dizaine pour un poste presque identique.

- Les outils d'évaluation utilisés au cours du processus de dotation ne sont pas uniformisés. Habituellement, on pourvoit les postes en faisant passer des entrevues non structurées et préparées à la hâte par les gestionnaires.

- Les syndicats se sont plaints de la manière de doter les postes. Selon eux, l'absence de cohésion et de rigueur observée dans le processus de dotation encourage le favoritisme.

- Devant la lourdeur de la tâche, la directrice des ressources humaines fait appel à vos services. On lui a dit que vous étiez spécialiste en gestion des compétences et que votre expérience en évaluation du personnel était hors pair. Vous la rencontrez et elle vous pose les questions suivantes.

QUESTIONS

1. En quoi l'approche par compétences facilitera-t-elle la dotation des postes? Quels en sont les avantages et les désavantages?

2. En quoi cette approche est-elle différente de l'approche traditionnelle? Répondez en fonction des trois aspects suivants.

    a) L'analyse des tâches

    b) La détermination des qualités et des compétences requises

    c) Le choix des outils d'évaluation

3. a) Est-il préférable de mettre au point un modèle de compétences propre à l'organisation ou d'en acheter un clé en main?

    b) Quel que soit le modèle choisi (institutionnel ou clé en main), quelles sont les étapes à suivre pour garantir l'efficacité de l'approche par compétences?

NOTES ET RÉFÉRENCES

1. C.C. Snow et S.A. Snell, « Staffing as Strategy », dans N. Schmitt et W.C. Borman (sous la dir. de), *Personnel Selection in Organizations*, San Francisco (Californie), Jossey-Bass, 1993, p. 448-478.

2. R. Folger et R. Cropanzano, *Organizational Justice and Human Resource Management*, Thousand Oaks (Californie), Sage, 1998.

3. A.T. Dalessio et T.A. Silverhart, « Combining Biodata Test and Interview Information: Predicting Decisions and Performance Criteria », *Personnel Psychology*, vol. 47, 1994, p. 303-319.

4. F.L. Schmidt et J.E. Hunter, « The Validity and Utility of Selection Methods in Personnel Psychology », *Psychological Bulletin*, vol. 124, 1998, p. 262-274.

5. A. Durivage, « La gestion des compétences et la dotation du personnel au Mouvement Desjardins », *Gestion*, vol. 29, n° 1, printemps 2004, p. 10-18.

6. D.D. Dubois et W.J. Rothwell, *Competency-Based Human Resource Management*, Palo Alto (Californie), Davies-Black, 2004.

7. C. Balicco, *Les méthodes d'évaluation en ressources humaines: la fin des marchands de certitude*, Paris, Éditions d'Organisation, 1997.

8. *Ibid.*

9. *Ibid.*

10. B. Gauthier, *Recherche sociale: de la problématique à la collecte des données*, Québec, Presses de l'Université du Québec, 1997.

11. F.A. Mael, M. Connerley et R.A. Morath, « None of your business: Parameters of Biodata Invasiveness », *Personnel Psychology*, vol. 49, 1996, p. 613-650.

12. R. Deland, « Recruitment: Reference Checking Methods », *Personnel Journal*, juin 1983, p. 460. Voir également S. McShane, « Most Employers Use Reference Checks, but Many Fear Defamation Liability », *Canadian HR Reporter*, 13 mars, 1995, p. 14.

13. M. McDaniel et autres, « The Validity of Employment Interviews: A Comprehensive Review and Meta-Analysis », *Journal of Applied Psychology*, vol. 79, n° 4, 1994, p. 599-616.

14. J.R. Burnett, C. Fan, S.J. Motowidlo et T. DeGroot, « Interview Notes and Validity », *Personnel Psychology*, vol. 51, 1998, p. 375-396.

15. N. Pettersen et A. Durivage. *L'entrevue de sélection structurée: pour améliorer la sélection du personnel*, Ste-Foy, Québec, Presses de l'Université du Québec, 2006.

16. J. Tremblay, « Les petits miracles de la gestion participative », *La Presse*, 24 avril 2006, cahier Affaires, p. 1.

17. T. Dougherty, D. Turban et J. Callender, « Confirming First Impressions in the Employment Interview: A Field Study of Interview Behavior », *Journal of Applied Psychology*, vol. 79, n° 5, 1994, p. 663.

18. A. Pell, « Nine Interviewing Pitfalls », *Managers*, janvier 1994, p. 29.

19. J.D. Hatfield et R.D. Gatewood, « Nonverbal Cues in the Selection Interview », *Personnel Administrator*, janvier 1978.

20. J.-F. Parent, « La psychométrie est-elle bien utilisée pour le recrutement? », *Affaires Plus*, vol. 28, n° 2, décembre 2005, p. 51.

21. A.C. Spychalski, M.A. Quinnones, B.A. Gaugler et K. Pohley, « A Survey of Assessment Center Practices in Organizations in the United States », *Personnel Psychology*, vol. 50, 1997, p. 71-90.

22. L.M. Hough et R.J. Schneider, « Personality Traits, Taxonomies and Applications in Organizations », dans K.R. Murphy, *Individual Differences and Behavior in Organizations*, San Francisco, Jossey-Bass, 1996.

23. D. Ones, M. Mount, M. Barrick et J. Hunter, « Personality and Job Performance: A Critique of the Tett, Jackson and Rothstein (1991) Meta-Analysis », *Personnel Psychology*, vol. 47, n° 1, printemps 1994, p. 147-172.

24. J. Blanchet, « L'utilisation de la graphologie dans le cadre du processus de sélection du personnel: attention, pente glissante », *L'Orientation*, vol. 11, n° 2, été 1998, p. 31-32.

25. S. Cousineau, « Même si elle fait fureur en France, la graphologie reste controversée au Québec », *Les Affaires*, 10 avril 1993, p. 18.

26. *Ibid.*, p. 18.

27. W.G. Iacono et D.T. Lykken, « The Validity of the Lie Detector : Two Surveys of Scientific Opinion », *Journal of Applied Psychology*, vol. 82, 1997, p. 426-433.

28. M. Smith, M. Gregg et D. Andrews, *Savoir recruter,* Paris, Eyrolles, 1990.

29. J. Collins et F. Schmidt, « Personality, Integrity, and White Collar Crime : A Construct Validity Study », *Personnel Psychology*, vol. 46, 1993, p. 295-311. Voir également D.S. Ones, C. Viswesvaran et F.L. Schmidt, « Comprehensive Meta-Analysis of Integrity Test Validities : Findings and Implications for Personnel Selection and Theories of Job Performance », *Journal of Applied Psychology*, vol. 78, 1993, p. 679-703.

30. M. Chaudagne, J.-P. Rouyer, C. Lacour, S. Chevalier, H. L'Hoste, L. Benoudiz, I. Francou, D. Hiard, J. Landreau, C. Lacourcelle et N. Tavernier, *10 outils clés du recruteur*, Paris, GO, 1998.

31. L. Dupin, « Ressources humaines : l'"on boarding", un outil pour intégrer les nouvelles recrues », ZDNet France, 11 avril 2006.

32. J. Carrière et G. Guérin, « L'encadrement du diplômé universitaire nouvellement recruté, *Effectif*, vol. 3, n° 3, juin-juillet-août 2000.

33. J.-P. Rousseau, « Comment intégrer les cadres de façon efficace et durable », *Les Affaires,* dossier spécial, 4 février 2006, p. 37.

LE DÉVELOPPEMENT
DES RESSOURCES HUMAINES

L'ÉVALUATION
DU RENDEMENT

La plupart des employés ressentent le besoin d'être informés sur leur niveau de rendement au travail. Souvent, faute de mesures d'évaluation formelle, ils ont recours à des sources officieuses et ils sont à l'affût des commentaires de leurs collègues ou de leurs supérieurs. Dans ce chapitre, nous examinons le processus d'évaluation du rendement et le rôle qu'il joue dans le cadre plus général de la gestion de la performance au travail. Nous traiterons ainsi des méthodes et des approches d'évaluation du rendement, tout en soulignant les erreurs et les solutions possibles. Nous mettrons généralement de côté le terme *gestionnaire*, puisque la personne évaluée peut elle aussi occuper un tel poste. Nous utiliserons plutôt les termes *supérieur*, *superviseur* ou *évaluateur* pour désigner la personne effectuant l'évaluation et *subordonné* ou *personne évaluée* pour parler de l'employé dont le rendement est soumis à l'examen. Compte tenu de leur grande importance, nous consacrons la section 12.1.2 aux aspects juridiques de l'évaluation du rendement.

7.1 LE PROCESSUS D'ÉVALUATION DU RENDEMENT

Dans ce chapitre, nous définissons l'évaluation du rendement comme un système structuré et formel visant à mesurer, à évaluer et à modifier les caractéristiques, les comportements et les résultats d'un employé occupant un poste donné. Ce système comprend plusieurs éléments (voir l'encadré 7.1) ; il inclut l'examen du niveau de productivité de l'employé et les possibilités d'amélioration de ses compétences[1].

ENCADRÉ ▶ 7.1

Les éléments du système d'évaluation du rendement

- L'analyse des postes sert à dégager les caractéristiques des emplois (critères) et à établir les normes d'évaluation du rendement.
- Les formulaires et les méthodes servent à la collecte des données.
- La vérification de la validité et de la fidélité des méthodes permet de mesurer efficacement le comportement et le rendement.
- Certaines caractéristiques de l'évaluateur et de la personne évaluée sont susceptibles d'influencer le déroulement de l'entrevue.
- Le processus d'utilisation de l'information permet de répondre aux besoins en matière de formation et d'évaluation.
- L'appréciation du système d'évaluation du rendement permet d'en vérifier la correspondance avec les politiques et les objectifs de la gestion des ressources humaines.

7.1.1 | L'importance de l'évaluation du rendement

Comme l'amélioration de la productivité est une préoccupation organisationnelle constante, l'organisation doit veiller à la disponibilité des ressources technologiques, financières et humaines. Le rendement des employés comprend les résultats (quantitatifs et qualitatifs), le comportement (qualité du service, politesse à l'égard des clients, etc.) et diverses compétences liées au travail (coopération, esprit d'équipe, loyauté). On remet souvent en cause les systèmes d'évaluation du rendement à cause de leur subjectivité, du temps nécessaire à leur mise en œuvre, de la faiblesse des compétences des évaluateurs, de leurs répercussions négatives (notamment la démotivation des employés) ou du manque de suivi[2].

Or, l'absence de toute évaluation du rendement est problématique, car elle prive l'organisation d'un outil qui permet de cerner les compétences déficientes ou les causes d'une baisse de rendement. En fait, les défenseurs des systèmes d'évaluation du rendement en font ressortir trois aspects fondamentaux. Selon eux, l'évaluation du rendement :

- renforce la transparence de l'organisation, puisque les évaluateurs doivent expliquer leur évaluation et justifier leur jugement ;
- constitue le moteur du développement des talents des employés. Il faut déterminer de façon précise les compétences et les comportements qui garantissent le succès de l'organisation pour être en mesure de les encourager et d'en faciliter la mise en œuvre ;
- favorise la responsabilisation des employés en reconnaissant leurs réalisations et en leur montrant leurs faiblesses[3].

En fait, l'évaluation du rendement comporte trois objectifs principaux : porter un jugement sur les résultats obtenus par l'employé, aider l'employé à améliorer son rendement et modifier certains processus de gestion[4]. Bien sûr, l'atteinte de ces objectifs est liée à divers autres processus (voir l'encadré 7.2).

ENCADRÉ ▶ **7.2**

Les processus liés à l'évaluation du rendement

- La mesure du rendement établit la valeur relative de la contribution d'un employé à l'organisation et facilite l'évaluation de ses réalisations personnelles.
- Une meilleure connaissance du poste oblige les supérieurs à se tenir au courant des tâches accomplies par leurs subordonnés.
- La planification des ressources humaines permet de vérifier la capacité de l'entreprise à évaluer la disponibilité des ressources humaines aptes à assurer la relève.
- L'évaluation du rendement favorise la préparation de la relève en départageant les employés susceptibles d'occuper un poste à responsabilités accrues.
- Le respect de la législation facilite la validation des décisions d'embauche, de mutation, de rétrogradation et de congédiement prises en fonction des informations sur le rendement.
- La rétroaction permet de transmettre aux employés le niveau de rendement attendu.
- La communication fournit un cadre de référence qui favorise le dialogue entre le supérieur et le subordonné et permet de mieux définir les objectifs personnels et les objectifs de carrière des employés.

Source : C.G. Banks et K.E. May, « Performance Management : The Real Glue in Organizations », dans A.I. Kraut et A.K. Korman, *Evolving Practices in Human Resource Management*, San Francisco, Jossey-Bass, 1999.

L'*analyse des postes* est la base de l'évaluation du rendement. Pour éviter les accusations de discrimination, l'entreprise doit procéder à une analyse rigoureuse des postes, qui établit la validité du formulaire d'évaluation du rendement en créant un lien entre les critères d'évaluation et les exigences du poste. L'information recueillie lors de l'évaluation du rendement est essentielle à la prise de décisions en matière de *sélection* et de *placement*. En effet, la correspondance entre les critères de rendement et les profils d'exigences et de compétences favorise la prise de décisions éclairées sur les mouvements de personnel, notamment en ce qui concerne les mutations et les promotions. L'évaluation du rendement permet de motiver les employés en reconnaissant leur contribution à l'organisation. Elle peut donc aussi servir à l'établissement de la *rémunération*[5], pour autant que les techniques d'évaluation soient valides. Puisque le rendement d'un employé dépend non seulement de sa motivation, mais aussi de ses compétences, on peut l'améliorer grâce à une formation appropriée. C'est pourquoi il faut connaître le niveau de rendement et les lacunes de chaque employé, puis déterminer si ces lacunes sont liées à un manque de compétence, à un manque de motivation ou aux conditions de travail. Ainsi, en rattachant l'évaluation du rendement à l'analyse des postes, on peut recueillir l'information nécessaire à l'implantation de programmes de formation efficaces. Par ailleurs, l'évaluation du rendement aide les employés à planifier leur carrière. Elle permet aussi de déceler les comportements qui s'écartent des normes de santé et de sécurité au travail pour pouvoir y remédier, le cas échéant. Enfin, à la suite d'une évaluation du rendement, le superviseur peut décider de *congédier* ou de *muter* un employé, ou encore de *lui infliger une mesure disciplinaire*. Pour toutes ces raisons, on comprendra qu'il importe d'utiliser des outils de mesure adéquats.

7.1.2 | Les étapes du processus d'évaluation du rendement

Le processus d'évaluation du rendement se déroule en quatre étapes (voir l'encadré 7.3).

La *première étape* consiste à déterminer les critères d'évaluation. Il s'agit de puiser dans les analyses de postes ou dans les profils de compétences les éléments à évaluer chez les employés. Il est important de s'assurer que les standards de performance sont définis clairement et connus des employés. Les critères doivent être fidèles, valides et mesurables ; ils doivent être liés aux responsabilités et aux composantes du poste occupé par l'employé qu'on évalue. Quand l'évaluation porte sur des comportements, le supérieur doit les avoir observés auparavant, ce qui lui permet de baser ses jugements sur des situations concrètes. Dans le cas d'une évaluation qui porte sur des compétences, on doit les avoir déterminées auparavant, à partir du profil du poste[6].

ENCADRÉ ▶ **7.3**

Les étapes types d'un processus d'évaluation du rendement

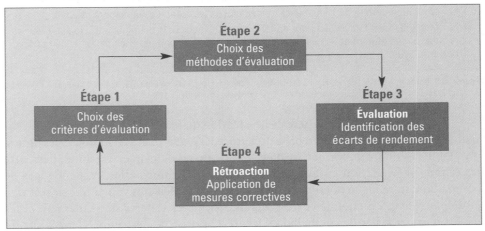

La *deuxième étape* consiste à sélectionner la ou les méthodes d'évaluation utilisées (voir la section 7.3). On doit établir son choix en fonction du profil du poste et des éléments à évaluer. Pour évaluer le rendement d'un employé, on pourrait ainsi choisir l'entrevue d'évaluation, ou bien l'auto-évaluation sur l'intranet de l'entreprise.

CONSULTEZ INTERNET

www.hr.uottawa.ca/03c_evaluation/page04_f.asp

Formulaire électronique d'autoévaluation des compétences utilisé par le service des ressources humaines de l'Université d'Ottawa.

La *troisième étape* sert à déterminer les modalités du déroulement de l'évaluation et de l'analyse qui en découle.

À la *quatrième étape,* il faut chercher des explications aux écarts de rendement observés et appliquer les mesures correctives qui s'imposent. Si l'employé satisfait aux objectifs ou les dépasse, il faut le souligner dans la rétroaction qu'on lui donne de l'évaluation.

Enfin, l'analyse des écarts de rendement et la rétroaction permettent de revoir les critères d'évaluation déterminés à la première étape afin de décider de les maintenir ou de les modifier à la lumière des échanges entre l'évaluateur et l'employé évalué.

Soulignons que le processus d'évaluation du rendement s'intègre dans le processus plus global de gestion de la performance au travail (voir l'encadré 7.4). En effet, il entraîne le recours, selon le cas, à des stratégies d'amélioration ou à des stratégies de reconnaissance[7]. Le présent chapitre aborde le processus d'évaluation du rendement, alors que nous traitons dans les chapitres 10 et 11 des liens entre l'évaluation du rendement, la rémunération, directe et indirecte, ainsi que les stratégies d'amélioration de la performance au travail.

ENCADRÉ ▶ 7.4

Le processus de gestion de la performance au travail

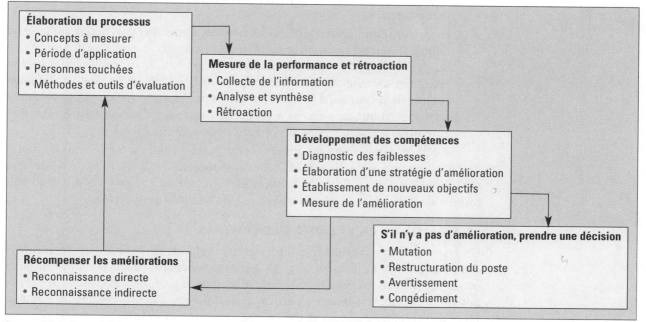

Sources: S.E. Jackson et R.S. Schuler, *Managing Human Resources: A Partnership perspective*, Cincinnati (Ohio), South-Western, 2005. J. Barrette et J. Bérard, « Gestion de la performance : lier la stratégie aux opérations », *Gestion*, vol. 24, no 4, 2000, p. 46-61. A. Gosselin et S. St-Onge, « Gérer la performance au travail : tendances et conditions de succès », *Gestion*, coll. Racines du savoir, 2000.

7.2

LES ASPECTS À CONSIDÉRER DANS LE PROCESSUS D'ÉVALUATION DU RENDEMENT

Les lacunes du système d'évaluation du rendement influent sur la crédibilité du processus et sur son acceptation par l'évaluateur et par l'employé évalué. De nombreux chercheurs se sont donc intéressés aux moyens d'améliorer le processus en se penchant sur les aspects suivants : les critères d'évaluation, les sources d'information, le contexte de l'évaluation et les écarts de rendement. Examinons de plus près ces éléments.

7.2.1 | Les critères d'évaluation

Les prises de décision sont fondamentales dans l'élaboration du système d'évaluation du rendement : les employés à évaluer (qui), les éléments à évaluer (quoi) et la méthode d'évaluation (comment). Il faut d'abord commencer par préciser les critères d'évaluation du rendement. Essentiellement, trois dimensions peuvent servir de critères à l'évaluation du rendement d'un individu ou d'un groupe d'individus au sein d'une organisation.

- La première dimension renvoie aux *caractéristiques individuelles* (ou traits). Leur examen permet d'évaluer, par exemple, la loyauté de l'employé, sa capacité de communiquer ou de diriger. De tels critères éclairent davantage sur ce qu'une personne est que sur ce qu'elle accomplit dans le cadre de son travail.

- La deuxième dimension a trait aux *comportements* de l'employé. Ce sont des critères très importants pour les emplois qui exigent des interactions interpersonnelles, notamment avec la clientèle ou dans une équipe de travail. Par ailleurs, la rétroaction permet à l'employé de comprendre ses erreurs et d'améliorer son rendement.

- La troisième dimension porte sur les *résultats*. On ne met pas l'accent sur la façon dont le travail est accompli, mais bien sur la quantité et la qualité du produit ou du service. Ce type d'évaluation soulève quelques problèmes : on peut difficilement quantifier les résultats de certains aspects de l'emploi ; on ne tient pas toujours compte de la qualité de l'extrant, ce qui risque à long terme de porter préjudice à l'organisation ; on s'expose à encourager une compétition malsaine entre les employés ; les contextes ne se prêtent pas tous à son utilisation.

Au fil des pages, nous verrons comment associer ces dimensions dans l'élaboration des critères d'évaluation du rendement. L'efficacité de l'évaluation du rendement repose sur des critères fidèles et valides ; le moment doit être propice et il faut tenir compte de la durée de l'évaluation ainsi que du contexte de sa réalisation[8].

LA FIDÉLITÉ ET LA VALIDITÉ DES CRITÈRES

Un système efficace d'évaluation du rendement requiert un haut niveau de fidélité et de validité[9]. La fidélité implique que les résultats ne varient pas en fonction de l'évaluateur ou du moment choisi pour l'évaluation. Si le système est *fidèle*, un évaluateur devrait obtenir des résultats identiques à des périodes différentes, dans la mesure où le rendement de l'employé demeure stable[10]. Cependant, de nombreuses erreurs de notation peuvent se produire, ce qui réduit la fiabilité du système d'évaluation, comme nous le verrons plus loin.

Un système d'évaluation du rendement *valide* doit indiquer, habituellement à partir de l'analyse du poste, les critères de réussite les plus importants, directement liés aux exigences de ce poste. On peut évaluer l'apport d'un employé à l'organisation en établissant des liens entre son rendement et les objectifs déterminés par l'analyse de son poste.

L'ADÉQUATION DES CRITÈRES

L'analyse des postes précise généralement plusieurs critères de réussite qui reflètent l'apport des employés. On parle de déficience d'un formulaire d'évaluation du rendement quand ce formulaire néglige des aspects importants du poste, par exemple le comportement au travail ou les résultats précisés dans l'analyse du poste. Quand le formulaire inclut des éléments sans importance ou non pertinents, on parle de contamination d'un formulaire. En fait, les entreprises utilisent couramment des formulaires qui mesurent des comportements ou des caractéristiques n'ayant aucun lien avec les tâches du titulaire du poste[11].

LA PONDÉRATION DES CRITÈRES

Si le poste comporte plusieurs tâches, il faut attribuer une valeur relative à chacune d'entre elles ; la combinaison de ces valeurs permet de déterminer un score global, ce qui facilite la comparaison entre les employés[12]. La méthode la plus simple et la plus précise consiste à utiliser la pondération définie dans l'analyse des postes. Ainsi, le poids assigné à chaque critère selon son utilité ou son importance permet de prédire le rendement global.

LES NORMES

La mesure du rendement des employés exige l'élaboration de normes. Celles-ci fournissent un éventail de valeurs pour chaque critère de réussite. Entre autres, les études des temps et mouvements (ou études ergonomiques) et les processus d'échantillonnage du travail (voir la section 3.2.2) peuvent servir à l'établissement de normes. On les utilise souvent pour les postes de cols bleus, dépourvus de responsabilité de gestion.

DANS LES FAITS

Si le seul résultat qu'on attend d'un employé dans un poste donné consiste à vendre 100 unités de tel produit par mois, le système d'évaluation ne devrait mesurer que cet élément, soit le nombre d'unités vendues au cours d'un mois. Dans ce cas, il n'existe donc qu'un seul critère de réussite. Par exemple, si le seul critère d'appréciation d'un franchisé McDonald's s'était l'augmentation du volume des ventes pour une période donnée, le franchisé devrait considérer ce chiffre comme un but essentiel et s'efforcer de l'atteindre. Par ailleurs, on pourrait ajouter d'autres critères à celui de la vente de 100 unités par mois : les répercussions des remarques faites aux clients, l'assiduité de l'employé, ou même les répercussions du travail de l'employé sur ses collègues. Si l'analyse du poste montre l'importance de tous ces critères, l'évaluation du rendement doit alors les mesurer tous.

Déficience d'un formulaire

Manque de cohérence ou de pertinence dans un formulaire d'évaluation, ce qui empêche de mesurer efficacement les connaissances ou le profil du candidat.

Contamination d'un formulaire

Présence, dans un formulaire d'évaluation, d'éléments qui en diminuent l'efficacité, par exemple de mesures ou dimensions sans lien avec le poste, de préjugés ou de croyances non fondées.

DANS LES FAITS

Dans une entreprise, la vente de 100 unités par mois peut représenter un excellent rendement et la vente de 80 unités, un rendement moyen. Les entreprises se basent souvent sur les résultats inscrits dans les dossiers des employés pour établir les normes et l'échelle de mesure du rendement.

7.2.2 | Les sources d'information

Les données nécessaires à l'évaluation du rendement d'un employé proviennent surtout du supérieur, des pairs, des subordonnés (si la personne évaluée occupe elle-même un poste de superviseur), de la personne elle-même (s'il s'agit d'une autoévaluation), de la clientèle et de données informatisées. Même si la plupart de ces sources peuvent être utiles pour recueillir l'information, il faut quand même en évaluer la pertinence par rapport aux besoins organisationnels avant de choisir une méthode d'évaluation du rendement.

L'ÉVALUATION PAR LE SUPÉRIEUR

En matière d'évaluation, le supérieur est le responsable immédiat de la personne évaluée. On suppose que le supérieur possède généralement une très bonne connaissance du travail de son subordonné et qu'il est la personne toute désignée pour apprécier la qualité de son rendement. Cependant, l'évaluation par le supérieur comporte des inconvénients (voir l'encadré 7.5). C'est pourquoi on invite souvent d'autres personnes à participer au processus d'évaluation, en attribuant même au subordonné un pouvoir plus étendu. Ce genre d'intervention crée un climat d'ouverture, ce qui améliore la qualité des relations entre subordonné et supérieur[13].

ENCADRÉ ▶ **7.5**

Les inconvénients de l'évaluation par les supérieurs

- Le supérieur dispose d'un pouvoir de récompense et de punition qui peut représenter une menace pour l'employé.
- L'évaluation est souvent un processus unilatéral qui incite l'employé à se mettre sur la défensive et à justifier ses actions.
- Le supérieur ne possède pas toujours les aptitudes de communication interpersonnelle nécessaires pour donner une bonne rétroaction à l'employé.
- Le supérieur peut éprouver des réticences d'ordre éthique à influer sur la destinée d'un employé.
- En imposant des sanctions à un subordonné, le supérieur peut susciter chez lui du ressentiment.

L'ÉVALUATION PAR LES PAIRS

L'évaluation d'un employé par ses collègues de travail peut fournir de bons indicateurs de son rendement, particulièrement lorsque certains aspects du rendement sont inaccessibles au supérieur. Cependant, la validité de l'évaluation par les pairs peut laisser à désirer si l'entreprise rémunère son personnel au rendement : la compétition entre les employés est alors forte et la confiance mutuelle est plutôt faible. Une telle évaluation se révèle toutefois très utile si la culture de l'entreprise valorise le travail d'équipe et la gestion participative[14].

DANS LES FAITS

Certains concessionnaires d'automobiles incitent régulièrement leurs clients à évaluer la qualité du service en leur demandant leur opinion sur des éléments tels que la courtoisie ou la rapidité des vendeurs et leur capacité d'expliquer la nature d'un problème. De même, un grand nombre de restaurants invitent leur clientèle à commenter la qualité de la nourriture, la qualité du service ou d'autres éléments jugés importants. Il arrive même qu'on offre aux clients disposés à coopérer de participer à un tirage au sort dans lequel ils peuvent gagner, par exemple, un repas pour deux personnes.

L'ÉVALUATION PAR LES SUBORDONNÉS

Avez-vous déjà rempli un questionnaire pour évaluer l'un de vos professeurs ? Que pensez-vous de ce processus ? Selon vous, est-ce utile ? Cette forme d'évaluation permet aux professeurs de connaître la perception que leurs étudiants ont d'eux et leur compréhension de la matière. En milieu de travail, la situation est similaire : les subordonnés peuvent effectivement donner une bonne idée de la perception qu'ils ont de leurs supérieurs. Par contre, ils peuvent évaluer leur supérieur en fonction de sa personnalité ou de leurs propres besoins plutôt que de ceux de l'organisation. En outre, les employés peuvent surestimer le rendement de leur supérieur, par exemple s'ils ont peur des répercussions de leur évaluation ou si le processus d'évaluation ne garantit pas l'anonymat[15].

L'AUTOÉVALUATION

Le recours à l'autoévaluation gagne du terrain, en particulier grâce à la participation de l'employé à l'établissement des objectifs. En effet, en contribuant au processus d'évaluation, le subordonné s'engage à atteindre les objectifs qu'il s'est lui-même fixés ou qu'il a établis avec son supérieur. De plus, il semble bien que la participation des subordonnés à leur évaluation réduit les conflits, du fait qu'elle permet de clarifier la définition des rôles[16].

L'autoévaluation constitue souvent un outil efficace pour élaborer des programmes de perfectionnement, de développement personnel et d'engagement à l'égard des objectifs organisationnels. Cependant, l'autoévaluation engendre parfois des erreurs ou une certaine distorsion dans les résultats, ce qui peut donner lieu à des discussions interminables entre le subordonné et le supérieur dans le contexte du processus d'évaluation. Par ailleurs, certaines études ont montré que l'autoévaluation est généralement un peu plus précise que l'évaluation établie par le superviseur[17].

L'ÉVALUATION PAR LA CLIENTÈLE

La clientèle constitue une autre source d'information utile dans une variété de contextes. Bien sûr, les clients n'ont pas suffisamment d'information pour juger de la performance des employés, mais ils peuvent exprimer leur satisfaction au sujet des produits ou des services fournis[18].

CONSULTEZ INTERNET

www.hrma-agrh.gc.ca/mtp-psg/perfmm01_f.rtf

Exemple de formulaire d'évaluation du rendement d'un stagiaire.

L'INFORMATISATION DES DONNÉES D'ÉVALUATION

De moins en moins de domaines échappent à l'informatique. Depuis quelques années, il existe des logiciels qui compilent l'information nécessaire à l'évaluation du rendement. Le plus souvent, on invite les employés et leurs supérieurs à remplir périodiquement des questionnaires sur l'intranet de l'entreprise. Diverses rubriques liées au poste permettent d'évaluer le comportement d'un employé et l'atteinte de ses objectifs. Ce genre d'outil est particulièrement utile quand on veut centraliser le système de gestion de la performance dans une multinationale.

L'ÉVALUATION MULTISOURCES

L'*évaluation multisources* (rétroaction à 360 degrés, ou évaluation tous azimuts) consiste à recueillir de l'information relative à la performance d'un employé auprès du plus grand nombre possible de personnes intéressées[19] (voir l'encadré 7.6). Il s'agit donc d'évaluer un employé en combinant les renseignements obtenus auprès de diverses sources[20]. De grandes organisations américaines (par exemple AT&T, Amoco, MassMutual Insurance) estiment que, selon leur expérience, l'évaluation du rendement d'un employé est plus efficace quand elle est effectuée à la fois par les pairs, les superviseurs, les subordonnés et les clients ; certaines entreprises incorporent même l'autoévaluation dans leur approche[21].

CONSULTEZ INTERNET

www.panoramicfeedback.com/shared/articles/univfr.html

Article présentant les avantages et les désavantages de l'évaluation à 360 degrés (ou évaluation multisources).

Les sources d'information dans l'évaluation multisource

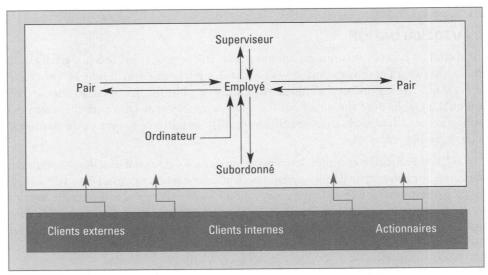

Source : J.M. Werner, « Que sait-on de la rétroaction à 360 degrés ? », *Gestion*, vol. 19, n° 3, septembre 1994, p. 72.

7.2.3 | **Le contexte de l'évaluation**

Certaines études montrent que l'évaluation du rendement est un outil de gestion largement employé en Amérique du Nord. La majorité des gestionnaires en reconnaissent l'utilité, mais nombreux sont ceux qui n'apprécient pas du tout cette tâche et seraient fort heureux de s'y soustraire. C'est pourquoi bien des dirigeants privilégient l'évaluation annuelle. Selon bon nombre de spécialistes en gestion des ressources humaines, les rencontres d'évaluation informelles et régulières (au cours desquelles le supérieur fournit une rétroaction à ses subordonnés et précise les orientations) peuvent remplacer les évaluations plus structurées. La recherche indique d'ailleurs que ni les gestionnaires ni les employés n'ont entièrement confiance en l'efficacité du système d'évaluation de leur organisation[22].

DANS LES **FAITS**

Au Québec, un sondage CROP-EXPRESS effectué auprès de 639 employés en octobre 2005 pour l'Ordre des conseillers en ressources humaines et en relations industrielles agréés du Québec (ORHRI) a révélé qu'environ 47 % des employés sont soumis par leur employeur à une évaluation annuelle du rendement. Selon les répondants, la période d'évaluation était variable : 27 % au quatrième trimestre, 23 % au premier trimestre et 23 % au deuxième trimestre ; environ 16 % des répondants ont indiqué que la période d'évaluation variait annuellement[23].

La plupart des entreprises ont un système formel d'évaluation du rendement, mais ce système n'est pas nécessairement efficace et il n'atteint pas toujours les objectifs visés[24]. Dans bien des cas, d'ailleurs, ces objectifs ne sont pas clairs ou comportent des contradictions grossières. Les problèmes de conception ou d'implantation d'un programme d'évaluation nuisent bien plus au rendement qu'ils ne l'améliorent. Il est donc essentiel d'apporter un soin particulier au choix des caractéristiques de ce système et aux détails de sa mise en œuvre.

> Une étude réalisée par Gary Latham et Nancy Naper auprès de deux sociétés américaines a fait ressortir le fait que les gestionnaires essaient d'éviter les évaluations du rendement et les considèrent comme inutiles. Cette constatation confirme les résultats d'études antérieures menées auprès de gestionnaires de General Electric par Herb Meyer: l'évaluation du rendement contribue à réduire la performance des employés au lieu de l'améliorer. Les employés remettent d'ailleurs en cause sa légitimité[25].

7.2.4 | Les écarts de rendement

L'amélioration du rendement est un processus qui consiste à détecter les écarts de rendement, à en comprendre les causes et à élaborer des stratégies pour y remédier.

DANS **FAITS**
LES

> Un disquaire a vendu 1 000 CD le mois dernier, mais seulement 800 ce mois-ci: s'agit-il d'un écart de rendement? Cette façon de voir les choses ne fournit aucune indication sur les causes de l'écart. En effet, il se peut que le mois dernier corresponde à la période de pointe. Par ailleurs, l'employé a peut-être participé ce mois-ci à un important séminaire de trois jours sur les stratégies d'augmentation des ventes à long terme.

LE REPÉRAGE DES ÉCARTS DE RENDEMENT

Le rendement des employés, comme nous le verrons un peu plus loin, s'évalue en comportements, en résultats et en objectifs. En utilisant ces mêmes éléments dans une perspective différente, on peut déceler les écarts de rendement. Par exemple, si l'objectif de rendement d'un employé consiste à réduire de 10 % le taux de rejet et qu'il ne parvient à le réduire que de 5 %, l'écart de rendement est de 5 % (rendement souhaité – rendement réel = écart de rendement). Cette méthode est valide dans la mesure où les objectifs sont mesurables et cohérents.

On peut également déceler les écarts de rendement en comparant des employés, des unités de travail ou des services. Dans les organisations à divisions multiples, on mesure souvent le rendement en comparant les divisions entre elles. On considère alors que la division qui se trouve en dernière position occasionne probablement des problèmes, puisqu'elle présente un écart de rendement par rapport aux autres. Bien qu'un tel classement des individus ou des unités permette de déterminer les écarts par voie de comparaison, il ne renseigne aucunement sur les causes de ces écarts.

Enfin, on peut déceler les écarts de rendement en comparant un élément avec lui-même, à divers moments.

LA DÉTERMINATION DES CAUSES DES ÉCARTS DE RENDEMENT

Avant d'étudier le processus qui permet aux gestionnaires de découvrir les causes des écarts de rendement, il est nécessaire d'examiner les facteurs qui influent sur le rendement des individus. Il est relativement difficile de cerner tous les aspects du comportement susceptibles d'influer directement sur le rendement: les variables, les expériences et les événements qui entrent en jeu sont nombreux. On peut quand même réduire tous ces éléments à trois catégories principales (voir l'encadré 7.7): les *variables individuelles* (les habiletés et les aptitudes, les antécédents professionnels et les variables démographiques); les *variables psychologiques* (la perception, les attitudes, la personnalité, l'apprentissage et la motivation); les *variables organisationnelles* (les ressources disponibles, le type de leadership, le système de récompenses, la structure et la conception des tâches). En se posant des questions sur ces facteurs, on peut cerner les causes des écarts de rendement (voir l'encadré 7.8).

ENCADRÉ ▶ **7.7**

Les variables susceptibles d'influencer le rendement

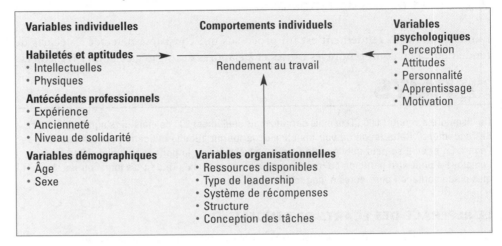

ENCADRÉ ▶ **7.8**

Quelques questions utiles pour cerner un écart de rendement

1. L'employé possède-t-il les compétences et les aptitudes nécessaires pour occuper ce poste?
2. Dispose-t-il des ressources adéquates pour effectuer ses tâches?
3. Est-il conscient de l'insuffisance de son rendement?
4. À quel moment et dans quelles circonstances le problème de rendement s'est-il manifesté?
5. Comment les collègues de travail de l'employé réagissent-ils par rapport à son problème de rendement?
6. Que peut faire le supérieur pour atténuer le problème?
7. Les attitudes et la motivation de l'employé sont-elles adéquates à son poste?

7.3

LES APPROCHES ET LES MÉTHODES D'ÉVALUATION DU RENDEMENT

Il existe plusieurs approches et méthodes d'évaluation du rendement. Certaines conviennent à toutes les catégories d'emplois, alors que d'autres sont adaptées à certains postes précis. On peut les regrouper en trois catégories: les approches comparatives, ou normatives; les approches descriptives des traits et des comportements; les approches axées sur les résultats (voir l'encadré 7.9).

Les méthodes d'évaluation du rendement

Les approches comparatives (ou normatives)	• La méthode de rangement • La méthode de rangement alternatif • La méthode de comparaison par paires • La méthode de distribution forcée
Les approches descriptives des traits et des comportements	• L'évaluation descriptive • L'échelle d'évaluation conventionnelle • La méthode des incidents critiques • La liste pondérée d'incidents critiques • Le formulaire de choix forcé • Les échelles basées sur le comportement • Les échelles d'observation du comportement
Les approches axées sur les résultats	• La gestion par objectifs • Les normes de rendement • Les indices directs • Le dossier de réalisations

7.3.1 | Les approches comparatives

En gestion des ressources humaines, de nombreuses décisions sont basées sur la réponse à des questions plutôt simples. Qui a le meilleur rendement dans le groupe ? À qui devrait-on assigner telle ou telle tâche ? Les approches comparatives (ou normatives) fournissent des réponses aux questions de ce genre.

LA MÉTHODE DE RANGEMENT

La méthode de rangement (ou méthode de rangement direct) est la plus simple à implanter : le supérieur classe les employés en fonction de leur rendement global, du meilleur au plus faible. Dans son classement, il peut tenir compte d'autres aspects particuliers, tels que la présence au travail, le respect des échéances, la qualité des rapports fournis, etc. Cette méthode est surtout utile dans une petite entreprise. En effet, plus le nombre d'employés est grand, plus il est difficile de percevoir les différences, en particulier quand la plupart des employés ont un rendement moyen[26].

Méthode de rangement (ou méthode de rangement direct)

Méthode d'évaluation comparative du rendement utilisée pour classer les employés dans l'ordre du rendement global décroissant.

LA MÉTHODE DE RANGEMENT ALTERNATIF

La méthode de rangement alternatif comporte des étapes successives de classement : à chaque étape, on inscrit au début de la liste le meilleur employé et, à la fin, le moins bon, en se fondant généralement sur leur rendement global. Les employés dont le rendement est moyen se retrouvent en milieu de liste. Cette approche présente l'avantage d'être à la portée des supérieurs autant que des subordonnés. Elle est particulièrement utile pour obtenir des données sur le rendement dans un groupe d'individus qui accomplissent sensiblement les mêmes tâches[27]. Certains professeurs d'université proposent à leurs étudiants un questionnaire inspiré de cette méthode pour évaluer la participation respective des membres à un travail de groupe (voir l'encadré 7.10).

Méthode de rangement alternatif

Méthode d'évaluation comparative du rendement à étapes successives et consistant à classer alternativement tous les employés en fonction de leur rendement, en retenant chaque fois le meilleur et le moins performant, jusqu'à épuisement de la liste.

Formulaire d'évaluation du rendement des membres d'un groupe

But

Ce formulaire vous fournit l'occasion d'évaluer le rendement des membres de votre groupe, y compris vous-même. Rappelez-vous que cette évaluation ne touche qu'un aspect de votre degré de participation.

Instructions

Dressez d'abord dans la colonne de gauche du tableau ci-dessous la liste de tous les membres de votre groupe, y compris vous-même.

Ensuite, pour chaque élément d'évaluation, attribuez à chacun des membres une note de 1 à 6.

Échelle : 1 = le meilleur   2 = le deuxième   (…)   6 = le moins bon

NOM DU MEMBRE DU GROUPE	SENS DES RESPONSABILITÉS A. Accomplit sa part du travail. B. Se prépare aux réunions.		INTERACTIONS INTERPERSONNELLES C. Participe aux discussions. D. Accepte les critiques constructives.		RENDEMENT GLOBAL
	A	B	C	D	E
1.					
2.					
3.					
4.					
5.					
6.					

INSCRIVEZ VOS REMARQUES OU VOS COMMENTAIRES AU VERSO.

Signature : _____

LA MÉTHODE DE COMPARAISON PAR PAIRES

Méthode de comparaison par paires

Méthode d'évaluation comparative du rendement qui implique que l'on confronte les résultats de chaque employé avec ceux de tous les autres, deux à deux, en utilisant une norme unique pour désigner le meilleur des deux dans chaque cas.

La méthode de comparaison par paires implique que l'on compare chaque employé avec tous les autres, deux à deux, en utilisant dans chaque cas une norme unique pour désigner le meilleur des deux. Le classement final est assez simple à établir : pour chaque employé, on compte le nombre de fois où on l'a jugé supérieur à un autre ; on place ensuite les employés par ordre des résultats décroissants. Comparativement aux autres approches de rangement, on n'aura aucune difficulté à départager les meilleurs individus.

LA MÉTHODE DE LA DISTRIBUTION FORCÉE

Méthode de la distribution forcée

Méthode d'évaluation comparative du rendement consistant à classer les employés dans des groupes dont les proportions sont définies à l'avance (souvent selon une courbe normale).

La méthode de la distribution forcée contourne le problème des rangs uniques qu'on trouve dans les autres méthodes par l'intégration de plusieurs facteurs dans le processus de rangement. Il peut en effet être difficile de différencier deux titulaires de poste dont le rendement est similaire. La distribution est « forcée », puisqu'on doit répartir un certain nombre d'employés (une proportion) dans chacune des cinq catégories prédéterminées. Les lettres (A, B, C, etc.) utilisées dans certaines universités nord-américaines constituent une variante de cette méthode. De façon générale, la distribution forcée produit une courbe en forme de cloche (voir l'encadré 7.11).

L'évaluation du rendement selon la méthode de distribution forcée

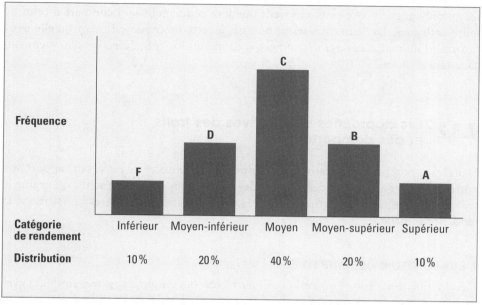

Note : Les pourcentages indiquent la répartition, par catégorie de rendement, des individus évalués.

LES PROBLÈMES LIÉS AUX APPROCHES COMPARATIVES

En dépit de leurs différences, toutes les méthodes d'évaluation comparative postulent que la mesure du rendement est plus adéquate s'il n'y a qu'un seul critère, soit le rendement global. Or, ce critère est d'ordre général, aucun indicateur n'y est rattaché, comme le nombre d'unités vendues. La subjectivité de l'évaluateur peut donc influer sur le résultat. De plus, le classement peut négliger certains aspects du comportement et donner lieu à des litiges. Par ailleurs, le niveau de rendement individuel ne ressort pas, puisqu'on n'a aucune indication sur le degré de supériorité du « meilleur » ou sur le degré d'infériorité du « moins bon ». La classification peut donc être arbitraire. Enfin, soulignons que la comparaison par paires peut s'avérer très lourde si le nombre d'employés est considérable.

Ces méthodes produisent des données ordinales, non des données d'intervalles. Il est donc difficile de déterminer si le « meilleur » employé a fourni un rendement excellent, moyen ou pauvre, ou si des individus occupant des positions adjacentes dans le classement ont un rendement comparable ou très différent. L'attribution de promotions à partir de données ordinales n'est donc pas idéale : en effet, l'évaluation dépend d'un groupe de référence et non du rendement réel de l'individu. Par exemple, un employé pourrait être promu parce qu'il est jugé excellent dans un groupe, alors qu'il ne l'aurait pas été dans un autre groupe où on l'aurait considéré comme moyen.

Ces quatre méthodes d'évaluation comparative postulent que n'importe quel groupe d'employés comporte de bons et de mauvais éléments. L'expérience nous apprend pourtant que des individus peuvent avoir un rendement similaire dans

Données ordinales

Données obtenues par le classement d'éléments selon l'ordre de grandeur d'un de leurs attributs. Une donnée ordinale est définie par une relation d'ordre entre les données ou entre des catégories.

Données d'intervalles

Données obtenues par le classement d'éléments selon une séquence logique : par exemple un ensemble de nombres x compris entre a et b.

certains groupes. La méthode de distribution forcée n'est donc d'aucune utilité dans de tels cas, car il est impossible d'attribuer le premier rang à plusieurs employés. Les défenseurs de cette méthode font valoir qu'elle encourage une saine compétition entre les employés, parce que ceux-ci savent que leur rendement sera comparé à celui de leurs collègues. De leur côté, les opposants à cette méthode estiment qu'elle peut favoriser l'individualisme et décourager la coopération ; enfin, certains critiquent son caractère artificiel.

7.3.2 | Les approches descriptives des traits et des comportements

Dans les approches comparatives, on évalue chaque titulaire de poste par rapport aux autres ; dans les approches descriptives des traits et des comportements, on évalue le travail de l'employé à partir de critères prédéfinis. Ces dernières constituent la tendance actuelle.

L'ÉVALUATION DESCRIPTIVE

Évaluation descriptive (ou évaluation narrative)

Méthode d'évaluation du rendement selon laquelle le supérieur présente un rapport sur les forces et les faiblesses de la personne évaluée ainsi que des suggestions d'amélioration.

L'évaluation descriptive (ou évaluation narrative) des employés est très simple : l'évaluateur consigne dans un rapport les forces et les faiblesses de l'employé évalué et lui propose des moyens d'améliorer son rendement. Il ne s'agit pas d'un rapport structuré, le contenu et la longueur peuvent varier considérablement. Par conséquent, il peut être difficile de comparer entre eux des employés de services différents ou même d'un seul service. De plus, ce genre d'évaluation ne fournit que des données qualitatives.

Cependant, comme nous le verrons plus loin, on peut enrichir l'évaluation descriptive en utilisant les incidents critiques, une liste prédéterminée de comportements ou un formulaire de choix forcé. Par ailleurs, la qualité des résultats est évidemment liée aux habiletés rédactionnelles de l'évaluateur. Cette méthode est donc déconseillée aux superviseurs qui ont peu de compétences en rédaction et à ceux qui ne disposent pas de suffisamment de temps, comme c'est souvent le cas des gestionnaires hiérarchiques. L'encadré 7.12 propose un modèle de formulaire structuré qui permet d'améliorer cette méthode. Remarquez que le titulaire du poste est invité à lire le contenu du formulaire et à y ajouter ses commentaires, ce qui peut encourager le supérieur à adopter une attitude responsable lors de l'évaluation de l'employé.

L'ÉCHELLE D'ÉVALUATION CONVENTIONNELLE

Échelle d'évaluation conventionnelle

Méthode d'évaluation du rendement qui utilise des indicateurs renvoyant essentiellement à des qualités personnelles ou à des traits de caractère ; elle peut également comprendre des indicateurs de production ou de comportement.

L'échelle d'évaluation conventionnelle est la méthode d'évaluation du rendement la plus répandue. Bien qu'on parle de rendement, il faut souligner que de nombreux formulaires d'évaluation conventionnelle utilisent des indicateurs de rendement qui renvoient aux qualités personnelles plutôt qu'aux comportements. Les traits de caractère le plus souvent examinés sont l'initiative, l'autonomie, la maturité et le sens des responsabilités. Les formulaires varient grandement. Certains comprennent des indicateurs de production, touchant notamment la quantité (voir l'encadré 7.13) et la qualité du rendement. Ils varient selon le nombre de traits de caractère et d'indicateurs de production, ainsi que selon l'échelle de mesure et la description des dimensions évaluées[28].

Formulaire d'évaluation descriptive structurée

Nom de l'employé : _____

Titre du poste : _____

Donner des exemples de comportements efficaces de l'employé.

Donner des exemples de comportements inefficaces de l'employé.

Quelles dispositions ont été prises ou seront prises pour modifier ces comportements inefficaces ?

Faut-il réviser la description du poste ?

Faites vos commentaires ou donnez des explications additionnelles portant sur les conditions et les circonstances dans lesquelles se sont produits les comportements efficaces ou inefficaces observés.

a) Superviseur :

b) Titulaire :

Signature du titulaire _____ Date _____

Signature du superviseur _____ Date _____

En signant ce rapport d'évaluation, le titulaire de poste confirme qu'il en a pris connaissance, mais non qu'il en approuve le contenu.

Formulaire d'évaluation conventionnelle

A : Quantité   Élevée |_____|_____|_____✓|_____|_____| Faible

| | 5 | 4 | 3 | 2 | 1 |

Initiative : Très au-dessus de la moyenne | Au-dessus de la moyenne | Dans la moyenne | Sous la moyenne | Très au-dessous de la moyenne

B :

Dimensions du poste	1	2	3	4	5	6	7	8	9	10	11	12	13	14	15	16	17	18	19	20
									✓											

Quantité	Toujours faible	Passable	Moyenne	Parfois supérieure à la moyenne	Toujours exceptionnelle

C : Le volume produit correspond à la quantité de travail qu'un individu accomplit au cours d'une journée de travail.

		X		
Le volume produit ne satisfait pas aux normes minimales.	Le volume produit est acceptable.	Le volume produit est satisfaisant.	Le volume produit dépasse la moyenne.	Le volume produit est exceptionnellement élevé.

Les formulaires d'évaluation conventionnelle sont utilisés sur une grande échelle, car leur conception est relativement facile et ils permettent de recueillir des données quantitatives qui facilitent la comparaison entre les employés et entre les services. De plus, ils ont l'avantage d'englober plusieurs dimensions ou critères de réussite.

Cependant, les désavantages sont nombreux. Ainsi, l'emprise totale qu'exerce l'évaluateur sur leur utilisation peut donner lieu à toutes sortes d'erreurs (voir la sous-section 7.4.3). Un autre désavantage de ces formulaires est lié au regroupement des éléments; l'évaluateur n'a aucune marge de manœuvre, il doit cocher un espace unique. En outre, l'absence de normalisation des termes descriptifs peut semer la confusion. Par exemple, les termes *motivation, coopération* et *habiletés sociales* peuvent être interprétés différemment par les évaluateurs, particulièrement quand on les associe aux qualificatifs *excellent, moyen* ou *très pauvre*. On reproche également aux formulaires d'évaluation conventionnelle leur caractère monovalent: il est impossible d'utiliser à d'autres fins les données recueillies (par exemple pour déterminer les besoins de perfectionnement). De plus, ils ne guident aucunement l'employé évalué en vue de l'amélioration de son rendement ni de la planification de sa carrière. Certaines entreprises modifient ces questionnaires de façon à pouvoir consigner les aspects liés au perfectionnement et à l'évaluation elle-même. L'encadré 7.14 illustre de quelle façon on peut améliorer un questionnaire d'évaluation conventionnelle.

LA MÉTHODE DES INCIDENTS CRITIQUES

L'évaluation descriptive et l'échelle d'évaluation conventionnelle suscitent beaucoup d'insatisfaction. On a donc élaboré d'autres méthodes d'évaluation axées sur le comportement, qui se distinguent par leur portée et par leur structure. L'une des plus faciles à implanter est la méthode des incidents critiques. Selon cette méthode, le supérieur observe et note les actions particulièrement efficaces ou inefficaces de ses subordonnés dans le cours normal de leur travail: ce sont les incidents critiques (ou faits déterminants). Ces incidents ainsi rapportés fournissent généralement une bonne description du comportement dans telle ou telle situation. Par exemple, dans le cas d'un agent d'assurance vie, le fait de tromper un client pour conclure une vente constitue un incident critique négatif, alors que la réponse empressée et chaleureuse à une plainte est un incident critique positif. Cette méthode présente l'avantage de fournir au supérieur des exemples concrets de comportements pour la rétroaction, sans qu'il ait besoin de s'appuyer sur des qualités personnelles comme le sérieux, l'énergie au travail ou la loyauté[29]. Cette dimension encourage l'employé à améliorer son comportement à partir des attentes exprimées.

Les défenseurs de la méthode des incidents critiques insistent sur sa simplicité et sur l'importance accordée au comportement. Un autre avantage est la réduction du risque de partialité: dans la mesure où l'évaluateur note au fur et à mesure les faits déterminants liés au rendement de l'employé, sa perception n'est pas influencée seulement par les événements les plus récents. En outre, la consignation des événements est plus rapide et comporte moins d'erreurs ou de déformations que bien des méthodes plus sophistiquées. Par ailleurs, étant donné que la plupart des employés ont un rendement moyen, cette technique permet de faire ressortir les employés dont le rendement est exceptionnel ou très médiocre. Soulignons que l'absence totale d'incidents observés chez un employé peut dénoter un rendement médiocre.

Cette méthode comporte cependant certains inconvénients. Ainsi, le supérieur doit s'astreindre à tenir un registre (le fameux « petit livre noir ») pour chacun de ses subordonnés. De plus, cette méthode ne comporte aucun critère quantitatif, elle ne permet pas de distinguer l'importance relative des incidents et elle rend difficile toute comparaison entre les employés pour lesquels les comportements observés sont très

---

Méthode des incidents critiques

Méthode d'analyse des postes et d'évaluation descriptive du rendement fondée sur l'observation et la description des comportements de l'employé qui ont des répercussions notables sur son rendement. À l'aide d'une liste prédéterminée d'incidents critiques, l'évaluateur consigne les résultats de son observation des comportements caractéristiques d'un rendement satisfaisant, moyen ou insatisfaisant.

Formulaire amélioré d'évaluation conventionnelle

Nom :	Numéro de l'employé :	Date de l'évaluation :
Lieu de travail :	Poste :	Date de la dernière évaluation :

INSATISFAISANT	FAIBLE	BON	TRÈS BON	EXCELLENT	NOTE
1. Qualité : précision, perfection et présentation du travail					
2	4	6	8	10	
Erreurs fréquentes ; rendement inacceptable	Moments d'inattention et erreurs	Rendement satisfaisant ; supervision normale requise	Constamment au-dessus de la moyenne	Travail extrêmement précis ; aucune supervision requise dans des circonstances normales	
2. Quantité : volume de travail accompli et temps requis pour l'exécuter					
2	4	6	8	10	
Production au-dessous des normes minimales ; incapacité à remplir les tâches assignées	Fréquent besoin d'aide et de suivi	En général, accomplissement de la charge de travail prévue à l'échéancier	Production toujours au-dessus de la normale	Efficacité exceptionnelle ; aucun besoin d'aide ni de suivi	
3. Connaissance de l'emploi : connaissance du travail et compétence manifestée dans son accomplissement					
2	4	6	8	10	
Connaissances inadéquates pour le travail	Manque de connaissances pour certaines tâches	Connaissances et compétences suffisantes pour s'acquitter des tâches à effectuer	Bonne connaissance du travail ; compétence	Connaissance approfondie du travail ; haut niveau de compétence	
4. Initiative : aptitude à entreprendre et à mettre en œuvre des actions efficaces					
2	4	6	8	10	
Incapacité à affronter les situations nouvelles	Surveillance étroite requise pour toute tâche inhabituelle	Gestion efficace des situations inhabituelles ; aide requise à l'occasion	Dynamisme ; jugement sûr dans les situations inhabituelles	Aucune aide requise dans la conception et l'implantation de solutions efficaces pour résoudre les problèmes inhabituels	
5. Aptitude à diriger, à orienter et à influencer les autres					
2	4	6	8	10	
Aucune autodiscipline	Aucune preuve de l'aptitude à diriger les autres	Bonne aptitude à guider et à diriger ses collègues, dans le cadre d'une supervision normale	Aptitude évidente à diriger et à influencer les autres	Obtention constante des résultats maximaux pour diriger et influencer les autres	

Formulaire amélioré d'évaluation conventionnelle (*suite*)

INSATISFAISANT	FAIBLE	BON	TRÈS BON	EXCELLENT	NOTE
6. Coopération : attitude envers le travail et aptitude à travailler avec les autres					
2	4	6	8	10	
Incapacité à se conformer aux règlements de l'entreprise ou manifestations de frictions excessives	Manque de coopération à l'occasion ; difficulté à s'entendre avec les autres	Coopération manifeste en général ; intérêt réel pour son travail ; efficacité du travail avec les autres	Coopération au-dessus de la moyenne ; tact et aptitude à éviter les conflits	Coopération constante ; désir d'assumer des responsabilités	
7. Fiabilité : aptitude à s'acquitter des tâches avec cohérence et efficacité					
2	4	6	8	10	
Aucune fiabilité	Surveillance fréquente requise	Rendement généralement conforme aux attentes	Rendement toujours au-dessus de la moyenne	Fiabilité exceptionnelle	
8. Adaptabilité : aptitude à faire face aux changements dans l'environnement ou dans les responsabilités liées à son poste					
2	4	6	8	10	
Incapacité totale à accepter le changement	Difficulté à affronter le changement	Adaptation relativement bonne au changement	Haut degré de souplesse	Souplesse exceptionnelle	
9. Présence : assiduité et ponctualité					
2	4	6	8	10	
Absences fréquentes ou retards injustifiés	Nombreuses absences ; retards habituellement justifiés	Assiduité satisfaisante ; retards toujours justifiés	Bonne assiduité et bonne ponctualité	Aucune absence et aucun retard au cours de la dernière année	
10. Apparence : présentation soignée au travail					
2	4	6	8	10	
Présentation non conforme aux exigences minimales	Présentation habituellement acceptable ; améliorations recommandées à l'occasion	En général, habillement propre et convenable	Tenue toujours convenable et de bon goût	Tenue toujours soignée et impeccable	
				TOTAL :	

Synthèse de l'évaluation : rendement global

Moins de 40	40-59	60-79	80-89	90-100
Insatisfaisant	Faible	Bon	Très bon	Excellent

Formulaire amélioré d'évaluation conventionnelle (*suite*)

Forces : _____

_____

_____

_____

Aspects à améliorer : _____

_____

_____

_____

Commentaires généraux : _____

_____

_____

_____

Signature du superviseur	Date

Section remplie par l'employé évalué

J'ai obtenu des explications détaillées sur mon évaluation.

Signature de l'employé	Date

Je considère que cette évaluation est   juste ❑   injuste ❑

Je désirerais discuter de mon évaluation avec le service de gestion des ressources humaines. ❑

Commentaires de l'employé : _____

_____

_____

Commentaires du gestionnaire du service : _____

_____

_____

Signature du gestionnaire du service	Date
Signature du directeur des ressources humaines	Date

différents. On peut toutefois pallier ces désavantages en formant les superviseurs et en définissant préalablement les incidents critiques liés à chaque poste pour les intégrer dans les critères d'évaluation.

LA LISTE PONDÉRÉE D'INCIDENTS CRITIQUES

Pour dresser la liste pondérée d'incidents critiques liés à un poste, il faut recueillir des informations auprès des supérieurs ou auprès de spécialistes en évaluation qui connaissent bien ce poste. L'utilisation d'une telle liste est simple : l'évaluateur n'a qu'à cocher les incidents observés. Pour noter la fréquence des incidents, il est possible d'inclure dans le formulaire des catégories (par exemple toujours, très souvent, rarement), ce qui facilite la synthèse de l'évaluation tout en permettant de gagner du temps. Par contre, s'il ignore l'importance relative des incidents, l'évaluateur peut éprouver des difficultés à effectuer l'évaluation et à fournir ensuite une bonne rétroaction aux employés.

LE FORMULAIRE DE CHOIX FORCÉ

On a conçu le formulaire de choix forcé pour réduire le risque d'erreur lié à une attitude trop indulgente de l'évaluateur, comme l'attribution d'une note élevée à tous les employés évalués (voir la sous-section 7.4.3). Cette méthode facilite la comparaison objective entre les individus. Le formulaire comprend une liste de paires d'énoncés qui présentent le même degré de désirabilité, mais dont la pertinence diffère par rapport au rendement attendu (ou par rapport à leur fonction discriminante). Dans chaque cas, l'évaluateur doit choisir l'énoncé qui décrit le mieux l'employé. Pour être en mesure de remplir le formulaire, il faut très bien connaître le poste de l'employé évalué. En plus de réduire le risque d'erreur d'indulgence, cette méthode renforce la validité et la fidélité de l'évaluation. Par contre, comme l'évaluateur ne connaît pas l'interprétation des résultats, la rétroaction est plutôt difficile. De plus, cette méthode peut réduire la confiance que l'évaluateur entretient à l'égard de l'organisation. Enfin, l'élaboration d'un formulaire de choix forcé coûte cher et ses avantages ne sont pas toujours manifestes.

LES ÉCHELLES FONDÉES SUR LE COMPORTEMENT

La méthode des incidents critiques est connue surtout en raison de son utilisation dans l'élaboration des échelles d'évaluation fondées sur le comportement (EEFC). On désigne souvent ces échelles par leur acronyme anglais BARS (*behaviorally anchored rating scales*). Les résultats de cette méthode permettent au subordonné d'améliorer son rendement et leur conception facilite au supérieur la transmission de la rétroaction. Comme dans la méthode des incidents critiques, on relève d'abord les événements qui décrivent les comportements caractéristiques d'un rendement efficace, moyen ou inefficace, pour chaque catégorie d'emploi. On regroupe ensuite ces faits déterminants en grandes catégories (ou dimensions de rendement) : par exemple la compétence administrative ou les aptitudes interpersonnelles. Chacune de ces catégories constitue un critère d'évaluation. En dernier lieu, on demande à un groupe distinct d'individus d'établir la liste des incidents critiques pertinents pour chaque catégorie.

L'encadré 7.15 présente un exemple d'échelle d'évaluation fondée sur le comportement. Il concerne un poste d'agent de ventes par téléphone : la dimension évaluée est la maîtrise de l'information à communiquer à la clientèle.

**L'application d'une échelle d'évaluation fondée sur le comportement
pour un poste d'agent de ventes par téléphone**

| Poste : | Agent de ventes par téléphone |
| Dimension du poste : | Maîtrise de l'information |

1. Rendement excellent	Détermine les besoins des clients et leur fournit de l'information appropriée et exacte en faisant preuve d'efficacité et de courtoisie dans 100 % des cas.
2. Bon rendement	Détermine les besoins des clients et leur fournit de l'information appropriée et exacte en faisant preuve d'efficacité et de courtoisie dans 95 % des cas.
3. Rendement moyen ou passable	Détermine les besoins des clients et leur fournit de l'information appropriée et exacte en faisant preuve d'efficacité et de courtoisie dans 85 % des cas.
4. Piètre rendement	Détermine les besoins des clients et leur fournit de l'information appropriée et exacte en faisant preuve d'efficacité et de courtoisie dans 70 % des cas.
5. Rendement inacceptable	Détermine les besoins des clients et leur fournit de l'information appropriée et exacte en faisant preuve d'efficacité et de courtoisie dans 50 % des cas.

Dans cet exemple, la première étape a permis de définir les dimensions (critères) nécessaires pour préparer les échelles d'évaluation fondées sur le comportement :

- La mission de l'organisation
- Le dialogue avec le système informatisé de réservations (interprétation de l'information obtenue)
- La distribution à la clientèle des informations appropriées
- La collecte et la mise à jour des données sur les services à rendre
- La vente de services à la clientèle
- La communication à la clientèle des changements touchant le service
- La réponse aux demandes de la clientèle (attention apportée à ses besoins)

L'encadré 7.16 présente un autre exemple, lié à un poste de gestionnaire : la dimension est l'organisation des activités de travail. Le format de l'échelle diffère sensiblement de celui de l'exemple précédent, mais les principes d'élaboration sont similaires.

À l'étape suivante, le supérieur doit accorder une note à ses subordonnés à l'aide de tous les critères de comportement définis. Pour ce faire, il utilise un formulaire clair, justifiable et facile à remplir. Dans la plupart de ces formulaires, le nombre de critères de réussite est limité. On ne peut donc pas inclure tous les incidents critiques tirés de l'analyse des postes et il arrive qu'aucune catégorie ne soit susceptible de décrire le comportement d'un subordonné à la satisfaction de l'évaluateur. Par ailleurs, certains incidents critiques peuvent être présents, tout en n'étant pas rédigés dans les mêmes

**L'application d'une échelle d'évaluation fondée sur le comportement
à un poste de gestionnaire**

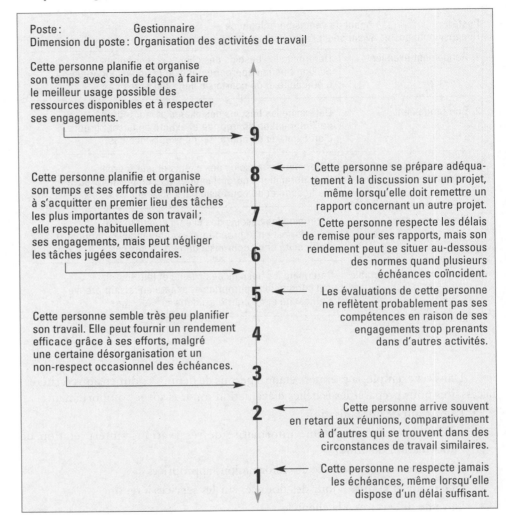

Poste : Gestionnaire
Dimension du poste : Organisation des activités de travail

Cette personne planifie et organise son temps avec soin de façon à faire le meilleur usage possible des ressources disponibles et à respecter ses engagements. — **9**

8 ← Cette personne se prépare adéquatement à la discussion sur un projet, même lorsqu'elle doit remettre un rapport concernant un autre projet.

Cette personne planifie et organise son temps et ses efforts de manière à s'acquitter en premier lieu des tâches les plus importantes de son travail ; elle respecte habituellement ses engagements, mais peut négliger les tâches jugées secondaires. — **6**

7 ← Cette personne respecte les délais de remise pour ses rapports, mais son rendement peut se situer au-dessous des normes quand plusieurs échéances coïncident.

5 ← Les évaluations de cette personne ne reflètent probablement pas ses compétences en raison de ses engagements trop prenants dans d'autres activités.

Cette personne semble très peu planifier son travail. Elle peut fournir un rendement efficace grâce à ses efforts, malgré une certaine désorganisation et un non-respect occasionnel des échéances. — **3**

4

2 ← Cette personne arrive souvent en retard aux réunions, comparativement à d'autres qui se trouvent dans des circonstances de travail similaires.

1 ← Cette personne ne respecte jamais les échéances, même lorsqu'elle dispose d'un délai suffisant.

termes que la dimension. Par conséquent, il est possible que l'évaluateur ne fasse pas le lien entre le comportement observé et un comportement associé à la dimension décrite dans le formulaire.

Enfin, la méthode des échelles d'évaluation fondées sur le comportement ne peut pas rendre compte du fait que le même comportement puisse être associé à la fois à un rendement élevé et à un rendement faible. Par exemple, l'agent de ventes par téléphone peut déterminer adéquatement les besoins de la clientèle et lui fournir des informations précises en faisant preuve d'efficacité et de courtoisie dans 100 % des cas (ce qui caractérise le rendement excellent), mais il peut pendant la même période recevoir des plaintes relatives à la pertinence de l'information qu'il fournit sur les voyages (ce qui caractérise le rendement inacceptable). L'évaluateur peut donc éprouver des difficultés à décider d'attribuer une note élevée ou faible à une dimension donnée.

Les échelles d'observation du comportement permettent de pallier ces difficultés ainsi que d'autres inconvénients liés aux échelles d'évaluation fondées sur le comportement, sans pour autant en supprimer les avantages.

LES ÉCHELLES D'OBSERVATION DU COMPORTEMENT

Les échelles d'observation du comportement (EOC) se distinguent par la dimension, le format et le type de notation. On désigne souvent ces échelles par leur acronyme anglais BOS (*behavioral observation scales*). Cette méthode d'évaluation n'indique pas le niveau de rendement de l'employé, mais plutôt la fréquence d'apparition de ses comportements. On associe la note de chaque comportement à une valeur numérique qui correspond à cette fréquence. Par exemple, la note 2 pourrait correspondre à un comportement presque toujours observé. On calcule la note globale en additionnant les scores de tous les comportements. Il est possible aussi de la calculer en faisant le total des points obtenus pour tous les éléments liés à une dimension donnée et en multipliant le résultat par un coefficient de pondération. Il faut éliminer les éléments du comportement observé dont la fréquence est trop élevée ou trop faible, car ils ne permettent pas de départager les très bons résultats ni les plus faibles.

Tout comme les autres méthodes, les échelles d'observation du comportement ont des avantages, mais aussi des inconvénients (voir l'encadré 7.17).

Échelles d'observation du comportement (EOC)

Méthode d'évaluation descriptive du rendement qui vise à mesurer la fréquence d'apparition de certains comportements au travail.

ENCADRÉ ▶ **7.17**

Les avantages et les inconvénients des échelles d'observation du comportement

Avantages

- Les échelles d'observation du comportement se fondent sur une analyse systématique du poste.
- Les éléments des comportements sont clairement définis.
- Ces échelles permettent aux employés de participer à la définition des incidents critiques, et donc à l'élaboration des critères, ce qui les aide à accepter des postes d'évaluation.
- Elles sont utiles à la rétroaction et favorisent l'amélioration du rendement, puisqu'on peut rattacher des objectifs précis aux points attribués pour le comportement pertinent (incident critique).
- Grâce à leur taux élevé de validité et de fidélité, elles offrent une assez bonne protection contre les plaintes pour discrimination.

Inconvénients

- L'élaboration des échelles d'observation du comportement requiert beaucoup de temps.
- L'élaboration des formulaires pour ce type d'échelles coûte plus cher que celle des formulaires d'évaluation conventionnelle.
- Certaines dimensions qui renvoient uniquement à des comportements peuvent laisser échapper le caractère essentiel d'un poste, en particulier des postes de direction et des emplois routiniers.
- Dans certains cas, on peut juger préférable de recourir à des méthodes qui portent sur l'atteinte des objectifs ou la mesure de la production.
- Il peut être impossible pour un supérieur qui a trop de responsabilités d'effectuer une observation adéquate du rendement.

L'encadré 7.18 illustre une série d'échelles d'observation du comportement représentatif d'un rendement efficace et d'un rendement inefficace. Soulignons que la note des exemples de rendement inefficace est inversée par rapport à celle des exemples de rendement efficace.

ENCADRÉ ▶ **7.18**

L'application d'une échelle d'observation du comportement à un poste d'agent de ventes par téléphone

Poste : Agent de ventes par téléphone

Rendement efficace

1. L'agent de ventes par téléphone détermine les besoins des clients et procure de l'information exacte avec efficacité et courtoisie.

Presque jamais				Presque toujours
1	2	3	4	5

2. L'agent de ventes par téléphone vend d'autres services connexes.

Presque jamais				Presque toujours
1	2	3	4	5

Rendement inefficace

3. L'agent de ventes par téléphone néglige d'aviser les clients des changements qui surviennent dans les services.

Presque jamais				Presque toujours
1	2	3	4	5

4. L'agent de ventes par téléphone n'entre pas en dialogue avec le système informatique de réservation afin de répondre aux requêtes spéciales des clients.

Presque jamais				Presque toujours
1	2	3	4	5

Note : Les véritables formulaires ne comportent pas la distinction entre rendement efficace et rendement inefficace.

CONSULTEZ **INTERNET**

laurentian.ca/personnel/ FRENCH/fperformanceap-praisalword.doc

Formulaire d'évaluation par objectifs de l'Association du personnel administratif et professionnel de l'Université Laurentienne.

Gestion par objectifs (GPO)

Méthode d'évaluation du rendement axée sur les résultats et fondée sur l'attribution à chaque employé d'objectifs susceptibles de l'aider à atteindre un meilleur rendement au travail.

7.3.3 Les approches axées sur les résultats

Au lieu de mettre l'accent sur les processus de travail ou sur les comportements, les approches axées sur les résultats portent essentiellement sur la production. Au nombre de ces approches, citons la gestion par objectifs (GPO), les normes de rendement, les indices directs et le dossier de réalisations.

LA GESTION PAR OBJECTIFS

La méthode de la gestion par objectifs (GPO) a d'abord été utilisée pour évaluer les gestionnaires. Son usage s'est généralisé, probablement parce qu'elle concorde avec les valeurs et la philosophie de bien des gens (par exemple la nécessité de récompenser un individu pour ses réalisations). La gestion par objectifs assure une grande cohésion entre les objectifs individuels et les objectifs organisationnels ; elle réduit donc le déplacement d'objectifs, c'est-à-dire le fait qu'un employé consacre une partie de son temps à des activités étrangères aux objectifs de l'entreprise. La méthode de la gestion par objectifs comporte quatre étapes (voir l'encadré 7.19).

Les étapes de la gestion par objectifs

Étape 1 : la détermination des objectifs à atteindre

Déterminer avec les superviseurs les objectifs de chacun de ses subordonnés en matière de résultats escomptés et de moyens ou d'activités permettant de les atteindre.

Étape 2 : la détermination d'un échéancier

Déterminer le temps nécessaire aux subordonnés pour atteindre les objectifs fixés. Au fur et à mesure que le rendement s'accroît, les subordonnés peuvent gérer leur temps, puisqu'ils savent ce qu'ils doivent faire à partir du travail déjà réalisé et de celui qui reste à faire.

Étape 3 : l'appréciation du rendement en fonction des objectifs fixés

Comparer les objectifs atteints avec les objectifs fixés. Déterminer les raisons pour lesquelles les objectifs n'ont pas été atteints ou ont été dépassés. Reconnaître les besoins en matière de formation. Reconnaître les conditions organisationnelles qui influencent le rendement des subordonnés et sur lesquelles ceux-ci n'ont aucun pouvoir.

Étape 4 : l'établissement de nouveaux objectifs

Établir de nouveaux objectifs et des stratégies pour éliminer les obstacles des étapes précédentes. On pourra inviter les subordonnés qui ont atteint les objectifs initiaux à participer plus activement au processus d'élaboration des objectifs futurs.

DANS LES FAITS

L'évaluation selon la méthode de gestion par objectifs est efficace pour accroître la motivation et le rendement des gestionnaires. Cependant, il n'est pas toujours possible de traduire en résultats toutes les dimensions d'un poste. Les modalités d'exécution du travail, c'est-à-dire le comportement au travail, peuvent être aussi révélatrices que les résultats ; ainsi, un gestionnaire qui atteint ses objectifs au mépris de l'éthique professionnelle ou par des procédés illicites peut causer un tort considérable à l'entreprise. Même si l'analyse de la production permettait de saisir l'essentiel d'un poste, il faudrait quand même se préoccuper d'établir pour tous les gestionnaires des objectifs d'égale difficulté, représentant un défi intéressant.

La gestion par objectifs constitue également une source de motivation pour les employés qui participent à la définition des objectifs. Il est donc impératif d'établir les objectifs qui font l'objet d'une entente en fonction des habiletés, des aptitudes et des connaissances des employés ; autrement, l'exercice risquerait d'être contre-productif et démoralisant.

Pour résoudre les problèmes liés à la définition des objectifs, on peut suivre l'exemple des entreprises qui ont implanté une politique de notation multiple. Par exemple, on peut déterminer les augmentations de salaire comme suit : l'évaluation

Une grande entreprise de restauration rapide a décidé d'implanter la gestion par objectifs auprès de ses gestionnaires d'unité. Un groupe de gestionnaires a donc négocié une augmentation du quota de ventes de l'année précédente. Les résultats obtenus à la fin de la première année ont engendré une grande insatisfaction et une baisse de motivation chez plusieurs d'entre eux. Ces gestionnaires se sont plaints de ne pas avoir eu d'emprise directe sur le seul critère utilisé, soit l'augmentation des ventes. En effet, divers facteurs (le quartier, le prix de la viande ainsi que les politiques de mise en marché et de publicité du siège social) ont exercé une influence plus déterminante sur l'atteinte des objectifs que les efforts des gestionnaires, ce qui a rendu celle-ci très aléatoire. Un consultant en gestion a suggéré de remplacer le critère axé sur les ventes par un critère lié étroitement aux compétences personnelles, comme la gestion des ressources humaines, la propreté de l'unité, etc. Cet exemple montre qu'il faut anticiper les difficultés opérationnelles de la gestion par objectifs pour réussir à l'implanter.

individuelle faite selon la gestion par objectifs compte pour la moitié ; l'autre moitié porte sur le rendement global, c'est-à-dire sur la façon dont la personne s'acquitte de ses principales responsabilités[30].

LES NORMES DE RENDEMENT

Normes de rendement

Critères servant à déterminer le niveau de qualité d'un travail, exécuté par un salarié (ou par un professionnel), nécessaire pour satisfaire aux exigences de l'exercice d'une profession.

L'approche des normes de rendement s'apparente à la gestion par objectifs. Cependant, elle recourt à des mesures d'évaluation plus directes et on l'utilise surtout pour les employés qui n'occupent pas de poste de direction. Il faut définir les normes de rendement de façon aussi précise que les objectifs dans la méthode précédente : elles sont limitées dans le temps, elles sont conditionnelles, elles sont prioritaires et elles doivent s'harmoniser avec les objectifs organisationnels. En réalité, les normes sont généralement plus nombreuses et plus détaillées que les objectifs. On évalue chaque norme séparément, puis on multiplie ce résultat par un facteur de pondération lié à l'importance de la norme. En fait, ce processus est une formule compensatoire de l'évaluation globale ; elle permet d'équilibrer un rendement faible dans un domaine par un rendement élevé dans un autre.

Le principal avantage des normes de rendement est de clarifier les résultats qu'on attend du titulaire de poste. De plus, la définition précise d'un rendement exceptionnel motive non seulement les très bons employés, mais aussi les employés moyens.

Les désavantages majeurs sont les suivants : la méthode requiert temps et argent ; il doit y avoir dans l'organisation un excellent climat de coopération. Par ailleurs, les normes de rendement ne permettent pas plus que la gestion par objectifs de saisir à coup sûr l'essentiel d'un poste ; il est possible, en effet, de laisser de côté certains comportements importants. Enfin, on peut assister à une compétition indésirable chez les employés qui veulent à tout prix respecter les normes imposées.

LES INDICES DIRECTS

Méthode des indices directs

Méthode d'évaluation basée sur des critères objectifs, tels que les retards, les absences, la productivité, etc.

La méthode des indices directs se distingue surtout des autres approches axées sur les résultats par les critères objectifs, tels que la productivité, l'absentéisme ou le taux de roulement, utilisés pour mesurer le rendement des subordonnés. Par exemple, on peut évaluer le rendement d'un gestionnaire en mesurant le taux de roulement ou d'absentéisme dans son service. La mesure de la productivité est habituellement le caractère le plus approprié aux postes sans fonction de direction. Les mesures peuvent être qualitatives (par exemple le taux de rejet, le nombre de plaintes reçues ou le nombre d'unités défectueuses) ou quantitatives (par exemple le nombre d'unités produites à l'heure, la quantité de nouvelles commandes ou le volume des ventes).

LE DOSSIER DE RÉALISATIONS

Dossier de réalisations

Document qui décrit l'ensemble des actions et des projets entrepris et réalisés par un employé dans le cadre de son travail.

Le dossier de réalisations est une méthode d'évaluation relativement nouvelle. Comment évaluer un professionnel « dont le dossier parle de lui-même » ou un employé dont les tâches varient quotidiennement ? Ce sont des préoccupations de ce genre qui ont mené à la conception de cette méthode. Le professionnel décrit ses réalisations selon les dimensions appropriées à son poste et son supérieur vérifie l'exactitude de cet exposé. Ensuite, on charge des experts externes d'en évaluer la teneur sur une échelle de rendement global. Cette méthode requiert donc temps et argent. Cependant, elle s'est avérée particulièrement efficace pour prévoir le succès chez les avocats. Certaines universités utilisent cette méthode pour octroyer des promotions aux professeurs.

LES ÉCUEILS DE L'ÉVALUATION DU RENDEMENT

L'évaluation du rendement est très répandue, mais elle suscite une insatisfaction considérable[31]. C'est un processus complexe, qui requiert la compilation et l'analyse d'une grande quantité de données.

- L'évaluateur doit observer et consigner les comportements de la personne évaluée et les résultats obtenus.
- Comme il lui est impossible de tout noter, l'évaluateur doit souvent faire appel à sa mémoire (à court terme et à long terme) pour retrouver telle ou telle information qui lui permettra de comparer un comportement avec une norme établie, ce qui peut se révéler difficile à effectuer quand l'évaluation porte sur une longue période.
- L'évaluateur doit fonder son appréciation non seulement sur la masse d'informations qu'il a en mémoire, mais aussi sur divers autres éléments qu'il jugera bon d'inclure.
- L'évaluateur doit parfois réviser son appréciation à partir des réactions de la personne évaluée ou de celles d'un supérieur qui en aura pris connaissance.
- Certains facteurs rendent difficiles le choix et la mise en ordre des informations : la variété des attitudes, des stéréotypes et des valeurs de l'évaluateur ; les circonstances qui peuvent influencer l'évaluateur (par exemple sa position, les effets de son évaluation sur la personne évaluée, etc.).

Compte tenu de cette complexité et de la faillibilité de la mémoire, l'évaluateur s'expose à des erreurs, certaines se traduisant par un écart entre la note attribuée à un employé et la note que celui-ci mériterait vraiment[32].

7.4.1 | Les facteurs contextuels et la motivation de l'évaluateur

Le contexte de l'évaluation du rendement se définit comme l'ensemble des facteurs qui ne sont pas directement liés à l'instrument ou au processus, à l'évaluateur ou à l'employé évalué, mais qui font partie de l'environnement de l'évaluation[33]. Les facteurs contextuels sont susceptibles d'influer sur la précision de l'évaluation.

Le facteur contextuel le plus fréquemment mentionné est la raison d'être de l'évaluation. Il semble que ce facteur peut influencer l'évaluation du rendement en agissant sur la compétence et la motivation de l'évaluateur[34].

Un autre facteur contextuel regroupe les caractéristiques du groupe de travail et les caractéristiques de la tâche de l'employé. Plusieurs études ont montré qu'on évalue le rendement en se fondant sur des comparaisons plutôt qu'en procédant dans l'absolu. Or, l'interdépendance des membres d'un groupe de travail peut influencer l'évaluation du rendement : il est en effet difficile de déterminer la contribution individuelle de chaque membre. Comme la variance est plus faible, la précision des évaluations du rendement peut aussi être plus faible.

La possibilité concrète d'observer la personne évaluée est un autre facteur contextuel qui peut agir sur l'aptitude de l'évaluateur à apprécier avec précision le rendement. Plus les occasions d'observer des comportements pertinents au travail seront limitées, plus l'évaluateur aura de la difficulté à se faire une idée précise du rendement de l'employé. Dans une certaine mesure, ces occasions sont déterminées par la nature de l'emploi. Ainsi, l'observation d'un représentant de commerce peut être difficile à cause de ses nombreux déplacements.

Le meilleur instrument d'évaluation et le meilleur évaluateur qui soient ne peuvent compenser un contexte défavorable[35]. Un climat négatif peut démotiver l'évaluateur, ce qui peut nuire à l'exactitude de ses évaluations. On a constaté que la qualité de l'instrument d'évaluation n'est pas toujours en lien direct avec la précision de l'évaluation ; c'est pourquoi on a mené des recherches pour améliorer la motivation de l'évaluateur. On a ainsi découvert que cette motivation est influencée à la fois par la confiance que l'évaluateur a dans son aptitude à évaluer adéquatement et par le fait qu'il a conscience des conséquences de l'évaluation[36].

L'évaluation peut avoir des effets directs sur la personne évaluée : le montant d'une augmentation de salaire, la probabilité d'obtenir une promotion, un changement dans l'estime de soi, etc. L'évaluateur doit donc se préoccuper de cet aspect, d'autant plus que l'évaluation peut aussi avoir des effets directs sur lui-même ; ainsi, une évaluation négative risque de compromettre sa relation immédiate et future avec son subordonné[37].

Nous pouvons soutenir que les conséquences négatives (par exemple l'obtention d'une promotion indésirable, la réaction négative de l'employé ou la fin d'une relation personnelle entre le supérieur et le subordonné) l'emportent sur les conséquences positives. Ne soyons donc pas surpris d'apprendre que bien des évaluateurs sont peu enclins à fournir des évaluations précises[38]. L'encadré 7.20 présente des raisons qui pourraient pousser l'évaluateur à surestimer ou à déprécier le rendement de l'employé évalué.

L'évaluateur doit avoir la capacité d'affronter les employés pour discuter de leur rendement[39]. S'il se sent plus ou moins à l'aise pour effectuer cette tâche ou s'il veut éviter de se trouver dans une situation inconfortable, il pourra avoir tendance à évaluer trop généreusement un employé. L'excès d'indulgence permet à l'évaluateur d'éviter un face-à-face avec un employé à qui il devrait donner une rétroaction négative[40].

D'un autre côté, certains facteurs contextuels, comme la culture de l'organisation, peuvent inciter fortement l'évaluateur à réaliser une évaluation précise. Dans la mesure où les cadres supérieurs appuient le processus d'évaluation du rendement et valorisent le perfectionnement du personnel, l'évaluateur peut se sentir particulièrement désireux d'évaluer un employé de façon juste et exacte.

Parmi les autres facteurs contextuels, on compte la révision des formulaires d'évaluation, l'évaluation du processus de gestion du rendement par le supérieur immédiat de l'évaluateur et le délai imparti pour l'évaluation.

7.4.2 | Les caractéristiques des intervenants

L'évaluation du rendement est manifestement influencée par les caractéristiques des intervenants, en l'occurrence celles de la personne évaluée et de l'évaluateur.

**Les raisons qui peuvent pousser l'évaluateur à surévaluer
ou à sous-évaluer un employé**

Surévaluation

- Procurer à un employé une hausse de salaire maximale.
- Protéger ou encourager un employé dont le rendement est faible à cause de problèmes personnels.
- Éviter de colporter les problèmes dans les autres services de l'organisation.
- Éviter d'avoir à verser au dossier d'un employé un rapport écrit de faible rendement.
- Éviter les conflits avec un employé à problèmes.
- Accorder un répit à un employé dont le rendement s'est amélioré.
- Se débarrasser d'un employé à problèmes ou d'un employé qui ne cadre plus avec le service en lui accordant une promotion dans un autre service.

Sous-évaluation

- Réprimander sévèrement un employé dans l'espoir qu'il améliorera sensiblement son rendement.
- Faire comprendre à un employé rebelle qu'il est le véritable détenteur de l'autorité.
- Se débarrasser d'un employé en le poussant à quitter l'organisation.
- Inscrire dans le dossier d'un employé des éléments facilitant son congédiement.

LES CARACTÉRISTIQUES DE LA PERSONNE ÉVALUÉE

Bien sûr, c'est le niveau de rendement réel de la personne évaluée qui exerce la plus grande influence sur les résultats de l'évaluation. Cependant, certaines caractéristiques personnelles influent sur les résultats de l'évaluation, en particulier celles qui ne correspondent pas à des critères de réussite précis : le sexe et le genre d'emploi de la personne évaluée. Ainsi, dans les emplois traditionnellement masculins, on accorde habituellement une meilleure évaluation aux hommes qu'aux femmes, alors que dans les postes traditionnellement féminins l'évaluation est équivalente. Par ailleurs, en vertu de la conformité perceptuelle, l'évaluation d'une personne a tendance à être meilleure quand l'évaluateur appartient au même groupe racial.

De nombreux gestionnaires associent la durée des fonctions d'un individu à sa compétence. Par conséquent, ils ont tendance à surévaluer les employés ayant le plus d'ancienneté. Une exception subsiste cependant dans les organisations du secteur public, qui font usage d'un système de salaire au mérite : on accorde aux employés comptant peu d'ancienneté de meilleures appréciations pour les faire progresser dans le système. Enfin, soulignons que l'âge et la scolarité ont tendance à ne pas influencer l'évaluation.

LES CARACTÉRISTIQUES DE L'ÉVALUATEUR

Les caractéristiques de l'évaluateur ont sur l'évaluation du rendement une influence plus subtile et moins directe que celles de la personne évaluée.

Certaines données indiquent que les évaluatrices ont tendance à être plus indulgentes que les évaluateurs. Si le rendement de la personne évaluée est très élevé ou très faible, l'appréciation d'une évaluatrice aura davantage tendance que celle d'un évaluateur à se rapprocher des extrêmes, ce qui n'est pas de cas si le rendement est moyen.

Les évaluateurs jeunes et qui manquent d'expérience ainsi que ceux à qui on a attribué de faibles notes dans le passé ont tendance à être plus sévères que les évaluateurs d'âge mûr, qui sont expérimentés ou dont le rendement est habituellement supérieur. Contrairement à une opinion répandue, les superviseurs qui évaluent le titulaire d'un poste qu'ils ont occupé auparavant ont des perceptions relativement précises. Cependant, la personnalité de l'évaluateur peut parfois influer sur l'exactitude de son jugement. Ainsi, un évaluateur très confiant en lui-même, peu sujet au stress, intelligent et bien équilibré pose en moyenne de meilleurs jugements[41].

Enfin, les caractéristiques démographiques de l'évaluateur et de la personne évaluée ne sont liés qu'à une très faible variance de l'évaluation du rendement.

7.4.3 | Les principales erreurs d'évaluation

En l'absence de critères d'évaluation précis et d'incitatifs liés à la conduite adéquate du processus, diverses erreurs peuvent compromettre la validité de l'évaluation. Examinons les erreurs les plus fréquentes.

L'EFFET DE HALO

Effet de halo

Tendance de l'évaluateur à apprécier globalement un employé en fonction de son rendement exceptionnellement élevé ou exceptionnellement bas dans une dimension du comportement. L'impression favorable ou défavorable qui se dégage de l'évaluation de cette dimension influence le jugement de l'évaluateur et est source de distorsion ou d'erreur.

L'effet de halo est probablement l'erreur la plus commune. Si l'évaluation porte sur plusieurs dimensions du rendement, l'évaluateur a tendance à toutes les évaluer en se basant sur son appréciation de celle qui lui apparaît la plus importante. Cet effet se produit aussi quand l'évaluateur sous-évalue le rendement global parce qu'il se base sur la note médiocre d'une dimension pour évaluer les autres[42].

L'ERREUR D'INDULGENCE

Erreur d'indulgence

Tendance de l'évaluateur à faire preuve d'une indulgence excessive à l'égard d'un employé, ce qui se traduit par l'attribution d'une note supérieure au rendement réel.

L'erreur d'indulgence, souvent intentionnelle, est la deuxième erreur la plus fréquente. C'est surtout afin d'éviter les conflits potentiels que le supérieur surestime, volontairement ou non, le rendement de ses subordonnés. Certaines circonstances sont propices à cette erreur : l'absence de sanctions contre les superviseurs qui recourent à cette pratique ; l'absence de limite budgétaire dans l'attribution des récompenses liées au rendement ; l'absence de règles de notation[43].

L'ERREUR DE SÉVÉRITÉ

Erreur de sévérité

Tendance de l'évaluateur à faire preuve d'une exigence excessive à l'égard d'un employé, ce qui se traduit par l'attribution d'une note inférieure au rendement réel.

À l'opposé de l'erreur d'indulgence se trouve l'erreur de sévérité : l'évaluateur accorde systématiquement une appréciation défavorable à un employé, quel que soit son niveau de rendement. Cette erreur se produit la plupart du temps quand l'évaluateur est inexpérimenté, quand il a une faible estime de soi, quand il veut afficher sa propre rigueur, à la suite d'une promotion, ou quand il veut exercer sa vengeance sur un employé.

Il est possible de limiter ce genre d'erreur en formant les évaluateurs sur le renversement des rôles (supérieur-subordonné) et sur le renforcement de la confiance en soi. En fait, l'établissement de critères précis pour chacune des dimensions et l'évaluation indépendante de chacune d'entre elles constituent d'excellents moyens pour réduire l'erreur de sévérité, tout autant que l'erreur d'indulgence et l'erreur de halo.

L'ERREUR DE TENDANCE CENTRALE

Les erreurs précédentes touchent les « extrêmes » du rendement. Quand l'évaluateur a plutôt tendance à éviter le risque de conflit en inscrivant toutes ses évaluations dans la moyenne, malgré les variations du niveau de rendement, il commet une erreur de tendance centrale. Ce genre d'erreur se produit le plus souvent lorsque l'évaluateur a trop de responsabilités pour pouvoir observer directement ou régulièrement le comportement de ses subordonnés. C'est aussi la conséquence directe de certaines caractéristiques de la méthode d'évaluation utilisée. Par exemple, selon la distribution forcée, la plupart des évaluations doivent se situer dans la moyenne.

Erreur de tendance centrale

Tendance de l'évaluateur à n'accorder aucune note supérieure ou médiocre, mais à attribuer plutôt à tous les employés une note moyenne, sans tenir compte du rendement réel.

L'EFFET DE PRIMAUTÉ ET L'EFFET DE RÉCENCE

L'évaluation du rendement porte habituellement sur une période de 6 à 12 mois. L'évaluateur peut donc difficilement se rappeler dans le détail le comportement des employés ; il peut alors être trop influencé par l'information la plus ancienne (effet de primauté) ou par l'information la plus récente (effet de récence). Ces biais s'apparentent aux effets d'ordre dont il est question dans la sous-section 6.3.3.

Dans le cas de l'effet de primauté (*primacy effect*), l'évaluateur base son évaluation de l'employé et le catégorise comme bon ou mauvais en se fondant sur l'information la plus ancienne à sa disposition. Il recherche ensuite l'information qui confirme son jugement et il ne tient pas compte de l'information qui contredit ce dernier[44].

À l'inverse, dans le cas le l'effet de récence (*recency effect*), l'évaluateur accorde de l'importance surtout à l'information qui précède de peu l'évaluation, sans tenir compte du rendement de l'employé pendant le reste de la période visée. Ce sont donc les événements et les résultats les plus récents qui frappent l'imagination de l'évaluateur. Ce biais nuit évidemment à l'employé dont le rendement est excellent pendant toute la période étudiée, mais qui commet une bourde monumentale quelques semaines avant l'évaluation.

La tenue d'un registre des événements critiques facilite la prise en considération de toute l'information pertinente à l'évaluation, quel qu'en soit le moment au cours de la période, et permet donc de réduire le nombre de ces erreurs.

Effet de primauté

Effet d'ordre causé par la tendance de l'évaluateur à accorder un poids excessif à l'information initiale qu'il a reçue ou à ses premières impressions, au détriment de l'information subséquente. L'évaluateur peut ainsi être porté à évaluer l'employé en s'appuyant surtout sur l'information initiale.

Effet de récence

Effet d'ordre causé par la tendance de l'évaluateur à accorder un poids excessif à la dernière information reçue, ou à l'information récente, au détriment de l'information précédente. L'évaluateur se rappellera ainsi avec plus de netteté le rendement récent, ce qui peut influer sur son appréciation.

L'EFFET DE CONTRASTE

L'effet de contraste est lié à l'influence de l'évaluation ou de l'observation d'un autre employé sur l'évaluation en cours. Si on compare un employé moyen avec d'autres dont le rendement a été jugé faible, on peut avoir l'impression que cet employé est excellent. À l'inverse, si on le compare avec des collègues dont le rendement est exceptionnel, son rendement paraîtra faible. Dans ce cas-ci également, on peut réduire le risque d'erreur en établissant à l'avance des critères d'évaluation précis.[45]

Effet de contraste

Tendance à surévaluer ou à sous-évaluer un employé en le comparant avec d'autres employés.

L'EFFET DE DÉBORDEMENT

L'effet de débordement (*spillover effect*) provient de l'importance injustifiée qu'on accorde aux évaluations ou aux observations antérieures (bonnes ou mauvaises) quand on évalue un employé. Ce biais est fréquent quand un gestionnaire quitte un poste et renseigne son successeur sur le rendement et les comportements des employés du service. L'information ainsi transmise est a *priori* tendancieuse.

Effet de débordement

Tendance de l'évaluateur à accorder une grande importance aux évaluations antérieures dans l'évaluation du rendement d'un employé.

La comparaison de l'évaluation du rendement d'un employé avec les évaluations précédentes est certes un bon moyen de déterminer les tendances comportementales d'un individu et de lui donner une rétroaction juste. Cependant, pour éviter l'erreur de débordement, on devrait éviter de consulter les évaluations antérieures avant d'avoir terminé l'évaluation en cours.

L'ERREUR DE SIMILITUDE

L'évaluateur peut avoir tendance à surestimer le rendement de l'individu avec qui il a des affinités : c'est l'erreur de similitude. Étant donné que l'évaluateur considère l'employé comme une sorte de modèle, il lui attribue *a priori* un rendement supérieur à ce qu'il est en réalité.

Erreur de similitude

Tendance de l'évaluateur à évaluer de manière favorable un employé qui a certaines affinités avec lui.

7.5
LES ÉLÉMENTS À CONSIDÉRER POUR AMÉLIORER LE PROCESSUS D'ÉVALUATION DU RENDEMENT

Parmi les nombreux éléments à considérer pour améliorer le processus d'évaluation du rendement, examinons les stratégies qui visent à réduire le risque d'erreur, les facteurs d'efficacité et les critères utilisés pour choisir une approche.

7.5.1 | Les stratégies visant à réduire le risque d'erreur

Étant donné la complexité du processus d'évaluation du rendement, on se rend bien compte que même le formulaire le plus fiable et le plus valide qui soit ne représente pas une garantie contre l'erreur. On peut cependant en réduire le risque en respectant quelques règles (voir l'encadré 7.21.

Comme nous l'avons vu précédemment, on peut souvent atténuer les effets des erreurs en demeurant réaliste, ainsi qu'en établissant et en respectant des étapes précises dans le processus d'évaluation du rendement. Soulignons tout de même l'importance de la formation des évaluateurs, qui doit mettre l'accent sur les étapes clés de l'évaluation du rendement (voir l'encadré 7.22).

ENCADRÉ ▶ **7.21**

La réduction des erreurs d'évaluation

- Définir chaque dimension du rendement en fonction d'une seule tâche plutôt que d'un ensemble de tâches.
- Définir les dimensions importantes de façon claire et facile à comprendre.
- Dans l'échelle de notation, éviter l'emploi de termes interprétables de plus d'une façon par l'évaluateur, tels que « moyen ».
- Observer régulièrement le comportement de la personne évaluée dans l'accomplissement de ses tâches.
- Former les évaluateurs pour les amener à éviter les erreurs les plus courantes : l'effet de halo, l'erreur d'indulgence, l'erreur de sévérité, l'erreur de tendance centrale, etc.

Les étapes clés de la formation des évaluateurs

1. Établir les objectifs et les niveaux de rendement.
2. Observer l'employé lors de l'accomplissement de ses tâches.
3. Consigner ses observations.
4. Procéder à l'évaluation du rendement.
5. Fournir une rétroaction aux employés.

Source : S.B. Wehrenberg, « Train Supervisors to Measure and Evaluate Performance », *Personnel Journal*, vol. 67, 2 février 1988, p. 78-79.

7.5.2 | Les facteurs d'efficacité

L'évaluation du rendement implique souvent des conflits qui peuvent nuire à son efficacité. La différence de perception peut ainsi poser problème. D'un côté, la perception que le titulaire du poste a de l'évaluation se fonde habituellement sur des facteurs extérieurs ou environnementaux (par exemple le superviseur, le manque de soutien, l'absence de coopération des collègues, les problèmes de matériel ou d'équipement, etc.) susceptibles d'influencer son rendement. D'un autre côté, la perception du superviseur est plutôt liée à l'habileté et à la motivation dont l'employé fait preuve au travail. Cette différence de perception entre l'« acteur » et l'« observateur » peut évidemment entraîner un conflit dans la détermination des causes du faible rendement de l'employé. Par ailleurs, les conflits portant sur les objectifs mêmes de l'évaluation du rendement peuvent aussi être la source de nombreux problèmes. Si la personne évaluée cherche l'approbation de son supérieur, alors que celui-ci considère que tout processus d'évaluation comporte une part de rétroaction négative, il s'ensuivra une relation conflictuelle, caractérisée par un faible niveau de confiance réciproque.

Pour atténuer ces difficultés, il faut parfois revoir la structure du système d'évaluation et les caractéristiques de l'entrevue. On peut incorporer à la structure du système d'évaluation des éléments qui permettent de réduire les conflits.

L'UTILISATION DE DONNÉES ADÉQUATES

L'utilisation de données qui mettent l'accent sur des comportements et des objectifs précis aide à réduire les conflits inhérents au processus d'évaluation. D'autre part, il est important de transmettre au titulaire du poste des exigences claires en matière de rendement avant le début de la période d'évaluation. Soulignons que les données se rapportant aux caractéristiques ou aux qualités personnelles risquent, plus que les autres données, d'engendrer une attitude défensive chez la personne évaluée à cause de leur grande subjectivité et à cause, par conséquent, de la difficulté qu'éprouvera le supérieur à en justifier l'usage. En outre, ces données mettent directement en jeu l'image de soi du subordonné.

Comme nous l'avons vu précédemment, l'utilisation de formulaires appropriés facilite la rétroaction sur le rendement. Par exemple, la méthode des incidents critiques ou l'échelle d'observation des comportements sont tout à fait indiquées pour les données de nature comportementale, alors qu'on recueillera plus facilement les données se rapportant aux objectifs à l'aide de la gestion par objectifs ou de l'approche des normes de travail. Ces formulaires permettent au superviseur de contrôler à la fois les tâches de leurs subordonnés et la façon dont ils les accomplissent.

LA DISTINCTION ENTRE LE RENDEMENT ANTÉRIEUR, LE RENDEMENT ACTUEL ET LE RENDEMENT POTENTIEL

Il est important de dissocier le rendement actuel du rendement potentiel. Le rendement actuel de l'individu ne reflète pas nécessairement tout son potentiel ; or, le supérieur peut inconsciemment incorporer dans son évaluation certaines données qui concernent plutôt le rendement potentiel. Il doit aussi s'abstenir d'y incorporer des éléments qui proviennent des évaluations antérieures.

Dans les deux cas, cet amalgame fausse évidemment l'évaluation du rendement actuel et le subordonné pourra trouver, à juste titre, que son évaluation est injuste. Ce serait le cas d'un employé dont le rendement potentiel est très élevé et qu'on évalue plus faiblement que d'autres dont le rendement est équivalent parce qu'on a des attentes plus grandes à son égard. À l'inverse, on pourra surévaluer le rendement adéquat d'un employé parce que son potentiel est limité. Dans les deux cas, on confond le rendement actuel avec le rendement potentiel (plus élevé ou moins élevé), sans tenir compte du rendement actuel ni du désir de l'employé d'obtenir ou non une promotion.

LA RECHERCHE DE L'ÉQUITÉ

Afin d'alléger le climat émotionnel plutôt lourd qui entoure inévitablement l'évaluation du rendement, les gestionnaires devraient chercher à rendre le processus équitable. Divers moyens s'offrent à eux.

Le recours à l'évaluation réciproque et à l'évaluation des supérieurs hiérarchiques. L'évaluation du rendement des supérieurs par les subordonnés est une bonne façon d'améliorer leurs relations et d'encourager l'acceptation du processus dans son ensemble. L'évaluation ascendante favorise l'équilibre du pouvoir en atténuant le caractère hiérarchique de la relation entre supérieur et subordonné ; or, ce caractère contribue largement aux réactions de défense et d'évitement qui suivent une évaluation.

L'organisation et le supérieur peuvent faciliter considérablement le processus d'évaluation ascendante à l'aide de formulaires pertinents, d'une politique de gestion des ressources humaines ou de méthodes adéquates. On peut aussi inviter les employés à prendre part aux décisions touchant leurs propres augmentations de salaire ou au processus d'analyse de leur poste.

Le recours à l'autoévaluation. L'autoévaluation permet de renforcer l'attitude d'ouverture et la recherche de l'équilibre du pouvoir. Elle est susceptible de fournir des informations supplémentaires au supérieur, de produire des résultats beaucoup plus réalistes et d'amener le subordonné, tout autant que le supérieur, à accepter la version définitive de l'évaluation.

La garantie de l'uniformité du processus et de la remise en cause des résultats. Les normes de rendement devraient s'appliquer de façon uniforme à tous les titulaires de postes. En conséquence, on ne devrait pas faire preuve d'une trop grande indulgence à l'égard des travailleurs ayant des problèmes particuliers ni exiger que les meilleurs d'entre eux fournissent un rendement plus élevé que ce qui constitue leur juste part. De plus, le processus devrait permettre aux titulaires de postes de contester, ou même de réfuter, les évaluations qui leur semblent injustes.

L'accroissement du pouvoir des titulaires de postes. La collecte et la mise à jour des informations relatives aux employés est l'une des difficultés de la gestion du processus d'évaluation. Les responsabilités d'un gestionnaire peuvent s'accroître jusqu'à prendre des proportions démesurées. En confiant aux employés la tenue de leur dossier de rendement individuel, on réduit ce problème tout en favorisant l'équité. Cependant, il est indispensable de leur donner une formation sur la rédaction des normes de rendement ainsi que sur la collecte et la notation des données nécessaires à l'évaluation. De plus, il faut instaurer un système efficace de communication ascendante et descendante : les titulaires de postes sauront ainsi qu'ils disposent de la liberté nécessaire pour renégocier les normes désuètes ou rendues inapplicables par certaines contraintes.

La délégation de responsabilités aux titulaires de postes est avantageuse pour la planification du rendement, la détermination des objectifs et la gestion des dossiers.

- Les titulaires ne sont plus des éléments passifs qui réagissent aux directives de leur supérieur.
- Il leur incombe de déterminer et de porter à l'attention de leur supérieur les problèmes de rendement, ce qui atténue leur tendance à rester sur la défensive.
- Le superviseur est libéré de la tâche de surveillance, ce qui lui permet de consacrer plus de temps à d'autres activités, comme l'orientation et la gestion.
- On donne aux titulaires de postes plus de responsabilités dans le processus d'évaluation.

L'évaluation des capacités d'évaluation de l'évaluateur. En considérant la conduite de l'évaluation du rendement comme une tâche à évaluer, on augmente la motivation des gestionnaires à participer consciencieusement au processus[46].

Le recours à l'évaluation multisources. On vise aujourd'hui à l'allègement des structures organisationnelles. Les systèmes d'évaluation à plusieurs évaluateurs, notamment ceux qui favorisent la contribution des pairs, s'inscrivent dans cette tendance. On constate l'informatisation d'un bon nombre de méthodes d'évaluation, ce qui facilite la manipulation des données requises pour la notation et le suivi, tout en permettant aux gestionnaires de gagner beaucoup de temps.

La formation des évaluateurs. La compétence des évaluateurs est l'une des composantes essentielles d'un système d'évaluation efficace. Dans la mesure où les évaluateurs saisissent l'importance des relations entre l'évaluation du rendement et le perfectionnement, la formation des évaluateurs assure une application uniforme des politiques et des méthodes. La principale conséquence est la valorisation des besoins réels de l'employé plutôt que de ses préoccupations liées à la rémunération.

7.5.3 | Les critères du choix d'une méthode

Existe-t-il une méthode qui soit meilleure que les autres ? La recherche sur la question est extrêmement limitée. Il en ressort cependant la nécessité pour l'organisation de préciser ses objectifs quant à l'évaluation du rendement. On peut déterminer l'efficacité d'une méthode d'évaluation en se fondant sur les critères suivants (voir l'encadré 7.23).

- Le *développement*: motivation des subordonnés à atteindre un haut niveau d'efficacité, transmission d'une rétroaction à cet effet et tendance à favoriser la planification des ressources humaines et la gestion des carrières
- L'*évaluation*: prise de décisions en matière de promotion, de mutation, de congédiement, de mise à pied et de rémunération; comparaison entre les subordonnés et les services
- L'*économie*: coût d'élaboration, d'implantation et d'utilisation
- La *réduction du risque d'erreur*: limitation des effets de halo ainsi que des erreurs d'indulgence, de tendance centrale; augmentation de la fidélité et de la validité

ENCADRÉ ▶ **7.23**

Les diverses méthodes d'évaluation du rendement

Méthodes d'évaluation	Critères d'efficacité						
	Dévelop-pement	Évaluation	Économie	Réduction du risque d'erreur	Relations inter-personnelles	Mise en œuvre	Acceptation
Approches comparatives (ou normatives)							
Rangement	–	++	++	–	–	+	–
Rangement alternatif	–	++	++	+	–	+	–
Comparaison par paires	–	++	++	–	–	+	–
Distribution forcée	–	+	++	++	+	+	–
Approches descriptives des traits et des comportements							
Évaluation descriptive	–	–	++	–	–	–	–
Échelle d'évaluation conventionnelle	–	+	++	–	–	–	–
Méthode des incidents critiques	+	–	+	+	+	+	++
Liste pondérée d'incidents critiques	+	+	+	+	–	+	++
Formulaire de choix forcé	–	+	–	++	–	+	–
Échelles basées sur le comportement	+	+	–	+	++	+	++
Échelles d'observation du comportement	+	+	–	+	++	+	+
Approches axées sur les résultats							
Gestion par objectifs	++	++	–	+	+	+	+
Normes de rendement	+	++	–	+	+	++	+
Indices directs	–	++	++	+	+	++	+
Dossier de réalisations	++	++	–	+	+	+	++

Note: –: faible; +: de passable à bon; ++: de très bon à excellent.

- Les *relations interpersonnelles* : facilité de la collecte des informations utiles à la conduite d'une entrevue d'évaluation fructueuse
- La *mise en œuvre* : facilité d'élaboration et d'implantation dans l'organisation
- L'*acceptation* : perception (fidélité, validité et utilité) et acceptation de la méthode par les utilisateurs

7.6 L'ENTREVUE D'ÉVALUATION DU RENDEMENT

Pour rendre l'évaluation du rendement plus fructueuse, il faut tenir compte des aspects suivants des entrevues d'évaluation.

7.6.1 | La préparation des entrevues

Le superviseur doit préparer adéquatement les entrevues d'évaluation, en particulier quant aux deux points suivants : l'établissement du calendrier des rencontres et la collecte de l'information pertinente.

LE CALENDRIER DES RENCONTRES

Le supérieur devrait aviser personnellement l'employé du moment de l'entrevue, au moins quelques semaines avant le début de la période d'évaluation. Le fait de confier à une secrétaire la préparation du calendrier des entrevues accroît la possibilité de malentendus. Par ailleurs, l'envoi d'un avis écrit ajoute au processus une dimension formelle qui n'est pas souhaitable, puisqu'elle risque d'influer sur le climat de l'entrevue et le niveau de confiance mutuelle. De plus, il est préférable de s'entendre sur les objectifs et le contenu de l'entrevue dès la prise de rendez-vous. Ainsi, il faut préciser au titulaire de poste s'il peut, ou non, évaluer le rendement de son supérieur. Dans la mesure du possible, l'entrevue devrait se tenir dans un endroit « neutre », c'est-à-dire dans un endroit qui ne donne à aucun des intervenants une position de supériorité. Enfin, pour rendre l'entrevue la plus constructive possible, il faut accorder à chacun le temps nécessaire pour assumer sa part de la tâche.

LA COLLECTE DE L'INFORMATION PERTINENTE

Si l'individu évalué est engagé dans le processus, il faut lui accorder un délai suffisant pour mettre à jour son dossier de rendement. S'il procède lui-même à la révision des données, on devrait mettre à sa disposition, avant le début de l'entrevue, l'évaluation faite par son superviseur afin de lui permettre de la comparer avec sa propre évaluation.

De plus, l'évaluateur et la personne évaluée devraient systématiquement prendre note de toute information jugée utile à la discussion. À cet égard, on peut revoir le dossier des incidents critiques ou des comportements. S'il y a lieu, il est important de procéder à la révision de la description du poste de l'employé. Enfin, il est bon de présenter un ordre du jour à l'employé en l'invitant à suggérer des modifications, au besoin.

7.6.2 | Les catégories d'entrevues

On distingue quatre catégories d'entrevues : l'entrevue d'information et de persuasion ; l'entrevue d'information et d'écoute ; l'entrevue de résolution de problèmes ; l'entrevue mixte.

L'ENTREVUE D'INFORMATION ET DE PERSUASION

Entrevue d'information et de persuasion (ou entrevue directive)

Entrevue d'évaluation du rendement au cours de laquelle le supérieur communique à un subordonné son appréciation de son rendement et s'efforce de le convaincre d'établir des objectifs d'amélioration.

L'entrevue d'information et de persuasion (ou entrevue directive) vise à informer le subordonné de son niveau de rendement et à le convaincre, s'il y a lieu, de l'utilité d'établir des objectifs d'amélioration. Cette entrevue se révèle particulièrement utile pour stimuler l'engagement des subordonnés qui ne se montrent pas très enclins à participer au processus. Bien que ce genre d'entrevue semble le plus approprié pour procéder à une évaluation, les subordonnés peuvent ressentir de la frustration s'ils tentent d'attirer l'attention de leur supérieur sur les motifs justifiant leur niveau de rendement.

L'ENTREVUE D'INFORMATION ET D'ÉCOUTE

Entrevue d'information et d'écoute

Entrevue d'évaluation du rendement au cours de laquelle le supérieur communique à un subordonné son appréciation de ses forces et de ses faiblesses, tout en l'invitant à s'exprimer.

L'entrevue d'information et d'écoute est dépourvue de structure rigide. Elle exige cependant de l'évaluateur une bonne préparation, l'habileté à formuler des questions pertinentes et une bonne capacité d'écoute. Le subordonné peut jouer un rôle actif et engager un véritable dialogue avec son supérieur. En fait, cette entrevue vise la transmission au subordonné de l'appréciation de ses forces et de ses faiblesses, tout en lui donnant la possibilité d'y réagir. Le supérieur reformule et résume les réactions de son subordonné, mais il évite généralement de définir des objectifs d'amélioration. Par conséquent, le subordonné peut se sentir rassuré, sans que son rendement s'améliore pour autant.

L'ENTREVUE DE RÉSOLUTION DE PROBLÈMES

Entrevue de résolution de problèmes

Entrevue d'évaluation participative du rendement au cours de laquelle l'évaluateur et l'employé évalué s'efforcent de comprendre et de résoudre les problèmes de rendement.

Pour contrer les faiblesses des autres catégories d'entrevues, de nombreux évaluateurs préfèrent considérer l'entrevue d'évaluation comme une tribune où ils peuvent examiner les problèmes de rendement, de concert avec la personne évaluée. L'entrevue de résolution de problèmes favorise entre le supérieur et le subordonné un dialogue actif et ouvert, au cours duquel il sera question des perceptions réciproques et des divergences, ainsi que de la recherche de solutions. Enfin, le supérieur et le subordonné fixent d'un commun accord des objectifs d'amélioration du rendement. Compte tenu de sa complexité, ce genre d'entrevue nécessite souvent une formation en résolution de problèmes.

L'ENTREVUE MIXTE

Entrevue mixte

Entrevue d'évaluation du rendement combinant les caractéristiques de plusieurs formes d'entrevue, par exemple des objectifs d'information, d'écoute et de persuasion.

L'entrevue mixte associe les caractéristiques de l'entrevue d'information et de persuasion avec celles de l'entrevue de résolution de problèmes. Elle peut s'avérer très fructueuse si l'évaluateur a reçu une formation suffisante et possède les compétences requises, en particulier la capacité de passer habilement d'une dimension à l'autre. L'entrevue d'information et de persuasion est idéale pour évaluer le rendement et l'entrevue de résolution de problèmes se prête bien à la détermination des besoins de perfectionnement. Cependant, la réalisation de deux entrevues est souvent impraticable. Par conséquent, l'entrevue mixte constitue un excellent compromis : le supérieur communique d'abord au subordonné l'appréciation de son rendement ; les deux parties établissent ensuite ensemble les objectifs d'amélioration.

7.6.3 | La rétroaction et le suivi

L'efficacité de l'entrevue mixte dépend d'une multitude de facteurs, mais les modalités de la rétroaction ont une importance cruciale (voir l'encadré 7.24). Par ailleurs, il est bon de connaître les principaux pièges de la rétroaction (voir l'encadré 7.25).

ENCADRÉ ▶ **7.24**

Les modalités de la rétroaction efficace

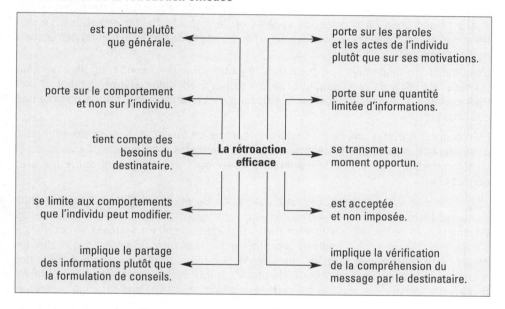

est pointue plutôt que générale.

porte sur les paroles et les actes de l'individu plutôt que sur ses motivations.

porte sur le comportement et non sur l'individu.

porte sur une quantité limitée d'informations.

tient compte des besoins du destinataire.

La rétroaction efficace

se transmet au moment opportun.

se limite aux comportements que l'individu peut modifier.

est acceptée et non imposée.

implique le partage des informations plutôt que la formulation de conseils.

implique la vérification de la compréhension du message par le destinataire.

ENCADRÉ ▶ **7.25**

Les pièges de la rétroaction

- Trop parler et ne pas écouter.
- Rester dans le vague.
- Amorcer la conversation par des questions ouvertes telles que : « Comment ça va ? »
- Avoir la même approche auprès de toutes les personnes évaluées.
- Imposer son point de vue et ses solutions.
- Ne donner de rétroaction qu'à l'évaluation annuelle.
- Faire des commentaires sur la personne évaluée devant des collègues.
- Attaquer la personne évaluée sur ses traits de personnalité.
- Oublier de féliciter les individus les plus performants.
- Tergiverser, ne pas aller directement au but.

Source : adapté de *Les Affaires*, 22 avril 2000, p. 25.

Le suivi est tout aussi essentiel : il sert à vérifier le respect de l'entente de modification du comportement intervenue au moment de l'entrevue. Tout le monde sait très bien qu'il est difficile de modifier ses propres comportements. C'est pourquoi certains évaluateurs rangent le document d'entente avec la personne évaluée dans un endroit « sûr » et l'oublient... jusqu'au début de la période d'évaluation suivante. Au contraire, le gestionnaire efficace s'assure que le titulaire de poste adopte une stratégie de changement et il l'accompagne durant ce processus.

RÉSUMÉ

L'évaluation du rendement des employés fait partie intégrante de la gestion des ressources humaines. Elle comporte un ensemble de processus et de méthodes qui visent l'élaboration de normes, de critères et de mesures fiables et valides. Le système doit être suffisamment souple pour qu'on puisse l'adapter à l'évolution des besoins de l'organisation.

L'évaluation du rendement comporte trois objectifs principaux : porter un jugement sur les résultats obtenus par l'employé, aider celui-ci à améliorer son rendement et corriger certains processus de gestion. L'efficacité du système repose sur de nombreuses composantes.

Le processus d'évaluation du rendement se déroule en quatre étapes : la détermination des critères d'évaluation ; la détermination des méthodes d'évaluation ; l'évaluation et la détermination des écarts de rendement ; la rétroaction et l'application de mesures correctives.

Afin de rendre efficace le processus d'évaluation du rendement, il faut tenir compte de divers facteurs : les critères d'évaluation, les sources d'information, le contexte de l'évaluation et les écarts de rendement. Ce processus est un système structuré qui s'appuie d'une part sur l'analyse des postes, sur des formulaires et des méthodes servant à la collecte des données, sur la vérification de la validité et de la fidélité des méthodes. D'autre part, le processus doit tenir compte des caractéristiques de l'évaluateur et de la personne évaluée ainsi que de l'appréciation du système dans son ensemble.

On peut regrouper les nombreuses méthodes d'évaluation en trois catégories : les approches comparatives, ou normatives (par exemple la méthode de rangement) ; les approches descriptives des traits et des comportements (par exemple l'évaluation descriptive) ; les approches axées sur les résultats (par exemple la gestion par objectifs). Chaque méthode comporte ses avantages et ses désavantages.

L'évaluation du rendement suscite une grande insatisfaction, tant chez les évaluateurs que chez les personnes évaluées. Quelle que soit la méthode utilisée, il faut toujours tenir compte des facteurs contextuels et de la motivation de l'évaluateur ainsi que des caractéristiques des intervenants. L'évaluateur doit être conscient des nombreuses erreurs qui peuvent entacher le processus : l'effet de halo, l'erreur d'indulgence, l'erreur de sévérité, l'erreur de tendance centrale, l'erreur de primauté, l'erreur de récence, l'effet de contraste, l'effet de débordement et l'erreur de similitude.

L'amélioration du processus d'évaluation du rendement est chose possible. Pour y arriver, il faut prêter attention aux stratégies de réduction du risque d'erreur, aux facteurs d'efficacité et aux critères du choix de méthode. Comme le choix de la méthode repose sur divers critères, il est essentiel de bien connaître les forces et les faiblesses de chacune.

Une entrevue d'évaluation du rendement bien menée concourt à l'efficacité de tout le processus. L'évaluateur doit donc bien préparer l'entrevue en se concentrant sur le calendrier des rencontres et sur la collecte de l'information pertinente.

On distingue quatre catégories d'entrevues : l'entrevue d'information et de persuasion ; l'entrevue d'information et d'écoute ; l'entrevue de résolution de problèmes ; l'entrevue mixte. Cette dernière constitue un excellent compromis pour intégrer la détermination des besoins en matière de formation dans le processus d'évaluation.

La rétroaction et le suivi de l'évaluation sont essentiels à l'efficacité du processus d'évaluation du rendement. L'évaluateur doit connaître les caractéristiques d'une rétroaction efficace pour pouvoir éviter les pièges qui se présentent.

Questions de révision et d'analyse

1. Quels sont les principaux éléments d'un système d'évaluation du rendement ?

2. Énumérez et décrivez brièvement les principales étapes du processus d'évaluation du rendement.

3. Comment doit-on structurer les formulaires d'évaluation du rendement pour atténuer les effets des erreurs de l'évaluateur ?

4. Quel critère permet de sélectionner le meilleur formulaire d'évaluation du rendement ?

5. Faites ressortir au moins trois relations entre l'évaluation du rendement et les autres activités de la gestion des ressources humaines.

6. Quelles sont les trois principales approches d'évaluation du rendement ? Nommez une méthode pour chacune d'entre elles.

7. Quelle est la différence fondamentale entre les échelles basées sur le comportement et les échelles d'observation du comportement ?

8. Énumérez quelques-unes des principales erreurs d'évaluation du rendement. Comment peut-on les prévenir ?

9. Quels sont les conflits inhérents à l'évaluation du rendement des employés ? Quelles en sont les conséquences ? Quels sont les moyens de les régler ?

10. Quels sont les principaux facteurs d'efficacité des systèmes d'évaluation du rendement ?

11. Comment prépare-t-on adéquatement une entrevue d'évaluation du rendement ?

12. Donnez les caractéristiques propres à chaque catégorie d'entrevues d'évaluation du rendement.

13. Quels aspects de l'entrevue sont susceptibles d'augmenter l'efficacité de l'évaluation du rendement ?

14. Quel genre de rétroaction et quels aspects des objectifs risquent d'empêcher l'employé d'atteindre un niveau de rendement acceptable ?

15. Quelles sont les principales causes des problèmes de rendement ?

UN CHANGEMENT RADICAL EN MATIÈRE DE GESTION DU RENDEMENT

Denis Morin
Professeur, École des sciences de la gestion, Université du Québec à Montréal

Mario Asselin est depuis peu président de Télé Monde inc. Cette entreprise de télécommunications dont le personnel n'est pas syndiqué propose des solutions en technologies de l'information et de la communication. Elle offre aux clients résidentiels des services téléphoniques locaux et interurbains, la télévision par satellite, l'accès Internet, ainsi que la transmission de données numériques et vocales sans fil. Elle propose aux entreprises des services de gestion de réseau et d'équipement informatique.

La concurrence dans l'industrie des télécommunications est féroce. Le bilan de Télé Monde inc. pour 2006 est peu enviable. Un des principaux constats montre que le bénéfice d'exploitation, pourtant de 200 millions, accuse une baisse de 10 % par rapport à la même période de l'année précédente. En plus, on note une diminution de 6 % du nombre d'abonnés résidentiels et d'abonnés d'affaires : de 30 % en 2005, ce nombre est passé à 24 % en 2006.

À l'occasion d'une rencontre avec les employés de la société, le nouveau président fait le point sur la situation : « Notre réponse à la demande dans un marché de plus en plus concurrentiel doit être disciplinée. Nous devons améliorer la qualité de nos services, poursuivre nos initiatives de réduction des coûts et augmenter notre rentabilité par client. Une société qui fonde son avenir sur ses employés se doit d'éliminer chaque année les 10 % d'entre eux qui sont les moins productifs, d'augmenter constamment ses exigences de performance et d'accroître la qualité de son leadership. »

Il précise également les valeurs qu'il veut mettre de l'avant dans l'entreprise.

1. L'intégrité
2. La passion pour l'excellence et le service à la clientèle
3. L'ouverture aux changements organisationnels
4. L'adhésion aux principes de qualité supérieure, de productivité, de réduction des coûts et de rapidité d'exécution des mandats

5. La reconnaissance du travail des employés, fondée sur la réalisation d'objectifs opérationnels à la fois exigeants, stimulants et réalistes

Mario Asselin énonce clairement ses attentes à l'égard du personnel ainsi que les normes de performance pertinentes qui seront utilisées dans le processus d'évaluation du rendement. Il rappelle que ce processus suivra les étapes suivantes.

1. La détermination des objectifs de travail
2. La communication des attentes aux subordonnés
3. Le plan d'action
4. La transmission d'une rétroaction continue et souple
5. L'accompagnement individuel
6. Le suivi et le contrôle du rendement
7. L'évaluation
8. L'entrevue d'évaluation

Il termine en annonçant l'abandon du système d'évaluation multisources (ou rétroaction à 360 degrés) : il a en effet observé que les pairs utilisaient cette méthode pour s'accorder des cotes supérieures.

Selon lui, l'amélioration de la productivité et de la performance organisationnelles exigent la définition de normes de performance élevées, la détermination de mandats, de responsabilités et d'objectifs qualitatifs et quantitatifs exigeants mais réalistes, ainsi que l'élimination annuelle des 10 % des employés les moins performants. Cette démarche vise à assurer la qualité des produits et des services, de même que la prospérité de l'entreprise.

Le président impose donc en matière de gestion du rendement une nouvelle approche, mise au point par Jack Welch, ancien président de General Electric. Ce système d'évaluation du rendement s'inspire de la méthode de classement fondée sur un continuum qui va « du meilleur au moins bon ». Chaque employé est donc évalué selon l'échelle suivante.

- Cote A (20 % des employés) : ce sont les meilleurs employés. Cette cote regroupe les employés vedettes, ceux qui obtiennent la plus grande proportion des bonis et de la rémunération au mérite.
- Cote B (70 % des employés) : ce sont d'excellents employés. Leurs bonis et leur rémunération au mérite sont moindres que ceux des employés vedettes.
- Cote C (10 % des employés) : ce sont les employés les moins performants. Non seulement ces employés ne reçoivent ni boni ni rémunération au mérite, mais ils sont automatiquement congédiés pour incompé-

tence professionnelle, manque de qualification professionnelle ou insuffisance dans l'exécution du travail.

Mario Asselin s'appuie sur l'expérience des nombreuses organisations qui ont adopté cette méthode d'évaluation, telles que Cisco Systems, Hewlett-Packard, Intel, General Electric, General Motors, Goodyear, Intel et Microsoft. Près du quart des entreprises figurant sur la liste de Fortune 500 souscrivent à cette démarche. En raison de cette popularité, d'autres organisations semblent s'y intéresser afin d'améliorer la performance organisationnelle.

Le président croit fermement que la nouvelle pratique de gestion du rendement et l'abandon du système d'évaluation multisources permettront d'éliminer l'indulgence des gestionnaires et la connivence des pairs, qui ne servaient qu'à maximiser les récompenses aux employés.

QUESTIONS

1. Quels sont les avantages et les limites de ce système d'évaluation du rendement, fondé sur le classement ou la distribution forcée des employés?

2. Quelles sont les conséquences d'une telle approche de gestion du rendement sur le comportement des employés?

3. Quels changements proposez-vous d'apporter à ce système d'évaluation du rendement?

NOTES ET RÉFÉRENCES

1. G. Boudreaux, « Response : What TQM Says About Performance Appraisal », *Compensation and Benefits Review*, mai-juin 1994, p. 20-24.

2. P. Laurin et D. Boisvert, *L'évaluation collaborative du rendement : guide méthodologique*, Sainte-Foy, Presses de l'Université du Québec, 1997.

3. Guido M.J. de Koning, « Evaluating Employee Performance », *Gallup Management Journal*, 9 décembre 2004. C.D. Lee, « Rethinking the Goals of Your Performance Management System » *Employment Relations Today*, vol. 2, nº 3, automne 2005, p. 53-60.

4. G.-P. Réhayem, *Supervision et gestion des ressources humaines*, 2e éd., Boucherville, Gaëtan Morin, 1997.

5. J.-M. Gonthier, « L'évaluation et ses effets sur la rémunération », dans *Les prévisions salariales 2004 : les tendances de la rémunération*, ORHRI, 2004, p. 49-54.

6. D.D. Dubois et W.J. Rothwell, *Competency-Based Human Resource Management*, Palo Alto (Californie), Davies-Black, 2004.

7. S. St-Onge, « Mesurer le rendement au travail : importance et conditions de succès », *Effectif*, vol. 3, nº 1, janvier-février-mars 2000, p. 20-28.

8. T.A. Judge et G.R. Ferris, « Social Context of Performance Evaluation Decisions », *Academy of Management Journal*, vol. 36, 1993, p. 80-105.

9. C. Viswesvaran, D.S. Ones et F.L. Schmidt, « Comparative Analysis of the Reliability of Job Performance Ratings », *Journal of Applied Psychology*, vol. 81, 1996, p. 557-574.

10. A. Petit et V. Haines, « Trois instruments d'évaluation du rendement », *Gestion*, septembre 1994, p. 59-68.

11. A. Tziner, *L'évaluation des emplois et du rendement : concepts et applications*, Montréal, Nouvelles, 1996.

12. D. Boucher et C. Doyon, *Sachez évaluer votre personnel : le chemin de la réussite*, Ottawa, Agence d'ARC, 1991.

13. K. Bhote, « Boss Performance Appraisal : A Metric Whose Time Has Gone », *Employment Relations Today*, vol. 21, nº 1, printemps 1994, p. 1-9.

14. V.U. Druskat et S.B. Wolff, « Effects and Timing of Developmental Peer Appraisals in Self-Managing Work Groups », *Journal of Applied Psychology*, vol. 84, 1999, p. 58-74. J.M. Werner, « Que sait-on de la rétroaction à 360 degrés ? », *Gestion*, vol. 19, nº 3, septembre 1994, p. 72. K.A. Guion, « Performance Management for Evolving Self-Directed Work Teams », *ACA Journal*, hiver 1995, p. 67-75.

15. T.J. Maurer, N.S. Raju et W.C. Collins, « Peer and Subordinate Performance Appraisal Measurement Equivalence », *Journal of Applied Psychology*, vol. 83, 1998, p. 693-702. A. Gosselin, J.M. Werner et N. Hallé, « Ratee Preferences Concerning Performance Management and Appraisal », *Human Resource Development Quarterly*, vol. 8, hiver 1997, p. 315-337.

16. B.D. Cawley, L.M. Keeping et P.E. Levy, « Participation in the Performance Appraisal Process and Employee Relations : A Meta-Analytic Review of Field Investigations », *Journal of Applied Psychology*, vol. 83, 1998, p. 615-633.

17. J.M. Werner, *op. cit.*

18. A. Tziner, *op. cit.* Voir également J.E. Milliman, R.A. Zawacki, C. Norman, L. Powell et J. Kirksey, « Companies Evaluate Employees from All Perspectives », *Personnel Journal*, vol. 73, nº 11, 1994, p. 99-103.

19. J.M. Werner, *op.cit.*

20. M.R. Edwards et A.J. Ewen, *Providing 360 Degree Feedback*: *An Approach to Enhancing Individual and Organizational Performance*, Scottsdale (Arizona), American Compensation Association, 1996.

21. D.A. Waldman et L.E. Atwater, *The Power of 360° Feedback*: *How to Leverage Performance Evaluation for Top Productivity,* Houston (Texas), Gulf Publishing, 1998. M. Foschi, « Double Standards in the Evaluation of Men and Women », *Social Psychology Quarterly,* vol. 59, 1996, p. 237-254. M.R. Edwards et A.J. Ewen, « How to Manage Performance and Pay With 360-Degree Feedback », *Compensation and Benefits Review,* vol. 28, n° 3, mai-juin 1996, p. 41-46. H. Church et D.W. Bracken, « 360 Degree Feedback Systems », édition spéciale de *Group & Organization Management,* Thousands Oaks (Californie), Sage, juin 1997. R. Lepsinger et A.D. Lucia, *The Art and Science of 360° Feedback,* San Francisco, Pfeiffer, 1997.

22. R.C. Mayer et J.H. Davis, « The Effects of the Performance Appraisal System on Trust for Management: A Field Quasi-Experiment », *Journal of Applied Psychology,* vol. 84, 1999, p. 123-136.

23. CROP Recherche marketing, *Évaluation du rendement en milieu de travail,* sondage d'opinion réalisé pour l'Ordre des conseillers en ressources humaines et en relations industrielles du Québec, octobre 2005.

24. D. Antonioni, « Improve the Management Process Before Discontinuing Performance Appraisals », *Compensation Benefits Review,* mai-juin 1994, p. 29. M. Jawahar et C.R. Williams, « Where All the Children are Above Average: The Performance Appraisal Purpose Effect », *Personnel Psychology,* vol. 50, 1997, p. 905-926.

25. G. Latham, « Avis d'expert: l'évaluation du rendement », dans S. Dolan, T. Saba, S. Jackson et R. Schuler, *La gestion des ressources humaines: tendances enjeux et pratiques actuelles,* 3ᵉ éd., Montréal, ERPI, 2002, p. 298.

26. G.-P. Réhayem, *op. cit.*

27. R.F. Martell et M.R. Borg, « A Comparison of the Behavioral Rating Accuracy of Groups and Individuals », *Journal of Applied Psychology,* vol. 78, 1993, p. 43-50.

28. A. Tziner, *op. cit.*

29. D. Antonioni, « The Effects of Feedback Accountability on Upward Appraisal Ratings », *Personnel Psychology,* vol. 47, 1994, p. 349-360.

30. L.E. Atwater, C. Ostroff, F.J. Yammarino et J.W. Fleenor, « Self-Other Agreement: Does It Really Matter? », *Personnel Psychology,* vol. 51, 1998, p. 577-598.

31. A. Gosselin et K.R. Murphy, « L'échec de l'évaluation de la performance », *Gestion,* vol. 19, n° 1, 1995, p. 17-28.

32. T.A. Judge et G.R. Ferris, *op. cit.,* p. 80-105.

33. C. Frayne et G. Latham, « Application of Social Learning Theory to Employee Self-Management of Attendance », *Journal of Applied Psychology,* vol. 72, 1987, p. 387-392. G. Latham et C. Frayne, « Self Management, Training for Increasing Job Attendance: A Follow Up and Replication », *Journal of Applied Psychology,* vol. 74, 1989, p. 411-416. P. Karoly et F. Kafner, *Self Management and Behavior Change: From Theory to Practice,* New York, Pergamon Press, 1986. J.M. Conway, « Distinguishing Contextual Performance from Task Performance for Managerial Jobs », *Journal of Applied Psychology,* vol. 84, 1999, p. 3-13.

34. C. Fletcher, « Appraisal: An Idea Whose Time Has Gone? », *Personnel Management,* septembre 1993, p. 34-37.

35. D. Morin, K.R. Murphy et A. Laroque, « La relation entre le contexte de l'évaluation du rendement et l'indulgence de l'évaluateur », *Relations industrielles,* vol. 54, p. 694-726.

36. S. St-Onge, D. Morin et M. Bellehumeur, « Motivation des cadres à évaluer le rendement de leurs employés: perspectives rationnelle, affective, contextuelle et de justice organisationnelle », communication au congrès AGRH 2004, *La GRH mesurée!*

37. M.S. Taylor, S.S. Masterson, M.K. Renard et K.B. Tracy, « Managers' Reactions to Procedurally Just Performance Management Systems », *Academy of Management Journal,* vol. 41, 1998, p. 568-579.

38. C. Fletcher, *op. cit.*

39. K. Bhote, *op. cit.*

40. K. Kirkland et S. Manoogian, *Ongoing Feedback: How to Get It, How to Use It,* Greensboro (Caroline du Nord), Center for Creative Leadership, 1998.

41. L. Solomonson et C.E. Lance, « Examination of the Relationship Between True Halo and Halo Error in Performance Ratings », *Journal of Applied Psychology,* vol. 82, 1997, p. 665-674. K.R. Murphy, R.A. Jako et R.L. Anhalt, « Nature and Consequences of Halo Error: A Critical Analysis », *Journal of Applied Psychology,* vol. 78, 1993, p. 218-225. C.E. Lance, J.A. Lapointe et A.M. Stewart, « A Test of the Context Dependency of Three Causal Models of Halo Rater Error », *Journal of Applied Psychology,* vol. 79, 1994, p. 332-340.

42. M.K. Mount, M.R. Sytsma, J. Fisher Hazucha et K.E. Holt, « Rater-Ratee Race Effects in Developmental Performance Ratings of Managers », *Personnel Psychology,* vol. 50, 1997, p. 51.

43. J.S. Kane, H.J. Bernardin, P. Villanova et J. Peyrefitte, « Stability of Rater Leniency: Three Studies », *Academy of Management Journal,* vol. 38, 1995, p. 1036-1051.

44. S.J. Wayne et R.C. Liden, « Effects of Impression Management on Performance Ratings: A Longitudinal Study », *Academy of Management Journal,* vol. 38, 1995, p. 232-260.

45. T.J. Maurer, J.K. Palmer et D.K. Ashe, « Diaries, Checklists, Evaluations and Contrast Effects in Measurement of Behavior », *Journal of Applied Psychology,* vol. 78, 1993, p. 226-231.

46. N.M.A. Hauenstein, « Training Raters to Increase Accuracy of Appraisals and the Usefulness of Feedback », dans J.W. Smither, *Performance Appraisal: State of the Art in Practice,* San Francisco, Jossey-Bass, 1998, p. 404-442.

LE DÉVELOPPEMENT
DES COMPÉTENCES

On associe souvent très étroitement le succès d'une entreprise à sa capacité de développer et de mettre à jour les compétences de ses employés. À ce chapitre, les entreprises dépensent effectivement des sommes importantes, mais elles n'ont pas l'exclusivité de cette responsabilité. Les gouvernements et les établissements d'enseignement doivent aussi apporter leur contribution. Soulignons que le développement des compétences devient de plus en plus une responsabilité individuelle : comme la stabilité d'emploi a sensiblement diminué, chaque travailleur doit veiller au maintien et à l'amélioration de sa propre employabilité.

En 2006, le Commissaire européen pour l'Éducation, la Formation, la Culture et le Multilinguisme déclarait que « la mondialisation, les nouvelles technologies et les évolutions démographiques constituent un défi énorme ; l'une des réponses à ce problème est l'accès à la formation permanente[1] ». Au Canada, en 2002, près du tiers des employés âgés de 25 à 64 ans ont bénéficié d'une formation institutionnelle en cours d'emploi. Sur 10 travailleurs ayant suivi une formation, 7 ont reçu le soutien de leur employeur. Les chances de recevoir du soutien sont nettement plus faibles chez les travailleurs âgés et ceux qui ont une formation universitaire. Les chances sont meilleures pour les travailleurs à temps plein, les syndiqués et ceux qui ont une solide ancienneté[2].

Les dirigeants d'entreprise sont tout à fait conscients de la nécessité d'investir massivement dans l'amélioration des compétences de leurs employés. En effet, les connaissances sont rapidement dépassées et on met régulièrement au point de nouvelles technologies. Ce chapitre porte sur les aspects essentiel du processus de développement des compétences. Nous traiterons des aspects juridiques de la gestion des ressources humaines liés à la formation, en particulier de l'application de la Loi favorisant le développement de la formation de la main-d'œuvre, dans la section 12.1.3.

Employabilité

Probabilité de se trouver un emploi pour une personne qui cherche du travail. Les facteurs de l'employabilité sont l'âge, le sexe, l'état de santé, la situation de famille, la qualification professionnelle et les conditions économiques générales. L'employabilité se mesure en fonction du temps nécessaire pour trouver un emploi, c'est-à-dire par la durée du chômage.

8.1

LE PROCESSUS DE DÉVELOPPEMENT DES COMPÉTENCES

Le développement des compétences des employés renvoie aux activités d'apprentissage (amélioration des connaissances, des habiletés et des attitudes) susceptibles d'accroître leur rendement actuel et futur par l'augmentation de leur capacité d'accomplir les tâches. Ce processus primordial se déroule selon des étapes bien déterminées.

8.1.1 | L'importance du développement des compétences

CONSULTEZ
INTERNET

www.sofeduc.ca

Site de la Société de formation et d'éducation continue (SOFEDUC), fondée en 1988 à l'initiative de l'Association canadienne d'éducation des adultes des universités de langue française (ACDÉAULF). Son mandat consiste à accréditer les organisations aptes à émettre des unités d'éducation continue (UEC) répondant à des normes de qualité de haut niveau, similaires à celles qu'utilise aux États-Unis l'International Association for Continuing Education and Training (IACET).

Le développement des compétences vise à combler chez les employés les lacunes actuelles et futures qui nuisent à leur rendement. De manière générale, on forme un employé lorsque l'insuffisance de son rendement est attribuable à des lacunes observées sur le plan des connaissances, des habiletés ou des attitudes. La formation est particulièrement importante pour une organisation aux prises avec un taux de productivité stagnant ou décroissant. Elle l'est également pour les entreprises qui doivent intégrer en peu de temps des technologies de pointe dans leur processus de production et, par conséquent, remédier à l'obsolescence des connaissances et au caractère dépassé des habiletés de leurs employés.

Le développement des compétences poursuit plusieurs objectifs : enrichir et mettre à jour les connaissances des employés ; préparer les employés à des changements de poste dans le cadre des programmes de gestion des carrières ; combler les lacunes et susciter des attitudes positives, notamment la loyauté envers l'employeur. L'efficacité du développement des connaissances peut réduire le roulement et l'absentéisme, ce qui permet d'accroître la productivité de l'organisation. De plus, l'acquisition d'habiletés transférables dans un nouvel emploi s'avère fort utile, tant en période de croissance qu'en période de réduction de personnel. Les employés y gagnent dans les deux cas, à la fois sur le plan des promotions et sur celui de la sécurité d'emploi.

En général, le terme *formation* se rapporte à l'accroissement des habiletés dont les employés ont besoin pour accomplir plus efficacement leurs tâches actuelles. Quant aux termes *perfectionnement* et *développement du potentiel*, ils renvoient à l'amélioration des connaissances, qui permettra un meilleur accomplissement du travail. Le présent chapitre porte sur les deux approches qui découlent de cette distinction, puisqu'elles visent toutes deux le développement des compétences des employés.

Le développement des compétences fait appel à un grand nombre de techniques et de procédés liés à diverses activités de gestion des ressources humaines. Mentionnons la planification des ressources humaines, l'analyse des postes, l'évaluation du rendement, le recrutement et la sélection, la gestion des carrières ainsi que la rémunération. Les changements organisationnels et technologiques obligent l'entreprise à prendre conscience de la nécessité de former et de développer les compétences de ses employés ainsi qu'à structurer ses activités de formation de façon à atteindre les objectifs de la planification des ressources humaines.

Alors que la gestion stratégique sert à préciser le contexte général du développement des compétences, l'analyse des postes et l'évaluation du rendement aident à définir les besoins organisationnels. Ainsi, l'évaluation du rendement peut mettre en lumière certaines lacunes qu'on cherchera à combler grâce à un programme de formation. Par ailleurs, la formation d'une main-d'œuvre polyvalente facilite à l'organisation la redéfinition des tâches et l'affectation du personnel aux postes ainsi modifiés. Pour avoir à sa disposition toutes les compétences dont elle a besoin, l'organisation peut soit recruter à l'externe, soit former ses employés. Le recrutement externe entraîne non seulement des dépenses, mais il réduit les possibilités de promotions internes, qui constituent des stimulants pour le personnel. C'est probablement en partie pour cette raison qu'un nombre important d'entreprises ont élaboré un programme de développement des compétences en fonction à la fois des postes actuels et des postes futurs. Par ailleurs, le développement des compétences est étroitement lié au processus d'intégration : il réduit en effet le temps nécessaire à un employé pour s'adapter à ses nouvelles fonctions[3].

Il faut accorder une certaine forme de reconnaissance à toute activité de développement des compétences, car les employés ne sont pas nécessairement enclins à améliorer leur rendement à leurs frais. Les stimulants, pécuniaires ou non pécuniaires, sont utiles non seulement pour s'assurer de la participation des employés au programme, mais également pour retenir les employés compétents courtisés par les concurrents.

Main-d'œuvre polyvalente
Travailleurs capables d'exécuter différentes tâches et de remplacer, au besoin, des travailleurs spécialisés.

8.1.2 | Les étapes du processus

Diverses raisons peuvent inciter une organisation à entreprendre un processus de développement des compétences et les outils sont nombreux. Néanmoins, la plupart des spécialistes s'entendent sur la nécessité de respecter trois étapes pour améliorer l'efficacité d'un tel processus (voir l'encadré 8.1) : la détermination des besoins fondée sur l'analyse ; la conception et la mise en œuvre du programme destiné à faire acquérir aux employés de nouvelles habiletés, connaissances et attitudes ; l'évaluation des résultats du programme. Examinons de plus près les deux premières étapes (l'évaluation est traitée dans la section 15.4.3).

ENCADRÉ ▶ 8.1

Les étapes du processus de développement des compétences

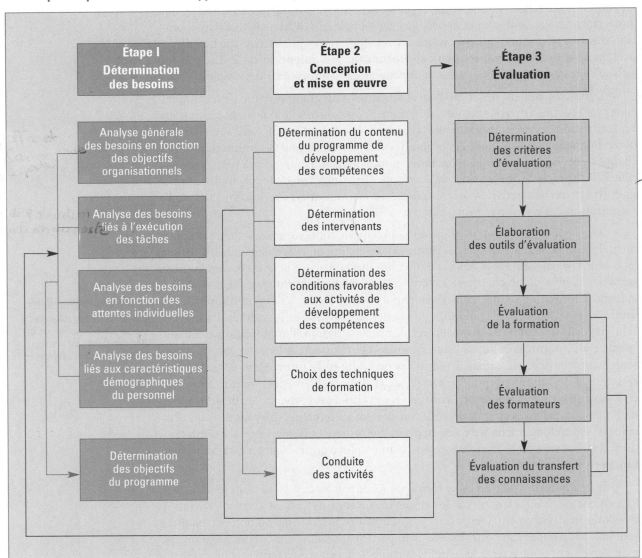

8.2

LA DÉTERMINATION DES BESOINS DE FORMATION

CONSULTEZ INTERNET

www.conferenceboard.ca/education/pdf/emkilf.pdf

Document du Conference Board du Canada énonçant les compétences requises par les employeurs canadiens et garantes de l'employabilité des individus

L'évaluation des besoins de formation est la première étape d'un programme de formation viable. C'est en effet cette évaluation qui permettra, à l'étape suivante, d'élaborer le contenu du programme, de déterminer les intervenants et de préciser les conditions de mise en œuvre. On décide trop souvent de s'engager dans un programme de formation pour des raisons plus ou moins valables : par exemple pour reproduire le programme d'un concurrent, pour récompenser les employés, pour épuiser le budget annuel alloué à la formation (de façon à éviter qu'il soit réduit au cours des années suivantes), etc.

Malgré les coûts engendrés, la formation est vitale pour l'organisation. Par conséquent, les critères d'élaboration et de mise en application d'un programme devraient être basés sur une analyse rigoureuse : l'analyse générale des besoins organisationnels, l'analyse des besoins liés à l'exécution des tâches, l'analyse des attentes individuelles et l'analyse des besoins liés aux caractéristiques démographiques des employés[4].

8.2.1 | L'analyse des besoins généraux

L'analyse des besoins de l'organisation en matière de formation est fondée sur l'examen des objectifs généraux à court et à long terme, ainsi que sur les tendances socioéconomiques liées à ces objectifs ; elle comprend aussi l'analyse du climat organisationnel[5].

L'ANALYSE EN FONCTION DES OBJECTIFS ORGANISATIONNELS

Comme nous le mentionnons dans la section 2.4.5, il faut établir les actions organisationnelles en gestion des ressources humaines selon les objectifs de l'entreprise. Avant d'établir un programme de développement des compétences, il convient donc d'analyser les besoins en la matière et les moyens de les combler afin de répondre à ces objectifs (voir l'encadré 8.2). Le programme de développement des compétences joue un rôle crucial dans l'organisation, car il assure l'équilibre entre l'offre et la demande, aussi bien des ressources humaines que des compétences.

Pour bien définir les compétences requises, il faut tenir compte des indices qui fournissent de l'information sur l'efficacité actuelle des employés, des équipes de travail et de l'organisation dans son ensemble. On utilise couramment les indices d'efficacité suivants : le coût de la main-d'œuvre, le niveau de production, la qualité de la production, les pertes ainsi que l'usure de l'équipement et du matériel. On peut établir des normes indicielles de façon à évaluer l'efficacité générale des programmes de formation et à déterminer du même coup les besoins des différents groupes. L'arrimage des compétences requises aux besoins stratégiques rend l'organisation proactive et facilite la mise en place de programmes de formation qui répondront à ses besoins, à court, à moyen et à long terme.

L'ANALYSE DU CLIMAT ORGANISATIONNEL

L'analyse du climat organisationnel sert souvent à décrire l'ambiance qui règne dans l'entreprise et les sentiments que les employés éprouvent par rapport aux divers aspects de leur travail et par rapport à l'organisation en général. Elle aide à déceler la convergence ou la divergence entre, d'une part, les perceptions des employés relatives à leur milieu de travail et, d'autre part, leurs besoins et leurs aspirations. Il faut tenter d'atténuer les écarts importants et répandus pour créer un climat propice à l'apprentissage. On sait que les attitudes négatives des employés à l'égard de leur travail influent directement sur leur comportement et indirectement sur leur rendement ; il peut en résulter une baisse de l'engagement et de la motivation de même qu'une augmentation de l'absentéisme. Les activités de formation peuvent ainsi servir à changer les perceptions négatives des employés et raffermir leur engagement.

DANS LES FAITS

C'est habituellement à l'aide d'un questionnaire qu'on effectue les sondages sur le climat organisationnel. L'Institut de recherche sociale de l'Université du Michigan a conçu plusieurs questionnaires parmi les plus connus et on les désigne habituellement par le terme générique *Survey of organizations,* qu'on pourrait traduire par « étude des organisations ». Parmi les autres questionnaires couramment utilisés, on trouve le *Minnesota Satisfaction Questionnaire,* le *Porter and Lawler Job Attitudes* et le *Smith, Kendall & Hulin Satisfaction Questionnaire*[6].

ENCADRÉ ▶ **8.2**

Les 14 compétences en leadership exigées d'un gestionnaire

Catégorie	Compétence
Compétences intellectuelles	• Capacité cognitive • Créativité
Compétences pour bâtir l'avenir	• Vision
Compétences en gestion	• Gestion par l'action • Compréhension organisationnelle • Travail d'équipe • Partenariat
Compétences en relations humaines	• Relations interpersonnelles • Communication
Qualités personnelles	• Vitalité et résistance au stress • Éthique et valeurs • Personnalité • Souplesse du comportement • Confiance en soi

Source : « Compétences en leadership », Agence de gestion des ressources humaines de la fonction publique du Canada, 2007, http://www.psagency-agencefp.gc.ca/letters-lettres/cims-50360_f.asp.

8.2.2 | L'analyse des besoins liés à l'exécution des tâches

L'analyse des besoins axés sur les tâches est aussi importante que l'analyse des besoins globaux, car elle permet d'établir les besoins de formation en fonction des postes. Pour la mener à bien, on commence par répertorier les tâches et les normes de rendement attendu propres à chaque emploi. Ensuite, on détermine les habiletés, les aptitudes et les connaissances nécessaires à l'exécution de ces tâches. On obtient ces informations soit par l'analyse des postes, soit par la consultation de leur description. On poursuit le processus (voir l'encadré 8.3) en analysant les écarts entre le rendement attendu et le rendement actuel. Si ces écarts sont attribuables à une carence dans les compétences des employés, une analyse plus en profondeur permettra d'évaluer les besoins de formation et de déterminer les méthodes de formation adéquates. Généralement, il faut mettre l'accent sur les tâches le plus souvent effectuées, les plus importantes et les plus difficiles à apprendre.

ENCADRÉ ▷ 8.3

Le processus d'analyse des besoins en fonction des tâches

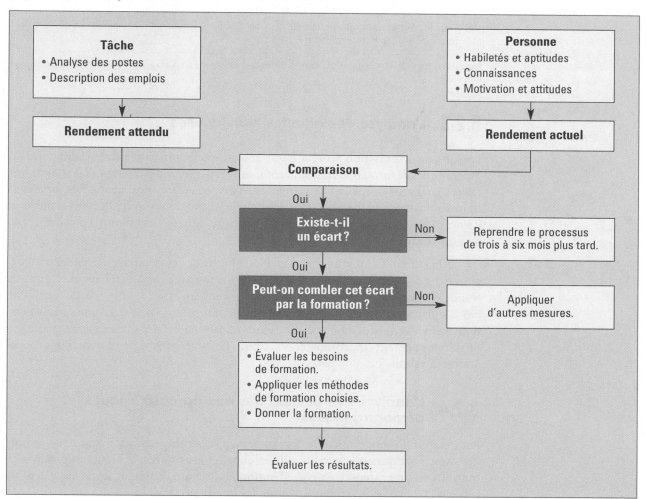

L'évaluation du rendement vise à déceler les lacunes dans le travail d'un employé. Ces lacunes sont liées soit aux compétences ou aux connaissances de l'employé, soit à l'exécution du travail. Dans le second cas, elles peuvent découler d'un manque de motivation ou d'une supervision inadéquate. Comme la formation ne peut remédier qu'au premier type de lacunes, comment corriger les autres? Pour remonter aux sources des écarts de rendement observés, il faut examiner, entre autres, le contexte de travail, les caractéristiques et le comportement de l'employé, les résultats du travail accompli et la rétroaction fournie à l'employé (voir l'encadré 8.4).

ENCADRÉ ▶ **8.4**

L'adéquation entre la formation et les écarts de rendement

1. Le contexte de travail est-il clair pour tous les travailleurs? Ces derniers savent-ils à quel moment ils doivent être particulièrement efficaces?
2. Sont-ils physiquement et mentalement en état d'exécuter leur travail?
3. Savent-ils ce qu'ils ont à faire? Ont-ils les compétences requises? Disposent-ils des ressources nécessaires (argent, temps et matériel)?
4. Les récompense-t-on pour leur rendement?
5. Leur fournit-on une rétroaction sur leur rendement? Critique-t-on le piètre rendement et apprécie-t-on le bon rendement?

Source: W.J. Rothwell et H.C. Kazanas, *Strategic Human Resources Planning and Management*, Englewood Cliffs, Prentice Hall, 1988, p. 300.

8.2.3 | L'analyse des attentes individuelles

Lorsqu'une organisation procède à une analyse des besoins individuels, elle choisit ses programmes de formation en tenant compte des attentes et des aspirations des employés. Dans l'analyse des besoins de formation effectuée en fonction des tâches, on détermine les écarts de rendement d'un employé en comparant son rendement actuel avec les normes minimales. L'analyse des attentes individuelles sert plutôt à déterminer les besoins relatifs aux emplois futurs.

On établit les attentes des employés à partir des évaluations du rendement, des entretiens d'orientation de carrière et des ententes conclues à l'embauche. Une autre source d'information est l'autoévaluation des employés sur les besoins de formation liés à leur travail actuel ou au poste convoité. En plus de rendre compte des aspirations individuelles de l'employé, cette autoévaluation l'incite à s'intéresser au processus de développement des compétences. Enfin, la combinaison de plusieurs approches accroît la validité des données.

8.2.4 | L'analyse des besoins liés aux caractéristiques démographiques

Pour établir un programme de développement des compétences, il faut tenir compte des caractéristiques démographiques et de la représentativité de certains groupes de travailleurs, bref, prendre en considération la diversité culturelle, le vieillissement de la main-d'œuvre et les relations culturelles internationales.

LA DIVERSITÉ CULTURELLE

En vue de satisfaire aux exigences des lois fédérales et provinciales en matière d'équité[7], l'organisation doit mener des études démographiques afin de déterminer les besoins en formation propres à certaines catégories de travailleurs. Quelques entreprises canadiennes se sont engagées dans des programmes de formation qui visent à encourager les femmes et les membres des minorités à acquérir des compétences dans des secteurs où ces groupes sont traditionnellement peu représentés. Par exemple, Hydro-Québec a mis l'accent sur l'augmentation du nombre de femmes dans son personnel technique et dans son personnel d'ingénierie, domaines traditionnellement réservés aux hommes. Au CN, on a mis en place des programmes pour embaucher un plus grand nombre de femmes à différents niveaux de supervision.

DANS LES **FAITS**

Selon Statistique Canada, les travailleurs peuvent avoir de nombreux objectifs en suivant une formation en cours d'emploi. Le principal objectif de la grande majorité des travailleurs est l'amélioration de leur rendement, particulièrement dans le cas des employés âgés (84 % contre 71 % chez les jeunes). Le deuxième objectif par ordre d'importance varie selon l'âge : pour les travailleurs âgés, c'est d'éviter de perdre leur emploi ; pour les jeunes, il s'agit de changer d'emploi. L'augmentation de la rémunération est le troisième motif qui pousse les travailleurs à suivre une formation en cours d'emploi : 3 employés sur 10 dans la tranche de 25 à 34 ans et 1 sur 10 pour les travailleurs âgés de 55 à 64 ans[8].

LE VIEILLISSEMENT DE LA MAIN-D'ŒUVRE

Les données démographiques font ressortir le vieillissement de la main-d'œuvre. Il faut de plus en plus tenir compte de ce phénomène dans la conception des programmes de formation : rythme d'apprentissage et pertinence de la formation chez les travailleurs d'âge mûr[9]. Les organisations devront nécessairement adopter une nouvelle pédagogie et recourir à des méthodes innovatrices et adaptées aux caractéristiques individuelles des employés.

LES RELATIONS INTERCULTURELLES

La diversité culturelle et la croissance du commerce international rendent plus pressant l'apprivoisement des cultures étrangères par les employés. Cette nouvelle réalité touche les programmes de développement des compétences : il faut y intégrer divers aspects culturels et linguistiques afin de réduire la distance culturelle, que ce soit entre les unités organisationnelles ou dans les équipes internationales, de plus en plus nombreuses[10].

8.3

LA CONCEPTION ET LA MISE EN ŒUVRE DU PROGRAMME DE DÉVELOPPEMENT DES COMPÉTENCES

La conception et la mise en œuvre du programme de développement des compétences constituent la deuxième étape du processus (voir l'encadré 8.1). Cette étape comprend la détermination des éléments suivants : le contenu du programme de formation, les intervenants, les conditions de réussite ainsi que les techniques et les méthodes de formation, qui seront examinés plus en détail à la section 8.4.

8.3.1 | Le contenu du programme

Il faut concevoir le programme de développement des compétences en fonction non seulement des besoins déterminés (voir la section 8.2), mais aussi des objectifs d'apprentissage fixés. Nous retiendrons trois éléments importants, qui dictent le contenu d'un tel programme : la connaissance du milieu organisationnel, l'acquisition de compétences et les dispositions affectives (ou l'intelligence émotionnelle)[11].

LA CONNAISSANCE DU MILIEU ORGANISATIONNEL

Les méthodes de gestion évoluent et l'implication au travail des employés est plus grande qu'auparavant. On admet de plus en plus la nécessité d'informer le personnel sur divers points : la structure, les stratégies et les orientations de l'organisation, les contraintes de l'environnement (compétiteurs, conditions économiques, etc.) ainsi que les nouveaux produits et services offerts par l'organisation. Ces informations sont cruciales pour les gestionnaires et pour les employés appelés à le devenir. Les employés acquièrent la plupart de ces connaissances grâce à diverses expériences d'apprentissage : appartenance à une équipe de gestion ou à un comité, affectation spéciale ou temporaire dans un autre service, affectation à l'international, etc. Toutes ces expériences amènent l'employé à mieux connaître l'organisation et elles contribuent efficacement au succès de l'entreprise.

Enfin, tout employé devrait connaître les politiques et les pratiques de l'entreprise et être en mesure de les appliquer. La transmission de ces connaissances se fait généralement à l'occasion du processus d'accueil et d'intégration (voir la section 6.4) : on initie les nouveaux arrivants aux façons de faire et à la culture de l'entreprise. Il faut tenir le personnel au courant de tout changement en la matière, par exemple au moyen de séances d'information.

L'ACQUISITION DE COMPÉTENCES

L'évolution des formes d'organisation du travail a eu un effet considérable sur les compétences, les habiletés et les comportements attendus. Les nouvelles technologies exigent la mise à jour régulière de compétences et de connaissances. L'encadré 8.5 illustre l'augmentation du niveau des compétences en fonction des changements organisationnels. Les compétences sont donc loin d'être des données stables : une fois établies, elles peuvent subir des modifications[12]. Examinons les compétences importantes à développer dans le contexte du travail.

Les connaissances de base. Lire, écrire, utiliser l'information numérique et résoudre des problèmes sont des compétences essentielles à la réussite de l'individu au travail[13]. Une étude récente de Statistique Canada fait ressortir la concordance entre les capacités de base individuelles et les exigences des emplois. On y souligne l'importance de l'utilisation des compétences de base dans un emploi : elles sont essentielles à l'atteinte d'un niveau de productivité permettant la concurrence sur les marchés internationaux. Les études de l'Organisation de coopération et de développement économiques (OCDE) ont levé le voile sur une réalité fort méconnue : les besoins de formation de la main-d'œuvre sont considérables et la capacité du Canada de moderniser son économie est tributaire des compétences de base de centaines de milliers de travailleurs (voir l'encadré 8.6).

Organisation de coopération et de développement économiques (OCDE)

Organisation internationale qui aide les gouvernements à relever les défis économiques, sociaux et environnementaux posés par la mondialisation de l'économie. L'OCDE regroupe de nombreux pays : en plus des pays européens, mentionnons les États-Unis, le Canada, le Japon, l'Australie et Nouvelle-Zélande. Son rôle est multiple et peut se résumer à trois objectifs : assurer la plus forte expansion possible de l'économie et de l'emploi ainsi que la progression du niveau de vie dans les pays membres tout en maintenant la stabilité financière ; contribuer à l'expansion économique des pays en voie de développement, qu'ils soient membres ou non de l'organisation ; contribuer à l'expansion du commerce mondial de façon multilatérale et non discriminatoire.

L'évolution des compétences au rythme des changements organisationnels

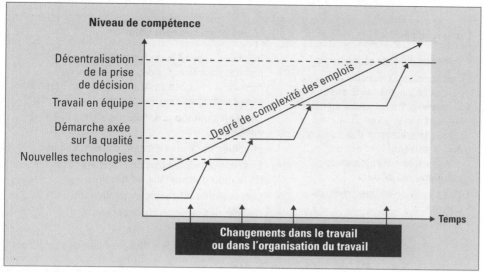

Source : adapté de D. Bouteiller, « Le syndrome du crocodile et le défi de l'apprentissage continu », *Gestion,* vol. 22, n° 3, automne 1997, p. 14-25.

Les quatre types de compétences de base

- Compréhension de textes suivis — Connaissances et compétences nécessaires pour comprendre et utiliser l'information contenue dans des documents tels que des éditoriaux, des reportages, des brochures et des manuels.
- Compréhension de textes schématiques — Connaissances et compétences nécessaires pour repérer et utiliser l'information présentée sous diverses formes, entre autres, les demandes d'emploi, les fiches de paie, les horaires de transport, les cartes routières, les tableaux et les graphiques.
- Numératie — Connaissances et compétences nécessaires pour répondre aux exigences mathématiques de diverses situations.
- Résolution de problèmes — La résolution de problèmes correspond à la pensée et à l'action orientées vers les buts dans une situation où il n'existe aucune procédure courante de résolution. La personne qui résout des problèmes a un but plus ou moins bien défini, mais elle ne sait pas immédiatement comment l'atteindre. La non-congruence des buts et des opérateurs admissibles constitue un problème. La compréhension de la situation du problème et sa transformation progressive fondée sur la planification et le raisonnement constituent le processus de la résolution de problèmes.

Source : *Apprentissage et réussite : premiers résultats de l'enquête sur la littératie et les compétences des adultes*, Ottawa et Paris, Statistique Canada et OCDE, 2005. On peut consulter ce texte sur le site Internet de l'OCDE (www.ocde.org).

Les compétences techniques.   Les compétences techniques correspondent aux habiletés qui permettent aux individus d'accomplir un travail dans un secteur particulier (voir l'encadré 8.7). S'il y a des lacunes sur le plan du rendement tant chez les superviseurs que chez les employés d'un même service, on doit inévitablement axer la formation sur le développement des compétences techniques.

Les connaissances et les compétences techniques requises chez un enquêteur en matière de harcèlement à l'emploi de l'administration fédérale canadienne

Connaissances	Compétences et capacités
• Principes d'équité procédurale • Politiques du Conseil du Trésor et politiques ministérielles concernant le harcèlement en milieu de travail, Loi sur l'accès à l'information, Loi sur la protection des renseignements personnels et autres pratiques, lois et règlements pertinents, au besoin • Cultures et contextes organisationnels • Techniques d'enquête	• Recueillir et synthétiser les renseignements obtenus dans le cadre des recherches, ce qui comprend l'examen de la documentation pertinente et des entrevues avec les parties et les témoins. • Cerner les questions et faits importants liés aux allégations. • Effectuer une analyse en profondeur des faits. • En arriver à des conclusions logiques et fondées (faire des constatations, au besoin). • Communiquer efficacement de vive voix. • Rédiger des rapports clairs et concis. • Écouter activement. • Traiter des situations difficiles et des sujets délicats.

Source : « Profil de compétences pour enquêteurs en matière de harcèlement », Ottawa, Secrétariat du Conseil du Trésor du Canada, 2007, www.tbs-sct.gc.ca/pubs_pol/hrpubs/hw-hmt/cphi-pcemh_f.asp.

Les compétences interpersonnelles. Généralement constituées des compétences en relations humaines et de certaines qualités personnelles, les compétences interpersonnelles font référence aux compétences en communication, en leadership, en négociation et en gestion d'équipes de travail sont de plus en plus recherchées (voir l'encadré 8.8). Elles sont utiles tant aux cadres de tout niveau qu'aux employés qui travaillent en équipe ou auprès des clients.

Les compétences liées au processus de gestion et l'approche *six sigma*. L'approche *six sigma* vise le développement des compétences liées au processus de gestion. Les employés sont appelés à utiliser plusieurs compétences touchant la résolution de problèmes dans le but d'améliorer la qualité et l'efficacité des processus organisationnels. D'abord implantée par Motorola dans les années 1980, cette approche s'est répandue dans les entreprises manufacturières (General Electric, Dupont, Ford, etc.) et, plus récemment, dans le secteur des services.

C'est une démarche structurée, basée sur des données mesurables et fiables. Le programme tient compte notamment des attentes du client et des critères de performance des processus de travail. Il fait appel à des outils d'analyse statistique pour déterminer les facteurs qui influent défavorablement sur la performance organisationnelle et vise la mise au point de solutions correctives. Par la réduction des coûts et des pertes, l'approche six sigma optimise les profits et la qualité. Les avantages sont nombreux : les actions sont mesurables et efficaces, les clients sont satisfaits, on fait participer les équipes de travail et, bien souvent, l'entreprise améliore son image.

L'implantation de l'approche six sigma commence par la formation des dirigeants, qui doivent déterminer les objectifs à atteindre. On montre ensuite à tout le personnel comment utiliser les mesures statistiques de contrôle technique ; pour ce faire, on recourt habituellement à la formation de formateurs à l'interne.

Six sigma

Approche élaborée par Motorola, visant l'amélioration de la qualité et de l'efficacité des processus organisationnels.

CONSULTEZ INTERNET

www.isixsigma.com/sixsigma/six_sigma.asp

Site consacré à l'approche *six sigma*

Les compétences interpersonnelles recherchées chez un gestionnaire

Gestion des équipes de travail	Vitalité et résistance au stress
• Gérer la dynamique des groupes et les situations de groupe au sein des unités et entre celles-ci. • Reconnaître la contribution des autres. • Collaborer avec les subalternes afin de les aider à se fixer des objectifs stimulants, mais réalistes. • Reconnaître les relations difficiles et y faire face.	• Déterminer les limites de l'unité sur le plan de la charge de travail et des changements. • Encourager et faciliter le dialogue sur le stress en milieu de travail et sur les stratégies permettant d'y faire face efficacement. • Avoir un jugement sûr et une solide capacité de prise de décision dans des situations exigeantes ou stressantes.
Communication	**Éthique et valeurs**
• Utiliser la communication à des fins d'efficacité interpersonnelle. • Représenter avec exactitude les préoccupations, les idées et les opinions des subalternes auprès de la haute direction. • Tenir la haute direction et les principaux intervenants au courant de l'avancement des projets pertinents. • Utiliser la technologie pour communiquer efficacement.	• S'assurer que les projets sont conformes aux valeurs de l'organisation et de la fonction publique. • Utiliser des pratiques éthiques saines dans l'exécution des fonctions opérationnelles. • Assurer l'équité des mesures de dotation et des occasions de perfectionnement. • Appliquer des pratiques objectives, équitables et impartiales en matière de ressources humaines.
Souplesse du comportement	**Confiance en soi**
• Modifier les priorités opérationnelles pour répondre à de nouveaux défis dans un environnement en évolution. • Conserver l'efficacité opérationnelle malgré un environnement empreint d'ambiguïté et d'incertitude.	• Assumer la responsabilité du travail de son unité. • Remettre en question le *statu quo*. • Rechercher des opinions contraires pour mieux comprendre les situations, les événements ou les changements. • Soutenir ses employés et défendre leurs intérêts au besoin.

Source : « Compétences en leadership au niveau gestionnaire », Agence de gestion des ressources humaines de la fonction publique du Canada, 2007. http://www.psagency.agencefp.gc.ca/cap/03/mgnarr_f.asp.

Les compétences linguistiques. De nombreux phénomènes rendent de plus en plus nécessaire la connaissance des langues étrangères : la diversité culturelle au sein même des entreprises, la mondialisation des marchés, les fusions, les acquisitions et les alliances internationales ainsi que la formation d'équipes internationales. La maîtrise de plusieurs langues est désormais une compétence très prisée par les entreprises. On offre d'ailleurs de plus en plus couramment une formation en langues étrangères aux employés, tant pour leur faciliter une affectation à l'international que pour traiter à l'étranger avec les clients, les fournisseurs ou les collègues.

LES COMPÉTENCES ÉMOTIONNELLES

On considère de plus en plus les compétences émotionnelles comme des qualités indispensables à la réussite individuelle : la maîtrise de soi, l'autodiscipline, la persévérance, l'empathie, etc. Les premières études sur

DANS LES FAITS

Les entreprises suivantes ont implanté l'approche six sigma.

1987 : Motorola (inventeur du système)

1990 : IBM

1991 : Texas Instruments

1994 : AlliedSignal (Honeywell)

1996 : Kodak, General Electric

1998 : Sony, 3M, Toshiba, Nokia, Ford

2002 : RCI Bank (Renault), Nissan

2003 : Home Depot, Axa, SFR

2005 : BNP Paribas[14]

l'intelligence émotionnelle datent des années 1990, avec les travaux de Salovey et Mayer. On définit l'intelligence émotionnelle comme l'habileté à gérer ses émotions et celles des autres : les percevoir, les exprimer et les intégrer dans ses processus de pensée, de compréhension et de raisonnement. En 1995, l'ouvrage intitulé *L'intelligence émotionnelle*, de Goleman[15], a grandement contribué à sensibiliser les gens à cette question. L'auteur explique qu'une personne pourvue d'une intelligence émotionnelle supérieure montrera une grande efficacité dans ses rapports interpersonnels, et cela sur plus d'un plan.

Intelligence émotionnelle

Compétences attribuables à la conscience de soi, à la maîtrise de soi, à la conscience sociale et à la gestion des relations avec les autres.

Il semblerait par ailleurs qu'on puisse développer ses compétences émotionnelles grâce à une formation appropriée et que ces compétences constituent un meilleur prédicteur de réussite scolaire ou professionnelle que le quotient intellectuel (QI), d'où l'engouement pour le sujet[16].

8.3.2 | Les intervenants

Dans l'élaboration d'un programme de formation, il faut tenir compte des intervenants : les employés visés par la formation et les formateurs.

LES EMPLOYÉS VISÉS PAR LA FORMATION

En général, on conçoit un programme de développement des compétences pour enseigner des habiletés bien précises. Il arrive souvent que la formation porte sur des éléments utilisés dans plusieurs types d'emplois. Par exemple, on peut montrer un nouveau procédé ou le fonctionnement d'une nouvelle machine à la fois aux employés qui doivent s'en servir et à leurs superviseurs : le degré de compréhension sera le même pour tous et les rôles seront bien délimités. Par ailleurs, l'acquisition de compétences et d'habiletés liées à la résolution de problèmes et à la prise de décision est utile à n'importe quel employé engagé dans un travail participatif, entre autres dans un cercle de qualité ou dans un groupe semi-autonome.

En plus de déterminer les catégories d'employés à former, il faut aussi décider de l'importance du groupe. La formation de un ou deux employés à la fois convient à l'apprentissage en milieu de travail ; par contre, on pourra recourir à d'autres approches pour former un grand nombre d'employés sur une courte période.

LES FORMATEURS

L'organisation peut recruter les formateurs à l'interne ou à l'externe (voir l'encadré 8.9). Le choix est souvent lié au contenu du programme et au lieu de formation. Ainsi, ce sont habituellement des membres de l'organisation (superviseurs ou collègues) qui enseignent les habiletés professionnelles de base, alors qu'on a plutôt tendance à retenir les services de professeurs d'université ou de consultants pour enseigner les habiletés touchant les relations interpersonnelles ou les concepts utiles aux gestionnaires.

Avant de recourir aux superviseurs ou aux collègues de travail, il faut d'abord les former… en formation. En effet, un employé compétent dans des tâches données ne possède pas nécessairement les habiletés pour les enseigner ; de plus, sans formation, un employé pourrait transmettre aux autres une méthode de travail « approximative » plutôt que la méthode recommandée par l'organisation.

DANS LES FAITS

Dans les grandes organisations, comme McDonalds, IBM, Xerox et Air Canada, les services de formation peuvent mettre en place plus d'un programme, destiné entre autres à améliorer les habiletés de gestion.

Qui peut jouer le rôle de formateur ?

- Le superviseur immédiat
- Un collègue de travail
- Un membre du personnel des ressources humaines (par exemple un directeur de la formation)
- Un spécialiste d'un autre secteur de l'entreprise
- Un consultant
- Un membre d'une association professionnelle ou industrielle
- Un professeur d'université

8.3.3 | Les conditions de réussite du programme

La conception et la mise en œuvre d'un programme de formation demandent qu'on se penche sur plusieurs aspects : les méthodes de formation, le lieu de formation, la fréquence des activités, le climat d'apprentissage et le processus d'apprentissage.

LES MÉTHODES DE FORMATION

Il existe de nombreuses méthodes de formation (voir la section 8.4) et certaines combinaisons de méthodes produisent de meilleurs résultats que d'autres. Cependant, le choix des méthodes est étroitement lié au type d'information à transmettre et aux fonds disponibles. Bien sûr, le formateur peut préférer utiliser telle ou telle méthode. Par ailleurs, la recherche fait ressortir la concordance entre certaines méthodes et certains types d'apprentissage. En règle générale, les méthodes les plus efficaces, parfois plus coûteuses, font appel à des principes d'apprentissage diversifiés, elles requièrent la participation active de l'employé et exigent que celui-ci effectue des répétitions et des exercices.

DANS LES FAITS

Certains commerces de détail forment leurs directeurs de service en combinant la modélisation comportementale avec la technique des bandes vidéo. Les gestionnaires commencent par regarder un film dans lequel un individu (un acteur) occupant le même emploi qu'eux agit de façon idéale. Ensuite, on donne aux participants la possibilité d'imiter sur-le-champ le comportement de l'acteur et on enregistre le résultat sur vidéocassette.

LE LIEU DE FORMATION

Les facteurs suivants entrent en ligne de compte dans le choix du lieu de formation : le type d'apprentissage ainsi que le budget et le temps alloués. La formation peut se donner sur les lieux de travail ou ailleurs : il s'agit respectivement de *formation sur les lieux de travail* (au cours ou en dehors de l'horaire normal de travail) et de *formation hors des lieux de travail* (voir l'encadré 8.10). De façon générale, l'apprentissage des aptitudes professionnelles de base se fait en milieu de travail et l'essentiel de l'apprentissage de concepts se fait en formation externe.

LA FRÉQUENCE DES ACTIVITÉS DE FORMATION

L'analyse des compétences vise à les accroître. Les formateurs précisent la façon d'accomplir le travail et ils donnent ensuite aux employés la formation nécessaire à l'acquisition des compétences requises. Selon cette approche, les besoins de formation se ramènent à trois catégories : les besoins répétitifs, les besoins à court terme et les besoins à long terme. On offre régulièrement les programmes de formation destinés à répondre aux besoins répétitifs. Par exemple, on fait suivre un programme d'initiation au travail à chaque nouvel employé pour l'informer de la culture, des méthodes et des règlements de l'organisation. Une formation conçue pour montrer le fonctionnement d'une nouvelle machine répond à un besoin à court terme. Enfin, pour répondre aux besoins à long terme, on met en œuvre des programmes de formation sur une longue période, notamment un programme d'affectations successives du personnel ou un programme d'évaluation et de planification des carrières.

DANS LES **FAITS**

Sur le site Internet de Cascades, on peut lire ce qui suit.

Nous misons énormément sur la formation pour permettre à chacun de nos employés de se réaliser pleinement et pour préparer une relève forte et toujours prête à accepter de nouveaux défis. En 2001, Cascades a offert 475 238 heures de formation continue à ses employés.

Plus de 10 000 employés ont participé en 2001 à l'une ou l'autre de nos nombreuses activités de formation [sur les lieux de travail ou à l'externe] et nous avons consacré à ces divers programmes de formation continue plus de 15,5 millions de dollars[17].

ENCADRÉ ▶ **8.10**

Le lieu et le moment de la formation

Type de formation	Avantages	Désavantages
Sur les lieux de travail, pendant l'horaire normal	• Procure des expériences d'apprentissage directement liées aux tâches à exécuter. • Correspond à un véritable apprentissage. • Permet la poursuite du travail, parallèlement à l'acquisition des connaissances. • Facilite l'apprentissage. • Permet une rétroaction constante sur le travail effectué.	• Peut susciter le mécontentement de la clientèle. • Risque de déranger les formateurs (superviseurs ou collègues de travail). • Comporte un risque d'erreurs coûteuses ou de dommages au matériel de l'organisation. • N'est pas toujours conçue de manière structurée.
Sur les lieux de travail, en dehors de l'horaire normal	• Permet un apprentissage rapide et individualisé. • Maintient le contact entre les unités de travail. • Ne perturbe pas les activités courantes.	• Constitue un processus coûteux (matériel, formateur, etc.). • Exige du temps.
Hors des lieux de travail	• Permet au travailleur d'acquérir des compétences à l'abri des pressions du milieu de travail. • Suscite des discussions. • Réduit le risque d'erreurs coûteuses ou de dommages au matériel de l'organisation. • Est appropriée à l'apprentissage d'habiletés complexes. • Permet le recours à des ressources externes compétentes.	• Coûte habituellement plus cher que la formation en milieu de travail. • Comporte des difficultés de transmission des connaissances du lieu de formation au lieu de travail. (Des études ont fait ressortir que plus l'environnement où se déroule la formation est différent de l'environnement de travail, plus les employés ont du mal à appliquer l'apprentissage dans leur travail.)

L'ÉTABLISSEMENT D'UN CLIMAT PROPICE À D'APPRENTISSAGE

On ne se limite plus à montrer aux employés des façons de faire. La tendance dans les organisations apprenantes (ou organisations intelligentes) est de mettre l'accent sur les compétences individuelles et collectives, les structures de soutien et les attitudes qui incitent à l'apprentissage[18]. Ce sont les normes culturelles qui encouragent ou freinent le désir d'apprendre. L'entreprise qui veut créer un climat propice à l'apprentissage a divers moyens à sa disposition : encourager la curiosité et amener les employés à vouloir apprendre, savoir reconnaître les conflits et les erreurs, créer un modèle de direction qui accepte l'incertitude et l'expérimentation ainsi que promouvoir le travail en équipe[19].

**Organisation apprenante
(ou organisation intelligente)**

Organisation qui possède l'aptitude à créer, à acquérir et à transmettre des connaissances, ainsi qu'à modifier son comportement, afin de refléter de nouvelles connaissances et de nouvelles manières de voir les choses.

L'OPTIMISATION DU PROCESSUS D'APPRENTISSAGE

Même lorsque le choix de la méthode de formation se révèle judicieux, l'apprentissage peut échouer si l'organisation ne respecte pas certains principes de façon optimale. En effet, il importe de suivre certaines étapes, avant, pendant et après la formation, de façon à augmenter l'efficacité du processus et à favoriser l'assimilation des connaissances[20]. Ces considérations doivent faire l'objet d'une évaluation dans la troisième phase du processus de développement des compétences.

Avant la formation. Avant même d'entreprendre la formation, le formateur doit chercher à maximiser ses chances de succès. Pour y arriver, il doit accomplir certaines tâches essentielles (voir l'encadré 8.11). Si le nombre d'employés le permet, le formateur devrait tenter de former des groupes homogènes, selon la capacité à apprendre, le style d'apprentissage privilégié (concret ou abstrait), le type et le rythme d'apprentissage, etc. On peut ainsi tirer le meilleur parti possible des différences individuelles. De nombreuses écoles primaires et secondaires exploitent cette approche et les résultats sont très encourageants. L'homogénéité des groupes ne change rien aux objectifs de la formation, mais dans l'ensemble elle améliore les résultats.

E N C A D R É ▶ **8.11**

Les responsabilités du formateur avant le début de la formation

- Préparer le matériel pédagogique en utilisant une terminologie et un langage clairs et compréhensibles.
- Préciser les comportements attendus à chaque étape et à la fin de la formation.
- Déterminer le niveau de rendement minimal jugé acceptable.
- Énoncer les critères de mesure du rendement qui seront utilisés.

La motivation et la capacité d'apprentissage des employés sont des facteurs déterminants du succès de la formation. Celle-ci sera probablement plus facile à donner et les chances de succès plus élevées si les employés sont désireux de changer et d'acquérir de nouveaux comportements. Il faut donc évaluer ces facteurs avant d'entreprendre une quelconque formation. L'autoévaluation et l'avis des superviseurs peuvent s'avérer fort utiles dans cette tâche.

Le formateur doit décider à l'avance du mode et du contexte de transmission de l'information. Des recherches montrent que la clarté des instructions et la précision des comportements attendus favorisent grandement l'apprentissage. Le formateur doit aussi définir à l'avance les objectifs de rendement. Autrement dit, il doit se préparer de manière à pouvoir communiquer clairement aux employés ce qu'ils doivent apprendre.

Il est utile également d'assortir de récompenses les niveaux de rendement attendus. La perspective de conséquences positives (par exemple une promotion, une augmentation de salaire, une certaine forme de reconnaissance) ou la protection contre les réactions négatives (par exemple un congédiement, des critiques) constituent généralement une bonne source de motivation pour les employés en formation.

La *modélisation comportementale* est l'utilisation d'une représentation visuelle des comportements attendus. En montrant aux apprenants les comportements à adopter, cette technique en favorise effectivement l'apparition. On peut enregistrer à l'avance sur vidéocassette ou DVD une démonstration effectuée par un superviseur, un collègue ou un expert, qui sert alors de modèle. On peut raffiner la technique en classant les comportements attendus du plus facile au plus difficile. Par exemple, des organismes communautaires forment leurs nouveaux travailleurs sociaux en leur montrant d'abord comment régler des cas faciles, puis en leur présentant des cas de plus en plus lourds ou complexes. Enfin, des recherches controversées donnent à penser que la présentation simultanée d'un modèle négatif (comportant un faible rendement) et d'un modèle positif (comportant un bon rendement) facilite habituellement le transfert des connaissances.

Pendant la formation. Des études montrent que certains facteurs améliorent l'apprentissage[21]. La participation active est l'un de ces facteurs. Il semble en effet que les individus qui participent au processus d'apprentissage sont plus alertes, plus confiants, et qu'ils accomplissent mieux les tâches demandées. On peut recourir à la participation directe ou indirecte (par exemple à des jeux de rôles ou à la simulation).

Par ailleurs, on devrait toujours donner l'occasion à l'employé de mettre en application ce qu'on lui enseigne, même s'il ne s'agit pas d'habiletés ou de connaissances tout à fait nouvelles. Il est assez difficile d'imaginer un joueur de tennis professionnel ou un pianiste virtuose qui ne s'exercerait jamais. Nous touchons d'ailleurs là à des questions difficiles à trancher. Doit-on subdiviser les périodes de formation ou les donner de façon continue ? Doit-on répartir les exercices ou les regrouper ? Les réponses à ces questions sont liées à la nature des tâches à enseigner. La répartition des exercices semble donner de meilleurs résultats dans l'apprentissage d'habiletés motrices. Cependant, dans de nombreuses entreprises, on privilégie les formations ininterrompues parce qu'on est pressé d'en finir et qu'on souhaite la reprise de la production. À long terme, il va sans dire que cette attitude peut se révéler fort nuisible à l'organisation.

L'établissement des objectifs accélère l'apprentissage, particulièrement lorsqu'il s'accompagne de la communication des résultats. Les individus travaillent généralement mieux et apprennent plus rapidement lorsqu'ils se sont fixé des objectifs, particulièrement si ces objectifs sont stimulants. Les buts trop faciles ou impossibles à atteindre sont peu motivants. La motivation agit seulement sur la personne qui se croit capable d'atteindre les buts fixés. C'est pourquoi l'individu qui participe à l'établissement des objectifs sera d'autant plus motivé. Par ailleurs, quand le directeur (ou le formateur) détermine avec les employés les buts de la formation, il peut plus facilement déceler les forces et les faiblesses de chacun. On peut améliorer l'efficacité du programme de développement des compétences en élaborant certaines parties en fonction des caractéristiques de certains employés.

CONSULTEZ INTERNET

www.astd.org

Site de l'American Society for Training and Development, consacré à l'apprentissage en milieu de travail et à la performance

La prophétie autoréalisatrice (ayant pour effet de déclencher l'événement) est connue aussi sous le nom d'effet Pygmalion. Si l'on en croit la légende, Pygmalion tomba un jour amoureux d'une statue à laquelle ses prières assidues et sincères finirent par donner la vie ! Le désir profond de Pygmalion, son désir le plus cher, était devenu réalité.

Si le processus d'établissement des objectifs influe sur la motivation des apprenants, il en va de même des attentes du formateur. Certaines études ont montré que les attentes fonctionnent souvent comme des prophéties autoréalisatrices (qui suscitent l'événement). Donc, plus les attentes du formateur sont élevées, meilleur sera le rendement des employés formés. Il faut dire que les responsabilités du formateur pendant la formation sont considérables (voir l'encadré 8.12).

Pour amener l'employé en formation à maîtriser de nouveaux concepts et lui faire acquérir de nouvelles habiletés, il faut lui fournir une rétroaction sur son rendement ; celle-ci doit être précise, effectuée au moment opportun et pratique, et elle doit porter sur les comportements plutôt que sur la personnalité. En fait, ces qualités correspondent aux principes du renforcement positif (voir la section 10.8.1). Il faut gérer efficacement la rétroaction (ou connaissance des résultats).

ENCADRÉ ▶ **8.12**

Les responsabilités du formateur pendant la formation

- Fournir la rétroaction le plus tôt possible après l'observation du comportement.
- Être très clair sur la relation entre le comportement et la rétroaction.
- Transmettre une information et une rétroaction proportionnelles à l'importance de l'étape d'apprentissage visée.
- Dans la mesure du possible, fournir une rétroaction positive (les recherches indiquent qu'elle est mieux perçue et mieux retenue que la rétroaction négative).
- Enrichir la rétroaction de renforcements variés (le formateur efficace est créatif).
- Soigner le contenu du matériel (on assimile plus facilement le contenu pratique et qui porte sur des aspects importants).

Après la formation.   Une fois la formation terminée, il est important de mettre sur pied un mécanisme de contrôle pour s'assurer que les comportements enseignés ont bien été adoptés[22]. Il arrive trop souvent que des employés pleins de bonne volonté retombent dans leurs anciennes habitudes après la formation. C'est un phénomène qui réduit l'efficacité du programme de formation et, malheureusement, on néglige souvent de mettre sur pied un système, une politique ou un programme de suivi. Il existe divers questionnaires pouvant servir de guide dans les rencontres de suivi (voir l'encadré 8.13).

Le suivi de la formation et le soutien à l'employé formé sont essentiels à la mise en application des acquis et au changement de comportement. C'est pourquoi le programme de formation doit prévoir des moyens pour favoriser le transfert des connaissances dans les activités courantes. Par ailleurs, il faut nécessairement aligner le contexte de la formation sur celui du travail. On doit donc planifier une séquence de transfert des apprentissages à la situation de travail. Il existe de nombreuses stratégies pour renforcer les comportements à adopter après la formation (voir l'encadré 8.14).

Questionnaire utile pour mener une rencontre de suivi

1. Depuis votre formation :

   a) Y a-t-il eu dans l'entreprise des événements qui ont rendu nécessaires des changements (dans la structure, les tâches, les systèmes d'information, les processus de travail, etc.) pour améliorer le fonctionnement de l'organisation ou celui de votre unité administrative ? Si oui, présentez-en un en quelques mots.

   b) Avez-vous pris l'initiative d'apporter certains changements (dans la structure, les tâches, les systèmes d'information, les processus de travail, etc.) pour améliorer le fonctionnement de l'organisation ou celui de votre unité administrative ? Si oui, présentez-en un en quelques mots.

   c) Vous proposez-vous d'amorcer prochainement certains changements ? Si oui, présentez-en un en quelques mots.

2. Quels sont les principaux objectifs visés par les changements apportés ou à venir ? Parlez brièvement de ces objectifs.

3. Parmi les changements apportés (ou à venir), quels ont été (ou quels seront) les principaux obstacles à surmonter et les principaux facteurs facilitants ? Parlez brièvement de chacun.

4. Depuis votre formation, avez-vous constaté que la gestion efficace du changement vous demandait de modifier des comportements, des habitudes, des attitudes ou des pratiques de gestion (par exemple de faire des choses que vous ne faisiez pas avant ou de procéder différemment dans certaines situations) ? Si oui, parlez brièvement de ces changements.

5. Dans les semaines qui ont suivi la formation, vous avez eu des situations à analyser et des problèmes à régler. Vous est-il arrivé alors de faire appel consciemment à des éléments traités durant la formation ? Si oui, parlez-en brièvement.

6. Quelles questions aimeriez-vous poser à vos collègues qui seront présents à la rencontre ? Par exemple : Qu'est-ce qui arrive quand on fait telle chose de telle façon ? Qu'auriez-vous fait dans telle situation ? Que me conseillez-vous de faire maintenant ?

7. Quel est votre principal objectif en participant à cette rencontre de suivi ?

Au cours de la rencontre de suivi, les échanges porteront sur les actions entreprises par vous et par vos collègues, de même que sur vos projets et vos préoccupations en rapport avec la gestion du changement. Dans cet esprit, accepteriez-vous de présenter votre situation en une quinzaine de minutes ?

Oui _____ Non _____ Je préfère prendre la décision sur place.

Source : adapté de G. Archambault, « La formation de suivi et le transfert des apprentissages », *Gestion*, vol. 22, no 3, 1997, p. 120-125.

Stratégies pour renforcer les nouveaux comportements

Demander à chaque participant de rédiger une lettre d'engagement	• À la fin de la formation, chaque participant rédige un court texte pour souligner les aspects du programme qu'il juge les plus bénéfiques à son travail et pour s'engager à adopter les comportements qu'il a appris. • Chaque participant remet une copie de sa lettre à un collègue ayant suivi la formation. Ce dernier s'engage à observer régulièrement (par exemple toutes les deux ou trois semaines) les progrès du participant.
Élaborer un système de notation par points	• Ce système vise à faire ressortir les progrès consécutifs à l'apprentissage. • On peut ainsi synthétiser et signaler aux employés les comportements clés, particulièrement ceux qui sont difficiles à observer et qui constituent l'arrière-plan cognitif du travail.

Prévoir des récompenses	• Les récompenses encouragent les participants à adopter les comportements nouvellement appris. • Ces renforcements peuvent prendre la forme d'une reconnaissance sociale, pécuniaire ou autre et ils doivent correspondre au rendement réel.
Confier l'évaluation à des superviseurs ou à des collègues	• Des objectifs explicites servent de base aux employés pour juger de leurs progrès. • Ces objectifs doivent être réalistes pour que les employés se sentent capables de les atteindre.
Définir des objectifs explicites et réalistes	• Comme les formateurs ne peuvent généralement pas être présents en situation de travail, on peut former des superviseurs et des collègues à l'évaluation des changements. • Les superviseurs et les collègues ainsi formés doivent être patients et tolérants à l'égard des erreurs de façon à ne pas décourager les participants. • Les critiques constructives incitent davantage les employés à changer de comportement que les critiques négatives.

8.4

LES MÉTHODES ET LES TECHNIQUES DE DÉVELOPPEMENT DES COMPÉTENCES

Le nombre de méthodes, de techniques, d'outils et de formes de soutien à l'apprentissage est impressionnant. Il est courant de classer les techniques selon le lieu de formation : sur les lieux de travail ou hors des lieux de travail. De façon générale, on distingue la formation donnée dans le cadre des activités courantes de l'organisation de celle qui est donnée en dehors de celles-ci (voir l'encadré 8.15).

ENCADRÉ ▶ 8.15

Les méthodes de formation du personnel

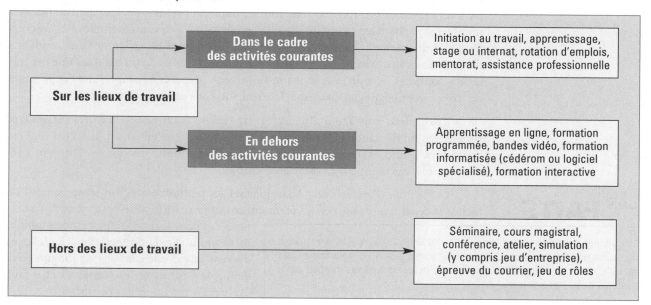

8.4.1 | Les méthodes utilisées sur les lieux de travail

Passons en revue les méthodes utilisées sur les lieux de travail dans le cadre des activités courantes et en dehors de celles-ci.

LA FORMATION DANS LE CADRE DES ACTIVITÉS COURANTES

L'*initiation au travail* sert à former les cols blancs, les cols bleus et les techniciens. On l'utilise fréquemment auprès des nouveaux employés. Cette technique comprend quatre étapes.

1. La sélection du formateur et des participants ainsi que leur préparation à l'expérience d'apprentissage
2. Des explications et une démonstration portant sur la tâche à accomplir
3. L'évaluation du rendement de l'employé pendant sa formation
4. Une séance de rétroaction au cours de laquelle le formateur et l'employé discutent du rendement de ce dernier et des exigences de l'emploi

L'*apprentissage* est une méthode très utile pour la formation des ouvriers spécialisés, des techniciens et des professionnels. En fait, il s'agit d'une formation exigée par bon nombre d'ordres professionnels. Les composantes internes et externes d'un programme d'apprentissage doivent tenir compte des différences individuelles dans la capacité d'apprendre et être suffisamment flexibles pour s'adapter à l'évolution des exigences et des technologies liées au métier ou à la profession. Certains pays, comme l'Allemagne, utilisent largement cette méthode et peuvent ainsi satisfaire à la demande de main-d'œuvre. Les programmes d'apprentissage s'étalent sur une période de deux à cinq années et combinent la formation en milieu de travail avec un nombre minimal d'heures passées en classe et en atelier.

Le *stage* et l'*internat* sont moins structurés que l'apprentissage. Ces techniques font souvent l'objet d'une entente entre, d'une part, les écoles et collèges, et, d'autre part, les organisations locales. Tout comme dans l'apprentissage, les participants sont rémunérés pendant leur formation, moins cependant que les autres employés. L'internat n'est pas uniquement une source de formation ; il permet également aux étudiants d'être soumis aux exigences d'un emploi et aux conditions de travail dans une organisation donnée. Ces individus sont souvent mieux préparés à comprendre l'application des concepts enseignés en classe que les étudiants sans expérience de travail.

L'*assistanat* consiste à affecter un travailleur à temps plein à des tâches très variées ; on lui demande notamment d'aider les autres travailleurs. L'apprentissage est cependant limité si l'employé n'acquiert pas l'autonomie nécessaire. On peut corriger cet inconvénient par la rotation d'emplois.

La *rotation d'emplois* sert à familiariser les employés avec un large éventail de tâches et de situations tout en les formant, ce qui favorise le développement de l'autonomie et l'acquisition d'une grande mobilité professionnelle. Les affectations successives doivent être d'une durée assez longue pour éviter de démotiver les employés et il faut évaluer l'acquisition des compétences.

DANS LES **FAITS**

Le concept de mentorat tire ses origines de la mythologie grecque : Ulysse demanda un jour à son ami Mentor de montrer à son fils Télémaque tout ce qu'on pouvait retirer de la lecture des livres et de l'observation de la destinée des êtres humains.

Le *coaching* (accompagnement individualisé ou accompagnement professionnel) et le *mentorat* sont des programmes de formation moins structurés. Ils consistent à aider et à orienter au jour le jour un travailleur dans la façon d'effectuer ses tâches et de répondre aux attentes de l'organisation.

L'efficacité du coaching dépend de la capacité du superviseur d'instaurer un climat de confiance mutuelle, d'offrir à l'employé des occasions de croissance et de lui déléguer des tâches.

Le mentorat est une forme d'assistance professionnelle; le mentor est un employé dont la réputation est bien établie dans l'organisation et il joue un rôle de guide auprès de son «protégé», c'est-à-dire d'un travailleur moins expérimenté[23]. À l'origine, le mentorat était un processus plutôt souple entre un employé expérimenté et un autre en début de carrière. Certaines organisations en sont cependant venues à adopter une politique d'appariement. La popularité grandissante du mentorat est peut-être en partie liée au fait que de plus en plus de femmes cherchent à obtenir des promotions à des postes de gestion traditionnellement occupés par des hommes et qu'elles voient là un moyen privilégié d'y parvenir[24].

LA FORMATION EN DEHORS DES ACTIVITÉS COURANTES

Les nouvelles technologies ont grandement favorisé la progression des programmes de formation sur les lieux de travail.

La *formation programmée* est une technique d'autoformation qui utilise les technologies informatiques. Le matériel d'apprentissage est modulaire et le participant doit réussir chaque module avant de passer au suivant. Dans la conception du matériel, il faut donc découper adéquatement la matière (habiletés et tâches). Le degré d'apprentissage est élevé parce que chacun progresse à son rythme et que la rétroaction est continue, immédiate et anonyme. Il faut cependant connaître les désavantages de cette méthode. D'abord, les habiletés et les tâches ne peuvent pas toutes être facilement découpées en unités d'apprentissage. Ensuite, la conception d'un programme coûte très cher : le rapport est de 50 heures de conception pour 1 heure de formation. La rentabilisation de cette méthode repose en général sur deux éléments : l'utilisation de programmes existants (par exemple, un tutoriel) et le grand nombre de participants.

On peut utiliser les *présentations sur DVD* en formation sur les lieux de travail ou hors des lieux de travail. Ce support visuel a remplacé avantageusement les films traditionnels : on enregistre ainsi des situations et des informations de façon plus simple et moins coûteuse ; l'utilisation est plus souple, car il est facile d'arrêter et de reprendre le déroulement à tout moment. On trouve de plus en plus ce genre de présentations sur le marché de la formation. Cette méthode facilite l'uniformisation de la formation, même pour les entreprises dont les bureaux sont dispersés.

Grâce à la technologie du cédérom, de nouvelles tendances se dessinent. La *formation interactive sur vidéodisque* est un prolongement de la formation informatisée, mais elle coûte moins cher. Le marché abonde de tutoriels pour apprendre le fonctionnement d'un logiciel ou d'un ordinateur. Par exemple, Apple et IBM en ont conçu sur l'utilisation de leurs ordinateurs[25]. On peut aussi apprendre de cette façon à utiliser des logiciels courants, comme un traitement de texte (Word), un logiciel d'analyse statistique (SPSS, SAS), un logiciel d'entretien (Norton Utilities, PC Tools), un tableur (Excel, Lotus 1-2-3), un logiciel de gestion des données (dBASE), etc.

www23.hrdc-drhc.gc.ca/2001/f/tutorial/tutoriel_CNP.pdf

Document de présentation d'un tutoriel consacré à la classification nationale des professions sur le site de Développement des ressources humaines Canada

www.training.ibm.com

Présentation du programme de formation en technologies de l'information d'IBM Global Campus

La *vidéoconférence* est un moyen privilégié de formation pour les entreprises dont les bureaux sont dispersés dans le monde ou simplement assez éloignés les uns des autres pour rendre intéressante l'économie réalisée en annulant les déplacements des formateurs et des apprenants.

Grâce à Internet et aux intranets, l'*apprentissage en ligne* (ou *cyberapprentissage*; en anglais : *e-learning*) est en plein essor. Cette approche d'apprentissage individualisé est polyvalente : elle peut être appliquée sur les lieux de travail, ou non, et dans le cadre des activités courantes, ou non. Elle recourt à diverses techniques, comme les simulations interactives, les vidéos, les tests en ligne, etc. Ici encore, c'est une méthode utile pour uniformiser la formation et faciliter la communication dans une entreprise dont les bureaux ne sont pas centralisés. Une fois amorti le matériel informatique, les coûts de formation sont réduits. L'aspect « divertissant » de l'apprentissage en ligne concourt à maintenir la motivation des participants. Dans le même ordre d'idées, la *salle de classe virtuelle* peut servir à créer un environnement virtuel proche du milieu de travail et faciliter ainsi le transfert de l'apprentissage. Par contre, cette méthode coûte très cher[26] : il faut compter l'achat du matériel informatique et l'élaboration de programmes sophistiqués.

8.4.2 | Les méthodes utilisées hors des lieux de travail

Les organisations peuvent avoir recours à diverses méthodes de formation à l'extérieur du milieu du travail et profiter de l'expertise diversifiée des entreprises spécialisées ou des établissements d'enseignement.

LES COURS TRADITIONNELS ET LES SÉMINAIRES

Les *cours traditionnels* et les *séminaires* sont très populaires en raison de la masse d'information qu'on peut transmettre efficacement à un grand nombre de personnes. Bien que plus de 83 % des organisations y recourent, on les critique souvent en faisant ressortir leurs lacunes.

En fait, ces méthodes ont tendance à perpétuer la structure d'autorité des organisations traditionnelles et elles entravent les progrès des participants en ne leur donnant pas l'occasion de participer au processus d'apprentissage. Ce sont le plus souvent les établissements d'enseignement (universités, cégeps et écoles techniques) qui utilisent ces méthodes. C'est un type de formation plutôt contraignant, sauf pour l'apprentissage de connaissances et de concepts ou pour la transmission de compétences et d'habiletés dans des tâches données en milieu de travail.

Par ailleurs, les personnes qui connaissent peu la formation en séminaire ou qui n'ont pas beaucoup d'aptitudes en communication verbale peuvent trouver le contexte plus ou moins menaçant. De plus, il est difficile d'individualiser la formation en fonction des habiletés, des champs d'intérêt ou des traits de personnalité. C'est pourquoi les directeurs de la formation des grandes entreprises rappellent, sondage après sondage, que les séminaires représentent la méthode de formation la moins efficace. D'un autre côté, les recherches indiquent que les séminaires ont davantage de succès pour l'acquisition de connaissances que pour l'acquisition d'habiletés ou la modification d'attitudes.

En raison de leur grande taille ou de la décentralisation de leurs bureaux, bon nombre d'organisations utilisent les *séminaires préenregistrés* dont la production coûte moins cher que celle d'une bande vidéo plus étoffée ou d'un film; la diffusion des copies est assez simple. Les cours universitaires télévisés en sont un exemple. Cela s'avère très pratique pour les étudiants vivant en région éloignée. De plus, on peut générale-ment visionner les enregistrements en bibliothèque.

LES CONFÉRENCES ET LES ATELIERS

Les *conférences* et les *ateliers* enrichissent un cours traditionnel ou un séminaire grâce à la participation active des étudiants, qui rend l'apprentissage plus dynamique. Ces méthodes sont plus adaptées à l'acquisition de connaissances que toute autre méthode de formation. Dans ce contexte, on prépare souvent des études de cas sous forme écrite, c'est-à-dire la description narrative de situations réelles ou fictives. Il est prouvé que les études de cas sont particulièrement stimulantes, en particulier dans les petits groupes. En effet, les participants s'investissent et bénéficient de la rétroaction immédiate de leurs pairs. Ce sont des occasions privilégiées de mettre en pratique leurs connaissances conceptuelles et théoriques. Les principaux désavantages de ces méthodes sont les suivants: l'expérience est limitée et ne correspond pas toujours aux situations de travail réelles; le formateur doit être très expérimenté pour guider adéquatement les participants tout au long de l'analyse.

LES SIMULATIONS ET LES JEUX DE RÔLES

La *simulation* consiste à présenter aux participants, gestionnaires ou professionnels, des situations analogues à celles de leur travail. Elle vise l'acquisition d'habiletés liées à la maîtrise de concepts et à la résolution de problèmes. Il existe différentes formes de simulations.

Dans la *formation en atelier-école* (*vestibule training*), on simule l'environnement de travail de l'individu. Comme dans toute simulation, cette méthode comporte une part d'irréalité. C'est pourquoi on préfère parfois donner la formation dans l'envi-ronnement de travail. Les arguments qu'on invoque le plus souvent pour défendre la simulation sont les suivants: elle réduirait les réactions d'insatisfaction des clients en interaction avec l'employé; celui-ci ressentirait moins de frustration qu'avec d'autres méthodes; la simulation réduirait le risque d'accident en cours de formation, ce qui se traduit par des économies pour l'organisation.

Le *centre d'évaluation* recourt de plus en plus à la simulation pour former les gestionnaires[27]. Rappelons qu'on l'utilise pour sélectionner ces derniers avant de les embaucher (voir la sous-section 6.3.5). Il est également efficace pour la formation et la détermination de besoins de formation, en particulier grâce au jeu d'entreprise et à l'épreuve du courrier.

Le *jeu d'entreprise* (ou simulation de gestion) suscite presque toujours la com-pétition entre les équipes d'employés en formation. À l'inverse, l'*épreuve du courrier* mise sur la participation individuelle (voir la sous-section 6.3.4); malgré son aspect stimulant et agréable, ses résultats dépendent en bonne partie du suivi. Pour apprendre au participant les rouages du travail de gestionnaire, il faut analyser avec lui ce qu'il a fait et ce qu'il aurait dû faire. Sinon, les chances d'amélioration peuvent être très minces, puisque le participant n'a pas une idée très précise des connaissances et des habiletés qui peuvent lui servir dans son travail.

inforoutefpt.org

Site de l'Inforoute FPT qui pré-sente le réseau de la formation professionnelle et technique du Québec: les programmes, les établissements d'enseigne-ment, etc.

Le *jeu de rôles* vise à améliorer les aptitudes des gestionnaires dans leurs relations interpersonnelles (par exemple avoir conscience de soi et des autres), de même qu'à les amener à changer leurs attitudes et à mettre en pratique leurs habiletés en matière de relations humaines (par exemple la capacité de diriger et la technique d'entrevue). On s'intéresse donc davantage aux aspects émotionnels, soit aux relations humaines, qu'aux faits eux-mêmes. Dans un jeu de rôles, on crée une situation réaliste et on demande aux participants d'y jouer des rôles correspondant à divers types de personnalité. L'efficacité d'une telle activité est fortement liée à l'engagement des participants dans leur rôle. Si vous avez participé à une activité de ce genre, vous savez pertinemment qu'il est plus difficile de se donner pleinement que de se contenter de lire platement son texte. Ce n'est donc qu'en assumant tout à fait leur personnage que les participants peuvent être vraiment sensibles à ses traits distinctifs (par exemple ses sentiments ou ses intérêts)[28].

8.5 LES ASPECTS À CONSIDÉRER DANS LE DÉVELOPPEMENT DES COMPÉTENCES

Il convient de traiter à part certains éléments liés au développement des compétences : le développement du potentiel des employés, la formation liée aux équipes de travail et le perfectionnement des cadres.

8.5.1 | Le développement du potentiel des employés

Dans de nombreuses organisations, le développement du potentiel des employés fait partie intégrante de la planification de carrière[29]. C'est ainsi qu'est apparue la *gestion des talents.*

Depuis une vingtaine d'années, les efforts de perfectionnement ont surtout porté sur les gestionnaires et les professionnels. Les programmes de développement des compétences qui leur sont destinés sont très variés, qu'ils fassent ou non partie de la politique officielle des organisations. Ce n'est que tout récemment qu'on s'est rendu compte qu'il est important de former aussi les autres catégories d'employés pour atteindre les objectifs stratégiques à long terme. On a aussi compris que bien des habiletés qui ne sont pas nécessairement liées aux tâches à accomplir (par exemple l'aptitude à la négociation, la capacité de mémoriser, l'écoute, le service à la clientèle, etc.) peuvent aussi profiter à l'organisation.

En fait, le développement du potentiel des employés permet de reconnaître le rôle des individus — et non uniquement celui de la technologie — dans le succès de l'entreprise. Bien que le perfectionnement des employés se distingue du développement des compétences proprement dit par ses mécanismes, son cadre temporel et son processus, il faut quand même en évaluer les résultats[30].

8.5.2 | La formation liée aux équipes de travail

La développement des compétences des membres des équipes de travail met largement l'accent sur les principes sous-jacents à la dynamique de groupe et il est axé sur l'acquisition d'habiletés relatives à la connaissance de soi et des autres[31]. Cette formation se base sur l'observation et sur la participation à diverses situations de groupe. Les participants se retrouvent dans un groupe non structuré et ils échangent leurs idées et leurs sentiments sur des situations en train de se produire plutôt que sur des situations abstraites. Ils ont ainsi l'occasion de comprendre leurs propres émotions et motivations ainsi bien que celles des autres.

C'est d'abord pour le perfectionnement des membres de la direction et des cadres supérieurs qu'on a eu recours à la formation destinée à développer les compétences de création et de gestion des équipes de travail. On a ensuite étendu cette approche à d'autres catégories d'employés. Devant la popularité grandissante en entreprise des groupes de travail, des cercles de qualité, des équipes mixtes (par exemple des comités syndicaux-patronaux), des comités d'action et des groupes de travail autogérés, il devient nécessaire de mettre sur pied des programmes de formation appropriés.

8.5.3 | Le perfectionnement des cadres

Le perfectionnement des dirigeants d'entreprise fait appel à plusieurs des techniques présentées dans ce chapitre et à des programmes de formation traditionnelle. En raison de la forte concurrence entre les entreprises à l'échelle mondiale, les dirigeants doivent sans cesse hausser les normes de productivité, rechercher la qualité et faire preuve d'efficacité pour assurer la survie de leur organisation[32].

Ce perfectionnement est un processus continu, destiné à rendre les cadres supérieurs plus compétitifs, de façon tangible et mesurable. On détermine le contenu des programmes en fonction des objectifs de l'organisation, mais on accorde généralement la priorité à l'aptitude à diriger, à la capacité de faire de l'organisation un chef de file sur le marché, à la façon d'élaborer et d'appliquer des stratégies et à la gestion du changement. Les cadres du 21e siècle doivent acquérir de nombreuses compétences (voir l'encadré 8.16).

L'évaluation systématique des besoins des cadres doit bien sûr précéder tout programme de formation qui leur est destiné. Pour ce faire, on mène généralement des entrevues en profondeur. Au cours des années 1990, la méthode la plus utilisée parmi les 12 plus connues était le recours à des experts[33].

ENCADRÉ ▶ **8.16**

Les principales compétences recherchées chez les cadres

- Créer et inspirer une vision organisationnelle.
- Attirer les talents et leur permettre de s'épanouir.
- Communiquer individuellement et en groupe.
- Donner l'occasion aux employés de montrer leurs capacités.
- Guider les employés et les aider à se remettre en question.
- Aider les autres, tout en étant confiant dans ses propres capacités.
- Aider les employés à définir les besoins liés à la planification de leur carrière.
- S'entourer de conseillers efficaces.

Source : S. Caudron, « Building Better Bosses », *Workforce,* mai 2000, p. 32.

RÉSUMÉ

Les changements technologiques, la concurrence croissante et la désuétude rapide des connaissances et des habiletés exercent une pression importante sur les organisations en matière de formation et de perfectionnement de leur personnel. L'efficacité du processus de développement des compétences exige le respect de trois étapes : la détermination des besoins de formation, la conception et la mise en œuvre d'un programme, ainsi que l'évaluation de la formation.

La détermination des besoins de formation passe par l'analyse des besoins généraux, des besoins liés à l'exécution des tâches, des attentes individuelles et des besoins liés aux caractéristiques démographiques.

La conception et la mise en œuvre d'un programme de formation commencent par la détermination de son contenu à partir de la connaissance du milieu organisationnel, de l'acquisition des compétences et de l'intelligence émotionnelle. Il faut par ailleurs tenir compte des intervenants : les employés visés par la formation et les formateurs.

Les méthodes et les techniques de développement des compétences sont nombreuses. On distingue habituellement les méthodes utilisées sur les lieux de travail (pendant les activités courantes ou en dehors de ces activités) de celles qui sont utilisées hors des lieux de travail.

Trois domaines occupent une place à part dans le développement des compétences : le développement du potentiel des employés, la formation liée aux équipes de travail et le perfectionnement des cadres.

Questions de révision et d'analyse

1. Comment l'entreprise qui a décidé d'investir dans le développement des compétences doit-elle procéder ?

2. Quels seraient les facteurs pouvant inciter une entreprise à ne pas investir dans le développement des compétences ?

3. À partir de votre expérience de travail, énumérez et expliquez les avantages que vos employeurs ont retirés du développement de vos compétences.

4. En tant que conseiller en ressources humaines dans une entreprise, quelle méthode de formation privilégieriez-vous ? Quels seraient vos critères ?

5. Énumérez les conditions à respecter lors de l'élaboration d'un programme de formation.

6. Expliquez pourquoi de nombreuses organisations ne font pas l'évaluation de leurs programmes de formation ou de perfectionnement.

7. En tant que contremaître, vous constatez l'insuffisance du rendement d'un subordonné. Quels indicateurs utiliseriez-vous pour déterminer si ce problème résulte d'une erreur dans la sélection du personnel ou s'il est le signe d'un besoin en formation ? Illustrez votre réponse à l'aide d'un exemple puisé dans votre expérience ou dans celle de personnes appartenant à votre entourage.

ÉTUDE DE CAS

LA FORMATION EN ENTREPRISE : BBD-AIR

Vincent Rousseau
Professeur, École de relations industrielles,
Université de Montréal

Malgré un marché extrêmement concurrentiel, BBD-Air est un chef de file dans la conception, la fabrication et la livraison de différents types d'avions. Sa vaste gamme de produits comprend des avions d'affaires, des avions régionaux, des avions de missions spéciales et des avions amphibies. L'entreprise compte environ 27 000 employés dans le monde. Certains constats incitent les dirigeants de BBD-Air à entreprendre des actions pour améliorer la compétitivité de l'entreprise. En effet, au cours des dernières années, le nombre de plaintes des clients concernant les délais de livraison a passablement augmenté. De plus, il s'avère que Beramer, le principal concurrent de BBD-Air, produit ses avions deux fois plus rapidement. Devant cette situation, la direction veut réduire de 20 jours le temps de cycle de production.

Les dirigeants de BBD-Air ont décidé d'implanter un programme d'amélioration continue, basé à la fois sur les principes de la production à valeur ajoutée (PVA) et sur l'approche kaizen. La production à valeur ajoutée vise l'élimination des activités qui n'augmentent pas la valeur ajoutée d'un produit et la limitation de la production à la demande, ce qui permet notamment d'améliorer le temps de réponse et d'éliminer le gaspillage lié à la production. Quant à l'approche kaizen, elle consiste à responsabiliser tous les membres du personnel et à les faire participer à une démarche d'amélioration continue. Il faut notamment amener les employés à reconnaître les problèmes ainsi qu'à suggérer et appliquer des solutions.

Selon la direction de BBD-Air, ces changements devraient permettre non seulement de réduire les délais de production, mais également d'améliorer le climat de travail. En effet, bien des employés se plaignent de ne pas être suffisamment intégrés dans l'organisation du travail. Au fil des ans, cette grogne s'est traduite par l'accroissement du nombre de griefs déposés par les employés. L'implantation de ce programme d'amélioration continue permettra donc de donner progressivement aux employés le pouvoir et les moyens d'agir sur l'organisation du travail. Les dirigeants de l'entreprise estiment que ce projet constitue une réorganisation en profondeur des façons de faire.

Un tel changement nécessitera l'élaboration d'un programme de formation qui renseignera les employés sur les activités rattachées à chacun des postes de la chaîne de production et les rendra ainsi aptes à déterminer rapidement les répercussions d'un problème sur leurs collègues. De plus, les employés devront être en mesure de travailler en équipe pour résoudre les problèmes courants, autrement dit pouvoir les reconnaître ainsi que suggérer et implanter des solutions. De cette façon, ils pourront intervenir plus rapidement afin de résoudre les problèmes qui se posent tout au long du processus de production, ce qui devrait favoriser la réduction des délais de production.

La stratégie envisagée pour mettre sur pied le programme de formation consiste à former d'abord les 450 employés du service de la fabrication rattachés à la production, dans trois usines. On a choisi ce service à cause de sa très grande influence sur le rendement de l'entreprise et de l'importance que lui accorde le personnel en général. Ensuite, la formation s'étendra aux autres services de ces usines (planification, outillage et assemblage).

On veut former le personnel de fabrication en six mois. Les employés touchés par cette formation sont syndiqués, ils ont en moyenne 36 ans et ce sont en majorité des hommes (80 %). Parmi ces employés, 15 % ont un diplôme d'études universitaires de premier cycle, 65 % ont un diplôme d'études collégiales et 20 % ont un diplôme d'études secondaires. Le taux de roulement est l'un des plus faibles parmi les entreprises de ce secteur d'activité.

La réussite du projet de formation est essentielle à la poursuite du changement organisationnel entrepris. Cependant, on estime que les employés seront plus ou moins réceptifs à cette formation, puisqu'ils ont dû suivre au cours des trois dernières années de nombreuses formations associées aux changements technologiques et administratifs.

QUESTIONS

1. Quels sont les principaux défis ou problèmes qui incitent les dirigeants à investir dans la mise en œuvre d'un programme d'amélioration continue basé sur les principes de la PVA et de l'approche kaizen ?

2. En vue d'atteindre les objectifs du programme de formation, quelles méthodes d'enseignement devrait-on préconiser ? Justifiez votre réponse.

3. Quelles interventions contribueraient à inciter les employés à participer au programme de formation et à mettre en application leurs apprentissages ? Justifiez votre réponse.

NOTES ET RÉFÉRENCES

1. ec.europa.eu/education/programmes/elearning/index_fr.html.

2. C. Underhill, « La formation à différents âges », *L'emploi et le revenu en perspective*, octobre 2006, p. 18-29.

3. G. Chao et autres, « Organizational Socialization : Its Content and Consequences », *Journal of Applied Psychology*, vol. 79, n° 5, 1994, p. 730-743.

4. S.E. Jackson et R.S. Schuler, *Managing Human Resources : A Partnership Perspective*, Cincinnati (Ohio), South-Western Publishing, 2005. G. Freeman, « Human resources planning-training needs analysis », *Human Resources Planning*, vol. 39, n° 3, p. 32-34. L. Côté, « Réingénierie de la formation : pour une approche renouvelée de l'analyse des besoins de formation en entreprise », *Gestion*, vol. 22, n° 3, automne 1997, p. 137-140.

5. J.B. Tracey, S.I. Tannenbaum et M.J. Kavanagh, « Applying Trained Skills on the Job : The Importance of the Work Environment », *Journal of Applied Psychology*, vol. 80, 1995, p. 239-252.

6. Pour de plus amples renseignements sur la structure, la validité et la fiabilité des mesures, voir : J.C. Taylor et D.G. Bowers, *Survey of Organizations*, Ann Arbor (Michigan), University of Michigan ISR, 1967. D.J. Weiss, R.V. Dawis, G.W. England et L.H. Lofquist, *Manual for the Minnesota Satisfaction Questionnaire*, University of Minnesota IR Center, 1967. C.P. Smith, M. Kendall et C.L. Hulin, *The Measurement of Satisfaction in Work and Retirement*, Chicago, Rand McNally, 1969. L.W. Porter et E.E. Lawler III, *Managerial Attitudes and Performance*, Homewood, Irwin, 1968.

7. M. Belcourt et P.C. Wright, « Equity in Training », *Administrative Sciences Association of Canada Conference Proceedings*, Human Resources Division, vol. 15, n° 9, 1995.

8. C. Underhill, *op. cit.*, p. 18-29.

9. V. Larouche, « Tendances lourdes et nouveaux contenus en formation et développement des ressources humaines », *Gestion*, automne 1997, vol. 22, n° 3, p. 26-33.

10. D.C. Thomas et E.C. Ravlin, « Responses of Employees to Cultural Adaptation by a Foreign Manager », *Journal of Applied Psychology*, vol. 80, 1995, p. 133-146. P. Duguay, « Vivre dans un milieu de travail interculturel », *La Presse*, 15 avril 2006, Carrières et professions, p. 2.

11. K. Kraiger, J.K. Ford et E. Salas, « Application of Cognitive, Skill-Based and Affective Theories of Learning Outcomes to New Methods of Training Evaluation », *Journal of Applied Psychology*, vol. 78, 1993, p. 311-328.

12. D. Bouteiller, « Le syndrome du crocodile et le défi de l'apprentissage continu », *Gestion*, vol. 22, n° 3, automne 1997, p. 14-25.

13. M. Bloom, M. Burrows, B. Lafleur et R. Squires, « Avantages économiques du renforcement de l'alphabétisme en milieu de travail », Conference Board du Canada, rapport n° 206-97, août 1997. R.J. Sternberg et E.L. Grigorenko, « Are Cognitive Styles Still in Style ? », *American Psychologist*, vol. 52, juillet 1997, p. 100-712. S. Bérubé, « Les compétences de base ne sont plus ce qu'elles étaient », *Effectif*, vol. 4, n° 1, janvier-février-mars 2001.

14. www.wikipedia.org.

15. D. Goleman, *L'intelligence émotionnelle*, Paris, Robert Laffont, 1999.

16. « Intelligence émotionnelle », *Wikipédia, l'encyclopédie libre*, fr.wikipedia.org/w/index.php ?title=Intelligence_%C3%A9motionnelle&oldid=13020920.

17. www.cascades.com.

18. C. Kontoghiorghes et S.M. Awbrey, « Examining the Relationship Between Learning Organization Characteristics and Change Adaptation, Innovation, and Organizational Performance », *Human Resource Development Quarterly*, vol. 16, n° 2, été 2005, p. 185-211.

19. N. Boblin et P. Brenner, « L'art de mesurer l'apprentissage organisationnel », *L'Expansion Management Review*, mars 1996, p. 17-23.

20. J. Fitz-Enz, *How to Measure Human Resource Management*, New York, McGraw-Hill, 1995.

21. G. Archambault, « La formation de suivi et le transfert des apprentissages », *Gestion*, vol. 22, n° 3, 1997, p. 120-125. L. Toupin, « Un transfert nommé désir », *Gestion*, vol. 22, n° 3, 1997, p. 114-119.

22. M. Dessureault et J.-F. Roussel, « Le retour sur investissement en formation : le calculer, c'est payant ! », *Effectif*, vol. 5, n° 3, juin-juillet-août 2002, p. 52-55.

23. S. Greengard, « Le mentorat inversé, une nouvelle forme d'apprentissage », *Effectif*, vol. 5, n° 3, juin-juillet-août 2002, p. 59. C. Benabou, « Le mentorat structuré, un système efficace de développement des ressources humaines », *Effectif*, juin-juillet-août 2000, p. 48-52.

24. R.A. Noe, « Women and Mentoring : A Review and Research Agenda », *Academy of Management Review*, vol. 13, 1988, p. 65-78.

25. A. Czarnecki, « Technology-Based Training : Powerful Tool, but Not a Panacea », *Canadian HR Reporter*, section spéciale « Learning in the Workplace », 20 mai 1999, p. L28-L29. S. Lebrun, « IBM Moves the Classroom to the Laptop », *Canadian HR Reporter*, 27 janvier 1997, p. 7.

26. P.D. Munger, « High-Tech Training Delivery Methods : When to Use Them », *Training and Development*, janvier 1997, p. 46-47. R. Ganzel, « What Price Online Learning ? », *Training*, février 1999, p. 50-54.

27. R.E. Riggio et B.T. Mayes (sous la dir. de), « Assessment Centers : Research and Applications », *Journal of Social Behavior and Personality*, vol. 12, 1997, p. 1-131.

28. G.M. McEvoy et P.F. Buller, « The Power of Outdoor Management Development », *Journal of Management Development*, vol. 16, n° 3, 1997, p. 208-217.

29. R. Foucher, « L'évaluation du potentiel », *Effectif*, vol. 3, n° 5, novembre-décembre 2000, p. 18-26.

30. J.C. Georges, « The Hard Reality of Soft-Skills Training », *Personnel Journal*, avril 1989, p. 41-45.

31. J.-P. Souque, « Focus on Competencies : Training and Development Practices, Expenditures, and Trends », Conference Board du Canada, rapport n° 177-96, Ottawa, 1996, p. 10.

32. D. Maltais et B. Mazouz, « À nouvelle gouvernance, nouvelles compétences : les compétences clés des gestionnaires publics de demain », *Gestion*, vol. 29, n° 3, automne 2004, p. 82-92. J. Warda et J. Zieminski, « Building an Innovative Canada : A Business Perspective », Conference Board du Canada, rapport n° 178-96, 1996.

33. J.F. Bolt, « Executive Development as a Competitive Weapon », *Training and Development Journal*, février 1990, p. 37-43.

LA GESTION
DES CARRIÈRES

Comme leur niveau de scolarité est plus élevé que par le passé, les travailleurs attendent de leur organisation davantage d'occasions pour progresser, tant sur le plan individuel que sur le plan professionnel. Par ailleurs, les entreprises font face à une situation de plus en plus difficile : d'une part, elles reconnaissent la nécessité de satisfaire les besoins des employés qualifiés en leur fournissant des conditions favorables à la réalisation de leurs objectifs professionnels ainsi qu'à la hausse de leur niveau d'engagement et de loyauté ; d'autre part, elles prennent conscience de la réduction des possibilités d'avancement professionnel liée aux nouvelles structures horizontales, à la recherche constante d'une plus grande flexibilité et, parfois, à l'instabilité des stratégies, des structures et du contexte économique.

Il n'en demeure pas moins que la gestion des carrières représente une activité centrale de la gestion des ressources humaines. C'est un facteur déterminant des attitudes et des comportements au travail (par exemple de la satisfaction, de la loyauté et de la motivation), ainsi que de la planification de la relève. Pour répondre aux nombreux défis de la gestion des carrières, il faut suivre un processus, tenir compte d'éléments importants, recourir à des pratiques pertinentes, de même que respecter les normes de justice organisationnelle, les normes d'équité et les lois. C'est le sujet même du présent chapitre ; par ailleurs, nous abordons les aspects juridiques et la justice organisationnelle au chapitre 12 (section 12.4).

9.1

LE PROCESSUS DE GESTION DES CARRIÈRES

D'après Guérin et Wils[1], on peut définir la gestion des carrières selon une vision élargie ou selon une vision étroite.

La *vision élargie* correspond à la gestion des mouvements de main-d'œuvre dans l'organisation, depuis l'entrée des personnes (planification des effectifs, recrutement et sélection) jusqu'à leur départ (mise à pied, départ volontaire ou retraite) ; elle comprend la gestion de la mobilité interne (promotion, mutation, rétrogradation) et des programmes de soutien (formation, développement, intégration, aide à la planification de carrière et planification de la relève). Comme on le voit, c'est une définition globale qui empiète sur d'autres fonctions de gestion, telles que la planification des ressources humaines, la formation et l'aide aux employés.

La *vision étroite* limite la gestion des carrières aux activités organisationnelles qui favorisent la conception des plans de carrière et leur mise en œuvre. Cette vision exclut non seulement les activités de recrutement, de gestion des départs et de planification des ressources humaines, mais aussi les activités de dotation qui constituent le pivot de la vision élargie. La gestion des carrières, au même titre que la planification individuelle, devient alors une composante d'un système de gestion globale ; elle est intégrée dans le développement des carrières[2].

Développement des carrières

Ensemble des programmes conçus par l'organisation pour aider les employés à harmoniser leurs aspirations, leurs compétences et leurs buts personnels avec les perspectives d'avancement, actuelles et futures, offertes par l'organisation.

Ces deux visions s'influencent mutuellement, mais c'est la vision étroite qui prédomine, et cela pour trois raisons.

- On distingue entre la gestion des carrières et les activités de planification de la main-d'œuvre ou de gestion prévisionnelle des ressources humaines.
- On considère les mouvements de personnel comme une pratique de soutien au développement des carrières, et non comme une fin en soi.
- On accorde une importance cruciale aux mouvements de carrière et à la formation (tout comme dans la vision élargie, d'ailleurs).

9.1.1 | L'importance de la gestion des carrières

Comme la gestion des carrières vise à concilier les besoins individuels et les besoins organisationnels, les cheminements de carrière qui en découlent ont des effets sur les individus (notamment sur leur performance, leur satisfaction, leur santé et leur bien-être) et sur l'organisation. L'encadré 9.1 énumère les besoins individuels et organisationnels que la gestion des carrières permet de combler.

ENCADRÉ ▶ 9.1

Les besoins comblés par la gestion des carrières

Besoins individuels
- Bénéficier d'une certaine sécurité d'emploi.
- Améliorer ses compétences.
- Être intégré dans l'entreprise et y être considéré comme membre à part entière.
- Jouir de l'estime et de la reconnaissance d'autrui (augmentation des responsabilités, du pouvoir, de l'influence, etc.).
- Se réaliser au travail en employant et en développant son potentiel.

Besoins organisationnels
- Utiliser et améliorer les ressources humaines.
- Accroître la flexibilité.
- Mettre en place une relève de qualité.
- Renforcer la culture d'entreprise.
- Mobiliser les employés pour atteindre les objectifs de l'entreprise.

Source : adapté de G. Guérin et T. Wils, « La carrière, point de rencontre des besoins individuels et organisationnels », *Revue de gestion des ressources humaines*, nos 5-6, 1993, p. 13-30.

La gestion des carrières tire également son importance de l'interdépendance qu'elle entretient avec d'autres activités de gestion des ressources humaines. En fait, sa propre efficacité repose sur l'efficacité de ces autres activités.

- La *gestion prévisionnelle des ressources humaines* fournit à la gestion des carrières un cadre général. Elle permet d'harmoniser les besoins en ressources humaines, qu'ils soient quantitatifs ou qualitatifs, avec les objectifs de l'organisation. On peut ainsi repérer les ressources humaines internes qui répondent aux besoins de l'entreprise, à court, à moyen et même à long terme. La gestion des carrières revêt donc une importance cruciale dans la gestion d'un plan de relève.

- La gestion des carrières influence la *politique de recrutement*. De nombreuses organisations accordent la priorité au personnel en place en vue de pourvoir un poste ; on ne recrutera à l'externe que si les candidatures à l'interne ne répondent pas aux exigences du poste.

- La détermination adéquate des *critères de sélection* permet de choisir des employés dont on pourra accroître la mobilité et qui pourront par la suite occuper des postes plus intéressants dans l'entreprise.

- La *rémunération* croît avec l'avancement professionnel. Dans une structure plutôt horizontale et dans un système organique de gestion, il faut concevoir un programme de rémunération qui favorise l'acquisition des compétences non seulement par la mobilité verticale, mais aussi par la mobilité horizontale. L'efficacité de la gestion des carrières repose en effet sur la reconnaissance de la contribution de l'employé comme facteur de l'avancement qu'on lui accorde.

- L'organisation doit donc mettre en œuvre une politique et des techniques d'*évaluation du rendement* qui soient efficaces. Ainsi, après avoir constaté qu'il existe un écart entre le rendement désiré et les résultats enregistrés, l'employeur peut décider de muter un employé à un autre poste. On prend souvent cette décision quand les employés désirent déplafonner leur cheminement de carrière. L'évaluation du rendement constitue également pour l'employé un outil de développement des carrières, que le superviseur appuie et renforce. Au cours de la séance d'évaluation, l'employé peut parler de ses buts et de son plan de carrière à long terme avec son superviseur, tandis que celui-ci peut lui suggérer des moyens d'améliorer son rendement à court terme de façon à atteindre ses objectifs à plus long terme.

- Le *développement des compétences* fait partie intégrante de la gestion des carrières. Il correspond à l'élaboration des outils qui favorisent chez l'employé l'acquisition des compétences nécessaires pour occuper les postes auxquels il aspire. Après s'être fixé des objectifs de carrière, l'employé peut déterminer quels sont les programmes de formation susceptibles d'améliorer ses connaissances, ses habiletés et ses attitudes, afin de progresser dans son cheminement. Certaines recherches indiquent que les individus engagés activement dans l'orientation de leur carrière réussissent mieux que les autres au moment de la formation[3].

9.1.2 | Les étapes du processus

Pour bien comprendre la notion de gestion des carrières, il faut distinguer entre la composante individuelle et la composante organisationnelle.

- Du point de vue de l'employé, la carrière se définit simplement en fonction de ses expériences de travail. Il s'agit d'observer les étapes cruciales de sa progression professionnelle. Or, on ne peut pas toujours délimiter ces étapes de manière précise; elles varient grandement selon, d'une part, la catégorie professionnelle, la culture et la structure organisationnelles, et, d'autre part, les préférences et les aspirations individuelles.

- Du point de vue de l'organisation, la gestion des carrières consiste à planifier les mouvements de main-d'œuvre de façon que les employés restent compétents et que les besoins organisationnels futurs soient comblés. C'est donc un système qui concilie les aspirations de carrière des employés et les besoins de l'organisation. La mise en œuvre d'un tel système oblige l'entreprise à analyser l'information accumulée à partir des évaluations de rendement, structurées ou non structurées, afin d'être en mesure de repérer les employés les plus performants et de les encourager à accéder à des postes comportant de plus grandes responsabilités, tout en leur offrant des conditions propices à leur développement[4].

Le processus de gestion des carrières comprend trois étapes[5] (voir l'encadré 9.2).

- La *planification de carrière* consiste à informer les employés des possibilités de carrière existant dans l'organisation, puis à élaborer un plan de carrière qui puisse répondre à leurs attentes et à leurs aspirations.

Plan de carrière

Processus comprenant l'analyse des compétences des employés, de leurs objectifs professionnels, de leurs forces et de leurs faiblesses (planification de carrière), ainsi que la possibilité pour les employés d'avoir accès à un ensemble d'expériences de travail favorisant la satisfaction de leurs besoins (étapes de carrière).

Aspirations de carrière

Ensemble des besoins, des motivations et des intentions d'un individu au sujet de sa carrière.

- La *mise en œuvre du plan de carrière* consiste, d'une part, à déceler les problèmes particuliers qui font obstacle à la carrière et, d'autre part, à mettre en application des pratiques organisationnelles qui visent à aider les employés à orienter leur carrière (programmes de formation, mentorat, rotation d'emplois, etc.).
- L'*évaluation du processus de gestion des carrières* consiste à en établir la pertinence et l'efficacité. La détermination de critères de performance permet d'évaluer si le système est en mesure à la fois de satisfaire les besoins individuels et de doter l'organisation d'une main-d'œuvre compétente, disponible, mobilisée et prête à prendre la relève. Nous examinerons cette étape dans la section 15.4.4.

CONSULTEZ INTERNET

www.hbc.com/hbcf/careers/hbc/paths

Section du site de Hbc, la Compagnie de la Baie d'Hudson, qui présente les étapes du parcours professionnel dans l'entreprise : la planification de la carrière en fonction de la formation, du développement des compétences, de l'expérience et des aspirations professionnelles.

ENCADRÉ ▶ **9.2**

Les étapes du processus de gestion des carrières

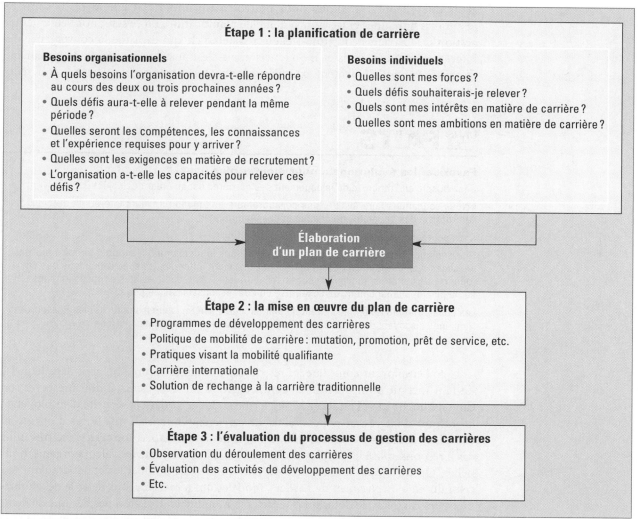

Étape 1 : la planification de carrière

Besoins organisationnels
- À quels besoins l'organisation devra-t-elle répondre au cours des deux ou trois prochaines années ?
- Quels défis aura-t-elle à relever pendant la même période ?
- Quelles seront les compétences, les connaissances et l'expérience requises pour y arriver ?
- Quelles sont les exigences en matière de recrutement ?
- L'organisation a-t-elle les capacités pour relever ces défis ?

Besoins individuels
- Quelles sont mes forces ?
- Quels défis souhaiterais-je relever ?
- Quels sont mes intérêts en matière de carrière ?
- Quelles sont mes ambitions en matière de carrière ?

Élaboration d'un plan de carrière

Étape 2 : la mise en œuvre du plan de carrière
- Programmes de développement des carrières
- Politique de mobilité de carrière : mutation, promotion, prêt de service, etc.
- Pratiques visant la mobilité qualifiante
- Carrière internationale
- Solution de rechange à la carrière traditionnelle

Étape 3 : l'évaluation du processus de gestion des carrières
- Observation du déroulement des carrières
- Évaluation des activités de développement des carrières
- Etc.

Source : adapté de T.G. Gutteridge, Z.B. Leibowitz et J.E. Shore, *Organizational Career Development : Benchmarks for Building a World Class Workforce*, San Francisco (Californie), Jossey-Bass, 1993.

9.2
LES ASPECTS À CONSIDÉRER DANS LA GESTION DES CARRIÈRES

L'efficacité de la gestion des carrières repose sur la prise en compte de nombreux facteurs lorsqu'on élabore un programme ; citons entre autres le contexte organisationnel, le partage des responsabilités et les changements de priorités.

9.2.1 | Les stratégies et les caractéristiques organisationnelles

Le système de gestion des carrières est utile dans la mesure où il contribue à répondre aux besoins organisationnels, notamment en ce qui concerne le niveau des effectifs, les compétences acquises et les comportements souhaités. L'organisation doit donc avoir une vision stratégique pour pouvoir déterminer clairement ses besoins en ressources humaines grâce à un système de planification. En ce sens, non seulement la gestion des carrières constitue-t-elle un système clé qui exprime la convergence des intérêts organisationnels et individuels, mais c'est aussi un système intégrateur qui favorise à la fois l'alignement externe sur la stratégie organisationnelle et la cohérence interne[6].

DANS LES **FAITS**

Favoriser les évolutions... pour monter plus haut

Chez Bosch, en France, le développement des carrières est au cœur des objectifs RH.

« Nous souhaitons faire évoluer nos collaborateurs en fonction de leurs intérêts et de ceux de l'entreprise, des capacités de chacun et des opportunités.

C'est pourquoi nous favorisons les évolutions internes.

Une évolution professionnelle peut se réaliser dans le même métier ou peut se faire par des passages successifs dans des métiers connexes, voire différents, et si possible dans des environnements culturels nouveaux pour le collaborateur. Les responsabilités confiées augmentent sur le plan du management, de l'expertise ou des responsabilités de projet.

Les collaborateurs restent le moteur de leur plan de carrière. Leurs managers et les Ressources Humaines disposent de nombreux outils pour les soutenir dans cette démarche[7]. »

Si l'employeur considère les ressources humaines comme un actif dans lequel il lui faut investir pour obtenir les compétences dont il a besoin, il doit préserver son capital humain et se l'attacher à long terme en lui accordant la sécurité d'emploi et en lui offrant d'intéressantes possibilités de carrière à l'interne. Dans le cas d'un travail complexe et difficile à uniformiser, cet attachement organisationnel s'avère très utile, car il responsabilise les employés compétents qui ont adopté les valeurs organisationnelles. On reconnaît là le modèle du *commitment* de Bamberger et Meshoulam[8] ou celui du *high involvement* de Lawler[9], modèles qui favorisent tous deux le développement des carrières, la dotation interne et la mobilité en fonction des besoins de l'employeur. À l'opposé, si l'employeur considère que le travail est peu complexe, que la main-d'œuvre est interchangeable et que la stabilité du processus de production est assurée par les modalités de l'organisation du travail, il accordera moins d'importance au développement de la carrière de son personnel et cherchera plutôt à l'externe les compétences dont il a besoin.

En règle générale, la gestion des carrières à l'interne se justifie par une philosophie de gestion qui mise sur la valeur du capital humain en dépit des limites de ses compétences. Par ailleurs, la syndicalisation des employés peut favoriser, par l'établissement de règles administratives, le marché interne du travail.

Dans la foulée de Baron et Kreps[10], Guérin et Wils[11] proposent un ensemble de règles de décision facilitant le choix entre la stratégie d'internalisation (qui encourage le développement des carrières) et la stratégie d'externalisation (dont les modèles de gestion des carrières sont très réducteurs). Les principales conditions qui favorisent l'internalisation sont les suivantes :

- L'organisation du travail est complexe et exigeante en capital humain.
- Le processus de travail est stable.
- Les faibles changements technologiques permettent d'améliorer le capital humain.
- Le marché du travail est assez serré (ce qui avantage les entreprises qui font de la formation), mais pas trop (ce qui empêche les entreprises d'attirer la main-d'œuvre au moyen de salaires plus élevés).
- La stratégie de croissance est lente et planifiée, plutôt que rapide et opportuniste.
- L'entreprise recherche la stabilité et la loyauté, plutôt que la flexibilité et l'innovation.

Dans le contexte actuel, de telles conditions se raréfient. Les organisations recourent donc de plus en plus à l'externalisation et à des pratiques de gestion centrées sur l'achat des compétences[12]. Soulignons que l'internalisation et l'externalisation peuvent coexister dans la même organisation : on peut gérer un noyau d'employés clés selon la première approche, ce qui favorise la loyauté et l'engagement à long terme, et recourir à la seconde pour le reste du personnel, ce qui favorise la flexibilité et la réduction des coûts à court terme[13].

ccdf.ca/ccdf2

Site de la Fondation canadienne pour le développement des carrières (FCDC). Cet organisme sans but lucratif « se consacre à renforcer les services de développement des carrières offerts aux Canadiens et Canadiennes de tout âge ».

9.2.2 | Le partage des responsabilités

Les employés, les gestionnaires et l'organisation ont nécessairement un rôle à jouer dans le processus de gestion des carrières (voir l'encadré 9.3). Soulignons d'abord que l'employé est seul responsable de la détermination et de la communication aux autres intervenants de ses propres aspirations de carrière. Pour sa part, le gestionnaire évalue le rendement de l'employé, s'enquiert de ses aspirations de carrière, lui donne de la rétroaction et clarifie le plan de carrière de celui-ci à la lumière des besoins, des compétences et des attentes qu'il présente, tout en tenant compte des besoins organisationnels. Enfin, l'organisation doit déterminer ses besoins en matière de compétences à l'aide de la planification stratégique des ressources humaines, fournir aux employés les outils nécessaires pour évaluer leurs compétences et pour faire valoir leurs aspirations, ainsi que prévoir des moyens efficaces pour réaliser les plans de carrière.

Le rôle des intervenants dans le processus de gestion des carrières

Responsabilités de l'employeur
- Exposer les stratégies, la mission, les programmes et les pratiques de gestion des carrières.
- Effectuer la planification stratégique des ressources humaines pour déterminer les besoins à court, à moyen et à long terme.
- Implanter un programme de développement des compétences favorisant le développement des carrières.
- Fournir l'information pertinente sur les carrières et les programmes disponibles.
- Offrir un bon éventail de carrières.

Responsabilités de l'employé
- Prendre en charge le développement de sa carrière.
- Analyser ses intérêts, ses compétences et ses valeurs.
- Se renseigner sur les possibilités d'avancement.
- Établir son plan de carrière et avoir des objectifs réalistes.
- Se prévaloir des moyens de développement des compétences mis à sa disposition.
- Parler de son plan de carrière avec son supérieur.

Responsabilités du gestionnaire
- Prévoir des affectations propices au développement des compétences.
- Donner une rétroaction réaliste.
- Participer à des conversations ou à des entretiens portant sur les carrières.
- Soutenir les employés engagés dans un programme de développement des compétences.
- Actualiser les plans de carrière.

Source : adapté de F.L. Otte et P.G. Hutcheson, *Helping Employees Manage Careers*, Englewood Cliffs (New Jersey), Prentice Hall, 1992, p. 56.

9.2.3 | Les changements de priorités

Succès de carrière

Perception, positive ou négative, qu'entretient l'employé quant à sa progression au cours des étapes plus ou moins ordonnées qu'il lui reste à parcourir avant d'arriver au sommet de ses compétences et de ses responsabilités, et de bénéficier d'un statut social enviable. On peut mesurer objectivement le succès de la carrière d'une personne à l'aide d'indicateurs comme le niveau du poste ou le salaire, ou encore subjectivement en évaluant sa satisfaction à l'égard de la progression de sa carrière.

Plafonnement de carrière

Situation dans laquelle les étapes de la carrière et les perspectives de promotion se réduisent, ce qui laisse entrevoir une carrière sans avenir.

Les professionnels de la gestion des ressources humaines ne doivent pas seulement concevoir un programme de gestion des carrières qui aide les employés à trouver une solution aux problèmes liés à leur carrière et à relever les défis, mais ils doivent également faire preuve d'une imagination considérable. En effet, les difficultés sont nombreuses. Ainsi, il n'est pas toujours facile de concevoir des cheminements susceptibles de remplacer les progressions traditionnelles. Ensuite, la nouvelle culture organisationnelle doit permettre de donner un autre sens à la notion de succès de carrière. Ainsi, il faut remplacer le succès objectif, évalué selon les promotions et le statut professionnel, par le succès subjectif, qui est d'ordre psychologique. Néanmoins, les employés n'acceptent pas tous cette nouvelle conception de la carrière. Par ailleurs, le plafonnement de carrière provoque de l'insatisfaction chez les employés qui occupent un poste durant une période trop longue, sans entrevoir de possibilité d'avancement. Il est essentiel d'harmoniser les programmes de gestion des carrières avec l'environnement organisationnel et la composition de la main-d'œuvre, tous deux en changement.

La création d'emplois non traditionnels remet en question la gestion des carrières telle qu'on la connaissait. D'une part, il faut trouver des solutions novatrices pour motiver les employés compétents, les garder et planifier la relève ; d'autre part, la carrière devient de plus en plus une responsabilité individuelle plutôt qu'une responsabilité organisationnelle[14].

L'ÉLABORATION D'UN NOUVEAU CONTRAT PSYCHOLOGIQUE

Le contrat psychologique défini par Schein[15] concerne essentiellement l'établissement d'un ensemble d'attentes plus ou moins tacites entre les membres d'une organisation et les gestionnaires. Robinson et Rousseau[16] affinent cette définition en affirmant qu'il s'agit d'engagements et d'obligations réciproques entre l'employeur et l'employé. L'organisation s'engage à agir dans un certain sens, pour autant que l'individu entreprenne certaines actions et adopte des comportements précis. Le contrat psychologique est perceptuel, subjectif et souple ; il se redéfinit constamment en fonction de l'évolution des rapports entre l'employeur et l'employé (voir l'encadré 9.4).

Récemment, les praticiens et les chercheurs ont affirmé que la nature du contrat psychologique s'était modifiée. Anciennement, on percevait l'employeur comme un pourvoyeur. En contrepartie de leurs bons et loyaux services, les employés performants se voyaient garantir un emploi jusqu'à la retraite. Selon le nouveau contrat psychologique, tant que les parties respectent les ententes conclues tacitement, les employeurs peuvent compter sur la loyauté et la bonne performance de leurs employés, et les employés sur le respect des obligations que l'employeur a assumées[17]. Il va sans dire que les employés qui ont vécu des licenciements croient davantage à cette nouvelle relation ; la notion d'équité est la clé de son succès[18].

E N C A D R É ▶ **9.4**

Le nouveau contrat psychologique entre l'employeur et l'employé

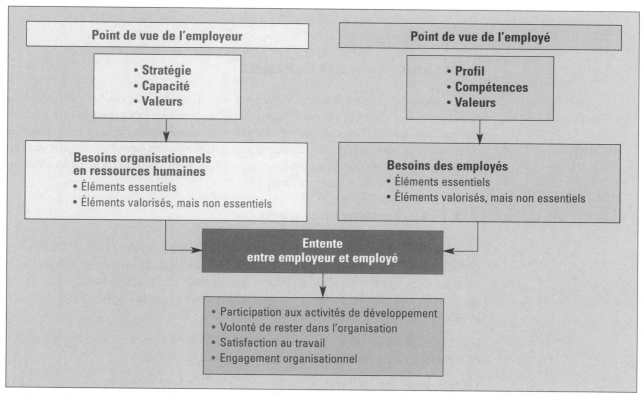

Source : adapté de T. Saba, « La gestion des carrières : un vrai défi pour les années 2000 », *Effectif*, juin-juillet-août 2000, p. 20-26.

Le nouveau contrat psychologique porte sur les attentes à l'égard de la performance, de la sécurité d'emploi, des possibilités de carrière, du développement des compétences, de la rémunération, etc. Il peut exister même s'il n'y a pas d'accord officiel entre les parties sur l'ensemble de ces dimensions : un accord tacite suffit. C'est un nouveau mode de gestion des carrières. Comme il est difficile de préciser et de planifier les cheminements de carrière, il faut établir un accord explicite et clair, portant à la fois sur les nouvelles attentes des individus et sur celles de l'employeur, en fonction du contexte organisationnel et des aspirations des employés. Ainsi, Rousseau affirme que l'organisation doit informer ses employés de l'existence de conditions générales incertaines, qui demandent une grande flexibilité. La perpétuation d'une relation d'emploi fondée sur des promesses mensongères est futile et risque d'avoir des effets nuisibles pour les parties[19].

L'AMÉLIORATION DE L'EMPLOYABILITÉ

Les vagues de rationalisation ont engendré de nouvelles pratiques d'amélioration de l'employabilité. Comme il est rare aujourd'hui de mener sa carrière toute sa vie dans la même organisation, les employés sont attirés par les entreprises qui leur proposent de mettre à jour leurs compétences et d'en acquérir de nouvelles en leur offrant des emplois variés. On assiste à l'émergence de politiques d'entreprise qui favorisent l'apprentissage continu, ce qui non seulement amène les employés à devenir plus compétents dans leurs fonctions, mais augmente leur propre valeur sur le marché du travail. Les employés souscrivent aux pratiques de développement des carrières qui maximisent leurs chances de se trouver un emploi comparable, en cas de licenciement.

9.3 LA PLANIFICATION DES CARRIÈRES

La planification consiste d'abord à informer les employés des possibilités de carrière dans l'organisation, puis à élaborer un plan de carrière correspondant à leurs attentes et à leurs aspirations. Dans un premier temps, nous examinons les éléments à considérer pour mieux comprendre, et donc pour mieux déterminer, les besoins et les attentes des employés ; dans la section suivante, nous passons en revue les pratiques de planification des carrières mises en œuvre par l'employeur.

9.3.1 | Les besoins individuels

Les aspirations et les besoins liés à la carrière varient d'un individu à l'autre ; les théories portant sur les types de carrière constituent donc une aide précieuse en la matière. Il nous faut aussi examiner les aspirations individuelles en fonction du parcours de vie ou du cycle de carrière. Enfin, le rythme de progression de la carrière participe aussi à la détermination de ces besoins individuels.

Les types de carrière. Trois auteurs, Holland, Schein et Driver, ont conçu les typologies les plus connues en développement des carrières.

La typologie de Holland. La théorie de Holland sur les orientations de carrière est la plus approfondie et la mieux étayée[20]. L'auteur s'est intéressé aux facteurs qui influent sur les choix de carrière et il s'est basé sur le concept de congruence, désignant l'adaptation de l'individu à son environnement. Selon lui, l'individu recherche un environnement qui lui permette d'utiliser ses compétences, d'exprimer ses attitudes et ses problèmes, de même que d'exercer les rôles qu'il se sent appelé à jouer. Holland propose six personnalités types, chacune correspondant à des aspirations et à des choix de carrière.

- La *personnalité traditionnelle* est probablement celle qu'on rencontre le plus fréquemment dans les emplois liés à l'administration des affaires. En règle générale, les individus dotés de cette personnalité sont bien organisés, aiment manipuler des données et des facteurs numériques, se fixent des objectifs précis et ne peuvent tolérer les situations ambiguës. On les décrit comme des personnes discrètes, ordonnées, efficaces et ayant le sens pratique. Des traits moins flatteurs leur sont également attribués : manque d'imagination, inhibition et inflexibilité. Les comptables seraient représentatifs de cette personnalité type.

- La *personnalité artistique* est la plus éloignée de la personnalité traditionnelle. Les personnes qui en possèdent les caractéristiques ont une prédilection pour les activités musicales, artistiques, littéraires et dramatiques. Elles se considèrent comme des êtres imaginatifs, intuitifs, impulsifs, introspectifs et indépendants. Elles possèdent plus d'aptitudes pour l'expression verbale que pour les mathématiques. Elles sont cependant très émotives et très désorganisées.

- La *personnalité réaliste* se rapporte tout autant à des individus honnêtes, stables et pratiques qu'à des individus peureux, effacés et conformistes. Ces personnes possèdent généralement des habiletés mécaniques ; elles sont vraisemblablement à l'aise en tant que travailleurs spécialisés ou artisans (citons, par exemple, le plombier ou l'ouvrier travaillant sur une chaîne de montage), autrement dit dans un poste qui exige des connaissances techniques précises, mais requiert peu d'habiletés sur le plan interpersonnel, telles que l'aptitude à négocier ou à persuader.

- La *personnalité sociale* est à l'opposé de la personnalité réaliste. Les individus qui correspondent à ce type préfèrent les activités qui ont recours à la communication et à la relation d'aide. Ils aiment travailler dans un environnement ordonné et réglé. On les décrit comme des personnes sociables, diplomates, amicales, compréhensives et serviables. Ces individus peuvent cependant se révéler dominateurs et manipulateurs. Ils travaillent généralement dans des domaines tels que les soins infirmiers et l'enseignement, le marketing, la vente ou le développement des compétences de la main-d'œuvre.

- La *personnalité entreprenante,* tout comme la personnalité sociale, a une propension à travailler avec autrui. Cependant, les individus dotés de cette personnalité préfèrent diriger les autres, plutôt que de les aider et de les comprendre, de façon à atteindre leurs propres objectifs dans l'organisation. Ils sont généralement très confiants, ambitieux, énergiques et loquaces. Ils peuvent aussi être dominateurs, axés sur le pouvoir et impulsifs.

- La *personnalité investigatrice* est à l'opposé de la personnalité entreprenante. Les individus de ce type préfèrent les activités faisant appel à l'observation et à l'analyse afin d'enrichir leurs connaissances et leur compréhension des choses. On les décrits comme des êtres compliqués, originaux et indépendants, aussi bien que désordonnés, dépourvus de sens pratique et impulsifs. Les biologistes, les sociologues et les mathématiciens en sont de bons exemples. Ces personnes se retrouvent dans des postes axés sur la recherche et le développement, ou encore elles appartiennent au personnel professionnel dont les tâches exigent des analyses complexes, mais ne font pas appel à la capacité de persuader ou de négocier.

Dans certains cas, c'est en combinant deux ou trois personnalités qu'on décrit le mieux un individu. Selon Holland, ces personnes sont influencées par des facteurs propres aux situations et aux moments; c'est pourquoi on peut expliquer leur cheminement professionnel en disant qu'elles ne choisissent pas vraiment leur emploi, mais que le genre d'emploi qu'elles exercent explique leur cheminement.

La typologie de Schein. Schein distingue trois types de carrières — la carrière verticale, la carrière horizontale et la carrière radiale[21] —, selon le cheminement hiérarchique le plus probable dans l'organisation : la progression vers des niveaux hiérarchiques plus élevés, le passage d'une fonction à une autre de même niveau et le cheminement vers le cœur de l'organisation, c'est-à-dire vers les centres de décision. En 1990, Schein a mis au point une typologie axée sur les *ancres de carrières,* susceptibles d'expliquer les préférences individuelles en matière de cheminement dans l'organisation[22] (voir l'encadré 9.5).

ENCADRÉ ▶ **9.5**

Les huit ancres de carrière, selon Schein

Ancres de carrière	Type de travail	Système de promotion
Technique	• Travail qui fait appel aux habiletés techniques et professionnelles, et comporte également des défis • Intérêt pour le contenu du travail plutôt que pour le contexte dans lequel il s'effectue • Travail à caractère professionnel et accès à des budgets illimités • Travail donnant lieu à des difficultés dans les rapports avec les gestionnaires	• Promotions d'ordre professionnel • Élargissement des tâches • Importance du soutien technique • Préférence pour un comité visant à améliorer les processus plutôt que pour l'obtention de promotions verticales
Management	• Spécialisation considérée comme un piège • Travail de généraliste • Travail axé sur les promotions • Compétences analytiques requises • Rôle crucial des relations interpersonnelles • Capacité à exercer influence et leadership; rôle stimulant des défis, des problèmes émotifs et des crises • Intérêt pour les responsabilités de haut niveau; possibilité de contribuer au succès de l'organisation	• Promotions basées sur le mérite ou sur la performance • Capacité à produire des résultats rapides considérée comme un critère de promotion
Autonomie	• Incapacité de supporter la dépendance à l'égard d'autrui • Rejet des conventions vestimentaires • Désir de faire les choses à sa façon • Besoin permanent d'autonomie; professions autonomes; en gestion, orientation vers la consultation ou l'enseignement	• Promotions basées sur les réalisations antérieures • Accroissement des responsabilités ou promotion menaçant l'autonomie

Ancres de carrière	Type de travail	Système de promotion
Sécurité et stabilité	• Besoin de sécurité • Échange de la loyauté envers l'organisation contre la stabilité d'emploi • Haut niveau d'intervention de l'employeur dans la carrière • Progression rapide des plus talentueux et atteinte de niveaux supérieurs ; plafonnement des moins talentueux • Intérêt pour le contexte du travail plutôt que pour son contenu	• Promotions basées sur l'ancienneté • Système de promotion fondé sur le rang et les diplômes (par exemple, les universités).
Créativité	• Efforts pour créer de nouvelles entreprises • Tentatives de bâtir des entreprises grâce à des prouesses financières • Création de produits, de services, d'entreprises • Risque constant de lassitude • Besoin permanent de créer et d'innover	• Possibilité de changer de rôle, au besoin
Sens du service	• Désir d'améliorer le monde • Plus grande importance accordée à la mission inhérente au travail qu'aux compétences en demande • Volonté d'influencer l'entourage	• Promotions reconnaissant la contribution de l'individu à son milieu
Défis	• Capacité de faire n'importe quoi, n'importe quand • Prépondérance accordée à la compétition	
Style de vie	• Organisation de la vie en fonction d'intérêts autres que le travail, tels que la famille et les loisirs • Faible loyauté organisationnelle	

Source : adapté de E.H. Schein, *Career Anchors, San Diego*, University Associates, 1990.

La typologie de Driver. Driver a défini quatre types de cheminements de carrière[23].

- Le *cheminement homéostatique* se limite à un champ d'activité ; il concerne les individus motivés par la stabilité d'emploi, les relations interpersonnelles, un climat de travail harmonieux et l'amélioration de leurs compétences.
- Le *cheminement linéaire* est caractéristique des gens qui souhaitent occuper des postes de gestion, qui sont assoiffés de pouvoir et de domination, et qui s'intéressent aux relations interpersonnelles.
- Le *cheminement transitoire* implique des changements fréquents ; les gens qui l'adoptent recherchent la variété des tâches, les salaires élevés et les objectifs clairs.
- Le *cheminement spiralique* est propre aux individus qui aspirent à des changements cycliques majeurs, à l'autonomie, à la croissance personnelle et à la liberté d'action[24].

LES ÉTAPES DU DÉVELOPPEMENT DE LA CARRIÈRE

Selon divers auteurs, la progression de la carrière comporte plusieurs étapes. Le déroulement d'une carrière est constitué d'une suite d'événements prévisibles qu'une personne est appelée à vivre au cours de sa vie, indépendamment des catégories d'emploi. La connaissance de ces étapes peut aider à comprendre les problèmes et les événements qui se présentent au fil des ans. Hall en propose cinq[25] (voir l'encadré 9.6).

- *Étape 1 : la préparation au marché du travail.* Cette étape s'étend de la naissance à l'âge d'environ 25 ans. C'est au cours de cette période qu'on fait son premier choix professionnel et qu'on poursuit les études appropriées. L'image associée à une profession donnée se forme progressivement pendant l'enfance, l'adolescence et le début de l'âge adulte.

- *Étape 2 : l'entrée sur le marché du travail.* Le choix d'un emploi et d'une organisation forme l'essentiel de cette deuxième étape. L'un des principaux problèmes de cette période est ce qu'on appelle le *choc de la réalité.* Ainsi, la personne qui entretient des attentes irréalistes à l'égard du marché du travail tombe de haut en se rendant compte que les emplois de début sont très peu stimulants. Cette étape se vit habituellement vers l'âge de 18 à 25 ans.

- *Étape 3 : le début de la carrière.* Amorcer une carrière au sein d'une organisation donnée constitue le cœur de cette étape, qui se divise en deux périodes : l'entrée dans le monde adulte et la recherche du succès dans le secteur d'activité choisi. On franchit généralement cette étape entre 25 et 40 ans.

- *Étape 4 : le milieu de la carrière.* Cette étape se situe généralement entre 40 et 55 ans. Elle marque la transition entre le début de l'âge adulte et l'âge mûr. La personne réévalue le mode de vie qui a caractérisé sa carrière jusque-là. Elle peut choisir un nouveau mode de vie, en accord avec le précédent ou complètement différent. Elle passe en revue les objectifs atteints et songe aux objectifs futurs. Le plafonnement de carrière et l'insuffisance de compétences sont des problèmes caractéristiques de cette étape.

- *Étape 5 : la fin de la carrière.* Cette dernière étape est marquée par la poursuite de l'activité professionnelle et la préparation à un retrait de la vie active. Certaines personnes envisagent de rester actives sur le plan professionnel, alors que d'autres décident d'amorcer un retrait graduel ou définitif du marché du travail.

ENCADRÉ ▶ **9.6**

Les étapes de la progression de la carrière, selon le modèle de Hall

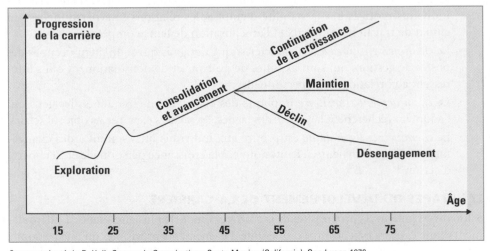

Source : adapté de D. Hall, *Careers in Organizations*, Santa Monica (Californie), Goodwear, 1976.

LE RYTHME DU DÉROULEMENT
DE LA CARRIÈRE

La progression de la carrière varie d'un individu à l'autre. De plus, la notion de succès professionnel, qui désigne l'évaluation effectuée par l'individu de ses réalisations dans le cadre de ses expériences de travail, comprend deux concepts clés : le succès objectif et le succès subjectif. Le succès objectif se définit comme le jugement porté par autrui sur les réalisations de carrière d'un individu à l'aide de critères observables, tels que le niveau de rémunération atteint, le nombre de promotions obtenues et le poste occupé. Le succès subjectif correspond au sentiment et à la satisfaction qu'éprouve l'individu à l'égard de sa carrière[26].

Le succès professionnel influe à la fois sur l'individu et sur l'organisation. Le sentiment réel ou perçu de ne pas réussir sa carrière peut susciter des attitudes et des comportements contre-productifs, ainsi que des problèmes de santé d'ordre physique ou psychologique[27]. Ainsi, l'individu insatisfait de sa carrière en viendra à réduire son engagement envers l'organisation et à exprimer plus que les autres son intention de quitter son emploi.

Le sentiment d'avoir raté sa carrière peut susciter divers comportements chez les individus : la recherche de sources d'intérêt hors de l'organisation, l'adoption d'une vision instrumentale du travail, le refus d'aider ses collègues, une grande résistance aux changements organisationnels, l'absentéisme et le manque de ponctualité. De nombreuses recherches sur le bien-être physique et psychologique ont montré que l'individu éprouve alors des sentiments d'aliénation, de frustration et d'ennui. Avec le temps, il deviendrait plus irritable que les autres, manquerait d'énergie, serait taciturne et cynique, en plus d'être enclin à avoir une mentalité de perdant. Les répercussions psychologiques de la stabilisation de la mobilité se manifesteraient aussi par l'épuisement émotif, la perte d'identité, la dépression, la diminution de l'estime de soi et l'augmentation de l'anxiété[29]. Cette situation pourrait également conduire à l'expression d'un certain ressentiment, dont les symptômes physiques pourraient inclure l'insomnie, les maux de tête, ou encore la dépendance aux drogues et à l'alcool.

Liberté 35 : cinq ans de repos pour profiter de la vie

Pourquoi attendre d'avoir 60, 62 ou 65 ans pour souffler un peu et jouir de la vie ? Dave Morgan, « simple citoyen » britannique, propose une solution de rechange originale à l'organisation actuelle du travail : permettre aux gens — s'ils le désirent — de prendre une « première » retraite, d'une durée de cinq ans, entre leur 30e et leur 40e anniversaire. « Les gens pourraient ainsi faire une pause à une période de leur vie où ils ont l'énergie et l'enthousiasme pour en profiter au maximum », écrit-il dans le site de la Global Ideas Bank, qui recueille depuis plus de 10 ans des idées novatrices de ce type auprès des internautes.

Les avantages d'une éventuelle « retraite de milieu de vie » sont nombreux, dit Dave Morgan. L'entrain des employés au travail augmenterait. Les jeunes auraient tendance à épargner davantage pour jouir pleinement de leur « première retraite ». Ceux qui ont des enfants pourraient leur consacrer 100 % de leur temps et de leur énergie à un moment crucial de leur développement — ce qui pourrait ultimement bénéficier à l'ensemble de la société. Cette pause pourrait même réduire l'« âgisme » (la discrimination fondée sur l'âge) chez les employeurs, qui devraient modifier leur perception à l'égard des candidats âgés de 45 ou 50 ans.

Une telle rupture avec la tradition entraînerait aussi son lot de problèmes — on imagine le casse-tête des employeurs forcés de remplacer temporairement leurs jeunes retraités. Ces derniers, pour survivre pendant leur pause, toucheraient des rentes de l'État, qui devrait conséquemment (car rien n'est gratuit) repousser à 70 ou 75 ans l'âge de la retraite « définitive »…[28].

9.3.2 | Les besoins organisationnels

La planification des carrières comporte des activités permettant, d'une part, à l'individu de se fixer des objectifs à la mesure de ses aptitudes et de ses intérêts, et, d'autre part, à l'organisation de déterminer ses besoins en effectifs et en compétences. Bien que la démarche liée à cette étape incombe jusqu'à un certain point à l'individu, l'entreprise peut l'aider à découvrir ses préférences de carrière en lui offrant des ateliers de formation, de la documentation, des logiciels et des vidéos (voir l'encadré 9.7). L'employé sera ainsi plus apte à faire des choix réfléchis et réalistes.

ENCADRÉ ▶ **9.7**

L'aide à la planification individuelle de la carrière

- Autoévaluation
- Détermination des possibilités de carrière
- Élaboration d'un projet personnel de carrière
- Ateliers et counseling

Source : adapté de G. Guérin et T. Wils, « La gestion des carrières : une typologie des pratiques », *Gestion*, vol. 17, n° 3, septembre 1992, p. 48-63.

On peut aussi offrir à l'employé l'assistance d'un conseiller qui pourra lui donner un avis professionnel, analyser ses possibilités de carrière et l'aider à faire ses choix. Par ailleurs, le mentor peut jouer ce rôle.

Une fois cette étape d'information terminée, la planification de carrière passe par l'officialisation du plan de carrière par le représentant de l'organisation (voir l'encadré 9.8). L'entretien consacré à la carrière peut faire suite à une évaluation du rendement et servir d'officialisation. Cette étape est d'autant plus importante qu'elle permet de concilier les aspirations de l'employé et les besoins organisationnels.

ENCADRÉ ▶ **9.8**

L'élaboration des plans de carrière des employés

- Entretien de carrière (ambiance favorable, écoute attentive, point de vue des gestionnaires, éventail des possibilités, élaboration conjointe du plan de carrière)
- Planification de la relève (recension des postes clés, élaboration des plans de carrière individuels)

Source : adapté de G. Guérin et T. Wils, *op. cit.*, p. 48-63.

Entretien de carrière

Rencontre d'un employé avec son supérieur pour déterminer ses objectifs de carrière en fonction des possibilités et des besoins organisationnels.

C O N S U L T E Z
INTERNET

http ://www.canadacareerweek.com/products/cp_98_f/ career_planner/index.html

Site conçu pour aider les Canadiens de tout âge à planifier leur carrière

C'est au cours d'un entretien de carrière que les supérieurs peuvent orienter la carrière de leurs subordonnés[30]. Afin d'en arriver à une entente claire et satisfaisante pour les deux parties, il faut que certaines conditions soient respectées au cours de l'entretion, dont voici les principales : une ambiance favorable aux échanges, une écoute attentive, un éventail de possibilités et l'élaboration d'un plan conjoint d'orientation de la carrière[31].

La planification de carrière peut être employée par l'organisation pour planifier la relève aux postes supérieurs. L'organisation peut ainsi repérer les gestionnaires hautement compétents et les encourager à faire partie de la prochaine génération de gens qui occuperont des postes clés. Comme il s'agit ni plus ni moins d'une passation des pouvoirs, c'est une opération on ne peut plus délicate. Il faut veiller à bien coordonner les mouvements de travailleurs pour éviter qu'ils ne deviennent source de problème ou de conflit, si par exemple on se trouvait dans l'impossibilité de promouvoir un employé parce qu'aucun autre n'était disponible pour occuper le poste qui deviendrait vacant. Il est donc primordial que le responsable de la planification des ressources humaines tienne compte de ce genre de situation et soit disposé à modifier ses plans dans un délai très serré. Dans la plupart des cas, la haute direction arrime généralement le plan de relève aux caractéristiques organisationnelles[32].

Compte tenu de la tendance à la décentralisation du pouvoir, le processus de planification de la relève suscite un nouvel intérêt pour l'évaluation et le développement des compétences des gestionnaires. En effet, la décentralisation fait appel, plus que jamais, à l'aptitude à diriger des cadres supérieurs. Cependant, paradoxalement, il existe peu de postes de niveau hiérarchique supérieur. Par ailleurs, les employés sont actuellement mieux formés et, par conséquent, nombre d'entre eux représentent des candidats de choix. Il devient donc encore plus pressant de trouver des méthodes judicieuses pour déceler les candidats dont le potentiel est élevé. Les aspects les plus importants de la planification de la relève demeurent l'analyse des postes clés et l'examen des titulaires de ces postes, de même que la détermination des candidats aptes à assurer leur remplacement.

9.4
LES PRATIQUES VISANT LA MISE EN ŒUVRE DES PLANS DE CARRIÈRE

La mise en œuvre des plans de carrière se divise en deux étapes : déterminer les pratiques qui permettront d'atteindre les objectifs des plans de carrière établis au cours de la phase de planification ; offrir des moyens et des outils servant à résoudre les problèmes que peut poser la progression des carrières[33].

9.4.1 | Les pratiques visant le développement des carrières

La mise en œuvre du plan de carrière consiste à cerner les pratiques qui permettront aux individus de réaliser le plan établi dans la première phase. Il existe une abondance de publications sur le sujet et les pratiques proposées pour aider les individus à assurer la progression de leur carrière sont nombreuses. Guérin et Wils[34] distinguent trois grandes catégories de pratiques : les aménagements de l'emploi actuel, la concrétisation des mouvements de carrière planifiés et la formation.

La filière professionnelle fait partie des aménagements de l'emploi actuel ; elle favorise le développement et la progression des carrières, sans pour autant rendre nécessaires les mouvements d'emploi. Les employés engagés dans une filière professionnelle progressent en accédant à des niveaux supérieurs de responsabilité, de statut et d'autonomie.

Les mouvements de carrière planifiés désignent la politique de promotion interne dont l'objectif est d'offrir

www.natcon.org

Site de la Consultation nationale touchant le développement des carrières (CONAT). Cette consultation annuelle favorise les rencontres entre les multiples intervenants travaillant dans le domaine, notamment les conseils sectoriels, les praticiens, les gestionnaires, les employeurs, les concepteurs de produits, les analystes du marché du travail et les chercheurs. Ces personnes mettent en application leur savoir-faire en matière de développement des habiletés, d'apprentissage, de counseling de carrière, d'emploi, de formation ou d'enseignement.

les postes vacants en priorité aux employés actuels. Par ailleurs, la rotation des emplois, les affectations temporaires et les projets spéciaux permettent aux employés d'acquérir de nouvelles compétences. Ces pratiques sont particulièrement utiles pour relancer les carrières dans un contexte marqué par le ralentissement de la croissance et lorsqu'il est presque impossible d'assurer la mobilité verticale. Bien des moyens peuvent être employés pour transmettre l'information sur les postes vacants et sur les possibilités de changement. L'appariement informatique, l'affichage des postes et l'intranet constituent autant de moyens permettant aux individus de postuler des postes plus élevés dans la hiérarchie ou du même niveau que celui qu'ils occupent, mais comportant de nouveaux défis.

Le développement des carrières exige la mise sur pied de programmes de formation accessibles et qui visent l'acquisition de compétences pertinentes. Les pratiques comprennent notamment le remboursement des frais de formation, l'attribution de congés d'études, la conception de programmes de formation sur mesure à l'interne.

L'aide organisationnelle à la résolution des problèmes individuels liés à la carrière constitue une étape cruciale de la mise en œuvre de la gestion des carrières, puisqu'elle est fournie en fonction de la situation de l'employé. Or, les situations qui exigent une solution individualisée ne manquent pas : l'arrivée de nouveaux diplômés, le plafonnement de la carrière, le vieillissement de la main-d'œuvre, les couples à deux carrières, les employés à mi-chemin de leur carrière, etc. (voir la sous-section 9.4.2).

Les programmes d'intégration (voir la sous-section 6.4.1) comptent parmi les moyens susceptibles d'aider les employés à surmonter leurs problèmes de progression professionnelle. Ces programmes comprennent les pratiques de formation qui ont pour objet d'amener l'employé à se familiariser avec son nouvel environnement de travail et avec la culture organisationnelle. L'engagement du supérieur et des collègues dans l'intégration des nouveaux arrivés augmente la satisfaction de ces derniers et joue un rôle déterminant dans leur maintien en emploi.

La pratique du mentorat occupe une place de choix parmi les activités qui contribuent au développement de la carrière des employés, en particulier de celle des femmes, peu représentées dans les postes stratégiques, des jeunes et des recrues[35]. Le gestionnaire peut influer de façon importante sur l'amélioration des compétences individuelles en se concentrant sur les buts et le potentiel de chaque travailleur. En ce sens, presque tous les gestionnaires ont la responsabilité implicite de contribuer au développement des compétences des employés, pratique qu'on désigne par le terme de *mentorat*.

Réorientation de carrière

Possibilité donnée à un employé d'acquérir de nouvelles perspectives, attitudes, apprentissages, compétences et habiletés en vue d'améliorer son rendement au travail.

DANS LES FAITS

Mentorat et coaching : deux formes d'accompagnement

À certains moments au cours d'une carrière, les conseils d'une personne expérimentée peuvent permettre de mieux orienter le tir et d'éviter erreurs et faux pas. Mentor ou *coach* ? Le choix du mode d'accompagnement diffère selon les besoins. Le mentorat, qu'il soit formel ou informel, met en relation un individu expérimenté et un autre en formation ou en voie d'intégration dans un milieu de travail. [...]

[Comme l'explique Mme Lise Lavoie-Gauthier, présidente de l'organisme Mentorat Québec] : « C'est une relation gratuite, généreuse, fondée sur la confiance et confidentielle. Le mentor guide, accompagne et soutient, sans être directif. Il peut également ouvrir des portes pour faciliter le réseautage. Contrairement au coaching, le mentorat n'a pas d'obligations de résultats mesurables. »

Selon Mme Christine Cuerrier, conseillère d'orientation au service à la vie étudiante de l'Université du Québec à Montréal, « cette formule répond à des besoins plus globaux dans le cheminement d'une carrière. Elle aide à grandir beaucoup plus qu'à acquérir des compétences spécifiques, comme le fait le coaching. » Mme Cuerrier observe que le mentorat est particulièrement utile dans les périodes de transition, comme l'intégration dans un nouveau milieu de travail, le démarrage d'une entreprise, une réorientation de carrière ou un changement de milieu professionnel. « Avec un mentor, on partage ses doutes, ses incertitudes et même ses erreurs. La réciprocité, et non l'autorité, caractérise la relation entre le mentor et le mentoré. » Au départ d'une telle relation, certains éléments doivent faire l'objet d'une entente, comme la fréquence, le lieu ainsi que le mode de préparation et d'évaluation des rencontres. « Les conflits d'intérêt possibles doivent également être exposés[36]. »

Les relations qui s'établissent entre un mentor et son protégé sont souvent informelles ou spontanées, mais certaines entreprises officialisent cette pratique, faisant du mentorat une relation privilégiée, établie délibérément, pour une durée déterminée, en fonction des stratégies organisationnelles. Le mentor joue divers rôles auprès de son protégé (voir l'encadré 9.9), il lui sert de modèle et il exerce une influence déterminante sur sa carrière ; une relation d'estime réciproque et durable s'établit alors entre eux[37].

La progression de l'employé peut également être facilitée par le parrainage, l'assistance professionnelle et l'affectation à des tâches stimulantes. Diverses activités de soutien, comme le jeu de rôle, la consultation et l'amitié, ont pour objectif d'aider le travailleur débutant à se façonner une identité propre.

ENCADRÉ ▶ **9.9**

Les rôles du mentor

Rôle professionnel
- Renseigner son protégé sur ses besoins de perfectionnement et sur les moyens de les combler.
- Assurer sa formation sur les plans technique et administratif.
- Lui exposer et lui expliquer les stratégies organisationnelles.
- L'affecter à des postes stratégiques.
- Lui donner une rétroaction sur sa performance et ses attitudes.
- S'assurer qu'il reçoit toute la reconnaissance qu'il mérite.

Rôle politique
- Assurer à son protégé l'accès à de l'information privilégiée.
- L'introduire dans les réseaux décisionnels.
- L'aider à se familiariser avec les aspects officiels de l'entreprise.
- Le représenter et lui servir en quelque sorte d'« avocat ».
- Lui assurer une certaine visibilité.

Rôle socioaffectif
- Écouter son protégé, l'encourager et le conseiller.
- Lui servir d'exemple en matière de comportements appropriés.
- Dans certains cas, devenir son ami ou son confident.

Source : C. Benabou, « Mentors et protégés dans l'entreprise : vers une gestion de la relation », *Gestion*, vol. 20, n⁰ 4, 1995, p. 18-24.

Les programmes d'aide à la gestion du stress professionnel, le counseling de carrière spécialisé et les congés sabbatiques comptent parmi les moyens mis à la disposition des personnes en situation de plafonnement de carrière ou de crise du milieu de la vie. Appelés à jouer de nouveaux rôles (formateur, mentor, conseiller ou porte-parole), les employés vieillissants donneront un nouveau sens à leur carrière. Si la culture organisationnelle valorise l'expérience et que la direction s'engage clairement auprès de la main-d'œuvre vieillissante, l'entreprise verra qu'il est intéressant pour elle de garder à son emploi des employés productifs, tout en offrant la possibilité d'une préretraite. Les programmes de retraite et de préretraite atténuent l'anxiété des travailleurs qui se trouvent en fin de carrière et leur permettent d'envisager l'avenir plus sereinement. Les pratiques visant à redéfinir le succès professionnel incluent la mise en place de groupes de réflexion et la diffusion de documents de réflexion. Enfin, l'entreprise peut procéder au contrôle de la gestion des carrières par le suivi et l'évaluation de la progression de carrière de chacun de ses employés.

9.4.2 | Les solutions de rechange à la carrière traditionnelle

On regroupe en quatre catégories les pratiques qui offrent des solutions de rechange à la carrière traditionnelle : les rétrogradations, les mutations, les mouvements de croissance et les groupes de travail[38] (voir l'encadré 9.10).

Mouvements de croissance

Ensemble de pratiques de gestion des carrières qui visent à encourager la mobilité organisationnelle. Citons, par exemple, la participation à des projets spéciaux, la rétrogradation, la mutation géographique, etc.

ENCADRÉ ▶ **9.10**

Les solutions de rechange à la carrière traditionnelle

Rétrogradations
- Rétrogradation avec augmentation de salaire
- Rétrogradation temporaire permettant d'acquérir de nouvelles compétences et de reprendre son poste par la suite
- Rétrogradation horizontale avec diminution de salaire
- Rétrogradation sans diminution de salaire
- Rétrogradation en fin de carrière afin de permettre à un jeune employé de progresser dans l'organisation
- Rétrogradation en vue d'éviter une perte d'emploi liée à une restructuration
- Rétrogradation en vue d'éviter une perte d'emploi liée à des problèmes de performance

Mutations
- Mutation horizontale dans une autre région
- Promotion dans une autre région
- Mutation horizontale dans la même région
- Mutation dans une maison d'enseignement (recherche, enseignement, projets spéciaux)

Mouvements de croissance
- Élargissement des responsabilités
- Enrichissement des responsabilités

Groupes de travail
- Participation à une équipe de projet
- Participation à une équipe d'étude spéciale

Source : L. Lemire et T. Saba, « Plafonnement de carrière subjectif : impacts organisationnels dans le secteur québécois », dans M. Tremblay (sous la dir. de), *GRH face à la crise : GRH en crise*, Actes du VIIIe Congrès de l'AGRH, Montréal, HEC, 1997, p. 371-382.

Devant la réduction des possibilités de promotion, divers auteurs[39] proposent des solutions de rechange à l'évolution traditionnelle de la carrière qui permettraient aux individus d'acquérir un ensemble d'habiletés et de progresser de façon continue dans l'organisation. Ainsi, l'idée de mouvement, qui est implicite dans la notion de carrière, ne se limite plus aux mouvements verticaux, mais s'étend aux déplacements horizontaux, et même aux mouvements descendants. Les solutions envisagées englobent aussi les mouvements de croissance dans l'emploi occupé, la participation à des groupes d'étude ou à des projets spéciaux, la rotation de postes, les échanges de responsabilités entre collègues et les stages de recherche dans des établissements d'enseignement[40].

L'élargissement de l'horizon professionnel par l'ajout des affectations internationales constitue certainement une nouvelle avenue, de plus en plus utilisée malgré les multiples contraintes qu'elle présente, notamment les couples à deux carrières, les difficultés d'adaptation et d'intégration, le coût de la mobilité, les considérations d'ordre juridique et les difficultés liées au rapatriement des employés[41]. Il n'en demeure pas moins que l'élaboration et la mise en œuvre de stratégies internationales supposent que les individus possédent une expérience internationale. Toute entreprise qui envisage d'élargir ses horizons doit se doter de leaders internationaux et de globe-trotters dont le perfectionnement ne peut s'effectuer qu'au moyen d'affectations internationales. Ces affectations offrent aux employés à la fois des possibilités d'apprentissage, une plus grande autonomie et de nouvelles perspectives de carrière[42].

Selon Baruch et Peiperl[43], les entreprises se mettront à rechercher des personnes capables de déterminer par elles-mêmes leur cheminement de carrière et de faire le bilan de leurs compétences. Cette approche s'oppose aux courants dans lesquels on met l'accent sur le contrôle et l'efficacité dans l'organisation ; à cet égard, il faudrait sans doute inventer de nouvelles orientations. Étant donné que la nouvelle devise des entreprises est « small is beautiful », à laquelle s'ajoute ces temps-ci « small is flexible », peut-être faudrait-t-il considérer l'« intraneurship » comme un moyen efficace pour gérer la carrière des employés à haut potentiel et les conserver.

9.5 LES ASPIRATIONS DE CARRIÈRE EN FONCTION DU CYCLE DE LA VIE PROFESSIONNELLE

Comme nous l'avons vu à la sous-section 9.3.1, les individus progressent dans leur carrière en fonction du temps qu'ils y consacrent et du rythme qu'ils adoptent. À chaque étape de la carrière sont associés des problèmes particuliers. Nous examinerons brièvement ces problèmes, puis nous proposerons quelques solutions.

9.5.1 Les jeunes diplômés et les employés nouvellement embauchés

Les problèmes professionnels des personnes nouvellement embauchées dans leur premier emploi sont fort différents des problèmes auxquels doivent faire face les employés qui ont atteint le milieu de leur vie professionnelle ou qui approchent de la retraite. Par ailleurs, les attentes et les aspirations des professionnels en début de carrière sont très variées (voir l'encadré 9.11). Il va sans dire que l'entreprise doit y répondre si elle veut que ses employés continuent à être performants et qu'ils restent dans l'organisation. Pour y arriver, il faut prendre les mesures appropriées (voir l'encadré 9.12). L'accueil et l'intégration ont une grande importance (voir la section 6.4). Parmi les pratiques qui permettent de bien gérer le début de carrière des employés, soulignons le rôle crucial du supérieur dans le processus d'intégration et dans l'attribution d'un travail intéressant et enrichissant[44].

ENCADRÉ ▶ **9.11**

Les attentes des professionnels en début de carrière

- Avoir un plan de carrière.
- Être bien encadré.
- Se voir confier des responsabilités.
- Jouir d'une certaine autonomie.
- Avoir une certaine qualité de vie au travail.
- Avoir de bonnes conditions de travail.
- Bénéficier d'un soutien organisationnel.
- Avoir la possibilité de se développer.
- Avoir une certaine mobilité.
- Pouvoir utiliser pleinement son potentiel.

Source : J. Carrière, *L'explication et la gestion du phénomène de démobilisation chez les diplômés universitaires récemment embauchés*, thèse de doctorat, Université de Montréal, École de relations industrielles, 1998.

ENCADRÉ ▶ **9.12**

La gestion du début de la carrière des employés

Aspects à considérer	Mesures à prendre
Accueil	• Information au moment de la sélection • Information au moment de l'accueil
Recrutement	• Examen du degré de compatibilité entre les valeurs individuelles et les valeurs organisationnelles
Conditions de travail	• Analyse des aménagements possibles
Carrière	• Counseling sur la carrière • Évaluation de l'employé • Formation et mise en valeur de l'employé • Enrichissement professionnel progressif
Encadrement	• Encadrement à l'arrivée • Explications claires sur le travail à réaliser • Mentorat • Affectations

Source : adapté de J. Carrière, *op. cit.*

9.5.2 | Le plafonnement de la carrière

La réduction du nombre de niveaux hiérarchiques (ou déstratification de la pyramide hiérarchique) exige l'acquisition de nouvelles compétences qui dépassent les connaissances techniques. Cependant, ce changement de structure restreint les possibilités de progression de carrière. Pour survivre dans ce nouvel environnement, il faut diversifier ses connaissances, maîtriser les nouvelles technologies de l'information, travailler en équipe, assumer des responsabilités, prendre des décisions et accepter d'effectuer des mouvements de carrière latéraux[45].

À la suite des premières vagues de restructuration et des premiers signes de plafonnement des carrières, les organisations ont proposé de nouvelles solutions aux problèmes de progression de carrière[46]. En matière de mobilité, les chercheurs ont présenté des moyens d'acquérir des compétences : les mouvements latéraux et interfonctionnels, les projets spéciaux, les mutations, les échanges de postes entre employés et la progression dans les filières professionnelles. En matière de développement des carrières, on propose d'offrir des occasions d'apprentissage, de promouvoir l'autoformation, de fournir une rétroaction honnête et de réaménager les postes pour les employés aspirant à de plus grandes responsabilités. Par ailleurs, il faut établir une rémunération fondée sur les compétences acquises, plutôt que sur le poste occupé, afin d'encourager les personnes qui ont fait l'effort de suivre une formation.

Le concept de mobilité qualifiante mis de l'avant par Wils, Tremblay et Guérin[47] rend compte de la nécessité de transformer le changement d'emploi en expérience positive pour les individus et de maximiser leurs possibilités d'apprentissage. L'intervention des cadres à titre de moniteurs et de formateurs devient un facteur de succès, puisque ceux-ci sont appelés à conseiller leurs employés et à les aider à améliorer leurs compétences, en s'appuyant pour cela non pas sur leur autorité, mais sur leur qualification professionnelle.

Mobilité qualifiante

Approche de la conception des tâches qui n'entraîne pas de changement de poste, mais plutôt le déplacement des employés d'un poste à un autre pour favoriser leur apprentissage des diverses fonctions organisationnelles et diversifier leur expérience de travail.

Adoptées par de nombreuses organisations, ces solutions continueront d'être cruciales, car elles tiennent compte d'un grand nombre de transformations touchant les milieux de travail, par exemple du plafonnement de carrière et de la mise en place des nouvelles formes d'organisation du travail. Une réévaluation de la notion de succès de carrière doit accompagner les différentes mesures proposées afin de faciliter les transitions et de faire accepter aux employés l'idée de la disparition des progressions verticales[48].

9.5.3 | Les couples à deux carrières

La famille et le travail sont les deux principales sources de satisfaction chez la plupart des gens. Cependant, elles peuvent entrer en conflit quand les conjoints mènent tous deux une carrière[49]. Le nombre de ménages pouvant compter sur deux salaires est en hausse. Cette situation est attribuable en partie au fait que les ménages désireux de s'assurer un niveau de vie décent doivent augmenter leurs revenus, mais un autre phénomène y contribue également : la proportion accrue de femmes souhaitant faire carrière parmi les professionnels entrant sur le marché du travail[50].

L'expression « couple à deux carrières » désigne la structure familiale dans laquelle chacun des conjoints mène une carrière. Les couples à deux carrières ayant des enfants sont souvent aux prises avec des problèmes majeurs[51].

- Les conflits entre les deux carrières ne sont pas faciles à résoudre. Par exemple, quelle décision prendre si l'un des conjoints se voit offrir une alléchante promotion à l'étranger ?

- Les conflits entre les exigences professionnelles et les responsabilités familiales sont nombreux. Par exemple, dans une famille traditionnelle, la femme peut se trouver surchargée de travail : son emploi, les tâches ménagères et l'éducation des enfants.

Bristol-Myers Squibb Canada est une entreprise multinationale dans le secteur pharmaceutique. Elle compte près de 900 employés au Canada, dont 58 % sont des femmes.

[…]

Contexte

Les premières mesures visant à faciliter la conciliation entre les responsabilités professionnelles et personnelles ont été introduites dans les années 1980. La rareté de la main-d'œuvre qualifiée dans le domaine pharmaceutique ainsi que l'importance attribuée à la satisfaction du personnel expliquent le fait que l'entreprise soit un précurseur dans ce domaine.

Depuis 2000, l'entreprise a ainsi mis en place son programme Équilibre Vie-Travail. Elle offre à son personnel une quarantaine de mesures visant à répondre à des besoins diversifiés. Elles portent sur l'organisation du travail, les avantages sociaux, les communications ainsi que l'évolution de la carrière.

Démarche

Un processus de consultation du personnel a été amorcé dès 2000. Il visait à vérifier l'adéquation entre les besoins et les mesures proposées pour faciliter la conciliation entre la vie professionnelle et la vie personnelle ainsi qu'à définir de nouveaux besoins dans ce domaine.

Un comité vie/travail […] a permis de dégager de nouveaux besoins. Le Service des ressources humaines, en collaboration avec les autres services concernés, s'est chargé d'élaborer des mesures visant à répondre à ces nouvelles aspirations. L'implantation de ces mesures s'est faite progressivement, en commençant par les plus urgentes.

Un suivi des mesures est fait afin de s'assurer de leur adéquation avec les besoins. Il permet ainsi de connaître la satisfaction des employés et d'établir les ajustements possibles[52].

- Les transformations sociales perturbent la perception qu'on pouvait avoir des rôles de l'homme et de la femme dans la famille, ce qui peut facilement entraîner des problèmes d'identité.

Compte tenu de ces conflits potentiels, certains couples ont décidé de différer la venue des enfants ou de renoncer à en avoir : ce sont des « couples à deux revenus sans enfants », que les anglophones désignent par l'expression DINKS (*double income, no kids*). En français, on utilise parfois un calque de l'anglais : SEDS (sans enfants, double salaire). Ce phénomène a contribué pour beaucoup à l'émergence d'une société sans enfants.

CONSULTEZ **INTERNET**

www.travail.gouv.qc.ca/actualite/conciliation_travail_famille/recueil casvecus.pdf

« Recueil de cas vécus en conciliation travail-famille », document publié en 2004 par la Direction des communications et la Direction des innovations en milieu de travail du ministère du Travail du Québec

Il existe des pratiques organisationnelles conçues pour aider les couples à deux carrières à mieux gérer ces conflits (voir l'encadré 9.13). On les regroupe en quatre catégories : l'aide aux membres de la famille (services de garde, équipes volantes, etc.) ; les congés et les avantages sociaux ; l'aménagement de l'horaire de travail ; la gestion des carrières. Grâce à l'application de ces mesures, les conjoints d'un couple à deux carrières peuvent mieux concilier leur responsabilités familiales (qu'il s'agisse d'enfants ou de parents à charge) et leurs responsabilités professionnelles, ce qui leur permet de s'épanouir davantage au sein de leur organisation.

Les pratiques favorisant l'équilibre travail-famille

Aide aux membres de la famille	1. Service de garderie
	2. Aide financière pour les frais de garde
	3. Garde des enfants d'âge scolaire
	4. Aide financière à l'éducation
	5. Aide d'urgence
	6. Aide aux personnes à charge à autonomie réduite
	7. Service d'information et d'orientation
Congés et avantages sociaux	8. Compléments de salaire et congés parentaux
	9. Congés pour raisons personnelles
	10. Programme d'aide aux employés
	11. Assurance collective pour la famille
	12. Service d'aide familiale facilement accessible
Aménagement de l'horaire de travail	13. Horaire flexible
	14. Horaire comprimé optionnel
	15. Horaire à la carte
	16. Travail à temps partiel optionnel
	17. Travail partagé optionnel
	18. Travail à domicile
Gestion des carrières	19. Cheminement de carrière adapté aux exigences familiales
	20. Aide aux familles des employés qui acceptent de se déplacer

Source : G. Guérin, S. St-Onge, R. Trottier, M. Simard et V. Haines, « Les pratiques organisationnelles de l'équilibre travail-famille : la situation au Québec », *Gestion*, vol. 19, n° 2, mai 1994, p. 74-82.

9.5.4 | La fin de la carrière

Au fur et à mesure que la génération des baby-boomers avance en âge, les employés ayant atteint la cinquantaine deviennent de plus en plus nombreux[53]. Les organisations devront inévitablement gérer efficacement cette catégorie de main-d'œuvre et lui offrir des conditions d'emploi propres à assurer sa progression[54].

Bien sûr, toute carrière a une fin. Cependant, avec l'âge, les aspirations et les capacités des travailleurs se modifient ; il faut donc s'écarter des modèles de carrière traditionnels, qui assimilent la phase de la fin de la carrière à la retraite définitive. On peut regrouper en trois catégories les aspirations des travailleurs arrivés en fin de carrière : l'aménagement du contenu de travail, l'aménagement des conditions de travail et l'aménagement des conditions de retraite[55] (voir l'encadré 9.14).

À partir de l'analyse de leurs besoins, il serait souhaitable de proposer aux employés vieillissants de nouvelles avenues de carrière afin de permettre à ceux qui le souhaitent de continuer à jouer un rôle actif au sein de l'organisation et de contribuer à son succès. Pour faciliter ces réorientations de carrière, il est toutefois nécessaire de

Les aspirations des travailleurs en fin de carrière

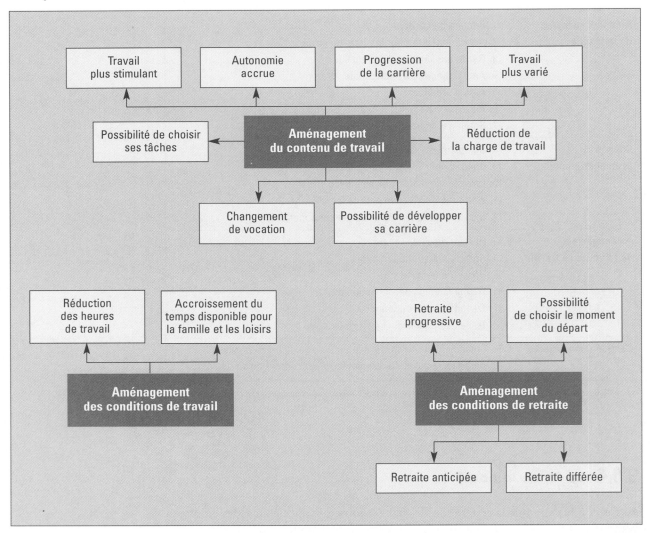

Source : adapté de T. Saba, G. Guérin et T. Wils, « Gérer l'étape de fin de carrière », *Gestion 2000*, 1997, vol. 13, n° 1, p. 165-181.

repenser certaines pratiques de gestion (voir l'encadré 9.15). Planifier l'étape de la fin de la carrière, continuer à offrir des possibilités d'avancement et de mobilité aux employés productifs, même s'ils sont arrivés au terme de leur vie professionnelle, et évaluer les employés plus âgés constituent des avenues qui favorisent la mobilisation d'une main-d'œuvre dont l'effectif croîtra et sur laquelle reposera la réalisation des objectifs organisationnels. Le fait de prévoir des aménagements particuliers, tels que la définition de nouveaux rôles et l'établissement d'horaires flexibles, et d'élaborer des programmes de rémunération permettant à cette main-d'œuvre d'échapper au plafonnement salarial contribuera à transformer celle-ci en avantage compétitif[56].

DANS LES FAITS

Bientôt moins de travailleurs au Québec : pourquoi ?

Selon l'Institut de la statistique du Québec (ISQ), la population en âge de travailler au Québec déclinera à compter de 2013. Culminant à 4,9 millions de personnes, le groupe des 20-64 ans s'effritera sans cesse par la suite. En 2031, cette population ne comptera plus que 4,4 millions d'individus. Le maintien de l'évolution démographique récente entraînera ainsi, en deux décennies, une perte de 10 % des Québécois en âge de travailler.

[…]

Le déclin le plus intense de la population en âge de travailler surviendra entre 2016 et 2031, période au cours de laquelle se succéderont des générations diamétralement opposées quant à leur taille. Les générations nombreuses du baby boom en sortiront, tandis que s'intégreront les générations les moins nombreuses qui soient nées depuis la crise des années 1930. Des difficultés de renouvellement de la main-d'œuvre sont prévisibles : pour 100 aînés de 60 à 64 ans en âge de sortir du bassin des travailleurs, on ne trouvera qu'environ 70 jeunes de 20 à 24 ans pour les remplacer.

Le déclin annoncé de la population en âge de travailler se répercutera sur la population active qui inclut les personnes en emploi et les chômeurs, à moins d'une progression singulière des taux d'activité. […] En découlerait sans doute le report de l'âge à la retraite pour plusieurs travailleurs ou, tout au moins, la poursuite de l'activité dans un autre emploi[57].

CONSULTEZ INTERNET

www.novartis.ca/careers

Site de Novartis Canada, qui offre un éventail d'initiatives en matière de formation et de développement aux employés qui désirent acquérir de nouvelles compétences et élargir leur expérience professionnelle

---

ENCADRÉ ▶ **9.15**

Pratiques de gestion adaptées aux employés vieillissants

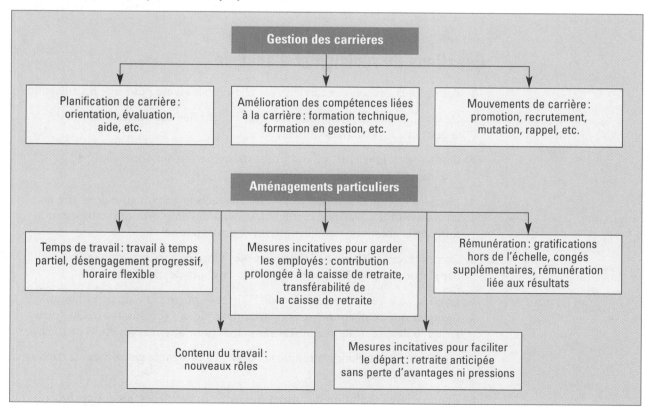

Source : adapté de T. Saba, G. Guérin et T. Wils, « Gérer l'étape de fin de carrière », *Gestion 2000*, 1997, vol. 13, n° 1, p. 165-181.

RÉSUMÉ

La gestion des carrières est une activité de gestion des ressources humaines qui vise à concilier les besoins organisationnels et les aspirations des employés en matière de développement des carrières. Il s'agit d'une activité qui a d'importantes retombées positives. En effet, la gestion des carrières est susceptible de susciter l'engagement et la loyauté des employés, ainsi que de les motiver en leur offrant des perspectives d'avenir; elle permet aussi à l'organisation de planifier la relève en développant à l'interne les compétences nécessaires pour pourvoir les postes qui seraient vacants dans un avenir proche.

La gestion des carrières est une activité cruciale de la gestion des ressources humaines. Compte tenu des transformations du travail, elle comporte de nombreux défis. D'une part, les individus ont des aspirations qui diffèrent en fonction notamment de leur personnalité, de leur scolarité et de leur âge. Les parcours de vie et les cycles de carrière ne sont pas tous comparables. D'autre part, les organisations vivent des périodes d'instabilité et de turbulence qui réduisent quelque peu leur capacité à offrir des cheminements de carrière stables et prévisibles. Pour un individu, mener une carrière suppose qu'il fasse un choix professionnel judicieux, qu'il décide de son développement professionnel et qu'il le mène à terme en définissant ses objectifs personnels, en obtenant de l'avancement et en acquérant les compétences nécessaires pour atteindre ses objectifs de carrière.

L'organisation doit aider les employés à déterminer leurs choix de carrière, à élaborer des objectifs et à établir avec le concours des superviseurs un plan qui permettra de les réaliser. Afin d'avoir une plus grande flexibilité et du fait de la diversité de la main-d'œuvre, l'organisation doit mettre en place des programmes offrant des possibilités d'avancement à ses employés, en tenant compte des problèmes et des enjeux de carrière qui accompagnent le cycle de vie.

Questions de révision et d'analyse

1. Pourquoi la gestion des carrières est-elle si importante pour une organisation ?

2. De quelle façon la gestion des carrières est-elle liée aux autres activités de la gestion des ressources humaines ?

3. Quels sont les facteurs qui ont influé ou influeront sur votre choix de profession ? Expliquez.

4. Décrivez quelques-uns des problèmes auxquels le gestionnaire doit faire face en élaborant des plans de carrière destinés à des employés qui se trouvent à différentes étapes de leur cheminement professionnel.

5. Commentez la théorie de Holland sur les types de carrière. Pouvez-vous l'appliquer à vos préférences en matière de choix de carrière ?

6. Le choc de la réalité ressenti lors de l'entrée sur le marché du travail semble indiquer que ce phénomène fait partie de la vie des organisations. Que peut tenter le directeur des ressources humaines pour atténuer les effets de ce choc ?

7. Qu'est-ce que la planification de la relève ? Comment la gestion des carrières peut-elle y contribuer ?

8. Étant donné l'évolution des structures organisationnelles, les entreprises pourront-elles continuer à gérer les carrières de manière traditionnelle ?

ÉTUDE DE CAS

LA CHAÎNE D'ALIMENTATION BONNE BOUFFE

Murielle Laberge
Professeure, Département de relations industrielles,
Université du Québec en Outaouais

Bonne Bouffe est l'une des plus importantes chaînes d'alimentation du Canada. Elle compte 56 600 employés, répartis en deux grandes catégories : les personnes qui occupent des postes de gestion ou de soutien et celles qui travaillent à la production. Au moment de l'embauche, l'entreprise offre un programme de retraite très alléchant, qui permet aux employés de prendre leur retraite quand ils ont effectué vingt années de service. Les employés sont recrutés lorsqu'ils sont relativement jeunes, souvent dès la fin de leurs études secondaires. Les emplois, particulièrement ceux qui relèvent de la production, ont un caractère monotone et routinier, de sorte que les travailleurs quittent l'entreprise dès qu'ils ont atteint le nombre d'années requis pour toucher leur rente de retraite. Comme celle-ci représente 60 % du salaire annuel, ils entament alors une deuxième carrière, plus stimulante.

La structure des postes est établie par fonction et une certaine spécialisation est requise, c'est pourquoi tout employé doit occuper un poste pendant un nombre minimal d'années avant d'accéder à l'échelon supérieur. Enfin, l'entreprise a gelé l'embauche dans les années 1990, à la suite d'importantes difficultés financières. La reprise économique a relancé l'embauche massive des employés.

Si vous examinez les graphiques suivants, vous constaterez que l'entreprise a de la difficulté à planifier ses besoins en ressources humaines. La courbe représente le nombre d'employés dont l'entreprise a besoin, en fonction du nombre d'années de service, pour répondre à la demande.

Employés affectés à la gestion et au soutien administratif

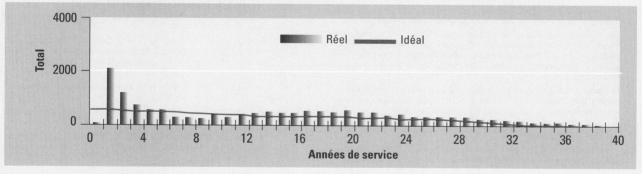

Employés affectés à la production

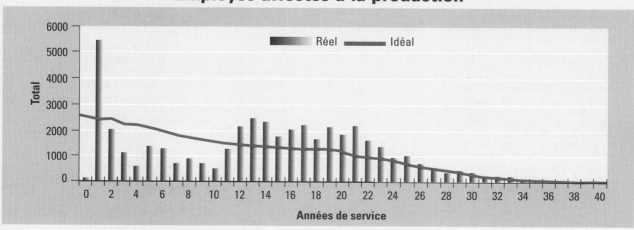

QUESTIONS

À quels problèmes Bonne Bouffe risque-t-elle de faire face dans cinq ans, dans dix ans, en raison de la répartition de la main-d'œuvre entre la production, d'une part, et la gestion et le soutien administratif, d'autre part?

a) Sur le plan de la relève?

b) Sur le plan de la gestion des carrières (en fonction de la structure des postes)?

c) Sur le plan du climat organisationnel?

d) Sur le plan de l'atteinte des objectifs organisationnels?

NOTES ET RÉFÉRENCES

1. G. Guérin et T. Wils, « La gestion des carrières : une typologie des pratiques », *Gestion*, vol. 17, n° 3, 1992, p. 48-63.

2. *Ibid.*

3. R.A. Noe et N. Schmitt, « The Influence of Trainee Attitude on Training Effectiveness : Test of a Model », *Personnel Psychology*, automne 1986, p. 497-523.

4. T.G. Gutteridge, Z.B. Leibowitz et J.E. Shore, *Organizational Career Development : Benchmarks for Building a World Class Workforce*, San Francisco, Jossey-Bass, 1993. G. Guérin et T. Wils, « La carrière, point de rencontre des besoins individuels et organisationnels », *Revue de gestion des ressources humaines*, n°s 5-6, 1993, p. 13-30.

5. M. London et S.A. Stumpf, *Managing Careers*, Boston (Massachusetts), Addison-Wesley, 1982. Z.B. Leibowitz, C. Farren et B.L. Kaye, *Designing Career Development Systems*, San Francisco (Californie), Jossey-Bass, 1986.

6. G. Guérin et T. Wils, « La gestion stratégique des ressources humaines », *Gestion*, vol. 27, n° 2, 2002, p. 14-23.

7. Texte consulté sur le site de la multinationale Bosch en France, spécialisée dans le domaine des innovations technologiques, www.bosch.fr/rh/evolution.html.

8. P. Bamberger et I. Meshoulam, *Human Resource Strategy : Formulation, Implementation, and Impact,* Thousand Oaks (Californie), Sage, 2000.

9. E. Lawler, *High-Involvement Management*, Jossey-Bass, 1986.

10. J.N. Baron et D.M. Kreps, *Strategic Human Resources Frameworks for General Managers*, New York, John Wiley and Sons, 1999.

11. G. Guérin et T. Wils, « La gestion stratégique des ressources humaines », *Gestion*, vol. 27, n° 2, 2002, p. 14-23.

12. A. Kraut et A. Korman (sous la dir. de), *Evolving Practices in Human Resource Management*, Jossey-Bass, 1999.

13. T. Saba, M. Blouin et L. Lemire, « Modalités de travail à temps plein ou partiel et son influence sur les attitudes et comportements au travail : l'effet médiateur de la violation du contrat psychologique », *Revue canadienne des sciences de l'administration*, 2006, vol. 23, n° 4, p. 318-333. C. Baret, « Gestion de carrière, les emplois précaires aussi ! », dans S. Guerrero, J.-L. Cerdin et A. Roger (sous la dir. de), *Gestion des carrières : enjeux et perspectives*, Paris, Vuibert, 2004, p. 55-63.

14. T. Saba, « La gestion des carrières : un vrai défi pour les années 2000 », *Effectif*, juin-juillet-août 2000, p. 20-26. E. Gosselin, J.-F. Tremblay et M. Bénard, « La nouvelle gestion organisationnelle des carrières : et si ce n'était qu'une fable ? », *Effectif*, juin-juillet-août 2000, p. 40-44.

15. E.H. Schein, *Organizational Psychology*, 3ᵉ éd., Englewood Cliffs (New Jersey), Prentice Hall, 1980.

16. S.L. Robinson et D.M. Rousseau, « Violating the Psychological Contract : Not the Exception but the Norm », *Journal of Organizational Behavior*, vol. 15, 1994, p. 245-259.

17. M.A. Cavanaugh et R.A. Noe, « Antecedents and Consequences of Relational Components of the New Psychological Contract », *Journal of Organizational Behavior*, vol. 20, 1998, p. 323-340.

18. J.M. Parks et D.L. Kidder, « Till Death Do Us Part... Changing Work Relationships in the 1990's », dans C.L. Cooper et D.M. Rousseau (sous la dir. de), *Trends in Organizational Behaviour*, vol. 1, Somerset, John Wiley and Sons, 1998, p. 111-136.

19. D.M. Rousseau, « Changing the Deal While Keeping the People », *Academy of Management Executive*, vol. 10, 1995, p. 50-61.

20. J.L. Holland, *Making Vocational Choices : A Theory of Careers*, Englewood Cliffs (New Jersey), Prentice Hall, 1973.

21. E.H. Schein, *Career Anchors*, San Diego (Californie), University Associates, 1990. Y. Martineau, T. Wills et M. Tremblay, « La multiplicité des ancres de carrière chez les ingénieurs québécois », *Relations industrielles*, vol. 60, n° 3, 2005, p. 455-482.

22. T.J. DeLong, « Reexamining the Career Anchor Model », *Personnel*, mai-juin 1982, p. 50-61.

23. M. Driver, « Career Concepts and Career Management in Organizations », dans C. Cooper (sous la dir. de), *Behavioral Problems in Organizations*, Englewood Cliffs (New Jersey), Prentice Hall, 1979.

24. T. Wils et G. Guérin, « La gestion du système de carrière », dans R. Blouin (sous la dir. de), *Vingt-cinq ans de pratique en relations industrielles au Québec*, Montréal, Corporation des CRI, 1990.

25. D. Hall, *Careers in Organizations*, Santa Monica, Goodwear, 1976.

26. T.A. Judge, D.M. Cable, J.W. Boudreau et R.D. Bretz Jr., « An Empirical Investigation of the Predictors of Executive Career Success », *Personnel Psychology*, 1995, p. 485-519. U.E. Gattiker et L. Larwood, « Predictors for Career Achievement in the Corporate Hierarchy », *Human Relations*, vol. 43, n° 8, p. 703-726.

27. L. Lemire, T. Saba et Y.-C. Gagnon, « Managing Career Plateauing in the Quebec Public Sector », *Public Personnel Management*, vol. 28, n° 3, 1999, p. 375-390. J.A. Raelin, « An Examination of Deviant/Adaptive Behaviors in the Organizational Careers of Professionals », *Academy of Management Review*, vol. 9, n° 3, 1984, p. 413-427.

28. Jonathan Trudel, « Liberté 35 : cinq ans de repos pour profiter de la vie », *L'Actualité,* 26 janvier 2007.

29. L. Lemire et T. Saba, « Plafonnement de carrière subjectif : impacts organisationnels dans le secteur québécois », dans M. Tremblay (sous la dir. de), *GRH face à la crise : GRH en crise*, Actes du VIIIe Congrès de l'AGRH, Montréal, HEC, 1997, p. 371-382.

30. M.H. Guindon et L.J. Richmond, « Practice and Research in Career Counseling and Development – 2004 », *The Career Development Quarterly*, vol. 54, no 2, décembre 2005, p. 90-137.

31. F. Otte et P. Hutcheson, *Helping Employees Manage Careers*, Englewood Cliffs (New Jersey), Prentice Hall, 1992, p. 5-6.

32. K. Nowack, « The Secrets of Succession : Emphasizing Development in Succession Planning Systems », *Training and Development*, novembre 1994, p. 49-54.

33. R. Jacobs et R. Bolton, « Career Analysis : The Missing Link in Managerial Assessment and Development », *Human Resource Management Journal*, vol. 3, no 2, 1994, p. 55-62.

34. G. Guérin et T. Wils, « La gestion des carrières : une typologie des pratiques », *Gestion*, vol. 17, no 3, 1992, p. 48-63.

35. T. Scandura, « Mentorship and Career Mobility : An Empirical Investigation », *Journal of Organizational Behavior*, vol. 13, no 2, mars 1992, p. 169-174.

36. J. Tremblay, « Mentorat et coaching », *La Presse*, 28 janvier 2006, cahier Carrière, formation et emploi, p 2.

37. C. Benabou, « Le mentorat structuré », *Effectif*, vol. 3, no 3, juin-juillet-août 2000, p. 48-51 ; « Mentors et protégés dans l'entreprise : vers une gestion de la relation », *Gestion*, vol. 20, no 4, 1995, p. 18-24.

38. L. Lemire et T. Saba, *op. cit.*

39. D.T. Hall et L.A. Isabella, « Downward Movement and Career Development », *Organizational Dynamics*, été 1985, p. 5-23. D. Hall et autres, *The Career is Dead – Long Live the Career : A Relational Approach to Careers,* San Francisco, Jossey-Bass, 1996. G.D. Kissler, « The New Psychological Contract », *Human Resource Management*, vol. 33, 1994, p. 335-352.

40. W. Rothwell, H.C. Kazanas et D. Haines, « Issues and Practices in Management Job Rotation Programs as Perceived by HRD Professionals », *Performance Improvement Quarterly*, vol. 5, no 1, 1992, p. 49-69.

41. T. Saba et R. Chua, « Une carrière à l'international : difficultés d'adaptation et pratiques de gestion », *Psychologie du travail et des organisations*, vol. 5, nos 1 et 2, 1999, p. 5-34.

42. V. Pucik et T. Saba, « Selecting and Developing Global Versus Expatriate Managers : A Review of the State-of-the-Art », *Human Resource Planning*, vol. 21, no 4, 1998, p. 40-53.

43. Y. Baruch et M. Peiperl, « High-Flyers : Glorious Past, Gloomy Present, Any Future ? », *Career Development International*, vol. 2, no 7, 1997, p. 354-358.

44. G. Guérin, J. Carrière et T. Wils, « Facteurs explicatifs de la démobilisation chez les diplômés universitaires récemment embauchés », *Relations industrielles*, vol. 54, no 4, 1999, p. 643-672. J. Carrière et G. Guérin, « L'encadrement du diplômé universitaire », *Effectif*, vol. 3, no 3, 1999, p. 32-35. J. Carrière, *L'explication et la gestion du phénomène de démobilisation chez les diplômés universitaires récemment embauchés*, thèse de doctorat, Université de Montréal, École de relations industrielles, 1998.

45. M. Tremblay et T. Wils, « Les plateaux de carrière : analyse d'un phénomène complexe et sensible », *Gestion 2000*, no 6, 1995, p. 177-193. T. Wils, M. Laberge et C. Labelle, « Le système de développement de carrière : une étude empirique québécoise », dans M. Tremblay (sous la dir. de), *op. cit*, p. 586-594.

46. S.H. Appelbaum et D. Finestone, « Revisiting Career Plateauing : Same Old Problem – Avant-Garde Solutions », *Journal of Managerial Development*, vol. 9, no 5, 1994, p. 12-21.

47. T. Wils, M. Tremblay et C. Guérin, « Repenser la mobilité intra-organisationnelle : une façon de contrer le plafonnement de carrière », *Gestion 2000*, vol. 13, no 1, 1997, p. 151-164. A. Roger et M. Tremblay, « Le plafonnement de carrière », dans S. Guerrero, J.-L. Cerdin et A. Roger (sous la dir. de), *Gestion des carrières : enjeux et perspectives*, Paris, Vuibert, 2004, p. 285-297.

48. M. Tremblay, « Comment gérer le blocage des carrières », *Gestion*, septembre 1992, p. 73-92.

49. H. Challiol, « La gestion de carrière des individus en couple à double carrière », dans S. Guerrero, J.-L. Cerdin et A. Roger (sous la dir. de), *op. cit.*, p. 149-166.

50. T. Saba et L. Lemire, « Gérer la carrière des femmes : une réalité différente et des pratiques distinctes », dans S. Guerrero, J.-L. Cerdin et A. Roger (sous la dir. de), *op. cit.*, p. 167-187. C. Truss, « Human Resource Management : Gendered Terrain », *The International Journal of Human Resource Management*, vol. 10, no 2, avril 1999, p. 180-200. N. Rinfret et M. Lortie-Lussier, « L'impact de la force numérique des femmes cadres : illusion ou réalité ? », *Revue canadienne des sciences du comportement,* vol. 25, no 3, 1993, p. 465-479.

51. R. Tucker, M. Moravec et K. Ideus, « Designing a Dual Career-Track System », *Training and Development*, vol. 6, 1992, p. 55-58.

52. P. Galipeau, G. Poirier et J. Thériault, *Recueil de cas vécus en conciliation travail-famille*, Travail Québec, Direction des communications et Direction des innovations en milieu de travail, mars 2004.

53. Institut statistique du Québec, démographie, perspectives de la population, données 2007, www.stat.gouv.qc.ca.

54. T. Saba et G. Guérin, « Planifier la relève dans un contexte de vieillissement de la main-d'œuvre », *Gestion*, vol. 29, no 3, automne 2004, p. 54-63.

55. G. Guérin et T. Saba, « Efficacité des pratiques de maintien en emploi des cadres de 50 ans et plus », *Relations industrielles*, vol. 58, no 4, 2003, p. 591-619. T. Saba, G. Guérin et T. Wils, « Gérer l'étape de fin de carrière », *Gestion 2000*, 1997, p. 165-181.

56. G. Guérin et T. Saba, « Stratégie de maintien en emploi des cadres de 50 ans et plus », dans S. Guerrero, J.-L. Cerdin et A. Roger (sous la dir. de), *op. cit.*, p. 299-313. É. Marbot et J.-M. Peretti, « Une autre approche des fins de carrière grâce à l'introduction de la notion de sentiment de fin de vie professionnelle », dans S. Guerrero, J.-L. Cerdin et A. Roger (sous la dir. de), *op. cit.*, p. 317-333.

57. Institut de la statistique du Québec, *Données sociodémographiques en bref*, vol. 9, no 3, juin 2005, p. 6-8.

LA RÉMUNÉRATION
ET LA RECONNAISSANCE
DE LA PERFORMANCE

LA RÉMUNÉRATION
DIRECTE

La compétition qui existe tant à l'échelle nationale qu'à l'échelle internationale contraint les organisations à considérer la rémunération comme un moyen d'attirer des candidats qualifiés, de maintenir les employés à leur poste et de les motiver. Dans ce contexte, la rémunération devient un outil précieux pour atteindre les objectifs organisationnels. C'est pour cette raison que les gestionnaires doivent innover dans ce domaine tout en établissant un lien entre les salaires et le coût de la rémunération, d'une part, et la productivité et la compétitivité de l'organisation, d'autre part.

Ce chapitre traite de certains aspects cruciaux de la rémunération directe, plus précisément du mode de déter-mination des salaires, des méthodes utilisées pour évaluer les emplois et établir les structures salariales appropriées, des principaux aspects de la gestion de la rémunération, de l'application de la Loi sur l'équité salariale et des régimes de rémunération variable.

Notons que les aspects juridiques qui entourent la rémunéra-tion seront examinés au chapitre 12. Cependant, étant donné l'influence de la Loi sur l'équité salariale sur la détermina-tion des catégories d'emplois, sur l'évaluation des postes et sur la détermination des salaires, nous avons choisi d'y consacrer la section 10.7.

10.1

LA RÉMUNÉRATION GLOBALE

La détermination de la rémunération globale est l'activité consistant à évaluer la contribution des employés à l'organisation afin d'établir leur rétribution, pécuniaire et non pécuniaire, directe et indirecte, conformément à la législation existante et à la capacité financière de l'organisation. Comme le montre l'encadré 10.1, il existe deux catégories de rémunération directe : le salaire de base et la rémunération fondée sur le rendement, dite rémunération variable. La rémunération indirecte, qui sera présentée au chapitre 11, a trait aux avantages sociaux, tant privés que publics, ainsi qu'aux programmes de reconnaissance de la qualité du travail et aux privilèges offerts aux employés. La rémunération globale représente la valeur totale des paiements, directs et indirects, versés aux employés.

Rémunération directe

Rémunération comprenant le salaire de base et le salaire fondé sur le rendement, qui est constitué de la rémunération au mérite et de la rémunération à caractère incitatif.

Rémunération indirecte

Rémunération dite complé-mentaire, comprenant les régimes de sécurité du revenu, les absences rémunérées et les services et privilèges offerts aux employés pour leur contribution à l'organisation. On désigne également cette rémunération par le terme avantages sociaux.

Rémunération globale

Ensemble des rémunérations directe et indirecte, compre-nant le salaire, les avantages sociaux et des avantages non pécuniaires.

DANS LES **FAITS**

Exemples d'enveloppes de rémunération

A • Salaire annuel de base : 100 000 $

B • Salaire annuel de base : 90 000 $
• Programme complet d'avantages sociaux

C • Salaire annuel de base : 80 000 $
• Prime cible annuelle : 10 % du salaire (possibilité d'une prime maximale de 20 %)
• Programme complet d'avantages sociaux

D • Salaire annuel de base : 70 000 $
• Prime cible annuelle : 10 % du salaire (possibilité d'une prime maximale de 20 %)
• Voiture de fonction équivalant à une somme annuelle de 8 000 $
• Programme complet d'avantages sociaux

E • Salaire annuel de base : 65 000 $
• Prime cible annuelle : 10 % du salaire (possibilité d'une prime maximale de 20 %)
• Voiture de fonction équivalant à une somme annuelle de 8 000 $
• Option d'achat de 2 000 actions
• Programme complet d'avantages sociaux[1]

Les éléments de la rémunération globale

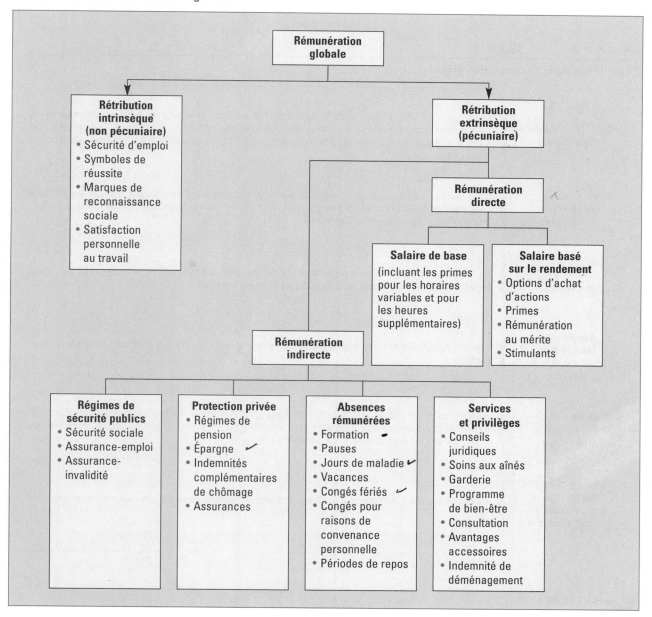

L'importance de la rémunération est liée aux multiples buts poursuivis par l'organisation. L'encadré 10.2 présente un résumé de ces buts. La rémunération doit attirer les travailleurs, les inciter à demeurer dans l'entreprise et les motiver. L'atteinte de ces objectifs dépend toutefois de l'attrait que présentent les revenus en argent pour les employés ; or, ce facteur varie selon les besoins de chacun. Les individus ont souvent le désir de se joindre à une organisation et de lui fournir un bon rendement pour des motifs qui dépassent la seule question pécuniaire. Les récompenses non pécuniaires, telles que le prestige du poste, la sécurité d'emploi, un bon climat de travail, les responsabilités et la variété des tâches, peuvent ainsi jouer un rôle majeur dans la motivation au travail.

ENCADRÉ ▶ 10.2

L'importance de la rémunération globale

Attirer les candidats qualifiés	La politique de rémunération globale permet de s'assurer que le salaire est suffisant pour intéresser, au moment opportun, des personnes qualifiées et les inciter à se joindre à l'entreprise afin d'occuper des postes convenant à leurs compétences. La rémunération est donc reliée au recrutement et à la sélection.
Conserver les employés compétents	Si la politique de rémunération globale de l'organisation n'est pas perçue comme équitable à l'intérieur et concurrentielle à l'extérieur, les employés compétents sont susceptibles de partir dès qu'ils auront un autre emploi en vue.
Motiver les employés	La rémunération globale aide à améliorer la motivation des employés en établissant un lien entre la rémunération et le rendement grâce à des régimes incitatifs.
Administrer les salaires conformément aux lois	Les organisations doivent connaître et respecter la réglementation touchant la rémunération globale.
Faciliter l'atteinte des objectifs stratégiques	Afin de créer un climat favorable et stimulant, et afin d'attirer les meilleurs candidats, l'organisation peut élaborer un régime de rémunération globale attrayant qui l'aidera à atteindre ses objectifs de croissance rapide, de survie ou d'innovation.
Avoir un avantage concurrentiel grâce au contrôle des coûts salariaux	La rémunération constitue une partie importante du budget de la plupart des organisations.

CONSULTEZ INTERNET

www.stat.gouv.qc.ca/publications/remuneration/ rapport_erg2005.htm

Site de l'Institut de la statistique du Québec donnant de l'information sur les conditions de rémunération dans divers secteurs et professions. Voir *Résultats de l'enquête sur la rémunération globale au Québec en 2005*, Québec, collection Travail et rémunération, mars 2006.

Comme le montre l'encadré 10.3, ces modes de rétribution non pécuniaire comprennent les symboles de prestige, les marques de reconnaissance sociale et la satisfaction personnelle au travail. Le présent chapitre et le chapitre 11, qui traitent respectivement de la rémunération directe et de la rémunération indirecte, mettent l'accent sur la rétribution pécuniaire, qui représente la majeure partie de la rémunération. Les formes de reconnaissance qui n'ont pas de valeur pécuniaire seront examinées à la section 11.5.

Les modes de rétribution offerts par les organisations

Rétribution sous forme pécuniaire (incluant les avantages sociaux)		Symboles de statut	Marques de reconnaissance	Satisfaction personnelle au travail
• Salaire • Augmentation de salaire • Options d'achat d'actions • Régime de participation aux bénéfices • Primes • Rémunération différée, y compris les économies fiscales • Salaire et congés de formation • Régime d'assurance-maladie • Attribution d'une automobile • Cotisation à un régime de retraite • Réductions sur l'achat de produits • Voyages en automobile • Cotisation à un régime de retraite • Voyages	• Billets de théâtre ou pour un événement sportif • Accès à des installations récréatives • Accès au stationnement privé de l'entreprise • Pauses • Congés sabbatiques • Adhésion à des clubs • Prêts personnels à taux avantageux • Programme d'aide aux employés • Primes d'assurance-habitation gratuites • Système d'alarme et protection personnelle • Indemnités de déménagement • Aide à l'achat d'une maison	• Superficie et emplacement du bureau • Bureau avec fenêtre • Tapis • Rideaux • Tableaux • Montres • Anneaux • Marques formelles de reconnaissance • Plaque murale	• Marques de reconnaissance informelles • Éloges • Sourires • Compliments • Signes non verbaux • Tapes dans le dos • Invitations à dîner • Rencontres sociales après le travail	• Travail intéressant • Sentiment de réalisation • Prestige de l'emploi • Variété des tâches • Rétroaction sur le rendement • Confiance en soi • Planification du travail • Horaire de travail • Participation au développement de l'entreprise • Choix du lieu de travail • Autonomie au travail

Source : adapté de P.M. Podsakoff, C.N. Greene, J.M. McFillen, « Obstacles to the Effective Use of Reward Systems », dans R.S. Schuler, S.A. Youngblood (sous la dir. de), *Readings in Personnel and Human Resource Management*, 2e éd., St. Paul, West Publishing, 1984, p. 257. Traduction et reproduction autorisées par les auteurs. © 1984, West Publishing Company. Tous droits réservés.

Il existe un ensemble de relations entre la détermination de la rémunération globale et les autres activités de la gestion des ressources humaines. La rémunération globale constitue toutefois une des principales composantes de cette sphère. Elle dépend des données fournies par certaines activités, notamment par l'analyse des postes et l'évaluation du rendement, et elle influe sur d'autres, telles que le recrutement, la sélection, les relations patronales-syndicales et la planification des ressources humaines.

La rémunération s'intègre normalement à la *gestion stratégique de l'organisation*. C'est en fonction du type de main-d'œuvre désiré, du contexte (pénurie ou surplus de main-d'œuvre) et de la stratégie d'affaires que l'organisation décidera des programmes de rémunération à mettre en œuvre.

La rémunération est étroitement liée à l'*analyse des postes*. Le processus d'évaluation qui détermine la valeur relative des emplois se fonde en grande partie sur la description des postes. L'évaluation et l'analyse des emplois influent sur la structure salariale de l'organisation, y compris sur les classes d'emplois et sur les taux de salaire rattachés aux individus et aux postes. Cette activité joue un rôle crucial, étant donné la place qu'on lui réserve dans l'application de la Loi sur l'équité salariale. Même si les employés n'accordent pas tous la même importance au niveau de salaire, la rémunération n'en constitue pas moins un facteur clé pour attirer les candidatures[2].

La relation entre la rémunération et l'*évaluation du rendement* est peut-être l'aspect primordial pour les individus, particulièrement dans les organisations qui ont implanté des programmes liant le salaire au rendement. Mesurer le rendement d'une façon valide et fiable afin de déterminer la portion du salaire attribuée au mérite a des répercussions individuelles, légales et organisationnelles. Par ailleurs, la présence d'un syndicat a un effet sur la détermination des salaires. Cette influence se traduit à la fois par des concessions et des gains salariaux. Le syndicat peut aussi jouer un rôle dans le processus d'évaluation des emplois et dans la détermination de la politique de rémunération de l'organisation. Nous examinerons cette question plus en détail au chapitre 13.

10.2 LE PROCESSUS DE RÉMUNÉRATION

Le processus de rémunération comprend deux grandes parties, comme l'illustre l'encadré 10.4. La première partie, la détermination des salaires, compte trois étapes et comporte trois éléments importants : l'équité interne, l'équité externe et l'équité individuelle. La deuxième partie correspond à la gestion de la rémunération.

La première étape de la détermination des salaires consiste à établir la valeur des emplois les uns par rapport aux autres. Cette évaluation a pour principal objectif de créer une équité interne dans la manière d'attribuer les salaires (voir la section 10.3). Dans la deuxième étape, les organisations se procurent sur le marché du travail de l'information concernant les salaires payés pour des emplois comparables. Cet exercice leur permet d'établir la structure salariale en conciliant l'équité interne et l'équité sur le marché du travail de manière à attirer et à conserver les employés compétents (voir la section 10.4). Finalement, la troisième étape (voir la section 10.5) s'attache à définir les critères qui détermineront les variations salariales entre les individus occupant la même catégorie d'emplois (ancienneté, rendement, etc.). La gestion des salaires sera examinée à la section 10.9.

10.3 L'ÉVALUATION DES EMPLOIS

Établir la valeur interne des emplois constitue la première étape du processus de détermination des salaires. Cette évaluation constitue le fondement de tout programme de rémunération équilibré[3]. Son principal objectif est d'attribuer une valeur relative à chacun des postes d'une organisation et de leur associer un taux ou une échelle de rémunération. Plusieurs méthodes peuvent être utilisées à cette fin.

Les étapes types d'un processus de rémunération

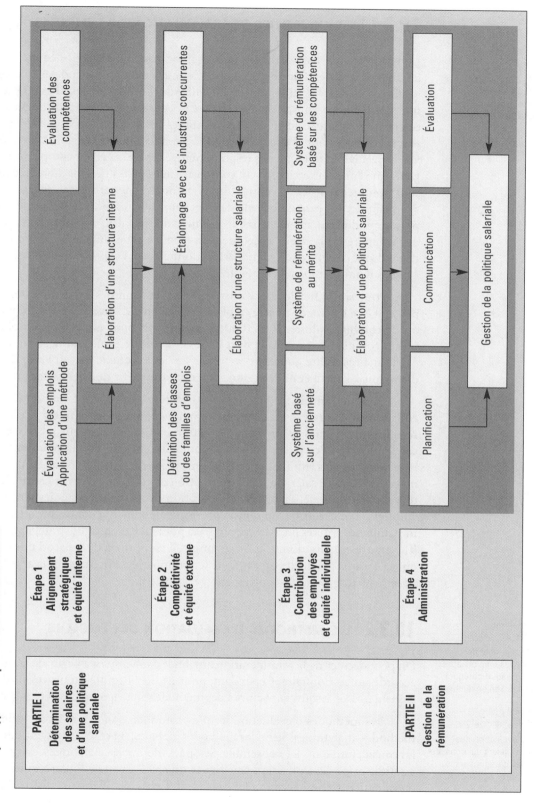

10.3.1 | LES OBJECTIFS DE L'ÉVALUATION DES EMPLOIS

Équité interne

Principe de détermination des taux de salaire des différents postes d'une organisation qui tient compte de leur valeur relative.

L'objectif premier de l'évaluation des emplois consiste à établir l'équité interne entre les différents postes d'une organisation. Cette évaluation ne prend pas en considération les forces du marché ni le rendement individuel des employés. Il s'agit d'un exercice interne qui s'apparente à celui de l'analyse des postes, tout en s'en distinguant. L'analyse des postes, expliquée au chapitre 3, définit les responsabilités, les tâches et les compétences requises pour occuper un emploi. L'évaluation des emplois tente d'établir leur valeur relative en fonction des responsabilités, des tâches et des compétences qu'ils exigent. Souvent, cet exercice se veut consensuel au sein de l'organisation. Les intervenants sont nombreux : ils comprennent les gestionnaires, les employés, leurs représentants syndicaux et les professionnels de la gestion des ressources humaines. Toutes ces personnes doivent aplanir leurs divergences de vues, voir résoudre leurs conflits, afin de s'entendre sur la valeur à accorder aux emplois. Il ne faut pas oublier que les salaires dépendront de cet exercice, qui parfois donne lieu à l'expression de conflits d'intérêts et à des manifestations d'émotivité.

Pour simplifier le processus de détermination des salaires, les organisations peuvent être tentées de mettre en place des systèmes d'évaluation des emplois distincts ou de combiner plusieurs méthodes, notamment pour évaluer certaines familles de postes comme les emplois de bureau, les emplois de professionnels et les emplois de gestionnaires. Cette approche se fonde sur le fait que le travail varie d'une famille d'emplois à l'autre et ne peut donc être évalué à partir de critères communs.

Comme nous le verrons à la sous-section 10.3.2, il est tout à fait possible de choisir des critères d'évaluation qui s'appliquent à tous les emplois. Il est essentiel de recourir aux mêmes critères pour la détermination de la valeur relative des emplois, car l'utilisation de systèmes d'évaluation distincts peut conduire à des pratiques de rémunération discriminatoires. D'ailleurs, il convient de noter que les principes et les objectifs d'équité salariale ne peuvent être respectés que dans le cadre d'un système d'évaluation unique. Finalement, l'adoption de plusieurs systèmes d'évaluation des emplois à l'intérieur de l'organisation risque de semer la confusion quant à la détermination des critères jugés nécessaires à la poursuite d'objectifs stratégiques conformes à la culture organisationnelle. Par exemple, il est normal, de la part d'une organisation qui valorise la qualité des produits, de sélectionner des critères pour évaluer dans quelle mesure tous les emplois contribuent à cet objectif.

10.3.2 | LES MÉTHODES D'ÉVALUATION DES EMPLOIS

Méthode globale d'évaluation des emplois

Méthode qui permet de hiérarchiser les emplois après examen de chaque catégorie d'emploi dans son ensemble.

Méthode analytique d'évaluation des emplois

Méthode d'évaluation des emplois complexes qui consiste à évaluer les catégories d'emploi à partir de critères précis.

On peut décider de la rémunération attribuée à un emploi à partir de la valeur que lui accorde un gestionnaire. Cependant, pour assurer l'équité du processus d'évaluation des emplois, on a souvent recours à des méthodes plus rigoureuses et plus systématiques.

Les méthodes d'évaluation les plus courantes sont les méthodes globales et les méthodes analytiques. Selon les méthodes globales, on établit la valeur des emplois en les considérant dans leur ensemble. Selon les méthodes analytiques, on décompose les emplois et on les considère sous leurs diverses facettes. Plus récente, la méthode d'évaluation selon les compétences, qui présente des éléments distinctifs, gagne en importance et parvient à s'imposer. Nous exposerons dans cette sous-section les méthodes les plus usitées, à savoir la méthode de comparaison avec le marché, la méthode de rangement, la méthode de classification des emplois, la méthode par points et facteurs, de même que la méthode d'évaluation des compétences.

LA MÉTHODE DE COMPARAISON AVEC LE MARCHÉ

La méthode de comparaison avec le marché est une méthode d'évaluation globale qui consiste à désigner des emplois repères, et à vérifier les exigences et la rémunération qui leur sont associées sur le marché. Ensuite, l'organisation procède à un rangement de ses emplois selon ces résultats. Cette méthode est surtout utilisée pour les salaires des cadres dans les petites entreprises[4] parce qu'elle permet d'établir des salaires compétitifs. De plus, elle est relativement simple, facile à comprendre et à appliquer. Il va sans dire que cette méthode privilégie l'équité externe plutôt que l'équité interne, qui est pourtant le principal objectif de l'évaluation des emplois, et qu'elle ne tient pas compte des particularités de l'entreprise puisqu'il est parfois très difficile de trouver sur le marché des emplois comparables aux siens. Dans ce cas, le salaire est déterminé par comparaison avec les emplois pour lesquels il existe des équivalents[5]. Cette méthode est également tout à fait contraire au principe de l'équité salariale et reproduit la discrimination qui peut provenir du marché[6].

> **Équité externe**
>
> Principe de détermination des taux de salaire des différents postes d'une organisation qui tient compte de la valeur que leur attribuent d'autres organisations.

LA MÉTHODE DE RANGEMENT

L'information recueillie lors de l'analyse des postes sert à construire une hiérarchie entre les postes en fonction de l'importance accordée à leurs exigences évaluées globalement. On se fonde sur cette hiérarchie pour attribuer aux postes une valeur globale qui reflète la difficulté des tâches à accomplir ; cela constitue l'essentiel de la méthode de rangement. Bien qu'il puisse utiliser plusieurs critères d'évaluation, l'analyste se base donc la plupart du temps sur un seul critère, soit la difficulté du poste ou son influence au sein de l'organisation. Cette méthode globale d'évaluation des emplois est susceptible de convenir à l'évaluation d'un nombre restreint de postes, dont l'analyste possède une bonne connaissance. Or, plus le nombre de postes à analyser augmente, moins l'analyste a de chances de les connaître adéquatement. Il devient alors crucial de recueillir une information détaillée et de confier le rangement à un comité. Lorsque le classement porte sur un grand nombre de postes, le comité utilise généralement des postes repères pour faire la comparaison.

> **Méthode de rangement**
>
> Méthode consistant à établir une hiérarchie entre les postes à partir d'une analyse fondée sur les exigences requises pour les occuper. Ce classement doit refléter les équivalences de fonctions propres à l'organisation.

Cette méthode est surtout efficace pour l'évaluation de postes qui sont très différents les uns des autres. Elle ne permet pas de faire ressortir les distinctions entre des postes similaires, ce qui risque d'engendrer des désaccords quant au rangement. Ces limites font en sorte que cette méthode est surtout utilisée par les petites entreprises, qui comptent un nombre limité d'emplois. Elle peut en outre servir à valider les résultats obtenus au moyen d'une méthode d'évaluation analytique.

LA MÉTHODE DE CLASSIFICATION

La méthode de classification des postes est une méthode d'évaluation globale. Elle est semblable à la méthode de rangement, sauf qu'on établit d'abord des classes ou des échelons correspondant à différents niveaux d'exigences et qu'on situe ensuite les postes à l'intérieur de ces classes. On procède habituellement à une évaluation globale des

> **Méthode de classification**
>
> Méthode similaire à la méthode de rangement, à la différence qu'elle implique la détermination de classes, ou de niveaux, à l'intérieur desquels on situe les postes.

postes à partir d'un critère comme la complexité des fonctions (travail simple par opposition à travail complexe), ou encore à partir d'une synthèse de facteurs (niveau de supervision, niveau d'initiative, responsabilité financière, etc.).

On a recours à l'analyse des postes comme point de départ pour définir des postes repères dans chaque classe. Les emplois jugés comparables appartiendront à la même classe, à laquelle correspondra le même salaire ou la même échelle salariale. La classification des postes comporte l'avantage de pouvoir s'appliquer à un nombre et à une variété considérables de postes. Cependant, plus les postes d'une organisation sont nombreux et divers, plus leur classification tend à devenir subjective. Comme il est difficile d'évaluer chaque poste séparément, on peut être tenté d'utiliser le titre ou la désignation de la fonction comme principal guide de la classification au lieu de procéder à l'analyse systématique de son contenu, mais on risque ainsi d'aboutir à des évaluations subjectives, voire discriminatoires.

L'utilisation d'un critère unique ou d'une synthèse intuitive de critères constitue un sérieux inconvénient de la méthode de classification. En effet, le recours à un seul critère pose un problème, car celui-ci ne s'applique pas nécessairement à tous les postes. Ainsi, le critère de la complexité des tâches renvoie à des qualifications précises. Or, certains postes exigent des qualifications élevées, alors que d'autres comportent de lourdes responsabilités. Cela ne veut pas dire que les postes comportant des responsabilités importantes doivent être moins bien classés que ceux qui exigent une grande compétence. On devrait, en fait, considérer les deux facteurs simultanément. C'est la raison pour laquelle l'évaluation et le classement des postes devraient tenir compte de tous les critères que l'organisation juge déterminants. Toutefois, lorsqu'on se sert de plusieurs critères, on doit déterminer ceux qui sont prépondérants en procédant à une pondération. Or, la pondération des critères utilisés pour établir la valeur relative des postes engendre parfois des malentendus avec les employés et les syndicats. Pour éviter les conflits, certaines organisations utilisent des méthodes d'évaluation analytiques qui sont plus systématiques et plus facilement quantifiables ; la méthode par points et facteurs en constitue un bon exemple.

LA MÉTHODE PAR POINTS ET FACTEURS

Méthode par points et facteurs

Méthode consistant à assigner des valeurs en points à des critères d'évaluation préétablis. Le total des points détermine la valeur respective des postes et sert à établir les échelles de salaires. Qu'il s'agisse de points bruts (les critères d'évaluation ont tous la même valeur) ou de points pondérés (les critères d'évaluation ont des poids différents), la méthode permet d'obtenir des échelles de salaires adaptées, qui reflètent à la fois les taux du marché du travail et l'importance relative des postes découlant d'une évaluation subjective.

La méthode par points et facteurs est sans contredit de la méthode d'évaluation des postes la plus courante. Elle consiste à attribuer en cinq étapes des valeurs en points aux emplois. Premièrement, on élabore une grille constituée de facteurs et de sous-facteurs qui sont représentatifs des emplois de l'organisation. Deuxièmement, on attribue des niveaux aux sous-facteurs. Troisièmement, on complète la grille en pondérant les facteurs et les sous-facteurs en fonction de la mission et de la raison d'être de l'organisation. Quatrièmement, on procède à l'évaluation des emplois et, cinquièmement, on calcule la valeur des emplois.

Étape 1 : la détermination des facteurs et des sous-facteurs. Pour se conformer aux exigences de la Loi sur l'équité salariale, les organisations du Québec doivent évaluer les emplois à partir de quatre critères obligatoires : les qualifications, les responsabilités, les efforts et les conditions de travail. Les qualifications sont les aptitudes, notamment intellectuelles, physiques et relationnelles, requises par un emploi. Ces aptitudes peuvent être acquises par les études, par l'expérience sur le marché du travail ou encore être naturelles. Les responsabilités correspondent à toute tâche importante pour l'organisation ou susceptible d'avoir des répercussions sur elle. Elles englobent tant les responsabilités financières que celles qui concernent les biens matériels, les personnes ou les éléments intangibles. Quant aux efforts, ils représentent les exigences imposées aux employés et leurs effets sur l'énergie intellectuelle et sur l'énergie physique. Généralement, les efforts appartiennent à deux catégories : les efforts mentaux et les efforts physiques. Les conditions de travail comprennent notamment le bruit, les risques physiques ou psychologiques et l'isolement[7].

Les quatre facteurs qui précèdent doivent se diviser en sous-facteurs. Il n'existe pas de normes qui déterminent le nombre optimal de sous-facteurs dans une méthode d'évaluation. Notons cependant qu'un nombre trop restreint de sous-facteurs réduit la capacité de différenciation entre les emplois et qu'un nombre trop élevé risque de créer des dédoublements dans la considération de certains critères. De plus, il est inutile de retenir les sous-facteurs qui mesurent des éléments semblables dans tous les emplois. L'encadré 10.5 propose des exemples de sous-facteurs qui peuvent faire l'objet d'une évaluation.

ENCADRÉ ▶ **10.5**

Exemples de sous-facteurs utilisés dans une grille d'évaluation des emplois par points et facteurs

Qualifications	Responsabilités	Efforts	Conditions de travail
• Formation • Expérience • Dextérité et coordination	• Obligation de rendre compte • Communication • Supervision	• Effort intellectuel • Concentration et effort sensoriel • Effort physique	• Inconvénients et risques inhérents

Source : adapté de www.ces.gouv.qc.ca.

Étape 2 : la détermination des niveaux des sous-facteurs. La détermination des niveaux des sous-facteurs permet de différencier les emplois les uns par rapport aux autres. Pour chacun des sous-facteurs, on doit déterminer des niveaux selon une ou plusieurs dimensions qui permettent d'évaluer des caractéristiques comme l'intensité, la fréquence ou le degré de difficulté. On doit prêter une attention particulière aux deux aspects suivants : les niveaux doivent représenter une progression constante et les chevauchements entre les niveaux doivent être évités. L'encadré 10.6 présente un exemple de niveaux associés au sous-facteur *communication* selon une seule dimension[8].

L'encadré 10.7 présente des exemples de niveaux associés au sous-facteur *effort intellectuel* selon deux dimensions : la complexité de l'emploi et le degré d'autonomie et de jugement. La complexité de l'emploi se rapporte aux types de situations à traiter, aux difficultés à surmonter ou aux problèmes à résoudre ; à la quantité et à la nouveauté des informations à traiter ou à assimiler ; au degré de raisonnement, de créativité et d'analyse requis pour faire face à certaines situations, etc. Quant au degré d'autonomie et de jugement, il correspond à ce que l'organisation considère comme nécessaire pour assumer les responsabilités de l'emploi[9].

Exemple de niveaux associés au sous-facteur *communication,* **selon une seule dimension**

Niveau	Description
1	**Échanger :** donner ou recevoir des informations sur des aspects routiniers du travail.
2	**Transmettre et recevoir :** assurer la diffusion et la circulation d'informations variées et de nature courante.
3	**Interroger, répondre et expliquer :** interroger pour comprendre et expliquer des informations de nature particulière ou inhabituelle.
4	**Collaborer et conseiller :** collaborer avec d'autres personnes afin de les guider en s'appuyant sur son expérience professionnelle et ses connaissances spécialisées.
5	**Persuader et négocier :** présenter des arguments afin de convaincre les autres de prendre certaines mesures ou décisions afin d'en arriver à une entente ou à une solution.

Source : Définitions puisées dans le Guide élaboré par la Commission d'équité salariale : Méthode d'évaluation : Outil du progiciel pour réaliser l'équité salariale – Version 1.6.2, p. 9 (www.ces.gouv.qc.ca).

Exemple de niveaux associés au sous-facteur *effort intellectuel,* **selon deux dimensions**

Degré d'autonomie et de jugement	Complexité de l'emploi		
	Simple	**Moyennement complexe**	**Complexe**
Faible	Niveau 1	Niveau 2	Niveau 3
Moyen	Niveau 2	Niveau 3	Niveau 4
Élevé	Niveau 3	Niveau 4	Niveau 5

Étape 3 : l'élaboration de la grille pondérée d'évaluation des emplois. La pondération des facteurs sert à déterminer l'importance accordée à chacun d'entre eux. En matière d'équité salariale, le poids attribué aux facteurs et aux sous-facteurs varie généralement entre les bornes suivantes : de 20 à 35 % pour les qualifications requises, de 25 à 30 % pour les responsabilités assumées, de 20 à 40 % pour les efforts requis et de 5 à 15 % pour les conditions de travail[10]. Dans la méthode d'évaluation par points et facteurs, la pondération est également répartie en fonction des différents sous-facteurs. L'encadré 10.8 présente un exemple de pondération.

Notons que le nombre de points pour chaque niveau peut être déterminé selon une progression arithmétique (par l'addition d'une constante entre les niveaux) ou géométrique (par la multiplication d'une constante entre les niveaux, comme l'illustre l'encadré 10.9. De façon générale, c'est la progression arithmétique qui est privilégiée. Il n'en demeure pas moins qu'il revient aux personnes chargées des évaluations de vérifier si le pointage attribué à un niveau reflète bien les différences entre les exigences qu'il comporte.

Pour terminer, notons que la pondération peut être établie soit au moment de l'élaboration des facteurs et des sous-facteurs, soit après l'évaluation des catégories d'emplois. Par souci d'équité, afin que le poids attribué à chacun des facteurs en cours d'évaluation n'influe pas sur le résultat, on peut procéder à la pondération après l'évaluation.

ENCADRÉ ▶ 10.8

Exemple de pondération associée aux facteurs et aux sous-facteurs d'évaluation

	Niveaux des sous-facteurs							Pointage maximal	
	1	2	3	4	5	6	7	Points	%
	Points associés aux niveaux des sous-facteurs								
Qualifications requises									**28**
Formation	10	25	40	55	70	85	100	100	10
Expérience	0	10	30	50	70	90	110	110	11
Dextérité et coordination	14	28	42	56	70			70	7
Responsabilités assumées									**30**
Obligation de rendre compte	20	40	60	80	100			100	10
Communication	20	40	60	80	100			100	10
Supervision	20	40	60	80	100			100	10
Efforts									**32**
Effort intellectuel	22	44	66	88	110			110	11
Concentration et attention sensorielle	22	44	66	88	110			110	11
Effort physique	20	40	60	80	100			100	10
Conditions de travail									**10**
Inconvénients et risques inhérents	20	40	60	80	100			100	10

Source : adapté de la Commission de l'équité salariale, *Méthode d'évaluation : outil du progiciel pour réaliser l'équité salariale*, version 1.6.2, 2003, p. 9.

ENCADRÉ ▶ 10.9

Exemple de progression arithmétique et de progression géométrique dans l'attribution des points aux différents niveaux

Niveau	1	2	3	4	5
Progression arithmétique	25	50	75	100	125
Progression géométrique	10	20	40	80	160

Source : Commission de l'équité salariale, *Info-Équité : choix de la méthode, des outils d'évaluation et élaboration d'une démarche d'évaluation des catégories d'emplois à prédominance féminine et à prédominance masculine*, juillet 2001.

Étape 4 : la collecte des données. Cette étape consiste à recueillir l'information en vue de procéder à l'évaluation proprement dite, soit à l'application de la grille élaborée à l'étape précédente.

La collecte de l'information aux fins de l'évaluation des emplois peut se faire par questionnaires, par entrevues, par observation ou par une combinaison de techniques. Elle devrait cependant être uniforme pour qu'on puisse recueillir les informations en fonction des critères établis dans la grille d'évaluation de façon cohérente pour tous les emplois dans l'organisation. L'encadré 10.10 donne un exemple d'outil de collecte d'information sur les emplois[11]. Cette collecte devrait idéalement se faire auprès des titulaires des postes et être validée ensuite par les supérieurs. L'évaluation doit porter sur le contenu des emplois, et non sur leurs titulaires. Par exemple, il faut tenir compte de la scolarité requise pour occuper l'emploi, et non du diplôme détenu par le titulaire, quand vient le temps de coter le niveau du sous-facteur *formation*. Les informations recueillies aux fins de l'évaluation devraient être consignées sur un relevé de renseignements ou figurer dans les descriptions des emplois pour être conservées et mises à jour.

Étape 5 : la détermination de la valeur des emplois. Une fois l'information recueillie, on applique la grille d'évaluation pour calculer la valeur des emplois. Ainsi, pour chacun des postes évalués, on détermine un niveau pour chaque sous-facteur en fonction des données obtenues. À ce niveau correspond une valeur en points dans la grille d'évaluation. Donc, pour chacun des emplois évalués, il sera possible de remplir la grille et de calculer le nombre total de points qui lui sont attribuables. L'encadré 10.11 donne un exemple des emplois auxquels on a attribué une valeur en fonction de la grille élaborée à l'étape 3.

Bien qu'elle soit considérée comme analytique, systématique et relativement objective (voir l'encadré 10.12), la méthode d'évaluation par points et facteurs présente quelques faiblesses. Comme les autres méthodes d'évaluation des postes, elle comporte une part de subjectivité provenant de l'analyste. Elle présente donc des risques de discrimination salariale. On constate parfois la présence de partialité ou de subjectivité dans la sélection des critères d'évaluation, dans l'établissement de la pondération relative (degrés) des critères ou dans l'imputation des degrés de comparaison des postes. Une telle situation met en jeu l'égalité de la rémunération et la comparabilité des postes. Pour garantir l'impartialité du système d'évaluation et pour que sa mise en application s'effectue le plus objectivement possible, l'organisation peut faire appel au titulaire du poste, au superviseur, à des experts en évaluation des postes ainsi qu'à des spécialistes du service des ressources humaines. La formation des évaluateurs, ou encore la composition d'un comité d'évaluation, peut réduire les erreurs tendancieuses.

LA MÉTHODE D'ÉVALUATION DES COMPÉTENCES

Méthode d'évaluation des compétences

Méthode d'évaluation qui vise à déterminer les compétences spécialisées, les compétences assurant une certaine polyvalence, les compétences interpersonnelles et les compétences de direction qui sont associées aux postes dans l'organisation.

Alors que les méthodes d'évaluation précédentes tiennent compte des facteurs (responsabilités, qualifications, etc.) requis pour occuper un emploi et font donc correspondre le salaire au poste de travail, la méthode d'évaluation des compétences fait correspondre le salaire aux compétences des titulaires de postes[12]. Ainsi, le processus d'évaluation des employés en fonction de leurs habiletés devient un processus de reconnaissance, de certification, d'amélioration des compétences. Il tient compte autant des habiletés détenues à l'embauche que de celles qu'on acquiert en cours d'emploi. On utilise

Exemple d'outil de collecte d'information sur les emplois

Nous présentons un exemple d'outil de collecte d'information sur les catégories d'emplois comprenant des questions ouvertes et concluons avec un exemple comprenant des questions fermées. Les deux types de questions peuvent être utilisées simultanément à l'intérieur d'un même questionnaire.

Cette partie du questionnaire vise à établir l'ensemble des tâches et des responsabilités des personnes salariées à l'intérieur de l'entreprise.

Il peut être utile de donner aux personnes salariées quelques directives, telles que :

- Décrivez les tâches en donnant suffisamment de renseignements tout en étant clair et concis.
- Expliquez ce que vous faites, comment vous le faites et pourquoi vous le faites.
- Expliquez les termes techniques afin d'assurer une meilleure compréhension.

Questions ouvertes	
Tâches et responsabilités quotidiennes	% temps/jour
1.	
2.	
Etc.	
Tâches et responsabilités hebdomadaires	
1.	
2.	
Etc.	
Tâches et responsabilités mensuelles	
1.	
2.	
Etc.	
Tâches et responsabilités annuelles	
1.	
2.	
Etc.	

Indiquez les outils, appareils, machines ou matériaux que vous utilisez pour exécuter vos tâches ainsi que la fréquence avec laquelle vous les utilisez.

Il peut s'agir d'équipement de bureautique, d'outils simples et spécialisés (clé anglaise, marteau, ciseaux, couteaux, foret, etc.), d'instruments de mesure (manomètre, thermomètre, etc.), d'appareils et machines (photocopieur, toupie, etc.), de matériaux (bois, fer, etc.) ou de produits (détergents, solvants, etc.).

Questions fermées (ex. : équipement)

Outils, appareils, machines, équipements, matériaux et produits	Fréquence d'utilisation (√)			
	Occasionnellement	Souvent	Très souvent	Presque continuellement

Source : adapté de la Commission de l'équité salariale, *op. cit.*

Exemple d'application de la grille d'évaluation par points et facteurs

	Commis à la comptabilité	Camionneur	Commis aux ventes	Directeur d'usine	Chef comptable	Directeur des ventes	Technicienne en comptabilité
Qualification requise							
Formation	29	29	29	100	100	100	57
Expérience	31	31	31	94	79	94	47
Dextérité et coordination	42	42	28	14	14	14	42
Responsabilités assumées							
Obligation de rendre compte	60	60	60	100	80	100	60
Communication	40	20	60	100	80	100	60
Supervision	20	20	20	100	60	80	20
Efforts							
Effort intellectuel	44	44	44	110	88	88	66
Concentration et attention sensorielle	66	66	66	44	88	44	88
Effort physique	40	100	60	20	20	20	20
Conditions de travail							
Inconvénients et risques inhérents	60	60	40	60	60	60	60
Valeur en points	432	472	438	742	669	700	520

Source : adapté de la Commission de l'équité salariale, *Méthode d'évaluation : outil du progiciel pour réaliser l'équité salariale*, version 1.6.2, 2003.

Les avantages de la méthode par points et facteurs

- Elle fournit une base permettant de comparer les postes entre les entreprises.
- Elle est la plus simple.
- Les valeurs en points attribuées à chaque poste peuvent être facilement converties en classes de postes et de salaires ; ces changements engendrent peu de confusion et de distorsion.
- Elle est très stable, si elle est bien conçue. On peut l'appliquer à un large éventail de postes durant une longue période. Ses principaux avantages sont la cohérence, l'uniformité et un champ d'application très étendu.
- Elle respecte les exigences de la Loi sur l'équité salariale.

couramment les deux expressions suivantes : *salaires basés sur les habiletés* et *salaires basés sur les compétences*. La première est réservée aux emplois de service et de production, et la deuxième aux emplois de professionnels et de gestionnaires[13].

Quelles sont les compétences qui doivent faire l'objet d'une évaluation ? Trois types de compétences peuvent servir de critères pour établir la rémunération selon les compétences ou les habiletés. Ce sont : (1) les compétences qui permettent aux employés d'aller plus en profondeur et d'avoir une plus grande spécialisation dans leur domaine d'expertise (*depth skills*) ; (2) les compétences acquises de façon horizontale, qui leur permettent d'effectuer de nouvelles tâches et d'occuper d'autres postes dans l'organisation ; (3) les compétences acquises de façon verticale, relatives à la gestion et à la coordination, qui leur permettent de parfaire leur capacité à fonctionner au sein des équipes de travail ou à les diriger[14].

Pour procéder à l'évaluation des compétences dans le but de fixer la rémunération des individus, on doit respecter les conditions suivantes[15] :

- Analyser l'ensemble des compétences requises par l'organisation.
- Examiner la disponibilité des ressources pour l'acquisition de ces compétences.
- Déterminer les emplois qui seront englobés dans le système de rémunération selon les compétences.
- Vérifier les possibilités de regrouper les emplois dans des familles ou des classes en discernant les compétences similaires. Ainsi, on doit analyser les compétences à l'intérieur des familles d'emploi ainsi que les tâches à effectuer afin de déterminer les niveaux et les types de compétences requises.
- Normalement, les critères permettant les augmentations de salaire doivent être fondés sur l'acquisition des compétences et non sur leur application effective. Donc, les diverses certifications attestant l'acquisition des compétences préalablement déterminées et donnant droit à des augmentations de salaire doivent avoir fait l'objet d'un consensus entre les divers intervenants (dirigeants, syndicats, employés) au sein de l'organisation.
- Élaborer des modules de formation afin de déterminer si les compétences ont bien été acquises par les personnes qui ont réussi leur formation.
- Évaluer les délais nécessaires entre l'application des compétences acquises et l'octroi du droit d'acquérir de nouvelles compétences. L'employeur doit tirer profit des compétences qu'il permet d'acquérir, car si les employés ne peuvent faire bénéficier l'organisation de leurs nouvelles compétences, son investissement n'est pas rentable.
- Savoir comment considérer les compétences jugées désuètes.

Évaluer les emplois en fonction des compétences revêt de nombreux avantages. Il s'agit d'une méthode qui permet de constituer un répertoire des habiletés requises au sein de l'organisation. De plus, le fait de lier la rémunération à la maîtrise de certaines compétences encourage les employés à se former. La méthode d'évaluation des compétences n'est cependant pas une panacée et comporte plusieurs difficultés. En fait, il y a de fortes chances que les employés la perçoivent comme injuste s'ils n'ont pas l'occasion de développer leurs compétences ou de les utiliser dans le cadre des emplois qu'ils sont appelés à occuper. Par ailleurs, si elle ne s'harmonise pas avec la stratégie organisationnelle, elle se révèle inopportune et augmente indûment la masse salariale et les coûts de formation de la main-d'œuvre.

10.4
L'ÉLABORATION DES STRUCTURES SALARIALES

L'élaboration des structures salariales, qui comporte plusieurs étapes, débute généralement par le regroupement des postes en familles, ou classes. La deuxième étape consiste à établir la valeur des emplois sur le marché du travail, et la dernière à élaborer la structure salariale ou la politique salariale de l'organisation.

10.4.1 | La détermination des familles ou des classes d'emplois

Familles d'emplois (ou classes d'emplois)

Regroupement des postes similaires et de valeur égale visant à établir une structure salariale reflétant l'équité interne de l'organisation.

Après avoir évalué les postes et avant de déterminer les salaires, on définit s'il y a lieu les familles d'emplois. Les familles d'emplois, ou classes d'emplois, sont construites à partir des résultats de l'évaluation des postes et regroupent tous les emplois similaires tels que les postes de bureau ou les postes de direction.

Les emplois d'une même famille peuvent différer par leur contenu, mais ils doivent posséder une valeur équivalente pour l'organisation. On attribue à tous les emplois d'une même famille un taux de salaire, un éventail de taux de salaires ou une échelle salariale. La constitution de familles d'emplois n'est pas toujours nécessaire. Les spécialistes de la rémunération y font appel lorsqu'elle facilite l'administration des salaires et que de faibles différences de salaires existent entre certains postes. Finalement, le regroupement des emplois en familles ou classes permet d'éliminer les légères erreurs qui auraient pu se glisser lors de l'évaluation des postes.

Il convient de noter que la détermination du nombre de familles d'emplois comporte certains risques. Un nombre de familles restreint risque de pousser les employés à remettre en question les résultats de la classification s'ils jugent que leur poste fait partie d'un groupe considéré comme secondaire. De plus, les exigences relatives aux postes regroupés dans la même famille risquent d'être trop différentes. Il est toutefois approprié de limiter le nombre de familles en regroupant tous les emplois qui se ressemblent ou qui sont de valeur égale.

Une fois les emplois évalués et les familles d'emplois définies, on détermine l'éventail des salaires.

10.4.2 | Les enquêtes salariales

Les enquêtes salariales servent à fixer les niveaux de rémunération, les structures salariales et le mode de rémunération (le rapport entre la rémunération directe et la rémunération indirecte). Alors que l'évaluation des postes assure l'équité interne, les enquêtes salariales fournissent une information susceptible de garantir l'équité externe. Les deux formes d'équité salariale sont importantes si l'organisation souhaite attirer des candidats qualifiés, conserver et motiver ses employés. De plus, les résultats des enquêtes salariales révèlent la philosophie qui sous-tend la rémunération des organisations concurrentes. Par exemple, une grosse entreprise d'électronique peut décider de rémunérer ses employés à un taux supérieur de 15 % au taux du marché (la moyenne de tous les taux pour le même emploi dans une région donnée) ; une organisation de services d'une certaine taille peut décider de fixer ses salaires au taux du marché ; le taux des salaires d'une grande banque peut être inférieur de 5 % au taux du marché.

www.orhri.org/remuneration/2006

Prévisions salariales pour 2006, à consulter sur le site de l'ORHRI.

La plupart des organisations utilisent régulièrement les enquêtes salariales pour vérifier la compétitivité des salaires qu'elles offrent par rapport à ceux qui existent pour des emplois comparables sur le marché du travail (voir l'encadré 10.13). Des enquêtes sont publiées pour différentes catégories professionnelles — par exemple pour les employés de bureau, les cadres ou le personnel de direction — et les organisations peuvent s'abonner à ces publications. Les analystes en rémunération déterminent des emplois repères qui feront l'objet d'un étalonnage (*benchmarking*). Si on réalise des enquêtes distinctes pour diverses catégories d'emplois, c'est qu'il existe des différences entre la qualification des employés et la structure du marché du travail.

Étalonnage

Évaluation des biens, des services ou des pratiques d'une organisation, établie par comparaison avec les modèles qui sont reconnus comme des normes.

Après avoir procédé à la collecte des données de l'enquête, l'organisation doit décider des modalités selon lesquelles elle les utilisera. Elle peut n'utiliser que la moyenne des niveaux de salaires de l'ensemble des entreprises comprises dans l'enquête pour déterminer ses propres niveaux de salaires ou pondérer ces niveaux en fonction du nombre de ses employés. Elle peut aussi établir ses propres échelles salariales à partir de celles de l'ensemble des entreprise autres que la sienne. Après avoir extrait l'information qu'elle désire, elle met au point une structure salariale à taux multiples pour chaque catégorie d'emplois.

ENCADRÉ ▶ 10.13

Les emplois repères et le marché

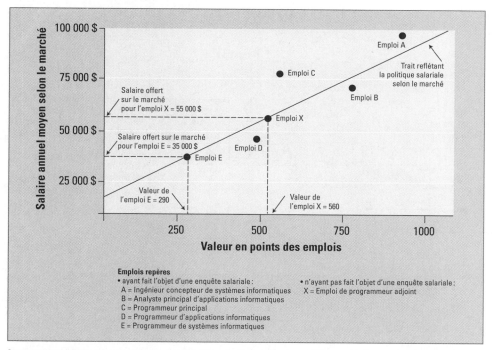

Source : adapté de S.E. Jackson et R.S. Schuler 2005, *Managing Human Resources : A Partnership Perspective,* 2ᵉ édition, Cincinnati (Ohio), South-Western Publishing.

10.4.3 | L'élaboration de la structure salariale

L'encadré 10.14 présente un exemple type de structure salariale par échelons. Cette structure se fonde sur une évaluation des postes effectuée à l'aide de la méthode par points et facteurs. Chaque bloc est associé à un éventail de points résultant de l'évaluation des postes (la classe d'emplois) et à un éventail d'échelons de salaires. Essentiellement, ces échelons de salaires correspondent aux classes d'emplois. Par conséquent, on peut trouver des emplois différents dans le même bloc parce qu'ils sont très similaires en termes de points.

Comme le montre l'encadré 10.14, les blocs s'élèvent de gauche à droite, ce qui reflète l'augmentation de la valeur de l'emploi ainsi que l'élévation des échelons de salaires (axe vertical) associés aux emplois plus valorisés. Ces échelons ont été établis à l'aide de l'information recueillie au moyen des enquêtes sur les salaires du marché, ce qui permet d'assurer l'équité externe. On établit ensuite le taux de salaire de chaque poste en fixant son échelon et en se déplaçant sur un point de l'axe vertical. C'est le cas de l'emploi A de l'échelon II. Notons qu'il existe des limites minimales et maximales ainsi qu'un point milieu des salaires pour les emplois se rattachant à chaque

ENCADRÉ ▶ 10.14

L'établissement d'une structure salariale basée sur l'évaluation des postes

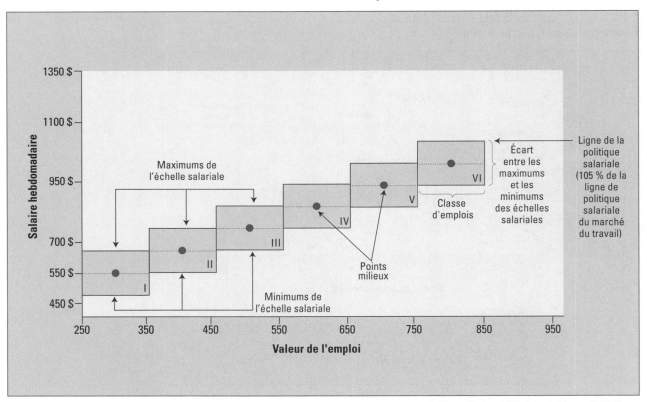

Source : adapté de S.E. Jackson et R.S. Schuler 2005, *Managing Human Resources : A Partnership Perspective,* 2ᵉ édition, Cincinnati (Ohio), South-Western Publishing.

classe. Il est essentiel de rester à l'intérieur de ces limites (l'échelle des salaires) pour maintenir l'équité interne, dans l'hypothèse où le système d'évaluation des postes serait valide.

Pour obtenir une augmentation sensible de son salaire, l'employé doit changer de classe d'emplois ou être promu à un emploi d'un échelon plus élevé. Cependant, il peut aussi toucher une augmentation de salaire à l'intérieur d'une classe donnée. Généralement, chaque poste comporte un éventail de taux de salaires. Ainsi, l'emploi A correspond à une rémunération hebdomadaire de 700 $. À cet emploi s'applique une échelle de salaires comprise entre 550 $ et 750 $ par semaine. Le point milieu correspond à 650 $. L'employé aurait pu commencer au bas de l'échelle, puis en gravir les échelons. Bien des entreprises cherchent cependant à offrir un salaire moyen, au point milieu de l'échelle, à la majeure partie de leurs employés.

10.5 LA DÉTERMINATION DES SALAIRES ET DES AUTRES FORMES DE RÉMUNÉRATION INDIVIDUELLE

Une fois la structure salariale établie, il faut déterminer les salaires individuels selon des méthodes dites traditionnelles ou selon d'autres modalités telles que l'élargissement des bandes salariales ou le recours à des formes de rémunération basées sur les compétences ou les habiletés. Ce volet du processus de rémunération devrait garantir l'équité individuelle et justifier les disparités salariales entre les individus qui détiennent des emplois similaires.

10.5.1 | Les méthodes traditionnelles de rémunération

Une fois la structure salariale établie, il faut déterminer le taux de salaire attribuable à chaque individu. Par exemple, considérons les cas de Christine et de Yves, qui effectuent le même travail. Si l'échelle des salaires est comprise entre 2 000 $ et 3 500 $, Christine pourrait recevoir 3 000 $, et Yves 2 750 $. Qu'est-ce qui pourrait justifier cette disparité ? Bien que le rendement soit une explication valable, des caractéristiques personnelles comme l'ancienneté et l'expérience influent aussi sur les salaires individuels. De fait, l'ancienneté est fréquemment perçue comme un facteur important. Dans certains cas, le potentiel de l'employé, ses talents de négociateur et son pouvoir jouent aussi un rôle dans la détermination des niveaux de salaires.

Dans les faits, la fixation des salaires prend souvent en compte à la fois les facteurs personnels, comme l'âge et l'ancienneté, et le rendement. Cependant, nombre de gestionnaires sont d'avis que les différences de salaires fondées sur le rendement sont plus équitables que celles qui sont fondées sur des caractéristiques individuelles. Traditionnellement, les syndicats ont défendu l'ancienneté en tant que déterminant important dans la fixation des taux de salaire, pour les raisons suivantes : (1) la rémunération selon l'ancienneté est une reconnaissance de l'expérience (en supposant l'existence d'une courbe de maturité, on pourrait soutenir que les personnes qui ont le plus d'ancienneté sont celles qui contribuent le plus à l'organisation) ; (2) elle offre à tous les employés la chance d'accéder à des taux de salaire élevés ; (3) elle permet de reconnaître la loyauté des employés à l'endroit de l'organisation.

CONSULTEZ INTERNET

www.payroll.ca

Site de l'Association canadienne de la paye, fournissant de l'information sur tout ce qui se rattache aux déductions, aux pensions, aux avantages imposables, aux indemnités de vacances, etc.

10.5.2 | L'élargissement des bandes salariales (*broadbanding*)

L'élargissement des bandes salariales (*broadbanding*) figure parmi les pratiques de rémunération avant-gardistes. Il a pour but de répondre à la nécessité d'avoir une flexibilité accrue en matière de rémunération. Il permet également aux entreprises d'offrir des salaires intéressants lorsque, à cause de la réduction des paliers hiérarchiques, il ne leur est plus possible de procurer à leurs employés des occasions d'avancement[16].

L'élargissement des bandes salariales peut être effectué par l'élargissement des classes d'emplois, par l'allongement des échelles salariales ou par la combinaison des deux[17] (voir l'encadré 10.15). La pratique la plus courante consiste à regrouper un certain nombre de classes d'emplois de la structure organisationnelle existante et d'associer à ces classes une échelle salariale plus étendue. Ainsi, de nouvelles règles de détermination des salaires sont élaborées.

Les bandes salariales élargies ont l'avantage d'appuyer les stratégies organisationnelles et de permettre plus de flexibilité dans la détermination des salaires, particulièrement dans un contexte de gestion participative et de gestion par les équipes de travail[18]. Cette pratique correspond parfaitement à la rémunération selon les compétences, puisque des emplois dont les exigences sont variées peuvent être réunis dans la même classe. Elle restreint les efforts d'évaluation et diminue le nombre de facteurs à considérer[19]. Parmi ses désavantages, on compte une plus grande difficulté à contrôler la masse salariale. De plus, étant donné la confusion qui peut entourer la détermination des salaires individuels au sein des classes élargies, cette pratique risque davantage d'être perçue comme inéquitable. Une bonne communication et une saine gestion sont donc de rigueur.

ENCADRÉ ▶ **10.15**

Exemple d'élargissement des bandes salariales

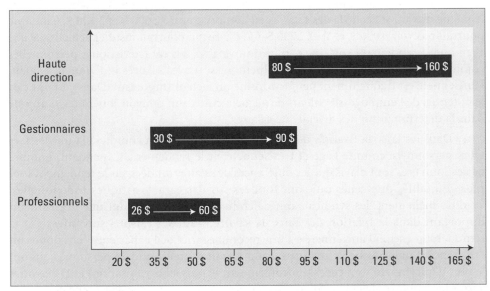

Source : adapté de D. Hofrichter, « Broadbanding : A Second Generation Approach », *Compensation and Benefits Review*, septembre-octobre 1993, p. 56.

10.5.3 | La rémunération selon les compétences

Dans les systèmes de rémunération basée sur les compétences, les employés sont rémunérés en fonction du type ou du niveau de compétences qu'ils ont acquises[20]. Le salaire est donc établi selon le répertoire des habiletés que les individus détiennent ou qu'ils sont capables d'appliquer en occupant divers postes dans l'organisation. Les systèmes de rémunération basée sur les compétences encouragent notamment l'acquisition des compétences, la flexibilité et la mobilité horizontale. Dans ces systèmes, les augmentations salariales reposent sur la validation des compétences au moyen de différents instruments de mesure, tels que ceux dont il est question à la sous-section 10.3.2. L'encadré 10.16 illustre une structure salariale dans laquelle les augmentations sont accordées en fonction des compétences acquises ou de la capacité d'occuper un emploi.

ENCADRÉ ▶ 10.16

Exemple de système de rémunération selon les compétences

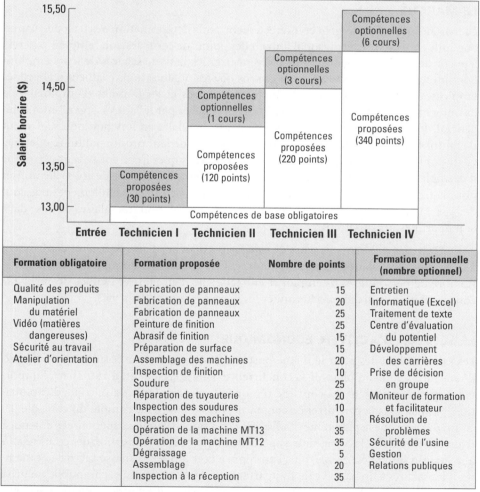

Formation obligatoire	Formation proposée	Nombre de points	Formation optionnelle (nombre optionnel)
Qualité des produits	Fabrication de panneaux	15	Entretien
Manipulation	Fabrication de panneaux	20	Informatique (Excel)
du matériel	Fabrication de panneaux	25	Traitement de texte
Vidéo (matières	Peinture de finition	25	Centre d'évaluation
dangereuses)	Abrasif de finition	15	du potentiel
Sécurité au travail	Préparation de surface	15	Développement
Atelier d'orientation	Assemblage des machines	20	des carrières
	Inspection de finition	10	Prise de décision
	Soudure	25	en groupe
	Réparation de tuyauterie	20	Moniteur de formation
	Inspection des soudures	10	et facilitateur
	Inspection des machines	10	Résolution de
	Opération de la machine MT13	35	problèmes
	Opération de la machine MT12	35	Sécurité de l'usine
	Dégraissage	5	Gestion
	Assemblage	20	Relations publiques
	Inspection à la réception	35	

Source: adapté de G.T. Milkovitch et J.H.Newman, 2002, par S. St-Onge et R. Thériault, *Gestion de la rémunération, théorie et pratique*, 2e éd., Montréal, Gaëtan Morin, 2006.

10.6 LES ASPECTS À CONSIDÉRER EN MATIÈRE DE RÉMUNÉRATION

De nombreux facteurs, tant externes qu'internes, influent sur les systèmes de rémunération. Nous examinons leurs effets sur l'organisation.

10.6.1 | L'influence des facteurs externes

Le marché, le secteur d'activité économique, les politiques gouvernementales et l'emplacement de l'entreprise comptent parmi les facteurs externes qui influent sur les systèmes de rémunération.

LE MARCHÉ

Le marché influe directement et indirectement sur la détermination des taux de salaires. Son influence est directe puisqu'il fournit des points de comparaison (emplois repères) à partir desquels les organisations peuvent fixer les taux de salaires de leurs emplois. Son influence est indirecte aussi, en ce sens que les organisations évaluent d'abord les emplois, établissent ensuite les échelles de salaires et les familles d'emplois, puis examinent le marché pour connaître les salaires payés par les autres organisations. En général, les organisations établissent leurs taux de salaire en fonction non seulement de l'information recueillie sur le marché, mais aussi de leur propre politique salariale. Cette politique se veut la réponse à des questions telles que : L'entreprise veut-elle servir d'exemple en matière de rémunération ? Quels critères l'entreprise désire-t-elle utiliser pour la fixation du salaire (la nature de l'emploi, l'ancienneté, le rendement ou le coût de la vie) ? Ces questions sont essentielles à la détermination des salaires de base dans la plupart des organisations.

> **Emploi repère**
> Poste servant de norme de comparaison lors de l'évaluation et de la classification des postes d'une organisation.

Outre les différents niveaux de salaires du marché, d'autres critères contribuent à la fixation des salaires. Ce sont notamment les conditions du marché du travail (le nombre de personnes sans emploi et en recherche d'emploi) et l'indice des prix à la consommation (qui aide à déterminer les hausses du coût de la vie).

LE SECTEUR D'ACTIVITÉ ÉCONOMIQUE

Les salaires attribués pour le même poste varient d'un secteur économique à l'autre, d'une part, selon l'ampleur de la concurrence dans le secteur et, d'autre part, l'importance que représentent les coûts de rémunération par rapport aux coûts d'exploitation[21]. Ainsi, plus la concurrence s'accentue, plus il faut tenir compte du contrôle des coûts, de sorte que la possibilité d'offrir des conditions salariales supérieures s'amenuise d'autant. De même, les dirigeants s'aperçoivent que plus la proportion des coûts relatifs à la main-d'œuvre est élevée, plus l'entreprise doit limiter sa masse salariale et maintenir les salaires à un bas niveau. L'appartenance au secteur public, parapublic ou privé entre également en ligne de compte, puisque les particularités des différents secteurs influent sur les modes de rémunération.

Selon l'Institut de la statistique du Québec (ISQ)[22], dans les emplois repères étudiés, le salaire des employés de l'administration québécoise accusait en 2006 un retard de 15,2 % par rapport à celui des autres salariés québécois travaillant dans des établissements de 200 employés et plus. L'enquête révèle aussi un retard vis-à-vis du secteur privé (−15,7 %). Sur le plan de la rémunération globale, qui prend en compte les avantages sociaux et les heures de travail, l'administration québécoise accusait un retard de 12,0 % par rapport aux autres salariés québécois et de 8,2 % par rapport au secteur privé.

LES POLITIQUES GOUVERNEMENTALES

Diverses lois, dont la Loi sur le salaire minimum, la Loi sur les normes du travail et la Loi sur l'équité salariale, que nous examinerons à la section 10.7, ont nécessairement des répercussions sur les taux de rémunération, sur la rémunération du temps chômé et des vacances, ainsi que sur d'autres avantages sociaux que nous étudierons en détail au chapitre 11. Les employeurs, quelles que soient leurs stratégies ou leurs capacités financières, doivent respecter les dispositions de ces lois.

L'EMPLACEMENT DE L'ENTREPRISE

Que ce soit sur le plan national, international ou régional, l'emplacement de l'entreprise a des effets sur les modes de rémunération. Ainsi, les disparités relatives au coût de la vie, au système de taxation, aux lois en vigueur et aux pratiques courantes dans les différentes régions sont parmi les facteurs qui influent sur les systèmes de rémunération. De plus, ces facteurs ajoutent au défi d'établir des modes de rémunération qui respectent en même temps l'équité interne et l'équité externe des organisations tout en préservant leurs capacités concurrentielles. L'encadré 10.17 présente des données sur le salaire minimum offert dans les provinces canadiennes.

ENCADRÉ ▶ 10.17

Le salaire minimum selon les provinces canadiennes

Province	Janvier 1997	Juillet 2007
Québec	6,70	8,00
Ontario	6,85	8,00
Île-du-Prince-Édouard	5,15	7,50
Nouvelle-Écosse	5,35	7,15
Nouveau-Brunswick	5,50	7,25
Manitoba	5,40	8,00
Saskatchewan	5,60	7,95
Alberta	5,00	7,00
Colombie-Britannique	7,00	8,00
Terre-Neuve-et-Labrador	5,25	7,00

Source : Ressources humaines et Développement social Canada, données traitées par l'Institut de la statistique du Québec, septembre 2007, www.stat.gouv.qc.ca.

10.6.2 | L'influence des facteurs internes

L'évolution de la structure salariale est indéniablement infléchie par plusieurs caractéristiques organisationnelles. Nous examinerons les effets que peuvent avoir les facteurs suivants sur les sytèmes de rémunération : (1) le rôle joué par des syndicats ; (2) la stratégie et la culture organisationnelles ; (3) la situation financière de l'entreprise ; (4) l'organisation du travail ; et (5) des caractéristiques de la main-d'œuvre.

LES SYNDICATS

Les syndicats et les associations d'employés ont joué un rôle majeur dans la détermination des structures salariales, des niveaux de salaires et des salaires individuels, même dans les entreprises non syndiquées. L'action syndicale influence chaque phase de l'application de la politique de rémunération, depuis l'analyse des postes et l'évaluation des emplois jusqu'à l'établissement des taux de salaire en passant par la sélection des critères utilisés à cette fin. En effet, les syndicats contribuent, dans de nombreux cas, à la conception des programmes élaborés par les entreprises et à la négociation de leur implantation ou à leur modification. L'évaluation des postes ne sert pas toujours les intérêts du syndicat à la table de négociation, mais les personnes qui s'y livrent doivent tenir compte à la fois de la perspective de ce dernier et de celle de la direction de l'entreprise[23]. Il faut ajouter que les stratégies visant à empêcher la syndicalisation ont également un effet sur les systèmes de rémunération.

Depuis 1980, les revendications syndicales sont de moins en moins axées sur les hausses relatives aux salaires et aux avantages sociaux. Ce phénomène est dû en bonne partie au fait que nombre d'organisations ont éprouvé de graves difficultés financières qui ont mis en péril leur survie au cours de la dernière récession. De fait, dans de nombreux secteurs d'activité, les entreprises étaient dans des situations si critiques que les travailleurs ont dû accepter une réduction de leurs salaires ou la mise en place de nouveaux modes de rémunération pour éviter les licenciements.

LA STRATÉGIE ET LA CULTURE ORGANISATIONNELLES

La rémunération est un outil qui permet de mettre en œuvre la stratégie organisationnelle[24]. Ainsi, une entreprise qui poursuit une stratégie d'innovation devrait implanter des pratiques de rémunération qui favorisent la créativité des employés et qui les encouragent à prendre des initiatives et à faire part de leurs idées. De même, une culture organisationnelle participative rendra plus facile l'implantation de modes de rémunération basés sur le rendement collectif. Notons également que, quand vient le temps d'adopter de nouvelles pratiques, il faut tenir compte des pratiques de rémunération qui ont cours et qui sont largement acceptées par les employés. Les pratiques courantes influent sur la manière de concevoir les modes de rémunération et freinent souvent le changement[25].

LA SITUATION FINANCIÈRE DE L'ENTREPRISE

La situation financière est sans contredit un des facteurs déterminants qui agissent sur les modes de rémunération. Ainsi, les entreprises détermineront les primes et partageront les bénéfices en fonction des résultats des exercices financiers. Lorsqu'une entreprise est publique et cotée en bourse, elle peut offrir des régimes d'actionnariat privilégié à ses employés[26].

CONSULTEZ INTERNET

www.rhdsc.gc.ca/fr/pt/imt/inmt/presentation_2005.shtml

Site décrivant les innovations en matière de pratiques de gestion des ressources humaines recensées dans les conventions collectives d'organisations publiques et privées canadiennes.

Licenciement

Rupture unilatérale et définitive du contrat de travail effectuée par l'employeur, pour des motifs généralement d'ordre économique ou technique, sans rapport avec le salarié. Les licenciements collectifs touchent un nombre important de travailleurs appartenant à la même organisation et ils surviennent à la suite, entre autres, de conversions industrielles ou de changements technologiques et économiques.

L'ORGANISATION DU TRAVAIL

Les différentes formes d'organisation du travail ont été examinées au chapitre 3. Les pratiques de rémunération doivent appuyer l'organisation du travail de façon à en renforcer l'efficacité. Si l'entreprise emploie des modes de rémunération traditionnels et rigides, cela réduira les possibilités d'adopter des modes de gestion plus souples dans lesquels on organise le travail autour d'équipes autonomes ou semi-autonomes. Les emplois atypiques ainsi que la main-d'œuvre contractuelle, temporaire ou à temps partiel requièrent également des aménagements particuliers en ce qui concerne la rémunération, les avantages sociaux et les autres privilèges, de même que les conditions de travail qui sont comprises dans la rémunération globale.

LES CARACTÉRISTIQUES DE LA MAIN-D'ŒUVRE

Le niveau de scolarité, l'âge, le sexe, l'ancienneté et la situation de famille sont autant de caractéristiques qui déterminent les besoins des employés et font en sorte qu'ils ont des attentes diversifiées en ce qui concerne leur rémunération. Les modes de rémunération, et particulièrement les gammes d'avantages sociaux et de privilèges pécuniaires ou non pécuniaires, ne sont efficaces que s'ils permettent de tenir compte des caractéristiques individuelles des employés.

10.7
L'ÉQUITÉ SALARIALE

www.ces.gouv.qc.ca

Site de la Commission de l'équité salariale, sur lequel il est possible de consulter les décisions, les recommandations de cette commission, ainsi que de s'informer sur les outils nécessaires à la réalisation d'un programme d'équité salariale.

Le 21 novembre 1996, la Loi sur l'équité salariale fut adoptée à l'unanimité par l'Assemblée nationale du Québec[27]. Même si le principe visant à interdire toute discrimination salariale est consacré depuis plus de 20 ans par l'article 19 de la Charte des droits et libertés de la personne du Québec, cette loi représente une avancée, car elle est proactive. En effet, selon l'article 51 : « L'employeur doit s'assurer que chacun des éléments du programme d'équité salariale, ainsi que l'application de ces éléments, sont exempts de discrimination fondée sur le sexe. »

À l'obligation de fin — éliminer la discrimination salariale — s'ajoute une obligation de moyens — suivre un processus non discriminatoire. En effet, la Loi oblige les employeurs à s'engager dans un processus d'établissement de l'équité salariale selon un échéancier prédéterminé. Au Québec, les entreprises ont eu quatre ans à partir du

DANS LES FAITS

Le processus d'équité salariale revient le plus souvent à comparer des emplois très différents dans le but d'établir leur équivalence et de mesurer les écarts salariaux. Par exemple, en Ontario, dans une chaîne de supermarchés, l'emploi de caissière, jugé équivalent à celui de commis aux stocks, a bénéficié d'une augmentation salariale de 1 477 $ par an ; l'emploi de secrétaire juridique, dans un cabinet d'avocats, a obtenu une augmentation de 4,28 $ l'heure pour rejoindre celui d'enquêteur, jugé équivalent. Similairement, dans une usine pétrochimique, l'emploi d'infirmière en santé du travail, considéré comme équivalent à celui de comptable, a reçu une majoration de 1,81 $ l'heure[28].

21 novembre 1997 pour déterminer les corrections salariales et quatre autres années pour verser à leurs employés les montants résultant de ces corrections.

En outre, cette loi impose des critères méthodologiques de mise en œuvre qui ont trait autant à la participation des salariés qu'à l'élaboration même du programme d'équité salariale et aux recours mis à la disposition des employeurs et des salariés[29].

10.7.1 | Le champ d'application de la loi

Les modalités d'application varient selon le nombre de salariés. Les entreprises de 100 salariés et plus sont tenues de former un comité chargé d'élaborer le programme d'équité salariale. Celles qui ont de 50 à 99 salariés doivent établir un programme d'équité salariale et entreprendre une démarche patronale-syndicale dont les modalités ne sont cependant pas précisées. Enfin, les entreprises de moins de 50 salariés ont simplement une obligation de résultat, autrement dit de déterminer les rajustements salariaux nécessaires. Elles ne sont pas tenues d'établir un programme ni de constituer un comité.

10.7.2 | Les comités d'équité salariale

Pour les entreprises de 100 salariés et plus, le comité d'équité salariale, constitué conjointement par l'employeur et les salariés, est chargé de la mise en œuvre du processus d'équité salariale. Notons que la participation à ce comité n'est pas réservée aux représentants des employés syndiqués, mais s'étend aussi aux employés non syndiqués; dans ce dernier cas, l'employeur est tenu de leur permettre de se réunir sur les lieux de travail afin d'élire leurs représentants.

10.7.3 | La mise en œuvre d'un programme d'équité salariale

Le programme d'équité salariale exigé des entreprises ayant de 50 à 99 salariés joue simultanément deux rôles: d'une part, c'est un instrument de diagnostic permettant d'établir s'il existe ou non des écarts salariaux entre des emplois à prédominance féminine et des emplois à prédominance masculine équivalents, et de déterminer les modalités de versement des rajustements effectués par un employeur donné; d'autre part, c'est un indicateur de l'ampleur des corrections requises et des modalités selon lesquelles elles seront effectuées.

Quatre étapes, entre lesquelles s'insèrent deux affichages, marquent le processus d'établissement d'un programme d'équité salariale, chacune d'elles ayant un contenu et un objectif bien précis (voir l'encadré 10.18).

LES CATÉGORIES D'EMPLOIS À PRÉDOMINANCE FÉMININE OU À PRÉDOMINANCE MASCULINE

Étant donné que toute la démarche d'équité salariale repose essentiellement sur des comparaisons, il est essentiel de déterminer ce qui sera comparé, c'est-à-dire les catégories d'emplois à prédominance féminine ou à prédominance masculine. Afin, dans un premier temps, de déterminer les catégories d'emplois de l'entreprise, on doit appliquer les trois critères suivants:

Les étapes de la mise en œuvre du programme d'équité salariale

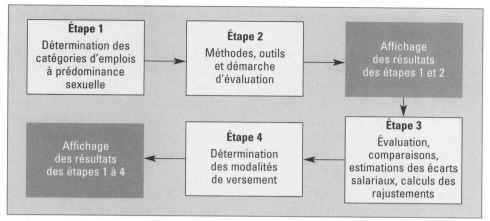

Source : M.-T. Chicha, *L'équité salariale : mise en œuvre et enjeux,* 2ᵉ éd., Montréal, Yvon Blais, 2000, p. 119.

- Fonctions et responsabilités semblables
- Qualifications semblables
- Même rémunération, c'est-à-dire même taux ou même échelle des salaires

Le terme *semblable* laisse une certaine marge à l'interprétation, ce qui n'est pas le cas du terme *identique.*

Selon Chicha[30], il ne s'agit pas de remettre en question toute la classification des emplois de l'entreprise, mais plutôt de s'assurer qu'elle est conforme à la Loi sur l'équité salariale.

Une fois la liste établie, on doit établir la prédominance sexuelle de chacune des catégories d'emplois. On peut utiliser à cette fin les quatre indicateurs suivants.

- Pourcentage de 60 % ou plus de salariés du même sexe dans la même catégorie d'emplois. Si, dans une entreprise donnée, 65 % des commis comptables et 95 % des réceptionnistes sont des femmes, chacune de ces catégories d'emplois pourra être considérée comme étant à prédominance féminine.
- Écart significatif entre le taux de représentation des femmes, ou des hommes, dans une catégorie d'emplois et leur taux de représentation dans l'effectif total de l'employeur. Si, dans une entreprise, les femmes représentent 45 % des contrôleurs de la qualité, alors que dans l'effectif total elles ne représentent que 9 %, la catégorie *contrôleur de la qualité* pourra être considérée comme étant à prédominance féminine.
- Évolution historique du taux de représentation révélant que la catégorie d'emplois a été traditionnellement à prédominance féminine ou masculine. Si en 1997, dans une entreprise donnée, la catégorie d'emplois *analyste de marché* était masculine à 52 %, mais que durant les cinq années précédentes ce taux s'était maintenu à 80 %, on considérera fort probablement cette catégorie comme étant à prédominance masculine.
- Existence d'un stéréotype occupationnel relatif à la catégorie d'emplois. Si, dans une entreprise d'entretien immobilier, la catégorie d'emplois *plombier* est

masculine à 50 %, devra-t-on la considérer comme neutre, c'est-à-dire sans prédominance ? Il est probable que, dans ce cas, le stéréotype masculin de l'occupation soit plus déterminant que le pourcentage. Cet indicateur est le seul qui se rapporte à des données externes, les autres étant toujours calculés à partir des effectifs de l'employeur.

On remarque donc qu'une certaine marge de manœuvre permet d'adapter les décisions du comité ou de l'employeur aux données propres à l'entreprise. Les membres du comité pourront choisir l'un ou l'autre de ces indicateurs ou les combiner et décider de la prédominance sexuelle d'une catégorie d'emplois à partir du tableau d'ensemble. Les catégories d'emplois sans prédominance sexuelle sont considérées comme mixtes ou neutres et ne font pas partie du programme d'équité salariale.

LA MÉTHODE D'ÉVALUATION

Comme la Loi sur l'équité salariale n'impose aucune méthode d'évaluation en particulier, on peut avoir recours aux méthodes globales ou aux méthodes analytiques. Par contre, on doit prendre en compte les quatre facteurs d'évaluation suivants :

- Les qualifications requises
- Les responsabilités assumées
- Les efforts requis
- Les conditions de travail

Ces facteurs, dont la prise en compte est imposée par toutes les législations proactives, ne permettent toutefois pas de saisir les caractéristiques qui différencient divers emplois au sein d'une entreprise, c'est pourquoi la décomposition des facteurs en sous-facteurs est une opération importante dans l'établissement de la méthode d'évaluation.

LA DÉTERMINATION DES NIVEAUX DES SOUS-FACTEURS

Pour vérifier rapidement si, *a priori*, la répartition par niveaux semble conforme à l'exigence de non-discrimination, on peut comparer le nombre de niveaux des sous-facteurs typiques des emplois féminins à celui des emplois masculins. Si on constate que l'un des deux groupes comporte systématiquement un plus grand nombre de niveaux que l'autre, on devra déterminer les causes de ce déséquilibre et le corriger. Dans l'ensemble, il ne devrait pas y avoir de fortes disparités non justifiables fondées sur le sexe quant au détail des sous-facteurs. L'encadré 10.19 présente les sous-facteurs d'évaluation pouvant favoriser les emplois féminins ou masculins.

LA PONDÉRATION DES FACTEURS ET DES SOUS-FACTEURS

La pondération est une opération déterminante dans le processus d'établissement de l'équité salariale. En effet, si on tient compte de tous les sous-facteurs typiques des emplois féminins, mais qu'on leur attribue systématiquement un poids trop faible, on risque d'aboutir à des résultats discriminatoires. Il est utile, dans cette optique, d'examiner plus particulièrement les facteurs et les sous-facteurs qui reçoivent les pondérations les plus faibles et les plus élevées afin d'éviter que les catégories d'emplois à prédominance masculine ou féminine ne soient arbitrairement avantagées ou désavantagées. Dans le but de réduire autant que possible le risque d'erreur systématique,

Les sous-facteurs d'évaluation pouvant favoriser les emplois féminins ou masculins

Sous-facteurs	Favorisant les emplois masculins	Neutres	Favorisant les emplois féminins
Compétence	Expérience Éducation Connaissance des machines et des équipements Capacité de différencier les sons	Communication Initiative Originalité Jugement Aptitude à la rédaction	Précision Organisation de l'information Attention aux détails Dextérité Saisie de texte sur ordinateur
Effort	Calcul Résolution de problèmes	Coopération Prise de décision Fatigue Endurance	Concentration visuelle Tension attribuable à une clientèle malade ou agressive Effort psychique
Responsabilités	Finances Équipements Produits Normes	Supervision Sécurité d'autrui Obligation de rendre compte Protection de la confidentialité	Contacts internes et externes Relations publiques Soins Relations humaines
Conditions de travail	Travail à l'extérieur Exposition aux accidents Longues journées de travail	Contraintes de temps Saleté	Interruptions constantes Monotonie Modifications fréquentes des horaires de travail

Source: adapté de *Job Evaluation,* Pay Equity Bureau, Île-du-Prince-Édouard, sans date, p. 13-15.

des praticiens recommandent d'effectuer la pondération tout de suite après l'évaluation des emplois au lieu d'attendre d'avoir déterminé les niveaux. La pondération devrait ainsi avoir lieu après qu'on a cerné, pour chaque catégorie d'emplois à prédominance féminine ou masculine, tous les sous-facteurs qui lui correspondent[31].

LA COLLECTE DES DONNÉES SUR LES EMPLOIS

Avant de passer à l'évaluation proprement dite, les membres du comité doivent recueillir des informations sur les emplois faisant partie du programme. La collecte des données est une étape indispensable de l'établissement d'un programme d'équité salariale non discriminatoire et opérationnel. Dans la pratique, il n'est pas recommandé de se limiter aux descriptions des tâches, car celles-ci peuvent contenir des préjugés. Il semble que certains outils soient plus appropriés — c'est notamment le cas du questionnaire fermé —, car ils obligent à faire un choix entre plusieurs réponses prédéterminées, plutôt qu'à élaborer une réponse[32].

L'ÉVALUATION DES CATÉGORIES D'EMPLOIS

À partir des outils élaborés et des données recueillies, on évalue chaque catégorie d'emplois à prédominance masculine ou féminine afin d'établir des comparaisons salariales. L'évaluation est un processus délicat. La subjectivité des différents évaluateurs, leurs préjugés ou leurs préférences peuvent entrer en jeu et, de façon parfois subtile, influer sur les résultats. Au nombre des distorsions possibles, citons l'effet de halo, qui consiste à attribuer un degré élevé à la plupart des sous-facteurs d'une catégorie d'emplois prestigieuse ou caractérisée par d'importantes responsabilités.

Le fait de connaître les salaires des emplois peut également fausser l'évaluation. Selon Chicha[33], il est possible de réduire les distorsions grâce à certaines techniques. On peut notamment recourir à l'évaluation transversale, qui consiste à évaluer un à un les divers sous-facteurs de toutes les catégories d'emplois.

LA COMPARAISON DES EMPLOIS

À cette étape du processus, les variables à analyser sont surtout de nature économique et financière : salaires, avantages sociaux et nouvelles formes de rémunération. La connaissance de techniques statistiques étant, dans bien des cas, indispensable pour se livrer à ces analyses, le comité pourra avoir recours à des experts pour effectuer certaines opérations. Toutefois, afin de faire des choix judicieux et non discriminatoires, les membres du comité doivent pouvoir comprendre les résultats qui leur sont présentés.

Lorsqu'il est possible de procéder à des comparaisons dans l'entreprise, autrement dit dans la majorité des cas, la législation québécoise permet de choisir entre la comparaison globale et la comparaison individuelle. La première est désignée couramment par l'expression *emploi à courbe* et consiste à comparer, dans l'entreprise, la rémunération et la valeur en points de chaque catégorie à prédominance féminine à une courbe salariale représentant la rémunération et la valeur des catégories à prédominance masculine (voir l'encadré 10.20).

ENCADRÉ ▶ **10.20**

Les comparaisons « emploi à courbe »

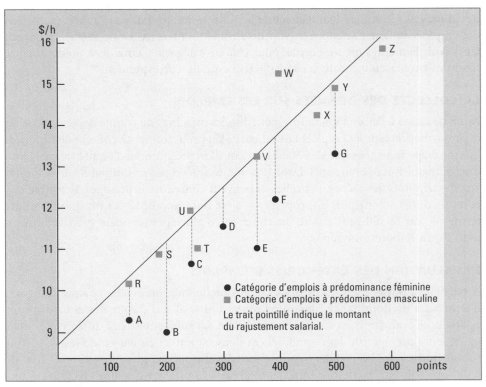

Source : M.-T. Chicha, *L'équité salariale : mise en œuvre et enjeux*, 2e éd., Montréal, Yvon Blais, 2000, p. 119.

La deuxième, la comparaison par paires, consiste à comparer une catégorie féminine à une catégorie masculine de même valeur (voir l'encadré 10.21). Des moyens complémentaires, par exemple le calcul de la valeur proportionnelle, sont prévus pour répondre à des cas particuliers, tels que l'absence de comparateur masculin. On veut ainsi permettre aux entreprises de choisir la méthode la plus adaptée à leurs caractéristiques. L'employeur doit cependant s'assurer que la méthode choisie n'exclut aucun emploi à prédominance féminine.

Comparaison par paires

Méthode qui consiste à comparer directement deux catégories d'emplois.

Selon Chicha, le principal avantage de la méthode de comparaison par paires est sa simplicité, cependant elle perd cet avantage quand il devient nécessaire de la combiner à la méthode de la valeur proportionnelle. En outre, la personnalisation des comparaisons constitue un désavantage important de cette méthode. En effet, les employés d'une catégorie à prédominance féminine savent exactement à quelle catégorie à prédominance masculine ils ont été comparés et vice versa.

L'ESTIMATION DES ÉCARTS SALARIAUX

L'estimation des écarts salariaux s'effectue sur la base de la rémunération globale, qui comprend le salaire de base, les avantages sociaux et la rémunération flexible. Comme le stipule l'article 54 de la loi, en ce qui concerne le salaire de base, on doit retenir le

ENCADRÉ ▶ 10.21

La comparaison par paires

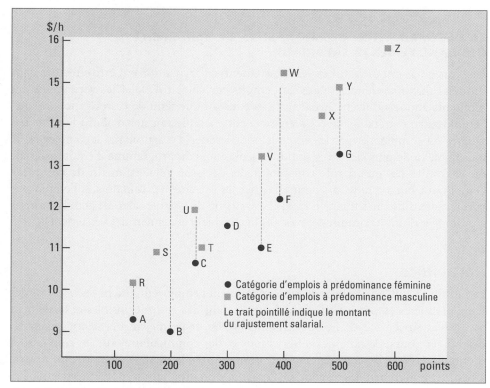

Source : M.-T. Chicha, *L'équité salariale : mise en œuvre et enjeux*, 2ᵉ éd., Montréal, Yvon Blais, 2000, p. 119.

taux maximal de salaire ou, le cas échéant, le plus haut niveau de l'échelle salariale. Les avantages sociaux regroupent une longue liste d'éléments tels que les indemnités, les primes, les congés de maladie et les régimes de retraite. La définition de la rémunération flexible retenue dans la loi recouvre notamment la rémunération basée sur la compétence ou le rendement et les régimes d'intéressement aux bénéfices. En outre, on ne doit prendre en considération les avantages sociaux et la rémunération flexible que s'ils ne sont pas accessibles à toutes les catégories d'emplois.

À la suite de l'estimation des écarts salariaux, le comité doit déterminer les montants des rajustements salariaux dus aux employés dans les catégories d'emplois à prédominance féminine. Le montant de ces rajustements individuels n'est pas nécessairement égal aux écarts salariaux. En effet, dans le cas des échelles salariales, ces écarts sont calculés sur la base du taux maximum, alors que les employés se situent sur divers échelons et pourraient avoir droit à des montants inférieurs.

La disparité dans la longueur des échelles salariales entre les catégories à prédominance féminine et les catégories à prédominance masculine que l'on constate dans bien des milieux de travail risque certainement de poser des problèmes. En effet, les catégories à prédominance féminine ont souvent des échelles beaucoup plus longues. Comment mettre en pratique l'égalité des salaires entre des échelles dont la structure est très différente? La loi ne donne aucune indication à ce sujet. Le comité consultatif qui a effectué les travaux préalables au projet de loi avait d'ailleurs recommandé entre autres d'harmoniser les échelles salariales afin de faciliter l'obtention et le maintien de l'égalité[34].

LA DÉTERMINATION DES MODALITÉS DE VERSEMENT DES RAJUSTEMENTS SALARIAUX

Une fois qu'ils ont été estimés, les rajustements salariaux doivent être effectués dans un délai maximal de quatre ans. Si l'employeur choisit d'étaler les versements, les montants annuels doivent être d'égale valeur. Compte tenu de ces exigences légales, l'employeur peut établir divers scénarios, par exemple rajuster d'abord les plus bas salaires ou commencer par les emplois pour lesquels l'écart salarial à combler est le plus faible ou le plus élevé. Il s'agit de la seule étape du programme d'équité salariale où le comité n'a qu'un rôle consultatif. La décision revient en fin de compte à l'employeur qui a quatre ans pour effectuer les versements. Toutefois, si l'employeur éprouve des difficultés financières, la Commission de l'équité salariale peut l'autoriser à prolonger d'un maximum de trois ans la période d'étalement des versements.

L'AFFICHAGE

La Loi sur l'équité salariale exige que le comité ou l'employeur affiche les résultats des deux premières étapes (voir l'encadré 10.18) dans des endroits visibles et facilement accessibles aux employés. Le but de l'affichage est de permettre aux salariés, dans un délai de 60 jours, de faire des observations et des commentaires sur les résultats, et d'obtenir éventuellement des modifications. Après la quatrième étape, un nouvel affichage, comprenant les résultats de l'ensemble du programme, doit être effectué. Les salariés disposent des mêmes recours et des mêmes délais qu'à l'affichage précédent.

10.7.4 | La Loi sur l'équité salariale : autres considérations importantes

La Loi sur l'équité salariale se distingue également par les éléments suivants : l'obligation de maintien des résultats, la possibilité pour un employeur d'offrir plus d'un programme, l'établissement de mesures particulières en l'absence de comparateur masculin, la possibilité de créer des comités sectoriels et des associations patronales, des dispositions relativement aux zones grises, l'exclusion des cadres supérieurs et la mention de certaines exceptions.

LE MAINTIEN DES RÉSULTATS

L'obligation de maintien des résultats du programme d'équité salariale comprend notamment la création de nouvelles catégories d'emplois, la modification des emplois existants ou des conditions qui leur sont applicables, la négociation ou le renouvellement d'une convention collective. Ces changements peuvent survenir pendant ou après l'établissement du programme. Ils peuvent entraîner des variations de la valeur ou des salaires des emplois comparés. La responsabilité du maintien des résultats incombe entièrement à l'employeur, sauf dans le cas du renouvellement des conventions collectives, où elle est partagée avec le syndicat.

LE NOMBRE DE PROGRAMMES CHEZ UN MÊME EMPLOYEUR

En principe, la loi québécoise exige la mise en œuvre d'un seul programme d'équité salariale par employeur. Cependant, on autorise des exceptions dans trois cas.

- Si un employeur possède des établissements dans diverses régions et constate que des disparités régionales justifient l'élaboration d'un programme d'équité salariale par établissement et par région. Il doit alors s'adresser à la Commission de l'équité salariale pour lui en demander l'autorisation.

- Si, dans une entreprise, une association accréditée demande à l'employeur d'établir un programme exclusif aux salariés qu'elle représente. S'il existe d'autres associations accréditées, on peut prévoir qu'elles demanderont également des programmes distincts. Il faudra donc établir un programme distinct pour les employés non syndiqués.

- Si l'employeur a plusieurs établissements et un ou plusieurs syndicats. Les deux parties peuvent alors s'entendre pour élaborer un programme par établissement et, éventuellement, par syndicat. Si les établissements sont décentralisés géographiquement, cette entente annule l'obligation de recourir à l'autorisation de la Commission, dont nous avons fait état plus haut. Une limite est édictée dans le cas où il n'existe aucune catégorie d'emplois à prédominance masculine dans un programme. L'obligation légale est de les comparer à l'ensemble des catégories d'emplois à prédominance masculine de l'entreprise. Il est alors nécessaire de créer des « passerelles » entre les différentes grilles d'évaluation afin de permettre les comparaisons.

L'ABSENCE DE COMPARATEUR MASCULIN DANS L'ENTREPRISE

Dans le cas où une entreprise ne compte que des catégories d'emplois à prédominance féminine (par exemple une garderie d'enfants ou une boutique de vêtements), la Commission a prévu une situation d'exception. Elle peut, par règlement, aux fins de l'établissement d'un programme d'équité salariale dans une telle entreprise, établir des catégories d'emplois types à partir des catégories d'emplois déterminées dans des entreprises où un tel programme a déjà été implanté et spécifier des méthodes pour évaluer ces catégories d'emplois ainsi que des méthodes pour estimer les écarts salariaux entre les catégories d'emplois types et les catégories d'emplois de l'entreprise. Enfin, elle peut prévoir des normes ou des facteurs de pondération applicables à ces écarts en tentant compte notamment des caractéristiques propres aux entreprises dont les catégories d'emplois sont ainsi comparées.

LES COMITÉS SECTORIELS ET LES ASSOCIATIONS PATRONALES

La possibilité de créer des comités sectoriels paritaires au sein d'un secteur d'activité économique donné est une clause de la Loi sur l'équité salariale qui peut contribuer à réduire les coûts administratifs du programme d'équité salariale. Ces comités ont pour mandat d'élaborer des éléments du programme, par exemple une méthode d'évaluation ou un questionnaire sur les emplois qui devront par la suite être soumis à l'approbation de la Commission de l'équité salariale. La loi propose aussi un mode de collaboration plus souple et moins rigide. Les employeurs peuvent se regrouper pour élaborer en commun les éléments d'un programme d'équité salariale, sans que l'approbation de la Commission soit nécessaire. Par contre, ils ne peuvent entreprendre pareille démarche sans l'accord de leurs comités d'équité salariale respectifs.

LES ZONES GRISES

Selon Chicha[35], la difficulté à déterminer qui est le « véritable employeur » d'un employé a donné lieu en Ontario à de nombreux litiges, dont certains ont été soumis au Tribunal de l'équité salariale. Dans les situations complexes, qui surgiront inévitablement, il sera indispensable de recourir à un avis juridique pour désigner l'employeur.

La notion d'entreprise soulève un autre point d'interrogation. Le législateur n'offre aucune définition de ce terme. On peut avancer qu'en pratique l'interprétation retenue s'appuiera notamment sur l'article 1525 du Code civil du Québec. Cette disposition met l'accent sur le caractère organisé de l'activité économique ainsi que sur sa finalité, soit essentiellement la production de biens ou de services.

L'EXCLUSION DES CADRES SUPÉRIEURS

L'exclusion des cadres supérieurs du champ d'application de la loi risque également de susciter la controverse. En effet, qui est considéré comme cadre supérieur ? Selon la définition couramment acceptée en relations de travail, il s'agit d'un cadre relevant directement du propriétaire de l'entreprise ou de son conseil d'administration. De plus, ce cadre doit avoir autorité sur d'autres cadres. En outre, la Commission de l'équité salariale a récemment apporté quant à cette notion des précisions qu'elle communique sur son site Internet.

LES EXCEPTIONS

La loi prévoit quelques exceptions qui permettent de considérer un écart salarial comme non discriminatoire. En effet, l'ancienneté, les cas de pénurie de main-d'œuvre, les primes d'éloignement, l'absence d'avantages à valeur pécuniaire dans les emplois saisonniers ou temporaires, les affectations pour formation et le salaire étoilé sont des exceptions qui justifient les écarts salariaux. Dans ce cas, il est admis qu'une catégorie d'emplois à prédominance masculine puisse recevoir un salaire supérieur à celui d'une catégorie d'emploi à prédominance féminine de même valeur.

10.8

LES RÉGIMES DE RÉMUNÉRATION VARIABLE

Les régimes de rémunération variable établissent un lien direct entre la rémunération et le rendement. Ils contiennent généralement des mesures incitatives, dont il existe plusieurs types : régimes basés sur le rendement individuel, régimes incitatifs de groupe, ou collectifs, régimes implantés au sein d'équipes de travail[36].

10.8.1 | Les régimes de rémunération fondés sur le rendement individuel

Jusqu'au milieu des années 1980, la plupart des régimes incitatifs employés au Canada consistaient en des systèmes de rémunération à la pièce ou à normes horaires. L'utilisation de ces régimes varie beaucoup selon les secteurs d'activité et selon les régions. Les régimes individuels d'encouragement au rendement sont nombreux. Parmi ceux-ci, on compte principalement les régimes de rémunération à la pièce, à normes horaires, à la journée et à la commission, et les régimes incitatifs destinés aux cadres.

LES RÉGIMES DE RÉMUNÉRATION À LA PIÈCE

Les régimes de rémunération à la pièce sont le type de rémunération au rendement le plus courant. En vertu de ces régimes, on garantit aux employés un taux de salaire standard pour chaque unité produite. Le taux de rémunération à l'unité est fréquemment déterminé à partir d'études des temps et des mouvements et d'enquêtes salariales. Par exemple, si la rémunération de base pour un poste est de 45 $ par jour et si l'employé peut produire 45 unités par jour, le taux à la pièce peut être fixé à 1 $ l'unité. Ce taux de base est habituellement supérieur à celui qui est déterminé par les études des temps et des mouvements parce qu'il est censé représenter une efficacité de 100 %. Il est souvent modifié de façon à refléter le pouvoir de négociation des employés, les conditions économiques existant au sein de l'organisation et de la communauté environnante, ainsi que le salaire payé par les concurrents.

Rémunération à la pièce

Les employés reçoivent, en vertu de ce régime, une rémunération fixe par unité produite.

LES RÉGIMES DE RÉMUNÉRATION À NORMES HORAIRES

Parmi les régimes de rémunération au rendement le plus souvent utilisés, les régimes de rémunération à normes horaires arrivent au deuxième rang. Il s'agit essentiellement de régimes à la pièce dont les normes sont définies en fonction du temps requis par unité de production plutôt qu'en fonction d'un taux de salaire. Les tâches sont

Rémunération à normes horaires

L'un des modes de rémunération à caractère incitatif les plus courants. Il s'agit essentiellement d'un régime à la pièce dont les normes sont établies en fonction du temps nécessaire à la production d'une unité plutôt qu'en fonction de la quantité produite.

divisées selon le temps requis pour les effectuer. On peut faire cette opération à partir des dossiers de production, des études de temps et mouvements ou d'une combinaison des deux. Le temps nécessaire à la réalisation de chaque tâche devient alors la norme.

LES RÉGIMES DE RÉMUNÉRATION À LA JOURNÉE

Les régimes de rémunération à la journée relâchent le lien entre les taux de salaire et les normes de production. On définit les normes de production à partir desquelles on évalue le rendement de l'employé. Toutefois, celles-ci sont moins précises que dans le cas des régimes à normes horaires. Par exemple, elles peuvent être déterminées à partir des résultats de l'évaluation ou du rangement plutôt qu'à l'aide d'un critère objectif comme les unités produites.

LES RÉGIMES D'INCITATION À LA VENTE

Tous les régimes de rémunération à caractère incitatif mentionnés plus haut ont pour caractéristique commune le fait d'être généralement utilisés pour les cols bleus et les employés de bureau. Les régimes d'incitation à la vente désignent les régimes fondés sur le versement de commissions aux vendeurs et à une certaine catégorie de gestionnaires. Les deux tiers du personnel des ventes reçoivent une rémunération composée du salaire de base auquel s'ajoute une commission. Dans l'immobilier, cependant, une très forte proportion des agents (75 %) ne touche que des commissions. On estime que, dans les autres secteurs de la vente 22 % des agents sont payés uniquement par des commissions et que 11 % d'entre

DANS LES **FAITS**

Chez Bell Canada, depuis le 1er janvier 2006, un nouveau régime salarial permet aux représentants des ventes syndiqués qui n'ont pas de protection salariale de toucher 12 % du salaire de base s'ils atteignent leurs objectifs de vente[38].

eux travaillent sans rémunération minimale garantie[39]. Bien que ces données ne soient pas récentes, il semble que cette tendance se maintient aujourd'hui.

LES RÉGIMES DE PRIMES À L'INITIATIVE

Les régimes de primes à l'initiative (ou programmes de suggestions) récompensent les employés qui soumettent des suggestions qui aident à réduire les coûts de production ou à accroître les revenus de l'entreprise. Environ 80 % des 500 plus grandes entreprises nord-américaines possèdent de tels régimes. Ils sont très utilisés et peuvent donner lieu au versement de sommes considérables aux employés et contribuer à la réalisation d'importantes économies pour l'entreprise.

Malgré tout, ces régimes n'ont pas très bonne réputation parce que les montants touchés par les employés sont généralement très faibles. De plus, dans certains cas, les employés ne sont pas informés des résultats de leurs suggestions, où encore les entreprises réalisent des économies plus substantielles qu'elles ne le reconnaissent et ne récompensent donc pas les employés en fonction des véritables gains réalisés. Parfois, une suggestion non retenue dans l'immédiat est reprise plus tard par la direction sans qu'une rétribution soit versée à l'employé. Cette façon de procéder engendre de l'hostilité, du ressentiment et de la méfiance chez les employés à l'égard de la direction. La boîte à suggestions peut elle-même, dans certains cas, être tournée en dérision.

LES RÉGIMES DE RÉMUNÉRATION BASÉE SUR LE MÉRITE

Dans les régimes de rémunération basée sur le mérite, on détermine les augmentations de salaire accordées aux employés en tenant compte de leur rendement individuel selon des conditions précises[40]. Généralement, la progression du salaire des employés se fait à l'intérieur d'une échelle salariale et dépend de leur rendement individuel. L'augmentation salariale est intégrée au salaire et est utilisée pour le calcul des augmentations subséquentes. Le rendement des employés doit être mesuré par des évaluations périodiques et servir de base au calcul des augmentations. Le budget alloué aux augmentations salariales est généralement fonction de la situation économique de l'entreprise et de la place que celle-ci désire occuper sur le marché. L'encadré 10.22 présente un exemple de régime de rémunération basée sur le mérite.

ENCADRÉ ▶ **10.22**

Exemple de régime de rémunération basée sur le mérite

Évaluation du rendement	POSITION DANS LA FOURCHETTE SALARIALE			
	Augmentation			
	Premier quartile	Deuxième quartile	Troisième quartile	Quatrième quartile
Excellent	13-14 %	11-12 %	9-10 %	6-8 %
Supérieur à la moyenne	11-12 %	9-10 %	7-8 %	6% ou moins
Bon	9-10 %	7-8%	6 % ou moins	Reportée
Satisfaisant	6-8 %	6% ou moins	Reportée	Aucune
Insatisfaisant	Aucune	Aucune	Aucune	Aucune

LES RAJUSTEMENTS DE VIE CHÈRE

Nombre de grandes organisations procèdent périodiquement à un rajustement de vie chère. Ces indemnités versées à tous les employés ne sont pas liées au rendement. On les trouve surtout dans les entreprises syndiquées où la convention collective prévoit ce type d'augmentation et elles s'étendent généralement aux employés non syndiqués. Les rajustements de vie chère peuvent représenter une part importante du budget prévu pour les augmentations.

> **Rajustement de vie chère**
> Modification des salaires en fonction de l'évolution des conditions économiques, habituellement de l'indice des prix à la consommation.

De nombreuses organisations souhaitent remplacer les systèmes de rajustements de vie chère par un régime de rémunération au mérite, car ces hausses de salaires sont très coûteuses et n'ont aucun effet sur le rendement ; de plus, elles échappent au contrôle que l'organisation exerce sur les salaires. Enfin, comme ces indemnités sont généralement liées à l'indice des prix à la consommation, les salaires augmentent de façon artificielle, parallèlement à la hausse de l'indice et grugent les sommes disponibles pour la rémunération au mérite.

10.8.2 | Les régimes incitatifs de groupe

Au fur et à mesure que les organisations se diversifient, un nombre croissant d'emplois deviennent interdépendants. Certains font partie d'une suite d'opérations et d'autres d'un effort conjugué, nécessaire à l'obtention de bons résultats. Dans tous les

DANS LES FAITS

En 2005, un régime de prime au rendement individuel a été établi entre la Société canadienne des postes et l'Alliance de la Fonction publique du Canada. Les employés peuvent recevoir une prime allant de 0,5 à 3,0 % du salaire normal, 0,5 % indiquant la nécessité de s'améliorer et 3,0 % un niveau de rendement exceptionnel. Le régime de prime au rendement collectif est maintenu. Il accorde à l'employé une prime pouvant aller jusqu'à 4,0 % par exercice financier s'il atteint les objectifs de l'entreprise en matière de rendement financier et de service, ainsi que de satisfaction de la clientèle. Il est possible d'obtenir plus de 4,0 % si l'entreprise dépasse les objectifs établis[41].

cas, il est difficile de mesurer le rendement individuel. Les stimulants individuels ne sont pas appropriés dans ces conditions parce qu'ils ne réussissent pas à récompenser la coopération, comme le font les régimes collectifs.

La plupart des régimes d'incitation collectifs sont des adaptations des régimes individuels. On a souvent recours aux régimes à normes horaires et aux régimes de participation aux bénéfices dans le cas des groupes. Le taux de base sert alors à rémunérer le rendement normal, alors que la prime récompense le rendement supérieur du groupe par rapport à cette norme. Cependant, pour que le régime incitatif de groupe réussisse effectivement à inciter les employés à améliorer leur productivité, plusieurs conditions doivent être remplies. On peut diviser les régimes incitatifs de groupe en deux catégories : (1) les régimes à court terme, comme les régimes de participation aux bénéfices et les régimes de partage des gains de productivité ; (2) les régimes à long terme, comme les régimes d'octroi ou d'achat d'actions et les régimes d'options d'achat d'actions[42].

LES RÉGIMES DE PARTICIPATION AUX BÉNÉFICES

Les organisations dont le bon fonctionnement nécessite une grande coopération entre les employés utilisent des régimes incitatifs s'appliquant à l'ensemble de l'organisation. De nombreuses entreprises canadiennes ont mis au point des régimes de primes ou prévoient diverses modalités de participation aux bénéfices[43].

En vertu de ces régimes, les employés reçoivent sous forme de prime un pourcentage de leur salaire de base si l'organisation atteint un objectif donné. Donc, tous les employés ayant le même salaire de base ou le même taux de salaire reçoivent la même prime. Les régimes de participation aux bénéfices ne sont pas toujours considérés comme une rémunération incitative, car les employés n'ont qu'un contrôle partiel et indirect sur les bénéfices de l'organisation. Cependant, étant donné que l'employé n'exerce qu'une emprise relative sur son rendement, nous estimons qu'il s'agit d'un régime incitatif s'appliquant à l'ensemble de l'organisation.

Plusieurs régimes de participation aux bénéfices sont enregistrés à Revenu Canada, conformément aux lois fiscales. Il existe deux groupes principaux de régimes de participation aux bénéfices : les régimes de primes en espèces et les régimes fondés sur les dividendes.

Dans le cadre des régimes de primes en espèces, les employés reçoivent une part des bénéfices à intervalles réguliers, mensuellement ou annuellement. Le pourcentage des bénéfices distribué varie entre 8 % et 75 %. Si l'entreprise ne réalise pas de bénéfices, aucun paiement n'est versé aux employés. Le partage des bénéfices améliore la productivité et engendre des revenus supplémentaires pour les employés[44].

Les régimes de rémunération fondés sur les dividendes déterminent le pourcentage des bénéfices versés aux employés en fonction des dividendes payés aux actionnaires. Ces régimes visent à renforcer la concordance entre les objectifs des employés et ceux des actionnaires. Les employés les considèrent souvent comme plus équitables que les primes en espèces[45].

Il existe de plus en plus de régimes de participation aux bénéfices dans les entreprises canadiennes. Cependant, alors que les régimes américains s'étendent à tous les employés, plus de 95 % des régimes canadiens sont réservés aux cadres supérieurs. Une étude effectuée aux États-Unis montre que les entreprises qui utilisent un régime de participation aux bénéfices connaissent une amélioration du rendement supérieure à celles qui n'y recourent pas.

LES RÉGIMES DE PARTAGE DES GAINS DE PRODUCTIVITÉ

Les régimes de partage des gains de productivité sont des régimes incitatifs à l'échelle de l'entreprise qui représentent une certaine philosophie des relations employeur-employés. Ils mettent l'accent sur la participation commune aux opérations et à la rentabilité de l'entreprise. Ils s'adaptent à différentes entreprises et à différents besoins, et ils sont utilisés tant dans les entreprises syndiquées que dans les entreprises non syndiquées.

Les régimes de partage des gains de productivité se fondent sur la coopération existant dans l'ensemble de l'entreprise et encouragée par des stimulants sous forme de primes. La prime est fixée à partir des économies de coûts de main-d'œuvre réalisées. On mesure ces économies une ou deux fois par mois en comparant la masse salariale à la valeur de la production (établie à partir des ventes). Les ratios de la valeur des salaires par rapport à la valeur des ventes des mois précédents contribuent à définir les coûts de main-d'œuvre anticipés. Les économies de coûts de main-d'œuvre sont alors réparties entre les employés (75 %) et l'employeur (25 %). Parce que tous les employés se partagent les économies réalisées, aucun groupe n'obtient de gains aux dépens d'un autre. On calcule la prime que reçoit chaque employé en convertissant le fonds de primes en pourcentage de la masse salariale totale et en appliquant ce pourcentage à la paie mensuelle de chacun.

Les régimes de partage des gains de productivité se divisent en trois catégories : le plan Scanlon, le régime Rucker et le régime Improshare. Chaque fois qu'on change une des composantes d'un régime, on en crée un nouveau, autrement dit les variations sont bien plus nombreuses que celles que représentent les trois régimes énumérés ci-dessus.

L'objectif du plan Scanlon est d'accroître l'efficacité de l'entreprise par la réduction des coûts de main-d'œuvre et le partage des gains. Ce régime repose sur deux éléments essentiels : la participation des employés et l'attribution de primes basées sur les gains de productivité. En fait, le plan Scanlon peut être assimilé à un régime de primes à l'initiative (programme de suggestions), à la différence qu'il estime les gains à leur juste valeur et les distribue à tous les employés. Bien que le plan Scanlon puisse avoir du succès, sa valeur incitative réelle est parfois de courte durée. Cela se produit lorsque les employés ont l'impression qu'ils ne peuvent plus améliorer leur rendement et, par conséquent, les ratios. Alors, le rendement des employés plafonne et le plan Scanlon perd sa valeur de stimulant. Cependant, le problème s'atténue lorsque les méthodes de production et les produits changent régulièrement. Les employés sont alors plus susceptibles de croire en la possibilité d'améliorer constamment leur rendement.

Le régime Rucker repose sur les mêmes prémisses que le plan Scanlon, mais le système exige que les états financiers soient détaillés et accessibles aux syndicats et aux employés. De plus, outre les coûts de la main-d'œuvre, c'est la valeur ajoutée à la production, et non la valeur des ventes de la production, qui est prise en considération dans l'estimation de la mesure de la productivité[46].

Plan Scanlon

Régime incitatif qui est offert à l'ensemble des membres d'une organisation et qui met l'accent sur les relations de coopération existant entre l'employeur et les employés. Selon ce régime, la participation des employés aux bénéfices est considérée comme le résultat de leur contribution à l'accroissement de la productivité.

Régime Rucker

Régime collectif de rémunération variable, selon lequel on tient compte des coûts de la main-d'œuvre et de la valeur ajoutée à la production pour calculer la productivité et établir les primes.

Le régime Improshare repose sur la mesure de la productivité physique. La prime correspond à la division du nombre d'heures de travail estimées par le nombre d'heures de travail réelles. Généralement les entreprises qui utilisent ce régime prennent en compte les augmentations de la productivité de l'ordre de 60 %. Si la productivité augmente de plus de 60 % et se maintient à ce niveau pendant un certain temps, l'entreprise accorde aux employés des primes en conséquence.

LES RÉGIMES D'ACHAT OU D'OCTROI D'ACTIONS

Les régimes d'achat d'actions comptent parmi les mesures incitatives qui ont une portée à long terme. Ils permettent aux participants d'acheter, à des conditions avantageuses, un certain nombre d'actions de l'entreprise au cours d'une courte période (1 à 2 mois) à un certain prix (fixe ou variable), ou encore selon un mode de paiement particulier qui peut également être fixe ou variable. Ils peuvent prendre différentes formes. La possibilité d'acheter des actions pour une valeur n'excédant pas 6 % du salaire peut être offerte aux employés après un an de service. L'entreprise peut aussi fournir entre 25 % et 85 % du prix d'achat des actions, selon les bénéfices réalisés[47].

DANS LES FAITS

Dans leurs conventions collectives respectives, conclues en septembre 2005, Daimler-Chrysler (Ontario) offre à ses employés syndiqués une gratification de Noël d'un montant de 1 700 $ par année, et Ford Motor Company (Ontario), une prime de vacances d'un montant de 1 700 $ par année[48].

Les régimes d'octroi d'actions donnent des actions ou les accordent à un prix inférieur à leur valeur sur le marché boursier. Généralement, les employés ne peuvent vendre les actions pendant une période déterminée (4 ou 5 ans), mais peuvent recevoir les dividendes ou exercer leur droit de vote. Ces régimes sont généralement offerts aux cadres supérieurs et ils encouragent les bénéficiaires à demeurer au service de l'entreprise.

LES RÉGIMES D'OPTIONS D'ACHAT D'ACTIONS (ROAA)

Les régimes d'options d'achat d'actions accordent à certaines personnes le droit d'acheter des actions de l'entreprise à un prix fixé d'avance durant une période déterminée (de 5 à 10 ans). La récompense potentielle des détenteurs d'une option correspond à la différence entre la valeur des actions sur le marché au moment où ils décident d'exercer leur option et le prix ainsi obtenu[49].

10.8.3 | Les régimes de rémunération variable au sein des équipes de travail

Long[50] distingue trois types de régimes qui visent à reconnaître la performance des équipes de travail. Selon le premier d'entre eux, on partage également entre les membres de l'équipe un montant qui est établi en fonction de ses réalisations et de l'atteinte de ses objectifs. Selon la deuxième méthode, on accorde des montants aux équipes les plus performantes. Cependant, ce régime a comme principal désavantage de susciter de l'animosité ou un manque de collaboration entre les équipes, puisque chacune tente d'obtenir de meilleures primes. Finalement, selon le troisième système, on accorde des primes individuelles et collectives. Ainsi, on peut déterminer un montant total correspondant à la prime d'équipe en fonction des réalisations de l'équipe. On partage ensuite ce montant entre ses membres en tenant compte de leur rendement individuel.

LA GESTION DE LA RÉMUNÉRATION

Si l'employeur veut attirer de nouveaux employés et maintenir un niveau de satisfaction élevé à l'égard de la rémunération, celle-ci doit être analogue à celle qui est versée dans des organisations comparables ; autrement dit, il doit exister une équité externe. De plus, les salaires doivent être fixés de façon à respecter le principe de l'égalité de la rémunération pour des fonctions équivalentes. Par ailleurs, pour assurer l'équité interne, il est essentiel que la détermination de la valeur des emplois prenne en compte les facteurs que les employés et l'organisation jugent les plus importants.

Les régimes de rémunération au rendement doivent comporter une méthode de mesure précise du rendement et être suffisamment transparents pour que les employés voient clairement la relation entre le rendement et la rémunération. Les taux de salaires et les structures salariales doivent être revus et mis à jour aussi souvent que nécessaire. Avec le temps, le contenu de l'emploi peut changer, entraînant ainsi une distorsion entre sa valeur réelle et sa valeur estimée.

Finalement, les employés doivent avoir l'impression que l'organisation se préoccupe de leurs intérêts autant que des siens. Un climat de confiance et de cohérence doit régner, car autrement la satisfaction que les employés tireront de leur salaire risque d'être faible. Dans une telle situation, l'administration de la rémunération donnera lieu à des plaintes non fondées, mais portant sur des problèmes réels.

Nous examinerons d'abord certains aspects de la gestion des salaires, puis nous aborderons les obstacles associés à la gestion de la rémunération variable.

10.9.1 | La gestion des salaires

Certaines entreprises pratiquent en matière de gestion des salaires[51] une politique d'ouverture par laquelle elles encouragent leurs employés à s'engager dans le processus de prise de décision en ce qui concerne les salaires. Les employés sont aussi invités à participer à l'évaluation des emplois pour mieux comprendre comment elle s'effectue. Les politiques salariales ouvertes comportent des avantages et des inconvénients.

On affirme généralement que la politique de confidentialité des salaire contribue à réduire les comparaisons défavorables. Des études montrent cependant que cette affirmation n'est aucunement fondée, puisqu'il semble que les employés comparent de toute façon leurs salaires à ceux de leurs collègues, de leurs subordonnés et de leurs superviseurs. Pire, ils ont tendance à surestimer la rémunération de leurs collègues ou de leurs subordonnés et à sous-estimer celle de leurs supérieurs, ce qui peut les rendre insatisfaits de leur propre rémunération.

Cette situation est la cause première de l'apparition d'un sentiment d'injustice au sein des organisations. Selon les personnes qui croient que les politiques salariales implantées par les organisations sont injustes, la confidentialité des salaires peut occasionner des coûts élevés aux employeurs. Ils estiment, en effet, que les employés insatisfaits ne s'engageront pas à fond dans leur travail tant qu'ils ne seront pas assurés de recevoir un traitement équitable au sein de l'organisation.

Par ailleurs, une politique salariale ouverte peut forcer l'entreprise à adopter une politique de rémunération claire et rationnelle. Effectivement, l'absence de logique en matière de rémunération risque d'aggraver le sentiment d'injustice et d'entraîner des pertes encore plus importantes pour l'organisation.

En conclusion, les entreprises qui ont une politique de rémunération claire et systématique auraient avantage à instaurer une politique salariale ouverte, alors que celles qui en sont dépourvues feraient mieux de maintenir le caractère confidentiel des salaires des employés.

10.9.2 | La gestion de la rémunération variable

Bien que la rémunération au rendement augmente sensiblement la productivité, sa conception et sa mise en œuvre présentent plusieurs obstacles qui en limitent l'efficacité potentielle.

LES OBSTACLES À L'EFFICACITÉ DES RÉGIMES DE RÉMUNÉRATION AU RENDEMENT

Régime de rémunération au rendement

Régime associant le salaire au rendement. Il peut s'agir d'un régime de rémunération à caractère incitatif ou d'un régime de rémunération au mérite.

Il existe essentiellement trois catégories d'obstacles liés à la conception et à la mise en œuvre des régimes de rémunération au rendement : (1) les difficultés liées à la définition et à la mesure du rendement ; (2) les difficultés liées à la détermination des récompenses les plus appréciées (le salaire n'étant qu'une des nombreuses récompenses possibles) ; (3) les difficultés liées à l'établissement d'un lien entre les récompenses et le rendement[52]. De plus, les employés n'apprécient guère les régimes de rémunération au rendement, et cela pour plusieurs raisons exposées dans l'encadré 10.23.

ENCADRÉ ▶ **10.23**

Les appréhensions des employés à l'égard des régimes de rémunération variable

- Ils entraînent une accélération du rythme de travail, augmentent la tension nerveuse des travailleurs et peuvent affecter leur santé.
- Ils encouragent la concurrence entre les travailleurs et entraînent le congédiement des travailleurs moins rapides.
- Ils engendrent le chômage en poussant les employés à quitter certains emplois.
- Ils détruisent les métiers, par le biais des études de méthodes, en réduisant les exigences en matière de qualification.
- Ils font obstacle aux augmentations de salaire méritées.
- Ils augmentent la fréquence des changements de méthodes de travail.
- Ils exigent des travailleurs un rendement supérieur au rendement.
- Ils témoignent du manque de confiance de la direction à l'égard des travailleurs.
- Les gains varient dans le temps, rendant plus difficiles la gestion du budget du ménage et même l'emprunt hypothécaire.
- Leurs normes sont établies de façon inéquitable.

Pour récompenser adéquatement le rendement, il faut d'abord le définir, ensuite déterminer les relations entre les niveaux de rendement au travail et les modes de rémunération et, enfin, mesurer le rendement avec précision. Il est souvent difficile d'y parvenir à cause des changements constants dans la nature du travail, de son caractère multidimensionnel, des progrès technologiques, du manque de formation des superviseurs ainsi que du système de valeurs des gestionnaires. L'encadré 10.24 expose ces problèmes en détail, de même que leurs implications pour la direction.

ENCADRÉ ▶ **10.24**

Les obstacles à l'efficacité des régimes de rémunération au rendement

Obstacles	Causes	Implications pour la direction
A. Difficultés liées à la définition et à la mesure du rendement	1. Changements dans la nature du travail • Les emplois axés sur le service à la clientèle augmentent. • Les postes de cols blancs, de gestionnaires et de professionnels augmentent. • L'interdépendance des emplois et la complexité des tâches augmentent. 2. Nature multidimensionnelle du travail • Les mesures du rendement conçues à partir d'un critère unique sont souvent inadéquates. • L'évaluation de nombreux emplois exige aujourd'hui le recours à plusieurs critères de rendement. 3. Changements technologiques • Les changements technologiques conduisent souvent à utiliser des méthodes n'ayant pas été testées auparavant. • Les emplois dont le rythme de travail est réglé par la cadence des machines permettent peu de variation du rendement. 4. Absence de formation en ce qui touche la supervision • L'évaluation est effectuée par des superviseurs inexpérimentés. • On note des perceptions tendancieuses. 5. Système de valeurs des gestionnaires • Les gestionnaires manquent d'intérêt ou ont peu d'aptitude à distinguer les bonnes et les mauvaises performances. • Ils éprouvent de la difficulté à évaluer les conséquences à long terme de modes de rémunération différents pour les employés.	1. Élaborer des techniques précisant les comportements jugés désirables et clarifiant les objectifs de l'organisation. 2. Utiliser des méthodes d'évaluation qui tiennent compte de la nature multidimensionnelle du rendement au travail. 3. Concevoir un système d'évaluation du rendement fiable et valide, fondé sur les résultats et sur des normes comportementales. 4. Former des superviseurs pour qu'ils puissent utiliser adéquatement le système d'évaluation du rendement et comprendre les sources potentielles de distorsions. 5. Définir clairement les conséquences à long terme des pratiques de rémunération liées ou non au rendement.
B. Difficultés liées à la détermination de récompenses adéquates	1. Choix des récompenses • Les récompenses ne procurent aucun renforcement positif. 2. Utilisation de récompenses insuffisantes • On manque de ressources. • Les politiques de l'entreprise sont restrictives.	1. Informer les gestionnaires des effets des récompenses sur le rendement et la satisfaction des employés. 2. Apprendre aux gestionnaires à discerner les récompenses appréciées de leurs subordonnés.

Les obstacles à l'efficacité des régimes de rémunération au rendement *(suite)*

Obstacles	Causes	Implications pour la direction
	3. Récompenses offertes au moment inopportun • La taille de l'entreprise et la bureaucratie alourdissent le processus. • Les mécanismes de rétroaction sont standardisés et formalisés. • Le processus de rétroaction est complexe.	3. Offrir des récompenses suffisantes. 4. Offrir les récompenses peu de temps après la reproduction des comportements attendus.
C. Difficultés liées à l'établissement d'un lien entre les récompenses et le rendement	1. Difficultés à relier efficacement les récompenses et le rendement • On manque de connaissances, de capacités ou d'expérience. • Le système de croyances n'est pas cohérent. • On a des problèmes de gestion. 2. Création de conditions inadéquates • On accorde des récompenses pour des comportements qui n'ont pas d'effet sur le rendement. • On accorde des récompenses pour le comportement A, alors qu'on espère améliorer le comportement B. 3. Annulation des conditions souhaitées • On utilise des instruments inappropriés pour l'évaluation du rendement. • On utilise inadéquatement les instruments d'évaluation du rendement. • On a des difficultés à utiliser l'information obtenue. • L'application est incohérente. 4. Opposition des employés • Sur le plan individuel, il y a de la méfiance, de l'injustice, des iniquités. • Sur le plan social, la peur qu'a l'employé de perdre son travail amène des restrictions. • Il y a intervention de la part des syndicats.	1. Apprendre aux gestionnaires à établir des liens appropriés entre le rendement et les récompenses. 2. Utiliser les informations obtenues lors des évaluations du rendement pour l'attribution des récompenses. 3. Assurer une application uniforme du programme de récompenses aux employés. 4. Obtenir la participation des employés à l'élaboration et la gestion du système de rémunération.

La deuxième catégorie d'obstacles s'applique au choix des récompenses. La rémunération non pécuniaire peut comporter une valeur incitative plus forte que la rémunération pécuniaire, en particulier dans le cas des employés dont les augmentations de salaire sont en grande partie absorbées par les impôts. Par conséquent, il importe de découvrir les modes de rémunération que préfèrent les employés et de choisir ceux qui ont un effet de renforcement plus marqué.

La troisième catégorie d'obstacles se rapporte à la difficulté d'établir un lien étroit entre la rétribution et le rendement. Il n'est pas toujours facile, par exemple, de créer des conditions incitatives adéquates ou de définir des mesures précises d'évaluation du rendement. De plus, l'opposition des employés constitue parfois un obstacle majeur à la mise en œuvre de régimes de rémunération au rendement et, surtout, de régimes incitatifs.

La plupart de ces convictions stéréotypées découlent d'un manque de confiance envers la direction. Cette situation a des répercussions immédiates sur l'établissement des taux et des normes sur lesquels s'appuient les régimes incitatifs. Les travailleurs peuvent tenter de tromper les ingénieurs chargés du chronométrage des tâches qui servira à mesurer le rendement (voir le chapitre 3). Qui plus est, les ingénieurs (qui savent que les travailleurs cherchent parfois à contrecarrer leur travail en leur cachant certains aspects de la réalité) incorporent dans leurs données des estimations qui tiennent compte de ces écarts. Cette combinaison de mesures d'observation scientifique et d'estimations basées sur des connaissances acquises peut donner des taux imprécis ou inéquitables qui réduisent la valeur incitative du système, la rentabilité de l'entreprise, ou même touchent les deux éléments.

LES CONDITIONS DE SUCCÈS DES RÉGIMES INCITATIFS BASÉS SUR LE RENDEMENT INDIVIDUEL

Bien que la plupart des régimes d'encouragement de l'initiative soient conçus pour obtenir et récompenser les suggestions individuelles, certains sont axés sur les groupes d'employés ; ils font alors partie du plan Scanlon. Les régimes de primes à l'initiative ont un caractère particulier parce qu'ils sont conçus pour augmenter le nombre de bonnes idées plutôt que la production.

Pourquoi les programmes d'encouragement individuels sont-ils efficaces ? Pour que les stimulants puissent jouer leur rôle, il faut qu'il existe dans l'entreprise des programmes de renforcement positif. Il importe aussi que les employés sachent dans quelle mesure ils atteignent les buts précis qui leur sont assignés et de quelle façon les récompenses sont liées aux améliorations apportées.

Pour établir un programme de renforcement positif, l'employeur doit définir ses attentes à l'égard des comportements relatifs au travail à effectuer et évaluer si celui-ci est bien exécuté. Les objectifs de rendement au travail doivent être formulés en termes mesurables, tels que le respect des délais fixés ou des niveaux déterminés pour la qualité et la quantité. Une fois ces critères définis, les employés peuvent recevoir des informations à propos de leur propre rendement au regard de ces objectifs[53].

Une des prémisses du renforcement positif est que le comportement peut être compris et modifié par le jeu des conséquences. De fait, tous les régimes incitatifs se fondent sur cette prémisse : pas de rendement sans récompense du rendement. Bien des organisations n'offrent pas de récompenses pécuniaires. Pour qu'un régime de renforcement positif permette d'assurer la constance des comportements ou du rendement désirés, certaines conditions doivent être remplies. Les paramètres d'un renforcement efficace en matière de rémunération sont liés aux éléments suivants :

- *La nature de l'agent de renforcement.* Seuls les compliments appréciés par l'employé sont efficaces.
- *Le moment choisi pour le renforcement.* Seuls les agents de renforcement dont l'intervention suit immédiatement le comportement désiré sont efficaces. Une réaction telle que « Vous avez fait du bon travail, je vais recommander qu'on vous accorde une augmentation de salaire au prochain budget » sera un agent de renforcement inefficace.

Renforcement positif

Régime incitatif fondé sur le principe selon lequel il est possible de comprendre et de modifier le comportement des travailleurs à partir des conséquences qui en résultent pour eux. Ce régime, qui ne comprend aucune rémunération en espèces, consiste à communiquer aux employés une appréciation de leur rendement au regard des objectifs visés et à récompenser leurs progrès par des éloges et des marques de reconnaissance.

- *L'influence de l'agent de renforcement.* Seuls les agents importants et liés directement au comportement désiré sont efficaces.

- *Le caractère approprié de l'agent de renforcement.* Seuls les agents appropriés et clairement compris par l'employé sont efficaces. Une rétroaction vague et imprécise ne constitue pas un agent de renforcement positif efficace.

- *Le caractère routinier de l'agent de renforcement.* Les agents utilisés de façon répétitive perdent leur effet avec le temps. Les employés s'y habituent et tiennent pour acquis la récompense attendue. C'est le cas de la gratification de Noël.

- *La programmation de l'agent de renforcement.* La plupart des récompenses constituent un moyen de renforcement continu ou partiel. Le renforcement est continu si on y a recours chaque fois que le comportement désiré se manifeste. Par exemple, un directeur peut complimenter (ou rétribuer) des employés chaque fois qu'ils ont un bon rendement. Le renforcement est partiel s'il est appliqué à des intervalles particuliers, et non pas chaque fois que le comportement désiré se manifeste. Les travaux de recherche ont montré que le renforcement partiel donne lieu à un apprentissage plus lent, mais qu'il assure des effets plus prononcés et permanents.

LES FACTEURS À CONSIDÉRER LORS DE L'IMPLANTATION DES RÉGIMES DE RÉMUNÉRATION VARIABLE

Pour que la rémunération influe sur le rendement des employés, certains facteurs visant à la fois les individus et l'organisation doivent être présents (voir l'encadré 10.25). Pour choisir et utiliser avec succès un régime de rémunération au rendement, il faut avant tout connaître les conditions qui existent au sein de l'organisation.

ENCADRÉ ▶ **10.25**

Les conditions indispensables à l'instauration d'un régime de rémunération variable

Conditions individuelles	Conditions organisationnelles
• L'employé doit percevoir une relation étroite entre le rendement et la rémunération. • Il doit attribuer beaucoup de poids à la rémunération. • Il doit être capable d'atteindre un rendement élevé (c'est-à-dire posséder la qualification nécessaire et connaître les attentes de son employeur). • Il ne doit pas être exposé à des dangers ou à des conflits s'il tente d'obtenir un supplément de salaire. • La mesure du rendement doit être équitable. Si les évaluations du rendement sont jugées partiales, le salaire ne constituera pas une motivation pour les employés.	• L'employeur doit inspirer fortement confiance aux employés. • Il doit informer les employés du fonctionnement du système de rémunération. • Il doit s'assurer que les employés peuvent réguler leur rendement. • Il doit utiliser un système d'évaluation du rendement juste et impartial. • Les gestionnaires doivent recevoir une formation qui les rende aptes à donner une rétroaction aux employés. • Les sommes attribuées pour la rémunération au mérite doivent être suffisamment élevées pour que l'effort supplémentaire requis en vaille la peine. • L'évaluation des emplois doit être correcte pour que l'ensemble de la relation salariale soit équitable.

Faisant face à un marché de plus en plus concurrentiel, les entreprises constatent que, pour obtenir un avantage compétitif, elles doivent attirer, retenir et motiver les meilleurs employés possible. La rémunération, qui devient une activité très importante en gestion des ressources humaines, représente un outil approprié pour remplir cette mission. La rémunération globale comprend la rémunération directe et la rémunération indirecte. Ce chapitre met l'accent sur la rémunération directe, qui se divise en deux catégories : le salaire de base et la rémunération fondée sur le rendement. Plusieurs aspects juridiques entourent la détermination et la gestion de la rémunération. La question de l'équité salariale occupe de nos jours une place de choix, car la loi qui a été promulguée en 1996 a des effets sur l'évaluation des emplois et la détermination des salaires dans les entreprises comptant plus de 10 employés.

Le processus de rémunération comporte deux phases importantes. La première, la détermination des salaires, est constituée de trois étapes : l'évaluation des emplois, l'élaboration de la structure salariale et la détermination des salaires individuels et des autres formes de rémunération. La détermination de la valeur relative des emplois, au moyen de diverses méthodes d'évaluation, vise à établir l'équité interne. L'établissement d'une structure salariale à partir des informations obtenues lors des enquêtes salariales permet d'assurer l'équité externe. La détermination du salaire individuel tient compte de divers éléments, notamment du rendement, de l'ancienneté et de l'expérience. Elle vise l'équité individuelle.

La deuxième phase, la gestion de la rémunération, comporte plusieurs enjeux. Notons l'importance de l'élaboration d'une politique salariale juste et équitable, qui assure la satisfaction des employés, de la communication des informations relatives aux éléments de rémunération offerts dans l'entreprise, de la confidentialité des salaires et de la gestion des aspects se rapportant à la rémunération variable.

Les régimes de rémunération variable prennent de l'ampleur et sont de plus en plus perçus comme un moyen visant à récompenser un bon rendement au travail. Le succès de plusieurs programmes qui prennent en considération le rendement des employés dépend des circonstances de leur mise en œuvre. Par exemple, l'implantation des régimes incitatifs requiert un système efficace d'évaluation du rendement[54]. En effet, plus les mesures du rendement seront objectives, plus le régime incitatif sera efficace.

Bien des facteurs entrent en jeu dans le choix des régimes de rémunération au rendement, parmi lesquels figurent le niveau de mesure du rendement au travail (individu, groupe ou ensemble de l'organisation), l'étendue de la coopération nécessaire entre les groupes et le niveau de confiance existant entre le personnel de gestion et les autres employés. Il est possible d'utiliser simultanément plusieurs régimes pour récompenser le rendement de différents groupes d'employés. On constate cependant qu'une organisation peut limiter le recours à de tels régimes pour des raisons telles que le désir ou les réserves exprimés par des gestionnaires à l'égard de la rémunération au mérite, l'engagement de la direction à vouloir investir le temps nécessaire à l'élaboration et à l'implantation d'un ou de plusieurs systèmes de rémunération, l'étendue de l'influence réelle exercée par les employés dans la mise en œuvre du système et dans l'évaluation de leur rendement, et finalement le degré de confiance des employés envers l'entreprise, qui influence la perception d'équité de traitement de la part de l'employeur.

Questions de révision et d'analyse

1. Expliquez la différence entre l'analyse des emplois et l'évaluation des emplois.

2. Décrivez le processus de rémunération.

3. Quelles sont les principales composantes de la rémunération ?

4. La méthode d'évaluation par points et facteurs vous semble-t-elle la plus appropriée pour déterminer la valeur des emplois ? Justifiez votre réponse.

5. Quelles sont les étapes du processus d'évaluation des emplois ?

6. Quels sont les facteurs contribuant à la satisfaction des employés à l'égard de leur salaire ?

7. Quelles sont les conditions nécessaires à l'implantation efficace d'un régime de rémunération au rendement ? Dans quel contexte un régime incitatif de groupe est-il plus approprié qu'un régime incitatif individuel ?

8. Décrivez un régime de rémunération au rendement dont vous avez fait l'expérience. Ce régime fonctionnait-il correctement ? Sinon, pourquoi ?

9. Décrivez le processus d'équité salariale.

10. Quelle est l'utilité des enquêtes salariales ? Si une organisation vous demande d'évaluer sa structure salariale actuelle, comment vous y prendrez-vous ?

ÉTUDE DE CAS

LA PERTINENCE DE CRÉER UN COMITÉ D'ÉQUITÉ SALARIALE

Yves Hallé

Professeur, Département des sciences économiques et administratives, Université du Québec à Chicoutimi

Claude Vaillancourt est directeur du personnel dans une usine d'emballage de produits manufacturés comprenant 80 personnes, dont 48 femmes. Il se pose la question suivante : ne serait-il pas approprié de créer un comité d'équité salariale, même si la Loi sur l'équité salariale ne l'exige pas ? Étant donné qu'en tant qu'employeur il a l'obligation d'établir un programme d'équité salariale s'appliquant à l'ensemble de son entreprise, il se demande si la participation des salariés ne favoriserait pas l'acceptation des résultats.

M. Vaillancourt estime avoir toujours entretenu de bons rapports avec les employés, même si les négociations relatives au renouvellement des dernières conventions collectives ont été parfois ardues. Il faut dire que Pierre Leblanc, en poste depuis plus de 30 ans, se révèle assez intransigeant et agressif, surtout en ce qui concerne les questions d'ordre pécuniaire ; de plus, il est d'avis que la Loi sur l'équité salariale est injuste envers les hommes. Notons que 80 % de l'effectif total est syndiqué et forme une seule unité d'accréditation, comptant 28 femmes. Il n'y a pas eu de demande de programme distinct de la part de l'association accréditée ni d'entente de programme conjoint entre l'employeur et le syndicat.

Par ailleurs, un comité de santé et sécurité au travail est en place et il a été convenu, dans la dernière convention collective, de créer un comité de relations du travail. Celui-ci a joué un rôle prépondérant dans la réduction du nombre de griefs et dans l'application uniforme des différentes mesures prévues par la convention. Ces succès récents incitent le directeur du personnel à continuer dans cette voie puisqu'il considère que l'existence de cette instance de représentation et d'expression a donné de bons résultats. Enfin, Claude Vaillancourt se dit sensible aux principes d'égalité ; il croit que la participation des femmes aux travaux sur l'équité salariale témoignerait du respect qu'on leur porte.

La haute direction, quant à elle, semble assez réfractaire à l'idée de créer un comité d'équité salariale, d'autant plus que la loi ne le prévoit pas expressément ; pourquoi s'imposer des contraintes supplémentaires ? Les dirigeants sont très sensibles aux précédents que cela pourrait créer sur le plan de la gestion de la rémunération. En outre, ils s'interrogent sur les bénéfices tangibles de la création d'un comité de ce genre.

QUESTIONS

1. Quelles sont les caractéristiques de l'entreprise où travaille Claude Vaillancourt?

2. Pour alimenter la réflexion du directeur du personnel, énumérez les avantages que présenterait, selon vous, la création d'un comité d'équité salariale.

3. Quels inconvénients la création d'un tel comité pourrait-elle comporter?

4. En prenant notamment appui sur ce qui précède, que conseilleriez-vous à Claude Vaillancourt? Justifiez votre réponse.

NOTES ET RÉFÉRENCES

1. M. Chartrand, M. Gauthier et C. Brien (2004), « Bien doser les différentes composantes de la rémunération: un défi de taille », *Effectif*, vol. 7, n° 1, p. 26.

2. E. Gril, « La rémunération: un important facteur stratégique de mobilisation... parmi tant d'autres », *Effectif*, vol.`7, n° 1, janvier-février-mars 2004, p. 10-13.

3. M. Bloom, « The Performance Effects of Pay Dispersion on Individuals and Organizations », *Academy of Management Journal*, vol. 42, 1999, p. 25-40.

4. D. Gaucher, *L'équité salariale au Québec: révision du problème – résultats d'une enquête*, Québec, Publications du Québec, 1994.

5. S. St-Onge et R. Thériault, *Gestion de la rémunération, théorie et pratiques*, 2e éd., Montréal, Gaëtan Morin, 2006.

6. M.-T. Chicha, *L'équité salariale: mise en œuvre et enjeux*, Montréal, Yvon Blais, 1997.

7. M.T. Chicha, *op. cit.*

8. Commission de l'équité salariale, *Méthode d'évaluation: outil du progiciel pour réaliser l'équité salariale*, version 1.6.2, 2003, p. 9, www.ces.gouv.qc.ca.

9. Définitions puisées dans le guide élaboré par la Commission de l'équité salariale, *Méthode d'évaluation: outil du progiciel pour réaliser l'équité salariale*, version 1.6.2, p. 9, www.ces.gouv.qc.ca.

10. Commission de l'équité salariale, *Info-Équité: choix de la méthode, des outils d'évaluation et élaboration d'une démarche d'évaluation des catégories d'emplois à prédominance féminine et à prédominance masculine*, juillet 2001.

11. Commission de l'équité salariale, *op. cit.*

12. M. Tremblay, « Payer pour les compétences validées: une nouvelle logique de rémunération et de développement des ressources humaines », *Gestion*, vol. 21, n° 2, juin 1996, p. 32-44. S. St-Onge, « Rémunération des compétences: où en sommes-nous? », *Gestion*, vol. 23, n° 4, hiver 1998-1999, p. 24-33. S. St-Onge, V.Y. Haines III et A. Klarsfeld, « La rémunération basée sur les compétences », *Relations industrielles*, vol. 59, n° 4, p. 651-680. B. Murray et B. Gerhart, « An Empirical Analysis of A Skill-Based Pay Program and Plan Performance Outcomes », *Academy of Management Journal*, vol. 41, 1998, p. 68-78.

13. S. St-Onge et R. Thériault, *op. cit.*

14. K. Cofsky, « Critical Keys to Competency-Based Pay », *Compensation and Benefits Review*, novembre-décembre 1993, p. 46-52. L.R. Gomez-Mejia et D.B. Balkin, *Compensation, Organizational Strategy, and Firm Performance*, Cincinnati, South-Western Publishing, 1992, chapitre 2.

15. www.ilo.org.

16. G.T. Milkovich et J.M. Newman, *Compensation*, 4e éd., Homewood (Illinois), BPI-Irwin, 1999.

17. S. St-Onge et R. Thériault, *op. cit.*

18. S. Johnson, « Work Teams: What's Ahead in Work Design and Rewards Mangement », *Compensation and Benefits Review*, mars-avril 1993, p. 35-41. A.M. Saunier et E.J. Hawk, « Realizing the Potential of Teams Through Team-Based Rewards », *Compensation and Benefits Review*, vol. 26, n° 4, 1994, p. 24-33.

19. G.T. Milkovich et J.M. Newman, *op. cit.*

20. M. Tremblay, « Payer pour les compétences validées: une nouvelle logique de rémunération et de développement des ressources humaines », *Gestion*, vol. 21, n° 2, juin 1996, p. 32-44

21. S. St-Onge et R. Thériault, *op. cit.*

22. www.stat.gouv.qc.ca.

23. S. Renaud, « Unions, Wages and Total Compensation in Canada: An Empirical Study », *Relations industrielles*, vol. 53, n° 4, 1998, p. 710-729.

24. B. Sire, *Gestion stratégique des rémunérations*, Paris, Liaisons, 1993.

25. M. Bloom, *op. cit.*

26. D. Chênevert et M. Tremblay, « Le rôle des stratégies externes et internes dans le choix des pratiques de rémunération », *Relations industrielles*, vol. 57, n° 2, 2002, p. 331-353.

27. Cette section du chapitre s'inspire largement de l'ouvrage de M.T. Chicha, cité plus haut, et de l'article suivant, de la même auteure: « Le programme d'équité salariale: une démarche complexe à plusieurs volets », *Gestion*, vol. 23, printemps 1998, p. 23-33.

28. CESO (Commission de l'équité salariale de l'Ontario), *Bulletin n° 2*, vol. 7, octobre 1995, p. 4-5.

29. M. Merino-Beaudoin, « L'équité salariale: absence de moyens ou de volonté? », *Recto Verso*, n° 274, septembre-octobre 1998, p. 48-49.

30. M.-T. Chicha, *L'équité salariale: mise en œuvre et enjeux*, Montréal, Yvon Blais, 1997.

31. Commission de l'équité salariale, *Info-Équité: choix de la méthode, des outils d'évaluation et élaboration d'une démarche d'évaluation des catégories d'emplois à prédominance féminine et à prédominance masculine*, juillet 2001.

32. M.-T. Chicha, *op. cit.*

33. M.-T. Chicha, *op. cit.*

34. M.-T. Chicha, E. Déon et H. Lee-Gosselin, *Une loi proactive sur l'équité salariale*, rapport et recommandations à la ministre responsable de la Condition féminine, Gouvernement du Québec, 1995, cité dans M.-T. Chicha, « Le programme d'équité salariale: une démarche complexe à plusieurs volets », *Gestion*, vol. 23, printemps 1998, p. 23-33.

35. M.-T. Chicha, *L'équité salariale : mise en œuvre et enjeux*, Montréal, Yvon Blais, 1997.

36. S.E. Gross et J.P. Bacher, « The New Variable Pay Programs : How Some Succeed, Why Some Don't », *Compensation and Benefits Review*, vol. 25, nº 1, 1993, p. 51. Voir *The Chicago Manual of Style*, 7, 123.

37. Conference Board du Canada, *Compensation Planning Outlook 2006*, automne 2005.

38. S. Payette, *Bilan 2005 et pratiques innovatrices*, Information sur les milieux de travail, Ressources humaines et Développement social Canada, mars 2006, www.rhdsc.gc.ca/fr/pt/imt/inmt/00index.shtml.

39. « Compensating Field Representatives », *Studies in Personnel*, New York, National Industrial Conference Board, 1966.

40. S. St-Onge et R. Thériault, *op. cit.*

41. B. Aldridge, Direction de l'information sur les milieux de travail, Programme du travail, Ressources humaines et Développement social Canada, www.rhdsc.gc.ca.

42. L.K. Ross, « Sharing the Pain Rather than the Gain : Can Profit Sharing Plans Motivate Staff to Achieve Corporate Goals When Pay-Outs Are Shrinking », *Canadian HR Reporter*, vol. 6, nº 1, 1992, p. 8-9.

43. D. Beck, « Implementing a Gainsharing Plan : What Companies Need to Know », *Compensation and Benefits Review*, vol. 24, nº 1, 1992, p. 23.

44. R.J. Long, « The Incidence and Nature of Employee Profit Sharing and Share Ownership in Canada », *Relations industrielles*, vol. 47, nº 3, 1992, p. 463-488. R.J. Long, « Motives for Profit Sharing, : a Study of Canadian Chief Executive Officers », *Relations industrielles*, vol. 52, nº 4, 1997, p. 712-733.

45. S. St-Onge, « L'efficacité des régimes de participation aux bénéfices : une question de foi, de volonté et de moyens », *Gestion*, février 1994, p. 22-31.

46. S. St-Onge et R. Thériault, *op. cit.*

47. S. St-Onge, M. Magnan, S. Raymond et L. Thorne, « Les options d'achat d'actions : qu'en pensent les dirigeants ? », *Gestion*, vol. 24, nº 2, été 1999, p. 42-53 ; « L'efficacité des régimes d'option d'achat d'actions : qu'en sait-on ? » *Gestion*, vol. 21, nº 2, juin 1996, p. 20-31.

48. S. Payette, *Bilan 2005 et pratiques innovatrices*, Information sur les milieux de travail, Ressources humaines et Développement social Canada, mars 2006, www.rhdsc.gc.ca/fr/pt/imt/inmt/00index.shtml.

49. S. St-Onge, M. Magnan, S. Raymond et L. Thorne, *op. cit.*

50. R. J. Long, *Compensaton in Canada : Strategy, Practice and Issues*, Toronto, Nelson, 1998.

51. S. St-Onge, « Communiquer la rémunération : un levier de création de valeur », *Effectif*, vol. 7, nº 1, janvier-février-mars 2004, p. 18-24.

52. G. Bassett, « Merit Pay Increases Are a Mistake », *Compensation and Benefits Review*, vol. 26, nº 2, 1994, p. 20-25.

53. G.T. Milkovich et J.M. Newman, *op. cit.*

54. J.S. Kane et K.A. Freeman, « A Theory of Equitable Performance Standards », *Journal of Management*, vol. 23, nº 1, 1997, p. 37-58.

LA RÉMUNÉRATION
INDIRECTE

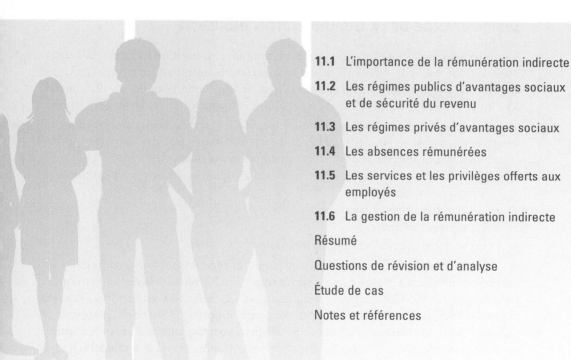

La rémunération indirecte représente une proportion importante de la rémunération globale. En effet, cette proportion est en moyenne de 30 % à 40 %. La rémunération indirecte comprend l'ensemble des avantages sociaux, le temps chômé, les avantages complémentaires et les conditions de travail. Les éléments de la rémunération indirecte exercent un effet d'attrait ou de fidélisation notamment sur les cadres et les professionnels. Il n'est donc pas surprenant que, dans les offres d'emploi, l'employeur annonce, outre un salaire concurrentiel, des conditions d'emploi qui le différencient des autres, par exemple des régimes d'assurance soins dentaires et d'assurance maladie avantageux, des primes, une atmosphère de travail agréable et l'attribution de diverses tâches stimulantes.

11.1

L'IMPORTANCE DE LA RÉMUNÉRATION INDIRECTE

Les employés manifestent beaucoup d'intérêt pour la rémunération indirecte. Elle constitue donc un élément majeur de la gestion des ressources humaines puisqu'elle vise à augmenter la satisfaction des employés à l'égard de leurs conditions de travail, à gagner leur loyauté, à réduire le roulement du personnel et à améliorer l'image de l'entreprise.

Avantages sociaux (ou avantages accessoires)

Partie de la rémunération globale comprenant les vacances, les divers congés rémunérés, les régimes de retraite et d'assurance collective.

Dans certaines entreprises, on utilise parfois les termes **avantages sociaux** (ou **avantages accessoires**) pour désigner la rémunération indirecte. De façon plus explicite, la rémunération indirecte peut être divisée en plusieurs catégories :

- Les régimes publics de sécurité du revenu auxquels contribuent les employés et les employeurs
- Les régimes privés d'avantages sociaux
- Les congés rémunérés
- Les services et privilèges offerts aux individus

Les avantages sociaux comprennent donc les régimes publics de retraite et les assurances qui visent à protéger les employés contre les différents aléas de la vie : maladie, invalidité, décès, etc. Ces avantages sociaux sont obligatoires en vertu des lois fédérales et provinciales, et doivent faire l'objet d'une contribution de la part de l'employeur et de l'employé (voir la section 11.2). Les régimes privés correspondent à des programmes qui sont généralement instaurés à l'initiative des entreprises (voir la section 11.3). Les congés rémunérés comprennent les jours de vacances et de congé offerts aux employés conformément aux exigences de la Loi sur les normes du travail, mais les entreprises peuvent choisir de proposer davantage (voir la section 11.4). Les services et les privilèges octroyés aux employés comprennent les gratifications ou le remboursement de certaines dépenses, comme celles qui sont liées à l'usage de l'automobile, les frais de représentation, les droits de scolarité et les programmes d'aide aux employés (voir la section 11.5).

Comme nous l'avons vu au chapitre précédent, la rémunération indirecte fait partie de la rémunération globale et elles ont en commun plusieurs buts. Ainsi que l'indique l'encadré 11.1, lors de l'élaboration du programme de rémunération indirecte, on doit considérer certains aspects qui peuvent avoir des effets sur l'attrait et la fidélisation du personnel, de même que sur le contrôle des coûts. Le fait d'utiliser la rémunération indirecte comme facteur de motivation est une méthode plutôt récente.

Les aspects à considérer lors de l'élaboration d'un programme de rémunération indirecte

Attrait

L'attrait comporte deux conditions. Premièrement, les avantages sociaux doivent correspondre aux besoins des employés. Deuxièmement, ils doivent avoir pour effet de les convaincre que l'entreprise est un lieu de travail intéressant.

Fidélisation

Les avantages sociaux ainsi que les privilèges devraient constituer un moyen de garder les employés ; quand ceux-ci sont satisfaits, ils sont moins enclins à vouloir partir. Certains avantages sociaux stimulent la production et l'engagement organisationnel.

Contrôle des coûts

Le contrôle des coûts est un facteur très important, car les avantages sociaux sont onéreux. Le niveau de productivité doit justifier les coûts et une évaluation de l'ensemble de la rémunération indirecte s'avère nécessaire.

Du point de vue de l'employeur, l'importance qu'il a à accorder des avantages sociaux réside précisément dans leur capacité à réduire les facteurs de stress environnementaux susceptibles d'influer sur le rendement des employés. L'employeur jouit d'une exemption fiscale pour un bon nombre d'avantages sociaux, ce qui le pousse encore plus à inclure ces incitatifs dans le régime de rémunération globale.

Cependant, pour qu'elle atteigne les résultats escomptés, la rémunération indirecte doit être soigneusement planifiée en fonction des besoins prioritaires des employés. On pourra cerner ceux-ci en procédant par exemple à un sondage comprenant les deux questions suivantes :

- Quels avantages sociaux considérez-vous comme essentiels ? Pourquoi ?
- Comment pourrions-nous améliorer le régime de rémunération indirecte afin de mieux répondre à vos besoins ?

Il est convient de noter que la rémunération indirecte représente souvent pour les employés une condition de travail parmi d'autres plutôt qu'une récompense. En effet, les employés perçoivent les avantages sociaux comme des mesures de sécurité

DANS LES **FAITS**

Une étude de Randstad révèle que 72 % des personnes sondées accordent autant d'importance au poste occupé qu'au salaire et à la sécurité d'emploi. Les avantages sociaux attrayants (71 %) et les conditions de travail agréables (70 %) suivent de très près dans la liste des priorités.

Là où la donne se complique, c'est quand on répartit les données selon les générations :

- Environ 73 % des jeunes de la génération Y (20 à 26 ans) s'intéressent en premier aux programmes de récompenses ou de reconnaissance, soit plus que les autres tranches d'âge.
- La génération X, elle, s'attarde davantage (76 %) aux heures flexibles qui permettent de concilier le travail avec la vie personnelle et familiale.
- Les baby-boomers (42 à 60 ans) privilégient dans une proportion de 74 % les primes basées sur le rendement de l'entreprise et les régimes d'options d'achat d'actions ou de participation différée aux profits[1].

assumées par les organisations en vertu de la responsabilité sociale qui leur incombe. La difficulté de gérer la rémunération indirecte réside dans la capacité de l'employeur à offrir, d'une part, des régimes qui soient adaptés aux besoins des employés et, d'autre part, des régimes assez intéressants et compétitifs pour attirer et conserver les employés compétents.

11.2 LES RÉGIMES PUBLICS D'AVANTAGES SOCIAUX ET DE SÉCURITÉ DU REVENU

Les régimes que nous examinerons dans cette section sont offerts par les institutions publiques et sont imposés par la loi. Ils comportent des prestations en cas de maladie, d'invalidité ou de décès et vont jusqu'à garantir un revenu à la retraite.

11.2.1 | Les soins hospitaliers et médicaux

Au Canada, ce sont les provinces qui légifèrent en matière de santé. Chaque province offre son propre système d'assurance maladie et décide des modalités de financement avec l'aide du gouvernement fédéral. Le Québec finance son régime de soins de santé à l'aide des cotisations des employeurs et des résidants. Bien que les régimes varient d'une province à l'autre, ils couvrent tous les soins infirmiers, l'utilisation d'une salle d'opération, les examens de laboratoire, les médicaments et les soins en consultation externe. Plusieurs provinces ont étendu la portée de leur régime d'assurance maladie à des protections complémentaires applicables selon certaines modalités[2]. Parmi ces protections, on compte les soins dentaires aux enfants, les examens annuels de la vue et les médicaments sur ordonnance aux personnes de 65 ans et plus et aux prestataires de l'aide sociale. Mentionnons que, depuis 1997, tous les résidants du Québec sont couverts par un régime universel d'assurance médicaments. Ils sont ainsi obligés de souscrire soit à un régime collectif privé, soit au régime public offert par la Régie de l'assurance maladie du Québec[3].

CONSULTEZ INTERNET

www.ramq.gouv.qc.ca

Site présentant des renseignements sur le régime d'assurance médicaments du Québec.

11.2.2 | La protection du revenu reliée à l'invalidité

Le Régime de pensions du Canada et le Régime de rentes du Québec sont financés à parts égales par les employeurs et les employés. Ces deux régimes prévoient l'attribution de prestations dans les cas d'invalidité, de décès et de départ à la retraite. Les cotisations sont déductibles pour les employeurs et les prestations sont imposables pour les employés[4].

CONSULTEZ INTERNET

www.rhdsc.gc.ca

Site fournissant des informations sur les modifications apportées au Régime de pensions du Canada.

11.2.3 | Les régimes de retraite

Ce sont le Régime de pensions du Canada et le Régime de rentes du Québec qui assurent le revenu des personnes à la retraite. Tous deux sont des régimes obligatoires auxquels les employés cotisent tout au long de leur carrière et auxquels contribuent également les employeurs. Les cotisations des employés et des employeurs s'élèvent à 6,4 % des gains assurables et, depuis 2003, peuvent augmenter jusqu'à 9,9 % puis se maintenir à ce niveau. La rente mensuelle est indexée chaque année. Les personnes sont admissibles à ces régimes à partir de 65 ans. Si elles choisissent de s'en prévaloir avant d'avoir atteint cet âge, la rente est réduite de 6 % par année. Par contre, la rente augmente de 6 % par année si l'employé décide de la retirer après 65 ans.

Le 5 juin 1997, la Loi sur les régimes complémentaires de retraite a été modifiée de façon à favoriser la retraite progressive et la retraite anticipée (voir l'encadré 11.2). Cette loi s'applique à tous les travailleurs du Québec qui participent à un régime de retraite régi par elle. Ses dispositions permettent aux employés âgés de 55 à 69 ans qui s'entendent avec leur employeur pour réduire leur temps de travail de demander une compensation financière.

ENCADRÉ ▶ **11.2**

Les dispositions gouvernementales permettant la retraite progressive

> Au Québec, les travailleurs peuvent se prévaloir de trois mesures facilitant la retraite progressive par la réduction du temps de travail. Ces mesures prévoient des compensations financières qui facilitent l'aménagement et la réduction du temps de travail ainsi que le départ à la retraite. Les deux premières mesures concernent le Régime de rentes du Québec, et la dernière, les régimes complémentaires (privés) de retraite:
>
> - Réduction du temps de travail et maintien de la valeur de la rente de retraite de la RRQ
> - Versement d'une rente de retraite anticipée du Régime de rentes du Québec à compter de 60 ans, même si le prestataire continue à travailler
> - Prestation anticipée du régime complémentaire (privé) de retraite pour la réduction du temps de travail
>
> Note: Le travailleur doit toujours s'entendre avec son employeur pour réduire ses heures de travail en raison d'une retraite progressive.

Source: www.rrq.gouv.qc.ca.

11.2.4 | **L'assurance emploi**

L'assurance emploi est financée à l'aide des cotisations, déductibles, des employés et des employeurs. Elle remplace le revenu des particuliers entre deux emplois, selon certaines conditions, et couvre également les cas d'invalidité.

11.2.5 | **Les indemnités d'accidents du travail**

Toutes les provinces canadiennes disposent de lois sur les accidents du travail. Des systèmes d'indemnisation sont prévus pour remplacer le revenu de la personne victime d'un accident du travail, sans égard à sa responsabilité. Au Québec, le système d'indemnisation est financé exclusivement par les contributions des employeurs; celles-ci sont déductibles de leur revenu imposable et sont versées à la Commission de la santé et de la sécurité du travail.

CONSULTEZ INTERNET

www.rrq.gouv.qc.ca

Site du Régime de rentes du Québec donnant des informations sur les régimes de rentes, sur les régimes privés de retraite et sur les régimes d'invalidité, de retraite et de décès.

Régime complémentaire de retraite

Un régime complémentaire de retraite est un contrat écrit auquel l'employeur seul ou l'employeur et les travailleurs participants sont tenus de se conformer en versant des cotisations; celles-ci ont pour but de procurer aux retraités un revenu qui complète celui des régimes publics.

Assurance emploi

Rémunération directe qui fait partie des régimes de sécurité du revenu et qui est destinée à assurer la sécurité de l'employé et de sa famille dans l'éventualité où il cesserait de recevoir son revenu.

CONSULTEZ INTERNET

www.rhdsc.gc.ca et emploiquebec.net

Sites présentant des renseignements sur la cotisation à l'assurance emploi pour les employés et les employeurs, et sur l'admissibilité à l'assurance emploi.

DANS LES **FAITS**

> Toute entreprise ayant un établissement au Québec et comptant au moins un travailleur, qu'il soit employé à temps plein ou à temps partiel, y compris un travailleur autonome considéré comme un travailleur, doit être inscrite à titre d'employeur à la CSST. Elle doit alors transmettre une déclaration annuelle des salaires et verser les cotisations qui sont dues[5].

www.gouv.qc.ca
Site du gouvernement du Québec.

www.canada.gc.ca
Site du gouvernement du Canada.

11.2.6 | Les autres régimes de sécurité du revenu

Plusieurs autres régimes ont pour vocation de suppléer aux revenus perdus des employés. Comme il est possible d'obtenir plus d'information à leur sujet sur les sites Internet des gouvernements fédéral et provincial, nous nous contentons de mentionner l'aide sociale, financée par les impôts des contribuables, qui peut combler la différence entre les besoins d'une famille et ses revenus, et l'assurance automobile, financée par la Société de l'assurance automobile du Québec, qui remplace jusqu'à 90 % du revenu des personnes accidentées.

11.3 LES RÉGIMES PRIVÉS D'AVANTAGES SOCIAUX

Les employeurs offrent aux employés des régimes qui ont pour objectif de compléter les régimes publics auxquels les employés ont droit ou de leur procurer des avantages sociaux pour lesquels l'État ne prévoit aucune contribution. Nous les examinerons brièvement.

11.3.1 | Les soins de santé

Les employeurs peuvent choisir de mettre à la disposition de leurs employés un régime d'assurance maladie complémentaire. Tous les citoyens canadiens sont protégés par les régimes provinciaux d'assurance maladie, qui couvrent les soins hospitaliers et les services médicaux ; mais les régimes complémentaires couvrent, au moyen d'une assurance collective, les services exclus de ces régimes, tels que la possibilité d'occuper une chambre privée ou semi-privée dans un hôpital, le transport en ambulance, les services de réadaptation professionnelle en cas de longue convalescence et d'autres services connexes. Depuis quelques années, ces régimes offrent une gamme de services plus étendue, dont les soins dentaires, les soins optiques et les médicaments sur ordonnance. Le remboursement, qui se fait généralement sur présentation de pièces justificatives et d'une demande d'indemnisation à la compagnie d'assurances, est, la plupart du temps, assujetti à la déduction d'un certain montant correspondant à une franchise.

11.3.2 | Les régimes d'assurance vie et d'assurance invalidité

L'assurance vie vise à assurer une sécurité financière aux conjoints et aux enfants des personnes décédées. L'assurance vie temporaire et renouvelable pour une durée d'un an est la formule la plus répandue. Il faut cependant mentionner qu'il existe plusieurs formules d'assurance vie collective. La plupart des employeurs offrent également une protection du revenu en cas d'invalidité causée par la maladie ou par un accident qui est ou non relié au travail. Les assurances peuvent cependant varier et couvrir seulement certains types d'invalidité (par exemple les invalidités à long terme ou les invalidités complètes). Alors que les régimes d'assurance maladie couvrent généralement les courtes absences du travail, les régimes d'assurance invalidité couvrent les absences du travail occasionnées par une incapacité temporaire. Les absences de longue durée sont couvertes par des régimes d'assurance maladie ou d'assurance invalidité prolongée. La protection à court terme contre l'invalidité est offerte par un plus grand nombre d'entreprises que la protection à long terme. Presque toutes les entreprises consultées possèdent un régime d'assurance maladie à court terme. La majorité des employeurs qui instaurent des régimes d'invalidité à long terme y contribuent généreusement. Cela peut aller de 50 % à 100 % des contributions et on compte plusieurs régimes non contributifs (auxquels l'employé ne contribue pas)[6]. Il reste cependant avantageux pour l'employé de contribuer à un régime d'assurance invalidité parce que, dans ce cas, les prestations reçues ne sont pas imposables.

11.3.3 | Les régimes de retraite

Environ 40 % des employés canadiens sont protégés par des régimes de retraite ; l'encadré 11.3 fournit la liste des principaux régimes privés. La plupart des employeurs contribuent à ces régimes, principalement lorsque les employés sont syndiqués. Ils peuvent opter pour un régime contributif ou pour un régime non contributif. Bien que la réglementation exige que l'employeur verse des cotisations minimales dans tous les cas , il peut être nécessaire ou souhaitable que les employés contribuent, eux aussi.

Les régimes de retraite contributifs sont ceux qui sont financés à la fois par les employeurs et par les employés[7]. Leurs principaux avantages sont les suivants : (1) la constitution d'un fonds plus important ou la réduction du fardeau de l'employeur ; (2) un intérêt et une sensibilisation accrus des employés à l'égard des coûts du régime ; (3) des cotisations déductibles du revenu imposable.

Les régimes de retraite non contributifs sont ceux qui sont financés uniquement par l'employeur. Ils présentent aussi des avantages : (1) des coûts de rémunération et de comptabilité moindres ; (2) une plus grande loyauté des employés et moins d'exigences de leur part quant aux salaires ou aux avantages sociaux ; (3) une plus grande autonomie dans la conception des régimes et dans la gestion des investissements.

ENCADRÉ ▶ 11.3

Les régimes privés de retraite

Les régimes privés de retraite sont un complément aux régimes publics. Ils regroupent :
- Les régimes complémentaires de retraite (ou fonds de pension)
- Les REER individuels ou collectifs
- Les comptes de retraite immobilisés (CRI)
- Les fonds de revenu viager (FRV)
- Les fonds enregistrés de revenu de retraite (FERR)
- Les contrats de rentes auprès d'un assureur
- Les régimes de participation différée aux bénéfices (RPDB)
- Les régimes de participation des employés aux bénéfices (RPEB)
- Les régimes surcomplémentaires de retraite
- Les conventions de retraite, etc.

Source : www.rrq.gouv.qc.ca.

Les Canadiens reçoivent maintenant 100 % des prestations s'ils prennent leur retraite à 65 ans, et 70 % s'ils la prennent à 60 ans. Ceux qui attendent d'avoir 70 ans reçoivent 130 % des prestations normales. Revenu Canada limite les offres des employeurs en instaurant un régime enregistré de retraite fixé à 2 % du salaire annuel de l'employé (et basé sur le salaire moyen des trois meilleures années, jusqu'à concurrence de 1 715 $). Ainsi, les prestations de retraite maximales d'un cadre gagnant 200 000 $ par année après 35 ans de service seraient fixées à 60 000 $. Pour compenser les pertes subies par les personnes qui ont des revenus élevés, quelques entreprises améliorent leurs conditions d'emploi par l'addition d'un ensemble d'avantages sociaux. Par exemple, étant donné le maximum prescrit par Revenu Canada, un employeur peut offrir un supplément annuel de 80 000 $ aux cadres qui gagnent 200 000 $ et qui ont travaillé au sein de l'entreprise pendant 35 ans. Les prestations de retraite correspondraient alors à 70 % du salaire avant la retraite.

LES RÉGIMES DE RETRAITE ANTICIPÉE

Régime de retraite anticipée

Régime de retraite offert à une personne qui s'est volontairement retirée de la vie professionnelle avant l'âge normal de la retraite, établi généralement à 65 ans.

Des milliers de Canadiens ont profité des offres alléchantes des régimes de retraite anticipée. Cette tendance s'est manifestée au cours de la récession de 1981-1982 et s'est maintenue jusque dans la première moitié des années 1990[8]. Certains employeurs ont conçu des stratégies susceptibles d'encourager les employés les plus âgés et le personnel le mieux rémunéré à prendre une retraite anticipée afin de réduire leurs coûts d'exploitation ou de créer des emplois pour les jeunes. Dans le secteur privé, les principaux chefs de file en la matière sont par exemple : MacMillan Bloedel, gigantesque entreprise de produits forestiers (12 000 employés) dont le siège social se trouve à Vancouver ; la Metropolitan Life Insurance (2 800 employés), à Ottawa ; la General Motors du Canada (45 000 employés), à Oshawa ; et la Compagnie Pétrolière Impériale (14 700 employés), à Toronto. Ces entreprises ont mis en place des régimes leur permettant d'épargner près de 30 % du montant qu'elles auraient dû verser en gardant au travail jusqu'à 65 ans les employés les plus âgés.

Pour rendre ces programmes plus attrayants, les entreprises ont eu recours à toute une gamme d'incitatifs. La plupart compensent en partie la portion de la pension que les employés plus âgés auraient reçue en plus s'ils avaient travaillé jusqu'à 65 ans. Certaines entreprises accordent un montant forfaitaire qui peut être converti en régime enregistré d'épargne-retraite (REER). D'autres entreprises permettent aux retraités de conserver des avantages sociaux tels que l'assurance vie et l'assurance maladie.

Régime enregistré d'épargne-retraite (REER)

Régime de retraite permettant à un particulier de différer le paiement d'impôts en plaçant en vue de sa retraite des sommes qui ne seront imposables qu'au moment où il les retirera.

Cependant, le fait que les employeurs poussent les employés à se retirer plus tôt de la vie active peut influer sur l'économie tout entière et il est à prévoir que le pays ne sera peut-être plus capable d'aider financièrement sa population vieillissante. De plus, les pertes de compétences qui résultent de la retraite anticipée sont assez dramatiques et incitent les entreprises à envisager des stratégies différentes à l'égard de leur main-d'œuvre vieillissante, par exemple revoir les possibilités de prolongement de la vie professionnelle, ou encore opter pour des formes de retraite progressive.

LES RÉGIMES COMPLÉMENTAIRES DE RETRAITE ANTICIPÉE

Un petit nombre d'organisations offrent à leurs employés une protection contre la perte de revenus avant la retraite. Les régimes complémentaires d'assurance emploi, souvent appelés *régimes complémentaires de retraite anticipée*, s'adressent aux employés mis à pied. Lorsque ces prestations se combinent aux prestations d'assurance emploi, les employés possédant de nombreuses années d'ancienneté acceptent plus facilement d'être mis à pied, ce qui permet aux employés plus jeunes de continuer à travailler. Les régimes complémentaires d'assurance emploi sont surtout implantés dans l'industrie de l'automobile et ils sont le résultat de négociations collectives.

LES RÉGIMES DE RETRAITE PROGRESSIVE

Les travailleurs salariés de 55 ans ou plus, mais de moins de 70 ans, qui participent à un régime privé de retraite peuvent envisager une retraite progressive. Une entente avec l'employeur leur permet de réduire leurs heures de travail et de continuer à cotiser au régime comme si leur salaire n'avait pas subi de réduction, de sorte que leur future rente de retraite ne diminue pas. Étant donné le vieillissement de la population, le désir de certains employeurs de garder des employés plus longtemps au travail ou de veiller à réduire leurs heures de travail tout en les incitant à transmettre leurs connaissances se manifeste par des mesures de retraite progressive qui sont incluses dans les conventions collectives ou dans les politiques de l'entreprise. Ces mesures offrent aux travailleurs des moyens de réduire leurs heures de travail, tout en limitant les baisses salariales.

DANS LES **FAITS**

L'Université de l'Alberta a mis sur pied un programme donnant à un employé la possibilité de travailler à mi-temps pendant deux ans avant de prendre sa retraite ou de travailler huit mois par année durant trois ans, ou neuf mois par année pendant quatre ans. Les modalités du temps de travail seront établies de façon à ce que les cotisations et les prestations de retraite ne soient pas modifiées[9].

Régime complémentaire d'assurance emploi

Prestations accordées par l'entreprise pendant une période déterminée aux employés touchés par un licenciement permanent, ou dans le cas d'une mise à pied temporaire jusqu'au moment de leur rappel au travail.

CONSULTEZ INTERNET

www.rrq.gouv.qc.ca/fr/ planification/simulation

Outil de simulation pour planifier la retraite fourni sur le site de la Régie des rentes du Québec.

11.4

LES ABSENCES RÉMUNÉRÉES

Pour l'organisation, la gestion des absences rémunérées est moins complexe que celle des programmes d'avantages sociaux, mais elle implique des coûts presque aussi lourds. Cependant, certaines concessions résultant des négociations collectives accordées aux employeurs ont eu pour effet de réduire plutôt que d'augmenter la durée des vacances annuelles et le nombre de congés payés. On distingue deux catégories principales d'absences rémunérées : celles qui sont prévues par l'État et celles qui sont octroyées par l'employeur.

11.4.1 | Les congés chômés

Ce sont les législations provinciales qui déterminent le nombre de jours fériés, la durée normale de la semaine de travail et les heures supplémentaires. Au Canada, les principaux jours fériés sont les suivants : le jour de l'An, le Vendredi saint, la fête de la Reine, la fête du Canada, la fête du Travail, l'Action de grâces, le jour de Noël et le lendemain de Noël. La durée normale de la semaine de travail est de 40 heures ; les lois provinciales prévoient généralement au moins deux semaines de vacances pour les employés ayant accumulé jusqu'à quatre années d'ancienneté et trois semaines pour ceux en qui en ont cinq ou plus.

11.4.2 | Les congés octroyés par l'employeur

Les absences rémunérées représentent une part importante du coût total de la rémunération indirecte. Elles comprennent notamment les vacances annuelles, les congés fériés, les congés de maladie, les congés pour raisons personnelles et les congés sabbatiques. La politique relative aux vacances et aux congés diffère selon les entreprises. La nouvelle tendance est de rémunérer les employés pour les vacances non prises, soit les jours de vacances accumulés.

LES CONGÉS DE MALADIE

Les congés de maladie permettent aux employés de s'absenter du travail lorsqu'ils sont malades ; l'encadré 11.4 en décrit les modalités d'application. Ce n'est pas vraiment un congé pour obligations familiales, mais il peut parfois être utilisé comme tel. En général, les employés ne peuvent être congédiés, suspendus, mis à pied ou rétrogradés lorsqu'ils sont en congé de maladie. Au Canada, le congé de maladie ne figure parmi les normes minimales du travail que dans la législation fédérale, ainsi que dans celles du Québec, du Yukon et de Terre-Neuve-et-Labrador ; en outre, il n'est pas payé.

ENCADRÉ ▶ 11.4

Les modalités d'application des congés de maladie

- Les régimes d'avantages sociaux de certaines entreprises accordent aux employés la possibilité de s'absenter en cas de maladie pendant une période déterminée, sans perte de salaire.
- En général, les employés peuvent aussi prendre quelques-unes de ces journées annuellement sans avoir à présenter de certificat du médecin.
- L'employé peut avoir doit à un long congé pour cause de maladie, qui n'est toutefois pas payé. Il peut alors être admissible à des prestations de maladie de l'assurance emploi ou à d'autres régimes d'indemnisation pour les maladies et les accidents professionnels.
- Il arrive que certains employeurs permettent à leurs employés d'utiliser une partie de leur banque de congés de maladie pour certaines obligations familiales.
- Le congé de maladie peut aussi être associé au congé de maternité lors de complications liées à la naissance d'un enfant.

Source : www.rhdsc.gc.ca.

DANS LES **FAITS**

Exemple de dispositions ayant trait à l'octroi de congés de maladie extraites de conventions collectives :

« Pour améliorer la vie professionnelle de l'employé et l'aider à s'acquitter de ses responsabilités familiales ordinaires, on accorde à l'employé cinq (5) jours de congé pour obligations familiales par année. »

« L'employé peut obtenir un congé payé en cas de maladie grave d'un membre de sa famille immédiate ou d'une personne avec laquelle il entretient le même genre de rapports. Par membre de la famille immédiate, on entend les personnes suivantes : conjoint, mère, père, frère, soeur, fils, fille, beau-père, belle-mère, grands-parents, petits-enfants, belle-soeur, beau-frère, gendre ou bru[10]. »

LES CONGÉS DE MATERNITÉ

Les congés de maternité permettent à la mère de s'absenter du travail durant la période précédant et suivant la naissance d'un enfant. Une employée qui donne naissance à un enfant peut, à certaines conditions, avoir droit à un congé non payé de 17 semaines (18 semaines en Alberta, en Colombie-Britannique, au Québec et en Saskatchewan). Les employées doivent donner un avis écrit à leur employeur quelques semaines avant le début du congé. De même, le congé peut commencer jusqu'à la 16e ou 17e semaine avant la date prévue de l'accouchement pour se terminer au plus tard 17 semaines après la date réelle de l'accouchement, selon la juridiction. À son retour, l'employée doit normalement être réintégrée dans son poste ou affectée à une fonction équivalente, au même salaire et avec les mêmes avantages. Durant leur congé de maternité, les employées admissibles peuvent recevoir des prestations de maternité de l'assurance emploi durant 15 semaines, après une période de carence de 2 semaines. Certains employeurs offrent un régime de prestations supplémentaires de chômage qui comble en partie l'écart entre les prestations de maternité de l'assurance emploi et le salaire de l'employée.

LES CONGÉS DE PATERNITÉ

Les congés de paternité permettent au père de s'absenter du travail durant les quelques jours ou quelques semaines qui suivent la naissance d'un enfant. Environ un tiers des conventions collectives au Canada prévoient un congé de paternité de quelques jours. Il est rare qu'un congé de paternité de plusieurs semaines soit offert au sein des entreprises canadiennes. Le père peut toutefois se prévaloir du congé parental.

LES CONGÉS PARENTAUX

Les congés parentaux permettent au père ou à la mère de s'occuper d'un enfant qui vient d'arriver dans la famille, qu'il s'agisse d'un enfant naturel ou d'un enfant adopté.

Dans toutes les administrations canadiennes, les employés peuvent avoir droit à un congé parental sans salaire qui varie de 12 à 52 semaines. Les employés doivent donner un avis écrit à leur employeur quelques semaines avant le début du congé. À leur retour, ils doivent normalement être réintégrés dans leur poste ou affectés à une fonction équivalente au même salaire et avec les mêmes avantages. Durant leur congé parental, les employés admissibles peuvent recevoir des prestations de congé parental de l'assurance emploi. Un petit nombre d'employeurs offrent un régime de prestations supplémentaires de chômage qui comble en partie l'écart entre les prestations de congé parental de l'assurance emploi et le salaire de l'employé. Depuis le 1er janvier 2006, le Régime québécois d'assurance parentale (RQAP) prévoit le versement de prestations à toutes les travailleuses et à tous les travailleurs — salariés et autonomes — admissibles qui prennent un congé de maternité, un congé de paternité, un congé parental ou un congé d'adoption. Il remplace les prestations de maternité, les prestations parentales et les prestations d'adoption qui étaient offertes aux nouveaux parents québécois en vertu du régime fédéral d'assurance emploi. Le RQAP est un régime de remplacement du revenu : il faut avoir touché un revenu d'emploi pour y avoir droit[11].

LES CONGÉS POUR RAISONS PERSONNELLES

Les congés pour raisons personnelles permettent aux employés de s'absenter pour des obligations ou des besoins personnels. En général, ils n'existent pas dans les lois sur les normes du travail. Cependant, ces lois comprennent d'autres congés qui permettent aux employés de s'acquitter de leurs obligations personnelles. Parmi ces congés, on trouve :

- Les vacances annuelles
- Les congés de décès
- Les congés pour obligations familiales
- Les congés pour fonctions judiciaires
- Le congé payé d'un jour à l'occasion du mariage d'un employé

Le nombre total de journées de congé disponibles annuellement est limité, de même que le nombre de journées de congé qui peuvent être prises consécutivement.

L'accès aux congés pour raisons personnelles permet aux employés de ne pas utiliser leurs vacances en cas de besoins personnels. Cette mesure contribue au bon moral des employés et elle favorise le recrutement et le maintien des effectifs. Elle peut aussi aider à réduire les tensions entre les employés qui ont droit aux congés pour obligations familiales et ceux qui n'y ont pas droit, faute de dépendants.

Le congé pour raisons personnelles peut être combiné avec le congé pour obligations familiales.

LES VACANCES

Les vacances font partie des politiques et des pratiques les plus communes en milieu de travail. Les entreprises peuvent aider leurs employés en leur accordant suffisamment de flexibilité pour qu'ils puissent partager leurs vacances en périodes plus courtes ; ainsi, ils peuvent faire correspondre leurs vacances avec celles de leur conjoint ou se rendre disponibles durant la période estivale alors que les enfants sont à la maison. Le morcellement des vacances évite au gestionnaire d'avoir à remplacer certains employés essentiels et permet aux employés de prendre leurs vacances selon un horaire qui leur convient davantage. Lorsque les employés peuvent prendre leurs vacances durant l'été, le gestionnaire est en mesure de mieux planifier le recrutement des employés saisonniers.

11.5

LES SERVICES ET LES PRIVILÈGES OFFERTS AUX EMPLOYÉS

Cette section traite de certains services et privilèges qui font partie de la rémunération indirecte.

11.5.1 | Les formes de reconnaissance non pécuniaires

Les gestionnaires peuvent manifester de diverses façons leur reconnaissance à l'égard de leurs employés. St-Onge mentionne parmi ces moyens la communication, les comportements, les symboles honorifiques et la visibilité[12]. Ainsi, un employé à qui on témoigne de la reconnaissance oralement, par écrit ou par des gestes tels qu'une poignée de main saura qu'on veut mettre en lumière le caractère méritoire de ses efforts. Aider, approuver, appuyer, sourire, écouter, respecter, parrainer et défendre comptent parmi les comportements par lesquels les gestionnaires manifestent leur soutien aux employés et reconnaissent leurs compétences et leur contribution à l'organisation. Les symboles honorifiques, comme l'attribution d'un trophée, l'invitation à un dîner de gala, les activités sociales et les aménagements du bureau, témoignent de la considération et du prestige accordés aux employés compétents. Finalement, la visibilité conférée à un employé grâce à des félicitations publiques, au compte rendu de ses réalisations dans le journal de l'entreprise ou à l'envoi d'une lettre de félicitations constitue une forme de reconnaissance fort appréciée.

CONSULTEZ
INTERNET

www.hrma-agrh.gc.ca/leadership/pride-recognition/bravo/suggestions_f.asp

« Quarante façons de dire Bravo » : information disponible sur le site de l'Agence de gestion des ressources humaines de la fonction publique canadienne.

11.5.2 | Les formes de reconnaissance matérielles

Parmi les formes de reconnaissance indirectes qui ont des répercussions financières, on trouve les biens et services octroyés aux employés qui se démarquent par leur rendement, comme les voyages, les cadeaux, les abonnements, les repas au restaurant, etc. Les avantages offerts par les organisations varient beaucoup : billets pour des centres de plein air ou des parcs de loisirs, abonnements au club de tennis ou de golf de l'entreprise, contributions financières à la réalisation de certaines activités sportives ou billets gratuits pour la participation à des événements culturels locaux.

Il est possible de témoigner de la gratitude envers un employé efficace en améliorant ses conditions de travail. Ainsi, les congés supplémentaires, le choix du quart de travail, les prêts à taux préférentiel et les promotions figurent parmi les nombreux moyens qui visent à reconnaître la compétence ou les années de service des employés. Les employés qui ont plus de 25 ans de service dans l'entreprise peuvent, par exemple, bénéficier de deux semaines supplémentaires de vacances et d'une

DANS LES FAITS

Entourage Solutions, à l'échelle de la province de l'Ontario, et le Syndicat canadien des communications, de l'énergie et du papier ont établi une prime de technologie afin de demeurer compétitifs dans un marché en constante évolution technologique. Les parties ont sélectionné conjointement les technologies applicables, déterminé la valeur de la prime et dressé une liste des techniciens admissibles[13].

prime d'ancienneté de 1 500 $ après impôts. Les employés peuvent également recevoir des prix annuels, participer à des réceptions chaque fois qu'ils ont terminé une période de cinq ans de service ou encore recevoir des cadeaux à la date anniversaire de leur embauche.

Dans le but de préserver la santé des employés, certaines entreprises leur offrent la possibilité de passer des examens médicaux sur les lieux de travail ou dans des centres médicaux privés. Dans d'autres entreprises, des séances d'exercices physiques peuvent avoir lieu pendant l'heure du dîner ou après le travail, ou bien une partie du coût des programmes suivis à l'extérieur de l'établissement est remboursée. Enfin, certaines entreprises offrent un centre de conditionnement physique sur les lieux de travail ou participent financièrement à un programme d'aide à l'abandon de la cigarette.

On propose également aux employés des programmes de perfectionnement des compétences. Un entreprise peut ainsi permettre à un employé de poursuivre des études telles qu'un programme de MBA intensif, puis le promouvoir à un poste de gestion. Mentionnons en outre les dîners-causeries, les cours de langue, les programmes d'amélioration de la retraite ou d'aide aux employés.

Des entreprises offrent à leurs employés la possibilité d'utiliser jusqu'à 1 500 $ de la prime annuelle de participation aux bénéfices pour financer l'achat éventuel d'une maison ou pour réduire leur hypothèque. D'autres remboursent les frais de transport ou de repas. D'autres encore offrent à leurs employés et aux personnes à leur charge un programme de bourses d'études (ou le remboursement des droits de scolarité). D'autres enfin allouent à leurs employés des sommes pour les frais de voyages, de repas et de loisirs, ou ils les autorisent à utiliser leurs avions pour des besoins personnels ou professionnels.

11.5.3 | Les programmes d'aide aux employés

Programme d'aide aux employés (PAE)

Programme conçu pour venir en aide aux employés aux prises avec des difficultés personnelles aiguës ou chroniques (par exemple problèmes conjugaux ou alcoolisme) ayant des répercussions sur leur rendement et sur leur présence au travail.

Les programmes d'aide aux employés (PAE) sont conçus pour les employés qui présentent des problèmes chroniques d'assiduité et de rendement au travail. Ils sont souvent d'une grande utilité dans les cas d'alcoolisme, de toxicomanie, de maladies liées au stress ou de graves difficultés conjugales. Depuis qu'on a reconnu que ces problèmes sont en partie dus au travail ou sont susceptibles de le perturber considérablement, bien des entreprises canadiennes ont adopté des programmes d'aide aux employés. L'encadré 11.5 présente le programme d'aide aux employés et à la famille qu'offre le Chemin de fer Canadien Pacifique (CFCP).

De nombreuses sources confirment l'essor de ces programmes au cours des deux dernières décennies au sein des entreprises canadiennes. Devant la hausse alarmante des difficultés d'ordre émotionnel et des problèmes de santé mentale attribuables, par exemple, à la dépression, au divorce, à l'alcoolisme et à la toxicomanie, au stress ou à la monoparentalité, les organisations ont pris conscience du fait que l'instauration de programmes d'aide aux employés pouvait servir tout autant leurs objectifs que les intérêts individuels.

ENCADRÉ ▶ **11.5**

Les programme d'aide aux employés et à la famille offert par le CFCP

Le PAEF vous donne accès, en toute confidentialité, à des services personnalisés de consultation, d'aide à la lutte contre la dépendance et à d'autres services communautaires pour vous aider à surmonter une vaste gamme de difficultés personnelles :
- Troubles affectifs et physiques
- Problèmes relationnels et conjugaux
- Stress
- Ennuis financiers
- Obsession du jeu
- Abus d'alcool et de drogues
- Équilibre vie professionnelle/vie familiale
- Violence ou harcèlement sexuel
- Problèmes liés au soin des personnes âgées ou des enfants
- Séparation et deuil
- Traumatisme et conflit en milieu de travail
- Difficultés à gérer le quotidien
- Dépression et troubles psychologiques
- Problèmes familiaux

Il est temps de consulter quand :

- Vous n'arrivez plus à gérer votre stress
- Vous n'arrivez plus à dormir parce que vous ressentez de l'angoisse, que vous souffrez d'inconfort physique ou que vous êtes tendu
- Vous souffrez d'une forme quelconque de dépendance qui vous fait perdre pied
- Vos problèmes financiers semblent insolubles
- Vous souffrez de problèmes émotifs ou personnels
- Vous avez simplement besoin de parler à quelqu'un d'un problème ou d'une inquiétude

Aide pour les employés du CFCP et leur famille

Pas de changement, pas d'agrément, dit-on. Mais qu'arrive-t-il quand les changements sont trop fréquents, trop stressants, trop rapides ? Quand il y en a trop, tout simplement ? Et qu'est-ce qui se passe quand les changements sont négatifs ? Quand il s'agit de dépendances, d'ennuis financiers, de frustration au travail, de violence, de traumatisme ou de deuil ?

Le PAEF offre une forme de soutien unique

Le PAEF fait partie de la gamme d'avantages sociaux du CFCP. Pourtant il y en a beaucoup qui ignorent son existence ou qui ne savent pas trop ce que le programme peut faire pour eux. Les employés du CFCP, les membres de leur famille immédiate et les retraités peuvent communiquer avec nous en tout temps pour discuter de leurs problèmes personnels. Nous pouvons faire appel, en toute confidentialité, à un large éventail de ressources qui se consacrent toutes à votre bien-être physique et mental. Les grandes entreprises, un peu partout en Amérique du Nord, se sont dotées de semblables programmes d'entraide offrant des ressources d'aide efficaces.

La confidentialité est assurée

Notre programme n'est rattaché à aucun service du CFCP et se veut entièrement confidentiel. Nos professionnels sont des plus discrets, empathiques et compréhensifs. Nous adhérons à une stricte politique de confidentialité, qui est destinée à vous protéger. Nous pouvons vous donner plus de renseignements sur cette politique si vous en faites la demande.

Première étape : communiquer avec nous

Si vous voulez discuter d'un problème personnel ou familial, la première chose à faire, c'est d'appeler un agent orienteur du PAEF en composant le numéro sans frais. Votre appel sera automatiquement acheminé à l'agent de votre région, toujours sous le sceau de la confidentialité et, normalement, sans attente. L'agent orienteur est là pour vous écouter et, si possible, vous offrir une aide immédiate. S'il faut faire appel à d'autres ressources, l'agent du PAEF en discutera avec vous pour que vous déterminiez ensemble le meilleur plan d'action. Avant de vous diriger vers un service, l'agent orienteur vous demandera votre accord et s'assurera que vous avez bien compris ce qui vous attend. Vous pouvez aussi nous envoyer votre demande initiale par courrier électronique. Vous serez rassuré de savoir que notre politique de confidentialité s'applique aussi aux communications électroniques.

La plupart des services sont couverts

Les gens aux prises avec des problèmes personnels hésitent souvent à demander de l'aide parce qu'ils ont peur que cela coûte trop cher. Sachez qu'il ne vous en coûte rien pour parler à un agent orienteur. La plupart des services d'aide sont couverts par le programme d'avantages sociaux qu'offre le CFCP ou par les régimes provinciaux d'assurance maladie. Si vous devez payer des frais, vous en serez informé bien à l'avance.

Source : www.cpr.ca/cms/Francais/Employees/EFAP/default.htm.

D'autres facteurs contribuent à expliquer l'importance qu'ont pris ces programmes d'aide aux employés depuis une vingtaine d'années : (1) la législation fédérale ou provinciale ; (2) l'appui des organisations syndicales (par exemple du Congrès du travail du Canada) ; (3) la prise de conscience, de la part des entreprises, de la possibilité d'utiliser ces programmes comme outils pour améliorer la productivité et réduire les coûts; (4) la conviction qu'une politique résolument axée sur les personnes assure le succès des entreprises; et (5) la complexité croissante de la société dans laquelle nous vivons.

Ces programmes peuvent être avantageux pour l'employé (par exemple réduction des risques pour la santé, promotion du bien-être, amélioration de la qualité de vie) ou pour l'employeur (par exemple hausse de la productivité et des bénéfices, résolution de problèmes de gestion, atténuation de la responsabilité). Certains programmes, notamment ceux qui sont axés sur l'amélioration du moral des employés et les services de counseling offerts aux employés en difficulté, bénéficient aux deux parties. Parmi les nombreux effets bénéfiques qui témoignent du bien-fondé de l'implantation des PAE, notons la diminution du nombre de journées de maladie ou d'incapacité, la réduction du taux d'absentéisme, le maintien de l'abstinence des employés traités pour alcoolisme et la diminution du nombre de griefs.

11.5.4 | Les programmes d'équilibre travail-famille

Les services qui procurent du bien-être et un style de vie sain aux employés sont de plus en plus demandés dans les organisations. Les employeurs offrent des services de ce genre en espérant améliorer la qualité de vie de leurs employés et bénéficier en retour d'une augmentation de la productivité[14].

Les soins aux enfants et aux personnes âgées font également partie de cette gamme de services. La présence de plus en plus importante des femmes sur le marché du travail a entraîné un intérêt grandissant pour les garderies[15]. La plupart des recherches montrent que, malgré les nombreux avantages que présentent de telles infrastructures, les organisations ne disposent pas toutes des fonds nécessaires pour les mettre en place sur le lieu de travail[16]. Néanmoins, celles qui ont pu ouvrir une garderie indiquent que ce service réduit la durée du transport des employés, qu'il leur procure une certaine tranquillité d'esprit et que, enfin, il suscite l'entraide entre les employés quand surviennent des cas d'urgence. Les employeurs, quant à eux, bénéficient d'une diminution des retards et d'une augmentation de l'engagement et de la motivation des employés.

11.5.5 | Les programmes d'avantages à l'intention des cadres

Pour les cadres, les régimes incitatifs prennent habituellement la forme de primes accordées pour reconnaître le rendement d'un service, de la direction ou de l'organisation. Ces régimes, dont les nombreux avantages sont énumérés dans l'encadré 11.6, comprennent aussi les options d'achat d'actions et l'octroi d'actions en récompense du rendement. Les régimes d'options d'achat d'actions offrent la possibilité aux gestionnaires d'acheter des actions de l'entreprise à une date ultérieure, mais au prix qui a cours lors de l'octroi de l'option. Ces régimes sont fondés sur le principe voulant que les gestionnaires déploient davantage d'efforts pour augmenter leur rendement et la rentabilité de l'entreprise (faisant ainsi augmenter le prix de ses actions) s'ils peuvent participer aux bénéfices à long terme. Si le prix des actions augmente avec le temps, les gestionnaires peuvent utiliser leurs options pour acheter des actions à un prix plus faible et réaliser des bénéfices. Qui plus est, les gouvernements considèrent l'achat d'actions comme un moyen de stimuler l'économie. Afin d'encourager ce comportement, le Québec, par exemple, accorde aux employés des exonérations fiscales lorsqu'il acquièrent des actions des entreprises pour lesquelles ils travaillent.

ENCADRÉ ▶ **11.6**

La rémunération des dirigeants : quelques faits tranchants !

La rémunération des dirigeants reste exorbitante. C'est particulièrement vrai dans les grandes sociétés. Comme si le président d'une entreprise géante travaillait plus fort ou plus longtemps que le chef d'une PME !

Le ratio qui représente le salaire d'un chef de direction par rapport à celui d'un travailleur moyen s'établissait en 2003 à 10 au Japon, à 11 en Allemagne, à 25 au Royaume-Uni et à… 300 aux États-Unis, où il a même atteint 531 au cours de la bulle techno de 2000 ! Les sociétés américaines sont-elles pour autant mieux gérées que celles des autres pays qui versent des montants raisonnables ? À nos yeux, il est clair que non. En fait, les scandales et les cibles de bénéfices ratées y semblent plus nombreux qu'ailleurs. Qui plus est, à la fin de 2005, la moyenne du Dow Jones — l'indice phare des plus importantes sociétés américaines — avait seulement rattrapé le niveau de l'an 2000 en dollars américains. L'indice Standard & Poor's 500 demeure au-dessous de ce niveau.

Au Canada, le scénario n'est pas aussi catastrophique qu'aux États-Unis, mais dans nos grandes sociétés ce ratio dépasse facilement 100. Il y a peu de liens entre la rémunération et le rendement. À ce chapitre, Magna arrive en tête au Canada, suivie de près par Alcan, si on se fonde sur les sociétés ayant gratifié leurs actionnaires de rendements positifs sur trois ans. Magna a versé à Frank Stronach quelque 900 fois le salaire de 45 000 dollars d'un travailleur moyen. Beaucoup plus que la norme canadienne de 150 fois. Parmi les cas les plus flagrants, mentionnons des sociétés ayant des actions à droit de vote multiple qui ont encaissé des pertes, telles que Onex, Quebecor et CanWest Global en 2002-2004.

Source : Stephen Jarislowsky, *Affaires Plus*, vol. 29, n° 4, avril 2006, p. 6.

11.5.6 | Les clauses d'emploi dorées

Les employeurs recourent de plus en plus aux « clauses dorées » pour garder le personnel de direction au sein de l'entreprise.

LES PARACHUTES DORÉS

Les parachutes dorés consistent généralement en une protection financière accordée aux cadres supérieurs dans l'éventualité d'une fusion d'entreprises ou de l'acquisition de l'entreprise par une autre. Cette protection prend la forme soit d'un emploi assuré, soit d'une indemnité de départ dans le cas d'un licenciement ou d'une démission. On accorde des parachutes dorés surtout depuis le début des années 1980, qui ont été marquées par un grand nombre de fusions et d'acquisitions. Ces mesures visent à affaiblir la résistance de la haute direction aux fusions et aux acquisitions désirées par certaines sociétés et leurs actionnaires. Ainsi, les cadres supérieurs susceptibles d'être remplacés

Parachutes dorés

Avantages financiers considérables offerts aux cadres supérieurs, généralement sous forme d'indemnités de départ, qui visent à leur assurer une sécurité financière dans l'éventualité d'un licenciement survenant dans le cadre d'une fusion d'entreprises ou de l'acquisition de l'entreprise par une autre.

à la suite d'acquisition ont l'assurance de conserver leur aisance financière. Il existe des programmes similaires, appelés *petits parachutes*, pour les employés travaillant aux échelons inférieurs.

LES CERCUEILS DORÉS

Semblables aux parachutes dorés, les cercueils dorés visent à procurer une assistance financière aux cadres de haut niveau lorsque survient un décès dans la famille. Tous les frais funéraires et les dépenses connexes sont alors assumés par l'entreprise. Certaines entreprises offrent également des indemnités aux survivants (conjoint et enfants) lorsqu'un cadre meurt subitement.

LES MENOTTES DORÉES

Alors que les parachutes dorés ont pour but d'aider les cadres à quitter l'entreprise, les menottes dorées visent à les inciter à y demeurer. Si une organisation désire conserver un cadre supérieur, elle peut faire en sorte que son départ soit très coûteux pour lui parce qu'il perdrait certains avantages. Les régimes d'options d'achat d'actions et les régimes de retraite constituent les moyens le plus fréquemment utilisés pour garder les cadres supérieurs. La revente des actions est limitée, puisque celles-ci doivent être remises lorsqu'une personne quitte l'entreprise pour d'autres raisons que la mort, l'invalidité ou la retraite.

DANS LES FAITS

En 2006, un vox pop mené par le journal *Les Affaires* posait la question suivante : Selon vous, la rémunération des dirigeants devrait-elle être davantage liée à la performance de l'entreprise ?

Parmi les personnes sondées, 88 % ont répondu oui, et 12 %, non[18].

11.6

LA GESTION DE LA RÉMUNÉRATION INDIRECTE

Comme nous l'avons vu précédemment, il existe de nombreuses formes de récompenses non pécuniaires. Les services offerts sont largement tributaires de la mode et des restrictions fiscales. À cause de la complexité croissante de la gestion des finances personnelles, la consultation financière est devenue un service souvent demandé ; l'utilisation d'une automobile de l'entreprise est aussi un avantage très prisé. Cependant, les nouvelles répercussions fiscales de ce dernier privilège le rendent moins intéressant pour les employés.

Nombre d'entreprises accordent divers avantages financiers à leurs employés. Par exemple, elles s'associent à des institutions financières pour assurer à leurs employés des taux d'intérêt très bas sur leurs emprunts.

Ces avantages ne représentent qu'un faible pourcentage de la rémunération indirecte, mais ils sont grandement appré-

DANS LES FAITS

Le chèque de paie d'un employé de Wal-Mart au Québec
- Salaire horaire moyen : 9,59 $
- Salaire annuel moyen d'un employé à temps plein (60 % des employés sont à temps plein) : 18 700 $
- Boni moyen d'un employé à temps plein : 900 $
- Salaire annuel moyen d'un employé à temps plein (boni inclus) : 19 600 $

Avantages sociaux : assurance maladie, assurance soins dentaires, assurance vie, bourses d'études, réduction de 10 % sur les achats chez Wal-Mart, réduction de 15 % sur les actions de Wal-Mart.

Salaire annuel moyen d'un employé à temps plein dans un grand magasin au Québec : 17 796 $[19].

ciés des employés, qui les qualifient parfois de nécessaires. Certains privilèges constituent des éléments fondamentaux du système de prestige établi par l'entreprise. D'autres, comme les services de garde à l'enfance, sont un moyen de rendre plus facile la vie des employés.

Si les organisations ont tendance à considérer la rémunération indirecte comme une forme de récompense, les bénéficiaires la considèrent plutôt comme un dû. Cette attitude incite donc les organisations à s'intéresser à l'ensemble de la rémunération indirecte et aux différentes façons de la gérer.

11.6.1 | La détermination du volume global de la rémunération indirecte

Pour déterminer le volume global de la rémunération indirecte, l'organisation tâche de concilier ses intérêts avec ceux de ses employés. Elle doit donc procéder à une analyse de leurs préférences pour déterminer le volume et la composition des avantages qu'elle offrira. Par exemple, les employés peuvent préférer l'assurance soins dentaires à l'assurance vie, même si la première coûte moins cher. Actuellement, le temps libre est un avantage relativement recherché. Il est prisé tant par les jeunes travailleurs que par les aînés, qui cherchent à équilibrer leur vie personnelle et leur vie professionnelle. De leur côté, les travailleurs âgés manifestent souvent le désir de voir augmenter substantiellement leurs prestations de retraite. En somme, ces préférences variées favorisent la diversification des composantes des avantages sociaux.

11.6.2 | La diversification de la rémunération indirecte

Quand les employés expriment clairement leurs besoins, il est plus facile pour l'employeur d'y répondre efficacement tout en agissant dans son intérêt et dans celui de ses employés. Bien des entreprises canadiennes ont fait cette expérience. Elles accordent à tous les employés un régime de base comprenant le paiement des cotisations au régime provincial d'assurance maladie, une assurance maladie complémentaire comportant une franchise de 500 $, une assurance vie prévoyant le versement d'une année de salaire au bénéficiaire, une assurance couvrant les accidents, le décès ou la perte d'un membre et équivalant au triple du salaire annuel de l'employé, une assurance invalidité de courte et de longue durée, des vacances, un régime de retraite et un régime enregistré d'épargne-retraite collectif.

Comme le montre l'encadré 11.7, un éventail d'avantages optionnels s'ajoute au régime de base[20]. Certains avantages du régime de base peuvent être « revendus » à l'entreprise, qui portera le montant au compte personnel de l'employé. Par ailleurs, si son épouse est déjà protégée par sa propre assurance maladie complémentaire au travail, l'employé peut obtenir un crédit pour sa participation à un régime semblable. Aussi, en fonction des années d'ancienneté, cinq congés peuvent être convertis en une somme d'argent qui servira à acheter d'autres avantages. D'autres options sont aussi offertes : une assurance maladie complémentaire comportant une franchise de 25 $, trois types d'assurance soins dentaires, une assurance vie assortie de six clauses avantageuses en cas de mort accidentelle, de perte d'un membre ou d'invalidité à long terme[21].

Exemple d'avantages sociaux optionnels offerts aux employés

ALTANA Pharma Canada est reconnue pour offrir d'excellents programmes de bénéfices et d'avantages sociaux à ses employés afin de les aider à faire face à leurs problèmes financiers en cas de maladie ou d'incapacité, à planifier leur retraite, à aborder les problèmes professionnels ou personnels et à améliorer leur satisfaction au travail.

Voici ces programmes :
- Assurances médicale et dentaire globales
- Programme d'aide aux employés et à la famille (PAEF)
- Fonds de pension concurrentiel
- Plan de régime d'épargne enregistré (PREE)
- Programme d'achat d'actions ALTANA
- Indemnités de congés de maladie
- Indemnités complémentaires pour congé de maternité
- Bénéfices de vacances concurrentiels (incluant possibilité de les reporter)
- Fermeture des bureaux durant les fêtes de décembre
- Congés fériés payés
- Heures de travail flexibles
- Semaine de travail comprimée (demi-journée de congé les vendredis après-midi)
- Code vestimentaire décontracté
- Programme d'entraînement physique subventionné
- Programme de remboursement de frais d'études
- Programme de bonis de référence d'employés

Source : www.altanapharma.ca/carrieres/benefices.html.

L'affux des femmes sur le marché du travail, la diminution du nombre de familles traditionnelles (c'est-à-dire de celles où l'homme est le seul soutien de la famille) et l'augmentation du nombre de familles monoparentales ont suscité l'émergence de régimes destinés à satisfaire les besoins changeants des employés.

Seule la planification d'une rémunération indirecte flexible peut répondre aux besoins variés des employés. Ainsi les régimes dits *cafétérias* permettent de choisir entre toutes les composantes de la rémunération, comprenant aussi bien la partie fixe du salaire que les avantages sociaux[22]. Trois approches sont communément utilisées dans l'élaboration des régimes flexibles :

- Le régime de base à options. On offre aux employés admissibles un régime global ainsi que des options qui leur permettent d'augmenter ou d'élargir la protection de base ; dans certains cas, les employés peuvent remplacer certains des avantages sociaux par des sommes d'argent.

- Le régime modulaire. Il permet aux employés de choisir, parmi différents modules, les conditions qu'ils préfèrent. Ces différents modules sont structurés de façon à satisfaire les besoins le plus couramment exprimés.

- Le régime de dépenses flexibles. Il fonctionne comme un compte de banque dans lequel l'employeur crédite à l'employé, ses frais médicaux, par exemple ; l'employé est remboursé par la suite. L'attrait principal de ce régime est son efficacité, puisqu'il comporte même un remboursement préalable des taxes. De plus, ce régime est souvent utilisé en combinaison avec l'un ou l'autre des régimes précédents.

Les responsables de la gestion des ressources humaines doivent être sensibilisés aux réactions des employés à l'égard des régimes. Sinon, les efforts déployés par l'employeur pourraient avoir un effet contraire et devenir contre-productifs.

11.6.3 | La communication au sujet de la rémunération indirecte

La diversification de la rémunération indirecte est utile pour répondre aux besoins des employés, mais ceux-ci doivent être conscients de la variété et du coût des avantages sociaux dont ils jouissent. Par conséquent, les objectifs du régime d'avantages sociaux ne seront atteints que dans la mesure où les organisations se chargent d'informer les employés à leur sujet.

Bien sûr, les employés apprécient plus facilement la portion strictement pécuniaire de leur rémunération, puisqu'elle est visible et fondée sur leur horaire de travail. Malheureusement, la rémunération indirecte n'est pas véritablement visible et la plupart des employés ne prennent conscience des avantages dont ils bénéficient qu'après avoir fait une demande d'indemnisation ou utilisé un service pour la première fois[23]. Cette situation est encore plus courante dans les entreprises où les contributions sont versées uniquement par les employeurs. Par contre, un plus grand engagement est exigé de la part des employés lorsqu'ils sont appelés à cotiser ou lorsque les régimes offrent une grande diversité.

Si plusieurs des objectifs de la rémunération indirecte ne sont pas atteints, c'est probablement à cause de l'inefficacité des outils utilisés pour en faire la promotion et pour en expliquer les modalités aux employés. Presque toutes les entreprises utilisent des documents d'information impersonnels, qui ne suscitent que peu d'intérêt. Seules quelques-unes d'entre elles font appel à des moyens de communication plus personnels et actifs, tels que la projection de diapositives et des rencontres régulières avec les employés. On ne doit pas tenir pour acquis que l'information sur la rémunération indirecte a été diffusée de manière appropriée.

www.aircanada.com/fr/about/career/benefits.html

Ce site présente un exemple des avantages sociaux offerts aux employés d'Air Canada.

Pour être efficace, la stratégie d'information doit permettre aux employés de comprendre tous les aspects de la rémunération indirecte. Elle commence par l'établissement d'une politique claire. Aujourd'hui, de plus en plus d'organisations ont pris conscience du fait que le succès de leur régime flexible d'avantages sociaux repose sur une bonne stratégie d'information. Par exemple, certaines entreprises communiquent l'information à l'aide de cassettes vidéo expliquant en détail les principes de base de l'ensemble des régimes. D'autre part, les séminaires composés de groupes de 25 à 30 employés se révèlent encore plus efficaces puisqu'ils offrent la possibilité de poser des questions et de recevoir des réponses. Avant de mettre en branle un nouveau régime flexible de rémunération indirecte, l'employeur a intérêt à engager un consultant en communication. Cette façon de procéder semble garantir des résultats optimaux[24].

RÉSUMÉ

La croissance de la rémunération indirecte a été deux fois plus rapide que celle de la rémunération directe, même s'il n'a pas été établi que la rémunération indirecte facilite vraiment l'atteinte des objectifs de la rémunération globale. En effet, le salaire, les défis et les possibilités de promotion contribuent autant, sinon plus, à l'atteinte des objectifs de la rémunération que les avantages sociaux, particulièrement chez les employés qui aspirent à des postes de cadres.

Cependant, cela ne veut pas dire que les employés ne désirent pas bénéficier d'avantages sociaux. Si les entreprises leur en offrent un si grand nombre, c'est qu'ils les réclament. Toutefois, les employés n'apprécient pas toujours à leur juste valeur les avantages accordés par leur entreprise et, souvent, ne les connaissent pas tous.

Le manque d'information explique en partie les fausses perceptions des employés. Par conséquent, certaines entreprises leur demandent d'exprimer leurs préférences. Elles sont aussi sensibilisées au problème de la diffusion de l'information sur la rémunération indirecte. Une meilleure communication et une plus grande participation des employés à l'élaboration des régimes peuvent aider l'entreprise à tirer profit de la rémunération indirecte. En outre, l'entreprise doit procéder à une évaluation minutieuse de l'efficacité de sa rémunération indirecte et comparer ses régimes d'avantages sociaux à ceux de ses concurrents.

Questions de révision et d'analyse

1. Quels sont les objectifs et les éléments constitutifs de la rémunération indirecte ?

2. Énumérez et décrivez les principaux régimes privés d'assurance offerts par les employeurs.

3. Dans quelle mesure les services et privilèges offerts par les employeurs constituent-ils des éléments efficaces pour reconnaître la contribution des employés ?

4. Parcourez la section des carrières et professions d'un quotidien et relevez les avantages sociaux innovateurs qu'offrent les entreprises canadiennes. Évaluez la pertinence de ces avantages.

5. Expliquez brièvement le contenu et les objectifs des clauses d'emploi dorées.

6. Quels sont les avantages et les inconvénients que présentent les régimes d'avantages sociaux flexibles ?

7. Pourquoi est-il important d'informer les employés du contenu des programmes de rémunération indirecte ? Comment peut-on atteindre efficacement cet objectif ?

ÉTUDE DE CAS

LES AVANTAGES SOCIAUX CHEZ JMD ÉLECTRONIQUE

Guy Arcand
*Professeur, Département des sciences de la gestion,
Université du Québec à Trois-Rivières*

L'entreprise JMD électronique est active dans le domaine de la production d'appareils électroniques depuis plus de 40 ans. Jean-Marie Dupuis a créé cette entreprise à Montréal, à la fin des années 1960. Propriétaire d'une PME comptant au début 25 employés, M. Dupuis a, par la suite, fait des acquisitions successives en absorbant des concurrents. En 2007, le nombre d'employés est passé à plus de 1 500 dans la grande région de Montréal. Les travailleurs de cette entreprise, qui ne sont pas syndiqués, bénéficient d'un salaire supérieur à celui qu'offrent les concurrents.

M. Dupuis a toujours été très proche de ses employés et il considère qu'il doit bien les traiter afin d'obtenir d'eux un bon rendement. Une des façons d'y arriver est de leur offrir une vaste gamme d'avantages sociaux, ce que la croissance de l'entreprise et son excellente santé financière dans les années 1980 et 1990 avaient rendu possible. Les avantages sociaux sont pour l'essentiel un régime de retraite très généreux, et des programmes d'assurance vie, d'assurance voyage, d'assurance hospitalisation, d'assurance soins dentaires et d'assurance invalidité. L'entreprise paie également une partie du service de garde pour les employés ayant des enfants en bas âge. Les travailleurs ont également droit à une journée par mois de congé pour raisons personnelles pour favoriser l'équilibre travail-famille.

Malheureusement, les coûts associés à cette rémunération indirecte sont de plus en plus élevés. JMD Électronique, qui a subi quelques pertes au cours des dernières années par suite de l'appréciation du dollar canadien (80 % de sa production est exportée vers les États-Unis), songe à réduire ses dépenses.

M. Dupuis considère qu'il serait opportun de repenser la structure de la rémunération indirecte chez JMD Électronique. Par contre, il est conscient qu'un changement radical pourrait nuire aux bonnes relations entre la direction et les employés. En outre, M. Dupuis ne souhaite pas modifier la culture organisationnelle, qui revêt une grande importance à ses yeux.

QUESTIONS

1. Suggérez à M. Dupuis des changements qui lui permettent de réduire les coûts du système de rémunération indirecte.

2. Selon vous, peut-on réduire les coûts sans perturber le climat de travail?

3. Quelles sont les conséquences possibles de ces changements?

1. M. Munger, « Les entreprises devront choyer les employés », *La Presse*, 21 octobre 2006.

2. L. Dixon, « Containing Health Care Costs », *Benefits Canada*, février 1991, p. 24-26. C.L. Taylor, « Réactions des entreprises devant le coût croissant des soins de santé », *Conference Board of Canada*, rapport n° 184-96, décembre 1996. L. Thornburg, « What to Do Now About Health Care Costs », *HR Magazine*, vol. 39, n° 1, 1994, p. 44-47. J.L. MacBride-King, « Managing Corporate Health Care Costs, Issues and Options », *Conference Board of Canada*, rapport n° 158-95, 1995.

3. www.ramq.gouv.qc.ca

4. S. St-Onge et R. Thériault, *Gestion de la rémunération, théorie et pratique*, Montréal, Gaëtan Morin, 2006.

5. www.csst.qc.ca.

6. *Canadian Benefits Administration Manual*, Toronto, Richard de Boo, 1990.

7. S. Pozzebon, « Les régimes de retraite sont-ils toujours avantageux ? », *Gestion*, vol. 29, n° 3, automne 2004, p. 30-37.

8. D. Burn, « Wheel of Fortune : How Much Should an Organization Gamble on Early Retirement Planning ? », *Human Resource Professional*, vol. 11, n° 4, 1994, p. 13-17.

9. S. Payette, *Rapport sur les pratiques innovatrices en milieu de travail*, 2005, www.rhdsc.gc.ca.

10. www.rhdsc.gc.ca/fr/pt/psait/ctv/dfctf/15Conge_lie_a_la_garde_et_a_la_sante.shtml.

11. www.rqap.gouv.qc.ca

12. S. St-Onge, « Reconnaître les performances », *Gestion*, septembre 1994, p. 88-98. S. St-Onge, V.Y. Haines III, I. Aubin, C. Rousseau et G. Lagassé, « Pour une meilleure reconnaissance des contributions au travail », *Gestion*, vol. 30, n° 2, été 2005, p. 89-101.

13. Direction de l'information sur les milieux de travail, RHDCC, Programme du travail, 2006.

14. G. Guérin, S. St-Onge, V. Haines, R. Trottier et M. Simard, « Les pratiques d'aide à l'équilibre emploi-famille dans les organisations du Québec », *Relations industrielles*, vol. 52, n° 2, 1997, p. 274-303.

15. C. Guay, « Garderies en milieu de travail, nécessité ou privilège ? », *Effectif*, vol. 4, n° 4, septembre-octobre 2001, p. 58-60. J. Landauer, « Bottom-Line Benefits of Work/Life Programs », *HR Focus*, juillet 1997, p. 3.

16. T.J. Rothauser, J.A. Gonzalez, N.E. Clarke et L.L. O'Dell, « Family-Friendly Backlash : Fact of Fiction ? The Case of Organizations' On-Site Child Care Centers », *Personnel Psychology*, vol. 51, 1998, p. 685-706.

17. www.orhri.org.

18. *Les Affaires*, 3 juin 2006, p. 4.

19. V. Brousseau-Pouliot, « Wal-Mart la mal-aimée », *La Presse*, 12 août 2006, cahier Affaires, p. 2.

20. M. Cusipag, « A Healthy Approach to Managing Disability Costs », *Human resources Professional*, juin-juillet 1997, p. 13.

21. T. Thompson, J.F. Burton Jr. et D.E. Hyatt, *New Approaches to Disability in the Workplace*, Madison (Wisconsin), Industrial Relations Research Association, 1998.

22. M.W. Barringer et G.T. Milkovich, « A Theoretical Exploration of the Adoption and Design of Flexible Benefits Plans : A Case of Human Resource Innovation », *Academy of Management Review*, vol. 23, 1998, p. 305-324.

23. P. Gauthier, « Rémunération : attention aux avantages sociaux ! », *La Revue municipale et les travaux publics*, vol. 75, n° 9, septembre 1997, p. 8-9.

24. « Communication Is the Key », *Benefits Canada*, mai 1990, p. 46.

LES ASPECTS JURIDIQUES DE LA GESTION
DES RESSOURCES HUMAINES

LE RESPECT DES DROITS
DES EMPLOYÉS

Les employés doivent jouir de certaines conditions de travail et d'un traitement juste et respectueux de la part de l'employeur. Ce chapitre traite dans un premier temps de leurs droits tels que les décrivent les différentes lois du travail. Ainsi, la première section présente les considérations juridiques s'appliquant aux activités de gestion des ressources humaines. La deuxième section aborde de manière plus générale les droits qui ont trait aux conditions de travail. Par ailleurs, la gestion des ressources humaines doit tenir compte des problèmes personnels et professionnels ayant des effets sur la productivité des employés, et tenter de les régler. C'est la raison pour laquelle la troisième section traite des employés en difficulté et du traitement auquel ils peuvent

s'attendre de la part de leur employeur. La quatrième section, quant à elle, explique la notion de justice organisationnelle et décrit l'influence qu'elle peut avoir sur la perception de l'équité sur les lieux de travail. L'évolution des droits accordés aux employés a des répercussions non négligeables sur la gestion des ressources humaines. L'élaboration de politiques permet de réaliser un équilibre souhaitable entre les droits des employés et les droits de la direction de l'entreprise. Cependant, force est de constater que l'élaboration en soi ne suffit pas ; encore faut-il que l'employeur se donne les moyens de diffuser la politique auprès des employés et d'assurer une application équitable. Tel est l'objet de la cinquième et dernière section du chapitre.

12.1

LES CONSIDÉRATIONS JURIDIQUES EN GESTION DES RESSOURCES HUMAINES

Les considérations juridiques dont les gestionnaires doivent tenir compte dans le cadre des activités de gestion des ressources humaines sont nombreuses et elles influent sur les décisions concernant le personnel. C'est au gestionnaire des ressources humaines qu'incombe la responsabilité de démêler cet écheveau de lois et de règlements. Il doit aussi veiller à l'élaboration de la politique interne et à la mise sur pied de pratiques qui soient cohérentes et qui assurent la promotion et le respect de ces lois. Dans cette section, nous décrivons les principales contraintes s'appliquant aux diverses activités de gestion des ressources humaines, notamment au recrutement et à la sélection, à l'évaluation du rendement, au développement des compétences, à la gestion des carrières et à la rémunération.

Discrimination intentionnelle (ou discrimination directe)

Traitement inégal des personnes résultant de pratiques ou de décisions d'embauche, de promotions ou de congédiements. La discrimination au travail peut se fonder sur le sexe, l'âge, l'état matrimonial, la race, les croyances religieuses, ou sur toute autre caractéristique n'ayant aucun lien direct avec le rendement des employés.

Discrimination systémique

Politique en apparence neutre, qui a cependant un effet défavorable sur les membres des groupes désignés dans la législation sur les droits de la personne.

12.1.1 | Le recrutement et la sélection

L'exercice des activités de dotation doit tenir compte de plusieurs considérations juridiques se trouvant dans différents textes de lois. Il s'agit d'abord des obligations qui garantissent l'équité en matière d'emploi ou l'accès à l'égalité lors de l'embauche. Ensuite, certaines contraintes juridiques accompagnent le processus de dotation, entre autres le recrutement et la sélection.

L'ÉQUITÉ EN MATIÈRE D'EMPLOI

Le concept d'équité en matière d'emploi recouvre en principe toutes les formes de discrimination au travail. Il existe deux sortes de discrimination : la discrimination intentionnelle (ou discrimination directe), pratiquée consciemment, et la discrimination systémique, pratiquée inconsciemment. Le concept même d'équité en matière d'emploi peut se définir comme « le processus visant à assurer la représentation équitable, sur les lieux de travail, des groupes désignés et à pallier ou à prévenir les effets de la discrimination intentionnelle et systémique[1] ». Un employeur fait de la discrimination intentionnelle, ou directe, lorsqu'il adopte une pratique ou une politique qui établit une distinction en se fondant sur un motif prohibé par les chartes des droits et libertés de la personne, la charte canadienne ou la charte québécoise, selon le cas. Il fait de la discrimination systémique lorsqu'il adopte une pratique d'embauche qui, neutre en apparence, a un effet défavorable sur l'un ou l'autre des groupes désignés dans la législation sur les droits de la personne, c'est-à-dire les femmes, les minorités visibles et les personnes handicapées. L'analyse de la discrimination systémique a pour principal objectif de déterminer si les pratiques d'embauche mises en œuvre ont un effet défavorable sur les groupes désignés, notamment lorsque les décisions qui en résultent ne sont fondées sur aucun autre motif justifiant leur pertinence et leur validité.

La Loi sur l'équité en matière d'emploi : un défi pour le gestionnaire des ressources humaines. Les lois sur l'équité en matière d'emploi visent à corriger la situation désavantageuse que connaissent certains groupes désignés, notamment les femmes, les minorités visibles et les personnes handicapées. L'implantation d'un programme d'équité en matière d'emploi rend le système de gestion des ressources humaines beaucoup plus juste et efficace. Elle permet, en outre, d'élargir l'éventail de candidats potentiels et rend la composition des ressources humaines d'une organisation plus représentative de celle qu'on trouve sur le marché du travail. Les programmes d'équité en matière d'emploi comportent des mesures de redressement qui accordent temporairement des avantages aux membres de groupes victimes de discrimination, tout en tenant compte des compétences requises par les emplois concernés. Ces mesures de redressement s'accompagnent de mesures visant l'égalité des chances et consistant à éliminer les obstacles qui ont pu contribuer à créer et à maintenir une situation de discrimination.

Au Québec, le législateur est intervenu pour instaurer certaines mesures de redressement et prohiber la discrimination systémique des groupes désignés. Ainsi, la partie III de la Charte des droits et libertés de la personne du Québec, qui est entrée en vigueur en 1976, permet à l'employeur de mettre en place un programme d'accès à l'égalité. Elle laisse à l'employeur l'initiative de l'implantation de ce genre de programme, qui doit être établi conformément à l'article 86 de la Charte pour être considéré comme non discriminatoire. La Commission des droits de la personne et des droits de la jeunesse du Québec prête assistance aux employeurs qui veulent établir des programmes d'accès à l'égalité. L'implantation de ce genre de programme s'impose aux entreprises de plus de 100 employés qui obtiennent un contrat ou un sous-contrat d'approvisionnement ou de services d'une valeur de 100 000 $ auprès d'un ministère ou d'un organisme public. La Commission des droits de la personne et des droits de la jeunesse peut proposer l'implantation d'un programme d'accès à l'égalité lorsqu'elle constate une situation de discrimination dite systémique. Si l'employeur n'adopte pas sa proposition, le Tribunal des droits de la personne peut intervenir. Il est important de noter que le gouvernement du Québec exige l'implantation d'un programme d'accès à l'égalité dans les organismes et les ministères dont le personnel est nommé suivant la Loi sur la fonction publique, en vertu de la Loi sur l'accès à l'égalité en emploi dans des organismes publics[2].

Au fédéral, la Loi sur l'équité en matière d'emploi est en vigueur depuis 1996. Elle oblige les entreprises qui relèvent de l'autorité fédérale et les sociétés d'État d'au moins 100 employés à repérer et à éliminer les obstacles rencontrés par les groupes

CONSULTEZ INTERNET

www.cdpdj.qc.ca
Site de la Commission des droits de la personne et des droits de la jeunesse du Québec

www.chrc-ccdp.ca
Site de la Commission canadienne des droits de la personne

désignés, à implanter des programmes d'équité en matière d'emploi, à favoriser la représentation équitable des groupes désignés au sein de l'entreprise et à produire un rapport annuel décrivant les résultats obtenus. Ce rapport est déposé à la Chambre des communes et diffusé dans le réseau des bibliothèques publiques du Canada. Sa publication est une exigence importante de la Loi. Ainsi, les employeurs doivent s'acquitter de leurs obligations juridiques et faire connaître à tous les intéressés les mesures qu'ils ont prises en ce sens. Ceux qui ne soumettent pas leur rapport annuel sont passibles d'une amende.

Le Programme de contrats fédéraux (PCF, ou Programme d'obligation contractuelle d'équité en emploi) poursuit les mêmes objectifs que la Loi sur l'équité en matière d'emploi. Il stipule que les entreprises employant 100 personnes et plus et déposant des soumissions au gouvernement pour des contrats de plus de 200 000 $ doivent s'engager à éviter de créer des obstacles injustes lors de la sélection, de l'embauche, de la formation et de la promotion des individus appartenant aux quatre groupes désignés par la Loi.

L'implantation d'un programme d'équité en matière d'emploi. Selon la Loi sur l'équité en matière d'emploi, «l'employeur doit implanter le programme d'équité en matière d'emploi de concert avec les personnes désignées par les employés pour les représenter, ou avec l'agent négociateur mandaté à cette fin» (voir l'article 14). C'est l'employeur qui a la responsabilité de mettre en place le programme d'équité en matière d'emploi. Il doit pour cela suivre un processus comprenant cinq grandes étapes, décrites dans l'encadré 12.1.

Programme de contrats fédéraux (PCF, ou Programme d'obligation contractuelle d'équité en emploi)

Dans le cadre du programme d'obligation contractuelle auquel elles sont soumises lorsqu'elles obtiennent du gouvernement du Québec un contrat ou une subvention de 100 000 $ et plus, les entreprises employant 100 personnes et plus doivent mettre sur pied un programme visant à assurer aux groupes désignés l'égalité d'accès aux emplois et à éliminer les pratiques discriminatoires associées aux processus de recrutement, de sélection et de promotion et se rapportant à la race, aux croyances religieuses, au sexe ou à l'origine nationale.

ENCADRÉ ▶ **12.1**

Les étapes d'un programme d'équité en matière d'emploi

Étape	Description	Recommandations
1re étape : la préparation	Le processus d'implantation d'un programme d'équité débute par un engagement ferme de la haute direction à promouvoir l'équité en matière d'emploi, engagement qu'elle communique aux cadres intermédiaires. La responsabilité de l'ensemble du projet devrait plutôt être confiée à un cadre supérieur du service des ressources humaines ; ce gestionnaire aura la tâche principale de s'assurer que les objectifs sont atteints.	Établir une stratégie de communication dans le but de créer une ambiance propice à l'implantation du programme et aider les employés faisant partie des groupes désignés à se reconnaître (au moyen de notes de service émanant de la direction, de présentations de vidéos, de réunions, de séminaires).
2e étape : l'analyse	L'analyse consiste à repérer les difficultés propres à l'entreprise en comparant les données internes, recueillies auprès des groupes désignés, avec les données externes.	Les spécialistes de l'équité en matière d'emploi recommandent de recueillir l'information lors de la demande d'emploi ou de l'embauche, lors de promotions ou de mutations, ou encore dans les stages de formation des employés. À cette fin, on utilise souvent un questionnaire confidentiel sur l'équité en matière d'emploi. On procède ensuite à l'analyse de l'information afin de déterminer s'il y a sous-représentation de certains groupes. Le cas échéant, on élabore une stratégie pour remédier à la situation. L'examen des systèmes d'embauche permet également de mettre en évidence les obstacles que rencontrent certains groupes.

Étape	Description	Recommandations
3e étape: la planification	Les résultats de l'analyse permettent d'élaborer un plan d'action visant à corriger la situation. Le but est d'augmenter la représentation des groupes désignés dans l'entreprise. Il est essentiel que le plan d'action soit étroitement lié à la planification des ressources.	Le programme d'équité en matière d'emploi devrait énumérer les objectifs de l'embauche, de la formation et de la promotion, et fixer des délais pour les atteindre. Il doit également désigner les personnes responsables de son implantation et définir les structures d'évaluation des progrès et de l'atteinte des objectifs.
4e étape: l'implantation	Les modalités d'implantation du programme d'équité en matière d'emploi varient beaucoup. Certaines organisations fixent des taux d'embauche pour les membres des minorités visibles ou les autochtones. D'autres, comme les universités, fixent à 50 % le taux d'embauche des femmes et favorisent la participation des femmes à certains programmes administratifs.	
5e étape: le suivi	Comme pour tout plan d'action, le suivi est nécessaire. Il consiste parfois en un simple calcul des résultats obtenus.	La désignation d'un responsable chargé de s'assurer que les objectifs sont atteints est un élément important du processus. Les objectifs du programme d'équité en matière d'emploi doivent recevoir la même attention que les autres objectifs de l'organisation.

LES LOIS FÉDÉRALE ET PROVINCIALE PROHIBANT LA DISCRIMINATION DANS L'EMPLOI

La Loi canadienne sur les droits de la personne stipule que chaque individu devrait bénéficier d'autant de chances que les autres de mener l'existence qu'il désire, conformément à ses devoirs et à ses obligations, sans en être empêché par des pratiques discriminatoires fondées sur la race, la nationalité ou l'origine ethnique, la couleur de la peau, la religion, l'âge, l'état matrimonial, un handicap physique, ou encore le fait d'être une personne graciée. Elle interdit également toute discrimination dans les activités de recrutement, de sélection, de promotion, de mutation, de formation et de licenciement des individus.

Les provinces et les territoires canadiens ont promulgué des lois sur les droits de la personne qui sont assez semblables à la loi fédérale. L'encadré 12.2 présente les principaux motifs de discrimination en matière d'emploi qui sont interdits au Québec.

La Charte des droits et libertés de la personne du Québec défend explicitement, dans son article 16, de se livrer à des pratiques discriminatoires lors de l'embauche. Dans son article 18, elle interdit aux bureaux de placement de faire de la discrimination « dans la réception, la classification ou le traitement d'une demande d'emploi ou dans un acte visant à soumettre une demande à un employeur éventuel ». L'encadré 12.3 décrit les deux exceptions qui sont prévues.

DANS LES FAITS

Il n'est pas interdit de préciser que l'emploi s'adresse exclusivement aux hommes ou aux femmes dans la mesure où un emploi sous-tend pareille exigence selon l'article 20 de la Charte des droits et libertés de la personne. Ainsi, un employeur peut décider que le poste de préposé aux bénéficiaires soit détenu par un homme s'il consiste à aider des personnes âgées de sexe masculin à faire leur toilette, si telle est la volonté des bénéficiaires. À l'inverse, une exclusion en fonction des préférences raciales exprimées par la clientèle ne saurait être justifiée : les clients n'ont pas toujours raison[3].

Les motifs de discrimination interdits par la Charte des droits et libertés de la personne du Québec

Voici, d'après l'article 10 de la Charte des droits et libertés de la personne, les caractéristiques personnelles qui constituent des motifs de discrimination interdits.

- *Âge :* âge ou groupe d'âge auquel on appartient. Des exceptions prévues dans certaines lois peuvent cependant ne pas être discriminatoires, par exemple l'âge légal du vote fixé à 18 ans.
- *Condition sociale :* place ou position particulière occupée dans la société en raison de faits ou de circonstances données (revenu, profession, scolarité), par exemple les personnes défavorisées socialement, comme les bénéficiaires de l'aide sociale et les sans-abri.
- *Convictions politiques :* convictions fermes exprimées par l'adhésion manifeste à une idéologie politique, le militantisme en politique partisane ou dans un groupe de revendication sociale, la participation aux actions d'un syndicat comme groupe de pression sociale. (Ce motif n'inclut pas, comme tel, le fait d'appartenir à un syndicat.)
- *État civil :* célibat, mariage, union civile, adoption, divorce, appartenance à une famille monoparentale, lien quelconque de parenté ou d'alliance.
- *Grossesse :* état de grossesse, congé de maternité.
- *Handicap :* désavantage, réel ou présumé, lié à une déficience (perte, malformation ou anomalie d'un organe, d'une structure ou d'une fonction mentale, psychologique, physiologique ou anatomique) ou moyen utilisé pour pallier un handicap (fauteuil roulant, chien-guide, prothèse).
- *Langue :* toute langue parlée, avec les accents ; le statut du français comme langue officielle du Québec n'est cependant pas, en lui-même, discriminatoire.
- *Orientation sexuelle :* hétérosexualité, homosexualité.
- *Race, couleur, origine ethnique ou nationale :* pays d'origine ou couleur de la peau.
- *Religion :* appartenir ou non à une confession religieuse, pratiquer telle ou telle religion ou n'en pratiquer aucune.
- *Sexe :* féminin ou masculin, transsexualité.

La Charte protège aussi, contre la discrimination au travail, les personnes ayant un dossier judiciaire, si l'infraction n'a aucun lien avec l'emploi ou si la personne a obtenu le pardon (voir l'article 18.2).

Source : www.cdpdj.qc.ca.

Les exceptions à la règle de non-discrimination

La Charte des droits et libertés de la personne du Québec indique qu'une distinction, exclusion ou préférence peut ne pas être discriminatoire dans deux circonstances précises (voir l'article 20) :

- L'absence ou la présence d'une « caractéristique personnelle » définie comme motif de discrimination constitue une qualité ou une aptitude objectivement requise par un emploi.
- La discrimination peut être justifiée par le caractère charitable, philanthropique, religieux, politique ou éducatif d'une institution sans but lucratif ou se consacrant exclusivement au bien-être d'un groupe ethnique.

Dans tous les cas, l'employeur ou l'organisation qui veut se prévaloir de l'une ou l'autre de ces exceptions doit faire la preuve de son bien-fondé.

Source : www.cdpdj.qc.ca.

LES CONSIDÉRATIONS JURIDIQUES PROPRES AU PROCESSUS DE SÉLECTION

Lors de l'entrevue de sélection, l'employeur doit s'abstenir de poser toute question qui pourrait viser à recueillir des informations pouvant servir à faire de la discrimination (voir les motifs de discrimination énumérés dans l'encadré 12.2). La Charte québécoise interdit, à l'alinéa 1 de son article 18, de chercher à obtenir, dans un formulaire de demande d'emploi ou lors d'une entrevue, des renseignements relatifs aux motifs visés dans l'article 10, sauf si ces renseignements sont utiles à l'application d'un programme d'accès à l'égalité existant au moment de la demande[4].

Quelles informations peut-on obtenir d'un candidat ? Selon l'article 19, alinéa 2, il n'y a pas de discrimination si la distinction, l'exclusion ou la préférence est fondée sur les aptitudes ou les qualités requises pour un emploi. La Charte n'interdit pas à un employeur de demander à un candidat s'il a un casier judiciaire. Cependant, elle lui interdit de refuser de l'embaucher pour ce motif, sauf si l'infraction a un lien direct avec l'emploi auquel postule le candidat (article 18).

Le processus de sélection repose sur la bonne foi des deux parties. L'article 9 de la Loi sur la protection des renseignements personnels dans le secteur privé comporte une disposition qui permet à un candidat de refuser de répondre à certaines questions qu'il juge personnelles et interdit à l'employeur de l'écarter pour ce motif. Néanmoins, l'employeur peut exiger une réponse si les renseignements sont nécessaires pour la conclusion du contrat de travail, si cette obtention est permise par la Loi et s'il a des motifs sérieux de croire que le candidat ne peut légalement occuper le poste. En ce qui concerne la vérification des références, la Loi sur la protection des renseignements personnels précise que c'est au candidat qu'il faut demander de les procurer. Pour pouvoir faire une enquête, l'employeur doit obtenir une autorisation en bonne et due forme (article 6), en l'incluant par exemple dans le formulaire de demande d'emploi. De plus, pour dévoiler des renseignements personnels sur un ancien salarié, l'employeur doit en avoir reçu l'autorisation. Notons finalement que le candidat non retenu est autorisé à consulter son dossier personnel (formulaire de demande d'emploi, notes de l'interviewer et résultats des examens ou des tests). Il serait donc prudent que les dossiers d'embauche soient bien constitués et conformes à la Loi.

L'employeur peut-il exiger un examen médical ? L'employeur ne peut utiliser un test ou un examen médical pour refuser d'embaucher un candidat, à moins que le test ne vise à révéler une inaptitude à effectuer le travail. L'examen médical ne doit en aucun cas servir à favoriser les candidats en bonne santé ou à enquêter sur l'état de santé d'un candidat, mais il doit se limiter à préciser la capacité du postulant à effectuer son travail. Le candidat a toujours accès à son dossier ; si on constate qu'il souffre d'un handicap ou d'une maladie qui ne touche pas sa capacité à effectuer le travail, l'employeur ne peut écarter sa candidature sous prétexte de la maladie (personnes cardiaques, personnes porteuses du VIH, personnes diabétiques, etc.). Pour certains métiers présentant un risque particulièrement élevé, la Loi sur la santé et la sécurité du travail impose certains examens médicaux lors de l'embauche (encadré 12.4). Nous traiterons des tests médicaux en cours d'emploi dans la sous-section 12.2.2.

Les cas justifiant des tests médicaux

> L'employeur peut imposer un test médical avant l'embauche dans les conditions suivantes :
>
> • Le candidat sera appelé à travailler dans une mine et pourra être exposé à des poussières d'amiante ou de silice.
>
> • Le poste requiert l'exécution de travaux sous l'eau.
>
> • Le poste requiert l'exécution de travaux dans des milieux où l'air est comprimé.
>
> • Aux fins de la protection du public, un ordre professionnel peut contraindre un de ses membres à se soumettre à un test médical pour déterminer si son état de santé est compatible avec l'exercice de la profession.
>
> • Des tests visant à déterminer la compatibilité de l'état de santé physique et moral avec l'exécution de certaines tâches peuvent être exigés.

Source : adapté de F. Morin, J.Y. Brière et D. Roux, *Le droit de l'emploi au Québec*, 3ᵉ éd., Montréal, Wilson Lafleur, 2006.

Quelle marge de manœuvre l'employeur a-t-il lors de l'embauche d'un candidat ?   L'employeur qui respecte les dispositions examinées précédemment est libre d'embaucher la personne de son choix. Cependant, certaines exceptions provenant de différentes lois s'appliquent ; elles sont énumérées dans les encadrés 12.5 et 12.6.

Les motifs illégitimes pour le refus d'un candidat

> • La Charte de la langue française interdit à un employeur « d'exiger pour l'accès à un emploi ou à un poste la connaissance spécifique d'une langue autre que la langue officielle (la langue française), à moins que l'accomplissement de la tâche ne nécessite la connaissance de cette autre langue » (article 46).
>
> • La Loi sur les accidents du travail et les maladies professionnelles défend à un employeur de « refuser d'embaucher un travailleur parce que celui-ci a été victime d'une lésion professionnelle, si ce travailleur est capable d'exercer l'emploi visé » (article 243).
>
> • Le Code du travail interdit à un employeur de refuser d'employer une personne qui a exercé un droit découlant de ce Code (article 14), par exemple, qui a participé à des activités syndicales.
>
> • L'article 425 du Code Criminel prohibe toute atteinte à l'exercice de la liberté syndicale. Ainsi, un employeur ne peut pas refuser d'embaucher une personne à cause de son appartenance à un syndicat. Dans la même veine, la Loi sur les relations du travail, la formation professionnelle et la gestion de la main-d'œuvre dans l'industrie de la construction interdit à l'employeur de refuser d'embaucher une personne pour le seul motif que cette dernière est membre d'une association (article 101).
>
> • La Loi sur la protection des renseignements personnels dans le secteur privé défend à un employeur d'écarter un candidat pour le seul motif qu'il refuse de fournir un renseignement personnel, à moins que ce renseignement ne soit nécessaire pour la conclusion du contrat de travail ou que sa collecte ne soit autorisée par un texte législatif (article 9). Cette interdiction consacrant le droit au silence du salarié comporte cependant de nombreuses restrictions. L'employeur a souvent, en effet, des raisons d'exiger certains renseignements personnels.
>
> • La Charte des droits et libertés de la personne interdit à un employeur d'écarter un candidat pour le seul fait qu'il a été déclaré coupable d'une infraction pénale n'ayant aucun lien avec l'emploi convoité (article 18.2).

Source : adapté de F. Morin, J.Y. Brière et D. Roux, *Le droit de l'emploi au Québec*, 3ᵉ éd., Montréal, Wilson Lafleur, 2006.

Les raisons qui justifient le refus d'embaucher un candidat

- La Loi sur les normes du travail impose des balises pour l'embauche d'un enfant. Ainsi, un employeur ne peut confier à un enfant un travail qui nuit à sa santé, à son développement physique ou moral, ou à son éducation. Si l'enfant a moins de 14 ans, une autorisation parentale est nécessaire. La plage du temps de travail ne doit pas nuire à la fréquentation de l'école et le travail confié doit permettre à l'enfant d'être chez lui entre 23 h et 6 h (article 84).

- L'employeur ne peut embaucher à un poste requérant un titre professionnel d'exercice exclusif une personne qui n'est pas membre de l'ordre professionnel en question.

- Quand un règlement gouvernemental impose un certificat de qualification pour l'exercice d'un métier ou d'une profession, l'employeur ne peut embaucher un employé qui ne détient pas la certification exigée pour effectuer les tâches requérant cette qualification,.

- La Loi sur les relations du travail, la formation professionnelle et la gestion de la main-d'œuvre dans l'industrie de la construction confie à la Commission de la construction la responsabilité de s'assurer de la compétence et de la formation de la main-d'œuvre. L'employeur ne peut embaucher pour des travaux de construction une personne qui ne détient pas de certificat de compétence.

- Une entreprise peut solliciter les services d'un employé travaillant pour une autre entreprise. Cependant, l'employeur ne peut agir d'une façon déloyale, ayant pour effet de causer des préjudices à autrui (Code civil du Québec, article 1457). Ainsi, il ne peut embaucher un employé lié à l'employeur précédent par une clause de non-concurrence afin d'obtenir des informations privilégiées ou de s'approprier de façon déloyale la clientèle d'un concurrent.

12.1.2 | L'évaluation du rendement

Les aspects juridiques influent de plus en plus sur l'élaboration des systèmes d'évaluation du rendement. La Charte canadienne des droits et libertés et les diverses autres lois fédérales et provinciales relatives aux droits de la personne exigent que l'évaluation du rendement s'effectue conformément à une procédure valide. Toutes les décisions visant l'acquisition et l'évaluation des ressources humaines doivent reposer sur des critères liés directement aux exigences du poste. Au Canada, contrairement aux États-Unis, on a enregistré peu de litiges mettant en cause les systèmes d'évaluation du rendement. Cependant, un certain nombre de causes présentées aux tribunaux ou de différends soumis à l'arbitrage — concernant des licenciements, des congédiements, et parfois même des promotions — font indirectement référence au système d'évaluation du rendement. Notons, à la lumière des premiers jugements rendus, que lorsque des décisions arbitraires de la direction sont contestées les tribunaux et les commissions d'enquête ont tendance à être favorables aux employés.

Une fois établis les critères d'évaluation ayant trait aux composantes principales et essentielles de l'emploi, on a recours à diverses méthodes (entretiens, observations, etc.) pour recueillir des informations s'y rapportant. Or, le choix d'un critère inapproprié peut conduire à une évaluation inadéquate. La décision d'embauche ou de congédiement fondée sur ce critère pourra alors faire l'objet d'une plainte pour discrimination. L'encadré 12.7 présente les lignes directrices, en matière juridique, dont il faut tenir compte dans l'élaboration des systèmes d'évaluation du rendement[5].

Les lignes directrices de l'évaluation du rendement sur le plan juridique

- S'assurer qu'on dispose de processus décisionnels constants, qui ne varient pas selon la race, le sexe, la couleur, la nationalité, l'état matrimonial, la religion ou l'âge.
- Dans la mesure du possible, avoir recours à des données objectives, exemptes de jugement de valeur.
- Mettre en place un système structuré de révision ou d'appel pour traiter les désaccords relatifs à l'évaluation.
- Choisir plus d'un évaluateur indépendant.
- Faire reposer les décisions sur un système normalisé.
- Offrir aux évaluateurs des occasions d'observer le rendement des employés avant d'établir une notation.
- Éviter de faire porter l'évaluation sur des traits comme la dépendance, le dynamisme, les aptitudes ou les attitudes.
- Procéder à la validation empirique des données de l'évaluation.
- Informer les employés des normes de rendement en vigueur.
- Remettre aux évaluateurs des directives écrites quant aux modalités d'évaluation.
- Faire porter l'évaluation des employés sur des éléments précis du travail plutôt que sur une vision globale.
- Justifier les notations extrêmes par la description de comportements ou d'événements particuliers (par exemple, d'incidents critiques).
- Former les évaluateurs.
- Fonder le formulaire d'évaluation du rendement sur l'analyse des postes.
- Permettre aux employés de consulter leurs évaluations.
- S'assurer que les décideurs en GRH possèdent une connaissance et une formation appropriées quant à la législation touchant la discrimination sous toutes ses formes.

Source : adapté de H.J. Bernardin et W.F. Cascio, « Performance Appraisal and the Law », dans R.S. Schuler, S.A. Youngblood et V.L. Huber (sous la dir. de), *Readings in Personnel and Human Resource Management*, 3e éd., St. Paul (Minnesota), West Publishing, 1988.

CONSULTEZ INTERNET

www.mss.gouv.qc.ca

Site du ministère de l'Emploi et de la Solidarité sociale du Québec : la section « Emploi » donne accès à la Loi du 1 % en formation et aux documents permettant d'obtenir des subventions.

12.1.3 | Le développement des compétences

Le 22 juin 1995, la Loi favorisant le développement de la formation de la main-d'œuvre était adoptée. Elle avait comme objectif « d'améliorer la qualification de la main-d'œuvre et ainsi de favoriser l'emploi de même que l'adaptation, l'insertion en emploi et la mobilité de la main-d'œuvre » (article 1). Cette loi oblige tout employeur dont la masse salariale dépasse 1 000 000 $ à investir dans la formation un montant représentant au moins 1 % de cette masse salariale. À défaut de quoi, l'employeur doit verser le montant correspondant au Fonds national de formation de la main-d'œuvre[6]. Ce fonds sert à financer certains projets liés à la formation.

L'employeur a la liberté de choisir le moyen de formation qui lui convient ; il n'est pas obligé de faire approuver le plan ou l'activité de formation. Les conseillers d'Emploi-Québec peuvent lui prêter assistance dans la planification et la coordination des activités de formation. L'encadré 12.8 donne un aperçu des moyens de formation et l'encadré 12.9 illustre certaines dépenses admissibles en vertu de la Loi favorisant le développement de la formation de la main-d'œuvre. Cependant, pour être admissible, la formation doit satisfaire à deux conditions. Premièrement, elle doit contribuer à améliorer la qualification du personnel. Deuxièmement, elle doit respecter toutes les conditions se rattachant au moyen retenu, tel qu'indiqué dans le guide, destiné aux employeurs, accessible sur le site d'Emploi-Québec[7].

ENCADRÉ ▶ **12.8**

Les méthodes de formation admissibles en vertu de la Loi

Formation dispensée par des ressources internes
- Service de formation agréé
- Service de formation multiemployeurs agréé
- Régime d'apprentissage et régime de qualification
- Accueil de stagiaires et d'enseignants stagiaires

Formation dispensée par des ressources externes
- Établissement d'enseignement reconnu
- Organisme formateur et formateur agréés
- Ordre professionnel

Formation dite qualifiante ou transférable

Entente patronale-syndicale

Versements à un organisme collecteur

Fonds de formation de la construction

Sont aussi admissibles :
- Entraînement à la tâche
- Activités de formation dispensées lors de colloques, de congrès, de séminaires
- Formation organisée par une association
- Formation pour l'établissement d'un programme d'équité salariale
- Activités de soutien à la formation

Source : Emploi-Québec, *Guide général : Investir 1 % en formation, ça vous rapporte*, 2006 ; emploiquebec.net/publications/Pages-statiques/00_fnfmo_guidegeneral.pdf.

ENCADRÉ ▶ **12.9**

Exemples de dépenses admissibles

- Le salaire :
  - d'un employé en formation
  - d'un employé qui dispense de la formation au personnel de son employeur, au Québec seulement
  - d'un employé pour la création ou la traduction de matériel pédagogique ou didactique
- Les frais engagés pour la création ou la traduction de matériel pédagogique ou didactique
- Les frais de location :
  - de matériel pédagogique ou didactique
  - d'un local ou d'un équipement consacré principalement (plus de la moitié du temps) à des fins de formation, à condition qu'il n'y ait pas de lien de dépendance entre l'employeur et le locateur
- Le coût :
  - d'acquisition de matériel pédagogique ou didactique, pourvu qu'il ne s'agisse pas d'un bien amortissable et qu'il serve exclusivement à des fins de formation
  - d'accès en temps pour l'usage de logiciels de formation ou de didacticiels

Source : Emploi-Québec, *Guide général : Investir 1% en formation, ça vous rapporte*, 2006, emploiquebec.net/publications/Pages-statiques/00_fnfmo_guidegeneral.pdf.

D'après le Règlement sur les exemptions découlant de la Loi favorisant le développement de la formation de la main-d'œuvre, l'employeur n'a pas à déclarer ses investissements à Emploi-Québec dans trois situations. Premièrement, il a investi, au cours des trois dernières années civiles, au moins 2 % de sa masse salariale dans la formation de son personnel. Deuxièmement, il dispose d'un service interne de formation agréé par Emploi-Québec et comprenant au moins deux formateurs professionnels si sa masse salariale est supérieure à 500 000 $ (et au moins un si elle est inférieure). Troisièmement, il s'est doté, pour trois années civiles, d'un plan de formation répondant aux besoins de toutes les catégories d'employés composant son personnel. Ce plan doit résulter d'une entente avec les représentants des employés.

Au fédéral, la partie II de la Loi sur l'assurance-emploi prévoit des ententes visant à développer le marché du travail. Il s'agit d'ententes fédérales-provinciales-territoriales bilatérales qui contiennent des initiatives de formation en entreprise. Le gouvernement du Canada a ainsi conclu des ententes avec toutes les provinces et tous les territoires. Il existe deux modèles d'ententes : les ententes en régime de cogestion et les ententes en régime de dévolution. Dans le cadre des premières, l'agence Ressources humaines et développement social offre des prestations d'emploi et des mesures de soutien directement aux citoyens, mais elle partage la responsabilité de concevoir, de gérer et d'évaluer les programmes avec les provinces et les territoires. Terre-Neuve-et-Labrador, l'Île-du-Prince-Édouard, la Colombie-Britannique, le Yukon et la Nouvelle-Écosse (cette province bénéficiant d'un partenariat stratégique qui est une variation du modèle de cogestion) ont signé ce type d'entente. Dans le cadre des secondes, les ententes en régime de dévolution, les provinces et les territoires ont assumé la responsabilité de concevoir, d'exécuter et de gérer leurs propres programmes. Ces derniers sont financés en vertu de la partie II de la Loi sur l'assurance-emploi. Le Nouveau-Brunswick, le Québec, le Manitoba, la Saskatchewan, l'Alberta, les Territoires du Nord-Ouest, le Nunavut et l'Ontario ont conclu une entente de ce type avec le gouvernement du Canada[8].

Parmi les initiatives particulières du gouvernement fédéral, les « Partenariats du marché du travail », gérés par Service Canada, sont destinés aux entreprises, aux organismes sans but lucratif, à certaines sociétés d'État, aux administrations municipales, aux gouvernements provinciaux et territoriaux, aux conseils de bande, aux conseils tribaux et aux établissements de santé publique et d'enseignement. Ils visent à accroître la capacité à répondre aux besoins en matière de ressources humaines et à mettre en place des mesures d'adaptation de la main-d'œuvre. Pour bénéficier des fonds associés à ces partenariats, les organisations doivent faire une demande dans le cadre d'une entente de contribution. Les projets sont approuvés pour une période maximale de trois ans. Ils sont reconduits chaque année en fonction de leur rendement et des résultats obtenus. Le financement prévu peut couvrir les frais généraux, entre autres les salaires, les coûts liés à l'emploi et les dépenses admissibles négociées avec les représentants du programme. Il peut couvrir au maximum 1 million de dollars de coûts d'immobilisation par année.

CONSULTEZ
INTERNET

www.servicecanada.gc.ca/fr/sujets/etudes/index.shtml

www.servicecanada.gc.ca/fr/gdc/apprentissage.shtml

Sites qui fournissent des exemples d'initiatives fédérales en matière de formation

12.1.4 | La gestion des carrières

Certains aspects de la gestion des carrières risquent d'avoir des conséquences juridiques. La discrimination dans l'accès aux services de consultation ou aux promotions est illégale. Les perspectives de carrière offertes aux femmes et aux minorités visibles sont

particulièrement importantes. Les organisations comprennent dorénavant que, pour aider les femmes et les minorités visibles à avancer dans leur carrière, elles doivent concevoir des programmes capables de dissiper le plafond de verre, expression désignant l'ensemble des aspects *invisibles* du plafonnement de carrière. Souvent, en effet, ces groupes d'employés ont vu leur carrière bloquée pour des raisons ayant un caractère discriminatoire, donc non fondées. Un grand nombre d'organisations tentent actuellement de remédier à ces situations. L'article 16 de la Charte des droits et libertés de la personne du Québec stipule clairement que « nul ne peut exercer de discrimination dans l'embauche, l'apprentissage, la durée de la période de probation, la formation professionnelle, la promotion, la mutation, le déplacement, la mise à pied, la suspension, le renvoi, les conditions de travail d'une personne ainsi que dans l'établissement de catégories ou de classification d'emploi ». Évidemment, seuls les motifs prévus à l'article 10 (voir l'encadré 12.3, à la page 408) peuvent être invoqués.

Plafond de verre

Ensemble des obstacles — et barrières artificielles — dressés par les têtes dirigeantes des organisations, dont les attitudes, souvent inconscientes, ont pour effet de bloquer l'accès des femmes aux postes de pouvoir.

12.1.5 | La rémunération

Tout comme de nombreuses activités de la gestion des ressources humaines, la rémunération globale des employés est encadrée par plusieurs lois provinciales et fédérales, mais aussi par les jugements des tribunaux et les décisions des commissions des droits de la personne. La principale contre-prestation de l'employeur est la rémunération qu'il doit verser au salarié. Elle comprend l'ensemble des avantages de nature pécuniaire, tels que le numéraire, les primes, les gratifications, etc.[9] Les lois touchant la rémunération varient d'une province à l'autre et changent constamment, ce qui devrait inciter les responsables des ressources humaines à se tenir informés sur le sujet. Ils peuvent pour cela s'adresser au ministère provincial du Travail, dont relèvent la plupart de ces lois.

LA LÉGISLATION QUÉBÉCOISE SUR LA RÉMUNÉRATION

Au Québec, le salaire minimum est fixé par le gouvernement. C'est la Commission des normes du travail qui se charge de diffuser l'information sur son montant et qui en supervise l'application. Certains employés sont exclus de l'application des dispositions se rapportant au salaire minimum[10]. Parmi ceux-ci, mentionnons le salarié qui est entièrement rémunéré à la commission, qui a une activité à caractère commercial à l'extérieur de l'établissement et dont les heures de travail sont impossibles à contrôler ; le stagiaire qui se trouve dans un cadre de formation professionnelle reconnue par la Loi ; et l'étudiant employé dans un organisme à but non lucratif et à vocation sociale ou communautaire. Le salaire doit normalement être payé à des intervalles réguliers n'excédant pas 16 jours[11].

La semaine normale de travail est de 40 heures (depuis le 1er octobre 2000) étalées sur une période de 7 jours consécutifs. Elle varie cependant pour certaines personnes, dont les domestiques, les gardiens et les salariés qui travaillent dans une exploitation forestière, une scierie, dans un endroit isolé ou sur le territoire de la Baie-James. Les cadres et les salariés occupant les emplois énumérés dans l'article 54 de la Loi sur les normes du travail sont également exclus de l'application de la règle sur la semaine normale de travail. Il est important pour l'employeur de déterminer la durée de la semaine de travail, car il doit majorer de 50 % le taux horaire du salarié qui fait des heures supplémentaires[12].

CONSULTEZ INTERNET

www.cnt.gouv.qc.ca

Site de la Commission des normes du travail du Québec

Les congés payés déterminés par le législateur sont évoqués au chapitre 10. Ils sont fixés par la Loi sur les normes du travail et en voici la liste : le 1er janvier, le Vendredi saint ou le lundi de Pâques (au choix de l'employeur), le lundi qui précède le 25 mai, le 24 juin (ou le 25 juin si le 24 tombe un dimanche), le 1er juillet (ou le 2 juillet si le 1er tombe un dimanche), le premier lundi de septembre, le deuxième lundi d'octobre et le 25 décembre. Tout salarié a également droit à une période de congé annuel payé dont la durée dépend du nombre d'années de service. Le congé lui-même doit être pris dans les 12 mois suivant la période de référence. Les salariés qui ont accumulé moins d'un an de service ont droit à un congé d'un jour par mois de service, jusqu'à concurrence de deux semaines. Ceux qui ont accumulé un an de service continu ont droit à un minimum de deux semaines consécutives de congé. Enfin, ceux qui ont accumulé cinq années de service ont droit à un congé annuel d'une durée minimale de trois semaines[14]. C'est l'employeur qui détermine le moment où le salarié, selon l'article 72 de la Loi sur les normes du travail, a le droit de connaître la date de son congé annuel, soit au moins quatre semaines à l'avance. La Loi sur les normes du travail accorde également des congés payés à la suite du décès d'un parent proche[15]. En outre, certains événements, comme le mariage, la naissance ou l'adoption d'un enfant, donnent droit à des congés payés[16]. Notons aussi que l'employeur doit accorder sans discrimination une rémunération égale à tous ses employés accomplissant un travail équivalent dans un même établissement, selon l'article 19 de la Charte. Il est tenu à l'équité salariale s'il emploie 10 salariés ou plus (voir le chapitre 10).

D'après les dernières données, extraites de l'enquête sur la rémunération (Statistique Canada) réalisée en 2003, la clientèle de la Commission des normes du travail se répartit ainsi :

- Employeurs
  - 232 101 employeurs pour l'ensemble du Québec
  - 227 601 employeurs assujettis en tout ou en partie à la Loi sur les normes du travail
  - 186 955 employeurs ne se fondant que sur cette loi pour déterminer les conditions de travail au sein de leur entreprise
- Salariés
  - 3 162 000 salariés pour l'ensemble du Québec
  - 2 975 000 salariés assujettis en tout ou en partie à la Loi sur les normes du travail
  - 1 685 000 salariés n'ayant que cette loi pour encadrer leurs conditions de travail[13]

Les congés parentaux : un régime bonifié

Le 1er janvier 2006, le nouveau Régime québécois d'assurance parentale a remplacé le régime fédéral de l'assurance-emploi pour les congés parentaux. Il est plus généreux à l'égard des parents, qui n'auront plus à attendre deux semaines pour toucher des prestations.

Selon les dispositions du nouveau régime, les mères québécoises, salariées ou travailleuses autonomes, reçoivent :

- soit 75 % de leur revenu assurable au cours des 40 semaines qui suivent la naissance de leur enfant ;
- soit 70 % pendant les 25 premières semaines, puis 55 % pendant 25 semaines supplémentaires.

De plus, la mère peut partager les semaines du congé parental (qui ne comprend pas les semaines du congé de maternité) avec le père. Ce dernier bénéficie en outre d'un congé de paternité de trois ou de cinq semaines. Le plafond du régime québécois atteint 53 000 $ par congé, au lieu des 39 000 $ du régime fédéral. Pour être admissible, il n'est plus nécessaire d'avoir travaillé au moins 600 heures, comme l'exigeait le régime fédéral. Il faut plutôt avoir gagné 2 000 $ au cours de l'année précédente[17].

LE CODE CANADIEN DU TRAVAIL

Le Code canadien du travail est la loi du travail la plus exhaustive ; il s'applique à tous les employés relevant de la compétence fédérale. Sa partie III réglemente plusieurs aspects de la rémunération : le salaire minimum, le temps supplémentaire, l'âge minimum requis pour occuper un emploi et les heures de travail. Le salaire minimum correspond soit au « salaire horaire minimum au taux fixé et éventuellement modifié en vertu de la loi de la province où l'employé exerce habituellement ses fonctions, et applicable de façon générale, indépendamment de la profession, du statut ou de l'expérience de travail », soit à « l'équivalent de ce taux en fonction du temps travaillé, quand la base de calcul du salaire n'est pas l'heure » (art. 178). Quant aux heures de travail, elles ne peuvent dépasser 48 heures par semaine, sauf en cas d'urgence. L'employeur doit tenir un registre détaillé, précisant les heures travaillées, les taux de salaire payés, le nombre d'heures supplémentaires, les retenues à la source, les sommes supplémentaires versées ainsi que les divers renseignements liés à la rémunération. Tous les dossiers relatifs à la rémunération doivent être conservés durant une période d'au moins 36 mois après que le travail a été effectué et ils doivent être disponibles en tout temps pour d'éventuelles vérifications.

Le Code, ou une partie de ses clauses, ne s'applique pas à certaines catégories d'employés. Ainsi, les employés de la direction et le personnel professionnel ne sont pas visés par les clauses relatives aux heures de travail. L'exclusion de certaines catégories d'employés des dispositions du Code est liée à leurs responsabilités, à leurs fonctions et à leur mode de rémunération. De façon générale, les dirigeants, les administrateurs et les professionnels ne sont pas touchés par les clauses du Code relatives au temps supplémentaire et au salaire minimum. Enfin, l'article 182.2 prévoit que les actes discriminatoires eu égard au salaire peuvent faire l'objet de plaintes, conformément à l'article 40 de la Loi canadienne sur les droits de la personne.

12.2
LES DROITS DES EMPLOYÉS RELATIFS AUX CONDITIONS DE TRAVAIL

Les employés ont le droit de travailler dans un environnement sain et sécuritaire, qui respecte leur dignité. Les conditions dans lesquelles ils travaillent doivent respecter les droits à l'intégrité de la personne, à la vie privée et à la liberté d'opinion et d'expression. Enfin, ils sont protégés par les lois du travail lors de l'application de mesures disciplinaires et à l'occasion de licenciements collectifs.

12.2.1 | Le droit au respect de la dignité

Depuis le 1er janvier 1994, le Code civil du Québec oblige l'employeur à prendre les mesures appropriées à la nature du travail en vue de protéger la santé, la sécurité et la dignité du salarié. La Loi sur la santé et la sécurité au travail prévoit, quant à elle, que tout travailleur a droit à des conditions de travail qui respectent sa santé, sa sécurité et son intégrité physique[18]. Enfin, la Charte des droits et libertés de la personne du

Droits à l'intégrité de la personne, à la vie privée et à la liberté d'opinion et d'expression

Ensemble des dispositions juridiques qui protègent les travailleurs ou que ceux-ci revendiquent afin de faire valoir leurs droits fondamentaux au travail.

Québec stipule que « toute personne a droit à la sauvegarde de sa dignité ». L'employeur doit non seulement s'abstenir de tout comportement vexatoire à l'endroit du salarié, mais aussi le traiter de façon respectueuse[19].

Le respect de la dignité du salarié se concrétise notamment dans la prohibition de toutes les formes de violence. Il y a violence chaque fois qu'une personne se sent maltraitée, menacée, intimidée ou agressée dans le contexte de son travail, par des comportements menaçants, des menaces orales ou écrites, du harcèlement, des excès verbaux ou des agressions physiques.

La législation québécoise prohibe le harcèlement fondé sur un motif discriminatoire et le harcèlement psychologique. Le harcèlement discriminatoire se fonde sur l'un des motifs figurant à l'article 10 de la Charte des droits et libertés de la personne. Le harcèlement psychologique, qui inclut le harcèlement discriminatoire et le harcèlement sexuel, peut revêtir diverses formes, subtiles ou flagrantes. L'encadré 12.10 présente une définition du harcèlement psychologique et l'encadré 12.11 donne des exemples de harcèlement dans les milieux de travail.

ENCADRÉ ▶ **12.10**

Le harcèlement psychologique

Définition

Le harcèlement psychologique est une conduite vexatoire qui se manifeste par des comportements, des paroles, des actes ou des gestes répondant aux quatre critères suivants :

- Ils sont répétés[a].
- Ils sont hostiles ou non désirés.
- Ils portent atteinte à la dignité ou à l'intégrité psychologique ou physique.
- Ils engendrent un climat de travail malsain.

Le harcèlement sexuel au travail est inclus dans cette définition.

Qu'est-ce qu'une conduite vexatoire ?

C'est une conduite humiliante ou abusive qui blesse la personne dans son amour-propre ou lui cause du tourment. C'est aussi un comportement qui dépasse ce que la personne estime être correct et raisonnable dans l'accomplissement de son travail.

Le harcèlement peut provenir, entre autres, d'un supérieur, d'un collègue, d'un groupe de collègues, d'un client, d'un fournisseur…

a. Une seule conduite grave peut constituer du harcèlement psychologique, si elle porte atteinte à l'intégrité psychologique ou physique du salarié et si elle produit un effet nocif continu.

Source : adapté de www.cnt.gouv.qc.ca.

ENCADRÉ ▶ **12.11**

Exemples de manifestations du harcèlement

Comment le harcèlement se manifeste-t-il ?

Le harcèlement peut se produire entre personnes ayant des positions différentes ou entre collègues. Il peut s'agir de conduites qui, prises isolément, paraissent banales, mais qui deviennent très dévastatrices par leur répétition. Il se manifeste notamment par :

- De l'intimidation, des menaces, de la violence verbale, du chantage, des cris ou des hurlements
- Des caresses, des baisers, des attouchements sexuels sur une personne contre son gré

- Des commentaires détruisant la réputation d'une personne, des insinuations répétées ou des accusations sans fondement
- Des insultes ou des humiliations, des tentatives répétées d'exclusion ou d'isolement
- La proximité physique non désirée (se tenir trop près sans raison, frôler, coincer)
- Des invitations réitérées malgré les refus
- Le fait de suivre régulièrement quelqu'un, de l'attendre continuellement, de surveiller ses allées et venues
- Des avances sexuelles non désirées, accompagnées ou non de menaces ou de promesses explicites ou implicites
- Des commentaires racistes et discriminatoires et des blagues offensantes
- Des questions, des suggestions ou des remarques importunes sur la vie sexuelle d'une personne
- Des atteintes systématiques aux conditions habituelles de travail, le sabotage des lieux ou des instruments de travail
- L'abus d'une situation de pouvoir ou d'autorité, officielle ou non, pour menacer l'emploi d'une personne ou compromettre son rendement

Ce qui ne constitue pas du harcèlement
- L'exercice normal du droit de gestion
- Les maladresses dans la supervision
- Le stress relié au travail
- Les conditions de travail
- Les contraintes professionnelles difficiles
- Les conflits[a]

a. Les conflits non résolus et l'accumulation de facteurs de stress peuvent être des facteurs de risque du harcèlement.

Source : adapté d'un texte émanant du Bureau de prévention contre le harcèlement, Université de Montréal, 2007 ; www.umontreal.ca.

Les actes de harcèlement engagent la responsabilité du harceleur et de l'employeur. Le tribunal peut ordonner au harceleur de mettre fin à ces pratiques et d'offrir une compensation à la victime. Au Québec, l'employeur est responsable de tout acte de harcèlement commis par ses employés ; cette responsabilité est absolue. L'employeur doit sensibiliser tous les gestionnaires et les employés au problème afin de montrer sa volonté de le contrer. Dans cette perspective, il est tenu d'élaborer une politique claire, et de la faire connaître efficacement et de façon continue aux employés. Il doit également nommer des personnes pour les charger de son application[20]. L'absence de politique peut constituer un motif important pour condamner l'employeur à verser des dommages à la victime[21].

Il est important de noter que les dispositions interdisant le harcèlement psychologique découlent de la Loi sur les normes du travail (voir l'article 81.19) ; elles sont entrées en vigueur en juin 2004. Les plaintes doivent être soumises à la Commission des normes du travail ; celles qui ne sont pas réglées par la procédure de médiation prévue sont déférées à la Commission des relations du travail. La politique de lutte contre le harcèlement doit faire partie intégrante des conventions collectives ; les plaintes suivent donc les étapes de la procédure de griefs.

Dans le cas d'une entreprise syndiquée, il est opportun de faire participer le syndicat à l'élaboration et à la diffusion de la politique. Il ne faut cependant pas oublier qu'il peut se trouver dans une position délicate dans le cas où l'un de ses membres est le harceleur et un autre, la personne harcelée. Puisque le syndicat a l'obligation de protéger tous ses membres, il faudrait que le processus soit établi en fonction de la personne harcelée.

Au fédéral, la Cour suprême du Canada a fondé la responsabilité de l'employeur sur la Loi canadienne sur les droits de la personne, selon laquelle la responsabilité d'éliminer la discrimination incombe à l'employeur. La législation fédérale accorde une attention particulière à la prohibition du harcèlement sexuel et oblige l'employeur à adopter une politique et des mécanismes de plainte. Cependant, l'employeur peut être déchargé de sa responsabilité s'il est en mesure d'établir que le geste fautif du salarié a été fait sans son consentement et qu'il avait pris toutes les mesures nécessaires pour le contrer[22]. Notons qu'au fédéral il n'existe pas de disposition équivalente à celle du Québec prohibant le harcèlement psychologique.

12.2.2 | Le droit à l'intégrité de la personne

En principe, exiger d'un salarié qu'il se soumette à un examen médical avant son embauche officielle ou en cours d'emploi constitue une violation du droit à l'intégrité physique et du droit au respect de la vie privée[23]. Comme nous l'avons indiqué plus haut, un examen médical durant le processus de sélection est admissible s'il sert à évaluer l'aptitude à effectuer le travail et s'il est lié aux tâches à exécuter. Dans cette sous-section, nous traiterons des examens médicaux en cours d'emploi[24].

D'abord, l'employeur peut faire subir un examen médical à l'un de ses employés lorsque la loi l'y autorise expressément, ce qui est le cas de la Loi sur les accidents du travail et les maladies professionnelles et de la Loi sur la santé et la sécurité au travail. Ainsi, il peut planifier des examens médicaux périodiques dans le cadre d'un programme de prévention ; l'employé ne peut alors s'y soustraire, sous peine de sanction. La convention collective peut également prévoir ce genre de tests. On reconnaît également à l'employeur le droit de faire subir des examens médicaux à ses salariés lorsqu'il a des motifs sérieux de croire que leur santé physique ou psychologique ne leur permet pas d'exécuter leurs tâches et compromet même leur santé ou celle d'autrui. Qu'en est-il des tests de dépistage ? Un employeur qui voudrait confirmer ses soupçons peut-il exiger que l'employé subisse un test de dépistage de drogues ? Un employeur qui fait face à de sérieux problèmes de toxicomanie au sein de son entreprise peut-il instaurer une politique de dépistage dès l'embauche ou de façon régulière en cours d'emploi[25] ? En vertu du Code civil du Québec et de la Charte des droits et libertés de la personne, pour exiger que le salarié se soumette à un examen médical, l'employeur doit invoquer un motif sérieux lié directement au travail. Toute mesure patronale portant atteinte de façon injustifiée à l'intégrité de la personne ou à sa vie privée risque d'être invalidée par les tribunaux et de mener à l'exigence d'un dédommagement[26].

La législation fédérale accorde une importance accrue au respect de l'intégrité de la personne et des droits fondamentaux. Elle établit le principe selon lequel le consentement de l'employé est requis pour ce type de test[27]. Ce consentement peut être donné dès l'embauche ou inscrit dans le contrat de travail. Par ailleurs, l'employé ne peut refuser, sous peine de sanction, de se soumettre à des tests de dépistage justifiés. Ainsi, l'employeur qui soupçonne sérieusement l'un de ses salariés d'être toxicomane peut exiger, en vertu de son droit de gérance, qu'il subisse des tests de dépistage. Là encore, un refus peut entraîner des mesures disciplinaires. L'employeur peut également exiger d'un employé qui s'est absenté pour une cure de désintoxication de passer, à son retour au travail, des tests montrant sa capacité à effectuer ses tâches[28].

12.2.3 | Le droit à la vie privée

Les chartes canadienne et québécoise des droits et libertés énoncent le principe selon lequel chacun a droit au respect de sa vie privée. L'article 36 du Code civil du Québec est le seul texte législatif qui définit le concept de vie privée et propose une liste non exhaustive des actes portant atteinte au droit s'y rapportant. On y trouve les actes suivants : intercepter ou utiliser volontairement une communication privée ; capter ou utiliser l'image ou la voix d'une personne lorsqu'elle se trouve dans des lieux privés ; surveiller la vie privée d'une personne par quelque moyen que ce soit ; utiliser une correspondance, des manuscrits ou d'autres documents personnels.

Dans un contexte où l'organisation du travail et les nouvelles formes de production des biens et des services favorisent les moyens de surveillance, la vie privée des employés est exposée à des risques ; c'est pourquoi il est nécessaire de donner des précisions quant à ce qui peut constituer un acte de violation de la vie privée. En effet, la surveillance électronique, la possibilité d'intercepter les messages ou de faire de l'écoute téléphonique, même sur les lieux du travail, empiètent sur la vie privée. Il est donc important de montrer que les actions de surveillance ont un lien avec l'emploi et qu'elles laissent aux salariés une sphère d'autonomie[29]. Ainsi, il faut informer l'employé lorsqu'on le surveille et lui laisser des moments qui lui appartiennent. En outre, même si l'employeur signale à ses employés qu'il se réserve le droit de prendre connaissance de leurs courriels et de leurs autres communications, il s'agit d'une intrusion dans la vie privée qui n'est pas justifiée. Il convient d'accorder aux employés un certain degré d'autonomie et d'intimité afin de respecter leur dignité et leur intégrité (par exemple, ne pas intercepter leurs communications et leur correspondance personnelle, permettre d'effectuer des échanges sans surveillance, etc.)[30].

Le fait d'exiger des renseignements personnels peut également constituer une atteinte au droit à la vie privée. Le Code civil du Québec (art. 37 à 41) énonce des règles qui encadrent la collecte des données de nature personnelle, leur confidentialité et leur utilisation. Ainsi, les employés peuvent consulter le dossier personnel que possède l'employeur et demander qu'on le corrige. Deux lois complètent les dispositions du Code civil dans ce domaine : une loi québécoise, la Loi sur l'accès aux documents des organismes publics et sur la protection des renseignements personnels dans le secteur privé ; et une loi canadienne, la Loi sur la protection des renseignements personnels et les documents électroniques, qui s'applique aux employeurs du secteur privé dont les activités relèvent du gouvernement fédéral[31].

12.2.4 | La liberté d'opinion et d'expression

Selon le Code civil du Québec, le salarié ne doit pas « faire usage de l'information à caractère confidentiel qu'il obtient dans l'exécution ou à l'occasion de son travail » (art. 2088). De plus, la Charte canadienne des droits et libertés protège la liberté de pensée, de croyance, d'opinion et d'expression, notamment la liberté de la presse et des autres moyens de communication[32]. Cependant, même si elle constitue une liberté fondamentale, la liberté d'expression ne doit pas être utilisée pour nuire à une autre personne. C'est ainsi que, tenu par une obligation de loyauté et par le devoir de ne pas nuire à autrui, l'employé ne peut quitter son travail contre le gré de son employeur pour participer à une manifestation. Toutefois, le droit à la liberté d'expression prévaut lorsque les actes du salarié ne contreviennent pas aux lois et lorsque les opinions émises ne sont préjudiciables ni aux relations de travail ni à l'employeur[33]. Ainsi, le salarié peut légitimement divulguer publiquement un comportement ou un fait relatif à son employeur qu'il juge illégal, frauduleux, criminel ou contraire à l'intérêt public[34]. Il est protégé en vertu du Code criminel contre toute sanction disciplinaire, y compris le congédiement, que pourrait vouloir lui imposer son employeur pour la dénonciation de la violation d'une loi auprès des instances concernées (art. 425.1).

12.2.5 | Le droit à la liberté de sa personne

Les chartes canadienne et québécoise protègent le droit de tout être humain à la vie, à la sécurité, à l'intégrité et à la liberté de sa personne. En vertu de son droit de gérance, l'employeur peut émettre des exigences concernant la tenue vestimentaire de ses employés, et donc restreindre la liberté relative à l'apparence physique. Dans cette perspective, il peut aussi appliquer des mesures disciplinaires dans le cas où l'employé refuserait de se conformer aux directives. Généralement, pour être acceptable, une directive sur la tenue vestimentaire ou sur l'apparence physique doit être raisonnable, non abusive et non discriminatoire[35].

12.2.6 | Les mesures disciplinaires

Contrairement aux stratégies de renforcement positif, qui visent à encourager les comportements souhaitables à l'aide de récompenses, les stratégies de renforcement négatif cherchent à dissuader les employés d'adopter des comportements jugés indésirables au moyen de mesures punitives ou simplement en les ignorant. De nombreuses organisations choisissent cette stratégie, parce qu'elle permet d'obtenir quasi immédiatement des résultats. Les sanctions peuvent être d'ordre matériel, par exemple une diminution de salaire, une suspension (sans salaire), une rétrogradation, ou même un licenciement. Cependant, elles sont le plus souvent de nature interpersonnelle, prenant alors la forme de réprimandes verbales et de signes non verbaux exprimant une certaine irritation, notamment des froncements de sourcils.

LA POLITIQUE DISCIPLINAIRE À CARACTÈRE PROGRESSIF

À toute politique de griefs officielle devrait correspondre une **politique disciplinaire à caractère progressif**, c'est-à-dire une suite bien ordonnée de sanctions dont la sévérité augmente avec la répétition de la faute. Seules les fautes graves peuvent justifier le congédiement à la première offense ; dans la plupart des cas, cette sanction est l'aboutissement de tout un processus. Il est primordial de tenir à jour les dossiers disciplinaires tout au long de ce processus, de manière à pouvoir fournir une raison valable en cas de renvoi. L'encadré 12.12 présente les six étapes d'une procédure disciplinaire.

Une étape supplémentaire peut s'ajouter à ce processus disciplinaire : l'entente de la dernière chance. Avant de recourir au congédiement, l'employeur peut en effet accepter d'accorder une dernière chance à l'employé, à certaines conditions. Par exemple, au lieu de le suspendre ou de le congédier pour cause d'absentéisme chronique, il peut

Politique disciplinaire à caractère progressif

Principe selon lequel l'employeur applique des mesures disciplinaires progressives pour sanctionner les fautes répétées commises par un employé.

Entente de la dernière chance

Entente proposée aux représentants de l'employeur et à ceux des salariés, qui constitue la dernière possibilité de conclusion d'un accord entre les parties.

lui accorder un dernier délai pour s'améliorer. L'application de toutes les étapes du processus ne garantit pas qu'on trouvera une solution aux problèmes de comportement ou de rendement. Parfois, le congédiement est vraiment la seule issue.

E N C A D R É ▶ 12.12

Les six étapes d'une procédure disciplinaire

- **L'avertissement** peut être donné verbalement d'abord, puis transmis par écrit. Il est préférable de le faire signer par l'employé et d'en conserver une copie dans les dossiers du personnel. La mise à jour des dossiers et l'application d'une politique disciplinaire à caractère progressif constituent souvent la meilleure défense pour l'employeur, comme le montrent de nombreuses causes de congédiement pour absentéisme portées devant les tribunaux.
- La **réprimande** est un reproche officiel, donné par écrit et versé au dossier de l'employé.
- Selon la gravité de la faute et les circonstances, la **suspension sans rémunération** peut aller d'une fraction de journée à plusieurs mois.
- La **mutation disciplinaire** peut être efficace dans les situations tendues qui risquent de dégénérer en violence, ou dans les cas où le problème disciplinaire est lié à un conflit de personnalités.
- La **rétrogradation** est une sanction adéquate dans les cas d'incompétence ; elle permet d'éviter un congédiement coûteux.
- Le **congédiement** est une mesure de dernier recours ; on fait appel à cette solution lorsque les autres mesures n'ont pas donné de résultat, à moins qu'il ne s'agisse de violence, de vol ou de falsification de dossiers. Toutefois, il ne faut pas perdre de vue qu'un congédiement, même justifié et bien préparé, peut être extrêmement douloureux. C'est pourquoi certaines organisations étudient attentivement les cas de rendement insuffisant avant d'en venir au congédiement ; elles préfèrent parfois affecter les employés fautifs à d'autres fonctions ou faire des échanges avec d'autres organisations quand il s'agit de cadres supérieurs.

Quand il met fin à l'emploi d'une personne, un employeur doit donner un préavis dans un délai raisonnable ou verser un montant équivalent au salaire pour la période. L'application de sanctions disciplinaires peut avoir certains effets indésirables. Ainsi, l'utilisation généralisée de cette forme de discipline tend à augmenter le nombre des griefs, ce qui en fait une mesure coûteuse et une source de stress[36]. Par ailleurs, comme la responsabilité de la discipline incombe principalement au supérieur immédiat ou au gestionnaire, le service de la gestion des ressources humaines devrait, pour accroître son efficacité, appliquer les principes énumérés dans l'encadré 12.13.

E N C A D R É ▶ 12.13

Les principes directeurs pour l'administration des mesures disciplinaires

- Fournir des avertissements clairs et suffisants. Certaines organisations définissent clairement les étapes de l'action disciplinaire. Par exemple, pour la première infraction, la sanction sera un avertissement verbal ; pour la deuxième, un avertissement écrit ; pour la troisième, une suspension ; enfin, pour la quatrième infraction, le congédiement.
- Administrer promptement la sanction disciplinaire. S'il s'écoule trop de temps entre le comportement indésirable et la conséquence négative, l'employé peut éprouver de la difficulté à faire le lien entre les deux.
- Prévoir la même sanction pour le même comportement déficient, indépendamment de l'employé en cause. En effet, il est essentiel que la discipline soit appliquée de façon équitable et cohérente au sein de l'organisation.
- Administrer la sanction disciplinaire de façon impersonnelle. La discipline vise un comportement précis, non une personne en particulier.

Source : *Hiring and Firing Newsletter*, mars 1989.

Lorsque l'employeur adopte certaines pratiques interdites par le législateur, l'employé peut se prévaloir d'un recours en justice. Suspendre, congédier ou déplacer un employé, exercer contre lui des mesures discriminatoires ou des représailles ou lui imposer toute autre sanction à cause d'un droit cité dans le Code du travail sont des actions qui sont prohibées. Le législateur protège les employés dans le cadre de l'exercice de leur droit d'association.

Au Québec, tout salarié peut porter plainte auprès de la Commission des normes du travail s'il croit avoir été congédié, suspendu, déplacé, victime de mesures discriminatoires, de représailles ou de toute autre sanction pour l'une ou l'autre des raisons suivantes :

- Il a exercé un droit cité dans la Loi sur les normes du travail ou dans ses règlements.
- Il a fourni à la Commission des normes du travail des renseignements sur l'application des normes ou témoigné dans une poursuite s'y rapportant.
- Son salaire a été saisi (saisie-arrêt) ou pourrait l'être.
- Il doit verser une pension alimentaire en vertu de la Loi facilitant le paiement des pensions alimentaires.
- La salariée est une femme enceinte.
- Son employeur veut éviter que soit appliquée la Loi sur les normes du travail ou ses règlements.
- Il a refusé de travailler au-delà de ses heures habituelles, en raison de ses obligations liées à la garde, à la santé ou à l'éducation de son enfant mineur, et après avoir recouru à tous les moyens raisonnables dont il disposait pour assumer autrement ces obligations.
- Il s'est absenté au plus 17 semaines au cours des 12 derniers mois, pour cause de maladie ou d'accident (autre qu'un accident du travail ou une maladie professionnelle). Il doit alors cependant justifier d'au moins trois mois de service continu.
- Il a atteint ou dépassé l'âge ou le nombre d'années de service permettant de prendre sa retraite.

Le délai pour porter plainte est de 45 jours, à partir de la date du congédiement ou de la mesure prise contre le salarié. Cependant, dans les cas de mise à la retraite, il est de 90 jours, à partir du congédiement, de la suspension ou de la mise à la retraite imposée.

La Loi sur les normes du travail (voir l'article 124) donne également au salarié qui croit avoir été congédié sans une cause juste et suffisante la possibilité de porter plainte auprès de la Commission des normes du travail dans les 45 jours suivant son congédiement : s'il a effectué au moins deux ans de service continu dans la même entreprise ; et si aucune procédure de réparation, autre que le recours en dommages-intérêts, n'est prévue dans la Loi sur les normes du travail, dans une autre loi ou dans une convention.

C'est donc une forme de garantie de la sécurité d'emploi après deux ans de service. Le salarié peut adresser sa plainte par écrit ou se présenter au bureau de la Commission des normes du travail le plus proche de chez lui. Il peut aussi déposer une plainte à la Commission des relations du travail. La Commission des normes du travail s'assure en premier lieu de la recevabilité de la plainte. En cas d'irrecevabilité, elle avise le salarié par écrit du fait qu'elle met fin à l'intervention, en lui en donnant les raisons. Le salarié peut cependant demander par écrit une révision de cette décision au secrétaire de la Commission, dans un délai de 15 jours. En cas de recevabilité, la Commission avise le salarié qu'elle donnera suite à sa démarche dans les plus brefs délais. Elle informe également l'employeur qu'une plainte pour congédiement lui a été adressée et elle désigne une personne qui offrira aux deux parties un service de médiation. Si aucune entente n'est trouvée, elle transmet la plainte à la Commission des relations du travail et offre au salarié le service d'un de ses avocats pour le représenter devant cette Commission, à moins que le salarié soit membre d'une association accréditée ou qu'il préfère recourir à son propre avocat.

Une audience devant le Commissaire du travail ressemble à ce qui se passe dans une cour de justice. Ainsi, le salarié est appelé à donner sa version des faits et il peut faire entendre des témoins. L'employeur dispose des mêmes droits.

La Commission des relations du travail peut accueillir ou rejeter la plainte du salarié. Si elle en vient à la conclusion qu'il y a eu congédiement sans cause juste et suffisante, elle peut :

- Ordonner à l'employeur de réintégrer le salarié au poste qu'il occupait avant son congédiement et de lui rembourser les sommes perdues depuis lors.
- Ordonner à l'employeur de payer au salarié une indemnité.
- Rendre toute autre décision qui lui paraît juste et raisonnable.

Cependant, si le salarié travaille comme domestique, le Commissaire du travail ne peut qu'ordonner à l'employeur de verser une indemnité correspondant au salaire et aux autres avantages perdus en raison du congédiement, pour une période maximale de trois mois.

Si la Commission des relations du travail en vient à la conclusion qu'il y a eu exercice d'une pratique interdite, elle peut :

- Ordonner à l'employeur de réintégrer le salarié au poste qu'il occupait avant la mesure en question et de lui verser, à titre d'indemnité, l'équivalent du salaire et des autres avantages dont il a été privé.
- Ordonner à l'employeur d'annuler la sanction ou de cesser d'exercer des mesures discriminatoires ou des représailles, et de verser une indemnité s'il y a lieu.

Au fédéral, le Code canadien du travail établit, dans sa partie III, les normes minimales du travail et énumère les motifs de congédiement illégaux.

CONSULTEZ INTERNET

www.crt.gouv.qc.ca
Site de la Commission des relations du travail du Québec

12.2.7 | Les licenciements collectifs

Le gouvernement fédéral et les gouvernements de certaines provinces ont manifesté leur appui aux salariés victimes d'une fermeture d'établissement ou d'une réduction de personnel en faisant adopter des lois qui obligent les employeurs à former des comités d'assistance aux travailleurs touchés. Ces comités sont composés de représentants des employés et de représentants de la direction, ainsi que d'un président neutre. Leur rôle est d'aider les employés touchés par un licenciement collectif à chercher un nouvel emploi. De plus, les gouvernements offrent des services spéciaux aux employeurs et aux employés touchés par d'importantes mises à pied. Au Québec, la Loi sur les normes du travail prévoit que l'employeur doit aviser à l'avance le ministre de l'Emploi et de la Solidarité sociale en cas de licenciement collectif d'au moins 10 employés s'expliquant par des raisons d'ordre technologique ou économique (art. 84.01 et 84.04). L'employeur, qui est également tenu de donner un préavis individuel à ses employés, doit transmettre une copie de l'avis de licenciement collectif, dont le contenu est précisé par règlement, à la Commission des normes du travail et à l'association accréditée pour représenter les salariés touchés (art. 84.04, 84.06 et 84.07). À la demande du ministre, l'employeur et l'association accréditée doivent participer à la formation d'un comité d'aide au reclassement (art. 84.09). La formation de ce comité n'est pas obligatoire si le nombre de salariés visés est inférieur à 50.

Au fédéral, le Code canadien du travail requiert de l'employeur qu'il avise par écrit le ministre du Travail, au moins 16 semaines à l'avance, en cas de licenciement collectif touchant au moins 50 employés (section IX, art. 212). L'émission de l'avis au ministre ne dispense pas l'employeur de l'obligation de donner un préavis individuel aux employés.

12.3
LES EMPLOYÉS EN DIFFICULTÉ

L'employeur doit de plus en plus traiter avec des employés en difficulté, en raison de la multiplication des problèmes personnels et sociaux : difficulté de concilier le travail et les responsabilités familiales, divorces, consommation d'alcool et de drogues, difficultés financières, stress, etc.[37] Il n'a pas le choix et doit aider ces employés afin d'améliorer leur qualité de vie et leur productivité dans l'organisation. En effet, les problèmes personnels sont source d'absentéisme, de retards, de départs et de baisses de motivation et de productivité. Or, l'intervention auprès des employés en difficulté a des répercussions juridiques. D'abord, il s'agit d'une ingérence dans la vie privée. Ensuite, dans le cas où l'employé n'arrive pas à corriger son comportement ou à rétablir son niveau de performance, l'employeur peut décider d'adopter des mesures plus sévères, comme une suspension ou un congédiement.

Après avoir défini ce qu'est un employé en difficulté, nous aborderons la question des interventions à effectuer tout en tenant compte des considérations juridiques.

12.3.1 | La définition d'un employé en difficulté

Rondeau et Boulard proposent la définition suivante pour décrire des employés en difficulté : « [...] des individus ou des groupes d'employés qui présentent un rendement inadéquat ou qui adoptent des attitudes et des comportements jugés inacceptables, compte tenu de ce qui est généralement attendu en pareilles circonstances[38]. » Ainsi, on qualifiera d'employés en difficulté les employés qui ont un rendement insuffisant, ceux qui exercent leur rôle de façon inadéquate, ceux dont les problèmes sont liés aux relations interpersonnelles ou qui vivent des conflits au sein des groupes de travail, et ceux qui contestent l'autorité. Par ailleurs, Lemieux[39] a étudié la représentativité des

comportements, leur gravité, leur fréquence et la difficulté qu'éprouvent les gestionnaires à les traiter. Les problèmes des employés en difficulté peuvent se répartir en
quatre groupes (voir l'encadré 12.14).

ENCADRÉ ▶ 12.14

Les problèmes des employés en difficulté

1. **Problèmes de performance**
   - Négligence dans le travail
   - Non-respect des échéances
   - Non-respect des objectifs ou des normes
   - Poursuite d'objectifs personnels entrant en conflit avec ceux de l'organisation
   - Répétition des erreurs
   - Performance irrégulière
   - Indifférence à l'égard du succès de l'organisation

2. **Déviance par rapport aux normes de l'organisation**
   - Manque de professionnalisme
   - Attitude ou paroles blessantes dans les rapports avec les autres
   - Négligence dans l'hygiène personnelle ou dans l'apparence
   - Usage d'un langage abusif
   - Non-respect des consignes de sécurité
   - Attitude allant à l'encontre des règles d'action ou de la politique de l'organisation
   - Non-respect des directives
   - Utilisation abusive des congés de maladie payés ou d'autres avantages sociaux
   - Accumulation des retards
   - Absentéisme
   - Critiques injustes visant le travail des autres employés

3. **Déviance par rapport aux normes sociales**
   - Actes illégaux en dehors du travail (vol, fraude, contrebande, etc.)

   - Port illégal d'une arme au travail
   - Menaces à l'encontre d'autrui
   - Agressivité envers les collègues ou les clients
   - Harcèlement sexuel
   - Consommation d'alcool au travail
   - Consommation de drogues au travail
   - Deuxième emploi chez un concurrent
   - Dommages faits aux biens de l'organisation
   - Falsification des données financières
   - Falsification de l'information concernant les heures de travail
   - Perturbation du déroulement normal des activités
   - Altération des banques de données
   - Utilisation des biens de l'organisation à des fins personnelles
   - Appropriation des biens de l'organisation

4. **Problèmes personnels et problèmes de personnalité**
   - Confidences inopportunes à propos des problèmes personnels
   - Monopolisation de l'attention des autres
   - Manque de jugement dans certaines décisions
   - Méfiance dans les relations
   - Humeur dépressive
   - Virus du sida
   - Difficulté à se remettre d'un deuil
   - Situation de divorce ou de séparation
   - Jeux de hasard
   - Isolement par rapport au groupe

Source : adapté de N. Lemieux, *La gestion des employés-problèmes*, mémoire de maîtrise, Montréal, HEC, 1994, p. 2.

12.3.2 | L'intervention auprès d'un employé en difficulté

Selon Rondeau et Boulard[40], l'intervention auprès d'un employé à problèmes doit tenir
compte d'abord du caractère circonstanciel ou chronique du problème, ensuite de la
volonté de changement manifestée par l'employé. Ces deux éléments influent en effet
sur la facilité, l'étendue et le succès de l'intervention. Il est possible de résoudre un
problème circonstanciel, temporaire, en soutenant les efforts que déploie l'employé
pour corriger ses défauts ou pallier ses faiblesses. Un problème chronique peut requérir

de profonds changements d'attitudes et de comportements chez l'employé. L'employeur devra intervenir pour corriger la situation et cette action sera nécessairement de longue durée. Quant à la volonté de changement, elle constitue un facteur très important. L'employé doit d'abord reconnaître l'existence du problème pour ensuite entreprendre la démarche visant à y remédier[41].

L'intervention auprès d'un employé en difficulté s'effectue en trois étapes, présentées dans l'encadré 12.15.

E N C A D R É ▶ **12.15**

Les étapes de l'intervention auprès d'un employé en difficulté

PREMIÈRE ÉTAPE	DEUXIÈME ÉTAPE	TROISIÈME ÉTAPE
Planification	Réalisation	Suivi
• Rassembler de l'information sur le problème. • Décrire les conséquences des comportements adoptés. • S'assurer de l'appui de l'organisation. • Établir différents scénarios possibles.	• Traiter l'employé avec respect. • Chercher à changer le comportement, non la personne. • Faire participer l'employé à la recherche d'une solution. • Indiquer clairement à l'employé le comportement inadéquat. • Indiquer comment le comportement inadéquat perturbe le fonctionnement de l'unité de travail. • Indiquer l'amendement ou le changement attendu. • Offrir un soutien temporaire spécial, tout en maintenant les exigences de l'emploi. • Fixer un délai raisonnable pour l'obtention du résultat attendu. • Préciser les moyens qui serviront à déterminer si le changement attendu s'est produit. • Préciser les conséquences du maintien de la situation actuelle.	• Suivre les effets de l'intervention et noter les progrès. • Jouer un rôle proactif et conserver la maîtrise de l'intervention.

Source : adapté de A. Rondeau et F. Boulard, « Gérer des employés qui font problème : une habileté à développer », *Gestion*, février 1992, p. 32-42 ; E.M. Morin, *Gestion des employés en difficulté : identification des problèmes et solutions*, document pédagogique, Montréal, Éditions de cas, Montréal, HEC, 1991.

Rappelons que les gestionnaires ne peuvent intervenir auprès des employés en difficulté que lorsque le rendement de travail s'en trouve diminué, sous peine de se voir accuser d'intrusion injustifiée dans la vie privée d'autrui. Par ailleurs, l'intervention est une opération délicate ; on doit avoir recours à une personne, ou au moins à l'aide d'une personne, ayant de l'expérience dans le domaine. De plus, l'intervention doit suivre une progression et constitue un processus de longue haleine. Le gestionnaire qui fait une intervention risque de succomber à plusieurs tentations et de faire achopper la démarche. Par exemple, il peut vouloir changer la personne, alors que c'est le comportement qui doit être modifié. Il peut aussi vouloir poser un diagnostic, alors qu'il n'en a pas la compétence. Il peut encore chercher à donner des conseils et à dicter des moyens, au lieu d'aider l'employé à trouver seul des solutions appropriées. Enfin, il peut avoir tendance à se montrer sympathique et trop complaisant, au lieu de faire preuve d'empathie. Le gestionnaire ne doit en aucun cas se transformer en thérapeute. Son rôle est d'aider l'employé à cerner son problème, à le reconnaître et à chercher de l'aide auprès des personnes compétentes. Force est de constater que l'existence d'un programme d'aide aux employés peut être particulièrement utile pour offrir une consultation professionnelle, une aide juridique ou tout autre type d'aide[42].

12.4
L'ÉQUITÉ DANS LES POLITIQUES ORGANISATIONNELLES : LA NOTION DE JUSTICE ORGANISATIONNELLE

Étant donné que les droits des employés reconnus par le législateur ne constituent qu'une faible proportion de tous les droits des employés, notamment le droit à la sécurité d'emploi, le droit de dénoncer des abus et des fraudes, le droit à l'information, etc., il est important de se pencher sur les principes et les moyens qui permettent de garantir le respect de ces droits en entreprise. Aucune organisation ne peut fonctionner efficacement sans règlements ni politique de travail. Généralement, c'est à l'employeur qu'il incombe de les élaborer et ce sont les superviseurs qui veillent à ce que leurs subordonnés les respectent. Toutefois, l'employeur ne jouit pas à cet égard d'une totale liberté. En effet, ces règlements et cette politique font partie intégrante du système interne de discipline organisationnelle et ils doivent respecter les divers droits et obligations mentionnés précédemment.

Pour être vraiment efficaces et équitables, les règlements doivent être associés de manière raisonnable aux objectifs de gestion et transmis promptement et adéquatement. Ils ne doivent en aucun cas engendrer de conséquences inéquitables pour un groupe particulier d'employés, ni aller à l'encontre des lois et des décisions judiciaires concernant les droits des employés à la sécurité d'emploi.

Dans les chapitres de ce livre portant sur les diverses activités de la gestion des ressources humaines, nous proposons un certain nombre de façons de procéder et nous décrivons les conditions qui permettent de les implanter avec succès. Dans ce chapitre, nous examinons la notion d'équité qui doit prévaloir dans les relations entre employeur et employés.

On peut expliquer la réaction des employés lors de la mise en place d'une façon de procéder ou d'une politique au moyen de la notion de justice organisationnelle. Cela permet de savoir comment aborder, élaborer et implanter certaines politiques ou certains processus dans les entreprises et comment en assurer le succès.

Le concept de justice organisationnelle comprend trois dimensions liées les unes aux autres : la justice distributive, la justice procédurale et la justice d'interaction. Chacune de ces dimensions entre en jeu d'une manière particulière dans l'implantation des politiques de gestion des ressources humaines.

12.4.1 | La justice distributive

La justice distributive explique comment les personnes réagissent à l'égard de certains événements[43]. Les individus évaluent une décision organisationnelle — par exemple, une augmentation salariale, une promotion refusée, une affectation attribuée, etc. —

Justice distributive

Perception selon laquelle les décisions issues des processus organisationnels sont justes et équitables ; par exemple, le salaire reçu par un employé est perçu comme juste s'il est proportionnel à sa contribution à l'organisation, ainsi qu'au salaire et à la contribution des autres employés.

en se comparant à d'autres individus appelés référents. Ceux-ci peuvent être des amis, des collègues appartenant à la même organisation ou à une autre, des membres de la famille, etc. S'ils perçoivent une iniquité, les individus tentent de retrouver l'équité en quittant l'organisation, en adoptant des comportements contre-productifs, en se syndiquant, etc.[44]

12.4.2 | La justice procédurale

Justice procédurale

Perception selon laquelle un processus ayant mené à une décision est juste et équitable.

La justice procédurale se réfère à la réaction des individus en regard des processus utilisés pour déterminer ces résultats. Les employés se font une idée quant à la justice d'une procédure de recrutement, de congédiement, d'une réprimande, ou même d'une promotion, s'ils perçoivent le processus comme équitable. Or, plusieurs critères peuvent servir à déterminer si une procédure a des chances d'être perçue comme équitable[45].

DANS LES **FAITS**

L'entretien de fin d'emploi

- L'entrevue de fin d'emploi doit être brève. Normalement, de 10 à 15 minutes suffisent. Prolonger la rencontre augmente, pour l'employeur, le risque de faire des erreurs qui peuvent être coûteuses.

- Il est préférable de s'installer dans le bureau de l'employé congédié ou dans un autre bureau, mais pas dans celui du gestionnaire chargé du congédiement. Sinon, celui-ci risquerait de subir les remarques désobligeantes d'une personne mécontente qui donnerait libre cours à sa hargne et à sa frustration.

- Nombreuses sont les personnes qui écoutent très peu ce que l'employeur a à dire une fois qu'elles ont compris qu'elles ont perdu leur emploi. Cette réaction est bien compréhensible. Elles ressentent de l'anxiété et du stress d'avoir perdu leur gagne-pain, surtout lorsqu'elles sont le principal soutien de la famille.

- Il peut être bon de faire une simulation de la rencontre avec une autre personne auparavant, et même de l'enregistrer à l'aide d'un caméscope pour en tirer davantage d'enseignement. Cela permet de prévenir les maladresses et d'atténuer l'appréhension du responsable, et cela augmente les chances que tout se déroule sans trop de difficulté[47].

Une façon de procéder est perçue comme juste et équitable si elle est cohérente, si elle réussit à éliminer les partis pris, si elle se fonde sur une information pertinente, si elle comprend un mécanisme correctif, si elle tient compte des intérêts des parties en cause et si elle se conforme aux principes éthiques et moraux[46]. L'organisation a intérêt à faire preuve de cohérence dans l'application de ses règles et de ses politiques, tout comme à établir d'autres stratégies pour diminuer le nombre de comportements indésirables influant sur le rendement et le taux d'absentéisme. Par ailleurs, il est possible de réduire les effets négatifs inhérents à la discipline et aux stratégies de renforcement négatif en respectant certains principes importants, notamment ceux qui sont exposés ci-après.

Plus l'employé a le sentiment que la justice procédurale est faible, plus il aura tendance à croire que le résultat lui est préjudiciable.

CONSULTEZ INTERNET

www.hrcouncil.ca/ policies/pg001_f.cfm

Ce site propose des liens vers des exemples de politiques en ressources humaines (rémunération, performance, emploi partagé, etc.) au Canada.

12.4.3 | La justice d'interaction, ou interactionnelle

Justice d'interaction (ou justice interactionnelle)

Perception qu'entretient l'employé au sujet du traitement reçu de la part de son employeur et du mode de communication de celui-ci.

Troisième dimension de la justice organisationnelle, la justice d'interaction (ou justice interactionnelle) se rapporte à la façon dont les décideurs traitent leurs subordonnés et au respect des engagements. Une communication planifiée, accompagnant la mise en œuvre de tout processus de la gestion des ressources humaines, témoigne de l'intérêt et du respect que l'employeur porte à ses employés[48].

12.5

LA COMMUNICATION AVEC LES EMPLOYÉS

La communication est essentielle dans une organisation. C'est en communiquant avec l'employeur que les employés peuvent faire valoir leurs droits, leurs préoccupations et leurs revendications. Le service des ressources humaines doit participer activement à l'amélioration des systèmes de communication dans l'organisation. Ainsi, ses gestionnaires sont chargés de se procurer et de distribuer l'information ayant trait à la gestion des ressources humaines à travers les systèmes structurés et non structurés de communication organisationnelle[49]. Après avoir décrit le processus de communication, nous étudions les moyens de communication, puis les programmes de communication.

12.5.1 | Le processus de communication

L'encadré 12.16 représente schématiquement le processus de communication. Dans ce processus, l'émetteur transmet, grâce à un moyen de communication, l'idée ou le message qu'il a encodé. Puis le récepteur décode le message et donne une rétroaction. L'encodage peut se faire par des mots ou des chiffres, ou être non verbal et utiliser, par exemple, le ton de la voix, l'expression du visage.

La transmission d'un message, surtout s'il est chargé de sentiments, n'est réussie que dans la mesure où le récepteur est capable de faire le décodage. Or, le message peut parfois être interprété de plusieurs façons. Le récepteur peut alors mal le comprendre, à cause du langage, du contexte ou de l'environnement. En outre, la communication peut être perturbée par un flux d'information trop important qui rend le récepteur incapable de tout absorber. Notons que le manque de temps des dirigeants peut nuire à la qualité et à la pertinence de l'information transmise aux employés. Par ailleurs, les spécialistes en communication soulignent l'importance égale des communications vers le bas et des communications allant vers le haut[50]. Les gestionnaires doivent donner aux employés des informations concernant les plans stratégiques, les façons de procéder et tout autre élément susceptible d'influer sur les comportements. Les employés, eux, doivent pouvoir transmettre leurs idées, leurs doléances, leurs suggestions et leurs émotions. Cela permet aux gestionnaires de saisir les points de tension, les difficultés et d'être en mesure de résoudre les problèmes[51].

ENCADRÉ ▶ **12.16**

Le processus de communication organisationnelle

12.5.2 | Les moyens de communication

La communication peut prendre plusieurs formes, utiliser plusieurs moyens. Elle peut être écrite (sous sa forme traditionnelle), audiovisuelle, électronique, verbale ou informelle.

LA COMMUNICATION ÉCRITE

Il existe plusieurs moyens de communiquer par écrit. D'abord, les manuels et les brochures (par exemple, le manuel des employés remis à l'embauche) permettent de présenter la politique et les façons de faire aux employés et aux gestionnaires. Ensuite, le bulletin ou le journal de l'entreprise annonce les grands projets, les réalisations, il renseigne sur les compétiteurs, transmet des informations sur les employés, notamment les promotions, et les affectations spéciales, les succès, etc. Il contribue au développement du sentiment d'appartenance chez les employés, en donnant régulièrement des nouvelles de la vie de l'organisation, autant à l'externe qu'à l'interne. Enfin, les notes de service, les messages insérés dans les enveloppes de paie, les affiches constituent des moyens de transmettre une information précise, comme la mise en place d'un programme, l'abolition d'une politique, etc.[52]

LA COMMUNICATION AUDIOVISUELLE

Aux moyens audiovisuels qui ont été populaires à la fin du XXe siècle (présentations vidéo) et qui servent à transmettre de vive voix des messages importants, tels que l'annonce d'un licenciement massif, d'une fusion, d'une acquisition, etc., s'est ajoutée la téléconférence, ou vidéoconférence. Particulièrement efficace et pratique, ce moyen permet à des personnes dispersées géographiquement de communiquer simultanément. De plus, il est économique et évite les déplacements. Les avancées technologiques et l'évolution des ordinateurs permettent de les employer davantage.

LA COMMUNICATION ÉLECTRONIQUE

Les boîtes vocales permettent à la fois de laisser des messages détaillés et d'envoyer le même message à l'ensemble des employés d'une entreprise ou à un groupe de personnes. Ce moyen est donc économique en temps comme en argent. Le courrier électronique, ou courriel, permet d'envoyer instantanément des messages et d'y joindre des documents. Il facilite la collaboration entre des équipes transnationales, entre plusieurs services et entre plusieurs entreprises.

Cependant, Internet ne comporte pas que des avantages. Le fait que les employés l'utilisent parfois de façon abusive, la multiplication des messages et le risque de transmission de virus destructeurs, tous ces facteurs en rendent la gestion difficile. Souvent, des messages importants sont noyés dans un afflux de messages dénués d'intérêt. Cette réalité oblige les entreprises à réglementer l'utilisation du courriel et à élaborer une politique à cet égard.

Les technologies multimédias peuvent satisfaire différents besoins organisationnels ; l'apprentissage en ligne et le télétravail comptent parmi les activités où elles sont efficaces. En effet, les simulateurs et l'apprentissage par CD-ROM commencent à connaître du succès et font de l'apprentissage une expérience agréable, accompagnée d'une rétroaction instantanée.

LA COMMUNICATION VERBALE

Lorsqu'elles ne peuvent pas être remplacées par un appel ou un courriel et qu'elles sont bien planifiées, s'accompagnent d'un ordre du jour, les réunions demeurent un moyen privilégié pour échanger de l'information et des idées, pour prendre des décisions et résoudre certains problèmes sur-le-champ. Elles peuvent parfois prendre la forme de conversations à cœur ouvert au cours desquelles les gestionnaires et les employés discutent des plaintes, des suggestions, des opinions ou d'autres questions qui les touchent. Cependant, il faut alors veiller à la tournure qu'elles peuvent prendre. Dans ce sens, il faut encourager les participants à rechercher des idées constructives, et non pas s'en tenir aux plaintes et aux commentaires négatifs à l'égard des gestionnaires et de la direction[54].

Les réunions peuvent également se dérouler hors du lieu de travail et s'étendre sur un ou plusieurs jours (sour la forme d'une retraite dans un endroit retiré). Elles permettent dans ce cas aux gestionnaires et aux employés de revoir la mission de l'entreprise, ses orientations stratégiques, de décider des suites d'une fusion, etc. En amenant les collègues à se rencontrer dans un cadre inhabituel, elles leur donnent l'occasion d'apprendre à mieux se connaître et de renforcer leurs liens de collaboration.

LA COMMUNICATION INFORMELLE

La constitution de réseaux informels au sein de l'organisation, fondés sur les affinités, les liens d'amitié ou de collaboration, favorise la transmission informelle de l'information. La cantine, le stationnement, le couloir sont autant d'endroits où s'échangent des informations qui ne sont pas disponibles par la voie des réseaux de communication officiels. La communication informelle est source de créativité lorsqu'elle s'effectue entre des employés appartenant à des services différents et elle peut par conséquent être bénéfique pour l'organisation. Cependant, un trop grand nombre d'échanges informels peuvent devenir malsains s'ils mènent à la propagation de rumeurs ou de potins. Ils nuisent alors au climat du travail et au moral des employés. L'une des façons de transmettre l'information informelle est la gestion sur le terrain (*management by walking around*, ou MBWA). Il s'agit d'encourager les gestionnaires à sortir de leurs bureaux pour se mêler aux employés et leur donner l'occasion de confier leurs plaintes, leurs suggestions et leurs préoccupations[55].

LE CHOIX D'UN MOYEN DE COMMUNICATION EN FONCTION DE L'OBJECTIF À ATTEINDRE

Il n'est pas toujours facile de savoir quel moyen de communication privilégier. L'encadré 12.17 présente les moyens de communication les plus utiles en fonction des sujets d'information et des événements à annoncer ; il constitue une base de réflexion. Cependant, il est important de bien prendre en considération les caractéristiques de l'entreprise, notamment sa culture, sa taille, son climat de travail et les rapports avec les employés quand vient le temps de déterminer le mode de communication à adopter[56].

ENCADRÉ ▶ 12.17

Les moyens de communication

Moyens : O les plus appropriés — X également possibles

Colonnes :

Moyens oraux
1. Information de contact
2. Entretien individuel
3. Réunion d'information
4. Conférence
5. Visite de l'entreprise
6. Commissions et groupes d'étude
7. Réunions d'échange

Moyens écrits
8. Compte rendu de réunion
9. Note d'information
10. Réunion d'échange
11. Lettre au personnel
12. Journal d'entreprise pour l'ensemble du personnel
13. Bulletins spécialisés
14. Enquête d'opinion
15. Questions à la direction
16. Boîte à idées
17. Revue de presse
18. Télex

Moyens audiovisuels
19. Aides visuelles
20. Affichages
21. Téléconférence
22. Montage audiovisuel
23. Film d'information
24. Journal télévisé
25. Journal téléphoné
26. Messages par haut-parleurs

Moyens combinés
27. Salle d'information
28. Procédure d'accueil
29. Séminaire de réflexion
30. Messagerie électronique

Occasions ou sujets d'information	1	2	3	4	5	6	7	8	9	10	11	12	13	14	15	16	17	18	19	20	21	22	23	24	25	26	27	28	29	30
A Information sur l'entreprise pour les nouveaux embauchés	X	O	O	O	O							O	O		X				O			O	O	X	X		O	O	O	
B Organisation, définition des fonctions, organigrammes, nominations		X	X		X	X		X	O	X		O	O						O	O		X		X	X		O	O	O	
C Évaluations individuelles, évolutions de carrière		O			X																									
D Politique générale et objectifs de l'entreprise			O	O	X	O	O		O		O	O		O	X	O	X		O		X	X	X	X	X		O	O	O	
E Rémunération, emploi, horaires, avantages sociaux		O	O	X		O	O	O	O	O		O		O	O	O	X		O					X	O	X		O		X
F Conditions de travail (hygiène et sécurité horaires, locaux, transports…)	O		X	X	X	O	O		O	X	X		O		O	O	O	O		O		X	X	X	O		O	O	O	X
G Perception de l'entreprise par le personnel, aspirations, attentes, motivations	O	O			O	O						X		X	O	O	O							X	X				X	O
H Départ volontaire du salarié		O													X															
I Nouvelles méthodes et procédures	O		X	X	X	O	O	O	O	O		O	O		O	O			O	X	O	O	O	O				X		O
J Informations techniques (marche des ateliers, procédés, machines)	O		X	O	O	O	O	O	O	O		O	O			O	O	O		O	O								X	X
K Informations commerciales (marketing, publicité, ventes, concurrence…)			O		X		O		O	O	O		O	O		O			O	O	O	O	X	O	O	O	O	X	O	X
L Information économique et financière (objectifs, investissements, prévisions)			O	O	X		O	X	X	O		O	O		O		X		O	O	X	O	O	O	O		O	O	O	
M L'entreprise et son environnement (vie régionale, pollution, concurrence)			O	O	X	X	X	X	X	X		O		O	X	X	X	O		X		X	X	O	O		O	O	X	X
N Les hommes et leur activité extraprofessionnelle (loisirs, sports, vie culturelle)										O		O		X	X	X	X	O		O				O	O	X	O	O	X	X
O Communications interpersonnelles	O	O	X		X	O	O									O		X		O		O						O	O	O

Source : F. Gondrand, « Des moyens au service d'une politique », *L'information dans les entreprises et les organisations*, Paris, Éditions d'Organisation, 1990, p. 228-233.

12.5.3 | Les programmes de communication organisationnelle

Pour encourager la communication organisationnelle, permettre aux employés de faire valoir leurs préoccupations, leurs revendications, leurs droits, leurs opinions et de transmettre toute autre sorte d'information, l'entreprise peut mettre sur pied divers types de programmes de communication, comme nous allons le voir : le système de suggestions, l'enquête de rétroaction et la procédure de règlement interne des conflits.

Le système de suggestions.   Le système de suggestions est un programme structuré visant à recueillir, à évaluer et à mettre en pratique les idées des employés. Les trois étapes sont importantes et doivent être réalisées. Tout d'abord, les idées des employés sont recueillies à l'aide d'un formulaire (qui peut être sous forme électronique), après conversation avec le superviseur, qui ne doit pas nécessairement l'approuver. Ensuite, un comité analyse le formulaire et décide si l'idée est viable et si elle peut être appliquée. L'auteur de la suggestion a droit à une récompense généralement calculée en fonction des économies réalisées. Évidemment, le succès du programme repose sur sa crédibilité auprès des employés. L'employeur doit s'assurer de donner une rétroaction rapide, de motiver sa décision quant à l'acceptation ou au rejet de l'idée. Un système de suggestions requiert une administration rigoureuse. Il faut également encourager les superviseurs à s'enquérir auprès de leurs subordonnés des idées qu'ils peuvent avoir. On peut avoir le sentiment que le système de suggestions demande beaucoup d'énergie pour les avantages qu'il offre. Cependant, il constitue un bon moyen pour encourager la communication bidirectionnelle entre la direction et les employés[57].

L'enquête d'attitudes, ou *Attitude Survey* ou *Employee Feedback Program*. L'enquête rétroactive est récente et avant-gardiste. Elle consiste en des méthodes systématiques permettant de connaître les perceptions des employés concernant l'organisation, leurs préoccupations et leurs attentes quant à leurs conditions de travail. On recueille l'information au moyen d'un questionnaire ou d'une entrevue. Il est important de donner suite à l'enquête en rendant compte des résultats et en commençant à implanter les mesures promises ; autrement, la démarche n'a pas beaucoup de valeur. La rétroaction peut se faire sous la forme de rapports personnalisés, d'articles dans le journal de l'entreprise ou de réunions d'échanges et d'information. La haute direction doit également se montrer disposée à apporter les modifications qui s'imposent[58].

La procédure interne de règlement des conflits (PIRC).   La procédure interne de règlement des conflits constitue une manière avant-gardiste de permettre aux employés, généralement non syndiqués, de faire reconnaître leurs droits dans l'entreprise. Selon Wils et Labelle[59], la PIRC peut prendre différentes formes : politique de porte ouverte, présence d'un ombudsman, ligne téléphonique ouverte, etc. Ces auteurs classent les différents types de PIRC en fonction de l'influence des employés dans la résolution des problèmes et de la nature du recours. Combinés, ces deux critères permettent de distinguer six catégories, décrites dans l'encadré 12.18.

L'intérêt de la typologie est de mettre en évidence la variété des PIRC. Notons que les procédures qui permettent une plus grande intervention des employés sont généralement perçues comme plus équitables. Il ne suffit pas d'établir une procédure de règlement des conflits pour assurer le traitement des plaintes ; il faut aussi l'appliquer de façon cohérente et juste. Par exemple, tant l'employé que l'employeur doivent pouvoir consulter la preuve. De plus, les deux parties doivent avoir le droit de faire appel à des témoins et de refuser de témoigner contre elles-mêmes. En outre, il est important de présenter clairement la procédure de règlement des conflits comme une politique de l'entreprise et de la faire connaître aux employés. L'encadré 12.19 présente un exemple courant de procédure de règlement des conflits.

ENCADRÉ ▶ **12.18**

Typologie des systèmes internes de résolution des conflits

Nature du recours offert par l'employeur	Degré d'influence des employés	
	Faible	**Fort**
Aucun recours	**Catégorie n° 1** • Système de communication • Programme d'aide aux employés • Système de requête • Politique de porte ouverte informelle	**Catégorie n° 2** • Participation (cercle de qualité, gestion participative, etc.)
Recours interne	**Catégorie n° 3** • Politique de porte ouverte formelle avec réponse d'un représentant de la haute direction • Procédure de recours avec un comité composé principalement de représentants de la partie patronale	**Catégorie n° 4** • Procédure de recours avec un comité composé d'une majorité d'employés
Recours auprès d'une tierce personne	**Catégorie n° 5** • Ombudsman • Officier d'audition	**Catégorie n° 6** • Arbitre externe (procédure de grief similaire à celle qu'on trouve dans les conventions collectives)

Source: T. Wils et C. Labelle, « Les systèmes internes de résolution de conflits : des mécanismes de justice pour les employés non syndiqués de l'an 2000 », *Gestion*, mai 1989, p. 54.

ENCADRÉ ▶ **12.19**

Exemple de procédure interne de règlement des conflits

Le personnel cadre et les chefs de service reconnaissent que pour maintenir de bonnes relations de travail avec les employés ils doivent prendre acte des problèmes et du mécontentement et s'efforcer d'y remédier dès qu'ils se manifestent. Ainsi, la procédure qui suit n'est donnée qu'à titre de recours éventuel, dans les cas où les voies normales n'auraient pas abouti à un règlement.

Étape 1: L'employé fait part de son problème ou de son mécontentement à son supérieur. Celui-ci tente d'y apporter une solution en se conformant aux règlements de l'organisation. Le délai ne doit pas dépasser *deux jours ouvrables*, à moins de circonstances particulières.

Étape 2: S'il n'a pu trouver de solution avec l'employé, le supérieur prend rendez-vous pour ce dernier auprès du chef de service, dans un délai de *trois jours ouvrables*.

Étape 3: Si le processus n'a toujours pas abouti à une solution, l'employé doit expliquer son problème ou le motif de son mécontentement par écrit au directeur des relations avec le personnel. Ce dernier organisera une rencontre entre toutes les parties intéressées, ou présentera une recommandation dans les *cinq jours ouvrables* suivant la déposition de la plainte écrite, en vue de régler le cas conformément aux règles et aux pratiques établies dans l'organisation.

Source: traduit et adapté de T. Rendero, « Consensus: Grievance Procedures for Nonunionized Employees », *Personnel*, janvier-février 1980, p. 7.

Pour être efficaces, les PIRC doivent préciser les critères d'admissibilité des plaintes. Elles doivent être accessibles aux employés, garantir la confidentialité, être impartiales et, dans la mesure du possible, prévoir une possibilité d'appel devant une personne neutre ou un comité paritaire[60].

RÉSUMÉ

Les droits des employés vont prendre une place de plus en plus grande au cours des années 2000. Cependant, bien que les employés aient acquis avec le temps la reconnaissance juridique de nombreux droits, les questions les plus controversées échappent encore à la législation ou sont laissées à la discrétion de l'employeur. À ce titre, les tribunaux pourraient jouer un rôle important dans l'avancement des droits des employés. Mais l'étendue du rôle que les tribunaux et les pouvoirs législatif et exécutif pourraient s'attribuer dans ce domaine dépendra dans une certaine mesure de la ligne de conduite qu'adopteront les organisations.

Les organisations ont intérêt à ne pas prendre à la légère la question de l'équité et du respect des droits des employés. Les violations de droits reconnus par la loi sont punies par des sanctions et des amendes. Même les infractions relatives à des droits qui ne sont pas formellement protégés par une loi ou une convention collective peuvent être sanctionnées. C'est ainsi fréquemment le cas du renvoi injustifié, contre lequel les tribunaux et les arbitres protègent les employés. Les politiques d'entreprises doivent répondre aux critères de la justice organisationnelle pour être perçues comme équitables. Les programmes de communication permettent aux employés de faire valoir leurs droits et leurs opinions, et réduisent ainsi les risques de poursuites, l'absentéisme et les attitudes et comportements contre-productifs.

Aujourd'hui plus que jamais, toute organisation a intérêt à constituer et à conserver des dossiers objectifs sur ses employés, car ces documents se révèlent cruciaux lorsqu'il s'agit pour elle d'établir son bon droit en cour. Sans eux, elle risque d'être prise au dépourvu lors d'une poursuite judiciaire. La Loi sur la protection des renseignements personnels autorise chaque employé à consulter son dossier personnel et défend la divulgation de son contenu à des tiers sans que la personne en cause ait donné son autorisation.

Bien qu'il n'y soit pas toujours obligé légalement, l'employeur avise parfois à l'avance ses employés, syndiqués ou non, de la fermeture de l'entreprise. Il met alors souvent en place un programme d'aide au remplacement qui peut comprendre des cours de recyclage, un service de conseil, une assistance à la recherche d'emploi ou à l'obtention d'un déplacement, une indemnité de départ et même des primes pour inciter les employés à demeurer au travail jusqu'au moment de la fermeture. Le fait de donner un préavis de fermeture et d'offrir un programme d'aide au remplacement semble avoir des effets bénéfiques pour l'organisation et limiter les dommages pour les employés.

En dernier lieu, en ce qui concerne le droit des employés à un traitement juste et équitable, l'employeur cherchera à établir un programme de communication. La procédure de règlement des conflits, notamment, a comme objectif de permettre aux employés d'exprimer leurs appréhensions et d'éviter qu'il y ait des répercussions négatives pour l'employeur et l'employé.

Questions de révision et d'analyse

1. Sur le plan stratégique, quelle est l'importance, pour une organisation, de protéger les droits de ses employés ?

2. Choisissez une activité de gestion des ressources humaines et nommez les lois qui encadrent son exercice.

3. D'après vous, l'employeur doit-il respecter le droit à la libre expression des travailleurs ? Justifiez votre réponse.

4. Quelles conséquences les lois relatives au droit des employés à la protection des renseignements personnels peuvent-elles avoir pour l'organisation et son service des ressources humaines ?

5. Qu'est-ce que le harcèlement ? Comment une organisation peut-elle contrer ce comportement ? Dans quelles conditions un employeur peut-il être légalement tenu pour responsable d'un acte de harcèlement commis par l'un de ses employés ?

6. Qu'entend-on par politique disciplinaire à caractère progressif ?

7. Qu'est-ce que la justice organisationnelle ? Quelles sont ses composantes ? Expliquez l'utilité de cette notion en gestion des ressources humaines.

8. Quelle est l'importance de la communication organisationnelle ? Décrivez les moyens de communication. Choisissez un programme de communication et illustrez son utilité par un exemple pratique.

ÉTUDE DE CAS

L'APPROCHE PAR COMPÉTENCES AU MAROC : GESTION DES CONFLITS ET RELIGION

Lise Chrétien
*Professeure, Faculté d'administration,
Université Laval*

Le Consortium international de développement en éducation (CIDE), entreprise canadienne créée en 1982, a pour mission d'accompagner les gouvernements, les institutions et les organisations publiques et privées engagés dans un processus de réforme ou de restructuration, en misant sur le développement des ressources humaines[61].

En collaboration avec l'Agence canadienne pour le développement international (ACDI)[62], le CIDE met en place un projet visant à aider le ministère de la Main-

d'œuvre et de la Formation professionnelle du Maroc à intégrer l'approche par compétences à l'ensemble de son système de formation de la main-d'œuvre. Les objectifs du ministère sont les suivants :

• Être en mesure de gérer la réforme nationale à long terme.

• S'assurer que tous les services (unités, directions, etc.) touchés par l'intégration de l'approche par compétences effectuent les changements permettant au dispositif de formation professionnelle de fonctionner de façon optimale.

• Garantir la reconnaissance de l'égalité des sexes dans le dispositif de formation professionnelle.

Quatre professionnels constituent l'équipe de gestion du projet : deux Canadiens et deux Marocains. Pendant plusieurs années, ils ont travaillé avec dynamisme et énergie. Le climat était excellent et le projet avançait de manière très satisfaisante. Dernièrement, pour des raisons tenant à l'évolution de leur carrière, les deux Marocains ont annoncé leur départ. Après un recrutement intensif, deux Marocains expérimentés les ont remplacés mais, quelque temps après leur arrivée et sans qu'il y ait eu de signes précurseurs, le climat de travail s'est détérioré et le projet n'a plus progressé qu'au ralenti.

Le CIDE vous confie le mandat de vous rendre sur les lieux et de rencontrer le chef de projet. Celui-ci, qui est canadien, vous reçoit en énumérant les problèmes qui l'accablent et qu'il n'arrive plus à gérer. Les nouveaux membres de l'équipe, contrairement à leurs prédé-

cesseurs, sont de fervents pratiquants. Ils prient cinq fois par jour, cessent de travailler au moins une heure pour la prière du vendredi, ne se présentent jamais aux rencontres informelles ayant lieu les mardis, en fin de journée, dans un bar situé en face du ministère... Les autres membres de l'équipe se plaignent du retard accumulé, de l'interruption constante des réunions, du climat de travail moins convivial qu'auparavant. Enfin, le chef de projet est inquiet parce que le ramadan approche. Il craint que le projet ne prenne encore plus de retard : comment peut-on travailler efficacement quand on ne mange ni ne boit de toute la journée ?

QUESTIONS

1. Quels conseils donneriez-vous au chef de projet ?

2. Quelles actions devrait-il entreprendre en priorité auprès de l'ensemble des membres de l'équipe ? auprès des membres canadiens ? auprès des membres marocains ?

3. Que pensez-vous de l'idée d'adopter l'approche par compétences universelles ?

NOTES ET RÉFÉRENCES

1. M.-T. Chicha, « La gestion de la diversité : l'étroite interdépendance entre l'équité et l'efficacité », *Effectifs*, vol. 5, nº 1, 2002, p. 18-27. M.-T. Chicha, *Discrimination systémique, Fondement et méthodologie des programmes d'accès à l'égalité*, Montréal, Yvon Blais, 1989.

2. P. Verge, G. Trudeau et G. Vallée, *Le droit du travail par ses sources*, Montréal, Thémis, 2006. L. Boisclair, P. Boutet, P.-A. Dessureault et Y. Hallée, *Une étude comparative de la législation sur les normes minimales du travail*, Direction de la recherche et de l'évaluation, ministère du Travail, juillet 2005.

3. F. Morin, J.Y. Brière et D. Roux, *Le droit de l'emploi au Québec*, 3ᵉ éd., Montréal, Wilson Lafleur, 2006.

4. S.W. Gilliland, « The Perceived Fairness of Selection System : An Organizational Justice Perspective », *Academy of Management*, vol. 18, nº 4, 1993, p. 694-734.

5. M.S. Taylor, K.B. Tracy, M.K. Renard, J.K. Harrison et S.J. Caroll, « Due Process in Performace Appraisal : A Quasi-Experiment in Procedural Justice », *Administrative Science Quarterly*, vol. 40, 1995, p. 495-523.

6. emploiquebec.net/francais/entreprises/loiformation/fondsnational.htm.

7. www.emploiquebec.net.

8. www.rhdsc.gc.ca.

9. F. Morin, J.Y. Brière et D. Roux, *op. cit.*

10. *Loi sur les normes du travail*, art. 2.

11. *Ibid.*, art. 43.

12. *Ibid.*, art. 52 et 55.

13. www.rhdsc.gc.ca.

14. *Ibid.*, art. 69.

15. *Ibid.*, art. 80.

16. *Ibid.*, art. 81.

17. www.mss.gouv.qc.ca.

18. H. Johnson, « Le harcèlement sexuel et le travail », *Perspective*, Statistique Canada, hiver 1994, catalogue nº 75-001, p. 11-14.

19. P. Verge, G. Trudeau et G. Vallée, *op. cit.*, p. 366.

20. Commission des droits de la personne, *Politique pour contrer le harcèlement racial en milieu de travail*, document adopté le 14 février 1992 par résolution COM-367-7.2.1, p. 15-16.

21. L. Bernier, L. Granosik et J.-F. Pedneault, *Les droits de la personne et les relations du travail*, Montréal, Yvon Blais, 1997.

22. P. Verge, G. Trudeau et G. Vallée, *op. cit.*, p. 368.

23. P. Verge, G. Trudeau et G. Vallée, *op. cit.* L. Bernier, L. Granosik et J.-F. Pedneault, *op. cit.*

24. R. Laperrière et N. Kean, « Le droit des travailleurs au respect de leur vie privée », *Les Cahiers de droit*, vol. 35, nº 4, 1994, p. 709-778.

25. F. Côté, « Les tests de dépistage d'alcool et de drogues au travail, à quelles conditions et à quel prix ? », *Effectif*, vol. 4, nº 3, juin-juillet-août 2001, p. 41-43. J.-B. Nadeau, « Quel problème de toxicomanie », *Commerce*, juillet 1991, p. 34-38.

26. P. Verge, G. Trudeau et G. Vallée, *op. cit.*, p. 368.

27. J.E. Canto-Thaler, « Drug Testing Remains a Murky Legal Issue », *Canadian HR Reporter*, 9 septembre 1996, p. 8.

28. S. Alvi, « Corporate Response to Substance Abuse in the Workplace », *Conference Board of Canada*, rapport nº 87-92. B. Butler, « Drug Tests May Not Constitute Impairment Tests », *Canadian HR Reporter*, 7 octobre 1996, p. 8.

29. R. Stambaugh, « Protecting Employee Data Privacy », *Computers in HR Management*, février 1990, p. 12-20.

30. D. Veilleux, « Le droit à la vie privée – sa portée face à la surveillance de l'employeur », *Revue du Barreau du Québec*, vol. 60, nº 1, 2000, p. 1-46. C. D'aoust, « L'électronique et la psychologie du travail », dans R. Bourque et G. Trudeau (sous la dir. de), *Le travail et son milieu*, Montréal, PUM, 1994. J. Laabs, « Surveillance : Tool or Trap », *Personnel Journal*, janvier 1992, p. 96-104.

31. P. Verge, G. Trudeau et G. Vallée, *op. cit.*, p. 368.

32. L. Bernier, L. Granosik et J.-F. Pedneault, *op. cit.*

33. *Ibid.*

34. P. Verge, G. Trudeau et G. Vallée, *op. cit.*

35. L. Bernier, L. Granosik et J.-F. Pedneault, *op. cit.*

36. D. Harris, *Wrongful Dismissal*, Toronto, Richard DeBoo, 1984.

37. P. Church et S.D. Matthews, « Providing Alcohol at Work », *OH&S Canada*, juillet-août 1996, p. 46-48.

38. A. Rondeau et F. Boulard, « Gérer des employés qui font problème : une habileté à développer », *Gestion*, février 1992, p. 32-42.

39. N. Lemieux, *La gestion des employés-problèmes*, mémoire de maîtrise, HEC, 1994.

40. A. Rondeau et F. Boulard, *op. cit.*

41. E.M. Morin, *Gestion des employés en difficulté : identification des problèmes et solutions*, document pédagogique, Montréal, HEC, 1991.

42. Anonyme, « Les programmes d'aide aux employés : le cadre juridique », *Le marché du travail*, août 1993, p. 6-10 et 63. W. Sonnenstuhl et H. Trice, *Strategies for Employee Assistance Programs : The Crucial Balance*, Ithaca (New York), ILR, 1990.

43. J. Greenberg, « Organizational Justice : Today and Tomorrow », *Journal of Management*, vol. 16, nº 2, 1990, p. 399-432.

44. M. Tremblay et P. Roussel, « La modélisation du rôle de la justice organisationnelle : ses effets sur la satisfaction et sur les attitudes à l'égard de l'action collective », *Actes de l'AGRH*, Paris, novembre 1996, p. 510-520. G. Greenberg, « Employee Theft as a Reaction to Underpayment Inequity : The Hidden Cost of Pay Cuts », *Journal of Applied Psychology*, vol. 75, nº 5, 1990, p. 561-568.

45. M. Tremblay et P. Roussel, *op. cit.*

46. G.S. Leventhal, J. Karuzza et W.R. Fry, « Beyond Fairness : A Theory of Allocation Preferences », dans G. Mikula (sous la dir. de), *Justice and Social Interactions*, New York, Spring-Verlag, p. 164-218.

47. L.D. Foxman et W.L. Polsky, « Ground Rules for Terminating Workers », *Personnel Journal*, juillet 1984, p. 32. K. Bullock, « Terminating of Employment », *Human Resource Management in Canada*, éd. rév., août 1985, p. 73, nº 023-75, 024.

48. R. Bies et D. Shapiro, « Interactional Fairness Judgments : The Influence of Causal Accounts », *Social Justice Research*, vol. 1, nº 2, juin 1987, p. 199-218.

49. C. Agyris, « Good Communication that Blocks Learning », *Harvard Business Review*, juillet-août 1994, p. 77-85. O. Gélinier, « Politiques de communication interne pour la réussite », *Stratégie d'entreprise et motivation des hommes*, Paris, Hommes et Techniques, 1984, chap. 14. K. Aubin, « Quand la parole est d'or », *Effectif*, vol. 6, nº 3, juin-juillet-août 2003, p. 56-57.

50. P. Kane, « Two-Way Communication Fosters Greater Commitment », *HR Magazine*, octobre 1996, p. 50-52.

51. W. Werther, K. Davis et H. Lee-Gosselin, « L'établissement d'une communication efficace », *La gestion des ressources humaines*, Montréal, McGraw-Hill, 1990, chap. 19. M. Augendre, « La communication : un enjeu pour les organisations », *Sciences Humaines*, hors-série, nº 16, 1997, p. 42-45.

52. P.S. Rogers et H.W. Hildebrandt, « Competing Values Instruments for Analyzing Written and Spoken Management Messages », *Human Resource Management*, vol. 32, nº 1, printemps 1993, p. 121-142.

53. Neilson Media Research, cité dans K.A. Kovach, S.L. Conner, T. Livneh, K.M. Scallan et R.L. Schwartz, « L'e-mail et le droit à la vie privée », *L'Expansion Management Review*, 2000, p. 72-77.

54. P. Duguay et F. Schmait, « Succès de l'organisation et communication interne : étroitement liés... », *Effectif*, vol. 7, nº 5, novembre-décembre 2003, p. 26-28. F. Jacq et J.-L. Muller, « La parole dérange et bouscule… Pourtant on ne peut s'en passer », *De L'expression des employés à la stratégie de l'entreprise*, Paris, Hommes et Techniques, 1984, chap. 1.

55. R. Thériault, *La communication réseau : approche client*, Montréal, Méridien, 2000.

56. F. Gondrand, « Des moyens au service d'une politique », *L'information dans les entreprises et les organisations*, Paris, Éditions d'Organisation, 1990, p. 228-233.

57. F. Gondrand, *op. cit.*

58. R. Lescarbeau, « Les assises de l'enquête feed-back », *L'enquête feed-back*, Montréal, PUM, 1994. J.L. Mendleson et C.D. Mendleson, « An Action Plan to Improve Difficult Communication », *HR Magazine*, octobre 1996, p. 118-126.

59. T. Wils et C. Labelle, « Les systèmes internes de résolution de conflits : des mécanismes de justice pour les employés non syndiqués de l'an 2000 », *Gestion*, mai 1989, p. 51-57.

60. D. Blancero et L. Dyer, « Due Process for Non-Union Employees : The Influence of System Characteristics on Fairness Perceptions », *Human Resource Management*, automne 1996, vol. 35, nº 3, p. 343-359. P. Feuille et D.R. Cachere, « Looking Fair or Being Fair : Remedial Voice Procedures in Nonunion Workplaces », *Journal of Management*, vol. 21, nº 1, 1995, p. 27-42.

61. http://www.cide.ca/site/contenu/index_apropos.cfm.

62. http://www.acdi-cida.gc.ca/index.htm.

LES RAPPORTS COLLECTIFS
DE TRAVAIL

Dans ce chapitre, nous nous familiariserons avec le système des relations du travail au Canada et plus particulièrement au Québec. Après un bref aperçu de la législation, nous étudierons la structure et le rôle des syndicats à l'intérieur de ce système. Nous nous pencherons également sur les campagnes de syndicalisation et d'accréditation, sur le processus de la négociation collective, sur les droits de grève et de lock-out, ainsi que sur les moyens de résoudre les conflits et d'administrer la convention collective. Le chapitre se termine par un bilan des enjeux relatifs aux rapports collectifs du travail.

13.1 LE SYSTÈME DE RELATIONS DU TRAVAIL AU CANADA

Le système de relations du travail (SRT) peut se définir comme «un ensemble complexe d'activités des secteurs privé et public se déroulant dans un milieu donné et mettant en jeu la rétribution du travail ainsi que les conditions dans lesquelles ce travail s'effectue[1]». L'encadré 13.1 le présente schématiquement en montrant qu'il est influencé par plusieurs sous-systèmes présents dans le milieu (sous-systèmes écologique, économique, politique, juridique et social) et par des facteurs (buts, valeurs et pouvoir) relevant de ses principaux acteurs (travailleurs, gouvernement et patronat).

John Dunlop, pionnier dans le domaine des relations industrielles, fut le premier à qualifier d'«acteurs» les divers intervenants d'un système de relations du travail. Par ce terme, il désignait aussi bien les individus que les groupes. Ainsi, les acteurs comprennent non seulement les dirigeants, mais aussi les équipes de direction, non seulement les employés, mais aussi les organisations d'employés (les associations ou les syndicats qui les représentent). Enfin, l'État, en tant qu'employeur et en tant que législateur, est également un acteur. Chacun de ces individus ou de ces groupes veille à ses propres intérêts. Les travailleurs cherchent à améliorer leurs conditions de travail, à obtenir l'équité, des augmentations des salaires et des possibilités d'avancement. Les syndicats ont essentiellement pour mission de protéger leurs membres, d'assurer la survie de l'association, sa croissance et son pouvoir de négociation, laquelle dépend en partie de sa capacité à conserver l'appui de ses membres. Le patronat, lui, veut obtenir des bénéfices, il recherche la productivité et la croissance de l'entreprise; il veille en outre à la préservation de ses droits de gérance. Quant au gouvernement, il vise l'établissement d'une économie saine et stable, la protection des droits de la personne, le traitement équitable des employés et la sécurité au travail. Ces divers intérêts influent directement sur la nature des relations entre le syndicat et l'employeur. En effet, si ces deux acteurs perçoivent leurs buts comme incompatibles, ils sont davantage susceptibles d'entretenir des rapports conflictuels. Si, par contre, leurs objectifs leur paraissent complémentaires, des rapports de coopération peuvent s'établir entre eux[2].

Le syndicat a pour rôle d'améliorer les conditions de travail de ses membres et de sauvegarder leurs intérêts. En période de négociation collective, il tente d'obtenir des concessions de la part de l'employeur, puis de faire respecter les conditions négociées au moyen de la procédure de règlement des griefs[3].

Négociation collective

Processus au cours duquel les représentants des employés et ceux de l'employeur négocient les salaires, les heures de travail, ainsi que d'autres conditions d'emploi.

Le système de relations du travail

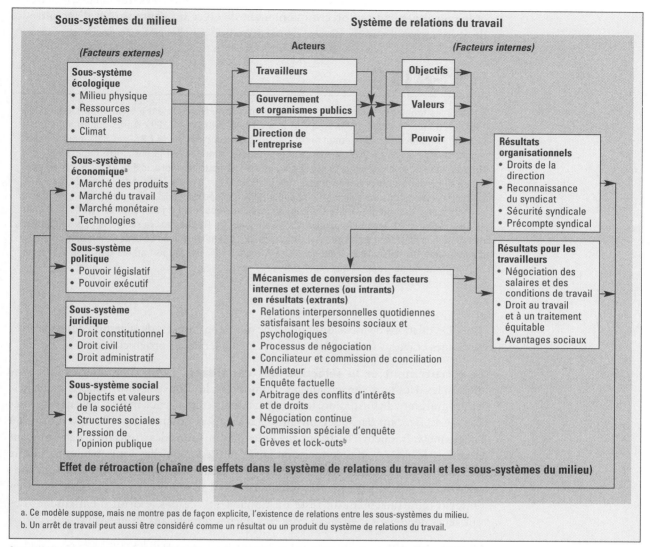

| Sous-systèmes du milieu | Système de relations du travail |

Sous-systèmes du milieu

Système de relations du travail

(Facteurs externes)

Acteurs

(Facteurs internes)

Sous-système écologique
- Milieu physique
- Ressources naturelles
- Climat

Sous-système économique[a]
- Marché des produits
- Marché du travail
- Marché monétaire
- Technologies

Sous-système politique
- Pouvoir législatif
- Pouvoir exécutif

Sous-système juridique
- Droit constitutionnel
- Droit civil
- Droit administratif

Sous-système social
- Objectifs et valeurs de la société
- Structures sociales
- Pression de l'opinion publique

Travailleurs

Gouvernement et organismes publics

Direction de l'entreprise

Objectifs

Valeurs

Pouvoir

Résultats organisationnels
- Droits de la direction
- Reconnaissance du syndicat
- Sécurité syndicale
- Précompte syndical

Résultats pour les travailleurs
- Négociation des salaires et des conditions de travail
- Droit au travail et à un traitement équitable
- Avantages sociaux

Mécanismes de conversion des facteurs internes et externes (ou intrants) en résultats (extrants)
- Relations interpersonnelles quotidiennes satisfaisant les besoins sociaux et psychologiques
- Processus de négociation
- Conciliateur et commission de conciliation
- Médiateur
- Enquête factuelle
- Arbitrage des conflits d'intérêts et de droits
- Négociation continue
- Commission spéciale d'enquête
- Grèves et lock-outs[b]

Effet de rétroaction (chaîne des effets dans le système de relations du travail et les sous-systèmes du milieu)

a. Ce modèle suppose, mais ne montre pas de façon explicite, l'existence de relations entre les sous-systèmes du milieu.
b. Un arrêt de travail peut aussi être considéré comme un résultat ou un produit du système de relations du travail.

Source : A.W.J. Craig, *The System of Industrial Relations in Canada*, 2ᵉ éd., Prentice-Hall Canada, Scarborough, 1986, p. 3. Traduction et reproduction autorisées.

Sur le plan historique, les premières associations ouvrières et les premiers syndicats sont nés dans un contexte où les conditions de travail étaient très déficientes. C'est pourquoi ils ont adopté le rôle d'adversaire dans leurs rapports avec les employeurs. Ils ont mis l'accent sur l'augmentation des salaires et sur l'amélioration des conditions de travail, cherchant toujours à obtenir « plus et mieux ». Cette approche est fructueuse en période de prospérité économique, mais elle pose des problèmes lorsque l'économie se porte mal. De fait, le chômage élevé et la menace de pertes d'emplois ont conduit récemment syndicats et employeurs à revoir leurs rapports. De nombreux syndicats se sont depuis lors engagés dans de nouvelles relations avec le patronat, marquées par la collaboration[4].

Bien que le SRT au Canada soit né et se soit développé traditionnellement dans le cadre de relations conflictuelles, les secousses économiques des années 1980 et 1990 ont poussé les divers acteurs à faire un effort de coopération. Les travailleurs, le patronat et le gouvernement s'efforcent maintenant de créer un consensus et d'accroître les droits des travailleurs en matière de participation au processus de décision[5].

DANS LES **FAITS**

En 2005, les taux de présence syndicale en Amérique du Nord étaient tous inférieurs à ceux de 1997. Au Québec, le taux est passé de 41,8 % en 1997 à 40,5 % en 2005. Après quatre années de hausse continue de 1,5 % au total entre 1999 et 2003, il a diminué de 1,2 % en 2004, pour ensuite augmenter de 0,4 % en 2005. Cette dernière hausse annuelle est la plus forte depuis 2001. En Ontario, le taux de présence syndicale a bondi de 1 % pour atteindre 28,9 % en 2005, soit le taux le plus élevé dans cette province depuis 1998 (29,6 %). Dans le reste du Canada, le taux de présence syndicale est en constante diminution depuis 1997. Il est passé de 33,3 % cette année-là à 30,6 % en 2005. Enfin, du côté des États-Unis, les baisses se succèdent également : de 15,6 % qu'il était en 1997, le taux est descendu jusqu'à 13,7 % en 2005. Le Québec est la région la plus syndiquée de l'Amérique du Nord. L'écart de son taux de présence syndicale avec celui de ses voisins continue d'augmenter. De 1997 à 2005, il est passé de 8,5 % à 9,9 %, par rapport au reste du Canada, et de 26,2 % à 26,8 %, par rapport aux États-Unis[6].

Les relations de travail sont liées à de nombreux aspects de la gestion des ressources humaines et elles sont encadrées par des lois fédérales et provinciales.

Le recrutement et la sélection des candidats. Quand les salariés sont syndiqués, les décisions concernant les promotions, les nouvelles attributions de tâches, les programmes de formation, les congédiements et les licenciements doivent respecter les clauses figurant dans les conventions collectives, notamment celles qui ont trait à l'ancienneté. D'ailleurs, les tribunaux et les commissions des droits de la personne ont entériné ces clauses en reconnaissant leur validité lorsqu'elles sont établies de bonne foi. L'employeur doit également respecter la réglementation en vigueur en ce qui concerne le remplacement des travailleurs pendant une grève. Ainsi, au Québec et en Ontario (contrairement au reste du Canada), il n'a pas le droit d'embaucher des « briseurs de grève », c'est-à-dire des travailleurs remplaçant les grévistes.

La rémunération. L'un des principaux objectifs que visent les employés est d'obtenir un salaire acceptable et des avantages sociaux intéressants. Or, on pense généralement que le syndicat pourrait forcer l'employeur à leur accorder ces avantages et que, par conséquent, les employés pourraient se montrer intéressés par la syndicalisation, à un moment ou à un autre. Notons que la seule menace de syndicalisation suffit bien souvent à amener les employeurs à offrir des salaires et des avantages sociaux satisfaisants.

Les droits des employés. Les employés qui reçoivent un traitement équitable de la part de leur employeur font souvent preuve de bonne volonté à l'égard de l'entreprise. Plus l'employeur reconnaît et respecte leurs droits, moins les employés se sentent menacés par les décisions prises par la direction et moins ils ressentent le besoin de se regrouper en syndicat. Dans les organisations dont les employés sont syndiqués, le syndicat contribue à faire respecter les droits de ses membres.

La qualité de vie au travail et la productivité. Les programmes de qualité de vie au travail et d'amélioration de la productivité sont souvent élaborés conjointement par la direction et par le syndicat. Dans de nombreux cas, l'organisation syndicale entérine les programmes, y apporte un soutien actif et permet à ses membres d'y participer volontairement.

13.2

LA SYNDICALISATION

La syndicalisation est le fait, pour des salariés, d'appartenir ou d'adhérer à un regroupement (syndicat ou association), ou de constituer un regroupement qui défendra leurs intérêts auprès de leur employeur. Le syndicat est la forme la plus courante de regroupement de travailleurs. Il s'agit d'une organisation qui possède l'autorité juridique pour négocier diverses conditions de travail (salaires, horaires, etc.), au nom des salariés, puis de faire respecter la convention collective issue de la négociation. L'encadré 13.2 présente les principaux aspects de la syndicalisation au sein du système des relations du travail. Dans cette section, nous examinons le rôle joué par la syndicalisation, les raisons qui poussent les employés à se syndiquer et les structures syndicales qui régissent les rapports collectifs.

ENCADRÉ ▶ **13.2**

Les éléments et les étapes de la syndicalisation des employés

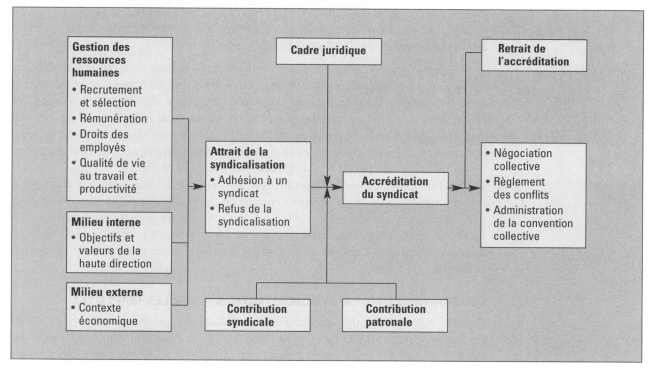

13.2.1 | L'importance de la syndicalisation

D'une part, l'existence d'un syndicat (ou même son existence éventuelle) influe dans une certaine mesure sur la capacité de l'employeur à gérer les ressources humaines. D'autre part, le syndicat permet souvent aux employés d'obtenir de l'employeur ce qu'ils désirent, autrement dit des conditions de travail favorables, des salaires concurrentiels et la sécurité d'emploi.

DANS LES FAITS

Une étude menée par Hewitt sur les « employeurs de choix » s'est penchée entre autres sur l'incidence de la présence d'employés syndiqués sur l'état de mobilisation des employés. Les résultats indiquent qu'au sein du groupe des « employeurs de choix » le taux de mobilisation des entreprises dont moins de 33 % des employés sont syndiqués est de 77 %. Chez celles qui comptent plus du tiers de syndiqués, la mobilisation est de 76 %, soit quelques poussières de moins. Selon Hewitt, « la mobilisation n'est pas le propre d'une catégorie d'employés. Les employeurs de choix en font la preuve. Ils trouvent le moyen de mobiliser leurs employés, peu importe leur âge ou leur appartenance ou non à un syndicat »[7].

L'IMPORTANCE DE LA SYNDICALISATION POUR LES EMPLOYEURS

En gestion des ressources humaines, il est important de bien connaître les tenants et les aboutissants du processus de syndicalisation. L'employeur dont les salariés se syndiquent voit souvent sa marge de manœuvre se réduire en ce qui concerne l'embauche, l'affectation des ressources humaines, l'implantation de nouvelles méthodes de travail ou d'une nouvelle organisation du travail. De plus, les syndicats obtiennent très souvent pour leurs membres des droits que les employés non syndiqués ne possèdent pas. La direction d'une organisation syndiquée doit tenir compte des réactions de ses employés à un grand nombre de décisions administratives.

Toutefois, il arrive que la direction d'une organisation non syndiquée s'efforce de bien satisfaire ses employés et de leur accorder divers avantages pour éviter qu'ils ne se syndiquent. Ainsi, bien qu'on l'affirme couramment, il n'est pas nécessairement vrai qu'une organisation syndiquée soit plus chère à gérer qu'une organisation non syndiquée. Par ailleurs, le syndicat peut aider l'employeur en obtenant des travailleurs certaines concessions salariales et en participant à des expériences de coopération et d'assistance sur les lieux de travail. C'est le cas, notamment, lorsque l'organisation met sur pied un cercle de qualité ou un comité de santé et de sécurité, ce qui permet à l'entreprise de survivre ou de rester compétitive pendant des périodes économiques particulièrement difficiles. L'encadré 13.3, qui présente les taux de syndicalisation au Québec, secteur par secteur, met en évidence les milieux où la présence syndicale est forte, par rapport aux milieux où les employés ne bénéficient pas d'une représentation collective.

L'IMPORTANCE DE LA SYNDICALISATION POUR LES EMPLOYÉS

Certains auteurs affirment que l'attrait des syndicats s'explique par le besoin d'affiliation qu'éprouvent les individus, mais l'importance de ce facteur diminue lorsqu'il est question d'apporter des changements au travail. Par ailleurs, diverses enquêtes révèlent

Les taux de syndicalisation au Québec, secteur par secteur, de 1997 à 2005

	1997	1998	1999	2000	2001	2002	2003	2004	2005
Secteur primaire[a]	**38,9**	**36,2**	**28,3**	**37,8**	**36,5**	**38,5**	**39,9**	**39,9**	**43,7**
Foresterie, pêche, mines et extraction de pétrole et de gaz	38,9	36,2	28,3	37,8	36,5	38,5	39,9	39,9	43,7
Secteur secondaire	**42,2**	**40,7**	**41,4**	**42,9**	**42,2**	**43,3**	**44,9**	**42,6**	**43,6**
Construction	48,4	48,3	50,6	50,1	54,2	55,8	56,3	54,8	56,0
Fabrication	41,2	39,6	40,0	41,7	40,2	41,1	42,5	40,3	40,7
Secteur tertiaire	**41,7**	**40,0**	**39,5**	**39,5**	**40,5**	**40,2**	**40,3**	**39,4**	**39,6**
Administrations publiques	78,3	73,9	74,3	76,1	77,8	78,6	78,4	78,8	77,3
Autres services	14,7	15,5	17,3	16,4	16,8	16,6	18,7	13,6	18,1
Commerce	19,5	20,2	18,5	20,2	19,9	18,8	18,4	19,1	18,1
Finance, assurances, immobilier et location	19,3	20,8	21,6	20,7	21,4	22,3	22,5	19,5	18,8
Hébergement et services de restauration	14,1	13,0	9,9	10,8	11,5	11,7	11,2	11,3	12,8
Information, culture et loisirs	40,7	37,1	40,3	35,4	33,0	35,1	34,0	34,9	34,5
Services aux entreprises, services relatifs aux bâtiments et autres services de soutien	30,7	24,9	20,6	23,5	28,5	28,4	29,8	25,7	26,0
Services d'enseignement	78,8	79,3	78,9	78,0	78,6	77,1	78,1	77,9	75,2
Services professionnels, scientifiques et techniques	9,1	7,6	8,6	8,1	8,3	9,5	9,1	9,3	9,0
Services publics	78,3	72,7	76,9	81,9	79,7	79,5	81,3	83,5	79,9
Soins de santé et assistance sociale	67,2	66,8	65,4	64,3	64,9	64,4	64,9	63,4	66,0
Transport et entreposage	47,9	44,3	42,1	42,6	49,2	50,9	50,0	47,6	49,4
Total	**41,8**	**40,1**	**39,8**	**40,3**	**40,9**	**40,9**	**41,3**	**40,1**	**40,5**

a. À l'exception du secteur agricole.

Sources : Statistique Canada, *Revue chronologique de la population active 2005*, cat. nº 71F0004XCB. A. Labrosse, *La présence syndicale au Québec en 2005*, Direction des études et des politiques, ministère du Travail du Québec, juin 2006.

que les employés, syndiqués ou non, visent les quatre objectifs suivants dans leur milieu de travail : (1) recevoir un salaire convenable ; (2) travailler en toute sécurité ; (3) avoir des horaires raisonnables ; et (4) accomplir leurs tâches dans un milieu agréable[8].

13.2.2 | Les raisons de l'adhésion à un syndicat

Pour comprendre le mouvement syndical, il faut connaître les raisons qui poussent les travailleurs à se syndiquer. De nombreuses recherches ont été consacrées à la question. Bien qu'il n'y ait pas d'explication unique, trois facteurs ressortent de ces études : l'insatisfaction au travail, le sentiment de résignation à l'égard de l'employeur et la valeur utilitaire conférée au syndicat.

L'INSATISFACTION AU TRAVAIL

Un contrat de travail explicite, décrivant les conditions de travail, notamment le salaire, l'horaire et la nature du travail, lie l'employeur et l'employé. Cependant, il en existe un autre, implicite celui-là, qui regroupe les attentes non formulées de l'employé, quant aux conditions de travail, aux exigences liées aux tâches, à l'effort requis, ainsi qu'à la nature et à la portée de l'autorité de l'employeur. Ces attentes sont la manifestation du désir qu'a l'employé de satisfaire certaines de ses préférences dans le domaine du travail. Ainsi, plus l'employeur tiendra compte des préférences de l'employé, plus celui-ci sera satisfait au travail[9].

L'insatisfaction à l'égard du contrat de travail explicite ou implicite incitera l'employé à rechercher les moyens d'améliorer sa situation au travail, et souvent à se syndiquer. En général, les travailleurs qui considèrent les syndicats comme des outils servant à améliorer la qualité de vie au travail sont plus susceptibles que les autres d'adhérer à un syndicat, d'apporter leur appui aux activités syndicales et de participer à la gestion du syndicat[10].

Par conséquent, pour réduire l'attrait des employés pour la syndicalisation, la direction d'une entreprise doit envisager d'améliorer les conditions de travail. Un certain nombre de pratiques, énumérées dans l'encadré 13.4, peuvent engendrer de l'insatisfaction chez un employé.

ENCADRÉ ▶ 13.4

Les pratiques susceptibles d'engendrer de l'insatisfaction chez les employés

- Présenter le poste d'une manière irréaliste, ce qui suscite des attentes impossibles à satisfaire.
- Confier à l'employé des tâches qui ne lui permettent pas d'utiliser ses compétences ou qui sont incompatibles avec sa personnalité, ses champs d'intérêt et ses attentes.
- Effectuer une gestion inadéquate : adopter un style de gestion inadapté, appliquer des mesures inéquitables et obstruer les canaux de communication.
- Ne manifester aucune volonté d'améliorer les conditions de travail et de traiter l'employé avec respect.

Source : adapté de J.F. Rand, « Preventive Maintenance Techniques for Staying Union Free », *Personnel Journal*, juin 1980, p. 498.

LE SENTIMENT DE RÉSIGNATION À L'ÉGARD DE L'EMPLOYEUR

Pour l'employé insatisfait, la décision de se syndiquer constitue rarement une mesure de premier recours. En effet, la première initiative qu'il prendra pour améliorer sa situation consistera habituellement en une action isolée. Un employé disposant de pouvoir ou d'influence au sein de l'organisation saura effectuer des changements sans solliciter l'appui de ses collègues de travail. Le degré de pouvoir d'une personne dépend du caractère essentiel du poste qu'elle occupe, autrement dit de l'importance de sa contribution au succès de l'ensemble de l'organisation. Il dépend également du caractère exclusif du poste, autrement dit de la difficulté d'en remplacer le titulaire. Ainsi, l'employé qui remplit des fonctions essentielles et qu'on ne peut aisément remplacer dispose d'une certaine marge de manœuvre pour forcer l'employeur à modifier ses conditions de travail. La situation est différente dans le cas de l'employé qui n'occupe pas de poste prioritaire et qu'on peut remplacer sans difficulté. Lui aura tendance à envisager d'autres moyens de pression, notamment l'action collective, pour accroître son influence au sein de l'organisation. Pour les économistes du travail, la question est de savoir s'il vaut mieux rester au sein d'une organisation pour lutter afin d'améliorer les conditions de travail ou simplement quitter son emploi.

Lorsqu'ils décident de la pertinence d'une action collective telle que la syndicalisation, les travailleurs évaluent la possibilité d'améliorer leur milieu de travail que cela leur offre, par rapport aux avantages que cela risque de leur faire perdre. Autrement dit, ils évaluent l'utilité d'adhérer à un syndicat.

LA VALEUR UTILITAIRE DU SYNDICAT

L'employé insatisfait à l'égard de plusieurs de ses conditions de travail (salaire, possibilités de promotion, attitude du superviseur, nature du poste, règles régissant l'exécution du travail, etc.) a tendance à considérer le syndicat comme un outil lui permettant d'obtenir des changements notables. Il compare alors les avantages qu'il attend de la syndicalisation et ses coûts probables, à savoir l'hostilité des travailleurs à l'égard des superviseurs et de la direction, la durée de la campagne de recrutement et l'animosité entre partisans et adversaires du syndicat.

L'encadré 13.5 présente le résumé des étapes pouvant conduire les employés à se syndiquer. Ainsi, de façon générale, les attentes d'un travailleur par rapport à son emploi engendrent un sentiment de satisfaction ou d'insatisfaction. Plus le niveau d'insatisfaction sera élevé, plus le travailleur cherchera à améliorer sa situation. S'il n'y parvient

ENCADRÉ ▶ **13.5**

Les étapes du processus de décision concernant la syndicalisation

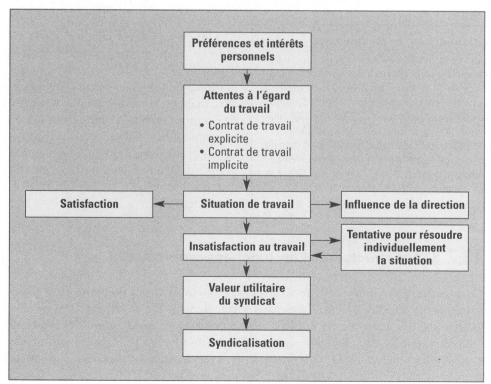

pas individuellement et si les conséquences positives de la syndicalisation dépassent ses conséquences négatives, il sera fortement enclin à adhérer à un syndicat. Ce ne sera cependant pas toujours le cas : il peut malgré tout rejeter le recours à la syndicalisation.

LA DÉCISION D'ADHÉRER OU NON À UN SYNDICAT

La décision de se syndiquer ou non implique l'évaluation des conséquences négatives de la syndicalisation. Un travailleur peut entretenir des doutes quant à la capacité du syndicat à améliorer des conditions de travail insatisfaisantes. En effet, les négociations collectives ne sont pas toujours fructueuses. S'il a peu d'influence, le syndicat ne pourra forcer l'employeur à accepter les demandes. Par ailleurs, l'employeur peut se révéler incapable de survivre aux concessions qu'il aura faites au syndicat, et il devra par la suite fermer ses portes. Des pertes d'emplois en résulteront alors. Le déclenchement d'une grève risque de causer des difficultés économiques aux travailleurs, qui se retrouveront sans travail et sans revenus ou avec des revenus moindres.

La résistance à la syndicalisation peut aussi résulter de l'opinion négative répandue envers le mouvement syndical parmi la population en général, ou encore d'une forte identification à l'entreprise et d'un haut niveau d'engagement envers elle. Dans ce cas, l'employé a tendance à percevoir le syndicat comme un adversaire et il est plus réceptif aux arguments avancés par la direction à l'encontre de la syndicalisation. Les objectifs du syndicat peuvent paraître discutables également, voire nuisibles à l'organisation en question et à la libre entreprise en général. Le travailleur peut s'opposer au principe de l'ancienneté ou aux activités politiques des syndicats. De plus, certains travailleurs professionnels peuvent estimer que l'action collective est contraire à leurs idéaux professionnels que sont l'indépendance d'action et l'autocontrôle.

Il convient de souligner que l'employeur peut dissuader ses employés d'adhérer à un syndicat en adoptant des pratiques de gestion adéquates : invitation à participer à la planification et à la prise de décision ; établissement de réseaux de communication ; élaboration d'un processus de traitement des problèmes et des griefs ; développement de la confiance chez les employés ; et offre de salaires concurrentiels.

DANS LES **FAITS**

Les effectifs syndicaux au Canada, au 1er janvier 2006

Les informations recueillies au cours de la dernière enquête menée auprès des organisations de travailleurs et travailleuses adhérant à des syndicats nationaux et internationaux indiquent que, le 1er janvier 2006, 4 441 000 travailleurs étaient membres d'un syndicat. Cette donnée représente une augmentation de 60 000 membres, par rapport aux chiffres enregistrés au 1er janvier 2005, soit 4 238 000 membres. Par conséquent, au Canada le taux de syndicalisation atteignait 30,8 % au 1er janvier 2006. Les renseignements disponibles en date du 1er janvier 2006 révèlent que le pourcentage de membres des syndicats nationaux non affiliés s'élève à 12,0 %, comparativement à 11,4 % l'année dernière, soit une hausse de 34 430 membres par rapport à l'année précédente[11].

13.2.3 | Les structures et les fonctions syndicales

Cette partie vise à analyser la répartition des fonctions et des pouvoirs au sein des structures syndicales. Nous analyserons succinctement le rôle du syndicat local et l'affiliation à des organismes syndicaux, notamment la Confédération des syndicats nationaux (CSN), la Fédération des travailleurs du Québec (FTQ), la Centrale des syndicats du Québec (CSQ) et la Centrale des syndicats démocratiques (CSD). Nous terminons par l'examen des organismes syndicaux fédéraux.

LE SYNDICAT LOCAL

Le syndicat local est l'organisation syndicale de base d'un établissement ou d'une localité donnée. Il est souvent la première structure syndicale qui met le travailleur en contact avec le syndicalisme. Ses activités sont essentiellement la négociation collective et le règlement des griefs. En son sein, le premier niveau de pouvoir est celui des employés eux-mêmes, membres en règle ou non[12]. Les membres jouissent d'un pouvoir plus important que les autres, puisqu'ils peuvent participer aux assemblées, y prendre la parole et exercer leur droit de vote en cas de grève ou lors de la signature de la convention collective.

Tout syndicat local comprend des délégués syndicaux et un bureau syndical. Le délégué syndical est élu pour agir comme porte-parole des travailleurs auprès du contremaître ou du superviseur, notamment lors d'une procédure de règlement d'un grief. Le bureau syndical est composé des dirigeants du syndicat élus par tous les syndiqués : généralement un président, un vice-président, un secrétaire et un trésorier. Le président préside les assemblées et dirige le syndicat. Dans les syndicats locaux de petite taille, il arrive qu'un même membre remplisse plusieurs fonctions.

L'ORGANISME SYNDICAL AU QUÉBEC

Au Québec, le syndicat local peut rester indépendant ou s'affilier à un organisme syndical dont il devient une partie constituante. Les syndicats locaux indépendants sont pratiquement absents du secteur public et ne représentent que 20 % de l'effectif syndical du secteur privé[13]. L'affiliation à un organisme syndical permet au syndicat local de bénéficier des conseils d'un représentant syndical, ou « permanent syndical », notamment sur toutes les questions ayant trait au droit du travail. Le représentant syndical participe également aux négociations collectives et représente le syndicat dans la dernière étape de la procédure de règlement des griefs[14]. Il détient donc un pouvoir important dans les entreprises et influence les relations de travail. L'affiliation à un organisme syndical permet aussi au syndicat local de bénéficier d'un fonds de grève, ou fonds de défense professionnelle, pour dédommager financièrement les grévistes.

Au Québec, plusieurs centrales syndicales se chargent d'influencer les politiques gouvernementales en matière de travail et de veiller à la protection de leurs membres et des syndicats locaux. La Fédération des travailleurs et des travailleuses du Québec (FTQ), la plus grande centrale syndicale de la province, compte près d'un demi-million de membres dans tous les secteurs économiques et dans toutes les régions. Elle regroupe près de 60 % des syndiqués du secteur privé, qui constituent la majorité de ses membres. Elle est bien implantée également dans les services publics, où elle représente entre autres la majorité des syndiqués de l'administration municipale et du secteur péripublic (Hydro-Québec), ainsi que de la fonction publique fédérale et du personnel des Postes. La Confédération des syndicats nationaux (CSN), centrale syndicale indépendante des partis politiques, des gouvernements et des mouvements syndicaux canadien et américain, compte quant à elle plus de 300 000 membres. Elle est actuellement composée de neuf fédérations regroupant les syndicats d'un même secteur d'activité ou de secteurs connexes. Les secteurs qui y sont représentés sont la santé et les services sociaux, l'éducation, les transports publics, les organismes gouvernementaux, les commerces, les communications, la construction, la métallurgie, les pâtes et papiers, la forêt[15]. La Centrale des syndicats du Québec (CSQ), anciennement Centrale de l'enseignement du Québec (CEQ), compte environ 172 0000 membres, parmi lesquels près de 100 000 travaillent dans le secteur de l'éducation. Elle se compose de treize fédérations regroupant plus de 227 syndicats affiliés en fonction des secteurs d'activité de leurs membres et parmi lesquelles figure l'Association des retraitées et retraités de l'enseignement du Québec (AREQ). Enfin, la Centrale des syndicats démocratiques (CSD) compte environ 60 000 membres travaillant dans divers secteurs d'activité économique, mais principalement dans celui de la construction. Les syndicats affiliés sont regroupés en deux fédérations et en sept secteurs.

L'ORGANISME SYNDICAL FÉDÉRAL

Le syndicat local réunissant des employés qui travaillent au sein du gouvernement fédéral ou dans une organisation à charte fédérale peut s'affilier à un organisme syndical fédéral. L'Alliance de la fonction publique, le Syndicat canadien de la fonction publique et le Syndicat canadien des communications, de l'énergie et du papier sont des organismes syndicaux fédéraux. L'encadré 13.6 énumère les principaux syndicats fédéraux en indiquant leurs effectifs, en 2005 et en 2006.

ENCADRÉ ▶ **13.6**

Les principaux syndicats à charte fédérale, en 2005 et en 2006

Organisme	Effectifs (en milliers)	
	2005	2006
Syndicat canadien de la fonction publique (affilié au Congrès du travail du Canada, CTC)	540	548
Syndicat national des employées et employés généraux et du secteur public (CTC)	337	337
Syndicat international des travailleurs unis de la métallurgie, du papier et de la foresterie, du caoutchouc, de la fabrication, de l'énergie, des services et industries connexes (affilié à la Fédération américaine du travail et au Congrès des organisations industrielles [FAT-COI], ainsi qu'au CTC)	280	280
Syndicat national de l'automobile, de l'aérospatiale, du transport et des autres travailleurs et travailleuses du Canada (TCA Canada, affilié au CTC]	265	65
Travailleurs et travailleuses unis de l'alimentation et du commerce du Canada (CTC)	230	233
Alliance de la fonction publique du Canada (CTC)	156	162
Syndicat canadien des communications, de l'énergie et du papier (CTC)	150	150
Fraternité internationale des Teamsters (FAT-COI/CTC)	125	120
Fédération de la santé et des services sociaux (affiliée à la Confédération des syndicats nationaux, CSN)	110	114
Union internationale des employés des services, Canada (FAT-COI/CTC)	78	85
Fédération des syndicats de l'enseignement (affiliée à la Centrale des syndicats du Québec, CSQ)	84	82
Union internationale des journaliers d'Amérique du Nord (FAT-COI)	85	72
Fédération des enseignantes et des enseignants de l'élémentaire de l'Ontario (CTC)	65	69
Fraternité internationale des ouvriers en électricité (FAT-COI/CTC)	56	57
Fédération des infirmières et infirmiers du Québec (indépendante)	49	56
Syndicat des travailleurs et travailleuses des postes (CTC)	55	55
Fédération des enseignantes et des enseignants des écoles secondaires de l'Ontario (CTC)	53	55
Association des infirmières et infirmiers de l'Ontario (CTC)	50	51
Fraternité unie des charpentiers et menuisiers d'Amérique (FAT-COI/CTC)	52	50
Fédération des employées et employés de services publics inc. (CSN)	42	46
Unite Here, Canada (CTC)	45	46
Fédération des enseignantes et enseignants de la Colombie-Britannique (indépendante)	44	45
L'Institut professionnel de la fonction publique du Canada (indépendant)	48	44

Organisme (*suite*)	Effectifs (en milliers)	
	2005	2006
Association unie des compagnons et apprentis de l'industrie de la plomberie et de la tuyauterie des États-Unis et du Canada (FAT-COI/CTC)	41	43
Syndicat de la fonction publique du Québec (indépendant)	43	43
Union internationale des opérateurs-ingénieurs (FAT-COI/CTC)	40	40
Association internationale des machinistes et des travailleurs et travailleuses de l'aérospatiale (FAT-COI/CTC)	42	39
Association chrétienne du travail du Canada (indépendante)	30	38
Ontario English Catholic Teachers' Association (CTC)	35	36
Syndicat canadien des employées et employés professionnels(les) et de bureau (CTC)	35	34
Fédération du commerce inc. (CSN)	34	32

Source : adapté de Politique et Information sur les milieux de travail, Ressources humaines et Développement social Canada, « Effectifs syndicaux au Canada 1er janvier 2006 », www.rhdsc.gc.ca/fr/pt/imt/effectif_syndicaux.shtml.

Il faut souligner que les structures syndicales locales, provinciales, fédérales et nationales sont complexes et permettent certains chevauchements. L'encadré 13.7 présente les effectifs syndicaux selon le type de syndicat et l'affiliation. Il fait la distinction entre les organismes nationaux et internationaux et tente de simplifier la réalité complexe des structures des organismes syndicaux.

E N C A D R É ▶ 13.7

Les effectifs syndicaux selon le type de syndicat et l'affiliation, en 2006

Type de syndicat et affiliation	Syndicats	Sections locales	Effectifs	
			Nombre	Pourcentage
Syndicats nationaux	**206**	**11 475**	**2 966 370**	**66,8**
Congrès du travail du Canada (CTC)	60	7 683	2 008 310	45,2
Confédération des syndicats nationaux (CSN)	12	1 850	284 280	6,4
Centrale des syndicats du Québec (CSQ)	14	314	123 510	2,8
Confédération des syndicats canadiens (CSC)	6	25	9 390	0,2
Centrale des syndicats démocratiques (CSD)	5	100	9 160	0,2
Syndicats non affiliés	109	1 503	531 720	12,0
Syndicats internationaux	**41**	**4 004**	**1 264 250**	**28,5**
Fédération américaine du travail, Congrès des organisations industrielles/Congrès du travail du Canada (FAT-COI/CTC)	32	3 663	818 770	18,4
Fédération américaine du travail et Congrès des organisations industrielles (FAT-COI) seulement	3	39	74 650	1,7
Congrès du travail du Canada (CTC) seulement	4	294	368 680	8,3
Syndicats non affiliés	28	2 150		0,0
Syndicats à charte directe	**311**		**51 840**	**1,2**
Centrale des syndicats démocratiques (CSD)	309		50 000	1,1
Congrès du travail du Canada (CTC)	2		1 840	0,0
Organisations locales indépendantes	**269**		**158 085**	**3,6**
TOTAL	**827**	**15 479**	**4 441 000**	**100,0**

Note : Les chiffres ayant été arrondis, les sommes peuvent ne pas correspondre aux totaux.

Source : adapté de Politique et Information sur les milieux de travail, Ressources humaines et Développement social Canada, « Effectifs syndicaux au Canada 2005-2006 », www.rhdsc.gc.ca/fr/pt/imt/effectif_syndicaux.shtml.

LES ORGANISMES NATIONAUX

À l'échelle nationale, le Congrès du travail du Canada (CTC) est la centrale syndicale qui possède le plus de visibilité et qui domine avec ses trois millions de membres au Canada. Il compte 12 fédérations provinciales et territoriales et 137 conseils de travail. Sa fonction principale est de défendre les intérêts des travailleurs à l'échelle nationale. Tous les trois ans, plus de 2 500 délégués participent à l'assemblée statutaire du CTC pour décider de ses politiques et de ses activités. Outre son rôle politique, le CTC cherche à résoudre les conflits pouvant surgir entre les organisations membres et à assurer le respect des politiques adoptées lors des congrès nationaux périodiques. Le CTC travaille étroitement avec l'Organisation internationale du travail. Il est également associé à d'autres organisations syndicales internationales[16].

13.3

LA LÉGISLATION SUR LES RAPPORTS COLLECTIFS DE TRAVAIL : UNE VUE D'ENSEMBLE

Trois principes fondamentaux sont à la base du cadre législatif qui régit les relations du travail au Canada :

1. Le droit d'association pour tous les employés.
2. La possibilité pour les représentants des travailleurs d'engager des négociations avec les employeurs.
3. Le droit des parties d'utiliser des moyens de pression tels que la grève et le lock-out.

Au Canada, la législation du travail se compose d'une multiplicité de lois relevant à la fois du gouvernement fédéral et des provinces. Les différents secteurs d'activité, les diverses industries et catégories d'employés sont régis par des lois distinctes ou par des dispositions particulières dans le cadre des lois générales. Quelques industries, telles que le transport interprovincial et les communications, relèvent de l'autorité fédérale, mais les industries de la fabrication, les mines et diverses autres industries relèvent de l'autorité des provinces, même si certaines sociétés œuvrant dans ces secteurs ont des activités et des établissements dans tout le pays. Toutefois, en situation de crise nationale, le gouvernement fédéral peut invoquer la Loi des mesures de guerre de 1914 pour légiférer en matière de relations du travail dans les industries qui sont considérées comme essentielles dans les circonstances.

Durant la Deuxième Guerre mondiale, le gouvernement fédéral a invoqué la Loi des mesures de guerre. Lorsque le conflit a pris fin, les provinces ont retrouvé leur autorité dans le domaine du travail, autorité s'étendant sur plus de 90 % de la main-d'œuvre. Ensuite, au fil des années, elles ont adopté des lois s'accordant avec la Loi sur les relations industrielles et sur les enquêtes visant les différends du travail. Cette loi fédérale, datant de 1948, reconnaissait le droit des travailleurs d'adhérer à un syndicat, contenait des dispositions concernant l'accréditation des syndicats comme agents de négociation, exigeait des syndicats et des directions qu'ils négocient de bonne foi, énumérait les pratiques déloyales et établissait un processus de conciliation obligatoire préalable à toute grève ou lock-out. Au cours des années 1950, plusieurs provinces se sont éloignées de ce modèle afin d'adapter leur législation à leurs besoins.

Au Québec, c'est le Code du travail qui régit principalement les rapports collectifs entre un groupe de salariés et un employeur. Il contient des dispositions concernant l'exercice du droit d'association en milieu de travail, prévoit des règles relatives à la création et à l'accréditation d'un syndicat. Une association accréditée pour représenter les salariés d'une entreprise, en partie ou en totalité, détient un monopole de représentation et peut amorcer la négociation d'une convention collective applicable à l'ensemble des salariés visés par l'accréditation. Le processus de négociation peut nécessiter l'intervention d'un conciliateur ou d'un arbitre de différends. Pendant son déroulement, le syndicat peut exercer son droit de grève et l'employeur son droit de lock-out pour faire pression sur l'autre partie. Une fois la convention collective adoptée, un mécanisme d'arbitrage des griefs aide les parties à régler les questions relatives à son interprétation et à son application.

Le Code du travail traite également de la protection de l'activité syndicale, du maintien des services essentiels dans certains secteurs et de la compétence de la Commission des relations du travail, tribunal administratif spécialisé dans les questions relatives à son application.

Dans l'industrie de la construction, il existe une loi relative aux relations du travail qui est administrée par la Commission de la construction du Québec. De plus, la Loi sur les décrets de convention collective permet d'étendre l'application d'une convention collective à l'ensemble d'un secteur d'activité, pour une région donnée ou pour tout le Québec. Dix-sept décrets administrés par des comités paritaires régissent différents secteurs d'activité[17].

13.4

LA CAMPAGNE DE SYNDICALISATION ET LE PROCESSUS D'ACCRÉDITATION

Comme nous allons le voir, la campagne de syndicalisation comporte divers enjeux et doit respecter certaines modalités. Une fois cette étape franchie vient le processus d'accréditation.

13.4.1 | La campagne de recrutement

Lors de la campagne de recrutement auprès des travailleurs, le syndicat tente de recueillir un nombre d'adhésions suffisant pour obtenir l'accréditation. En général, il fait appel à un organisateur professionnel. Celui-ci possède des aptitudes en communication et des capacités d'organisation exceptionnelles. Il connaît bien les lois du travail s'appliquant au domaine d'activité en question. Les techniques qu'il utilise varient selon la nature et la composition de la main-d'œuvre, et les problèmes propres à l'entreprise. Certains organisateurs se spécialisent dans des groupes précis : alimentation, hôtellerie, industries comprenant de nombreux travailleurs appartenant à des minorités ou à des groupes ethniques, etc.

LA COMMUNICATION INITIALE

La communication initiale peut être le fait soit du syndicat, soit des travailleurs. Un syndicat national ou international peut entrer en relation avec les travailleurs d'une industrie ou d'une profession qui lui fournit traditionnellement des membres. En général, le syndicat commence sa campagne de recrutement en s'adressant aux travailleurs insatisfaits de leurs salaires ou de leurs conditions de travail et en les invitant à téléphoner au bureau local ou à se rendre sur place. Lors de la première rencontre, le cadre syndical évalue la situation de l'organisation et établit un plan d'action si elle lui semble prometteuse. Dès lors, l'organisateur agit comme stratège, éducateur, conseiller et camarade auprès du groupe de travailleurs pour solliciter leur adhésion.

La campagne de sollicitation requiert l'élaboration d'une liste des employés faisant partie de l'unité de négociation. L'organisateur syndical recourt à plusieurs stratégies pour constituer cette liste sans éveiller les soupçons de l'employeur. Ensuite, on procède à l'analyse des caractéristiques démographiques et socioéconomiques du personnel. Toutes ces données seront très importantes au cours de la campagne de recrutement.

Unité de négociation

Groupe de salariés à l'égard duquel une association de salariés détient le monopole de représentation, lorsqu'elle est accréditée[18].

LA SIGNATURE DES CARTES D'ADHÉSION

Une fois la communication établie, le syndicat commence à solliciter les employés afin qu'ils signent leur carte d'adhésion le plus tôt possible. Il peut encourager de petits groupes de militants à effectuer des visites à domicile afin de convaincre les indécis. L'organisateur vise à recruter un certain pourcentage de travailleurs, et surtout un pourcentage supérieur à celui que requiert la loi régissant la procédure d'accréditation. Au cours de la campagne de recrutement, il cherche à leur donner l'impression que le syndicat est voué à rester.

LA RÉSISTANCE DE L'EMPLOYEUR

L'employeur oppose souvent de la résistance lors de la campagne de sollicitation syndicale. Il recourt à un certain nombre de tactiques, dont l'encadré 13.8 présente des exemples. L'une des meilleures stratégies employées pour empêcher la syndicalisation consiste à maintenir un bon niveau de satisfaction chez les employés. Cependant, cela se révèle difficile, car toute organisation compte des employés insatisfaits, quelle que soit la qualité des conditions de travail dont ils bénéficient. Ainsi, l'employeur utilise

ENCADRÉ ▶ **13.8**

Exemples de tactiques patronales utilisées pour contrer les tentatives de syndicalisation

- Manipulation des statistiques : par exemple, l'employeur sélectionne des enquêtes salariales qui donnent à penser que les conditions de travail des employés sont supérieures à celles des entreprises connexes.
- Formulation de menaces ou de promesses applicables en cas de victoire ou d'échec de la tentative de syndicalisation : l'employeur insinue, par exemple, que l'établissement est appelé à fermer ou à déménager dans une autre province.
- Incitation à la mise sur pied d'une association d'employés soutenue par la direction : cette démarche, secrète, s'accompagne d'une invitation à faire une demande d'accréditation pour cette association.

souvent une autre approche, consistant à faire appel aux services d'un consultant. Il est important de noter que les lois fédérales et provinciales prévoient des sanctions en cas de violation de la liberté de choix et de la liberté d'association des employés.

Au cours de la campagne de syndicalisation, il est important que le directeur des ressources humaines mette en garde l'entreprise contre les dangers de s'engager dans des pratiques de travail déloyales, qui peuvent conduire à l'annulation du scrutin : promettre aux employés d'améliorer les salaires et les conditions de travail s'ils renoncent à se syndiquer, accorder des hausses de salaire ou procéder à des changements imprévus et difficilement justifiables dans la gestion des ressources humaines, recourir à toute action que la Commission des relations du travail pourrait interpréter comme une tentative de tromperie portant atteinte à la liberté de choix et de vote des employés sur des questions vitales. De graves violations peuvent entraîner l'accréditation du syndicat comme représentant de l'unité de négociation, même en cas de vote en sa défaveur.

13.4.2 | La détermination de l'unité de négociation

L'unité de négociation se définit généralement comme une unité d'employés dont le statut est jugé adéquat pour la négociation collective. Elle est constituée exclusivement d'employés de métier, de techniciens ou de travailleurs possédant certaines qualifications professionnelles. Les statuts sont habituellement rédigés en termes généraux. Il incombe à la Commission des relations du travail de décider quelles sont les personnes habilitées à faire partie de l'unité de négociation. En définissant l'unité de négociation, la Commission des relations du travail prête une attention particulière au désir des employés, aux expériences de négociation dans des unités similaires, au type d'organisation syndicale (industrie ou métier) et aux groupes de salariés touchés (ouvriers, employés de bureau, techniciens, membres d'une profession libérale ou exerçant un métier). La plupart des décisions ne touchent qu'un seul établissement. L'unité de négociation doit compter au moins deux employés.

13.4.3 | L'accréditation de l'unité de négociation

En vertu des législations du travail du Canada, un employeur peut reconnaître volontairement un syndicat et négocier avec lui une convention collective. Pour forcer un employeur à le reconnaître, le syndicat peut présenter une requête en accréditation à la Commission des relations du travail.

Au Québec, le syndicat doit déposer une requête en accréditation à la Commission des relations du travail en indiquant le groupe de salariés qu'il souhaite représenter, autrement dit en précisant l'unité de négociation. Il doit accompagner sa requête des formulaires d'adhésion signés par des salariés qui doivent avoir versé personnellement une cotisation d'au moins deux dollars au cours des douze mois précédant le dépôt de la requête. Lorsque le groupe de salariés visé n'est pas représenté par un syndicat et ne fait pas l'objet d'une autre requête en accréditation, il est possible de demander l'accréditation à tout moment. Par contre, s'il est représenté par un syndicat, si son employeur appartient au secteur public ou parapublic et si une convention collective est en vigueur, certaines dispositions du Code du travail précisent les périodes au cours desquelles une requête en accréditation peut être présentée.

Le traitement de la requête s'effectue en plusieurs étapes. D'abord, la Commission des relations du travail transmet une copie de la requête à l'employeur. Elle envoie également à toutes les parties un avis pour une audience qui doit avoir lieu de 30 à 45 jours après la réception de la requête. L'employeur doit immédiatement afficher une copie de la requête et de l'avis d'audience dans un endroit bien visible sur les lieux du travail. Il doit également afficher la liste des travailleurs visés dans les cinq jours ouvrables et en faire parvenir un exemplaire au syndicat requérant ainsi qu'à la Commission. Un agent des relations du travail prend alors en charge le dossier et procède à la vérification de la liste des salariés. Il vérifie aussi auprès du syndicat l'authenticité et la conformité de la requête en accréditation et des documents l'accompagnant. Enfin, il doit s'assurer que les salariés ont adhéré à l'association volontairement et que le syndicat représente bien la majorité des travailleurs qui composent le groupe visé[19].

L'agent accorde l'accréditation s'il constate qu'il y a accord avec l'employeur quant à l'unité de négociation et aux personnes concernées et si le syndicat représente plus de 50 % des salariés visés par la requête. En cas de désaccord quant à l'unité de négociation ou aux personnes concernées, il peut quand même accorder l'accréditation si le syndicat reste majoritaire, et cela quelle que soit la décision prise par la Commission à propos de ces désaccords. Dans certains cas, il est nécessaire de procéder au vote afin de déterminer si le syndicat représente la majorité des salariés en question. C'est notamment le cas quand on constate qu'il y a accord concernant l'unité de négociation et les personnes visées, mais que le syndicat ne représente que de 35 à 50 % des salariés de l'unité de négociation. L'agent est responsable de l'organisation du scrutin et il en détermine les modalités après consultation des parties. S'il ne peut accréditer le syndicat, il doit en indiquer les raisons dans un rapport. La Commission des relations du travail tient alors une audience à la date précisée dans l'avis envoyé. Elle doit rendre une décision, qui est sans appel, dans les 60 jours suivant le dépôt de la requête.

www.crt.gouv.qc.ca

Site de la Commission des relations du travail mettant à la disposition du public différents textes consacrés aux audiences et à la façon de les préparer

La plupart des lois du travail excluent certaines catégories de travailleurs. En général, le personnel de la direction et les employés dont les fonctions exigent la confidentialité, de même que les médecins, les dentistes et les avocats ne sont pas touchés par ces lois. Dans le cas où ils voudraient fonder un syndicat pour les représenter, ils ne jouiraient donc pas de leur protection.

L'encadré 13.9 présente les étapes du processus d'accréditation. Notons cependant que lorsqu'un syndicat reçoit l'assentiment de la majorité des employés et que l'employeur accepte de le reconnaître, la démarche est inutile.

13.4.4 | Le retrait de l'accréditation

Au Canada, les législations du travail contiennent des dispositions permettant de révoquer l'accréditation d'un syndicat. Généralement, on entame le processus de retrait de l'accréditation lorsque le syndicat ne représente pas adéquatement les intérêts de ses membres, lorsque la majorité des employés ne veulent plus être représentés par ce syndicat ou lorsqu'un autre syndicat s'est gagné la faveur de la majorité des employés. Dans le cas où une convention collective est en vigueur, il n'est pas possible de faire

Les étapes du processus d'accréditation

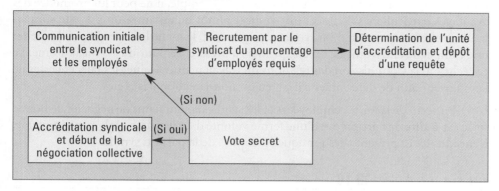

une demande de retrait d'accréditation en dehors de périodes déterminées, en général, dans les deux mois qui précèdent l'expiration de la convention collective.

Au Québec, le Code du travail prévoit la révocation de l'accréditation si l'association à laquelle elle a été accordée a cessé d'exister ou ne regroupe plus la majorité absolue des salariés de l'unité de négociation. La demande de révocation peut prendre la forme d'une simple lettre adressée à la Commission des relations du travail au moment spécifié à l'article 22 du Code du travail. Un agent de relations du travail procède aux vérifications nécessaires, rédige un rapport et le soumet aux parties, qui ont 10 jours pour le contester, le cas échéant.

13.4.5 | L'accréditation patronale

Depuis peu, la législation du travail permet l'accréditation patronale, autrement dit la reconnaissance officielle des associations d'employeurs. Le Code canadien du travail prévoit que le Conseil canadien des relations industrielles peut désigner une organisation patronale comme employeur dans les cas où l'unité d'accréditation regroupe des employés travaillant pour plusieurs employeurs membres d'une organisation patronale (voir l'article 33). Au Québec, le Code du travail ne prévoit l'accréditation d'une association de salariés qu'en fonction d'un employeur unique. Par ailleurs, une négociation collective peut se faire entre plusieurs associations de salariés accréditées et plusieurs employeurs. La convention collective qui en résulte lie tous les employeurs, y compris ceux qui adhèrent par la suite aux associations d'employeurs[20]. Les regroupements d'employeurs en tant qu'agents négociateurs sont surtout répandus dans le domaine de la construction, de l'éducation et des affaires sociales.

13.4.6 | Les pratiques de travail déloyales

La Commission des relations du travail et les tribunaux ont le pouvoir de sanctionner les actes d'un employeur ou d'un syndicat qui, en vertu des règles établies, entrent dans la catégorie des pratiques de travail déloyales. Ainsi, la loi ne permet pas à l'employeur

Unité d'accréditation

Groupe distinct de salariés, ne comprenant pas nécessairement la totalité des salariés d'une entreprise, mais ayant des intérêts communs sur le plan du travail. Une fois qu'elle a été acceptée, l'unité d'accréditation devient l'unité de négociation; le processus de négociation menant à une convention collective qui porte sur les conditions de travail et les salaires de l'ensemble des travailleurs de cette unité peut débuter.

de congédier, de punir ou de menacer ses employés pour la seule raison qu'ils exercent leur droit d'association. Il ne peut pas faire de promesses en vue d'influencer le choix d'un employé concernant la syndicalisation ; par exemple, il ne peut lui promettre des avantages particuliers s'il choisit un syndicat plutôt qu'un autre ou s'il vote simplement contre la formation d'un syndicat. Cependant, la loi ne lui interdit pas de mener une campagne antisyndicale ou d'exprimer sa préférence pour un syndicat donné. Le cas échéant, la Commission des relations du travail peut examiner les faits et gestes de l'employeur afin de déterminer s'il y a eu ou non violation des règles.

En vertu de la loi, les employeurs et les syndicats sont tenus de négocier de bonne foi, c'est-à-dire de faire preuve d'une ferme volonté d'arriver à un règlement équitable. L'encadré 13.10 présente des pratiques déloyales de la part du syndicat.

ENCADRÉ ▶ 13.10

Exemples de pratiques déloyales de la part du syndicat

- S'ingérer dans la formation ou dans la gestion d'une organisation d'employeurs, ou chercher à en entraver le fonctionnement.
- Entraver l'exercice du droit de négociation d'un syndicat accrédité.
- Faire preuve de discrimination envers certains membres du syndicat ou certains employés de l'unité de négociation.
- Exercer des pressions sur des salariés afin qu'ils deviennent ou demeurent membres.
- Forcer les employeurs à congédier, à punir ou à traiter de façon discriminatoire certains membres du syndicat.
- Refuser de défendre équitablement les intérêts de tous les employés faisant partie de l'unité de négociation, que ce soit au cours de la négociation collective ou à l'occasion du règlement d'un grief.

13.5

LA NÉGOCIATION COLLECTIVE

La négociation collective se situe au cœur de la relation entre l'employeur et le syndicat. Elle inclut généralement deux types d'interactions. La première est la négociation même des conditions de travail ; celles-ci, une fois consignées en une entente nommée « convention collective », constituent la base des relations entre l'employeur et les employés sur les lieux de travail. La deuxième se rapporte à l'interprétation et à l'application de la convention collective (l'administration du contrat), de même qu'à la résolution de tous les conflits pouvant surgir à ce propos. La négociation collective est un processus complexe au cours duquel les négociateurs syndicaux et patronaux cherchent chacun à obtenir le plus d'avantages possible.

13.5.1 | Les intervenants et les questions abordées

Une fois accrédité comme représentant d'une unité de négociation donnée, le syndicat devient la seule partie autorisée à négocier au nom de ses membres une entente avec l'employeur, ce qui lui confère une position privilégiée. Il a la responsabilité de négocier les demandes de ses membres et le devoir de représenter tous les employés de façon juste. Dans les entreprises syndiquées, il constitue le lien essentiel entre les employés et l'employeur. La qualité des négociations permet de mesurer l'efficacité du syndicat.

LES COMITÉS DE NÉGOCIATION

La direction et le syndicat sélectionnent chacun des représentants pour former leur comité de négociation respectif. Aucune des parties n'est tenue de prendre en compte les souhaits exprimés par l'autre à ce propos. Ainsi, un représentant ne peut refuser de négocier avec l'autre partie sous prétexte qu'il n'apprécie pas son homologue ou qu'il juge ce choix de représentant inapproprié. Il est essentiel que les négociations débutent, se poursuivent avec diligence et soient menées de bonne foi. Le comité de négociation syndical comprend généralement des représentants du syndicat local, le président du syndicat et d'autres membres du bureau. De plus, l'organisme syndical auquel le syndicat local est affilié délègue le représentant syndical pour conseiller ou prendre part à la négociation. Les négociateurs du syndicat ne doivent pas obligatoirement être membres du syndicat ou employés par l'entreprise. Dans chacun des deux comités, syndical et patronal, on cherche à équilibrer, d'une part, les capacités et l'expérience de négociation des représentants et, d'autre part, leurs connaissances et leur niveau d'information concernant les circonstances propres à l'organisation.

Au niveau local, lorsqu'une seule unité de négociation est concernée, l'entreprise se fait habituellement représenter par son directeur et des membres du service des relations du travail ou de la gestion des ressources humaines. Les directeurs de la production et des finances peuvent également être membres du comité de négociation patronal. Cependant, lorsque les enjeux sont très importants, à cause de la taille de l'unité de négociation ou des conséquences éventuelles de cette négociation sur l'entreprise ou sur l'ensemble de l'industrie, des spécialistes peuvent s'ajouter, tels que des avocats en relations du travail ou des conseillers en relations industrielles.

Lorsque l'employeur est une entreprise d'envergure nationale, des gestionnaires de haut niveau travaillant dans le service des relations industrielles ou de la gestion des ressources humaines font partie du comité, de même qu'une équipe de spécialistes provenant du siège social, auxquels s'adjoignent parfois des gestionnaires d'usines ou de services cruciaux. Répétons-le, on cherche à constituer un comité formé de représentants alliant l'expertise et une bonne connaissance des situations organisationnelles particulières.

LA STRUCTURE DE LA NÉGOCIATION

La plupart du temps, les conventions collectives se concluent entre un seul syndicat et un seul employeur. Cependant, d'autres situations se présentent aussi. Ainsi, un syndicat unique peut négocier avec plusieurs entreprises d'un même milieu, qui constituent un groupe. C'est le cas dans le secteur de la construction ou des supermarchés, par exemple. Au niveau local, on parle de négociation multipatronale, mais au niveau national, de négociation de branche. La négociation de branche se rencontre aussi fréquemment dans le secteur privé que dans le secteur public. Elle se concentre sur les principales questions, comme celle de la rémunération, et renvoie la question des conditions de travail à une négociation locale.

Négociation multipatronale

Négociation collective se déroulant entre un groupe d'employeurs et un syndicat local.

Négociation de branche

Négociation collective se déroulant entre un groupe d'employeurs et un syndicat et portant sur les conditions d'emploi qui s'appliqueront à toute une industrie.

Négociation coordonnée

Négociation se déroulant entre plusieurs syndicats et un seul employeur.

Il arrive aussi que plusieurs syndicats négocient conjointement avec un seul employeur. On parle alors de négociation coordonnée. Cette méthode est moins courante que les deux précédentes, mais on y recourt de plus en plus, surtout dans le secteur public. La négociation coordonnée et la négociation de branche ont un point commun : elles aboutissent toutes les deux à une convention collective type qui sert de base dans une industrie donnée et fixe des taux de salaire similaires pour les entreprises dont les employés font partie d'un même syndicat. La convention collective type peut cependant être désavantageuse pour les employés, parce qu'elle ne tient pas compte des différences existant entre les employeurs quant à leur situation économique et à leur capacité financière. Ainsi, elle peut être acceptable pour certaines entreprises, mais causer de graves problèmes économiques à d'autres. C'est pourquoi cette forme d'entente est de moins en moins utilisée dans le cadre d'une négociation coordonnée ou d'une négociation de branche. La convention collective type présente toutefois des avantages, en raison de son efficacité et de la force relative qu'elle donne aux syndicats et aux employeurs.

Dans le cas de la négociation multipatronale, les entreprises négocient des conventions collectives très similaires de façon à réduire le temps et les coûts liés aux négociations individuelles. Cette technique de négociation permet également au syndicat en cause d'économiser du temps et de l'argent. Les syndicats voudront donc participer à ce genre de négociation s'ils estiment que leur position ne s'en trouvera pas affaiblie. Il est possible, en effet, que dans une situation où les conditions de travail au niveau local sont très différentes d'une organisation à l'autre il soit préférable de répartir la négociation entre les niveaux national et local.

LES QUESTIONS SOUMISES À LA NÉGOCIATION

Il n'existe pas de règles précises quant au contenu de la convention collective. Les questions soumises à la négociation peuvent donc inclure, entre autres, les salaires et les conditions de travail, les avantages sociaux divers, le règlement des griefs. La liste des sujets traités lors de la négociation collective étant très longue, nous n'en aborderons que les principaux.

Les salaires. La question des salaires est sûrement celle qui occasionne le plus de difficultés et de grèves. En effet, les augmentations de salaire représentent un coût direct pour l'entreprise et peuvent influer sur sa rentabilité. Le salaire des employés est déterminé principalement par un taux de base s'appliquant à un emploi déterminé et pouvant être accru en fonction de facteurs dont on discute lors de la négociation collective. Les directions d'entreprise aimeraient payer les employés en fonction de leur productivité, mais ce souhait se concrétise rarement. Trois normes servent généralement à déterminer le salaire de base : (1) le salaire payé sur le marché pour un emploi similaire ; (2) la capacité financière de l'entreprise déterminée par ses bénéfices ; et (3) l'indice des prix à la consommation.

Les salaires ne sont qu'un des aspects de la rémunération versée aux employés. Ceux-ci bénéficient en effet d'autres avantages économiques, les avantages sociaux indirects. La négociation collective répartit les demandes syndicales entre ces deux types de rémunération. Les deux dimensions sont importantes, parce que le coût des salaires et celui des avantages sociaux peuvent être très différents aux yeux de l'employeur.

Les avantages sociaux. Les avantages sociaux (ou avantages accessoires) représentent une partie croissante de la rémunération globale d'un employé; leur proportion peut atteindre 40 %. Il s'agit principalement des vacances, des jours fériés, des régimes de retraite et des assurances collectives; l'encadré 13.11 en présente une liste exhaustive. Il n'est pas facile, pour la direction, de supprimer des dispositions inscrites dans la convention collective. Par exemple, si le syndicat obtient un nouveau régime d'assurance-maladie dans le cadre d'une négociation, la direction aura beaucoup de mal à le retirer lors de la négociation suivante. Estimant qu'elle a moins de pouvoir sur les avantages sociaux que sur les salaires, elle évite donc d'accorder des programmes coûteux aux employés.

ENCADRÉ ▶ **13.11**

Les avantages sociaux négociés dans une convention collective

- Les régimes de retraite : conditions et durée de service pour l'admissibilité; partage éventuel du coût du programme entre l'organisation et le syndicat. Le Québec a une Loi sur les régimes complémentaires de retraite.
- Les vacances payées : durée et conditions d'attribution.
- Les congés payés : nombre, admissibilité, conditions.
- Les congés de maladie : nombre, conditions de cumul et d'admissibilité.
- L'assurance-vie : prise en charge totale ou partielle des coûts par l'employeur.
- Les indemnités de licenciement ou de cessation d'emploi.

Les régimes complémentaires d'assurance-maladie et d'assurance salaire peuvent faire partie des avantages sociaux.

Les clauses contractuelles. Les clauses contractuelles ne se rapportent pas directement aux emplois occupés par les travailleurs; cependant, elles ont de l'importance tant pour les employés que pour la direction, comme l'illustre l'encadré 13.12.

ENCADRÉ ▶ **13.12**

Les clauses contractuelles

La sécurité syndicale	Les clauses de sécurité syndicale définissent la relation entre le syndicat et ses membres. Il existe quatre grands types de clauses de sécurité syndicale au Canada :
	• En vertu de l'atelier fermé (ou exclusivité syndicale), l'employeur convient d'embaucher et de garder à son emploi les seuls salariés membres du syndicat. Ce type de clause est fréquent dans le domaine de la construction, mais il n'est pas très répandu dans les autres secteurs, puisqu'on le trouve dans moins de 4 % des conventions collectives.
	• L'atelier syndical parfait exige que tous les employés deviennent membres du syndicat.
	• L'atelier syndical imparfait dispense les employés non membres au moment de la signature de la convention collective d'adhérer au syndicat, mais on l'exige des futurs employés.
	• Enfin, la formule Rand requiert le paiement de cotisations syndicales de tous les employés faisant partie de l'unité de négociation, y compris des employés non syndiqués.

Les clauses contractuelles (*suite*)

Le précompte syndical	Les syndicats ont tenté de prendre des dispositions pour que le versement des cotisations soit effectué au moyen d'un précompte ou de retenues sur le salaire des employés. Cinq provinces ont rendu ce prélèvement obligatoire par voie de législation : le Québec, la Saskatchewan, le Manitoba, l'Ontario et Terre-Neuve. Dans les autres provinces, les clauses de précompte syndical contenues dans les conventions collectives sont variables : retenues obligatoires pour tous les employés ; retenues obligatoires pour les membres syndiqués ou volontaires.
Les droits de gérance	Les conventions collectives stipulent que certaines activités relèvent exclusivement de la direction. De plus, les questions qui ne sont pas abordées dans la convention collective sont considérées comme des droits de la direction, en vertu de la thèse des droits résiduaires.
La durée de la convention	Au Québec, la déréglementation de la durée des conventions collectives, rendue possible par les articles 2 et 14 de la Loi modifiant le Code du travail adoptée le 11 mai 1994, a répondu aux attentes patronales, sans pour autant causer les effets indésirables appréhendés par certains syndicats. L'article 14 déplafonne la durée des conventions collectives, qui était de trois ans. L'article 2 modifie les périodes de changement d'allégeance syndicale pour une convention de longue durée.

Les clauses normatives. La dernière catégorie de clauses négociables concerne les conditions de travail. L'encadré 13.13 énumère et explique les sujets des clauses normatives.

E N C A D R É ▶ **13.13**

Les clauses normatives

Les pauses et les périodes de nettoyage	Certaines conventions collectives précisent le temps et la durée des pauses santé et des pauses repas des employés, ainsi que la période accordée pour le nettoyage lorsque la nature de l'emploi l'exige.
La sécurité d'emploi	Cette clause est probablement la plus importante pour les employés et les syndicats. Elle restreint le pouvoir des employeurs en matière de licenciement. Les changements organisationnels et la sous-traitance sont des phénomènes susceptibles d'influencer la sécurité d'emploi.
L'ancienneté	La durée de service est utilisée dans les conventions collectives comme critère pour un grand nombre de décisions organisationnelles. Par exemple, l'ancienneté est souvent prise en compte lors de licenciements. La règle du « dernier embauché, premier congédié » est encore couramment appliquée.
Les mesures disciplinaires	Il s'agit de l'une des questions les plus sensibles de la négociation. De plus, même lorsqu'une entente est conclue sur cette question, on peut prévoir que plusieurs griefs seront déposés par des employés faisant l'objet d'une mesure disciplinaire ou d'un congédiement.

La santé et la sécurité au travail	Bien que diverses lois sur la santé et la sécurité au travail traitent explicitement de cette question, quelques conventions collectives comportent des clauses concernant les équipements de sécurité, les premiers soins, les examens médicaux, les enquêtes sur les accidents et l'organisation des comités de sécurité. Les risques professionnels et les dangers que comporte le travail font parfois l'objet de clauses spéciales qui les décrivent et leur associent des taux de salaire particuliers.
	La convention collective stipule souvent que l'employeur est responsable de la sécurité des travailleurs. Ainsi, le syndicat peut utiliser la procédure de règlement des griefs pour tout problème s'y rapportant.
Les normes de production	Le niveau de productivité ou de rendement des employés est une préoccupation commune à l'employeur et au syndicat. L'employeur se soucie de l'efficacité du travail ; le syndicat s'inquiète de l'équité et du caractère raisonnable des exigences de la direction.
Le règlement des griefs	Cette clause constitue une partie importante de la négociation collective. Elle est analysée en détail dans la sous-section 13.7.1.
La formation	L'élaboration et l'administration des programmes de formation et de perfectionnement, de même que le processus de sélection des employés qui pourront y participer peuvent faire l'objet d'une négociation entre les parties.

Les clauses normatives abordent également le contenu et l'évaluation des emplois, ainsi que la durée du travail.

13.5.2 | Le processus de négociation

Selon Paquet[21], le processus de négociation débute au moment de l'envoi ou de la réception de l'avis de rencontre et se termine par la signature de la nouvelle convention collective. Il comprend quatre phases : la phase d'ouverture ; la phase d'exploration ; la phase de rapprochement ou de la négociation proprement dite ; et la phase de l'entente finale.

La phase d'ouverture est une étape au cours de laquelle les représentants patronaux et syndicaux font connaissance. Elle peut se composer d'une ou de plusieurs rencontres. Au cours de la première d'entre elles, la partie syndicale dépose généralement ses demandes et les explique brièvement. Elle peut cependant également choisir de le faire lors d'une rencontre ultérieure, en fonction de sa stratégie. Il est plutôt rare de voir la partie patronale déposer ses offres, notamment salariales, dès la phase d'ouverture. L'importance de cette phase réside dans le fait qu'elle donne le ton à toute la négociation.

La phase d'exploration voit les parties tenter de comprendre les demandes et d'évaluer leurs répercussions sur le milieu de travail. Elle leur permet de mesurer l'écart qui les sépare et de déterminer les éléments sur lesquels il sera possible d'obtenir des concessions. Durant cette phase, les discussions prennent la forme d'explications.

La phase de rapprochement, ou de la véritable négociation, est généralement la plus longue et la plus exigeante, puisqu'il s'agit de concilier les positions après les avoir présentées. Les parties commencent habituellement à régler les points non litigieux, autrement dit les clauses de la convention collective qui sont reconduites. Elles abordent ensuite les sujets sur lesquels les positions sont différentes, mais laissent entrevoir la possibilité d'un accord rapide. Enfin, en dernier lieu, elles se penchent sur les questions les plus litigieuses. Ainsi, les clauses contractuelles et normatives sont négociées les premières. Dès que des progrès ont été réalisés sur ces clauses, on discute des clauses financières. Si les négociations sur ces clauses achoppent, on envisage dans la plupart des cas le recours à des moyens de pression. La phase de rapprochement se caractérise par le compromis. Pour qu'un accord se réalise, l'une ou l'autre des parties doit renoncer à sa position ou présenter des propositions pour réduire l'écart qui sépare les négociateurs. Peu à peu se dessinent les marges à l'intérieur desquelles il sera possible d'arriver à un accord. Il restera quand même à s'entendre sur les points les plus litigieux, qu'on réserve généralement pour la fin.

La phase de l'entente finale représente la dernière étape du processus de négociation collective. Il s'agit d'une phase critique, qui se termine par une entente de principe entre les parties patronale et syndicale. Du côté syndical, l'assemblée générale des membres du syndicat doit ratifier l'entente de principe. Les codes du travail québécois et canadien obligent en effet les instances syndicales à organiser, avant la signature de la convention collective, un vote de ratification par l'assemblée des salariés syndiqués. En cas de rejet de l'entente, l'assemblée doit décider des mesures à prendre, et notamment demander au comité de négociation d'améliorer des points particuliers. Il est déjà arrivé que le rejet de l'entente cause la démission du comité de négociation. Toutefois, dans la très grande majorité des cas, l'assemblée entérine l'entente de principe négociée en son nom par les représentants syndicaux. Comme l'entente consiste souvent en un texte préliminaire contenant les grandes lignes de la prochaine convention collective, il faut le finaliser. Une fois terminée la rédaction de la convention collective, les parties doivent apposer leur signature. Si une grève a eu lieu pendant la négociation, elles doivent également s'entendre sur les modalités de retour au travail, qui sont consignées dans un protocole négocié.

13.5.3 | Les formes de négociation collective

Traditionnellement, il existe quatre formes de négociation collective : la négociation distributive, la négociation intégrative, la structuration des attitudes et la négociation intra-organisationnelle. Il s'en est ajoutée une autre, issue des nouvelles relations de coopération entre la partie patronale et la partie syndicale : la négociation raisonnée.

LA NÉGOCIATION DISTRIBUTIVE

Négociation distributive (ou négociation avec répartition des avantages)

Forme de négociation collective dans laquelle l'employeur et le syndicat s'efforcent d'atteindre des buts qui se traduiront par un gain pour l'une des parties et une perte pour l'autre.

La négociation distributive (ou négociation avec répartition des avantages) se définit comme un processus de négociation selon lequel les résultats qu'obtiennent les parties en conflit représentent un gain pour une partie et une perte pour l'autre partie. On peut parler d'un jeu à somme nulle. En effet, chacune des parties cherche à obtenir le maximum de son adversaire, mais la répartition des ressources économiques et du pouvoir fait en sorte qu'il n'y a ni gagnant ni perdant.

L'encadré 13.14 présente schématiquement le processus de la négociation distributive. Pour chacune des questions discutées, les négociateurs syndicaux et patronaux adoptent trois positions distinctes : le niveau des demandes ou des offres initiales, le niveau cible et le niveau de résistance.

Le processus de négociation distributive

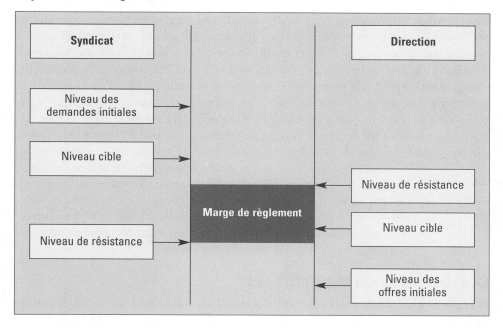

Niveau cible

Évaluation réaliste, par le syndicat, du niveau de salaire et des conditions de travail qu'il est possible d'obtenir de la direction au cours de la négociation.

Niveau de résistance

Niveau minimal que le syndicat peut accepter au nom de ses membres, ou niveau maximal des concessions que la direction accepte de faire au cours de la négociation.

Offres initiales

Propositions initiales de l'employeur concernant les salaires et les conditions de travail, se situant généralement à un niveau inférieur à celui des conditions de règlement attendues.

Marge de règlement positive

Zone de chevauchement entre les niveaux de résistance de l'employeur et du syndicat, à savoir entre les offres du premier et les demandes du second, dont l'existence rend possible la conclusion d'un règlement acceptable pour les deux parties.

Marge de règlement négative

Absence de zone de chevauchement entre les niveaux de résistance de l'employeur et du syndicat, c'est-à-dire entre les demandes du second et les offres du premier, ce qui ne laisse aucun terrain d'entente possible.

Dans le contexte de la négociation distributive, le syndicat fixe le *niveau des demandes initiales* à un niveau supérieur à ce qu'il s'attend à obtenir. Il définit également un niveau cible correspondant à ce qu'il peut obtenir, de manière réaliste, et un niveau de résistance correspondant au minimum acceptable, selon lui. Notons qu'il ne dévoile pas ces informations à la table de négociation.

L'employeur, quant à lui, définit des offres initiales, qui sont habituellement inférieures au règlement auquel il s'attend. Il fixe également un niveau cible, correspondant à l'entente à laquelle il voudrait arriver, et un niveau de résistance, correspondant au maximum qu'il juge acceptable. Si, comme l'illustre l'encadré 13.14, le niveau de résistance de l'employeur est supérieur à celui du syndicat, il existe alors une marge de règlement positive à l'intérieur de laquelle la négociation pourra s'effectuer. Si, par contre, le niveau de résistance de l'employeur est inférieur à celui du syndicat, il y a une marge de règlement négative ; sans aucun terrain d'entente possible, la négociation entre dans une impasse.

Cependant, dans la réalité, les choses ne sont pas aussi simples. Le processus est en effet bien plus complexe, en raison de la multiplicité des questions qui sont en jeu dans une séance de négociation et du fait que toutes ces questions sont reliées. Les concessions du syndicat sur une question peuvent être « échangées » pour des concessions de la direction sur une autre. Il en résulte un processus global dynamique.

Pour résumer, Bourque déclare que la négociation distributive est une négociation qui fait appel à des tactiques de persuasion et, surtout, à des tactiques de coercition visant, pour l'une des deux parties, à amener l'autre à changer ses préférences dans un sens favorable à ses propres revendications. Les échanges de propositions et de contre-propositions constituent la forme privilégiée d'interaction entre les parties dans ce type de négociation[22].

LA NÉGOCIATION INTÉGRATIVE

CONSULTEZ INTERNET

www.rhdsc.gc.ca/fr/pt/imt/inmt/00index.shtml

Site de Ressources humaines et développement social Canada présentant les innovations en matière de clauses de conventions collectives, dans les provinces et au fédéral

Dans la négociation intégrative, l'employeur et le syndicat s'efforcent de résoudre un problème à l'avantage des deux parties. Il s'agit habituellement d'une négociation portant sur des questions d'ordre qualitatif (principes, santé et sécurité au travail, sécurité d'emploi, etc.) et des questions à caractère non économique. La plupart des changements relatifs à la qualité de vie au travail se décident lors d'une négociation intégrative. Les intérêts des parties sur ces questions ne sont pas opposés, mais plutôt complémentaires. Il ne peut y avoir de négociation intégrative lorsque les relations du travail sont conflictuelles. Cette approche de coopération a suscité l'intérêt récemment, surtout dans le secteur de la santé et de la sécurité au travail, mais aussi dans des contextes où l'employeur et le syndicat se rapprochent dans le but de trouver des solutions compatibles dans un environnement concurrentiel et très turbulent[23]. En effet, les tentatives de coopération de l'employeur et du syndicat pour sauver l'entreprise ou pour renforcer sa position stratégique reposent inévitablement sur une négociation intégrative orientée vers l'atteinte d'objectifs communs[24].

LA STRUCTURATION DES ATTITUDES

Les relations qu'établissent les travailleurs et la direction se traduisent par une structuration des attitudes, autrement dit par l'adoption d'attitudes à l'égard de l'autre partie. Ces relations comportent quatre dimensions : (1) l'orientation des motivations, ou les tendances indiquant si les interactions prévues seront de nature compétitive, conflictuelle ou coopérative ; (2) les opinions de chacun à propos de la légitimité de l'autre partie, consistant, pour chaque partie, à estimer si l'autre partie a le droit de négocier ; (3) le niveau de confiance dans la conduite de la négociation, ou la croyance en l'intégrité et en l'honnêteté de l'autre partie ; et (4) le degré de sympathie mutuelle, ou la probabilité que les interactions entre les deux parties soient amicales ou hostiles. Les attitudes peuvent changer au cours de la négociation. On distingue cinq structures de relations entre les négociateurs des deux parties, qui résultent de la combinaison des différentes attitudes : le conflit, la protection contre l'agression, l'accommodation, la coopération et la collusion. L'effet des attitudes qui auront prévalu en cours de négociation se prolongera lors de l'administration de la convention collective et lors des futures négociations[25].

LA NÉGOCIATION INTRA-ORGANISATIONNELLE

Au cours des négociations, chacun des deux comités présents autour de la table, celui du syndicat et celui de la direction, devra s'engager dans une négociation intra-organisationnelle. Il lui faudra alors définir clairement son ou ses mandats de négociation, pour chacune de ses composantes, et discuter des changements de position nécessaires. Ainsi, en fonction de l'atteinte de ce mandat, les négociateurs patronaux peuvent avoir à convaincre la direction de modifier sa position en acceptant une entente portant sur une augmentation de salaire. Les négociateurs syndicaux peuvent, quant à eux, devoir convaincre éventuellement les membres du syndicat d'accepter la convention collective négociée. Il leur faut donc être attentifs et réalistes concernant les demandes des membres. Cependant, ils ont une grande influence lors du vote de l'assemblée sur une entente négociée.

LA NÉGOCIATION RAISONNÉE (*MUTUAL GAINS BARGAINING*)

La négociation raisonnée prône la mise en place d'une relation de coopération. Elle repose sur un processus de résolution de problèmes, et non sur un processus conflictuel[26]. Selon le modèle de Fisher et Ury[27], quatre principes, présentés dans l'encadré 13.15, en constituent le fondement. D'abord, les parties doivent se concentrer sur les problèmes à résoudre et éviter les conflits personnels. À cet égard, il s'agit plus de garder à l'esprit les objectifs à atteindre que de se fixer sur des positions. Ensuite, il est important de manifester une certaine ouverture et de proposer plusieurs solutions. Enfin, les parties doivent rechercher des solutions justes et équitables en se fondant sur des critères objectifs[28].

Négociation raisonnée

Négociation favorisant une relation de coopération entre les représentants de l'employeur et ceux des employés, et reposant sur un processus de résolution de problèmes, non sur un processus conflictuel.

ENCADRÉ ▶ 13.15

Les principes de la négociation raisonnée, selon Fisher et Ury

1. Traiter séparément les questions d'ordre personnel et le différend.
2. Se concentrer sur les intérêts en jeu, plutôt que sur des positions.
3. Imaginer un grand éventail de solutions avant de prendre une décision.
4. Évaluer les résultats sur la base de critères objectifs.

L'encadré 13.16 expose les cinq étapes qui composent la démarche de négociation collective raisonnée.

ENCADRÉ ▶ 13.16

Les cinq étapes de la négociation collective raisonnée

Étape 1 En équipe patronale ou syndicale	Étape 2 1re séance de négociation	Étape 3 2e séance de négociation	Étape 4 En équipe patronale ou syndicale	Étape 5 3e séance de négociation
Analyse du problème, de ses propres intérêts et des intérêts de l'autre partie	Expression de ses intérêts et compréhension des intérêts de l'autre partie	Exploration des solutions par la technique du remue-méninges	Sélection de trois solutions, par ordre de priorité	Définition des éléments essentiels d'un accord de principe acceptable pour les deux parties et fondé sur des critères objectifs

Source : J.-G. Bergeron et R. Bourque, « La formation et la pratique de la négociation collective raisonnée au Québec : esquisse d'un bilan », dans P. Deschênes, J.-G. Bergeron, R. Bourque et A. Briand (sous la dir. de), *Négociation en relations du travail : nouvelles approches*, Québec, Les Presses de l'Université du Québec, coll. « Organisations en changement », 1998.

Si elle est une forme de négociation reposant sur la résolution de conflits et allant donc dans le sens des tendances de coopération observées dans certains milieux de travail[29], la négociation raisonnée n'est cependant pas une panacée[30]. Elle accuse en effet certaines limites qu'il convient de souligner. Selon Fisher et Ury, l'un de ses enjeux majeurs consiste à définir la meilleure solution de rechange en cas d'échec, avant même le début de la négociation. De plus, ses partisans affirment qu'elle doit rester exempte de toute épreuve de force ou de tout conflit et ils ne donnent pas plus d'explications quant aux solutions de rechange possibles. Or, l'entente sur une solution de rechange passe nécessairement par l'exercice d'une épreuve de force, puisque l'employeur et le syndicat ne choisissent pas leur interlocuteur.

La deuxième limite de la négociation raisonnée tient à la nécessité de bâtir une relation de confiance au sein de chacune des parties. Comme ils font l'effort de tenir compte de leurs intérêts mutuels, les parties risquent de perdre de vue leur principale mission, qui consiste à représenter les intérêts de leur mandataire. Or, la négociation raisonnée est vouée à l'échec s'il n'y a pas de relations de confiance dans l'entreprise avant les rencontres. En effet, en révélant leurs intérêts, les parties, représentants syndicaux et représentants de l'employeur, peuvent accroître leur vulnérabilité et compromettre la négociation. À cet égard, un assainissement du climat de travail doit se faire avant tout processus de négociation raisonnée[31].

13.5.4 | Les stratégies de préparation à la négociation

Au sein même d'une forme de négociation donnée, le syndicat et la direction peuvent adopter une série de comportements. Une fois qu'ils ont choisi le processus, ils déterminent en effet une stratégie et se conduisent de manière à la suivre.

LES STRATÉGIES PATRONALES

Avant la période de négociation, les négociateurs patronaux élaborent leurs stratégies et leurs propositions. Il leur faut également estimer le coût des différents éléments qui feront l'objet d'une discussion : les coûts engendrés par les contributions aux régimes de retraite, les augmentations de salaire et les régimes d'avantages sociaux. Cela leur permet de déterminer les arguments qu'ils présenteront à la table de négociation[32]. Tremblay et Bergeron[33] ont défini trois facettes de la préparation de l'employeur : la préparation technique, la préparation politique et la préparation synoptique. La première consiste à recueillir de l'information objective et des éléments factuels. La deuxième correspond à la collecte d'informations auprès des divers agents et instances décisionnelles de l'organisation. Enfin, la troisième consiste à élaborer divers scénarios visant à orienter la négociation. L'encadré 13.17 énumère les différentes pratiques pour chaque type de préparation.

LES STRATÉGIES SYNDICALES

Comme la partie patronale, le syndicat doit se préparer aux négociations par la collecte d'informations. Cela lui permettra de représenter adéquatement les intérêts de ses membres et de faire preuve d'une plus grande capacité de persuasion à la table de négociation.

Les stratégies patronales de préparation à la négociation collective

	Les pratiques les moins importantes	Les pratiques les plus importantes
Préparation technique	• Vérification du taux de chômage • Analyse des innovations technologiques applicables à l'organisation du travail des salariés visés par la négociation • Analyse des enjeux sociétaux du moment • Examen des politiques publiques proposées par les gouvernements pour les années à venir • Sélection d'une convention de référence (négociation type) • Étude des conditions de travail des travailleurs non syndiqués de la région ou du secteur • Consultation d'autres employeurs du même secteur d'activité • Analyse de l'organisation du travail en place • Analyse du déroulement de la négociation précédente • Planification des ressources matérielles et des investissements en capital • Alignement sur la stratégie en matière de ressources humaines	• Vérification de l'indice des prix à la consommation (IPC) • Étude des prévisions salariales • Étude des autres conventions du secteur d'activité • Analyse du positionnement concurrentiel de l'organisation • Analyse des conditions de travail de la main-d'œuvre ayant des caractéristiques semblables à celle que vise la négociation • Détermination de la capacité financière de l'organisation • Calcul des coûts de la convention collective • Analyse des expériences antérieures en matière de relations du travail • Analyse des griefs • Estimation financière des revendications syndicales • Estimation financière des revendications patronales • Alignement sur la stratégie d'affaires
Préparation politique	• Consultation d'un salarié sur la stratégie syndicale • Consultation d'un salarié sur le niveau de mobilisation • Étude des tracts distribués par le syndicat	• Consultation des cadres supérieurs de l'organisation (mandants) • Consultation des cadres intermédiaires de l'organisation • Consultation formelle des cadres hiérarchiques des salariés visés par la négociation • Formation d'un comité de négociation quelques semaines avant le début des négociations

Les stratégies patronales de préparation à la négociation collective (*suite*)

	Les pratiques les moins importantes	Les pratiques les plus importantes
Préparation synoptique	• Élaboration d'un plan précis pour le déroulement de la négociation • Étude des perceptions du syndicat quant à la capacité financière de l'employeur • Validation, auprès des mandants, des revendications concernant les clauses contractuelles • Validation, auprès des mandants, de la stratégie de négociation	• Élaboration d'un cahier de revendications • Établissement des enjeux de la négociation • Établissement des objectifs généraux et spécifiques de la négociation • Prise en compte des habiletés du porte-parole comme facteur pouvant influer sur les résultats de la négociation • Prise en considération de la position concurrentielle de l'organisation sur son marché comme facteur pouvant influer sur le pouvoir de négociation • Validation du mandat auprès de la haute direction, notamment eu égard aux échelles salariales

Source : adapté de J.-F. Tremblay et J.-G. Bergeron, « Préparation à la négociation collective », *Effectif*, vol. 8, n° 2, avril-mai 2005, p. 14-23.

L'encadré 13.18 présente les informations que le syndicat doit recueillir. Les données sur la situation financière de l'entreprise et sur les négociations antérieures ou similaires permettent au syndicat de se faire une idée des demandes que l'employeur est susceptible d'accepter. Bien qu'elles soient souvent négligées, les données sur les attitudes et les demandes des membres sont également importantes, car elles renseignent adéquatement sur les attentes et les aspirations des salariés. Les préférences individuelles concernant les questions à négocier peuvent varier selon les caractéristiques des travailleurs. Par exemple, les demandes des jeunes travailleurs risquent de se concentrer sur les aspects d'ordre monétaire (augmentation des salaires, paiement des heures supplémentaires à un taux majoré, primes diverses, etc.). Celles des

Les informations que doit recueillir le syndicat

• Données sur la situation financière de l'entreprise et sur sa capacité de payer
• Renseignements sur les comportements de la partie patronale à prévoir concernant les diverses demandes syndicales, à la lumière des négociations antérieures ou de négociations similaires dans d'autres entreprises
• Renseignements sur les attitudes et les demandes des membres

travailleurs plus âgés auront tendance à être axées sur la sécurité (régime de pension, reconnaissance de l'ancienneté, régime de retraite anticipée, régime d'assurances collectives, etc.). Il est primordial que le syndicat réussisse à discerner clairement les préférences de manière à représenter adéquatement ses membres à la table de négociation. Dans ce but, il effectue souvent des sondages auprès de ses membres. Après compilation des résultats, il leur soumet les demandes globales pour approbation.

13.5.5 | Les stratégies de négociation patronales-syndicales

Dans le même courant de pensée que les relations patronales-syndicales de coopération et la négociation intégrative, on trouve les stratégies conjointes de négociation patronales-syndicales, dont les principales sont les suivantes : la négociation sur la productivité, la négociation avec concessions et la négociation continue.

La négociation sur la productivité. Cette méthode de négociation, assez récente, est considérée comme une forme particulière de négociation intégrative. Dans le cadre de la négociation sur la productivité, les travailleurs acceptent de modifier leurs méthodes de travail à la suite de changements technologiques, en échange d'avantages divers. Certains syndicats manifestent des réticences à l'égard de cette approche, par crainte de voir une partie de leurs membres perdre leur emploi ou supporter une charge de travail excessive. Malgré cela, la négociation sur la productivité a connu du succès jusqu'à maintenant. Parmi les résultats obtenus, on note le passage d'une négociation distributive à une négociation intégrative. Le syndicat et la direction travaillent ensemble non seulement à la définition de l'entente elle-même, mais aussi à la création d'un climat de coopération permettant la réalisation d'économies considérables et rendant l'entreprise apte à survivre et à assurer une continuité d'emploi aux membres du syndicat.

La négociation avec concessions. La négociation avec concessions, qui a lieu lorsque l'entreprise connaît de graves difficultés économiques, a pour effet de réduire au minimum les risques de mises à pied importantes, de fermetures d'établissement ou même de faillites. Pour survivre, l'employeur cherche alors à obtenir des concessions de la part du syndicat, en échange de la préservation des emplois. Il peut s'agir du blocage de la progression des salaires ou de la diminution des salaires, de la réduction des avantages sociaux, de l'élimination des ajustements par rapport au coût de la vie ou de l'accroissement du nombre d'heures de travail pour le même salaire. Les employés peuvent ne pas être satisfaits des concessions négociées par le syndicat et rejeter l'entente. Cependant, il faut savoir que les solutions de rechange dans une telle éventualité sont souvent limitées[34].

La négociation continue. Certaines lois, par exemple celles qui touchent les mesures de redressement associées à l'équité en matière d'emploi ou encore la santé et la sécurité au travail, rendent dorénavant la négociation entre les deux parties plus complexe. Plus le taux de changements apportés au milieu de travail augmente, plus les négociateurs syndicaux et patronaux ont tendance à choisir l'approche de la négociation continue. Ils forment alors un comité conjoint et prévoient des rencontres régulières au cours desquelles ils analysent les questions retenues pour la négociation et s'entendent sur des solutions communes pour résoudre les problèmes qui se posent[35]. L'encadré 13.19 présente les caractéristiques de la négociation continue.

Stratégies conjointes de négociation patronales-syndicales

Ensemble d'objectifs et de moyens qui sont choisis conjointement par les représentants de l'employeur et par ceux des salariés, et qui orientent à moyen et à long terme les activités d'une personne, d'un groupe, d'une entreprise ou d'un organisme.

Négociation sur la productivité

Forme de négociation intégrative dans laquelle les employés acceptent, en échange d'avantages divers, l'implantation de nouvelles méthodes de travail à la suite de changements technologiques.

Négociation avec concessions

Négociation à la baisse, caractéristique des situations économiques difficiles, dans laquelle le syndicat est forcé de faire des concessions à l'employeur, notamment pour assurer le maintien des emplois.

Négociation continue

Processus de négociation entre les représentants du syndicat et ceux de l'employeur se déroulant de façon régulière et planifiée et portant sur des questions d'intérêt commun.

Les caractéristiques de la négociation continue

- Rencontres fréquentes entre les deux parties pendant la durée de la convention collective
- Priorité accordée aux problèmes et aux événements externes à l'entreprise
- Recours à des spécialistes externes pour faciliter la prise de décision
- Utilisation d'une approche intégrative de résolution de problèmes

Les stratégies de négociation patronales-syndicales visent la mise sur pied d'une structure capable de s'adapter de façon positive et productive aux changements qui se produisent dans le milieu de travail. La négociation continue est une forme de prolongement de la négociation d'urgence que les syndicats ont réclamée lorsque des facteurs tels que l'inflation modifiaient subitement et substantiellement les acquis d'une convention collective négociée. Elle est une formule de négociation permanente qui cherche à éviter les crises pouvant survenir dans les systèmes de négociation collective traditionnels.

13.6

LA GRÈVE, LE LOCK-OUT ET LE RÈGLEMENT DES CONFLITS

La négociation collective vise à trouver un accord concernant les conditions de travail, mais il arrive, malheureusement, que les négociateurs soient incapables de parvenir à une entente. Plusieurs possibilités sont alors envisagées pour sortir de l'impasse. La solution la plus visible pour l'ensemble de la société est la grève ou le lock-out; néanmoins, on peut également recourir à l'intervention d'un tiers dans le cadre de la conciliation ou de l'arbitrage[36].

13.6.1 | La grève et le lock-out

Lorsqu'il est incapable de faire accepter ses demandes par la direction, le syndicat peut déclencher la grève. On peut définir la grève comme le refus des employés de travailler pour l'entreprise. Quant à elle, la direction peut empêcher ses employés d'effectuer leur travail; c'est ce qu'on appelle le lock-out.

Avant de recourir à la grève, le syndicat doit obtenir l'approbation de ses membres. Le bureau syndical organise alors une assemblée générale avec un vote à scrutin secret. La majorité des membres de l'association accréditée qui font partie de l'unité de négociation doivent donner leur accord. Il va sans dire que plus le pourcentage de voix favorables à la grève est élevé, plus la position syndicale est forte. Si la grève a lieu, les membres du syndicat font du piquetage devant leur lieu de travail. Ils informent ainsi le public de l'existence d'un conflit de travail et ils espèrent le sensibiliser en l'invitant à boycotter l'entreprise durant le conflit. Ils veulent aussi inciter les autres travailleurs à respecter le piquet de grève. Habituellement, l'employeur tente de poursuivre ses activités en ayant recours aux services de son personnel cadre ou en embauchant du personnel temporaire. Notons cependant que le Code du travail du Québec interdit l'embauche de personnes extérieures, les « briseurs de grève », pour combler les postes des grévistes.

Le succès d'une grève dépend de sa capacité à causer des préjudices économiques à l'employeur. En effet, des dommages importants font habituellement plier ce dernier devant les demandes syndicales. Ainsi, le choix du moment de la grève est crucial. Le syndicat a tout avantage à choisir une période où le niveau de production est élevé.

Les grèves sont assez courantes (voir l'encadré 13.20). Elles sont coûteuses non seulement pour l'employeur, qui perd des bénéfices, mais également pour les travailleurs, qui cessent de recevoir leurs revenus. En cas de prolongement, il arrive même que les pertes salariales ne soient jamais complètement compensées par les gains obtenus. De plus, l'opinion publique n'est généralement pas favorable aux grèves, parce qu'elles peuvent entraîner des inconvénients pour les usagers de services ou pour les consommateurs et parce qu'elles peuvent avoir de graves répercussions sur l'économie dans son ensemble; cependant, on a constaté à certaines périodes une diminution des arrêts de travail dus aux grèves. Ce phénomène serait attribuable à la récession prolongée, à la baisse du pouvoir des syndicats dans le secteur privé et à l'amélioration des pratiques de gestion des ressources humaines.

Le droit à la grève est encore plus discutable dans le secteur public que dans le secteur privé, du fait qu'elle entraîne des répercussions encore plus larges. Les grèves des services publics touchent l'ensemble de la population et la prennent en quelque

ENCADRÉ ▶ **13.20**

Les arrêts de travail au Québec

Au Québec, en ce qui concerne les arrêts de travail, l'année 2005 a été assez mouvementée. Si le nombre total de conflits déclenchés et en cours a été comparable à celui de l'année précédente, le nombre de travailleurs touchés a, lui, connu une hausse non négligeable, puisqu'il a triplé par rapport à 2004. Cette augmentation s'est répercutée sur la perte annuelle de jours de travail, qui a presque doublé par rapport à 2004, ainsi que sur la moyenne de la dernière décennie. Le graphique ci-dessous illustre l'évolution du nombre de travailleurs touchés par un arrêt de travail depuis 1996.

Évolution du nombre de travailleurs touchés par un arrêt de travail, depuis 1996

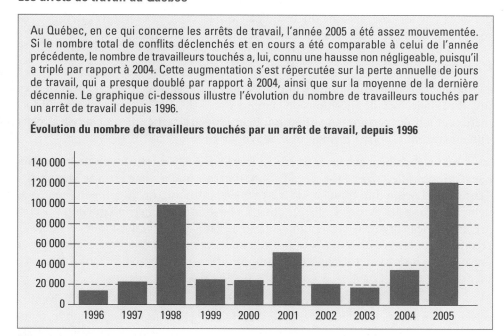

Source : L. Allan et autres, *Bilan des relations de travail au Québec en 2005*, Direction des études et politiques, ministère du travail du Québec, juin 2006.

sorte « en otage ». C'est pourquoi les législations fédérales et provinciales reconnaissant le droit de grève aux employés du secteur public obligent les syndicats à respecter les services essentiels. En 1982, le Québec a mis sur pied un Conseil des services essentiels ayant le pouvoir de définir les services qui doivent être maintenus dans les secteurs public et parapublic, en cas de mésentente entre les deux parties à ce sujet. Le syndicat a la responsabilité de prévoir un nombre suffisant de travailleurs pour assurer ces services essentiels.

13.6.2 | Le règlement des conflits

La négociation n'aboutit que de façon exceptionnelle à la grève ou au lock-out. Dans de très nombreux cas, les parties patronales et syndicales font appel à un conciliateur pour éviter l'escalade dans le conflit. Pour assurer le règlement des différends, on peut également recourir à l'arbitrage, à certaines conditions.

LA CONCILIATION

Conciliation

Procédure faisant intervenir un tiers dont le rôle consiste à aider les négociateurs syndicaux et patronaux à parvenir à un accord lors de la négociation de la convention collective. On l'utilise principalement en cas de conflits importants.

La conciliation fait intervenir un tiers impartial qui aide les négociateurs syndicaux et patronaux à parvenir à un accord volontaire. Ce conciliateur n'a pas le pouvoir d'imposer une solution ; il est là uniquement pour faciliter les négociations. Il peut formuler des suggestions ou des recommandations ; il ajoute une dimension objective à des discussions souvent empreintes d'émotivité. Il invite chacun à clarifier ses positions. Pour remplir son rôle avec succès, il doit gagner la confiance et le respect de deux parties, avoir une expertise adéquate et disposer de la neutralité nécessaire pour convaincre le syndicat et l'employeur qu'il saura intervenir de façon juste et équitable. Au Québec, c'est le ministre du Travail qui nomme le conciliateur à la demande d'une des deux parties (voir le Code du Travail, à l'article 54). Dans certains cas, il peut de son propre chef dépêcher un conciliateur lorsqu'il le croit utile[37].

L'ARBITRAGE

Arbitrage

Procédure de règlement d'un litige faisant appel à un tiers impartial qui étudie l'état de la négociation, prend connaissance des positions de l'employeur et du syndicat, recueille l'information nécessaire, puis rend une décision qui lie généralement les deux parties.

L'arbitrage fait intervenir un tiers impartial qui étudie la situation de la négociation, prend connaissance des positions de l'employeur et du syndicat, recueille de l'information et fait des recommandations qui lient les deux parties. Il peut servir à régler différents conflits entre l'employeur et le syndicat.

Au Québec, bien que le ministère du Travail privilégie le règlement des premières conventions collectives par la négociation, il arrive que les parties n'arrivent pas à s'entendre. Lorsqu'une conciliation s'est révélée infructueuse, le ministre peut, à la demande d'une des parties, confier le dossier à un *arbitre de différends* qui impose alors le contenu de la première convention collective. Par la suite, il est toujours possible de recourir à un arbitre de différends. Ainsi, les parties peuvent renoncer à leur droit de grève, ou de lock-out, et décider d'un commun accord de soumettre leur différend à un arbitre.

Une fois la convention collective signée et en vigueur, les désaccords doivent se régler par arbitrage. En effet, la législation fédérale et la plupart des législations provinciales, dont celle du Québec, exigent que la convention collective prévoie une procédure de règlement par arbitrage en cas de mésentente quant à l'interprétation du texte, et cela, sans droit de grève ou de lock-out. Autrement dit, tant qu'une convention collective est en vigueur, la grève ou le lock-out est illégal, et le seul moyen de résoudre les griefs pour lesquels l'employeur et le syndicat n'arrivent pas à s'entendre est le règlement par arbitrage. On parle alors d'*arbitrage de griefs*. La décision de l'arbitre est définitive et ne peut être changée ou révisée, sauf en cas d'erreur manifeste, de corruption avérée, de fraude ou d'injustice, ou encore lorsque l'arbitre a dépassé les limites de sa compétence.

LE RÔLE DES COMMISSIONS DES RELATIONS DU TRAVAIL

Toutes les provinces possèdent une commission des relations du travail. Les commissions des relations du travail ont pour rôle d'administrer les lois en matière de relations du travail. Habituellement, elles sont tripartites, c'est-à-dire qu'elles sont composées de représentants patronaux, de représentants syndicaux et d'un membre neutre, en général un fonctionnaire, qui préside. Elles jouissent d'une grande latitude quant à leur mode d'intervention, particulièrement en ce qui a trait à la résolution des conflits. Au Québec, pour assurer l'application générale du Code du travail, la commission des relations du travail a été instituée en 2001. Elle intervient pour affirmer la liberté syndicale des salariés et de leurs représentants, dans l'administration du processus d'accréditation, pour sanctionner l'obligation de représentation égale des salariés par le syndicat et l'obligation qu'ont les parties de négocier de bonne foi. Elle doit également veiller au respect de la légalité des grèves et des lock-outs dans le secteur privé. Enfin, elle intervient auprès des arbitres de griefs pour les obliger à rendre leurs sentences dans les délais et selon les modes impartis[38].

L'ADMINISTRATION DE LA CONVENTION COLLECTIVE

Une fois signée, la convention collective devient le document légal qui régit la vie des travailleurs sur les lieux de travail. Cela signifie que les activités de l'organisation sont soumises aux conditions négociées qu'elle contient. Cependant, comme il est à peu près impossible de prévoir toutes les situations, des litiges surgissent inévitablement quant à l'interprétation et à l'application de la convention collective. C'est pourquoi la majorité des conventions collectives prévoient une procédure pour le traitement des plaintes des employés, désignée sous le nom de *procédure de règlement des griefs*.

13.7.1 | La procédure de règlement des griefs

Fondamentalement, un grief est une plainte concernant une violation de la convention collective négociée par le syndicat et l'employeur. L'encadré 13.21 présente les cinq motifs de griefs les plus communs. Un grief peut être déposé par le syndicat au nom des salariés ou par l'employeur, mais ce dernier cas est plutôt rare. La procédure de règlement des griefs comporte une enquête sur les plaintes et vise à résoudre les problèmes.

www.travail.gouv.qc.ca

Site du ministère du Travail du Québec présentant les lois, des informations sur les activités du ministère, des publications, etc.

Les motifs de griefs les plus communs

- Violation des droits conférés par la convention collective
- Mésentente à propos des faits
- Désaccord à propos de l'interprétation de l'entente
- Différend à propos de la méthode d'application de l'entente
- Plainte à propos du caractère juste ou raisonnable d'une action

Dans le mode de résolution des conflits, la procédure de règlement des griefs doit tenir compte de quatre groupes : des employeurs et des syndicats, car elle interprète et adapte la convention collective en fonction des conditions négociées antérieurement ; des employés, car elle protège leurs droits contractuels et leur procure un mécanisme d'appel ; et de la société en général, car elle maintient la paix industrielle et réduit le nombre de différends soumis aux tribunaux.

Le règlement des griefs comprend habituellement un certain nombre d'étapes. La convention collective peut préciser la durée maximale de chacune d'entre elles. Par exemple, on peut demander que le grief soit déposé dans les cinq jours suivant l'incident qui fait l'objet d'un différend. La façon de procéder la plus courante, présentée dans l'encadré 13.22 et décrite dans les lignes qui suivent, comporte quatre étapes, la

ENCADRÉ ▶ **13.22**

Les étapes de la procédure type de règlement des griefs

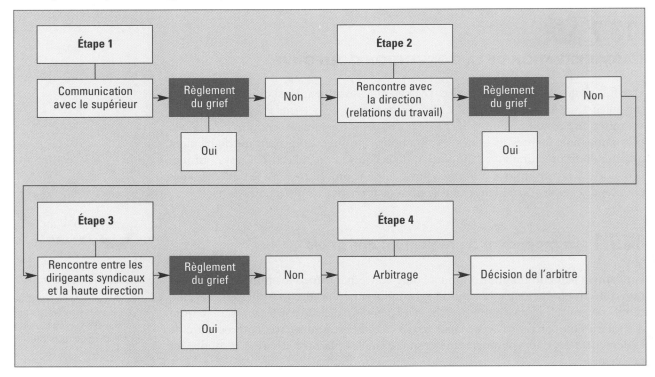

dernière étant l'arbitrage. Les procédures doivent être élaborées sous réserve des lois du travail ; par exemple, le Code du travail du Québec prévoit un délai de 15 jours pour le dépôt de la plainte (voir l'article 100.01).

Étape 1. L'employé qui croit qu'un de ses droits garantis par la convention collective a été violé en informe son délégué syndical. Tous deux parlent du problème avec le supérieur immédiat de l'employé. Lorsqu'il s'agit d'un problème simple, il est souvent résolu à ce niveau. Certaines conventions collectives exigent que la plainte soit présentée par écrit dès cette étape. Notons qu'il est possible pour les parties de régler la mésentente à l'amiable sans passer par la procédure de règlement des griefs.

Étape 2. Lorsque aucun accord n'a pu être conclu avec le supérieur immédiat, lorsque le règlement proposé ne satisfait pas le syndicat ou le salarié lésé, ou lorsque les délais de réponse du supérieur immédiat se sont écoulés, la deuxième étape de l'*arbitrage des griefs* s'enclenche. Le dossier est en général transféré à un niveau hiérarchique plus élevé. En général, on le confie à un représentant des relations du travail de l'organisation, qui doit lui aussi fournir une réponse dans un délai donné.

Étape 3. Si le problème est assez important ou plutôt difficile à résoudre, une troisième étape peut être nécessaire. Bien que les conventions collectives varient à ce sujet, les cadres supérieurs et les dirigeants syndicaux interviennent alors habituellement. Ces personnes possèdent l'autorité nécessaire pour prendre les décisions susceptibles d'assurer le règlement du grief.

Étape 4. Si la troisième étape n'aboutit toujours pas à un règlement, la plupart des conventions collectives exigent le recours à un arbitre ou à un conseil d'arbitrage qui doivent être neutres et objectifs. Le choix de l'arbitre ou du tribunal d'arbitrage revient aux parties. En l'absence de choix ou en cas de désaccord, c'est le ministre du Travail, dans toutes les provinces, qui se voit confier la responsabilité de nommer une personne d'office. Des listes d'arbitres disponibles existent dans certaines provinces pour faciliter un accord entre les parties. L'arbitre tient des audiences, revoit la preuve et rend sa décision sur le grief dans un délai précisé dans la convention collective ou dans la législation. Sa décision lie habituellement les parties.

Au Québec, les coûts de l'arbitrage, qui comprennent les honoraires et les frais de déplacement, sont généralement partagés également entre le syndicat et l'entreprise. Le taux horaire des arbitres étant d'environ 120 $, les parties ont intérêt à parvenir à une entente pour éviter l'arbitrage ou à rechercher des moyens moins coûteux de régler leur mésentente. Il peut arriver que le syndicat demande un vote de grève pour régler un grief quand le problème soulevé est si important qu'il estime ne pas pouvoir attendre que le long processus d'arbitrage aboutisse. La grève peut être légale si elle se justifie par un défaut d'application des droits des employés mais, si la convention collective l'interdit expressément pendant sa durée d'application, elle devient illégale et est dite « sauvage ».

13.7.2 | Les questions soumises à la procédure de règlement des griefs

On peut déposer un grief à propos de toute condition de travail abordée dans la convention collective, ou encore de l'interprétation et de l'application de cette entente. Le type de grief le plus commun, qui va généralement jusqu'à l'étape de l'arbitrage, est la plainte concernant l'application d'une mesure disciplinaire. Il a alors trait à la validité du motif invoqué pour exercer la mesure. On admet généralement que l'absentéisme constitue une raison valable de congédiement, mais reste encore à déterminer le niveau d'absentéisme pouvant être considéré comme excessif[39]. L'insubordination se définit habituellement comme le fait de ne pas exécuter une tâche demandée par le superviseur ou, ce qui est plus grave, le refus de se conformer à ses requêtes. Si les ordres du superviseur sont clairs et explicites et que l'employé est averti des conséquences possibles de ses actes, les mesures disciplinaires imposées pour refus de répondre aux demandes du supérieur sont généralement jugées acceptables par l'arbitre. Il y a exception lorsque l'employé refuse un travail qui, à ce qu'il croit, comporte un danger pour sa santé. Toutes les mesures disciplinaires devraient respecter le principe de la progression et de l'adéquation des sanctions.

L'ancienneté servant habituellement de critère lors du choix des employés pour une mise à pied, une mutation ou un rappel, les modalités de calcul de la durée de service sont devenues une question d'intérêt crucial pour les employés. L'ancienneté entre également en jeu dans les décisions sur les promotions et les mutations. La direction doit donc être attentive à la clause la concernant pour éviter les plaintes et les griefs.

La rémunération lors des absences du lieu de travail, c'est-à-dire lors des vacances, des congés fériés et des congés de maladie, fait également l'objet de griefs fréquents. Les congés fériés sont une source de problèmes parce que les employés qui travaillent lors de ces journées bénéficient souvent d'un taux de rémunération majoré.

D'autres griefs portent sur des questions comme les salaires et les heures de travail. Des différends prennent souvent naissance à propos de l'interprétation ou de l'application de la convention collective concernant le temps supplémentaire, la rémunération majorée et les horaires de travail.

Les employés et le syndicat peuvent aussi déposer des griefs à propos de l'exercice que la direction fait de ses droits : le droit de mettre en œuvre des changements technologiques, le droit de faire appel à la sous-traitance et le droit de modifier les postes de travail. Les décisions se fondant sur ces droits sont considérées comme des violations de la convention collective si celle-ci prévoyait que les changements en question devaient passer par la négociation avant d'être adoptés.

Occasionnellement, d'autres griefs sont aussi formulés. Les grèves sauvages et les comportements considérés comme des mouvements de grève (l'absence d'un grand nombre de travailleurs de leur poste de travail, par exemple) peuvent être l'objet de griefs de la direction. Cependant, les matières le plus souvent soumises à la procédure de règlement des griefs sont liées à l'administration des conditions de la convention collective.

13.7.3 | Les procédures patronales

La direction peut réduire le taux de griefs dans l'entreprise en adoptant des procédures appropriées lorsqu'elle applique des sanctions contre un employé. L'un des domaines qui soulève le plus de problèmes est celui des mesures disciplinaires, notamment du congédiement. Les notions de motif valable et d'équité sont au cœur de la majorité des griefs déposés à propos des mesures disciplinaires. L'employeur doit donc s'assurer que les employés sont bien informés des conséquences d'un piètre rendement au travail ou de violations précises, que la règle enfreinte est liée aux activités de l'entreprise, et enfin qu'une enquête approfondie a été effectuée et que la punition est raisonnable. La direction peut également éviter plusieurs griefs en formant ses superviseurs et ses autres gestionnaires en ce qui a trait aux relations du travail et aux conditions négociées contenues dans la convention collective. En effet, la présence de superviseurs ayant une certaine connaissance en relations du travail peut réduire de manière importante le nombre de griefs dans une entreprise.

13.7.4 | Les procédures syndicales

Le syndicat a l'obligation de représenter ses membres de façon juste et équitable, et de procéder avec diligence à l'enquête et à l'application du processus de règlement d'un grief enclenché par un employé. Il doit disposer d'une procédure de traitement des griefs efficace et l'appliquer de façon uniforme à tous les membres de l'unité de négociation.

Le syndicat porte intérêt aux griefs en tant qu'outils de négociation. Il peut parfois tenter d'en augmenter le nombre au cours de la période précédant la négociation pour influencer davantage la direction. Les griefs représentent aussi une façon efficace d'attirer l'attention des parties sur une question qui pourrait faire l'objet d'une négociation. Dans certains cas, ils sont retirés en échange de concessions patronales.

Le délégué syndical exerce une influence importante sur le déclenchement d'une procédure de règlement des griefs. Comme il est, de façon générale, la première personne à être informée d'une plainte, il peut encourager l'employé à déposer un grief ou à régler la mésentente à l'amiable de façon à éviter des coûts inutiles pour le syndicat et l'organisation. Pour accomplir adéquatement ses fonctions, il doit donc être formé adéquatement. Certaines caractéristiques personnelles du délégué syndical ont de fait une influence sur le nombre de griefs déposés[40]. Comme les délégués sont choisis parmi les travailleurs, il arrive souvent qu'ils possèdent peu de connaissances en relations du travail[41]. Les responsables syndicaux devraient leur assurer une formation adéquate pour améliorer leur efficacité. L'entreprise devrait assumer le coût de ce type de formation.

13.8

LES ENJEUX RELATIFS AUX RAPPORTS COLLECTIFS DE TRAVAIL AU QUÉBEC

Adopté en 1964, le Code du travail a ensuite été substantiellement renouvelé en 1969, en 1977 et en 2002. Cependant, si on examine les profonds changements qu'ont connus l'environnement, le mode de fonctionnement des entreprises et les caractéristiques de la main-d'œuvre, on se rend compte que, malgré ces tentatives de réforme, il ne réussit toujours pas à régler les nombreux problèmes et à bien protéger les travailleurs désireux d'exercer leur droit d'association et de profiter du régime de rapports collectifs du travail[42].

Parmi les préoccupations importantes, on retient celle qui a trait aux limites de la notion juridique de salarié[43]. La transformation du travail a entraîné l'apparition d'une nouvelle forme d'emplois, dite atypique. Une réforme devra nécessairement tenter une ouverture du régime des rapports collectifs du travail à une nouvelle classe de « quasi-salariés », composée des entrepreneurs qu'on dit dépendants économiquement, ou travailleurs autonomes, et qui sont exclus du droit d'association en vertu du Code. Selon Charest, Trudeau et Veilleux : « Il est notable que ce que l'on considère comme l'emploi typique (l'emploi salarié à plein temps), réalité omniprésente au moment de l'adoption des grands paramètres de nos lois du travail, a fortement régressé en moins de deux décennies et pourrait atteindre à ce rythme la parité avec l'emploi atypique d'ici une quinzaine d'années[44]. » Or, le Code du travail demeure incapable de s'étendre largement aux travailleurs dont le statut est précaire ou atypique. Il est important de constater également que le législateur intervient de plus en plus directement pour déterminer les conditions de travail et s'appuie de moins en moins sur la négociation collective pour assurer la protection des salariés. Les modifications apportées récemment à la Loi sur les normes du travail illustrent cette tendance. Ainsi, l'abaissement (à deux ans) du nombre d'années de service permettant d'exercer un recours pour congédiement injustifié, l'interdiction d'un traitement salarial défavorable aux jeunes (clauses dites orphelines), l'interdiction de la mise à la retraite obligatoire et l'interdiction du harcèlement psychologique constituent des exemples qui illustrent la volonté du législateur d'intervenir pour protéger tant les salariés syndiqués que les salariés non syndiqués[45].

Comme dans tout débat portant sur le travail, les acteurs que sont le patronat et les syndicats ne partagent pas nécessairement les mêmes préoccupations. Quelques-unes de leurs positions sont même opposées. Les entreprises en quête de flexibilité craignent que l'intervention du législateur visant à protéger les droits des salariés n'entraîne une certaine rigidité qui diminuerait leurs capacités concurrentielles. Les syndicats et les travailleurs, quant à eux, continuent de réclamer avec ferveur une législation qui leur assure une véritable protection de leur droit d'association.

RÉSUMÉ

Les syndicats constituent un élément important du système de relations du travail. Bien qu'ils aient continué de bénéficier ces dernières années d'une croissance et d'un pouvoir non négligeables, la situation est en voie de se modifier. Sur le plan stratégique, les syndicats ont dû s'adapter à la baisse de l'emploi enregistrée dans les secteurs industriels traditionnels, comme l'acier, l'automobile et les mines. La main-d'œuvre compte de plus en plus d'employés travaillant dans le domaine des services et de cols bleus se transformant en cols blancs ou en cols « roses ». Les syndicats doivent maintenant conquérir cette nouvelle main-d'œuvre, la main-d'œuvre féminine en particulier. Leur croissance rapide dans le passé s'explique par leur insertion dans le secteur public, mais de nos jours le taux de croissance de la syndicalisation est plus lent que celui de la population. Le mouvement syndical se préoccupe de la manière dont il est perçu en général et déploie des efforts accrus pour harmoniser les changements qui se produisent dans les domaines industriels, professionnels et démographiques avec les caractéristiques de la main-d'œuvre[46].

La négociation collective est un processus complexe dont les représentants syndicaux aussi bien que les représentants patronaux tentent de tirer parti pour obtenir une convention collective qui leur soit la plus avantageuse possible. C'est, en tout cas, la conception qu'on a longtemps eue des relations entre l'employeur et le syndicat. Cependant, la crise de la productivité au Canada, en particulier, est en train de faire changer les choses. De plus, les interventions du gouvernement à tous les niveaux dans le système des relations du travail sont de plus en plus fréquentes. Leur but est de préserver les droits fondamentaux acquis par la négociation collective et de faire évoluer les relations conflictuelles vers des relations de coopération. Le Canada semble vraiment engagé dans cette voie, tant au niveau national qu'au niveau local.

Il existe encore, bien sûr, plusieurs obstacles à la coopération entre l'employeur et le syndicat. Néanmoins, les conditions économiques pressent les entreprises à coopérer avec les syndicats de manière à obtenir des avantages pour tous. De leur côté, de nombreux dirigeants syndicaux ont reconnu la nécessité de coopérer avec les entreprises et à recommander un plus grand engagement des directions pour atteindre cet objectif.

Sur le plan historique, la menace de grève a toujours été nécessaire pour forcer la direction à faire des concessions. Sans elle, la probabilité d'obtenir des concessions de la part de la direction était réduite, même si certains employeurs acceptaient de s'engager dans cette voie. La menace de grève fait partie intégrante des relations entre l'employeur et le syndicat dans le secteur privé. La situation semble un peu différente dans le secteur public, étant donné les conséquences plus larges d'un arrêt de travail sur la société en général. Pourtant, certaines personnes continuent de soutenir que l'irresponsabilité d'un employeur ne représente pas une situation moins grave dans le secteur public que dans le secteur privé, indépendamment du caractère essentiel des services fournis à la population.

La qualité des relations de travail peut fortement influencer la négociation. Le syndicat et la direction désignent les membres de leur comité de négociation respectif pour la discussion visant à aboutir à une nouvelle entente. La négociation peut s'effectuer entre un syndicat et un employeur unique ou entre un syndicat et plusieurs entreprises ; elle peut aussi se dérouler entre plusieurs syndicats et un seul employeur. Les questions soumises à la négociation sont très variées, mais elles peuvent être regroupées sous les thèmes suivants : les salaires, les avantages sociaux, les clauses contractuelles et les clauses normatives. Les clauses obligatoires de la convention collective doivent être négociées, alors que les clauses facultatives sont discutées si les deux parties en conviennent. Enfin, certaines questions ne peuvent être négociées, d'après la loi.

Presque toutes les conventions collectives comportent une procédure de règlement des griefs pour les plaintes des employés. Le grief le plus courant concerne une mesure disciplinaire ou un congédiement. Les salaires, les promotions, l'ancienneté, les vacances, les congés fériés, les droits de la direction et ceux du syndicat peuvent également donner lieu à des plaintes. La direction peut réduire le nombre de griefs par la mise sur pied d'une procédure faisant en sorte que ses actions et ses pratiques soient justes et équitables. Elle a tout intérêt à constituer des dossiers sur toutes ses actions dans l'éventualité d'un arbitrage. De son côté, le syndicat a la responsabilité légale de représenter les employés de façon juste lors de la présentation des griefs. Il doit donc établir une procédure efficace pour le traitement des griefs.

Tout professionnel de la gestion des ressources humaines devrait posséder une connaissance approfondie de l'histoire des relations entre la partie patronale et la partie syndicale, et des lois régissant les relations du travail dans son milieu. La connaissance des lois et des institutions qui veillent à leur application est essentielle pour éviter que l'entreprise ne s'engage dans des pratiques déloyales. De plus, le fait de comprendre les causes de l'intérêt que portent les travailleurs à la syndicalisation permet d'améliorer l'efficacité de la gestion des ressources humaines. Enfin, tout gestionnaire des ressources humaines doit pouvoir discuter efficacement avec le syndicat et appliquer la convention collective signée entre les parties.

Questions de révision et d'analyse

1. Quels facteurs rendent la syndicalisation attrayante pour les employés ? Ces facteurs sont-ils aujourd'hui les mêmes qu'il y a 50 ans ?

2. Les systèmes des relations du travail étant similaires au Canada et aux États-Unis, comment peut-on expliquer les différences observées entre ces deux pays en ce qui a trait au taux de syndicalisation ? Pourquoi les États-Unis ont-ils connu une diminution importante du nombre de travailleurs syndiqués au cours des dernières années, alors que le Canada n'a connu aucun changement notable à cet égard ?

3. Énumérez et expliquez les principales étapes du processus d'accréditation d'un syndicat.

4. Quels sont les principaux éléments d'une campagne de recrutement syndical efficace ?

5. Quelles stratégies légales un employeur peut-il utiliser pour faire échec à une campagne de syndicalisation ?

6. Quelles sont les étapes du processus de négociation collective ? Illustrez-les en donnant un exemple d'organisation ayant procédé récemment à une négociation.

7. Quelles sont les différentes formes de négociation collective ? Laquelle privilégieriez-vous ? Pourquoi ?

8. Quelles stratégies les parties patronale et syndicale peuvent-elles utiliser au cours d'une négociation ?

9. Quels moyens permettent à la direction et au syndicat de sortir d'une impasse lors d'une négociation collective ?

10. Quel est le but de la procédure de règlement des griefs ? Quels sont les griefs légitimes ? Quelles sont les étapes du processus de règlement des griefs ? Qu'entend-on par «méthodes innovatrices de résolution des conflits au travail» ?

ÉTUDE DE CAS

ATTENTION : EMPLOYÉS SUR LE POINT DE SE SYNDIQUER !

Jacques Côté est propriétaire de six centres de nettoyage. Il doit à l'occasion congédier les employés qui ne répondent pas aux exigences de qualité dans leur travail de nettoyage. En raison de l'évolution de la conjoncture économique, les mouvements de main-d'œuvre sont très importants. Certains employés démissionnent parce qu'ils trouvent le travail trop exigeant ; d'autres sont simplement remerciés. Il arrive souvent que sur une période de quelques années les mêmes employés aient travaillé à un moment ou à un autre à l'un des centres appartenant à la même région géographique. Bref, lorsque Jacques Côté a congédié Robert, il ne s'attendait pas à ce qu'il manifeste une si vive réaction.

Informé du fait qu'il était congédié, Robert a fait part à Jacques de son mécontentement, ainsi que de celui des travailleurs des autres centres de nettoyage ; il a laissé entendre qu'il participait à des démarches de syndicalisation. Selon les dires de Robert, Jacques avait des soupçons concernant une éventuelle syndicalisation et lui, Robert, a été renvoyé parce qu'il avait menacé d'aller porter plainte à la centrale syndicale qui l'aidait à organiser la mise en place d'un syndicat. Après sa conversation avec Robert, Jacques a obtenu confirmation auprès des gestionnaires des autres centres que les employés parlaient avec beaucoup d'animation à l'heure du repas ; l'hypothèse de la syndicalisation leur paraissait donc très plausible.

Jacques Côté n'entend pas rester passif durant le projet de syndicalisation. Il vous convoque à titre de conseiller en relations du travail pour que vous répondiez aux questions ci-dessous.

QUESTIONS

1. D'après vous, quelles sont les raisons poussant les travailleurs à envisager la syndicalisation ?

2. En général, quels sont les signes donnant à penser que les employés veulent se syndiquer ?

3. Si une campagne de syndicalisation est en cours et que Jacques préfère que son entreprise demeure non syndiquée, quelles actions pourrait-il entreprendre ?

NOTES ET RÉFÉRENCES

1. A.W.J. Craig, *The System of Industrial Relations in Canada*, 2ᵉ éd., Scarborough (Ontario), Prentice-Hall, 1986, p. 1. A.W.J. Craig et N. Solomon, *The System of Industrial Relations in Canada*, 5ᵉ éd., Scarborough (Ontario), Prentice-Hall, 1996, p. 260.

2. P.-A. Lapointe et R. Paquet, « Syndicalisme et nouvelles formes d'organisation du travail : les positions des dirigeants syndicaux locaux », *Relations industrielles*, vol. 49, nᵒ 2, 1994, p. 282-303.

3. J. Godard, *Industrial Relations : The Economy and Society*, Toronto, McGraw-Hill Ryerson, 1994. G. Betcherman, K. McMullen, N. Leckie et C. Caron, *The Canadian Workplace in Transition*, Kingston (Ontario), Queen's University (IRC Press), 1994.

4. D. Harrisson, « Innovations et travail : une décennie d'expériences diversifiées en matière de relations de travail et d'organisation du travail », *Effectif*, vol. 7, nᵒ 2, avril-mai 2004, p. 14-20. C.R. Farquhar, « Bâtir le succès ensemble : des partenaires syndicaux-patronaux novateurs dans les organismes du secteur public », Ottawa, Conference Board of Canada, novembre 1996.

5. D. Harrisson et N. Laplante, « Confiance, coopération et partenariat : un processus de transformation dans l'entreprise québécoise », *Relations industrielles*, vol. 49, nᵒ 4, 1994, p. 696-729. R.P. Chaykowski et A. Verma, « Adjustement and Restructuring in Canadian Industrial Relations : Challenges to the Traditional System », dans *Industrial Relations in Canadian Industry*, Toronto, Dryden, 1992, p. 1-38.

6. A. Labrosse, *La présence syndicale au Québec en 2005*, ministère du Travail du Québec, Direction des études et des politiques, juin 2006.

7. Hewitt, [détails], cité par J. Tremblay, « Les générations, la syndicalisation et l'étude », *La Presse Affaires*, 3 janvier 2007, p. 2.

8. P.A. Simpson, « A Preliminary Investigation of Determinants of Local Union Steward Power », *Labor Studies Journal*, vol. 18, nº 2, automne 1993, p. 51-67.

9. M.E. Gordon et A. DeNisi, « A Re-Examination of the Relationship Between Union Membership and Job Satisfaction », *Industrial and Labor Relations Review*, vol. 48, nº 2, janvier 1995, p. 222-236.

10. D.G. Gallagher et G. Strauss, « Union Membership : Attitudes and Participation », dans G. Strauss, D. Gallagher et J. Fiorito (sous la dir. de), *The State of the Unions*, Madison, Industrial Relations Research Association, 1991. H. Wheeler et A. McClendon, « The Individual Decision to Unionize », dans G. Strauss, D. Gallagher et J. Fiorito (sous la dir. de), *op. cit.*, p. 47-84.

11. Ressources humaines et Développement social Canada : www.rhdsc.gc.ca/fr/pt/imt/effectif_syndicaux.shtml.

12. J. Gérin-Lajoie, *Les relations du travail au Québec*, 2ᵉ éd., Montréal, Gaëtan Morin, 2004, p. 78.

13. *Ibid.*, p. 92.

14. *Ibid.*, p. 86.

15. *La CSN, mouvement et organisation*, www.csn.qc.ca/Congres_2005/mouvement.pdf.

16. Voir le site Internet du CTC, à l'adresse suivante : www.congresdutravail.ca.

17. www.crt.gouv.qc.ca.

18. http://www.travail.gouv.qc.ca/faq/codedutravail/glossaire.html.

19. P. Verge, G. Trudeau et G. Vallée, *Le droit du travail par ses sources*, Montréal, Thémis, 2006. www.crt.gouv.qc.ca.

20. P. Verge, G. Trudeau et G. Vallée, *op. cit.*, p. 124.

21. R. Paquet, « Le processus de négociation collective », dans J-G. Bergeron et R. Paquet (sous la dir. de), *La négociation collective*, Montréal, Gaëtan Morin, 2006.

22. R. Bourque, « Pour une approche réaliste de la négociation raisonnée dans les relations patronales-syndicales », *L'écriteau*, vol. 3, nº 2, supplément, 1994, p. 1-4.

23. G. Hébert, *Traité de négociation collective*, Boucherville, Gaëtan Morin, 1992. J.-G. Bergeron et R. Paquet (sous la dir. de), *op. cit.*

24. P. Deschênes, J.-G. Bergeron, R. Bourque et A. Briand (sous la dir. de), *Négociation en relations du travail : nouvelles approches*, Québec, PUQ, coll. « Organisations en changement », 1998.

25. *Ibid.* R. Bourque, *op. cit.*

26. C. Kapel, « The Feelings Mutual », *Human Resources Professional*, nº 12, avril 1995, p. 9-13. R.E. Fells, « Developing Trust in Negotiation », *Employee Relations*, vol. 14, nº 1, 1993, p. 35. P. Deschênes, J.-G. Bergeron, R. Bourque et A Briand (sous la dir. de), *op. cit.*

27. R. Bourque, *op. cit.*

28. R. Bourque, « Les transformations de la négociation collective dans le contexte nord-américain », dans R. Bourque et G. Trudeau (sous la dir. de), *Le travail et son milieu : cinquante ans de recherche à l'École de relations industrielles*, Montréal, Les Presses de l'Université de Montréal, 1995. R. Fisher et W. Ury, *Comment réussir une négociation*, Paris, Seuil, 1982.

29. M. Grant et R. Paquet, « De la négociation traditionnelle à la négociation renouvelée : implantation et maintien », dans P. Deschênes, J.-G. Bergeron, R. Bourque et A. Briand (sous la dir. de), *op. cit.*

30. R. Bourque, « Pour une approche réaliste de la négociation raisonnée dans les relations patronales-syndicales », dans R. Bourque et G. Trudeau (sous la dir. de), *op. cit.* P. Deschênes, J.-G. Bergeron, R. Bourque et A. Briand (sous la dir. de), *op. cit.*

31. R. Bourque, *Ibid.* J.-G. Bergeron et R. Bourque, « La formation et la pratique de la négociation collective raisonnée au Québec : esquisse d'un bilan », dans P. Deschênes, J.-G. Bergeron, R. Bourque et A. Briand (sous la dir. de), *op. cit.*

32. M. Partridge, « Technology, International Competitiveness, and Union Behaviour », *Journal of Labor Research*, vol. 14, nº 2, printemps 1993, p. 131-145.

33. J.-F. Tremblay et J.-G. Bergeron, « Préparation patronale à la négociation collective », *Effectif*, vol. 8, nº 2, avril-mai 2005, p. 14-23.

34. Y. Reshef, « Employees, Unions, and Technological Changes : A Research Agenda », *Journal of Labor Research*, vol. 14, printemps 1993, p. 111-127. C. Davenport, « Labour Pains », *Human Resources Professional*, vol. 10, nº 11, 1993, p. 13-15.

35. G. Hébert, *op. cit.* J.-G. Bergeron et R. Paquet (sous la dir. de), *op. cit.*

36. C. Ross et M. Brossard, « L'influence des objectifs et des comportements des parties sur l'efficacité de la conciliation : le mythe de la boîte noire revu et corrigé », *Relations industrielles*, vol. 50, nº 2, 1995, p. 320-340.

37. F. Morin, J.-Y. Brière et D. Roux, *Le droit de l'emploi au Québec*, 3ᵉ éd., Montréal, Wilson Lafleur, 2006.

38. P. Verge, G. Trudeau et G. Vallée, *op. cit.*, p. 191.

39. B. Klaas et D. Feldman, « The Impact of Appeal Systems Structure on Disciplinary Actions », *Personnel Psychology*, vol. 47, 1994, p. 91-108. J. Martocchio et T. Judge, « When We don't See Eye to Eye : Discrepancies Between Supervisors and Subordinates in Absence Disciplinary Decisions », *Journal of Management*, vol. 21, nº 2, 1995, p. 251-278.

40. J. Gérin-Lajoie, *op. cit.*

41. W. Trahan et D. Steiner, « Factors Affecting Supervisors' Use of Disciplinary Action Following Poor Performance », *Journal of Organizational Behavior*, vol. 15, nº 2, mars 1994, p. 129-139.

42. H. Massé, « La sous-traitance : l'impact de la loi 31 sur le Code du travail du Québec », *Gestion*, vol. 29, nº 2, été 2004, p. 88-89. R. Harvey, « Une année syndicale mouvementée… », *Le Devoir*, 29 avril 2006, cahier spécial, p. G8. N. Mallette, « La sous-traitance et les relations du travail au Québec : développements législatifs récents et portée des conventions collectives », *Gestion*, vol. 29, nº 2, été 2004, p. 38-47. M. Filteau, « Sous-traitance et privatisation : le Québec pas différent des États-Unis et du reste du Canada », *Perspective CSN*, janvier 2006, p. 20-21. G. Boucher, « L'heure des changements », *Le Devoir*, 14 mai 2005, cahier spécial, p. H3. Tableau comparatif des articles du Code du travail relatifs à la transmission de droits et d'obligations, avant et après leurs modifications (L.Q. 2003, c. 26, sanctionnée le 18 décembre 2003, en vigueur le 1ᵉʳ février 2004).

43. L. Doyon, « Synthèses et conclusions », dans « Élargir le Code du Travail », *Actes de la 10ᵉ journée de droit social et du travail*, textes présentés par J. Desmarais, Montréal, UQAM, Centre Juris, 1999.

44. J. Charest, G. Trudeau et D. Veilleux, « La modernisation du Code du travail du Québec : perspectives et enjeux », *Effectif*, vol. 2, nº 2, avril-mai 1999, p. 24-31.

45. P. Verge, G. Trudeau et G. Vallée, *op. cit.*, p. 58-59.

46. R. Morissette, G. Schellenberg et A. Johnson, « La syndicalisation : tendances divergentes », *L'emploi et le revenu en perspective*, vol. 6, nº 4, avril 2005, p. 5-12.

LA SANTÉ ET LE BIEN-ÊTRE
AU TRAVAIL

Longtemps considérées comme une contrainte, la santé et la sécurité du travail occupent de nos jours une place prépondérante dans la gestion des ressources humaines. L'élaboration et l'implantation de pratiques visant la santé et le bien-être des employés se sont hissées parmi les préoccupations stratégiques des organisations. En effet, comment les employeurs peuvent-ils prétendre valoriser leurs ressources humaines si leurs milieux de travail demeurent en proie aux accidents et si l'organisation du travail donne lieu à des troubles mentaux et psychosociaux ? Les organisations, par conséquent, doivent promouvoir la santé et la sécurité du travail ainsi que le bien-être de leurs employés, et veiller à élaborer des stratégies en vue d'une amélioration soutenue de la qualité de vie au travail[1].

Dans la première partie du chapitre, nous traiterons des enjeux liés à la gestion de la santé et de la sécurité du travail. On entend par santé et sécurité du travail les conditions physiologiques, physiques et psychosociales auxquelles la main-d'œuvre est soumise dans un environnement de travail donné. Ce concept suscite des réactions variées de la part des organisations mais, fondamentalement, c'est à la responsabilité sociale et humaine qu'il renvoie le plus souvent.

Dans la deuxième partie, nous examinerons les questions relatives au bien-être au travail. La notion de bien-être au travail s'applique à la nécessité de veiller à la santé des employés au-delà des exigences juridiques. Dans une optique selon laquelle on considère que les problèmes personnels influent de plus en plus sur le milieu du travail, veiller au bien-être des employés devient un objectif de gestion des ressources humaines ayant des répercussions directes sur la productivité de l'entreprise.

PARTIE I   LA SANTÉ ET LA SÉCURITÉ DU TRAVAIL

Ergonomie

Étude scientifique des postes de travail en vue d'adapter le plus efficacement possible l'environnement physique à l'activité pratiquée. Il s'agit d'obtenir des titulaires de postes un rendement optimal en réduisant au minimum les efforts et la fatigue.

Aujourd'hui, la gestion de la santé et de la sécurité du travail est une activité complexe qui fait appel à l'expertise des spécialistes de nombreuses disciplines telles que l'hygiène du travail, la médecine du travail, l'écologie, la psychologie et l'ergonomie[2], pour n'en nommer que quelques-unes. De plus, la gestion de la santé et de la sécurité du travail s'intéresse non seulement aux conditions physiques existant sur le lieu de travail, mais aussi à la santé mentale des travailleurs et à leur bien-être psychologique, de même qu'à la protection de la communauté environnante contre la pollution et l'exposition à des substances toxiques[3].

Les maladies cardiovasculaires, certaines formes de cancer, l'emphysème, la stérilité, les maladies pulmonaires, ainsi que la mort et la perte de membres constituent quelques-uns des problèmes physiques ou physiologiques associés au travail qui ont été étudiés. Depuis quelques années, des maladies infectieuses comme l'hépatite et le sida font partie des maladies professionnelles. Par ailleurs, les problèmes sociopsychologiques qui ont des effets sur la qualité de vie au travail sont notamment le stress, l'épuisement professionnel, l'insatisfaction, le peu d'assiduité, les retards, l'apathie, l'alcoolisme, l'usage de drogues et de toute autre façon de fuir la réalité.

Dans cette première partie, nous abordons le contexte de la gestion de la santé et de la sécurité du travail, les aspects juridiques qui l'encadrent, les risques professionnels qui y sont associés et les moyens de prévention qui peuvent être mis en place.

LE CONTEXTE DE LA GESTION DE LA SANTÉ ET DE LA SÉCURITÉ DU TRAVAIL

L'importance croissante accordée à la responsabilité sociale des entreprises, l'influence des syndicats et les maints efforts déployés par les institutions et les organismes gouvernementaux dans le but de promouvoir la prévention des problèmes de santé et de sécurité du travail (SST) ont amené les organisations à incorporer à leurs objectifs stratégiques les questions de santé et de sécurité du travail[4]. La mise en application de conditions de travail sécuritaires et saines doit donc devenir la priorité de tout employeur responsable. En effet, en s'acquittant de ses obligations dans ce domaine, l'organisation modèle son image de marque, s'assure de bonnes relations publiques et montre son engagement à l'égard de la santé et de la sécurité de ses employés. En outre, cette stratégie a un effet bénéfique sur ses profits de même que sur le travailleur et sa famille.

Les syndicats ont joué un rôle prépondérant dans l'amélioration des conditions physiques de travail. C'est surtout au moyen de la négociation collective qu'ils ont obtenu des conditions de travail plus salubres et plus sécuritaires et qu'ils ont exigé de participer plus activement aux comités chargés de la gestion de la santé et de la sécurité sur les lieux du travail. Les organismes syndicaux ont également apporté une importante contribution à la recherche dans le domaine de la santé et de la sécurité du travail.

Traditionnellement, c'est aux employeurs qu'il incombe d'aider les employés malades ou victimes d'accidents. De nos jours, les questions de santé et de sécurité du travail sont encadrées par des lois et des règlements nombreux[5]. Il n'en demeure pas moins que l'idée essentielle est de miser davantage sur la prévention que sur le traitement.

Il convient de noter que la constitution de l'Organisation internationale du travail (OIT) établit le principe selon lequel les travailleurs doivent être protégés contre les maladies en général ou les maladies professionnelles et les accidents qui résultent de leur emploi. Les normes de l'OIT sur la sécurité et la santé du travail fournissent aux gouvernements, aux employeurs et aux travailleurs les moyens indispensables pour élaborer des méthodes appropriées et assurer un maximum de sécurité. En 2003, l'OIT a adopté en matière de sécurité et de santé du travail un plan d'action qui prévoit l'introduction d'une culture préventive dans ce domaine, la promotion et la création d'instruments pertinents ainsi qu'une assistance technique[6].

CONSULTEZ INTERNET

www.ilo.org/public/french/protection/ safework/globstrat_f.pdf

Site de l'Organisation internationale du travail donnant accès à la stratégie globale en matière de santé et sécurité du travail élaborée en 2003.

14.1.1 | L'importance de la santé et du bien-être au travail

Les coûts énormes, tant sur le plan humain que sur le plan économique, qui résultent de conditions insatisfaisantes en matière de santé et de sécurité du travail, semblent suffisants pour justifier la mise en œuvre de programmes d'amélioration des lieux de travail. Ces programmes s'attachent à réduire les coûts tout autant qu'à rendre plus adéquat l'environnement dans lequel travaillent les employés.

LES COÛTS RELIÉS AUX ACCIDENTS ET AUX MALADIES DU TRAVAIL

Selon l'OIT, environ deux millions de personnes meurent chaque année d'accidents ou de maladies résultant du travail. Cent soixante millions de personnes souffriraient de maladies liées au travail et il y aurait chaque année 270 millions d'accidents mortels ou non mortels en rapport avec le travail. Les souffrances qu'entraînent ces accidents et ces maladies pour les travailleurs et leur famille sont immenses. Du point de vue économique, l'OIT estime que 4 % du PIB mondial est gaspillé à cause des maladies professionnelles et des accidents du travail. Pour les employeurs, cela signifie des retraites anticipées coûteuses, la perte d'employés qualifiés, de l'absentéisme et des primes d'assurance élevées. Pourtant, il est possible d'éviter ces tragédies en adoptant des méthodes rationnelles de prévention, de notification et d'inspection.

Au cours des dix dernières années, les accidents du travail ont coûté la vie à quelque 1 000 Canadiens par année. Les taux d'accidents du travail demeurent élevés et les frais annuels d'indemnisation des travailleurs blessés s'établissent encore à des milliards de dollars[7].

DANS LES FAITS

Au Québec, en 2005, le nombre de dossiers relatifs à une lésion professionnelle a été le plus faible de la période 1997-2005. La quasi-totalité des dossiers étaient liés aux accidents du travail. Par ailleurs, toujours en 2005, plus de la moitié des décès sont survenus à la suite de maladies professionnelles, alors que, par le passé, les décès étaient majoritairement attribuables à un accident du travail[8].

L'encadré 14.1 présente un aperçu de la situation au Québec en 2005, à partir de données publiées par la Commission de la santé et de la sécurité du travail.

ENCADRÉ ▶ 14.1

La situation au Québec en matière de santé et sécurité du travail

Travailleurs couverts par le régime de santé et de sécurité du travail[a]	3 043 600
Nombre d'établissements	240 744
Dossiers d'intervention en prévention-inspection créés	15 749
Dossiers ouverts à la suite de lésions professionnelles	144 824
Nombre d'accidents du travail dont la demande d'indemnisation a été acceptée	121 293
Nombre d'accidents du travail qui ont fait l'objet d'une demande d'indemnisation refusée ou en suspens	14 305
Nombre de cas de maladies professionnelles dont la demande d'indemnisation a été acceptée	4 638
Nombre de cas de maladies professionnelles qui ont fait l'objet d'une demande d'indemnisation refusée ou en suspens	4 588
Décès à la suite de lésions professionnelles inscrits aux dossiers	223
Dossiers ouverts dans le cadre de l'application du programme « Pour une maternité sans danger »	29 649
Taux moyen de cotisation par 100 $ de masse salariale assurable	2,27 $
Salaire maximum annuel assurable	56 000 $

a. Selon CANSIM, Statistique Canada, « Enquête sur la population active » ; il s'agit du nombre de travailleurs ayant un emploi à temps plein. Voir aussi CSST, *Rapport annuel d'activité 2005*, www.csst.qc.ca.

LES AVANTAGES DE LA SST

L'élimination des conditions de travail dangereuses peut sans conteste se révéler bénéfique tant pour les travailleurs que pour les organisations. En effet, une réduction des accidents, des maladies et du stress, de même qu'une amélioration de la qualité de vie au travail peuvent se traduire par : (1) une augmentation de la productivité et une réduction du nombre de jours de travail perdus pour cause d'absentéisme ; (2) un accroissement de l'efficacité des travailleurs, dorénavant plus engagés dans leur travail ; (3) une réduction des frais médicaux et d'assurance ; (4) une diminution des taux d'indemnisation des accidents du travail et des paiements directs attribuable à la baisse du nombre des demandes d'indemnisation ; (5) une plus grande flexibilité et une plus grande adaptabilité de la main-d'œuvre à son milieu par suite d'une augmentation de sa participation et de son sentiment d'appartenance à l'organisation ; et (6) une meilleure sélection du personnel en raison de l'attrait que l'organisation exerce en tant que lieu de travail agréable. Assainir les milieux de travail a donc des effets directs sur l'amélioration de la productivité et de la prospérité des organisations[10].

Taux d'indemnisation

Tableau des primes ou des taux de primes applicables aux divers risques assurables pour compenser une perte de salaire à la suite d'une maladie professionnelle, d'une invalidité causée par un accident du travail ou du décès consécutif à un accident du travail.

14.1.2 | L'influence de la gestion des ressources humaines sur la santé et la sécurité du travail

Nous analysons succinctement l'influence que peuvent avoir les activités de gestion des ressources humaines ainsi que les relations du travail sur la santé et la sécurité du travail.

LA SST, LE RECRUTEMENT ET LA SÉLECTION

Une organisation capable de procurer aux travailleurs un milieu de travail sain, sûr et confortable augmente ses possibilités de recruter et de garder les plus qualifiés d'entre eux. Lorsqu'une organisation enregistre un taux élevé d'accidents du travail, sa réputation en est entachée, puisque son environnement de travail est considéré comme dangereux. Il lui est alors difficile de recruter des travailleurs qualifiés.

LA SST ET L'ANALYSE DES POSTES

Comme nous l'avons précisé dans le chapitre 3, l'analyse des postes, en particulier la conception des tâches, peut avoir de graves répercussions sur le rendement des individus au travail. Les problèmes ergonomiques, qui résultent de la difficulté d'harmoniser les personnes et les machines, peuvent expliquer bon nombre d'accidents survenant sur les lieux de travail. Combiner les habiletés physiques des employés avec les exigences des postes peut nécessiter une restructuration des emplois.

LA SST ET LA FORMATION

La formation en santé et sécurité du travail devient une fonction importante des services des ressources humaines. Étant donné la nature complexe des lois relatives à la santé et à la sécurité du travail, les entreprises offrent des séances de formation à leurs employés dans le but de les inciter à se conformer davantage à ces lois. Bien des entreprises organisent aussi des exercices de sécurité et des séances de formation dans le but d'accroître l'intérêt de leurs membres. D'autres mettent sur pied des ateliers portant sur la gestion du stress afin d'aider leurs employés à mieux s'adapter aux exigences psychosociales de leur environnement de travail.

LA SST ET LES RELATIONS DU TRAVAIL

Pour les syndicats, la santé et la sécurité du travail sont primordiales. Un grand nombre de conventions collectives contiennent des clauses qui constituent des compléments aux lois canadiennes en cette matière. Certaines de ces clauses concernent le droit de refuser d'effectuer un travail dangereux. D'autres se rapportent à des sujets comme l'engagement du syndicat et de l'employeur à coopérer à la conception et à la mise en œuvre de programmes de santé et de sécurité du travail, le droit de formuler des griefs lorsque les conditions de travail sont une source de danger, le droit d'appliquer des mesures disciplinaires à l'égard des employés qui violent les règles de sécurité, la définition de la taille des équipes de travail, l'affichage des règles de sécurité et le droit d'inspection conféré à un comité paritaire ou à un comité syndical de sécurité.

14.2
LES ASPECTS JURIDIQUES DE LA SANTÉ ET DE LA SÉCURITÉ DU TRAVAIL

Les lois promulguées dans le domaine de la santé et de la sécurité du travail relèvent de la compétence des gouvernements fédéral et provinciaux. Moins de 10 % de la main-d'œuvre employée au Canada dépend de l'autorité fédérale et un peu plus de la moitié de cette main-d'œuvre est au service du gouvernement fédéral. Les législations fédérale et provinciales se distinguent par le fait qu'elles mettent l'accent sur les droits des travailleurs. En vertu de ces lois, les travailleurs peuvent, par exemple, refuser d'effectuer des tâches dangereuses, réclamer de connaître les risques auxquels ils s'exposent en utilisant différentes matières et en travaillant dans des conditions dangereuses, et participer au comité de santé et de sécurité mis sur pied dans leur lieu de travail.

14.2.1 | Le contexte historique de la SST

Le premier programme d'indemnisation des accidents du travail a été créé en Allemagne au 19e siècle par Otto von Bismarck, qui voulait faire adopter des mesures sociales afin de s'opposer au mouvement social-démocrate. Au Canada, avant la promulgation des toutes premières lois dans ce domaine, le seul recours possible de l'employé consistait à prouver la négligence de l'employeur en portant sa cause devant les tribunaux. L'employeur devait, en vertu de la common law, fournir à ses employés des conditions de travail relativement sécuritaires. Les poursuites intentées par les employés avortaient la plupart du temps, à la suite des pressions exercées par l'employeur. Les employés accidentés étaient donc privés de revenus et de moyens d'obtenir les soins médicaux dont ils avaient besoin.

Au cours de la dernière moitié du 19e siècle, les travailleurs qui ont tenté d'obtenir de la Cour une indemnité pour des blessures subies au travail ont échoué, car ils n'ont pas réussi à prouver la responsabilité de leur employeur. Ces injustices flagrantes appelaient une réforme. La première loi visant à protéger les travailleurs canadiens a été adoptée en 1885. Aux États-Unis, ce n'est qu'en 1908 qu'on a adopté une loi visant à protéger les employés du gouvernement. En 1891, l'Ontario créait la Commission des accidents du travail (Workmen's Compensation Board), la première au Canada. Au Québec, c'est en 1928 que la Commission des accidents du travail a été mise en place. Le domaine de la santé et de la sécurité du travail a connu une forte évolution au Canada. La législation canadienne en cette matière est d'ailleurs considérée actuellement comme l'une des plus progressistes du monde.

CONSULTEZ INTERNET

www.csst.qc.ca
Site de la Commission de la santé et de la sécurité du travail.

14.2.2 | Le champ d'application des lois

Au Canada, le pouvoir de légiférer en matière de santé et de sécurité du travail revient aux provinces, aux territoires et au gouvernement fédéral. C'est la Constitution canadienne qui détermine les domaines de responsabilité fédérale et de responsabilité provinciale en matière de santé et de sécurité du travail. La compétence du gouvernement fédéral s'étend strictement à ses propres employés ainsi qu'aux industries relevant de son autorité : chemins de fer interprovinciaux, communications, oléoducs, canaux, navires, transport par eau, aviation, banques, élévateurs à grains, mines d'uranium, énergie atomique et certaines sociétés d'État. De façon générale, retenons que l'autorité du gouvernement fédéral s'étend aux activités qui sont de nature interprovinciale ou internationale.

CONSULTEZ INTERNET

www.cchst.ca
Site du Centre canadien d'hygiène et de sécurité au travail.

Par ailleurs, chaque province dispose de pouvoirs de réglementation assez étendus à l'intérieur de ses limites en ce qui a trait au milieu de travail et aux relations entre employeur et employés. En matière de santé et de sécurité du travail, chaque province a ses propres lois, qui se distinguent de celles des autres provinces, mais qui peuvent avoir des tendances et des thèmes en commun avec elles.

Au Québec, l'obligation des employeurs de protéger la santé et la sécurité du salarié trouve son fondement dans l'article 2087 du Code civil du Québec, qui la formule explicitement, et dans l'article 46 de la Charte des droits et libertés de la personne du Québec. L'étendue et la complexité de cette obligation ont conduit le législateur à en préciser le contenu dans la Loi sur la santé et la sécurité du travail. L'employeur doit également assurer la responsabilité financière des risques pour la santé et la sécurité des travailleurs. L'ensemble des employeurs du Québec, qu'ils relèvent de l'autorité provinciale ou de l'autorité fédérale, doivent participer au régime d'indemnisation mis en place par la Loi sur les accidents du travail et les maladies professionnelles. Il s'agit d'un régime qui assure l'indemnisation sans égard à la faute de la victime d'une lésion professionnelle et qui favorise le retour au travail des salariés. Cette assurance collective est administrée par l'État et financée par les cotisations que les employeurs doivent verser.

Les dispositions de la partie II du *Code canadien du travail*, qui portent sur la santé et la sécurité du travail, témoignent de la volonté du gouvernement fédéral de réduire les maladies et les accidents professionnels dans les secteurs qui relèvent de sa compétence. L'encadré 14.2 énumère les responsabilités des divers acteurs en matière de santé et de sécurité du travail.

Les responsabilités des différents acteurs en matière de santé et de sécurité du travail

Les responsabilités des gouvernements

- Appliquer la législation sur la santé et la sécurité du travail.
- Inspecter les lieux de travail.
- Diffuser de l'information.
- Promouvoir la formation, l'éducation et la recherche.
- Régler les conflits en matière de SST.

Les responsabilités des employés

- Travailler en se conformant aux lois et aux règlements en matière de SST.
- Utiliser de l'équipement ou des vêtements de protection individuelle, selon les instructions de l'employeur.
- Signaler les risques et dangers que présente le lieu de travail.
- Travailler de la façon exigée par l'employeur et utiliser l'équipement de sécurité obligatoire.

Les responsabilités du superviseur

- Veiller à ce que les travailleurs utilisent l'équipement de protection obligatoire.
- Avertir les travailleurs des dangers, potentiels et réels.
- Prendre selon les circonstances toutes les précautions raisonnables visant à assurer la sécurité des travailleurs.

Les responsabilités de l'employeur

- Mettre sur pied et maintenir un comité mixte d'hygiène et de sécurité du travail ou inciter les travailleurs à choisir au moins un représentant à l'hygiène et à la sécurité.
- Prendre toutes les précautions raisonnables pour que le lieu de travail soit sécuritaire.
- Enseigner aux employés tous les risques potentiels ainsi que la façon sécuritaire d'utiliser, de manipuler, d'entreposer et d'éliminer les substances dangereuses, et de faire face aux situations d'urgence.
- Fournir de l'équipement de protection individuelle et veiller à ce que les employés sachent comment l'utiliser correctement et en toute sécurité.
- Signaler immédiatement toutes les blessures importantes au ministère responsable de la SST.
- Nommer un superviseur qualifié qui fixe les normes de performance et qui veille à ce que le travail s'exécute toujours dans des conditions sécuritaires.

Source : www.csst.qc.ca.

14.2.3 | Les principales dispositions législatives en matière de santé et de sécurité du travail

Au Québec, la Loi sur la santé et la sécurité du travail, dans son article 51, exige de l'employeur qu'il prenne les mesures nécessaires pour protéger la santé et assurer la sécurité et l'intégrité physique du travailleur. Il s'agit d'une obligation de moyens qui exige de l'employeur qu'il fasse tout ce qu'il est raisonnable de faire pour protéger l'intégrité physique du salarié en toute circonstance, même en l'absence de normes législatives ou réglementaires plus précises. Les travailleurs du Québec sont protégés contre les accidents du travail ou les maladies professionnelles, qui peuvent non seulement porter atteinte à leur santé physique, mais également avoir des conséquences financières et sociales désastreuses pour eux et pour leur famille. Ce régime de protection constitue un service essentiel pour les entreprises québécoises. En effet, grâce au paiement d'une cotisation, elles ont l'assurance que leurs travailleurs seront indemnisés s'ils subissent des lésions à la suite d'un accident du travail ou d'une maladie professionnelle. De plus, elles sont ainsi à l'abri des poursuites qui pourraient compromettre leur équilibre financier.

La Loi sur les accidents du travail et les maladies professionnelles (LATMP) a pour objet la réparation des lésions professionnelles et des conséquences qu'elles entraînent pour les victimes. Elle prévoit également le financement du régime au moyen de cotisations perçues auprès des employeurs. Quant à la Loi sur la santé et la sécurité du travail (LSST), elle concerne la prévention des problèmes de SST et l'inspection des lieux de travail. Elle vise à éliminer à la source les dangers qu'ils représentent pour la santé, la sécurité et l'intégrité physique des travailleurs. Elle établit les mécanismes de participation des travailleurs et de leurs associations en matière de prévention, ainsi que des employeurs et de leurs associations.

La législation fédérale du travail impose la même obligation générale. Les obligations provinciales et fédérales visant la protection de l'intégrité physique des salariés sont également renforcées par une protection émanant du *Code criminel* dans une partie relative aux infractions contre la personne[11]. Ainsi, par suite d'une modification adoptée en 2004, la responsabilité criminelle des organisations qui maintiennent un milieu de travail dangereux peut être invoquée.

LES OBLIGATIONS DE L'EMPLOYEUR

Les législations fédérale et provinciales contiennent des dispositions qui obligent les employeurs à fournir aux salariés des moyens individuels de protection, à informer et à former les salariés, à aménager les lieux de travail et à organiser le travail de manière à les rendre sains et sécuritaires[12].

L'employeur doit, dans un premier temps, fournir gratuitement aux salariés l'équipement nécessaire à l'accomplissement de leur travail en toute sécurité. L'employeur doit également veiller à ce que les salariés l'utilisent efficacement.

Dans un deuxième temps, l'employeur est tenu d'informer adéquatement les salariés sur les risques liés à leur travail et de leur assurer une formation adéquate. Une analyse préalable des risques inhérents au milieu de travail lui permettra de tenir un registre des caractéristiques relatives aux postes de travail afin de détecter notamment la présence de contaminants et de matières dangereuses. En outre, il est obligé de noter les caractéristiques du travail exécuté par chaque salarié et de tenir à jour une liste des matières dangereuses et des contaminants présents dans l'établissement. L'information qui y est consignée constitue la base de la détermination des moyens de prévention à mettre en place[13].

Dans un troisième temps, l'employeur est responsable de l'aménagement sécuritaire du milieu de travail. Il doit veiller à ce que ses établissements soient équipés et aménagés de manière à assurer la protection des travailleurs. Il est aussi responsable de l'hygiène et de la salubrité du milieu de travail. Il est tenu d'assurer à ses salariés la disponibilité de l'eau potable et de leur fournir un éclairage, une aération et un chauffage adéquats. La législation fédérale impose les mêmes obligations.

Dans un quatrième temps, les dispositions législatives, en vertu de l'article 51 de la Loi sur la santé et sécurité du travail, vont jusqu'à obliger l'employeur à « s'assurer que l'organisation du travail et les méthodes et techniques utilisées pour l'accomplir

Chez QIT-Fer et Titane, une trentaine de programmes relatifs à la santé et à la sécurité du travail ont été mis en place. Parmi ceux-ci, le programme d'analyse de tâches critiques (ATC) permet la détermination des dangers que comporte chacune des tâches, puis la classification de ces tâches selon une grille d'évaluation précise. Pour les tâches les plus critiques, les ATC visent à concevoir divers moyens de prévenir les accidents, aussi bien en réduisant les risques à la source qu'en mettant en place de bonnes pratiques de travail dans le but de faire échec aux dangers qui ne peuvent être éliminés. Les employés sont aussi invités à participer à cet exercice d'analyse.

L'entreprise a également recours au programme STOP basé sur l'observation préventive des pratiques de travail. Les gestionnaires consignent toutes leurs observations, les points positifs comme ceux qui doivent être améliorés, et transmettent leurs commentaires aux employés. Finalement, on enregistre les informations sur ordinateur en vue de générer des rapports et d'analyser les résultats.

Grâce à toutes ces mesures, le taux de fréquence des accidents indemnisés a radicalement diminué. Pour QIT-Fer et Titane, les bonnes pratiques en matière de santé et de sécurité du travail sont donc un investissement très rentable[14].

sont sécuritaires et ne portent pas atteinte à la santé des travailleurs ». L'employeur doit également s'assurer que le salarié a atteint l'âge réglementaire pour effectuer le travail et qu'il détient un certificat de santé lorsque cela est requis. La loi fédérale impose à l'employeur de veiller à ce que le poste et les méthodes de travail soient conformes aux normes de l'ergonomie.

Les législations québécoise et fédérale accordent une attention particulière aux matières dangereuses présentes dans le milieu de travail. L'employeur doit s'assurer qu'une étiquette et une fiche signalétique conformes aux dispositions légales et réglementaires sont apposées sur les différents produits utilisés ou entreposés dans les lieux de travail (voir l'encadré 14.3)

Les effets du Système général harmonisé (SGH) sur le SIMDUT. Afin de promouvoir l'adoption à l'échelle internationale de critères communs et uniformes pour le classement des produits chimiques, il a été convenu, lors du Sommet de la Terre à Rio en 1992, de mettre sur pied un système harmonisé de classification et d'étiquetage comportant notamment des fiches sur la sécurité et des symboles facilement compréhensibles. Cette initiative internationale est maintenant connue sous l'appellation *Système général harmonisé* (*SGH*). Le Canada, les États-Unis, l'Australie, le Royaume-Uni, la Chine et l'Organisation internationale du travail (OIT) ne sont que quelques-uns des pays et des organismes internationaux participant activement au développement du SGH.

CONSULTEZ INTERNET

www.reptox.csst.qc.ca/Documents/ Simdut/SGH/Htm/SGH.htm

Site de la CSST se rapportant au répertoire toxicologique.

Pareille harmonisation apportera de nombreux avantages tant aux pays et aux organisations internationales qu'à tous les producteurs et utilisateurs de produits chimiques. Parmi ces avantages, notons la promotion d'une façon plus efficace de présenter les règlements, une information plus cohérente sur les dangers, un commerce international plus facile et de meilleures interventions d'urgence lors d'incidents impliquant des produits chimiques.

Le SGH sera donc appelé à remplacer le SIMDUT et sa mise en œuvre entraînera des modifications en ce qui concerne les critères de classification actuels des substances et des préparations, la fiche signalétique et certains éléments de l'étiquette[15].

LES DROITS DE L'EMPLOYÉ

Les législations québécoise et fédérale confèrent à l'employé les trois droits suivants :

- Connaître les risques liés à son travail
- Participer à la résolution des problèmes de SST
- Refuser d'exécuter un travail dangereux

Les pictogrammes du Système d'information sur les matières dangereuses utilisées au travail (SIMDUT)

Les logos du SIMDUT ont été créés afin de constituer une marque d'identification visuelle facilement reconnaissable de ce système pancanadien. On compte que ces logos seront utilisés le plus largement possible par tout usager ou partisan du SIMDUT, dans toute documentation de nature informative, promotionnelle ou éducative liée à ce programme national.

Catégorie A – Gaz comprimés

Catégorie B – Matières inflammables et combustibles

Division 1 Gaz inflammable
Division 2 Liquide inflammable
Division 3 Liquide combustible
Division 4 Solide inflammable
Division 5 Aérosol inflammable
Division 6 Matière inflammable réactive
Subdivision A – Matières très toxiques
Subdivision B – Matières toxiques

Catégorie D – Division 2: Matières ayant d'autres effets toxiques
Subdivision A – Matières très toxiques
Subdivision B – Matières toxiques

Catégorie D – Division 3
Matières infectieuses

Catégorie C – Matières comburantes

Catégorie D – Matières toxiques et infectieuses

Catégorie D – Division 1:
Matières ayant des effets toxiques immédiats et graves

Catégorie E – Matières corrosives

Catégorie F – Matières dangereusement réactives

Source: www.hc-sc.gc.ca/ewh-semt/occup-travail/whmis-simdut/faq/supplier-fournisseur_f.html.

Comme nous l'avons mentionné plus haut, l'employeur est tenu d'informer ses salariés de tous les risques, connus ou prévisibles, présents dans son lieu de travail. Il doit également fournir la formation et la supervision nécessaires à la protection de leur sécurité et de leur santé.

Par l'entremise de leurs représentants en matière de santé et de sécurité ou des membres de leur comité de santé et de sécurité, les salariés ont le droit et l'obligation de participer à la détermination et au règlement des problèmes relatifs à ce domaine. Un employé a le droit de refuser d'exécuter un travail dangereux. Cependant, pour bénéficier d'une protection légale lorsqu'il refuse de travailler, il doit avoir des motifs raisonnables de croire que l'utilisation d'un certain équipement ou que l'exposition à une certaine situation dans son lieu de travail constitue un danger pour lui-même ou pour un autre employé. Notons que diverses restrictions s'appliquent au droit de refuser d'exécuter un travail dangereux. Ainsi, un employé ne peut pas refuser de travailler si cette décision met directement en péril la vie, la sécurité ou la santé d'une autre personne, ou si le danger perçu fait partie intégrante de son travail et constitue dans ce cas une condition normale d'emploi.

Au Québec, tout travailleur qui subit un accident de travail ou contracte une maladie professionnelle bénéficie d'une protection fondamentale, à savoir le droit au retour au travail et le droit à la réadaptation en vertu de la Loi sur les accidents du travail et les maladies professionnelles. Le droit au retour au travail oblige l'employeur à reprendre un travailleur qui redevient capable d'occuper son emploi ou un emploi équivalent, avec le salaire et les avantages qui y sont liés. Lorsqu'un employé est atteint de façon permanente dans son intégrité physique ou psychique, il peut bénéficier de services de réadaptation afin de faciliter sa réintégration. L'affectation temporaire est une solution qui permet aux employés victimes d'accidents du travail ou de maladies professionnelles de reprendre le travail : on les affecte à un emploi temporaire en attendant qu'ils se rétablissent et soient en mesure d'occuper à nouveau leur ancien emploi ou un emploi équivalent[16].

LES COMITÉS PARITAIRES DE SANTÉ ET DE SÉCURITÉ DU TRAVAIL

Les lois québécoises et fédérales contiennent des articles prévoyant l'établissement de comités paritaires de santé et de sécurité dans certains lieux de travail. Ces comités ont pour but de mettre en évidence le rôle que doivent jouer les employés dans l'établissement des programmes et d'encourager les employeurs à résoudre leurs problèmes à partir de leurs propres systèmes internes. Le gouvernement apporte son soutien en définissant les droits et les responsabilités des comités paritaires et en précisant les modalités selon lesquelles ils doivent prendre part aux inspections gouvernementales et au processus d'application de différentes mesures.

Comité paritaire

Comité formé d'un nombre égal de représentants des travailleurs et des employeurs. Ces représentants sont désignés par les syndicats et par les associations d'employeurs signataires d'une convention collective.

Le rôle des comités paritaires varie d'une province à l'autre. Les lois du Québec leur donnent des pouvoirs étendus. Ainsi, à l'article 78 de la Loi sur la santé et la sécurité du travail, on peut lire que ces pouvoirs sont décisionnels notamment en ce qui a trait à la sélection du médecin responsable des services de santé de l'établissement, à l'approbation du programme de santé que ce médecin doit élaborer, à la détermination des programmes de formation et d'information qui font partie du programme de prévention, et au choix des moyens et de l'équipement de protection individuelle.

LES PROGRAMMES DE PRÉVENTION

Au Québec, les employeurs des secteurs d'activité désignés par règlement, soit ceux qui sont jugés prioritaires en raison de la fréquence et de la gravité des lésions professionnelles qui y surviennent (voir l'encadré 14.4), et ceux qui font partie d'une mutuelle de prévention, sont tenus d'élaborer un programme de prévention propre à chaque établissement. Les autres employeurs doivent aussi s'engager dans cette démarche puisqu'elle leur permet d'assurer la santé et la sécurité des travailleurs. Le programme de prévention doit comporter des mesures concrètes pour éliminer les dangers propres à l'établissement ou au milieu de travail. La législation fédérale exige la formation d'un comité d'orientation dans les organisations comptant plus de 300 employés. Elle est plus laconique en ce qui a trait au contenu du programme[17].

ENCADRÉ ▶ 14.4

Les catégories d'établissements visées par le *Règlement sur le programme de prévention*

A. Construction
B. Industries chimiques
C. Exploitation forestière, services forestiers et industries du bois de sciage et des bardeaux
D. Mines, carrières et puits de pétrole
E. Industrie de la fabrication des produits métalliques
F. Industrie du bois
G. Industries des produits en caoutchouc et industries des produits en matière plastique
H. Industries du matériel de transport
I. Industries de première transformation des métaux
J. Industries des produits minéraux non métalliques
K. Services gouvernementaux
L. Industries des aliments et industries des boissons
M. Industries du meuble et des articles d'ameublement
N. Industries du papier et des produits en papier
O. Transports et entreposage

Source : www.csst.qc.ca

DANS LES **FAITS**

La Commission de la santé et de la sécurité du travail offre un produit d'assurance conçu spécialement pour les petites et moyennes entreprises du Québec : les mutuelles de prévention. Cette initiative novatrice répond à la demande pressante des quelque 170 000 employeurs de la PME qui souhaitent que leurs primes reflètent leurs efforts en matière de santé et de sécurité du travail. Jusqu'à maintenant, la prime d'assurance des PME tenait peu compte de leur performance individuelle ; elle correspondait plutôt à la performance moyenne des entreprises de leur secteur d'activité. C'est ce qu'on appelle la tarification au taux de l'unité. En se regroupant en mutuelle de prévention, les PME peuvent profiter d'une tarification au taux personnalisé, qui prend en considération leur performance. Plus la cotisation globale du groupe est importante, plus sa performance est prise en compte et moins le taux de l'unité se fait sentir.

Le représentant en matière de prévention.   En vertu de la Loi sur la santé et la sécurité du travail du Québec, les salariés doivent désigner un représentant dans les établissements qui peuvent former un comité de santé et sécurité au travail. Selon la loi fédérale, un représentant doit être désigné dans les établissements au sein desquels un comité de santé et sécurité du travail n'a pu être constitué. Selon les deux lois, le représentant exerce diverses fonctions, notamment la détermination des risques en matière de santé et de sécurité du travail et la mise en place de moyens de prévention[18].

La déclaration des accidents du travail.   En vertu des lois québécoises et fédérales, les employeurs sont tenus de déclarer aux commissions des accidents du travail tout accident ayant causé des blessures ou des maladies à des travailleurs. On utilise les déclarations d'accidents du travail pour gérer les programmes d'indemnisation et de réadaptation professionnelle. Par ailleurs, les autorités exigent également que des déclarations distinctes soient remises au ministère chargé d'appliquer et de faire respecter la loi en matière de santé et de sécurité du travail. On demande généralement de fournir ces déclarations à des fins administratives ou en prévision d'une révision de la loi.

Les articles se rapportant aux déclarations d'accidents du travail diffèrent selon les autorités législatives. La plupart des lois exigent que l'employeur informe les autorités par écrit des accidents et des explosions ayant entraîné la mort de travailleurs ou leur ayant causé des blessures graves. Certaines lois obligent également les employeurs à enquêter sur les accidents et à fournir une déclaration écrite. De plus, un avis écrit est habituellement requis lorsqu'un employé a contracté une maladie professionnelle. En général, l'employeur ne doit pas déplacer les éléments de preuve, sauf en cas de nécessité, afin de prévenir tout nouvel accident.

La Commission de la santé et de la sécurité du travail du Québec.   La Commission de la santé et de la sécurité du travail (CSST) est l'organisme chargé par le gouvernement de l'administration du régime de protection des travailleurs. Elle doit veiller à l'application des deux principales lois qui régissent les droits et les obligations des travailleurs et des employeurs en matière de santé et de sécurité du travail : la Loi sur les accidents du travail et les maladies professionnelles (LATMP) et la Loi sur la santé et la sécurité du travail (LSST). La CSST assure aux travailleurs victimes de lésions professionnelles l'ensemble des services auxquels ils ont droit. Outre le versement des indemnités, ses fonctions portent sur la réadaptation des travailleurs en vue de les aider à retrouver leur autonomie ou à réintégrer le marché du travail, ainsi que sur l'assistance médicale et le droit au retour au travail. La CSST est également chargée d'indemniser les travailleuses enceintes ou qui allaitent lorsqu'elles bénéficient d'un retrait préventif.

CONSULTEZ INTERNET

www.osha.gov

Site de l'*Occupational Safety and Health Administration*, organisme du *Department of Labor* (ministère américain du Travail) dédié à la santé et à la sécurité du travail. On y présente des publications, des lois et des résultats d'enquête.

14.3

LES RISQUES PROFESSIONNELS

Comme le montre l'encadré 14.5, les accidents du travail et les maladies professionnelles peuvent compromettre la santé physique des travailleurs. De même, certains aspects psychosociaux du milieu de travail, qui se traduisent par un niveau de stress élevé ou une piètre qualité de vie, peuvent représenter aussi des risques pour la santé. Dans le passé, la plupart des entreprises ainsi que les lois en matière de santé et de sécurité du travail n'ont tenu compte que de l'environnement physique. Cependant, les entreprises prennent de plus en plus conscience des risques psychosociaux auxquels sont exposés les travailleurs.

ENCADRÉ ▶ **14.5**

Les principaux facteurs à considérer en matière de santé et de sécurité du travail

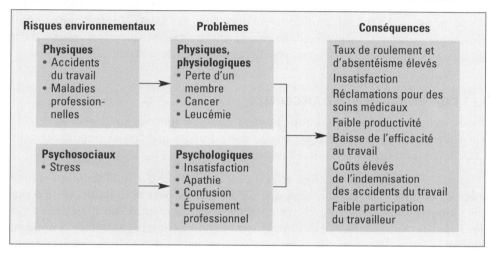

14.3.1 | Les facteurs à l'origine des accidents du travail

Certaines organisations, et parfois même certains services au sein d'une même organisation, enregistrent des taux d'accidents plus élevés que d'autres. De nombreux facteurs peuvent expliquer ces différences.

LES CARACTÉRISTIQUES DE L'ORGANISATION

Les taux d'accidents varient substantiellement en fonction du secteur d'activité. Par exemple, ils sont plus élevés parmi les entreprises à l'œuvre dans le secteur de la construction et de la fabrication que parmi les entreprises spécialisées dans les services, les finances, les assurances ou les biens immobiliers. Les petites et les grandes organisations, soit celles qui comptent respectivement moins de 100 et plus de 1 000 employés, enregistrent des taux d'accidents inférieurs à ceux des organisations de taille moyenne. Cette situation pourrait s'expliquer par le fait que les superviseurs des petites organisations sont mieux à même de déceler les risques et de prévenir les accidents que ceux des organisations de taille moyenne ; pour leur part, les grandes organisations disposent de ressources plus importantes que les organisations de taille moyenne, ce qui leur permet d'engager des spécialistes qui consacrent leurs efforts à la prévention des accidents et à la sécurité du travail.

LES PROGRAMMES DE SÉCURITÉ DU TRAVAIL

Les techniques, les programmes et les activités visant à promouvoir la prévention des accidents et la sécurité diffèrent aussi d'une organisation à l'autre. Leur efficacité varie selon le type d'industrie et la taille de l'organisation. Par exemple, dans les grandes entreprises du secteur chimique, des sommes considérables sont affectées à la sécurité : installations et personnel médicaux, formation sur le plan de la sécurité et supervision très étroite. Ces mesures contribuent à faire baisser les coûts en matière d'accidents du travail. Par contre, ces coûts peuvent augmenter si l'élimination des conditions de travail dangereuses, l'engagement de personnel chargé de la sécurité, l'orientation des employés et la tenue de fiches de sécurité sont effectués de façon inefficace. Au sein d'une industrie, des organisations peuvent donc faire face à des coûts par employé plus élevés que d'autres. Généralement, les organisations qui sont aux prises avec les coûts les plus élevés sont celles qui n'ont pas de programmes de prévention.

LES COMPORTEMENTS DANGEREUX

Bien que les facteurs organisationnels jouent un rôle important sur le plan de la sécurité du travail, bon nombre d'experts estiment que les principaux responsables des accidents sont les employés eux-mêmes.

Les accidents dépendent en effet du comportement des individus, des risques associés au milieu de travail, ainsi que du hasard. La part de responsabilité d'une personne au moment d'un accident est souvent perçue comme un indicateur de sa prédisposition aux accidents. Cette prédisposition ne peut être considérée comme un ensemble fixe de caractéristiques menant immanquablement à des accidents, cependant il existe des traits psychologiques et physiques qui rendent certaines personnes plus susceptibles que d'autres de subir des accidents.

Par exemple, les employés qui sont plus fragiles que les autres sur le plan émotif ont généralement plus d'accidents, alors que ceux qui sont plus optimistes, plus confiants, et qui s'intéressent plus aux autres que la moyenne sont ceux qui en ont le moins. Les employés très stressés ont tendance à avoir plus d'accidents que ceux qui le sont peu. Ceux qui ont une meilleure acuité visuelle que les autres ont moins d'accidents. Par ailleurs, les travailleurs âgés se blesseraient moins que les jeunes. Enfin, les individus aptes à déceler les différences par l'observation plutôt que par des manipulations sont moins susceptibles de subir des accidents que les autres.

De nombreuses caractéristiques psychologiques susceptibles d'être liées aux accidents — par exemple, l'animosité et le manque de maturité — ne sont que temporaires. Il est par conséquent difficile de déceler la prédisposition aux accidents chez une personne avant qu'un accident ne se produise.

DANS LES FAITS

En 2004, la Commission de la santé et de la sécurité du travail (CSST) a déploré 3 656 accidents et maladies du travail chez les jeunes Montréalais de 24 ans ou moins, ce qui fait une moyenne de près de 305 lésions professionnelles par mois ! Ces lésions peuvent briser des vies et détruire des rêves. Compte tenu du temps passé au travail, les jeunes subissent une fois et demie plus d'accidents du travail que leurs aînés. Plusieurs facteurs expliquent cet état de fait.

- Ils sont au début de leur parcours professionnel et n'ont presque pas d'expérience.
- Ils sont davantage soumis à des contraintes : horaires irréguliers, travaux répétitifs, manipulation de charges lourdes, efforts déployés en maniant des outils, etc.
- Ils ne reçoivent pratiquement pas de formation en santé et en sécurité à leur arrivée dans un nouvel emploi.
- Ils ne sont pas toujours bien informés des risques présents dans leur environnement de travail.
- Ils changent fréquemment d'emploi[19].

Étant donné qu'aucune de ces caractéristiques n'a pu être liée à tous les accidents du travail et qu'aucune ne se retrouve chez tous les accidentés du travail, il est presque impossible de sélectionner les candidats à un poste en fonction de leur prédisposition aux accidents. Et, même si c'était possible, des aspects comme la taille de l'entreprise, la technologie utilisée, l'attitude de la direction, les programmes de sécurité et la qualité de la supervision constituent des facteurs qui peuvent être mis en cause lorsque surviennent des accidents.

14.3.2 | Les facteurs à l'origine des maladies professionnelles

Les sources possibles de maladies professionnelles sont aussi variées que les manières dont elles affectent l'organisme humain. Les risques de maladies professionnelles comptent pour beaucoup dans les problèmes de santé et de sécurité du travail. On définit cinq catégories de risques pour la santé : les risques chimiques, les risques physiques, les risques biologiques, les risques ergonomiques et les risques psychosociaux. D'autres facteurs de risque sont davantage liés au travailleur lui-même qu'à l'emploi : par exemple le style de vie sédentaire (l'inactivité physique), les régimes alimentaires et les horaires de travail.

LES RISQUES CHIMIQUES

Les employés sont exposés à un grand nombre de dangers d'ordre chimique dans le cadre de leur travail. Parmi ceux-ci, mentionnons le monoxyde de carbone, le plomb, la poussière et les produits chimiques dangereux. Il est important de noter qu'on trouve des quantités de plus en plus considérables de monoxyde de carbone, de plomb et de poussière, surtout en milieu urbain.

LES RISQUES PHYSIQUES

Le bruit, la chaleur et le froid font partie des risques physiques. Le bruit semble être le principal danger de cette catégorie. Au Québec, par exemple, des règlements stipulent que le travailleur ne doit pas être exposé à plus de 90 dB durant une période de huit heures par jour, de façon à maintenir intacte sa faculté auditive. Une étude portant sur les policiers a révélé que, même si les sirènes de leurs voitures peuvent atteindre un niveau maximal de 110 dB, leur travail quotidien les expose rarement à plus de 85 dB[20].

LES RISQUES BIOLOGIQUES

Les employés qui ont des relations directes avec le public semblent plus susceptibles que les autres de rencontrer des individus à risque, c'est-à-dire des personnes particuliè-rement exposées au sida et à l'hépatite B, par exemple[21]. Ces risques sont évidemment très élevés chez les individus qui travaillent dans le secteur de la santé. Les policiers s'exposent également à un danger lorsqu'ils aident des citoyens blessés ou démunis, situations au cours desquelles ils peuvent entrer en contact avec certains virus. On discute de plus en plus de la nécessité d'étendre la vaccination contre l'hépatite B à ces catégories d'employés. Pour le moment, il est essentiel de réduire ce type de risques en informant adéquatement le personnel directement touché (voir l'encadré 14.6).

Questions fréquemment posées sur le VIH et le sida

Le VIH-sida pose-t-il un risque au travail ?

Non. Dans des circonstances normales, vous ne pouvez « attraper » le VIH d'un collègue. Le VIH ne peut être transmis par un simple contact, du moins par le genre de contacts que vous avez avec les gens au travail. Ainsi, vous ne pouvez « attraper » le VIH en donnant une poignée de main ou en partageant des outils. Le virus est transmis durant un acte sexuel ou en cas de contact sanguin direct.

Peut-on, en toute sécurité, partager de l'équipement ou des installations, ou manger avec une personne affectée par le VIH-sida ?

Oui. On ne peut contracter le VIH en :

- travaillant à côté d'une personne qui est affectée par le VIH-sida ;
- partageant avec elle de l'équipement de bureau, comme le téléphone, un ordinateur, des machines ou une fontaine ;
- utilisant les mêmes salles de toilette qu'elle : on ne peut pas contracter le VIH au contact d'un siège de toilette, d'un urinoir ou d'une serviette ;
- partageant avec elle de la nourriture ou des ustensiles : le VIH ne peut être transmis par le partage de nourriture, d'ustensiles ou de vaisselle ;
- lui donnant une poignée de main, la touchant, la serrant ou l'embrassant ;
- faisant du sport ou de l'exercice avec elle : même si elle transpire, elle ne peut transmettre le virus de cette façon.

Les personnes affectées par le VIH-sida devraient-elles continuer à travailler ?

Oui. Les gens atteints d'une maladie comme le VIH-sida ont tendance à vivre plus longtemps et à être en meilleure santé s'ils continuent à travailler. Parmi les autres facteurs à considérer, on trouve la préservation du revenu et des avantages sociaux. Les personnes affectées par le VIH-sida deviennent souvent de meilleurs employés en raison de l'importance que leur travail prend pour eux en tant que source de satisfaction et d'espoir. Pour l'employeur, garder un employé expérimenté et compétent est un atout : tant que cette personne peut continuer à travailler, l'organisation économise les coûts de recrutement et de formation d'un nouvel employé moins expérimenté.

Existe-t-il un test pour le sida ?

Il existe des tests pour déterminer si une personne a été contaminée par le VIH. Si vous ou quelqu'un d'autre désirez passer un test, il existe diverses façons de le faire. Demandez à votre médecin ou consultez le service de santé de votre entreprise. Il existe aussi des services de santé communautaires qui offrent ce test. Ce service est confidentiel, mais pas anonyme. Il existe également des sites qui fournissent un service confidentiel et anonyme.

Existe-t-il un remède pour le sida ?

Pas encore. Cependant, plusieurs projets de recherche visent présentement à prévenir les infections, à ralentir les progrès de la maladie et à l'éliminer. En outre, les traitements pour les infections qui rendent malades les personnes affectées se sont améliorés ; il en est de même des traitements pour ralentir la multiplication du VIH dans le corps et permettre au système immunitaire de reprendre des forces.

Les soignants sont-ils en danger lorsqu'ils prennent soin d'une personne affectée par le VIH-sida ?

Non. Un soignant ne peut « attraper » le VIH, même s'il donne des soins aussi intimes que nourrir la personne atteinte, la laver ou changer ses pansements. Naturellement, il faut éviter d'entrer directement en contact avec le sang et prendre des précautions en donnant des injections intraveineuses. En fait, les précautions à prendre sont les mêmes, quelle que soit la maladie.

Malheureusement, certaines personnes croient qu'elles peuvent « attraper » le VIH d'un soignant. Ce n'est pas possible dans le cadre des gestes normaux quotidiens qui sont posés au travail.

Source : adapté de R.F.J. Williams, « Le sida en milieu de travail », *Effectif*, vol. 3, n° 4, septembre-octobre 2000, p. 55.

LES RISQUES ERGONOMIQUES

À l'exception des blessures au dos, qui sont parmi les plus fréquentes chez les travailleurs, les problèmes respiratoires représentent la catégorie de maladies professionnelles dont la croissance est la plus rapide. C'est au cancer, cependant, qu'on accorde le plus d'attention, car il est la deuxième cause de décès au Canada, après les maladies du cœur. Certaines des causes connues du cancer renvoient à des agents physiques et chimiques présents dans l'environnement. Et comme il est davantage possible, en théorie, d'agir sur les agents physiques et chimiques que sur le comportement humain, des efforts sont déployés pour les éliminer des lieux de travail. Les maux de dos comptent également parmi les problèmes les plus importants qu'éprouvent les employés[23].

LES GROUPES DE TRAVAILLEURS À RISQUE

Les travailleurs des mines, de la construction et des transports, de même que les cols bleus et les contremaîtres des industries de fabrication occupent des emplois qui les exposent considérablement aux maladies professionnelles et aux accidents. Les emplois les moins sécuritaires sont ceux qu'exercent les pompiers, les mineurs et les policiers. De plus, un grand nombre de travailleurs de l'industrie pétrochimique et des raffineries, les teinturiers, les travailleurs du textile, ceux de l'industrie du plastique, les peintres et les travailleurs de l'industrie chimique courent également de graves dangers quant à leur santé[24].

Les maladies professionnelles ne sont pas uniquement le lot des cols bleus et des travailleurs des industries manufacturières. Le travail de bureau, qui ne semblait pas causer de problèmes, engendre aussi sa part de maladies physiques et psychologiques qui frappent les cols blancs travaillant dans le secteur des services. Parmi les maux les plus courants, mentionnons l'apparition de varices, les douleurs au bas du dos, la détérioration de la vue, les maux de tête et les migraines, l'hypertension, les maladies du cœur, et les problèmes respiratoires et digestifs. Les facteurs à l'origine de ces désordres sont : (1) le bruit ; (2) les polluants intérieurs tels que les vapeurs chimiques émanant, par exemple, de la photocopieuse ; (3) les chaises inconfortables ; (4) les aires de travail mal conçues ; (5) le papier traité chimiquement ; et (6) le nouvel équipement technologique, qui comprend des écrans cathodiques.

LES INDIVIDUS À RISQUE

Les scientifiques estiment que près de 1 600 maladies sont attribuables à des carences génétiques[25]. Certains individus seraient particulièrement exposés à diverses maladies en raison de leur patrimoine génétique. Cette hypothèse, difficile à vérifier, soulève une nouvelle controverse entourant le rôle que pourrait jouer le service des ressources humaines dans le dépistage et la surveillance génétiques du personnel.

Théoriquement, on pourrait utiliser un test de dépistage pour évaluer le profil génétique d'un candidat à un poste donné. Cette évaluation, jointe à la connaissance des produits chimiques utilisés dans l'entreprise, permettrait de déceler les produits susceptibles de causer des maladies comme le cancer. Après avoir établi la propension de l'individu à contracter une maladie causée par un produit chimique donné, les entreprises pourraient : (1) rejeter le candidat ; (2) l'affecter à un endroit éloigné des facteurs de risque ; ou (3) prendre des mesures particulières (par exemple exiger le port de vêtements protecteurs) de façon à réduire les risques de maladie.

Actuellement, aucune loi fédérale ni provinciale ne réglemente l'usage de tests génétiques sur les lieux de travail. Bien que ces tests ne soient pas encore largement utilisés, un nombre important de grandes entreprises entrevoient la possibilité d'y recourir à l'avenir. Jusqu'à présent, la recherche n'a révélé aucune corrélation précise entre la présence d'une déficience ou d'un trait particulier (qui peut être mesuré avec exactitude) et l'apparition éventuelle d'une maladie chez un individu. Cette déficience ou ce trait n'occasionnera pas nécessairement un problème de santé. Il peut être utile de tester la prédisposition de candidats à une maladie, mais il ne semble pas raisonnable, avisé ni simplement juste de rejeter des candidats sans effectuer de meilleures estimations des risques de maladies.

14.4 LA PRÉVENTION DES MALADIES PROFESSIONNELLES ET DES ACCIDENTS DU TRAVAIL

Selon la Commission de la santé et de la sécurité du travail, les moyens de prévention auxquels a recours l'entreprise doivent être intégrés à son fonctionnement. Chacun d'eux concerne un aspect particulier de la santé et de la sécurité dans l'établissement, ce qui permet à la fois de soutenir le principe d'efficacité en matière de prévention et de remplir les obligations relatives à la santé et à la sécurité du travail. Ces moyens doivent répondre aux besoins réels en ce qui a trait à l'élimination à la source des dangers pouvant nuire à la santé, à la sécurité et à l'intégrité physique des travailleurs.

14.4.1 | Les étapes d'un programme de prévention

La CSST propose aux entreprises un programme de prévention à trois volets (voir l'encadré 14.7).

Dans un premier temps, il s'agit de déceler les dangers et les problèmes existant dans le milieu de travail. Pour y arriver, les entreprises ont intérêt à intégrer à leur fonctionnement habituel des moyens de prévention tels que les enquêtes et les analyses relatives aux accidents, le registre des premiers secours, le programme de santé et les inspections, et à établir les priorités d'action.

Les étapes d'un programme de prévention

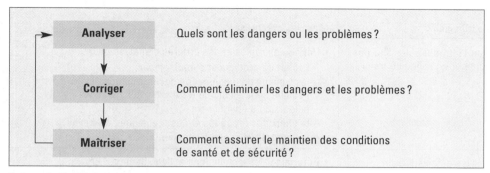

Analyser	Quels sont les dangers ou les problèmes ?
Corriger	Comment éliminer les dangers et les problèmes ?
Maîtriser	Comment assurer le maintien des conditions de santé et de sécurité ?

Source : adapté de www.csst.qc.ca

Dans un deuxième temps, il faut remédier aux problèmes qui ont été décelés, ce qui revient à éliminer les dangers existant dans le milieu de travail. Dans les cas où cela se révèle impossible, il faut les réduire. Il est également nécessaire de protéger les travailleurs en mettant en œuvre un programme d'entretien préventif, des méthodes de travail sécuritaires, un programme de formation, une organisation du travail saine et une politique d'achat.

Dans un troisième temps, il faut maîtriser la situation qui existe dans l'entreprise, ce qui revient à assurer la permanence des correctifs apportés. Il s'agit, en somme, d'appliquer des moyens de prévention (par exemple inspections, formation, programme d'entretien préventif, politique d'achat) qui assureront le maintien des conditions de santé et de sécurité dans les lieux de travail.

14.4.2 | Les moyens de prévention

La CSST propose des moyens de prévention. Dans l'encadré 14.8, nous présentons, pour chacun des moyens de prévention indiqués, l'objectif visé et les principaux éléments qui pourraient en faire partie. Nous précisons également les activités pour lesquelles la participation des travailleurs et du comité de santé et de sécurité est nécessaire. Ces activités sont précédées du symbole « – ».

Les moyens de prévention établis par la CSST

Moyen de prévention	Objectif visé	Mesures préconisées
Organisation de la santé et de la sécurité du travail	Se prendre en main dans le domaine de la santé et de la sécurité du travail.	• Adopter une politique générale de prévention. • Se donner des mécanismes de gestion de la prévention. • Partager les responsabilités entre les diverses parties. • Créer un comité de santé et de sécurité du travail. • Évaluer les résultats en matière de prévention. • Élaborer un plan d'action

Les moyens de prévention établis par la CSST *(suite)*

Moyen de prévention	Objectif visé	Mesures préconisées
Politique d'achat et d'ingénierie	Éviter d'introduire des sources de danger en milieu de travail.	• Définir des règles et des critères d'analyse pour : – l'achat de produits et d'équipement ; – les travaux de modification des installations et de l'équipement, ainsi que les travaux d'ingénierie ; – la location d'équipement ; – le choix des procédés et des techniques de travail ; – les contrats de sous-traitance.
Entretien préventif	Éviter les défaillances techniques, sources possibles de danger.	• Déterminer les installations et l'équipement visé. • Utiliser des fiches techniques d'entretien préventif. • Établir un calendrier des activités. • Tenir un registre d'entretien préventif.
Surveillance de la qualité du milieu	Veiller à ce qu'il n'y ait pas de détérioration du milieu de travail (aspects mesurables).	• Dresser la liste des contaminants et des matières dangereuses présents dans le milieu de travail. • Adopter un plan de surveillance et de maintien de la qualité du milieu de travail (mesure des contaminants, suivi). • Recueillir l'information utile dans des fiches signalétiques (SIMDUT). • Tenir un registre de surveillance.
Inspections	Détecter les dangers potentiels et maintenir des conditions de travail sécuritaires.	• Procéder à l'inspection générale des lieux. • Faire des inspections de l'équipement, des systèmes, etc. • Se servir de listes et de guides techniques d'inspection. • Faire des rapports d'inspection et tenir des registres. • Travailler en collaboration avec le comité de santé et de sécurité.
Surveillance de la santé	Dépister rapidement les atteintes à la santé des travailleurs et des travailleuses.	• Déceler et évaluer les risques pour la santé existant dans le milieu de travail. • Prendre des mesures de surveillance médicale des employés. • Faire la promotion de la santé. • Mettre sur pied un programme de santé au travail. • Recourir aux services de santé disponibles. • Travailler en collaboration avec le comité de santé et de sécurité du travail.
Méthodes de travail sécuritaires	Se doter de méthodes et de techniques de travail sécuritaires.	• Élaborer et tenir à jour des méthodes de travail sécuritaires. • Observer et analyser les tâches. • Intégrer aux fonctions et aux tâches des méthodes et des techniques de travail sécuritaires. • Travailler en collaboration avec le comité de santé et de sécurité.
Règlements sur la santé et la sécurité du travail	Déterminer les exigences en matière de santé et de sécurité en tenant compte des caractéristiques de l'entreprise.	• Établir la liste des règlements que doit respecter l'entreprise. • Élaborer des règles internes, les faire approuver par la direction et les tenir à jour. • Faire connaître et faire respecter les règlements qui s'appliquent à l'entreprise ainsi que les règles internes de sécurité. • Donner aux visiteurs, aux fournisseurs et à toute autre personne entrant dans l'entreprise de l'information sur les règles en vigueur.

Moyen de prévention	Objectif visé	Mesures préconisées

Information sur la santé et la sécurité du travail	Fournir aux travailleurs et aux travailleuses des éléments de connaissance sur leur milieu de travail.	• Mettre en place des moyens d'information tels que :
		  – tableaux d'affichage ;
		  – réunions ;
		  – promotion de la prévention.
		• Diffuser dans l'entreprise l'information prescrite par la loi ou par les règlements.
		• Rendre accessible au personnel de l'entreprise la documentation sur la santé et la sécurité du travail.
		• Prévoir les mécanismes nécessaires pour informer les visiteurs, les fournisseurs et les autres personnes entrant dans l'entreprise en matière de santé et de sécurité du travail.
		• Travailler en collaboration avec le comité de santé et de sécurité.

Formation en matière de santé et de sécurité du travail	Permettre aux travailleurs et aux travailleuses d'acquérir des connaissances et des habiletés en matière de santé et de sécurité ainsi que des attitudes et des comportements sécuritaires.	• Former et entraîner les travailleurs et travailleuses pour qu'ils exécutent leurs tâches de façon sécuritaire. • Offrir la formation nécessaire en matière de prévention (méthodes d'inspection, techniques d'enquête, etc.). • Donner la formation prévue dans les règlements (par exemple pour le SIMDUT). • Tenir à jour un dossier de la formation en santé et en sécurité. • Travailler en collaboration avec le comité de santé et de sécurité.
Enquête et analyse en matière d'accidents	Corriger la situation qui a provoqué l'accident et prévenir d'autres situations du même genre.	• Déterminer le type de situations visées. • Adopter une méthode d'enquête et d'analyse en matière d'accidents. • Tenir le registre des accidents. • Inscrire au registre les incidents qui auraient pu occasionner un accident. • Réunir des statistiques sur les accidents et les analyser. • Instaurer des mécanismes de suivi. • Travailler en collaboration avec le comité de santé et de sécurité.
Mesures d'urgence	Limiter les conséquences d'un événement susceptible de prendre de l'ampleur.	• Désigner des responsables de la SST et définir la marche à suivre dans les situations d'urgence. • Prendre des mesures de protection et de lutte contre les incendies. • Adopter un plan d'évacuation. • Prévoir des mesures pour les situations d'urgence autres que les incendies. • Former et entraîner les responsables de la SST désignés et l'ensemble du personnel. • Prévoir les modes de communication à utiliser dans les situations d'urgence. • Évaluer les mesures d'urgence.

Source : www.csst.qc.ca/portail/fr/prevention/prevention.htm

14.4.3 | Exemples de prévention des risques pour la santé

Nous présentons deux exemples illustrant les moyens de prévention que l'organisation peut mettre en œuvre, à savoir la réduction de la fréquence des blessures et des douleurs au dos, et la réduction des risques liés au sida et à l'hépatite B.

LA RÉDUCTION DE LA FRÉQUENCE DES BLESSURES ET DES DOULEURS AU DOS

Affligeant un nombre élevé de travailleurs, les blessures et les douleurs au dos ont des répercussions manifestes sur la productivité ; il est donc primordial d'en réduire la fréquence. Deux tendances se dessinent dans la recherche sur la prévention : une approche axée sur l'individu et une approche axée sur l'organisation.

Selon la première approche, plus traditionnelle, on cherche à améliorer la condition physique de l'individu. Des muscles dorsaux plus forts, plus flexibles et plus exercés aident à réduire la fréquence des blessures. Un certain nombre de programmes de conditionnement physique ont été mis sur pied en ce sens.

Selon la deuxième approche, on considère que la réduction des douleurs et des blessures au dos passe par un examen minutieux du milieu de travail. En effet, de plus en plus d'études indiquent que la mise en place de conditions de travail ergonomiques réduit de façon importante les douleurs au bas du dos. Des changements dans l'environnement psychologique peuvent aussi en réduire la fréquence. Il semble que des facteurs psychosociaux liés à l'organisation du travail et à la satisfaction au travail soient aussi en jeu. On a établi une corrélation entre la participation des travailleurs, le fait d'avoir un pouvoir décisionnel et de l'autonomie, et la fréquence des maux de dos. Nous traiterons plus longuement des facteurs psychologiques dans la prochaine partie.

DANS LES FAITS

La certification d'un système de management de la santé et de la sécurité au travail constitue un processus structuré permettant l'évaluation du système par rapport à la norme OHSAS 18001. Elle comporte la revue du système documenté ainsi que des audits continus au cours de son installation afin d'assurer son efficacité.

Dans bien des cas, la mise en œuvre d'un système de management de la santé et de la sécurité au travail entraîne des changements dans les activités de l'organisation en vue de réduire les risques d'accidents, d'améliorer le lieu de travail et de maximiser la valeur de l'investissement.

La certification par l'ONGC du système de management de la santé et de la sécurité au travail s'avère un processus clair et reconnu visant à intensifier et à démontrer l'engagement de l'organisation envers la santé et la sécurité de ses employés. Elle permet de confirmer que le système fonctionne et que le personnel travaille dans un lieu sûr et sain[26].

LA RÉDUCTION DES RISQUES LIÉS AU SIDA ET À L'HÉPATITE B

Le débat entourant la nécessité de faire vacciner contre l'hépatite B tous les travailleurs qui sont en relation avec des populations à risque s'intensifie ; mais les coûts énormes rattachés à une telle opération incitent un grand nombre de chercheurs à ne pas recommander cette mesure. La vaccination est cependant essentielle dans le cas où les employés ont été exposés à des groupes à haut risque. De plus, tous les travailleurs appartenant à des organisations dans lesquelles les risques sont élevés devraient suivre des programmes de formation au moyen desquels serait transmise une information claire, pertinente et détaillée quant aux risques de contamination possibles et aux mesures de protection nécessaires. Il s'agit là d'un moyen accessible et peu coûteux de protéger les individus contre les risques biologiques. Les mesures simples et adéquates sont de loin les plus efficaces. Ainsi, un bon moyen de se protéger contre les maladies infectieuses consiste à manipuler les échantillons biologiques de façon appropriée, en prenant soin de se laver minutieusement les mains ou de porter des gants jetables.

Une approche similaire devrait être adoptée pour la prévention du sida dans les lieux de travail. Il s'agit en effet d'une préoccupation de plus en plus importante pour les employés du secteur de la santé, ainsi que pour les gardiens de prison, les policiers et les autres travailleurs qui, dans le cadre de leurs fonctions, peuvent entrer en contact avec des personnes porteuses du virus de l'immunodéficience humaine (VIH).

On doit mettre l'accent sur la prévention et l'éducation. À cet égard, un programme de prévention continu mis en place avec l'appui des centres locaux de services communautaires (CLSC) a obtenu beaucoup de succès. Ce programme a permis de transmettre une information pertinente au corps policier de la grande région métropolitaine. Il mérite d'être cité en exemple en raison de son efficacité. Deux médecins spécialisés dans le domaine de la santé et de la sécurité du travail ont fourni de l'information dans le cadre d'une série de conférences. Ils ont fait connaître les risques de contamination au personnel et lui ont enseigné les mesures de protection à prendre. Le programme de prévention des policiers a été élaboré à Montréal par l'Association patronale-syndicale de santé et de sécurité des affaires municipales. Il inclut un module sur les risques biologiques de contracter des maladies dans le cadre des activités professionnelles.

14.4.4 | La promotion proactive de la santé et de la sécurité

De nombreux travailleurs considèrent que la prévention suppose qu'on doive travailler avec du matériel encombrant (par exemple avec des lunettes lourdes, peu esthétiques, chaudes et difficiles à porter) ou de remplacer des méthodes de travail simples par des méthodes compliquées. Pour en arriver à changer la mentalité des travailleurs à l'égard de la prévention, l'organisation devrait commencer par effectuer des améliorations simples, peu coûteuses et faciles à appliquer. Même si ce ne sont pas des mesures prioritaires pour elle, elle pourrait, par exemple, fournir une information de base sur l'importance de l'hygiène des mains dans la prévention des infections, puis distribuer des gants jetables. L'encadré 14.9 énumère les conditions nécessaires pour maximiser les chances de succès d'un programme de prévention.

L'IMPORTANCE DE LA PARTICIPATION

Il est primordial que la direction fasse preuve d'engagement et de motivation au cours du processus de promotion de la santé et de la sécurité du travail. Aucun programme de prévention ne se montrera efficace si les superviseurs et le personnel de gestion n'y croient pas[27]. Ces derniers doivent appuyer chacune des actions menées en matière de prévention, en situant les objectifs et la réalisation du programme dans une perspective globale. La participation des cadres de tous les niveaux et de l'ensemble des travailleurs à la conception et à la structure du programme s'impose également. Le personnel subalterne doit avoir son mot à dire dans la détermination des risques liés à la façon dont les choses s'effectuent dans la réalité (et non à celle qui est prescrite par les règlements). Par ailleurs, lorsque des spécialistes proposent des solutions ou des modifications à la marche à suivre, ils devraient s'assurer de la faisabilité de ces

Guide pour l'établissement d'un programme de prévention

- Les cadres supérieurs doivent assumer la direction du programme. S'ils ne sont que des porte-parole du service des ressources humaines (RH) en matière de santé et de sécurité du travail, les employés accorderont peu d'intérêt aux politiques qui s'y rapportent.
- Les responsabilités des individus et du service des RH doivent être clairement définies, de manière à ce que les objectifs puissent être atteints.
- Toutes les causes d'accidents du travail et de maladies professionnelles doivent être précisées, puis éliminées ou surveillées.
- Tout programme de santé et de sécurité du travail devrait comprendre un bon programme de formation.
- Les cadres de tous les échelons devraient tenir des registres des accidents du travail et des maladies professionnelles, de manière à inventorier tous les types d'accidents ou de problèmes de santé possibles. Ces registres pourraient indiquer également la fréquence et le taux d'exposition des employés aux matières dangereuses, ce qui permettrait de déceler les situations à haut risque (particulièrement dans le cas des produits chimiques).
- L'organisation doit constamment encourager les employés à prendre conscience de l'importance de la santé et de la sécurité du travail et à assumer leurs responsabilités en cette matière.

suggestions et de la possibilité de les faire accepter par les employés. Ils devraient aussi s'entendre avec eux avant la mise en œuvre permanente de ces mesures. Les recherches montrent que les nouveaux procédés techniques, qui semblent souvent judicieux sur papier ou en laboratoire, n'atteignent pas leur objectif de protection si les employés ne les utilisent pas parce qu'ils les trouvent encombrants, non réalistes ou qu'ils ne les apprécient pas pour d'autres raisons[28].

DANS
LES **FAITS**

Chez Kraft Canada, la santé et la sécurité du travail sont intégrées de plusieurs façons à la gestion stratégique de l'entreprise. Un système d'audit d'entreprise permet de vérifier le respect des normes établies dans le cadre de la politique nord-américaine de l'organisation en matière de santé et de sécurité du travail. Par ailleurs, il appartient à chaque filiale de définir des objectifs annuels de résultats sur ce plan. Lorsque ces objectifs sont atteints, tous les employés touchent un boni. Depuis environ quatre ans, il existe également une activité, appelée petit foyer (*green room*), qui vise à favoriser l'engagement de tous les travailleurs. Au début de chaque quart de travail, les employés se rencontrent pour discuter de divers aspects de la production ainsi que de la santé et de la sécurité du travail. Les superviseurs et les directeurs se réunissent une fois par semaine[29].

Les organisations devraient également former des comités de sécurité auxquels les dirigeants donneraient des instructions claires, des objectifs à atteindre et des échéanciers d'application. De cette façon, les membres sauraient ce qu'ils ont à faire et ils connaîtraient les attentes de la direction. À cet égard, les promotions et les récompenses pourraient être utilisées à titre de stimulants.

L'IMPORTANCE DE LA FORMATION

Parmi les nombreuses stratégies propres à inciter les employés à adopter des comportements plus sécuritaires, la formation joue un rôle clé. Il faudrait prévoir une formation chaque fois qu'un nouvel employé entre au service d'une entreprise, qu'un travailleur occupe un nouveau poste ou qu'un nouveau procédé est intégré aux méthodes de production. Toute tâche à accomplir devrait faire l'objet d'une analyse en matière de sécurité.

LE RÔLE DU SERVICE DES RESSOURCES HUMAINES

Le service des ressources humaines peut aussi être mis à contribution dans la prévention des accidents soit en soutenant les superviseurs dans leurs efforts de formation, soit en mettant sur pied des programmes de sécurité stimulants. Par exemple, bien des organisations affichent dans leurs établissements des données sur le nombre d'heures ou de jours travaillés sans accident, ou apposent des affiches sur lesquelles on peut lire le slogan *Sécurité d'abord*. On organise aussi des concours de sécurité au cours desquels on décerne des prix aux individus ou aux services ayant obtenu les meilleurs résultats. Ces programmes semblent avoir de bons résultats, surtout dans les entreprises où les employés sont conscients de l'importance de la santé et de la sécurité, et là où les conditions de travail ne comportent pas de risques extrêmes.

LE RÔLE DES COMITÉS PARITAIRES DE SANTÉ ET DE SÉCURITÉ DU TRAVAIL

Bon nombre d'organisations ont misé sur la formation de comités paritaires de santé et de sécurité du travail pour augmenter l'efficacité de leurs stratégies dans ce domaine. Tous les membres de ces comités doivent suivre une solide formation basée sur une évaluation précise des besoins des employés[32]. Voici deux avantages dont bénéficient les entreprises qui ont formé adéquatement les membres de leurs comités : (1) une amélioration des réseaux de communication dans les lieux de travail ; (2) un engagement accru de la haute direction en matière de santé et de sécurité.

PARTIE II | LE BIEN-ÊTRE AU TRAVAIL

Nombre de travailleurs associent une piètre qualité de vie au travail à des conditions organisationnelles qui ne tiennent pas compte de leurs préférences ni de leurs besoins, par exemple des besoins suivants : assumer des responsabilités, accomplir un travail intéressant et stimulant, être reconnu, se réaliser, recevoir un traitement équitable et être en sécurité.

Le plus souvent, les sources d'insatisfaction sont : (1) un emploi jugé peu important, qui comporte des tâches peu variées, ne permet pas à l'employé de s'identifier au travail accompli, ne fait pas de place à l'autonomie ni à la rétroaction et ne met pas suffisamment l'accent sur l'aspect qualitatif des tâches à accomplir ; (2) un réseau de communication à sens unique, passant par de multiples paliers hiérarchiques, et une faible participation des employés à la prise de décision ; (3) des systèmes de rémunération et d'évaluation du rendement perçus comme inéquitables ; (4) des superviseurs, des descriptions des emplois et des politiques organisationnelles qui ne précisent pas ce qu'on attend des employés ni ce qui peut être récompensé ; (5) des politiques et des pratiques en matière de ressources humaines qui sont discriminatoires et dont on peut mettre en doute le bien-fondé.

Dans la deuxième partie de ce chapitre, nous examinerons les facteurs qui influent sur le bien-être au travail, puis nous étudierons les problèmes auxquels le milieu de travail doit aujourd'hui faire face, notamment le stress et la violence au travail. Nous terminerons en exposant les programmes qui visent à améliorer la santé et le bien-être au travail.

14.5 | LES DÉTERMINANTS DU BIEN-ÊTRE AU TRAVAIL

Trois types de déterminants peuvent avoir un effet sur le bien-être au travail : le profil des individus, les caractéristiques de l'emploi et le contexte organisationnel. Nous les examinerons succinctement puisque ces facteurs sont des sources potentielles de stress ou de détresse psychologique et qu'ils peuvent même engendrer des comportements violents en milieu de travail. En effet, on a découvert un lien direct entre, d'une part, la frustration et le stress professionnel et, d'autre part, l'hostilité, le sabotage, les ralentissements et la violence au travail[33].

14.5.1 | Le profil des individus

Il y a des individus qui sont plus susceptibles que d'autres de présenter des comportements violents, de souffrir de stress ou de détresse psychologique. En effet, les personnes qui ont été victimes de violence, ont eu une enfance difficile, une éducation déficiente, des problèmes de toxicomanie, des problèmes psychologiques, ou qui ont connu des situations personnelles difficiles sont plus susceptibles que d'autres de modifier le climat de travail et les rapports entre collègues[34].

DANS LES **FAITS**

Au cours des deux dernières années, un travailleur canadien sur cinq a éprouvé des maux physiques liés au stress. Pourtant, 62 % d'entre eux ont continué de se rendre au boulot.

Selon le troisième sondage national sur la santé de Desjardins Sécurité financière, les soucis financiers sont la première cause de stress. Cette enquête a été réalisée par la firme SOM entre le 8 mars et le 3 avril 2006 auprès de 1 501 adultes canadiens. Parmi les personnes sondées, 44 % ont indiqué le manque d'argent comme la première cause de stress, d'anxiété ou de dépression majeure dans leur vie personnelle. La maladie d'un proche vient en second lieu, loin derrière (13 % des personnes sondées). Les principaux facteurs de stress au travail mentionnés sont la pression (59 %), les problèmes de communication (38 %) et l'organisation du travail (16 %).

Un pourcentage important de Québécois (21 %) ont désigné le rythme de travail accéléré comme source de stress, alors que 20 % des employés de grandes entreprises (comptant 1 000 employés et plus) et 11 % des employés de PME ont évoqué respectivement la charge de travail et la précarité.

SOM a également évalué les impacts des nouvelles technologies sur les problèmes de santé mentale. Son étude révèle que 62 % des travailleurs peuvent être joints en tout temps par leur employeur au moyen d'ordinateurs et de téléphones portables. Parmi eux, 83 % considèrent que ces outils ont augmenté ou maintenu leur niveau de stress[35].

14.5.2 | Les caractéristiques de l'emploi

Certains types de travailleurs sont aux prises avec des situations qui minent leur santé et leur bien-être au travail à cause de la nature de leur emploi. Ainsi, les personnes qui travaillent seules, comme les chauffeurs de taxi ou les travailleurs à domicile, peuvent faire face à des situations de violence. Les employés qui sont en relation avec le public, comme les agents de bord ou les personnes qui occupent des emplois dans les commerces, les enseignants et les travailleurs de la santé, dont la charge de travail est très lourde et qui sont en contact avec des personnes malades ou en difficulté, sont plus susceptibles que d'autres de vivre des situations de stress ou de détresse psychologique. Finalement, les personnes qui manipulent des objets de valeur sont souvent assaillies par la peur de se voir attaquer, ce qui a nécessairement un effet sur leur bien-être au travail.

14.5.3 | Le contexte organisationnel

Le contexte organisationnel constitue un terrain fertile en facteurs susceptibles de miner la santé mentale et physique des travailleurs.

Ainsi, les vagues de rationalisation qui ont eu lieu au cours des années 1980 et au début des années 1990, le recours aux emplois atypiques et l'augmentation de la pression pour améliorer la productivité comptent parmi les raisons qui ont fait augmenter les niveaux de stress au travail[36]. Certaines pratiques qui liaient employeurs et employés et qui existaient de longue date dans les organisations ont cédé la place à une compétition malsaine entre les collègues de travail. Cette compétition coexiste souvent avec une culture organisationnelle qui prône indirectement la manifestation d'agressivité pour obtenir de l'avancement.

À l'heure où on met de l'avant l'autonomie, le pouvoir est un moyen d'exercer son autorité et il peut accroître les risques de violence psychologique à l'égard des collègues et des subordonnés. Les nombreux changements technologiques qui, bien souvent, ne sont pas acceptés par les employés, sont sources de stress et font naître chez eux un sentiment d'inutilité et de détresse psychologique[37]. Enfin, les horaires de travail irréguliers sont le lot d'un grand nombre de travailleurs dans le monde. Le travail par quarts entraîne un certain nombre de problèmes, car l'être humain est essentiellement diurne. Les principaux problèmes qu'occasionnent les horaires irréguliers sont les suivants : troubles du sommeil, diminution du rendement au travail et de la capacité d'apprentissage, alimentation déficiente et perturbation de la vie sociale et familiale[38].

Mentionnons en dernier lieu que les problèmes de rôles (conflits et ambiguïtés), les exigences par rapport au contenu de l'emploi (charge de travail et responsabilités), l'organisation du travail (manque de participation, nombre d'heures travaillées), les perspectives professionnelles (ambiguïtés entourant la carrière, sous-utilisation des capacités) et l'environnement physique (bruit, température, sécurité) débouchent sur des problèmes physiques et psychologiques dont les répercussions se font sentir tant sur le travail effectué que sur l'environnement familial et social de l'individu[39].

14.6
LES FLÉAUX CONTEMPORAINS DU MONDE DU TRAVAIL

On assiste de nos jours à l'émergence d'un certain nombre de problèmes organisationnels qui réduisent la qualité de vie au travail. Nous en étudierons deux : la violence en milieu de travail et le stress professionnel.

14.6.1 | La violence en milieu de travail

Le Centre canadien d'hygiène et de sécurité au travail définit la violence en milieu de travail comme tout acte de violence (menace, intimidation ou agression) dont une personne fait l'objet dans le cadre de ses fonctions. Il peut s'agir :

- de comportements menaçants consistant, par exemple, à détruire des biens, à lancer des objets ou à montrer le poing à quelqu'un ;
- de menaces verbales ou écrites faites à quelqu'un ;
- de harcèlement, c'est-à-dire d'un comportement coercitif ou alarmiste destiné à perturber la personne visée ;
- de violence verbale, comme les jurons, les injures ou les propos condescendants ;
- d'agression physique consistant, par exemple, à frapper, à pousser ou à bousculer une personne ou à lui donner des coups de pied.

Sont également considérés comme violents les comportements passifs ou indirects, tels que l'utilisation de noms peu flatteurs, la perte de la maîtrise de soi, l'intimidation par des menaces de congédiement, la dissimulation de renseignements essentiels, l'échange de regards agressifs, les comportements consistant à ignorer l'autre, l'humiliation ou le fait de ridiculiser la personne devant les autres[40]. L'encadré 14.10 énumère 12 comportements violents adoptés par des supérieurs.

ENCADRÉ ▶ **14.10**

Douze comportements de la part des supérieurs violents

Des moins visibles aux plus visibles

- Camouflage des menaces : insinuations, exagérations, reproches voilés, demandes ambiguës
- Refus de communiquer pour autre chose que l'essentiel
- Discours partial, voire mensonger : jugements appuyés sur des ouï-dire ou sur des rapports verbaux non vérifiés
- Refus d'accorder du ressourcement professionnel
- Refus d'accorder du soutien professionnel ; aucune assistance lors d'une surcharge de travail, par exemple
- Mise en doute des compétences
- Manque de respect, mépris
- Harcèlement administratif : envoi de notes de service, de lettres de blâme, de plaintes ; attribution d'un faux caractère d'urgence à certaines tâches, dont les résultats sont ensuite mis de côté
- Contrôle excessif
- Menaces
- Intimidation : cris, gestes menaçants, lancement d'objets, etc.
- Exclusion : suspension, congédiement, mise à l'écart, etc.

Source : Chantal Aurousseau, conseillère en communication organisationnelle, citée dans M. Quinty, « Violence en milieu de travail, comment réagir et s'en protéger », *Affaires plus*, septembre 1999, p. 54-61.

LES EFFETS DE LA VIOLENCE DANS LES MILIEUX DE TRAVAIL

La violence en milieu de travail est un phénomène dont l'ampleur et les retombées sur les personnes, leur entourage et le milieu de travail ne font que s'alourdir[41]. Au Québec, la Commission de la santé et de la sécurité du travail faisait état de 5,3 milliards de dollars versés en indemnités en 2000, alors que ce montant avoisinait 1,5 milliard dix ans plus tôt.

Les répercussions de l'agression en milieu de travail sont nombreuses. Certaines études notent des effets sur la santé physique, sur la santé psychologique, de même que sur le rendement. Les maux de tête, les insomnies, les problèmes gastroentériques et l'augmentation du rythme cardiaque comptent parmi les troubles physiologiques recensés chez les personnes ayant vécu des épisodes de violence en milieu de travail. Parmi les effets sur la santé psychologique, mentionnons le stress, la frustration, la baisse de l'estime de soi, l'insécurité, l'angoisse et la détresse

DANS LES FAITS

Le « présentéisme » désigne l'état de l'employé dont les problèmes de santé chroniques ne l'empêchent pas de se présenter au travail, mais nuisent à sa capacité d'être pleinement productif. Les employeurs qui sont de plus en plus préoccupés par ce phénomène réalisent qu'il est important de se soucier des répercussions de la santé mentale sur la productivité de leur entreprise[42].

psychologique. Enfin, parmi les effets de la violence sur le rendement figurent la démotivation, le désengagement et le manque d'assiduité, qui guettent tout employé sentant son intégrité physique et psychique menacée dans son milieu de travail[43].

14.6.2 | Le stress professionnel

Les professionnels des ressources humaines accordent de plus en plus d'attention au stress et à l'épuisement professionnel, vu leurs effets néfastes sur la productivité et le bien-être physique et mental des employés.

Le stress a été défini de plusieurs façons. Certains le considèrent comme un stimulus, puisqu'on dit que les conditions environnementales peuvent être des sources de stress ; d'autres, notamment Hans Selye, qui a été chercheur à l'Université de Montréal, le définissent comme une réaction. Hans Selye, qu'on a souvent désigné comme « le père du stress », a été le premier chercheur, au cours des années 1930, à observer que le corps réagit de la même façon à différentes tensions, tant sur le plan physiologique que sur le plan biologique. Il a désigné ce phénomène par l'expression *syndrome général d'adaptation* (*SGA*). Le stress entraîne l'épuisement et l'usure du corps.

Cannon, un autre chercheur, a axé ses recherches sur les réactions hormonales au stress. Comme Selye, ses recherches ont été menées sur des animaux. Il a découvert une réaction particulière au stress, qu'il a nommée *combat ou fuite* (*fight or flight*). Dans les deux cas, le corps réagit instantanément au stress.

Les concepts avancés par ces deux chercheurs n'ont obtenu qu'un assentiment partiel de la part des spécialistes du comportement et des sciences humaines. Selye et Cannon ont fait l'objet de critiques en raison de la méthodologie adoptée et des sujets utilisés pour leurs expériences : leurs recherches ont été effectuées dans un milieu dont les paramètres sont connus, en laboratoire, et sur des animaux. Les deux chercheurs ont soulevé des protestations lorsqu'ils ont soutenu que les mécanismes de réaction au stress découverts chez les animaux s'appliquaient également aux humains. Il faut préciser que ce qui distingue le stress humain du stress animal, c'est le processus cognitif, soit une façon de percevoir les menaces et d'y réagir qui est propre à l'homme.

Les modèles et les concepts s'appliquant au stress humain ont évolué au fil des ans en ce qui a trait tant à leur définition qu'à la portée de leur application. Le stress est actuellement perçu comme un phénomène beaucoup plus large et plus complexe qu'il ne l'était auparavant. La plupart des chercheurs se consacrant à l'étude du stress au travail le définissent comme un processus complet de perception et d'interprétation de l'environnement qui est mis en relation avec la capacité de réagir à cet environnement. Selon cette définition, il y a du stress lorsque le milieu de travail constitue une menace pour l'individu ou est perçu comme tel par celui-ci. De trop grandes exigences ou un travail peu stimulant peuvent causer du stress ; c'est pourquoi on s'intéresse de plus en plus à l'*inadaptation* de l'individu au travail[44].

LES EFFETS DU STRESS AU TRAVAIL

Une foule d'indicateurs sont utilisés pour montrer les effets néfastes du stress sur la santé des employés. L'épuisement professionnel est un indicateur des réactions affectives et émotionnelles qui a été utilisé largement ces dernières années, particulièrement chez les travailleurs du secteur de la santé.

Processus cognitif

Fonction complexe et multiple, regroupant l'ensemble des activités mentales (pensée, perception, action, volonté, mémorisation, rappel, apprentissage) ; elles font partie de la relation de l'être humain avec son environnement et lui permettent d'acquérir et d'utiliser des connaissances (associations, rétroaction, traitement de l'information, résolution de problèmes, prise de décisions, etc.).

Selon certains, il s'agit d'un type de stress qui apparaît lorsque les individus ont peu de prise sur la qualité de leur travail, mais se sentent néanmoins responsables de son succès ou de son échec. D'autres définissent le concept d'épuisement professionnel comme le point culminant d'un stress subi sur une longue période, comme un état de grande fatigue résultant d'un stress mental et émotionnel prolongé. Il se traduit par un épuisement physique, mental et émotionnel qui empêche l'employé d'accomplir adéquatement son travail.

L'épuisement professionnel, qui s'installe progressivement, débute quand la personne a l'impression de ne pas accomplir le travail de façon satisfaisante, puis évolue jusqu'au point où les fonctions physiques et mentales se détériorent réellement. Les gens les plus susceptibles de faire face à ce problème sont ceux qui sont trop engagés dans leur travail, qui travaillent trop longtemps et trop intensivement, et qui ont peu d'emprise sur leur vie.

L'épuisement professionnel frappe tous les types de professions et toutes les catégories professionnelles, quel que soit le milieu social du travailleur touché. Les policiers, les gardiens de prison, les infirmières, les travailleurs sociaux et les enseignants sont toutefois des catégories à risque.

La dépression, l'anxiété, l'irritabilité et les problèmes somatiques sont d'autres manifestations du stress. De plus, on a établi des liens entre le fait de fumer la cigarette et de boire de l'alcool, et les exigences professionnelles. D'après certaines recherches, sur le plan physiologique le stress produirait une augmentation de la sécrétion des catécholamines (adrénaline et noradrénaline) et des stéroïdes, et une élévation de la pression sanguine, signes avant-coureurs des ulcères de l'estomac et des maladies cardiovasculaires. Il est intéressant de noter qu'une étude récente portant sur l'hypertension a révélé un lien entre l'hypertension et le stress intrinsèque. Une conclusion peut être tirée de cette constatation : même les employés qui sont satisfaits de leur travail peuvent être victimes de stress[46].

« Les organisations n'ont pas encore l'intention de s'attaquer aux problèmes de santé mentale de leurs employés. » Telle est la conclusion de la firme Watson Wyatt à la suite de son étude périodique intitulée Au travail, édition 2005. Malgré le fait que les employeurs sont préoccupés par le coût des absences attribuables à des problèmes de santé, ils ne sont pas prêts à aborder la situation de façon proactive. Seulement 31 % des participants ont affirmé avoir l'intention de prendre des mesures concrètes pour tenir compte de la hausse des demandes de règlement liées aux problèmes de santé mentale[45].

Le stress et l'épuisement professionnel sont-ils des maladies donnant droit à une indemnisation ? Cette question pose un problème aux commissions des accidents du travail en Amérique du Nord. Il est, en effet, très difficile de juger de l'admissibilité des troubles mentaux attribuables au stress et à l'épuisement professionnel. Comme il n'existe pas de politique claire à ce sujet, les décisions des différents comités sont prises en fonction du bien-fondé de chaque cas. Il n'en demeure pas moins que le nombre de cas acceptés augmente.

Le difficile dilemme auquel font face les tribunaux reflète bien les questions des chercheurs universitaires concernant le diagnostic du stress et de l'épuisement professionnel, à savoir : (1) jusqu'à quel point le diagnostic de l'épuisement professionnel est-il valable et peut-on se fier aux mécanismes qui servent à l'établir (c'est-à-dire peut-on leur donner une validité et une valeur de généralisation) ? ; (2) en supposant qu'un diagnostic d'épuisement professionnel ait été posé, quels en sont les causes possibles ou les antécédents ?

Habituellement, les employeurs appuient la thèse selon laquelle la faiblesse de la personnalité de l'individu ou d'autres particularités qui lui sont propres sont la cause première des états de stress. Pour leur part, les syndicats et les associations d'employés soutiennent le contraire. Pour eux, ce sont les conditions psychologiques et affectives existant dans le milieu de travail qui en sont la cause. Les recherches portant sur le stress au travail tentent de fournir des réponses à ces questions.

14.7 LES INTERVENTIONS EN VUE D'ÉLIMINER LA VIOLENCE AU TRAVAIL

La violence au travail est un phénomène déplorable auquel il faut absolument remédier. Il est souvent impossible d'éliminer la violence à la source. Comme la violence causée par les clients ou les bénéficiaires est généralement impossible à maîtriser, il est important de fournir aux employés des moyens de s'en défendre ou de la contenir. Une étude récente propose quatre moyens d'aborder le phénomène de la violence au travail. Nous examinerons brièvement chacun d'eux, tout en gardant à l'esprit que ce sont des initiatives tripartites, autrement dit auxquelles participent les gouvernements, les syndicats et les employeurs, qui réussiront à contrer la violence[47].

14.7.1 | Les politiques gouvernementales

Dans la plupart des provinces, le problème de la violence au travail est réglementé par des dispositions très générales selon lesquelles l'employeur doit protéger la santé des employés au travail et assurer leur sécurité. Une réflexion s'impose quant à savoir si les lois fédérales et provinciales en matière de santé et de sécurité du travail ne devraient pas inclure les sévices corporels et psychologiques que subissent les personnes travaillant dans des milieux stressants en raison de la violence et du harcèlement exercés à leur endroit. Ainsi, la notion de danger devrait être redéfinie de manière à tenir compte des formes de violence autres que physiques[48].

14.7.2 | Les initiatives conjointes des employeurs et des syndicats

Les employeurs et les syndicats ont intérêt à contrer la violence en milieu de travail. Au Canada, un certain nombre d'entre eux effectuent des vérifications sur la sécurité des lieux de travail pour prévenir la violence. Certaines conventions collectives définissent les circonstances dans lesquelles l'employeur peut demander à une employée de travailler seule ou dans un endroit isolé[49].

14.7.3 | L'aménagement du lieu de travail

Une autre façon d'atténuer la violence est d'aménager le lieu de travail. Ainsi, l'approche normative consiste à fournir aux employés des boutons d'alarme, des signaux d'urgence, différents affichages pour décourager les agresseurs, une caméra de surveillance, etc. Munir les aires d'accueil de baies vitrées, fournir des toilettes réservées au personnel permettent de faire échec à la violence causée par les clients ou les bénéficiaires. Éclairer les parcs de stationnement et disposer les meubles de façon à éviter que les employés ne se trouvent piégés dans certaines situations figurent parmi les recommandations qui ont pour effet de réduire les situations de violence possibles. Il faut ajouter que la pertinence des caractéristiques d'aménagement varie selon le milieu de travail et les sources de violence. N'oublions pas qu'il faut faire participer les employés à l'aménagement du lieu de travail[50].

14.7.4 | Les politiques organisationnelles

Les politiques de gestion des ressources humaines qui sont susceptibles de prévenir la violence en milieu de travail ou, du moins, d'en réduire les effets doivent tenir compte des considérations suivantes :

- Élaborer et diffuser une politique de tolérance zéro en matière de violence en milieu de travail
- S'assurer que les employés reconnaissent les situations dangereuses et les caractéristiques des gens potentiellement violents
- Établir des programmes de formation structurés qui donnent aux employés les habiletés et les connaissances nécessaires pour désamorcer et gérer les actes de violence et les comportements violents
- Mettre en place des moyens pour enquêter sur les incidents survenus et pour atténuer leurs répercussions sur les personnes concernées[51]

En plus de ces mesures directes, il faut rappeler que parmi les sources de violence au travail figure le sentiment d'injustice ou l'impression de subir un traitement inéquitable. Il devient donc crucial de s'assurer que les employés perçoivent les politiques et les méthodes de gestion comme justes et équitables en appliquant les principes et les critères des trois composantes de la justice organisationnelle, à savoir la justice procédurale, la justice distributive et la justice interactionnelle (voir le chapitre 12).

14.8

LES INTERVENTIONS EN VUE D'AMÉLIORER LA SANTÉ ET LE BIEN-ÊTRE AU TRAVAIL

Divers programmes peuvent être mis de l'avant pour améliorer la santé et le bien-être au travail. Nous exposerons dans cette section les programmes axés sur la santé, les programmes de conditionnement physique, les programmes d'aménagement des conditions de travail, les programmes visant l'acquisition de bonnes habitudes alimentaires, les programmes d'aide aux employés, ainsi que les programmes de gestion et de réduction du stress, qui sont tous susceptibles d'améliorer la qualité de vie au travail.

DANS LES **FAITS**

Le Groupe pour la promotion de la prévention en santé GP2S a mandaté le Bureau de normalisation du Québec pour concevoir un programme de certification des entreprises en vue d'établir une norme spécifiant les pratiques minimales relatives à la promotion de la santé et à la prévention de la maladie chez leurs employés. Les travaux d'élaboration de la norme ont débuté en 2006 et on prévoit qu'elle sera adoptée vers la fin de l'année 2007[52].

14.8.1 | Les programmes axés sur la santé

On peut situer la santé sur un continuum où le bien-être s'oppose logiquement à la maladie. La médecine s'est concentrée jusqu'ici sur le traitement des maladies; mais l'attention récente prêtée à la prévention vient modifier les choses[53]. Désormais, la médecine s'intéresse davantage au bien-être général des individus. Le nombre croissant d'organisations offrant à leurs employés des programmes de bien-être témoigne de cet intérêt[54]. Ces programmes touchent toutes les facettes de la vie des employés, y compris le conditionnement physique, la santé mentale, l'équilibre spirituel et le bien-être économique. Dans la plupart des cas, c'est le service des ressources humaines qui coordonne les différents aspects de ces programmes. Vous trouverez les composantes d'un programme de bien-être dans l'encadré 14.11; comme celles-ci se chevauchent, il est important de faire en sorte que tous les éléments s'harmonisent. Par exemple, un programme invitant les gens à cesser de fumer peut se combiner à un programme de conditionnement physique et de consultation sur le style de vie[55].

ENCADRÉ ▶ **14.11**

Les composantes d'un programme de bien-être

Source: J. K. Yardley, « Workplace Wellness: A Positive Approach to Work's Bottom Line », *Recreation Canada*, vol. 47, n° 2, 1989, p. 30. Traduction et reproduction autorisées.

Matrox est un chef de file en matière de circuits imprimés. L'entreprise, qui est située près de Montréal, emploie actuellement 600 personnes. Elle présente ses politiques de SST au cours de l'initiation des employés. Ceux qui auront à manipuler des matières dangereuses ou toxiques reçoivent une formation technique pertinente. Elle a préparé aussi une série de documents portant sur des sujets précis et elle procure un équipement sécuritaire tel que des lunettes et des gants à tout le personnel en cause.

Matrox est fière de ses politiques et de ses programmes de SST, en particulier du fait qu'elle met des installations et un équipement unique à la disposition de ses employés sur les lieux de travail. En effet, on trouve rarement dans les entreprises de cette taille des installations qui incluent une piscine, des salles d'exercices aérobiques, un terrain de soccer et un terrain de base-ball.

14.8.2 | Les programmes de conditionnement physique

Les programmes de conditionnement physique sont florissants dans les entreprises canadiennes. Certains sont offerts en entreprise, mais d'autres le sont à l'extérieur. Dans le premier cas, les installations sont mises à la disposition des employés sur le lieu de travail. Les employés peuvent faire du conditionnement physique à leur propre rythme ou suivre des cours. Quelques entreprises possèdent de vastes installations, un personnel de soutien nombreux et du matériel perfectionné, alors que d'autres offrent une gamme de services plus réduite.

Par manque d'espace ou de matériel, bien des employeurs optent pour des programmes de conditionnement physique externes. Ils encouragent leurs employés à y participer en remboursant une partie du coût de leur carte de membre. Des entreprises comme la Banque Royale ou Domtar versent à cette fin un montant fixe à chaque employé. Certaines signent même des ententes avec des centres de conditionnement physique. Par exemple, des entreprises du Québec, comme Air Canada, Alcan, la Banque de Montréal, Bell Canada, Standard Life et Tilden, sont affiliées au YMCA pour son programme de conditionnement physique et de style de vie.

Nortel Networks a construit d'importantes installations de conditionnement physique sur le lieu de travail. Il en est de même de la compagnie d'assurances Sun Life et du Canadien National, mais les installations de ces dernières sont temporaires et moins coûteuses que celles de Nortel. Air Canada offre aussi à ses employés un programme de conditionnement physique en entreprise qui leur donne accès à une salle de musculation et à des cours d'exercices aérobiques donnés par des entraîneurs qualifiés, cinq jours par semaine. Il est intéressant de souligner qu'au Japon, par exemple, les programmes de conditionnement physique sont intégrés à la journée normale de travail.

14.8.3 | Les programmes d'aménagement des conditions de travail

Certains programmes sont élaborés pour remédier aux problèmes que constituent les charges de travail trop lourdes, principale cause de l'épuisement professionnel dans de nombreuses professions. Ils visent à procurer une assistance aux employés, à réduire leurs heures supplémentaires, à leur fournir une formation en matière de gestion du temps et d'organisation, à les aider à trouver des centres d'intérêt autres que le travail et, finalement, à s'assurer qu'ils ont des périodes de congé pour s'adonner à des loisirs.

Un certain nombre de principes peuvent être tirés de la documentation publiée sur les horaires de travail irréguliers. Bien que l'élimination des horaires rotatifs soit impossible pour un bon nombre d'emplois, des études sur l'adaptation du corps humain aux dérangements que subit le rythme biologique ont apporté des suggestions intéressantes. Il semble que plus la période du quart de travail est courte (soit deux ou trois jours), mieux le corps réussit à s'y adapter. Idéalement, on devrait tenter d'établir les horaires de travail en prévoyant au maximum trois nuits consécutives, ou du moins augmenter la période de repos qui vient immédiatement après le travail, de façon à diminuer les problèmes de sommeil qui s'ensuivent normalement. D'autres études ont révélé que la direction dans laquelle s'effectue le changement de l'horaire des postes a un effet sur les fonctions rythmiques du corps. Il serait ainsi plus facile de s'adapter à un horaire jour-soir-nuit qu'à l'inverse, soit à un horaire nuit-soir-jour. Les personnes chargées d'établir les horaires de travail peuvent facilement tenir compte de ces aspects.

14.8.4 | Les programmes visant l'acquisition de bonnes habitudes alimentaires

Dans le but d'améliorer la santé des employés, des organisations ont engagé un nutritionniste ayant pour tâche de les aider à acquérir de meilleures habitudes alimentaires. Voici quelques règles faciles à suivre en matière de nutrition : planifier des menus équilibrés, prendre le repas principal au milieu de la journée et non au milieu du quart de travail, réduire l'apport en calories pendant la soirée et la nuit, augmenter la consommation d'eau et de fibres, diminuer l'absorption de gras, de sucre et de caféine, et prévoir des périodes quotidiennes de relaxation pour favoriser la digestion et le sommeil.

14.8.5 | Les programmes d'aide aux employés

Les programmes d'aide aux employés (PAE) offrent des services de counseling pour résoudre certains problèmes personnels qui nuisent au rendement au travail, mais qui ne sont pas forcément causés par le milieu de travail. Les PAE sont des dérivés des programmes de lutte contre l'alcoolisme des années 1940[56].

De nos jours, les PAE offrent des services qui englobent les problèmes personnels, notamment le stress en milieu de travail et les problèmes relationnels, les services aux aînés, les soins aux enfants et le rôle parental, le harcèlement, l'usage de substances toxiques, la séparation et les pertes, l'équilibre entre vie professionnelle et vie familiale, les problèmes financiers ou juridiques et la violence familiale.

Certains PAE proposent également d'autres services tels que la planification de la retraite, l'aide aux employés mis à pied, ainsi que la promotion du mieux-être, de la santé et du conditionnement physique (surveillance du poids, nutrition, exercice physique ou abandon du tabagisme). D'autres fournissent des renseignements sur les maladies de longue durée, les questions d'invalidité, le counseling en situation de crise (par exemple un décès en milieu de travail) ou ils donnent des conseils aux gestionnaires et aux superviseurs sur la gestion des situations difficiles.

Les PAE s'adressent à tous les employés et aux membres de leur famille immédiate. Dans la plupart des cas, un numéro de téléphone est affiché ou distribué aux membres du personnel. Ce numéro est souvent celui d'un agent orienteur, qui peut être un employé, par exemple un professionnel de la santé appartenant au service médical, un professionnel de la gestion des ressources humaines, un délégué social ou un employé qui a suivi une formation en PAE. Les agents orienteurs doivent bien connaître les ressources communautaires disponibles : services sociaux et financiers, services de santé mentale, conseillers professionnels, ministres du culte, etc. Ils déterminent la nature du problème et adressent la personne à la ressource appropriée. S'il n'y a pas d'agent orienteur à l'interne, l'employé peut être dirigé vers une ressource externe.

Il existe trois façons d'obtenir de l'aide dans le cadre d'un PAE : (1) l'auto-aiguillage où l'employé cherche lui-même de l'aide ; (2) la recommandation officieuse d'un superviseur, d'un ami ou d'un collègue de travail ; (3) la recommandation explicite d'un superviseur. Dans les deux premiers cas, rien n'est consigné dans le dossier personnel de l'employé. Lorsque la recommandation en bonne et due forme est faite par le superviseur en raison de la baisse du rendement au travail, celle-ci peut figurer au dossier personnel de l'employé, notamment s'il est nécessaire de prendre des mesures disciplinaires. Cependant, le contenu des entrevues n'est jamais divulgué à l'employeur.

Différents facteurs contribuent au succès d'un PAE. Ce sont :
- La confidentialité absolue
- L'accessibilité des services aux employés et à leur famille immédiate
- La reconnaissance de la nécessité d'un PAE par la direction, les employés et le syndicat (le cas échéant)
- L'appui offert par les cadres supérieurs, les employés et le syndicat aux politiques et aux manières de procéder
- La promotion du PAE et l'incitation à y recourir
- La diffusion de l'information sur le fonctionnement du PAE aux gestionnaires et aux employés
- L'évaluation périodique du PAE afin de vérifier s'il répond aux besoins des employés et de l'employeur.

Le PAE devrait idéalement être intégré à un projet d'entreprise destiné à promouvoir le mieux-être grâce à des politiques écrites, à la formation des superviseurs et des employés, et, au besoin, à un programme de dépistage des drogues.

14.8.6 | Les programmes de gestion et de réduction du stress au travail

Outre les programmes cités précédemment, qui peuvent avoir des effets sur la réduction du stress au travail, on distingue quatre tendances principales relativement à la gestion du stress.

La première tendance consiste à fournir aux employés une formation et une assistance en vue de mieux composer avec le stress. Pendant la formation, on demande habituellement aux participants de décrire la façon dont ils réagissent à certaines situations stressantes. Les réactions et les stratégies adoptées pour y faire face sont variées : trouver un compromis, élaborer un plan d'action, prendre des mesures pour enrayer le problème, pratiquer un sport, lire un livre, penser à autre chose, etc.

Les programmes axés sur le développement et l'épanouissement des ressources personnelles constituent la deuxième tendance en matière de gestion du stress. Deux types d'approche sont utilisées : l'approche behavioriste et l'approche cognitive. Les programmes behavioristes sont les plus nombreux ; ils comprennent le conditionnement physique, la rétroaction biologique et les techniques de relaxation. L'approche cognitive inclut généralement des sujets comme la restructuration des priorités, l'établissement des objectifs, le renforcement de l'estime de soi, la gestion du temps, etc.

Les programmes de soutien social représentent la troisième tendance. Ceux qui mettent l'accent sur l'acquisition d'habiletés personnelles en communication fournissent souvent aux individus des occasions uniques de se créer un réseau de soutien social. Dans certaines organisations, la gestion du stress s'effectue par l'intermédiaire des programmes d'aide aux employés (PAE). Cependant, ces programmes sont souvent conçus de façon à intervenir une fois que le stress est devenu un problème, et non à titre préventif. Ils permettent d'aider les employés qui sont aux prises avec des problèmes psychologiques, avec l'alcoolisme ou la toxicomanie, ou avec des effets post-traumatiques.

La quatrième tendance, plus récente et plus innovatrice, consiste à concevoir des programmes centrés sur la modification des sources de stress. Une étude américaine récente effectuée dans le secteur privé révèle que 27 % des organisations comptant plus de 50 employés offrent des programmes de gestion du stress. Parmi elles, 81 % pensent à modifier l'organisation du travail en vue d'atteindre des résultats plus probants[57]. À une époque où les pressions économiques sont de plus en plus contraignantes, un nombre important de dirigeants d'entreprise essaient de composer avec des problèmes majeurs, tels que le respect des échéances de production et de livraison, le maintien des budgets et la satisfaction des attentes des consommateurs. Auparavant, on prêtait moins d'attention aux problèmes de santé et de sécurité qu'aux problèmes de production ; toutefois, la situation change rapidement. L'adoption de lois par les gouvernements force les organisations à se pencher davantage sur cette question. De plus, les dirigeants commencent à comprendre que l'intérêt qu'ils y accordent peut leur être profitable, car les programmes de gestion du stress leur permettront peut-être d'attirer des travailleurs plus qualifiés et de soutenir le moral et la productivité des employés.

Le secteur de la santé et de la sécurité du travail prend de plus en plus d'importance au sein des organisations. Les employeurs sont davantage conscients aujourd'hui du coût occasionné par les maladies et les accidents professionnels, et des avantages que procure une main-d'œuvre en bonne santé.

Au moyen d'un ensemble de lois complexes, les gouvernements fédéral et provinciaux pressent les employeurs de s'intéresser à la santé et à la sécurité de leurs employés. C'est l'environnement physique qui a pendant longtemps été le principal centre d'intérêt en matière de santé et de sécurité, au détriment de l'environnement psychologique. Aujourd'hui, l'augmentation de la fréquence des intoxications industrielles, du stress et de l'épuisement professionnel chez les employés, de même que la possibilité de l'émergence d'une nouvelle crise dans le domaine de la santé publique suscitée par l'apparition du sida, sont au premier plan.

S'ajoutent à ces problèmes une série de décisions judiciaires émanant des tribunaux civils, des tribunaux d'arbitrage et des comités d'indemnisation des accidents du travail, qui semblent recommander une extension des responsabilités des employeurs, puisque ce sont eux qui doivent, en définitive, élaborer les programmes et les mesures nécessaires pour résoudre ces difficultés et satisfaire les besoins des travailleurs.

Enfin, il est clair que les directeurs des ressources humaines auront un rôle clé à jouer dans la résolution des problèmes de santé et de sécurité du travail. Si elle cherche à se soustraire à ces responsabilités, l'entreprise deviendra plus vulnérable, et elle devra peut-être s'engager dans des procès coûteux.

La participation des employés est essentielle lors de la mise en œuvre de tout programme d'amélioration de la santé et de la sécurité au travail. En effet, dans bon nombre de programmes axés sur la qualité de vie au travail, la participation des employés à l'amélioration de la santé et de la sécurité est une approche qui est non seulement valable du point de vue de l'organisation, mais qui a aussi de bonnes chances de répondre aux désirs des employés.

Questions de révision et d'analyse

1. Pourquoi les organisations s'intéressent-elles à la santé et à la sécurité du travail?

2. En quoi les risques physiques se distinguent-ils des risques psychosociaux?

3. Nommez quelques-uns des principaux facteurs à l'origine des accidents du travail.

4. Quels sont les principaux facteurs à l'origine des maladies professionnelles?

5. Existe-t-il des travailleurs «à risque», c'est-à-dire des travailleurs prédisposés aux accidents ou aux maladies? En supposant que ce type de travailleurs existe, de quelle façon le service des ressources humaines peut-il aborder ce problème?

6. Qu'est-ce qu'un PAE? Comment peut-on en garantir l'efficacité?

7. Quelles sont les étapes nécessaires à l'élaboration des moyens de prévention des accidents de travail?

8. Comment la violence au travail se définit-elle et quels moyens peut-on adopter afin de la contrer?

9. Décrivez les programmes susceptibles d'influer sur la santé et le bien-être au travail.

ÉTUDE DE CAS

LA FIN DE LA BANALISATION DE LA VIOLENCE AU TRAVAIL

Par **Marie-Ève Dufour**
Professeure, Faculté d'administration, Université de Sherbrooke

En 2001, une entreprise de télécommunication met sur pied un programme visant à enrayer les problèmes de violence en milieu de travail. Le principal service de cette société est le service à la clientèle, dans lequel les employés sont appelés à avoir des contacts quotidiens avec les clients, la plupart du temps par téléphone, pour donner de l'information, offrir des services et recevoir des plaintes. La rémunération de ces employés, qui font l'objet d'une évaluation mensuelle, est basée sur le nombre d'appels traités. À la même époque, l'entreprise étend la gamme des services offerts pour contrer la compétition croissante dans le secteur, sans procéder à l'embauche de nouveaux employés. En 2001, de nombreux employés du service à la clientèle ont consulté le programme d'aide aux employés au sujet de l'attitude agressive de clients insatisfaits, de l'augmentation considérable de leur charge de travail et de l'attitude autoritaire et dégradante du gestionnaire responsable du service.

Avec l'appui de la haute direction et du syndicat, une enquête visant à évaluer l'ampleur du problème a été menée par les responsables du programme d'aide aux employés. On a alors sondé les employés du service à la clientèle par questionnaire sur divers points, notamment sur les comportements des clients, le type de relations entretenues avec les gestionnaires en place, l'organisation du travail, ainsi que la santé physique et psychologique. Les registres de griefs et d'absences ont été consultés, ainsi que les évaluations de rendement de la dernière année.

Le processus d'enquête a fait ressortir les éléments suivants. Les employés devaient quotidiennement faire face à des injures et à des menaces de la part des clients. Les relations qu'ils entretenaient avec le gestionnaire en place se caractérisaient par une surveillance trop poussée de leurs faits et gestes : leur heure d'arrivée, la durée de leurs pauses, leur rendement quotidien, les motifs de leurs absences, les conversations entre employés et leurs appels personnels. Les employés étaient aussi constamment menacés de licenciement lors des évaluations de rendement. La majorité d'entre eux présentaient des niveaux élevés d'insatisfaction au travail et de détresse psychologique, dont les principales manifestations étaient des problèmes de sommeil, de l'irritabilité, des problèmes gastro-intestinaux, des céphalées et des troubles musculosquelettiques. Une quinzaine de griefs avaient trait à l'intrusion dans la vie privée et aux menaces proférées par le gestionnaire, et le nombre d'absences pour maladie était en hausse depuis quelques mois.

En réaction aux résultats de l'enquête, un programme pilote appelé *Le bien-être au travail : une question de respect !* a été mis sur pied au service à la clientèle, par l'entremise du programme d'aide aux employés. Ce programme s'articulait autour de différents types d'interventions. Sur le plan de la prévention, on a lancé une campagne d'information en apposant des affiches, en distribuant des dépliants aux employés et en leur envoyant des articles par intranet. On a organisé des conférences et des séances de formation visant à mieux préparer les employés à faire face à la violence manifestée par la clientèle, soit en désamorçant le processus, ou en apprenant à prévenir ou à gérer ses propres réactions. On a créé des groupes de soutien afin de permettre aux employés de faire part de leurs expériences et d'en parler avec leurs collègues. Enfin, on a nommé une personne responsable de la question de la violence au travail, dont les principales tâches étaient de recevoir les plaintes, d'enquêter et de résoudre les situations problématiques, ainsi que de diriger les employés touchés vers les ressources externes appropriées.

Un an après la mise en place du programme, une évaluation a révélé une baisse significative des absences pour maladie, ainsi que du niveau de détresse psychologique et d'insatisfaction des employés. Devant un tel constat, la haute direction et le syndicat ont décidé d'étendre le programme à l'ensemble de l'organisation.

QUESTIONS

1. Quels sont les déterminants organisationnels qui contribuent à l'émergence du climat de violence au travail et mettent en péril le bien-être des employés ?

2. Faites une analyse du programme mis en place par rapport aux cibles visées ; évaluez-en la viabilité à long terme.

1. C.Z. Boisvert, *Gestion de la santé et de la sécurité au travail*, Boucherville, Gaëtan Morin, 1992.

2. F. Lamonde et S. Montreuil, « Le travail humain, l'ergonomie et les relations industrielles », *Relations industrielles*, vol. 50, nᵒ 4, 1995, p. 695-719. D. May et C. Schwoerer, « Employee Health Design : Using Employee Involvement Teams in Ergonomics Job Redesign », *Personnel Psychology*, vol. 47, nᵒ 4, hiver 1994, p. 861-876.

3. W. French, *Human Resource Management*, 2ᵉ éd., Boston, Houghton Mifflin, 1990, p. 620.

4. S.J. Matthias, R. May et T.L. Guidotti, « Occupational Health and Safety : A Future Unlike the Present », *Occupational Medicine : State of the Art Reviews*, vol. 4, nᵒ 1, 1989, p. 177-190.

5. M.I. Jacobson, S.L. Yenney et J.C. Bisgard, « An Organizational Perspective on Worksite Health Promotion », *Occupational Medicine : State of the Art Reviews*, vol. 5, nᵒ 4, 1990, p. 653-665.

6. www.ilo.org/public/french/standards/norm/subject/occupational.htm.

7. www.drhc-hrdc.ca. D.A. Harrison et J.J. Martocchio, « Time for Absenteeism : A 20-Year Review of Origins, Offshoots, and Outcome », *Journal of Management*, vol. 24, 1998, p. 305-350. N. Delisle, « Encore beaucoup d'accidents de travail au Québec », *Cyberpresse.ca*, 17 mai 2006.

8. www.stat.gouv.qc.ca. Publication de l'*Annuaire québécois des statistiques du travail : portrait des conditions et de la dynamique du travail*, 2007.

9. www.csst.qc.ca.

10. P. Lanoie et D. Stréliski, « L'impact de la réglementation en matière de santé et sécurité du travail sur le risque d'accident au travail », *Relations industrielles*, vol. 51, nᵒ 4, 1996, p. 778-801.

11. P. Verge, G. Trudeau et G. Vallée, *Le droit du travail par ses sources*, Montréal, Thémis, 2006.

12. J. Morin, Y. Brière et D. Roux, *Le droit de l'emploi au Québec*, 3ᵉ éd., Montréal, Wilson Lafleur, 2006. P. Verge, G. Trudeau et G. Vallée, *op. cit.*

13. Chaire de gestion de la santé et de la sécurité du travail dans les organisations, *Violence au travail*, Université Laval, 3 juin 2006. A. Daoust, « La gestion du risque, au cœur du plan de prévention de l'entreprise », *Effectif*, vol. 7, nᵒ 4, septembre-octobre 2004, p. 24-30.

14. Propos de Nathalie Nadeau recueillis par E. Gril, « Rentables, les bonnes pratiques », *Effectif*, vol. 7, nᵒ 4, septembre-octobre 2004, p. 48-51.

15. www.cchst.ca/reponsessst/legisl/responsi.html.

16. http://www.csst.qc.ca/portail/fr/publications/dc_400_1341_2.htm.

17. J. Morin, Y. Brière et D. Roux, *op. cit.* P. Verge, G. Trudeau et G. Vallée, *op. cit.*

19. *Ibid.*

19. *Actualités*, 19 avril 2006. http://www.csst.qc.ca/portail/fr/actualites/2006/19_avril.htm

20. M. Tremblay et G. Tougas, *Policier patrouilleur, Sûreté du Québec : risques à la santé*, Montréal, Département de santé communautaire, Hôpital Saint-Luc, mai 1989.

21. M. Esposito et J. Myers, « Managing Aids in the Workplace », *Employee Relations Law Journal*, vol. 19, nᵒ 1, été 1993, p. 68.

22. S. Montreuil et F. Lamonde, « L'ergonomie : un apport à la gestion des ressources humaines », *Effectif*, vol. 5, nᵒ 4, septembre-octobre 2002, p. 22.

23. K.M. Archer, « La prévention des troubles musculo-squelettiques : une affaire de participation », *Effectif*, vol. 5, nᵒ 4, septembre-octobre 2002, p. 40-43.

24. S. Melamed, I. Ben-Avi, J. Luz et M.S. Green, « Objective and Subjective Work Monotony : Effects on Job Satisfaction, Psychological Distress, and Absenteeism in Blue-Collar Workers », *Journal of Applied Psychology*, vol. 80, nᵒ 1, 1995, p. 29-42.

25. S. Greengard, « Genetic Testing : Should You Be Afraid ? It's No Joke », *Workforce*, juillet 1997, p. 38-44.

26. G. Boucher, « OHSAS 18001 : une norme de qualité de plus en plus populaire », *Effectif*, vol. 7, nᵒ 4, septembre-octobre 2004, p. 32-34. www.tpsgc.gc.ca/cgsb/prgsrv/regprg/ohsas/index-f.html.

27. W. Pardy, « Back from the Brink : How to Revive Your OH&S Program », *Occupational Health and Safety*, Canada, vol. 6, nᵒ 6, 1990, p. 46-52.

28. M. Simard et A. Marchand, « L'adaptation des superviseurs à la gestion participative de la prévention des accidents », *Relations industrielles*, vol. 50, nᵒ 3, 1995, p. 567-589.

29. Propos de Geneviève Bédard recueillis par E. Gril, *op. cit.*.

30. Propos d'Émile Jacques, recueillis par E. Gril, *op. cit.*

31. Propos de Sylvie Boucher recueillis par E. Gril, « Rentables, les bonnes pratiques », *op. cit.*

32. Pour de plus amples renseignements, voir D. Robertson, « Identifying Joint Health and Safety Committee Training Needs », dans *Human Resource Management in Canada*, mars 1990, p. 60 et 511-560.

33. R. Bourbonnais et M. Comeau, « Santé psychologique et absence au travail », *Objectif Prévention*, vol. 20, nᵒ 5, 1997, p. 16-18. R Lee et B. Ashforth, « A Further Examination of Managerial Burnout : Toward an Integrated Model », *Journal of Organizational Behavior*, vol. 14, 1993, p. 3-20.

34. G. DiGiacomo, « Agression et violence en milieu de travail », *Gazette du travail*, vol. 2, nᵒ 2, 1999, p. 77-92.

35. J. Tremblay, « Pauvre, malade... et au travail ! », *La Presse Affaires*, 2 juin 2006, p. 3.

36. J.-J. Bourque, « Le syndrome du survivant dans les organisations », *Gestion*, vol. 20, nᵒ 3, septembre 1995, p. 114-118. K. Messing et S. Boutin, « Les conditions difficiles dans les emplois des femmes et les instances gouvernementales en santé et en sécurité du travail », *Relations industrielles*, vol. 52, nᵒ 2, 1997, p. 333-363. J. Bleau, « Impacts psychologiques des changements sur les gestionnaires de premier niveau », *Objectif Prévention*, revue d'information de l'Association pour la santé et la sécurité au travail, secteur des affaires sociales, vol. 20, nᵒ 5, 1997, p. 19-20.

37. S. Rivard, A. Pinsonneault et C. Bernier, « Impact des technologies de l'information sur les cadres et les travailleurs », *Gestion*, vol. 24, nᵒ 3, automne 1999, p. 51-65. M. Gagnet, « Les douze travaux d'Estev », *Santé et travail*, nᵒ 27, avril 1999.

38. O. Boiral, « Protéger l'environnement naturel et la santé des travailleurs », *Gestion*, vol. 22, nᵒ 4, 1997, p. 49-55.

39. S. Caudron, « Workforce Violence », *Workforce*, août 1998, p. 45-52. M. Hancock, « Violence in the Retail Workplace », *Accident Prevention*, mai-juin 1995, p. 15-21. S.A. Baron, *Violence in the Workplace*, Ventura (Californie), Pathfinder, 1993.

40. *Ibid.*

41. A. Soares, « La santé mentale au travail : s'attaquer aux sources du problème », *Effectif*, vol.6, nᵒ 4, 2003, p. 25-31.

42. Watson Wyatt, « Les employeurs sont affectés par l'état de santé de leurs employés, mais ils ne passent pas à l'action », 29 septembre 2005.

43. F. Courcy et A. Savoie, « L'agression en milieu de travail : qu'en est-il et que faire ? », *Gestion*, vol. 28, nᵒ 2, été 2003, p. 19.

44. M. Westman et D. Eden, « Effects of Vacation on Job Stress and Burnout : Relief and Fade Out », *Journal of Applied Psychology*, vol. 82, 1997, p. 516-527.

45. W. Wyatt, *op. cit.*

46. M.R. Van Ameringen, A. Arsenault et S.L. Dolan, « Intrinsic Job Stress as Predictor of Diastolic Blood Pressure Among Female Hospital Workers », *Journal of Occupational Medicine*, vol. 30, nᵒ 2, 1988, p. 93-97.

47. G. DiGiacomo, *op. cit.* T.D. Schneld, *Occupational Health Guide to Violence in the Workplace*, Lewis, 1998.

48. A.M. O'Leary-Kelly, R.W. Griffin et D.J. Glew, « Organization-Motivated Aggression: A Research Framework », *Academy of Management Review*, vol. 21, 1996, p. 225-253. A. Felu, « Workplace Violence and the Duty of Care: The Scope of an Employer's Obligation to Protect Against the Violent Employee », *Employee Relations Law Journal*, vol. 20, n° 3, hiver 1994-1995, p. 381-406.

49. G. DiGiacomo, *op. cit.* B. Filipczak, « Armed and Dangerous at Work », *Training*, juillet 1993, p. 39-43. G.R. Vanderbros et E.Q. Bulatao (sous la dir. de), *Violence on the Job: Identifying Risks and Developing Solutions*, Washington (D.C.), American Psychological Association, 1996.

50. M. Quinty, « Violence en milieu de travail, comment réagir et s'en protéger », *Affaires plus*, septembre 1999, p. 54-61. A. Fowler, « How to Make the Workplace Safer », *People Management*, vol. 1, n° 2, janvier 1995, p. 38-39. F. Streff, M. Kalcher et E.S. Geller, « Developing Efficient Workplace Safety Programs: Observations of Response Co-Variations », *Journal of Organizational Behavior Management*, vol. 13, n° 2, 1993, p. 3-14.

51. G. DiGiacomo, *op. cit.* E. Newton, « Clear Policy, Active Ear Can Reduce Violence », *Canadian HR Reporter*, 26 février 1996, p. 16-17.

52. www.gp2s.net.

53. P. Durand, B. Brossard, S. Marquis et J.-G. Pépin, « La promotion de la santé en milieu de travail: besoins des entreprises et facteurs d'implantation », dans *Le travail et son milieu* (sous la dir. de R. Bourque et G. Trudeau), Montréal, Presses de l'Université de Montréal, 1995, p. 417-432.

54. C. Winters, K. Strangler, A.L. Shaffer et B.A. Morris, « Corporate Wellness », *Human Resource Executive*, septembre 1997, p. 47-60.

55. R. Pépin et J. Dionne-Proulx, « Tour d'horizon sur les programmes de promotion de la santé au travail: Impacts et facteurs de succès », *Gestion*, vol. 21, n° 2, 1996, p. 45-51.

56. www.cchst.ca/reponsessst/hsprograms/eap.html#_1_5.

57. J. Schaubroeck et D.E. Merritt, « Divergent Effects of Job Control on Coping with Work Stressors: The Key Role of Self-Efficacy », *Academy of Management Journal*, vol. 40, 1997, p. 738-754. D. Etzion, D. Eden et Y. Lapidot, « Relief from Job Stressors and Burnout: Reserve Service as a Respite », *Journal of Applied Psychology*, vol. 83, 1998, p. 577-585.

LES DÉFIS
CONTEMPORAINS

CHAPITRE 15

L'ÉVALUATION DE LA GESTION
DES RESSOURCES HUMAINES

La gestion des ressources humaines contribue à la performance de l'organisation, puisqu'elle concourt à en justifier les investissements et à en assurer la crédibilité. C'est pourquoi il est important d'en faire l'évaluation. D'un côté, les cadres supérieurs n'hésitent pas à déclarer que leur organisation puise sa force dans ses ressources humaines; de l'autre, ils n'hésitent pas à sabrer dans les coûts de main-d'œuvre ou à réduire les budgets alloués à la gestion des ressources humaines durant les périodes de restrictions économiques. Les gestionnaires des ressources humaines font souvent face à ce dilemme lorsqu'on leur demande de justifier financièrement un nouveau programme ou un nouveau service destiné aux employés. Or, l'évaluation de la gestion des ressources humaines s'impose comme un préalable tant aux décisions de contrôle des coûts qu'aux décisions d'investissement. Privé d'un tel système, le gestionnaire des ressources humaines non seulement a de la difficulté à défendre les activités de son service par rapport aux autres, mais il est incapable d'évaluer l'efficacité de ses programmes, que ce soit pour les maintenir ou pour les modifier.

Nous examinerons d'abord la contribution de la gestion des ressources humaines à la performance organisationnelle. Ensuite, nous analyserons le processus d'évaluation et les méthodes d'évaluation employées. Enfin, nous ferons un tour d'horizon des activités à évaluer.

15.1 LA GESTION DES RESSOURCES HUMAINES ET LA PERFORMANCE ORGANISATIONNELLE

Il arrive de plus en plus souvent que les professionnels de la gestion des ressources humaines soient amenés à justifier la pertinence, l'efficacité et l'efficience non seulement de la fonction ressources humaines, mais aussi des pratiques mises en place dont l'influence sur la performance organisationnelle est connue. Définissons d'abord la performance organisationnelle, puisque l'évaluation des activités de la gestion des ressources humaines vise justement à l'améliorer. Ensuite, nous verrons en quoi la gestion des ressources humaines peut influer sur la performance organisationnelle.

15.1.1 | La performance organisationnelle

Pour être jugée efficace, la gestion des ressources humaines doit, bien sûr, contribuer à améliorer la performance de l'organisation. Comment définit-on ce concept qui renvoie généralement à l'efficacité? Soulignons d'abord que les critères de la performance organisationnelle varient selon le type d'entreprise. Ainsi, dans un organisme public, tel qu'un hôpital ou un service gouvernemental, assurer au citoyen un service de qualité au moindre coût est un critère de performance. Par ailleurs, il est certain que le critère de performance par excellence pour une entreprise privée est le profit. Ces critères sont d'autant plus complexes à cerner qu'ils varient en fonction des parties prenantes (ou intervenants) de l'organisation: les actionnaires visent l'augmentation du rendement du capital investi (RCI) ou l'augmentation de leurs dividendes; les syndicats protègent les intérêts de leurs membres; les gestionnaires visent l'efficacité et l'efficience de la gestion des opérations; les employés veulent de bonnes conditions de travail.

Nombreuses sont donc les études qui ont tenté de cerner les critères de performance d'une organisation[1]. On s'entend sur le caractère multidimensionnel du concept de performance organisationnelle ainsi que sur l'existence de critères d'évaluation internes et externes (voir l'encadré 15.1).

Quelques exemples de critères de performance

Critères de performance externes	Critères de performance internes
• Augmentation de la valeur des actions	• Rentabilité de l'entreprise
• Mécénat : commandites offertes par les organisations lors d'événements culturels, sportifs, etc.	• Accroissement des revenus
• Comportement attestant la conscience sociale de l'entreprise : protection de l'environnement, contribution à la collectivité, participation à des campagnes de sensibilisation, etc.	• Rationalisation des coûts
	• Satisfaction des clients
	• Qualité du produit ou du service
	• Rapport coût-qualité
	• Capacité d'innovation

Étant donné la diversité des critères, il faut déterminer ce qu'on veut exactement mesurer, en gardant présent à l'esprit que les critères de performance de la gestion des ressources humaines (satisfaction des clients internes, motivation des employés, capacité d'attraction, compétences, etc.) sont différents des critères de la performance organisationnelle, tout en y étant directement liés[2].

15.1.2 | La contribution de la gestion des ressources humaines à la performance organisationnelle

Selon Le Louarn et Wils, les ressources humaines apportent à l'entreprise une valeur ajoutée, et cela, de deux manières.

- La *manière naturelle* se rapporte à la contribution des ressources humaines grâce aux qualités intrinsèques (compétences, ressources, talents, etc.) de chaque employé.

- La *manière indirecte* découle d'initiatives telles que la mise en place d'une stratégie des ressources humaines, la conduite des activités de gestion des ressources humaines et l'implantation de pratiques de gestion visant à améliorer la performance organisationnelle.

C'est dans ce second scénario que la mesure de la contribution de la gestion des ressources humaines devient capitale. Pour atteindre les objectifs organisationnels, on peut se doter d'une stratégie de gestion des ressources humaines et prendre des mesures organisationnelles ; ce sont là des investissements et des décisions qu'il est important d'évaluer, tout comme on évalue la contribution d'autres fonctions, notamment le marketing, les finances et la production, et leur capacité à améliorer la performance de l'organisation. En somme, l'évaluation de la gestion des ressources humaines revient à en estimer la contribution stratégique, opérationnelle et administrative ; pour chacun de ces aspects, il faut donc mesurer l'efficacité des processus, des politiques et des pratiques mises en place pour atteindre les objectifs organisationnels[3] (voir l'encadré 15.2).

CONSULTEZ INTERNET

www.hrcouncil.ca

Site du Conseil des RH pour le secteur bénévole et communautaire, résultat de la collaboration entre l'Initiative sur le secteur bénévole et communautaire (ISBC) et le gouvernement du Canada ; on vise à développer le potentiel des OSBL canadiens en matière de gestion des ressources humaines.

La contribution de la gestion des ressources humaines à la performance organisationnelle : les éléments susceptibles d'être évalués

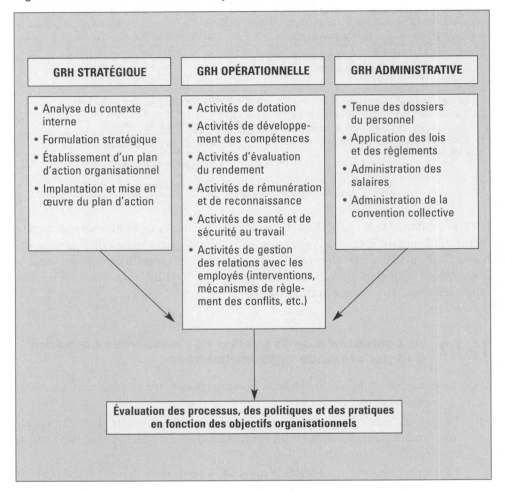

GRH STRATÉGIQUE	GRH OPÉRATIONNELLE	GRH ADMINISTRATIVE
• Analyse du contexte interne • Formulation stratégique • Établissement d'un plan d'action organisationnel • Implantation et mise en œuvre du plan d'action	• Activités de dotation • Activités de développement des compétences • Activités d'évaluation du rendement • Activités de rémunération et de reconnaissance • Activités de santé et de sécurité au travail • Activités de gestion des relations avec les employés (interventions, mécanismes de règlement des conflits, etc.)	• Tenue des dossiers du personnel • Application des lois et des règlements • Administration des salaires • Administration de la convention collective

Évaluation des processus, des politiques et des pratiques en fonction des objectifs organisationnels

L'évaluation de la gestion des ressources humaines vise plusieurs objectifs (voir l'encadré 15.3).

Les objectifs de l'évaluation de la gestion des ressources humaines

- Élaborer un cadre d'analyse pour cerner les aspects à évaluer.
- Déterminer si les pratiques en matière de gestion des ressources humaines s'intègrent avec efficacité et efficience à la planification et à la stratégie de l'entreprise.
- Déceler les pratiques et les politiques déficientes.
- Déceler et mesurer les écarts entre la performance réelle et la performance visée ; puis, prendre les mesures nécessaires pour les combler.[4]

15.2

LE PROCESSUS D'ÉVALUATION DE LA GESTION
DES RESSOURCES HUMAINES

Le processus d'évaluation de la gestion des ressources humaines varie selon l'objet et l'envergure de l'évaluation. Nous analyserons d'abord le processus lui-même et nous présenterons ensuite les intervenants.

15.2.1 | Les étapes du processus

Le processus d'évaluation de la gestion des ressources humaines comporte cinq étapes (voir l'encadré 15.4).

ENCADRÉ ▶ **15.4**

Les étapes du processus d'évaluation de la gestion des ressources humaines

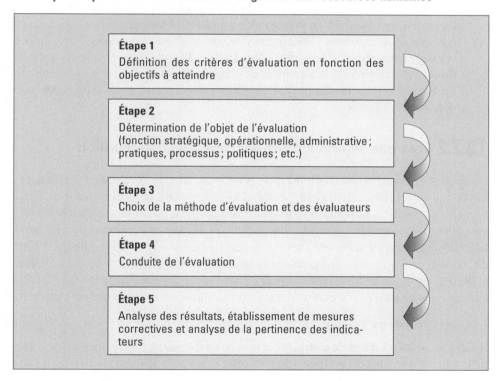

- La première étape consiste à établir les critères sur lesquels devra porter l'évaluation de la gestion des ressources humaines. Pour ce faire, il est préférable d'avoir clarifié la mission du service des ressources humaines et précisé les attentes organisationnelles envers la fonction. Une bonne compréhension des objectifs stratégiques de l'entreprise devrait permettre de cerner ceux qui relèvent de la gestion des ressources humaines, de façon à choisir les critères de performance liés de près à la mission et aux buts poursuivis par la fonction ressources humaines.

Ainsi, on pourrait opter pour des indicateurs mesurant la capacité de la gestion des ressources humaines à atteindre les objectifs stratégiques ou pour des indicateurs mesurant chacune des activités en lien avec les objectifs d'affaires.

- La deuxième étape consiste à déterminer l'objet de l'évaluation : la capacité stratégique, la capacité opérationnelle (par rapport à une ou à plusieurs activités) ou la capacité administrative de la fonction ressources humaines. L'évaluation peut porter sur l'utilité du service, ses buts et ses objectifs, ses structures, ses activités ou ses résultats. On peut n'examiner qu'une seule fonction du service (par exemple la formation, le recrutement ou la rémunération) ou mettre l'accent sur un aspect particulier (par exemple la gestion du roulement du personnel, la promotion de la santé et de la sécurité du travail ou le traitement des problèmes de discipline). On le constate : l'objet et la portée de l'évaluation de la gestion des ressources humaines peuvent varier grandement.
- La troisième étape consiste à préciser les moyens et les intervenants nécessaires pour mener à bien le processus.
- La quatrième étape correspond à la conduite de l'évaluation selon la méthode et les moyens choisis.
- La cinquième étape consiste à analyser les résultats et à déterminer les mesures correctives nécessaires. On se prononce sur la pertinence des indicateurs utilisés. Certains indicateurs sont génériques et seront évalués à l'occasion d'évaluations subséquentes effectuées à des fins comparatives. D'autres sont ponctuels et déterminés en fonction de la situation de l'organisation à un moment donné ; ils évoluent en même temps que l'organisation, en harmonie avec les objectifs et les occasions d'affaires.

15.2.2 | Les intervenants dans le processus d'évaluation

Le choix de l'évaluateur dépend du type et de l'ampleur de l'évaluation à effectuer[5]. Certaines entreprises privilégient l'évaluation externe (un consultant ou une firme réputée en ressources humaines), alors que d'autres optent pour une évaluation interne, menée régulièrement par le service des ressources humaines et portant sur des questions précises. Chaque approche a ses avantages et ses inconvénients. Par ailleurs, l'Ordre des conseillers en ressources humaines et en relations industrielles agréés du Québec (ORHRI) est habilité à entreprendre des vérifications professionnelles qui visent à s'assurer que les activités de gestion des ressources humaines sont menées correctement.

L'ÉVALUATEUR EXTERNE

Si l'évaluation a pour but de comparer le service des ressources humaines d'une entreprise à des services types de l'industrie ou à ceux de ses principaux concurrents, il s'agit d'un étalonnage concurrentiel (*benchmarking*) ; il est alors préférable d'en confier la réalisation à un consultant, ou expert externe. Comme dans le cas de la vérification des comptes, l'expert externe est souvent plus en mesure de faire un examen impartial des pratiques et des politiques du service qu'un évaluateur interne, qui pourrait être tenté de les justifier ou de les expliquer. En effet, l'expert externe, qui est étranger à l'entreprise, se trouve dans une meilleure position que l'évaluateur interne pour jeter un regard critique et déceler les contradictions et les anomalies, que ce soit par rapport à d'autres organisations ou en vertu de ses propres convictions et de son propre savoir.

Plusieurs concours institués par des associations ou des organismes gouvernementaux procèdent à des évaluations en gestion des ressources humaines dans le but de souligner le succès des meilleurs employeurs.

L'ÉVALUATEUR INTERNE

Si l'évaluation est basée sur une recherche et sur l'analyse statistique de problèmes propres au service, tels que le coût des griefs, l'absentéisme, le manque chronique de ponctualité et les accidents, on devrait la confier à des employés de l'entreprise. Pour mener une telle analyse à intervalles réguliers, l'évaluateur, en l'occurrence un professionnel de la gestion des ressources humaines, doit pouvoir consulter facilement le système d'information sur les ressources humaines. Autrement, la tâche est presque insurmontable.

Les évaluations portant sur le respect des lois, des règles et des règlements, notamment dans les domaines de l'équité en matière d'emploi, de la santé et de la sécurité du travail ainsi que du droit du travail en général, font également partie de celles qu'on peut confier à un évaluateur interne. L'évaluateur peut dresser la liste des exigences gouvernementales pertinentes et les comparer avec les pratiques et les politiques de l'entreprise pour faire ressortir les lacunes.

LE COMITÉ D'INSPECTION PROFESSIONNELLE

Au Québec, chaque ordre professionnel doit avoir un comité d'inspection professionnelle dont la fonction est de surveiller la manière dont les membres de l'ordre exercent leur profession en procédant notamment à la vérification de leurs dossiers, livres et registres. Des inspecteurs assistent ce comité.

Ainsi, chaque année, le conseil d'administration de l'ORHRI approuve le programme d'inspection professionnelle élaboré par le comité d'inspection. Les conseillers en ressources humaines agréés (CRHA) et les conseillers en relations industrielles agréés (CRIA) susceptibles de faire l'objet d'une telle inspection travaillent dans une firme de consultants ou sont travailleurs autonomes. Un jour ou l'autre, on visera d'autres groupes de conseillers, comme ceux qui sont membres d'une organisation et ceux qui travaillent pour un employeur privé ou public. Par son approche humaine et non coercitive, le processus d'inspection professionnelle a une vocation éducative et préventive[7].

15.3 LES MÉTHODES D'ÉVALUATION DE LA GESTION DES RESSOURCES HUMAINES

Les méthodes d'évaluation de la gestion des ressources humaines s'inscrivent dans deux approches : l'approche qualitative et l'approche quantitative. Par ailleurs, le tableau de bord, apparenté à la gestion stratégique, constitue une démarche systématique, que nous verrons à part.

15.3.1 | Les méthodes qualitatives

Les méthodes qualitatives se fondent sur les opinions et les jugements de quelques personnes appartenant à l'organisation. Les méthodes prédominantes sont la vérification (ou l'audit), ainsi que l'analyse du travail et la budgétisation.

LA VÉRIFICATION

La vérification (ou l'audit) constitue la façon la plus directe d'évaluer l'efficacité de la gestion des ressources humaines dans une organisation : c'est l'évaluation systématique et rigoureuse de l'ensemble des politiques et des programmes concernant les ressources humaines. Sous sa forme la plus simple, la vérification est la revue des nombreux rapports produits par le service en vue de déterminer si les principales méthodes et politiques sont réellement mises en application. Elle doit apporter des réponses à certaines questions fondamentales (voir l'encadré 15.5).

ENCADRÉ ▶ **15.5**

Questions auxquelles la vérification doit permettre de répondre

- Dans quelle mesure la façon dont le service de ressources humaines est structuré en améliore-t-elle le fonctionnement ?
- Dans quelle mesure les buts et la stratégie du service soutiennent-ils ceux de l'entreprise ?
- Dans quelle mesure le service remplit-il adéquatement les fonctions relatives aux ressources humaines, comme la dotation en personnel, l'évaluation du rendement et le traitement des griefs ?

Tout comme la vérification comptable, la vérification de la gestion des ressources humaines s'appuie sur des rapports : budgets, affectation des ressources, griefs, programmes de développement des compétences, évaluation du rendement, etc. Il est clair que la vérification peut porter sur toutes les activités du service ou en cibler certaines. Par ailleurs, plusieurs tâches incombent au vérificateur (voir l'encadré 15.6).

On distingue entre la vérification stratégique et la vérification opérationnelle.

La *vérification stratégique* vise essentiellement à évaluer dans quelle mesure les politiques et les pratiques du service favorisent véritablement le succès de la stratégie

Les tâches du vérificateur

- Déterminer l'objet de la vérification.
- Dresser un plan de vérification provisoire.
- Choisir les membres du personnel qui participeront à la vérification.
- Effectuer une vérification préalable en réunissant des informations sur le service, sur l'organisation et sur les problèmes organisationnels jugés les plus graves.
- Achever le plan de vérification en perfectionnant les instruments de vérification et de mesure, ainsi qu'en établissant un échéancier approprié.
- Rassembler les informations nécessaires.
- Compiler les résultats de la vérification : détecter les forces et les faiblesses du service des ressources humaines ; déterminer les secteurs dans lesquels on peut planifier des changements à long terme en vue d'améliorer l'efficacité du service.

organisationnelle (voir l'encadré 15.7). Il faut se rappeler que la stratégie principale du service doit appuyer et compléter la stratégie de l'entreprise, sans nécessairement être à sa remorque.

Les principaux éléments de la vérification stratégique

Facteurs environnementaux : Quel est le rôle de la fonction ressources humaines dans les rapports entre l'organisation et l'environnement externe ? Dans quelle mesure la fonction ressources humaines contribue-t-elle à l'atteinte des objectifs organisationnels à long terme ?

Facteurs liés au secteur de l'industrie : Quels sont les problèmes des ressources humaines représentant une question centrale pour le secteur ? Il peut s'agir, par exemple, du respect de certaines lois ou règlements propres au secteur.

Facteurs liés à la mise en œuvre de la stratégie : Quels sont les principaux problèmes des ressources humaines qui interviennent dans la mise en œuvre de la mission stratégique primordiale du service ? Il peut s'agir, par exemple, de l'état des relations entre le service des ressources humaines et le service de la production.

Facteurs organisationnels : Quelles sont les forces et les faiblesses de l'entreprise sur le plan des ressources humaines ? On peut se demander, par exemple, quels sont les domaines d'intervention qui s'harmonisent particulièrement bien avec les besoins inscrits dans la stratégie et quels sont les secteurs discordants.

Source : adapté de W.J. Rothwell et H.C. Kazanas, *Strategic Human Planning and Management*, Prentice-Hall, 1988, p. 423-426.

Le principal objectif de la *vérification opérationnelle* est de s'assurer que les décisions et les mesures à court terme de l'organisation n'entrent pas en conflit avec les décisions et les mesures à long terme. Il est plus facile d'y arriver en regroupant les éléments de vérification selon les activités des ressources humaines. C'est habituellement le cadre supérieur qui fournit l'information recueillie au moyen d'une entrevue dirigée (voir l'encadré 15.8), d'un questionnaire écrit, ou encore d'un inventaire.

Questions d'entrevue utiles lors de la vérification opérationnelle de la gestion des ressources humaines

Sujets d'ordre général

1. Selon vous, quels sont les objectifs de votre service ?
2. Comment percevez-vous les responsabilités des cadres ?
3. Croyez-vous qu'il y ait des problèmes ou des difficultés importantes dans le service ? Si oui, quelles en sont les causes et l'ampleur ?
4. Le service s'est-il donné des objectifs particuliers cette année ? En a-t-il pour l'année prochaine ?

Analyse des postes

5. Les descriptions des emplois sont-elles à jour ?
6. Quelles méthodes utilise-t-on pour élaborer les descriptions des emplois des employés ?

Planification des ressources humaines

7. Quels plans avez-vous élaborés pour combler les futurs besoins en main-d'œuvre de votre service ?
8. Quelles méthodes, quels moyens et quels modèles de planification des ressources humaines utilisez-vous ?
9. Quel soutien espérez-vous obtenir des autres cadres de l'entreprise lors de la planification des ressources humaines ? Quelles sont les politiques mises en œuvre pour encourager ces cadres à collaborer avec vous dans cette tâche ?

Recrutement et sélection

10. De quelle façon recrutez-vous le personnel selon chaque catégorie de poste ? Combien de temps vous faut-il en moyenne pour pourvoir un poste ?
11. Quels sont les postes les plus faciles et les plus difficiles à pourvoir ? Quelles nouvelles méthodes avez-vous utilisées dans le cas des postes les plus difficiles à pourvoir ?
12. Quelle est la politique de recrutement interne et externe ? Pourquoi l'a-t-on adoptée ? Vous semble-t-elle satisfaisante ?
13. Quelles méthodes utilise-t-on habituellement pour la dotation des postes clés ? Connaissez-vous les statistiques sur le succès ou l'échec de ces méthodes ? Avez-vous une idée de leur coût ?

Rémunération

14. Quelles sont vos responsabilités dans l'administration des salaires des cadres ? Comment déterminez-vous les augmentations salariales ? Comment effectuez-vous l'évaluation du rendement ?
15. Existe-t-il dans l'entreprise un régime de rémunération au mérite ou au rendement ? Si oui, donnez les raisons d'une telle pratique ; sinon, expliquez pourquoi.
16. Quel est votre principal problème en matière de gestion des salaires ?
17. Mis à part les programmes sociaux imposés par la loi, quels sont les avantages sociaux dont vous faites bénéficier vos employés ? Expliquez vos décisions et justifiez-les.

Évaluation du rendement

18. Êtes-vous satisfait des différentes formes d'évaluation du rendement que vous utilisez selon les catégories de personnel ? Lesquelles vous semblent les moins appropriées ? Expliquez pourquoi.
19. Quels sont les objectifs de l'évaluation du rendement dans votre entreprise ?
20. À quelle fréquence les cadres évaluent-ils leurs employés ? Les cadres aiment-ils cette tâche ? Les employés apprécient-ils la forme d'évaluation choisie ?

Formation et perfectionnement

21. Comment effectue-t-on la formation dans votre service ? Qui la donne ? À quelles façons de procéder se conforme-t-on ?

22. Comment élaborez-vous le contenu des programmes de formation ? Pourquoi procédez-vous ainsi ?

23. Comment évaluez-vous l'efficacité des divers programmes de formation ?

24. Selon vous, quels changements ou quelles améliorations devrait-on apporter à la formation des employés ? Pourquoi ?

25. L'entreprise a-t-elle un programme permettant aux cadres d'aider les employés à développer leurs capacités ?

Planification et gestion de carrière

26. Existe-t-il une politique de planification de carrière dans l'entreprise ? Quels sont les points forts et les points faibles de cette politique ?

27. Existe-t-il une politique d'aide pour les employés en plafonnement de carrière ?

28. L'entreprise offre-t-elle un service de consultation sur la planification et la gestion de carrière (sous la responsabilité d'un spécialiste, par exemple) ?

Qualité de vie au travail et productivité

29. L'entreprise a-t-elle des programmes d'amélioration de la productivité (par exemple des cercles de qualité, des programmes d'enrichissement des tâches ou de qualité totale) ? Si oui, sont-ils efficaces ?

30. Avez-vous instauré des programmes d'aide destinés aux employés ayant des problèmes personnels (par exemple un service d'assistance psychologique) ? Si oui, sont-ils efficaces ?

31. De quelle façon informez-vous les employés de ce qui se passe dans l'entreprise ? L'entreprise tient-elle régulièrement des séances d'information ? Si oui, à quels problèmes faites-vous face au cours de ces séances ?

32. Comment l'entreprise recueille-t-elle l'information sur ses employés ? Quelles méthodes et quels réseaux utilise-t-on ? À quelle fréquence ?

Santé et sécurité du travail

33. Quels sont les principaux programmes de santé et de sécurité du travail instaurés dans votre entreprise ? Y a-t-il des problèmes particuliers ?

34. Quelle est la politique de l'entreprise en matière de prévention des accidents du travail et des maladies professionnelles ? Êtes-vous satisfait du système actuel ?

35. Faites-vous régulièrement la collecte et l'analyse de données sur la santé et la sécurité du travail ? Après les avoir communiquées à la Commission de la santé et de la sécurité du travail, que faites-vous de ces informations ?

36. Avez-vous des commentaires ou des suggestions à formuler en matière de santé et de sécurité du travail dans votre entreprise ?

Relations du travail

37. Comment caractériseriez-vous la relation entre le service des ressources humaines et les syndicats dans votre entreprise ? D'après vous, comment cette relation évoluera-t-elle ? Comment pourrait-on l'améliorer ?

38. Tenez-vous des statistiques sur le nombre et l'objet des griefs déposés par les employés ? Possédez-vous des estimations du coût de ces griefs ?

39. Le renouvellement des conventions collectives soulève-t-il des problèmes particuliers ?

40. Quels sont les problèmes de discipline chez les employés ?

Gestion des ressources humaines

41. Quelles sont les attentes des cadres relativement aux relations avec les employés ?

42. Évaluez de façon détaillée le budget que vous consacrez à la gestion des ressources humaines.

43. Évaluez de façon détaillée la qualité du personnel du service des ressources humaines.

44. Présentez de façon détaillée votre perception du rôle du service des ressources humaines dans l'entreprise.

Source : adapté de Gestion MDS, Montréal.

L'élaboration d'une liste de questions constitue un moyen très simple pour mener une vérification opérationnelle de la gestion des ressources humaines. Cependant, il est difficile d'en faire l'interprétation en raison du caractère subjectif de l'information recueillie. Pour surmonter au moins une partie de ces difficultés, on confie la vérification à un groupe de personnes. Ainsi, on peut confier à une équipe formée de spécialistes en ressources humaines et de chefs hiérarchiques de l'unité évaluée les multiples vérifications faites dans des sections ou des unités de travail. Certaines organisations effectuent ce genre de vérification une ou deux fois par année. Afin d'en faciliter l'interprétation, on peut comparer les résultats avec ceux d'autres unités de travail dans l'organisation ou avec ceux d'unités ou de sections similaires dans d'autres organisations.

L'ANALYSE DU TRAVAIL ET LA BUDGÉTISATION

Bien sûr, l'analyse du travail et les méthodes budgétaires font intervenir des données quantitatives empiriques. Cependant, on les classe dans l'approche qualitative, puisqu'elles impliquent l'évaluation subjective du caractère approprié du service ou du budget.

L'analyse du travail. L'analyse du travail est basée sur des techniques d'échantillonnage du travail appliquées à des activités choisies au hasard. Il s'agit d'en tirer des inférences à propos de l'ensemble des activités du service. Cette méthode a l'avantage de faire ressortir les problèmes structurels fréquents : mauvaise répartition du travail, centralisation excessive, descriptions des tâches inadéquates, etc.

La budgétisation. La budgétisation est un autre moyen d'évaluer l'efficacité de la gestion des ressources humaines. Selon cette méthode, on évalue les principales activités en fonction du pourcentage du budget alloué. Les sommes affectées reflètent l'importance stratégique des activités.

Pour une activité donnée, on peut évaluer les changements d'orientation et d'importance des politiques de ressources humaines sur une période précise et les comparer à d'autres activités des ressources humaines[9]. De plus, on peut comparer l'évolution du budget du service des ressources humaines à celui d'autres services de l'entreprise ou à celui du service des ressources humaines d'autres entreprises de taille et de nature similaires, ce qui permet d'établir l'efficacité du service. Ainsi, la portion du budget affectée à la rémunération des professionnels des ressources humaines indique l'importance que l'organisation accorde à ce service. Pour ce faire, on utilise souvent le ratio service des ressources humaines-personnel (SRHP), soit le rapport entre le nombre total d'employés du service des ressources humaines et le nombre total d'employés de l'organisation. On utilise également un ratio SRHP révisé, soit le rapport entre le nombre de cadres du service des ressources humaines (ce qui exclut les secrétaires et les techniciens) et le nombre total d'employés. Ces rapports sont utiles si on souhaite se livrer à des comparaisons avec d'autres entreprises.

15.3.2 | Les méthodes quantitatives

Les méthodes quantitatives, comme certaines méthodes financières ou comptables, mesurent l'efficacité de la gestion des ressources humaines à l'aide de données chiffrées. Voyons quelques-unes de ces méthodes : les indices de ressources humaines, l'analyse coûts-bénéfices, l'analyse de l'utilité, la comptabilisation des ressources humaines et l'approche client.

LES INDICES DE RESSOURCES HUMAINES

De nombreuses organisations élaborent des indices dans le but d'évaluer l'efficacité du service des ressources humaines (voir l'encadré 15.9). On établit ces indices de ressources humaines (et les ratios afférents) en fonction des principales activités du service. Parmi les ratios, on compte le nombre d'accidents du travail, le taux de roulement du personnel, le taux d'absentéisme, le niveau de productivité, etc.

ENCADRÉ ▶ **15.9**

Les indices de ressources humaines

Planification
- Nombre de postes à pourvoir non prévus
- Écart entre les besoins prévus et les besoins réels

Dotation en personnel
- Moyenne d'âge de la main-d'œuvre
- Proportion de candidats ayant le profil recherché par rapport aux candidats ne répondant pas aux exigences du poste
- Temps moyen consacré au recrutement d'employés selon les types de compétences recherchées
- Coût de la publicité selon l'embauche ou le nombre de candidatures
- Taux de roulement
- Taux d'absentéisme
- Proportion des différents mécanismes de sélection (formulaires de demande d'emploi, tests, etc.) par rapport aux indices du rendement

Rémunération
- Nombre d'employés au-dessus ou au-dessous des taux de salaire habituels
- Taux des promotions au mérite par rapport aux promotions par ancienneté
- Écart moyen des salaires entre les services, les divisions ou les catégories d'employés
- Nombre et catégories d'employés inscrits dans un programme de participation aux bénéfices
- Nombre et catégories d'employés utilisant les services fournis par l'entreprise (assurances, installations de loisir, etc.)

Formation et perfectionnement
- Proportion des employés admissibles à une promotion qui ont reçu une formation au cours de la dernière année ; proportion de nouveaux superviseurs qui ont reçu une formation de cadre
- Proportion des employés parfaitement qualifiés pour leur emploi
- Qualité des produits et des services avant et après la formation des employés
- Coûts de formation par employé et niveaux de salaire des employés

Santé et sécurité du travail
- Fréquence des accidents du travail
- Nombre de jours (ou d'heures) de travail perdus à cause d'accidents du travail
- Types d'accidents
- Accidents et maladies professionnelles selon le service ou la catégorie d'employés

Relations du travail
- Proportion des griefs réglés en faveur de l'entreprise au cours de la dernière année
- Coût moyen des griefs par employé
- Nombre de griefs et de plaintes
- Griefs selon leur objet

L'ANALYSE COÛTS-BÉNÉFICES

L'expression *analyse coûts-bénéfices* revêt plus d'une signification. Cependant, de façon générale, elle désigne un ensemble de procédés comportant divers degrés de complexité mathématique et utilisés par les gestionnaires pour atteindre les objectifs suivants :

- Justifier les programmes existants
- Réduire le coût des programmes sans diminuer leur efficacité
- Améliorer le contrôle des coûts des programmes tout en préservant leur efficacité
- Déterminer les meilleures façons d'améliorer les résultats sans augmenter le coût des programmes
- Évaluer la faisabilité des programmes proposés

On définit les coûts de l'ensemble des fonctions des ressources humaines selon deux paramètres : ils sont contrôlables ou incontrôlables ; ils sont directs ou indirects. Il est donc nécessaire de tenir compte des facteurs conjoncturels dans l'élaboration des formules de coûts. Prenons le cas de l'absentéisme. On ne peut pas déterminer dans quelle mesure les employés invoquent le véritable motif quand ils s'absentent en raison d'un malaise, de la maladie d'un enfant ou même des mauvaises conditions météorologiques : cela représente des coûts incontrôlables. Cependant, l'entreprise peut exercer un contrôle sur les coûts dans le cas où des employés utilisent leurs crédits de congés de maladie parce qu'ils sont mécontents de leur salaire ou qu'ils subissent trop de stress.

Les mesures directes représentent les coûts réels, tels que le coût direct attribuable au remplacement d'un employé absent. Les mesures indirectes sont habituellement exprimées en fonction du temps, de la qualité et de la quantité. Dans de nombreux cas, la valeur des coûts indirects dépasse celle des coûts directs, même si bien des entreprises ne les prennent pas sérieusement en considération. Ainsi, l'utilité des mesures indirectes tient au fait qu'elles livrent une partie des données nécessaires pour obtenir une mesure directe. L'estimation de la valeur en dollars associée aux résultats peut être très utile dans le calcul des bénéfices liés aux programmes implantés pour réduire ces coûts. Ces programmes peuvent comprendre la formation et la modification des systèmes de contrôle ou de la politique de rémunération. L'avantage réel qu'il y a à déterminer le coût du comportement des employés réside dans la possibilité de faire ressortir le bénéfice qu'on retire de l'application intelligente des méthodes de gestion des ressources humaines.

L'analyse de l'utilité

L'analyse de l'utilité sert à équilibrer les coûts et les bénéfices des programmes de ressources humaines. Habituellement, les spécialistes des ressources humaines peuvent démontrer l'efficacité de leurs activités, mais ils ont beaucoup plus de mal à déterminer si ces activités valent le coût engendré. Par exemple, les responsables de la sélection peuvent illustrer l'efficacité d'une méthode de sélection donnée en en calculant le coefficient de validité, mais il leur est beaucoup plus difficile de chiffrer en dollars ce coefficient par rapport à l'amélioration de la productivité. L'analyse de l'utilité est une méthode utilisée pour calculer cette valeur en dollars ; même si elle se fonde sur un ensemble homogène de principes et d'idées, elle fait intervenir différentes techniques pour déterminer la valeur financière d'un programme en regard de diverses fonctions des ressources humaines. Il s'ensuit que la formule de calcul des programmes de sélection est différente de celle de la formation ou de l'évaluation du rendement.

Par exemple, si le critère de décision relatif pour l'adoption d'un programme de formation est la rentabilité financière, il faut établir si l'amélioration de la productivité compense l'accroissement des coûts de formation. Pour y arriver, l'évaluateur doit comparer la valeur en dollars du nouveau programme de formation avec celle du programme qu'il remplace, à l'aide de la formule suivante :

$$\text{Utilité} = (\text{différence de productivité}) ¥ (\text{variabilité})$$
$$¥ (\text{nombre de participants}) - (\text{différence de coût})$$

La comptabilisation des ressources humaines

Cette approche se caractérise par la quantification financière d'un ensemble de comportements et de rendements. Il n'existe aucun principe comptable généralement reconnu (PCGR) pour évaluer le personnel ; cependant, on a tenté d'appliquer certains d'entre eux au comportement des employés. On cherche ainsi à mesurer les comportements associés à des fonctions de ressources humaines : attirer, sélectionner, garder, former et utiliser les employés.

La comptabilisation des ressources humaines représente une tentative pour traiter les ressources humaines comme un actif plutôt que comme une source de dépenses. Ainsi, il devient possible d'appliquer à la main-d'œuvre les règles comptables touchant les immobilisations. On peut alors chiffrer les ressources humaines comme un actif, en fonction de son coût d'acquisition, de son coût de remplacement et de sa dépréciation.

La comptabilisation des ressources humaines ressemble souvent à l'analyse de l'utilité. Dans bien des cas, on mesure les coûts liés aux ressources humaines à l'aide des estimations en dollars que les gestionnaires font des résultats prévus pour les activités des ressources humaines. Dans une étude, on a ainsi demandé à des gestionnaires d'estimer en dollars la valeur de différents niveaux de rendement des programmeurs. En mettant en évidence l'amélioration du rendement engendrée par un nouveau programme de sélection, les cadres des ressources humaines ont ainsi été en mesure d'en estimer les résultats en dollars[10].

L'approche client

On a récemment enrichi l'évaluation quantitative ou qualitative des activités des ressources humaines à l'aide des données issues des entrevues ou des sondages menés auprès des principaux clients[11]. Cette approche repose sur la prémisse selon laquelle l'efficacité du service des ressources humaines est déterminée par sa réputation auprès de ses parties prenantes et, donc, autant de ses clients internes (dirigeants, gestionnaires, employés, etc.) que de ses clients externes (fournisseurs de services, public, etc.). L'approche client est en nette progression grâce à l'importance accordée à la satisfaction de la clientèle dans la documentation sur la gestion. Étant donné la popularité grandissante des concepts de qualité et d'« erreur zéro », on a aujourd'hui tendance à mesurer la satisfaction de toutes les parties prenantes et à en faire un indicateur de l'efficacité du service des ressources humaines[12].

DANS LES **FAITS**

Plusieurs *buzzwords* renvoient à des concepts d'amélioration de la productivité. Voici un petit tour d'horizon des trois principaux programmes qui servent à rendre les usines plus efficaces.

Lean Manufacturing

Née au Japon, cette « philosophie globale de gestion » se concentre à éliminer le gaspillage associé à la surproduction, aux délais, au transport, à la manutention, aux inventaires, aux déplacements et aux rebuts industriels.

Le Lean implique trois outils : l'analyse constante des procédés *(kaizen)*, la production « tirée » *(kanban)* et l'élimination des erreurs *(poka-yoke)*. L'efficacité du Lean n'est plus à démontrer. Toyota Motor en a fait sa principale philosophie de gestion.

Six Sigma

Développée par Motorola en 1997, le Six Sigma se nourrit des statistiques de production pour améliorer le contrôle de la qualité. Le nom du programme reflète le niveau de qualité souhaité.

Le but ultime de la méthode est de réduire la marge d'erreur à six fois l'écart-type normal (sigma). Le taux de rebut sera alors de $2*10^{-9}$, ou deux pièces au rebut par milliard produit.

Le Six Sigma se décline en cinq étapes : définir, mesurer, analyser, améliorer et contrôler la production. Comme au karaté, les experts du système sont coiffés du titre de « ceinture noire ».

Human Performance Technology

Cette philosophie de gestion se sert d'une variété d'interventions tirées d'autant de disciplines, telles que la psychologie, la gestion des ressources humaines et le développement organisationnel.

Le HPT exige une analyse rigoureuse de la situation et des niveaux de performance désirés. Une fois les écarts de performance identifiés, on exécute des interventions ciblées. Au Québec, une des stratégies HPT est connue sous le vocable CQFD. Elle s'adresse surtout à la performance des employés de première ligne[13].

15.3.3 | Le tableau de bord

Le tableau de bord[14] est une méthode d'évaluation de la gestion des ressources humaines qui combine l'approche quantitative et l'approche qualitative, puisqu'il permet de vérifier la qualité des activités de gestion des ressources humaines implantées afin de soutenir la stratégie de l'organisation[15]. C'est dans cette perspective que la fonction ressources humaines doit créer diverses mesures – certaines financières et certaines d'ordre plus qualitatif – dans le but de situer sa performance globale actuelle et de mieux cibler ses actions futures. La démarche s'inspire du cadre détaillé proposé par Kaplan et Norton[16], qui s'applique à l'ensemble de l'entreprise et est donc susceptible de mesurer la contribution des différentes activités organisationnelles, dont la fonction ressources humaines.

LA CONCEPTION DU TABLEAU DE BORD

Le tableau de bord permet d'analyser la performance selon quatre dimensions : la perspective financière, la perspective opérationnelle (ou perspective des processus internes), la perspective des clients et la capacité stratégique (voir l'encadré 15.10). Les indicateurs déterminés pour chacune des dimensions serviront à mesurer une série d'objectifs reliés entre eux. Le tableau de bord doit combiner de 15 à 25 mesures financières et non financières, regroupées en fonction des 4 dimensions.

La conception du tableau de bord de la gestion des ressources humaines

Dimension	Champ d'analyse
La perspective financière	Conséquences financières de la gestion et des pratiques des ressources humaines sur les résultats commerciaux, y compris sur les coûts des ressources humaines et sur la valeur qu'elles y ajoutent
La perspective opérationnelle	Efficience et efficacité internes des processus de gestion des ressources humaines, y compris la productivité, la qualité, les coûts et les cycles
La perspective clients	Perceptions des intervenants internes au sujet de l'efficacité des pratiques et des rôles des ressources humaines par rapport aux objectifs de l'entreprise
La capacité stratégique	Mesure de la contribution des ressources humaines au leadership, à l'innovation et à l'apprentissage, tous ces facteurs contribuant à la réussite concurrentielle

Source : Hewitt Associates, Data Warehousing Institute, *TDWI's Best of Business Intelligence*, 1998, www.tdwi.org/Publications/BestOfBI/index.aspx.

L'IMPLANTATION DU TABLEAU DE BORD

En premier lieu, soulignons que le tableau de bord est souvent considéré comme un système de gestion stratégique global plutôt que comme un système de mesure. Cependant, que le tableau de bord porte sur les ressources humaines ou sur l'entreprise dans son ensemble, la conception et le processus d'implantation sont sensiblement les mêmes.

Hewitt Associates propose un processus d'implantation d'un tableau de bord adapté à la gestion des ressources humaines (voir l'encadré 15.11).

À l'étape de la planification, il est important de renseigner les personnes concernées sur le concept de tableau de bord : elles pourront ainsi y consacrer les énergies et les ressources nécessaires.

À l'étape de l'évaluation, on doit vérifier l'arrimage de la stratégie de gestion des ressources humaines à la stratégie organisationnelle et établir les critères de mesure adéquats.

À l'étape de la création, on établit les objectifs, les mesures et les cibles. La plupart des praticiens soutiennent qu'il faut baser ces objectifs et mesures sur de l'information fournie à la fois par les clients et par les responsables des autres fonctions organisationnelles. Il est important de déterminer ce que la stratégie de l'entreprise exige du personnel et comment le service des ressources humaines peut s'assurer qu'il fournira les résultats attendus. Il est également essentiel d'effectuer quelques entrevues sur des questions semblables et de se concentrer sur la recherche des liens entre la stratégie, les personnes et le rôle des ressources humaines. C'est en effet ce qui permet d'éclairer les contradictions entre les opinions des gestionnaires des ressources humaines et les attentes des clients.

Le processus d'implantation d'un tableau de bord en gestion des ressources humaines

Étape 1 La planification	• Organisation du projet • Sélection de l'équipe • Définition de la portée et des objectifs
Étape 2 L'évaluation	• Révision des stratégies de l'entreprise et du service des ressources humaines • Établissement des critères de mesure • Évaluation des besoins des employés • Évaluation des mesures existantes
Étape 3 La création	• Détermination des objectifs stratégiques cruciaux • Création des mesures • Mise à l'essai auprès des intervenants clés • Établissement de mécanismes de suivi
Étape 4 L'implantation	• Implantation du tableau de bord • Évaluation et amélioration • Application du processus d'apprentissage

Source : Hewitt Associates, Data Warehousing Institute, *TDWI's Best of Business Intelligence*, 1998, www.tdwi.org/Publications/BestOfBI/index.aspx.

À l'étape de l'implantation, il est important de recueillir l'information selon les variables et les critères choisis et de procéder ensuite à leur analyse.

Les défis à relever ne manquent pas au cours de ce processus. Tout d'abord, il est crucial de choisir des critères de mesure significatifs, ce qui, dans le contexte des ressources humaines, peut parfois être difficile. De plus, il faut tenir compte de la grande tension liée à l'appropriation du processus de mesure qui oppose les gestionnaires des ressources humaines et les cadres intermédiaires. Les gestionnaires des ressources humaines doivent bien préciser qu'ils ne sont pas propriétaires de ce processus, mais qu'ils assument plutôt une responsabilité d'intendance pour sa conception, ainsi que pour la collecte et l'analyse des données destinées à la structure de la gestion.

Grâce à ce processus, le tableau de bord permet d'évaluer la performance et offre une charpente structurée pour la gestion des résultats. Pour rendre possible cette transition, il faut mettre en place deux composantes fondamentales : une structure organisationnelle appropriée à l'utilisation efficace des résultats de l'évaluation ; la possibilité d'utiliser les résultats des mesures de performance dans de véritables changements organisationnels. Il faut donc que les données soient opportunes, pertinentes et concises, et qu'on utilise bel et bien les résultats, sinon personne ne prendra au sérieux cet exercice[17].

DANS LES **FAITS**

La difficulté d'établir des mesures en gestion des ressources humaines

Dans le cycle de recrutement, les indicateurs de performance varient en fonction du niveau du poste à pourvoir (cadres, techniciens, postes administratifs, etc.). Pour pallier cette difficulté, Weinberg suggère d'établir des critères de performance propres à chaque niveau de poste, de préciser les attentes en coût, en temps et en qualité, puis de mesurer les écarts lorsque les critères ne sont pas atteints[18].

L'UTILITÉ DU TABLEAU DE BORD

Le tableau de bord est un excellent outil pour appuyer le rôle de partenaire stratégique de la fonction ressources humaines. C'est une approche globale qui peut également permettre au service d'évaluer son efficacité dans chacun des quatre rôles suivants : expert administratif, agent de changement, partenaire stratégique et défenseur des employés. De plus, elle combine des données qualitatives et des données quantitatives ; elle éclaire les relations de cause à effet entre les variables et la satisfaction des divers intervenants quant aux résultats ; enfin, elle fait ressortir la relation entre les pratiques des ressources humaines et la stratégie de l'entreprise. En fait, pour bénéficier de tous les avantages de cette méthode, il faut que chaque fonction crée des tableaux de bord pour les autres fonctions, ce qui renforcera le lien entre les systèmes, les fonctions et les unités de l'organisation.

15.4
L'ÉVALUATION DES ACTIVITÉS DE GESTION DES RESSOURCES HUMAINES

Après ce tour d'horizon des méthodes d'évaluation stratégique de la fonction ressources humaines, jetons un regard sur les modalités de l'évaluation de l'efficacité pour diverses activités de la gestion des ressources humaines[19]. L'évaluation des activités, des programmes ou des pratiques de gestion peut mener à leur maintien, à leur amélioration, ou encore à leur remplacement[20].

www.tbs-sct.gc.ca/rma/database/

Site du Secrétariat du Conseil du Trésor du Canada. qui présente des directives pour l'évaluation des politiques de gestion des ressources humaines.

15.4.1 | L'évaluation du recrutement et de la sélection

Dans le processus de dotation, nous examinons l'évaluation du recrutement et de la sélection, l'accueil et l'intégration pouvant faire l'objet d'une évaluation dans le cadre plus général de l'évaluation des systèmes de gestion des carrières.

L'ÉVALUATION DU RECRUTEMENT

Le recrutement consiste à attirer la « bonne » personne au « bon » moment, compte tenu des contraintes juridiques et des intérêts à court ou à long terme du candidat et de l'entreprise. On considère que cette activité est efficace si elle permet d'intéresser un grand nombre d'individus, mais aussi, et surtout, si elle réussit à attirer ceux dont la personnalité, les intérêts, les préférences et les aptitudes correspondent le mieux aux besoins de l'organisation.

Mesurer l'efficience d'une activité de recrutement revient à évaluer le nombre de candidatures reçues, les délais requis, les coûts directs et indirects ainsi que l'efficacité de cette activité[21]. Par ailleurs, le respect des obligations juridiques est un autre de ces critères : le recrutement doit être équitable et non discriminatoire à l'égard de tous les candidats, quel que soit le poste visé. Au moment de l'embauche et après l'embauche, il faut affecter les employés à un poste qui leur convienne et leur permette de fournir un plein rendement. Il faut donc évaluer les économies (ou bénéfices) qu'une politique de recrutement efficace permet de réaliser, y compris sur le plan des problèmes juridiques ou de la publicité négative qu'on a pu éviter.

Certaines entreprises manufacturières, dans le domaine du transport par exemple, recherchent désespérément des ingénieurs. Chaque ingénieur recruté, dans un contexte de rareté des ressources, a une valeur économique. Si le service des ressources humaines, toujours par des stratégies et interventions ingénieuses et novatrices, réussit à dénicher les ingénieurs, il contribuera directement à la performance de l'entreprise car, au recrutement de chaque ingénieur, on peut associer une quantité de biens manufacturés et livrés aux clients. Si le gestionnaire des ressources humaines éprouve de la difficulté à établir l'évaluation économique, il y a fort à parier que les gens des finances se feront un grand plaisir de l'aider[22]!

Évaluer les coûts du recrutement revient à estimer les coûts inhérents au processus même. Ainsi, il est possible de déterminer le coût associé à chaque méthode de recrutement (par exemple à la publicité dans les médias) pour un candidat donné. Généralement, les coûts associés au recrutement sont les frais administratifs, la rémunération des recruteurs et les coûts d'apprentissage du nouvel employé. Ces coûts sont relativement faciles à calculer. On peut faire l'analyse coûts-bénéfices de chaque méthode utilisée (Internet, recommandation d'un employé, portes ouvertes, etc.) en fonction du nombre de candidatures soumises et de leur qualité (le rapport du nombre de candidatures retenues par rapport au nombre de celles qui ont été rejetées). L'organisation peut alors déterminer la rentabilité de cette méthode et décider de l'utiliser plus souvent, de la modifier ou de l'abandonner. Enfin, l'évaluation du recrutement permet à l'organisation de déterminer s'il est pertinent de procéder à l'interne ou à l'externe.

L'ÉVALUATION DE LA SÉLECTION, AINSI QUE DES PROGRAMMES D'ACCUEIL ET D'INTÉGRATION

En matière d'évaluation des processus et des décisions touchant la sélection et l'intégration, les critères objectifs ou subjectifs peuvent être très nombreux. Pour faire une *évaluation objective,* le gestionnaire des ressources humaines dispose de moyens tangibles, tels que l'étude de l'utilité et du coût relatif d'un grand nombre d'instruments de sélection ou l'examen du taux de roulement des nouveaux employés. Il peut s'agir d'évaluer la validité de certains tests utilisés, les bons ou mauvais résultats des entrevues de sélection, ou encore la pertinence des étapes du processus de sélection. Dans le cadre d'une *évaluation subjective,* le gestionnaire des ressources humaines peut mener des sondages pour mesurer la satisfaction des employés au travail, leur évaluation du degré d'utilisation de leurs compétences et de leurs habiletés, leur engagement au travail et leur sentiment d'appartenance.

La mesure du taux de roulement dans les deux années qui suivent l'embauche constitue un bon indicateur de l'efficacité d'un processus de sélection. Toutes les organisations cherchent à garder leur personnel compétent. Cependant, la chose peut s'avérer impossible si on ne tient pas compte de la qualification d'un candidat par rapport à un poste donné. Par exemple, on peut justifier l'embauche d'un technicien surqualifié par les possibilités d'avancement qui s'ouvrent devant lui. Cependant, si l'entreprise n'offre pas de telles possibilités, l'employé surqualifié se cherchera rapidement un autre emploi. En fait, l'embauche de candidats surqualifiés peut se révéler aussi préjudiciable à l'entreprise que celle de candidats sous-qualifiés. C'est pourquoi il faut comprendre l'importance des entrevues de fin d'emploi : elles aident l'organisation à mieux saisir les motifs du départ de leurs employés et les causes réelles du roulement du personnel (voir l'encadré 15.12).

La pertinence des entrevues de fin d'emploi dans la détermination des critères d'évaluation de la sélection et de l'intégration

L'entrevue de fin d'emploi constitue un moyen privilégié pour connaître les motifs du départ d'un employé récemment embauché. L'information recueillie fournit une bonne mesure de l'efficacité des processus de recrutement et de sélection de l'entreprise, qui pourra ensuite les améliorer. Comme le succès ou l'échec d'une entrevue dépend dans une large mesure de l'intervieweur, il faut éviter de confier l'entrevue de fin d'emploi au superviseur immédiat de l'employé qui quitte l'entreprise. Il faut plutôt la confier à un gestionnaire des ressources humaines ou à un autre gestionnaire suffisamment objectif. À l'aide de l'information recueillie pendant la rencontre, l'intervieweur devrait formuler ses recommandations quant aux mesures nécessaires à l'amélioration du processus de sélection.

15.4.2 | L'évaluation de l'efficacité de l'évaluation du rendement

Dans le cadre du contrôle des activités d'évaluation du rendement, il faut évaluer les techniques et les processus disponibles afin de faciliter aux gestionnaires des ressources humaines le choix de l'instrument le plus efficace[23].

LES CRITÈRES D'ÉVALUATION

Pour sélectionner la meilleure technique d'évaluation de l'efficacité de l'évaluation du rendement, il faut d'abord s'interroger sur ses objectifs et déterminer de façon précise le rendement qu'on veut mesurer. Il s'agit généralement de l'évaluation et du développement des compétences. Il faut cependant se rappeler qu'une technique d'évaluation du rendement efficace doit être exempte de distorsions, être non discriminatoire, présenter un haut degré de validité et de fiabilité, être rentable, ainsi que permettre de comparer les employés entre eux et les services entre eux.

Tous ces objectifs peuvent donc servir de critères d'évaluation. Il faut aussi tenir compte de l'influence qu'une technique d'évaluation exerce sur la relation supérieur-subordonné. La technique choisie encourage-t-elle le supérieur à observer le comportement de son subordonné, de façon à recueillir le maximum d'informations utiles pour évaluer et accroître ses compétences ? Facilite-t-elle la conduite de l'entrevue d'évaluation ? Bien sûr, il faut mettre en relation toutes ces considérations avec un autre élément majeur : les répercussions économiques. On pourra, à cet égard, comparer les coûts d'élaboration et de mise en application d'une technique avec les bénéfices qu'on peut en retirer,

L'ÉVALUATION DU SYSTÈME D'ÉVALUATION DU RENDEMENT

Avant de procéder à l'examen des divers aspects du système d'évaluation, il peut être utile de porter au préalable un jugement global sur celui-ci. Il est ainsi plus facile de dresser un tableau juste de son fonctionnement et de déterminer la nécessité d'une évaluation plus poussée. Le responsable des ressources humaines peut recueillir l'information nécessaire en faisant remplir un questionnaire aux gestionnaires et aux autres membres de l'organisation. De cette façon, l'organisation sera en mesure de cerner l'efficacité globale du système d'évaluation du rendement. Par ailleurs, pour faire l'évaluation du système d'évaluation d'une organisation, il faut s'interroger sur plusieurs aspects ou outils utilisés pour évaluer le rendement (voir l'encadré 15.13). Dans la mesure où l'on répond à ces questions et où l'on tente d'apporter les correctifs nécessaires, le système d'évaluation choisi par l'organisation sera apte à remplir ses objectifs propres et à participer, à un niveau plus large, à l'atteinte des objectifs organisationnels en matière de ressources humaines, tels que la productivité, la qualité de vie au travail et le respect des exigences d'ordre juridique.

ENCADRÉ ▶ **15.13**

Les critères servant à évaluer les composantes du système d'évaluation

- Quels objectifs l'organisation souhaite-t-elle atteindre à l'aide de cette méthode d'évaluation ?
- Les formulaires d'évaluation permettent-ils de recueillir les informations nécessaires à l'atteinte de ces objectifs ? Sont-ils directement liés aux exigences des emplois visés ? S'appuient-ils sur des comportements ou des résultats utilisables dans une analyse des incidents critiques ? Les a-t-on conçus de façon à réduire au minimum les erreurs et à assurer la cohérence de l'évaluation ?
- Les processus d'évaluation (par exemple les entrevues) sont-ils efficaces ? S'est-on fixé des objectifs ? Les a-t-on établis conjointement ? Les supérieurs et les subordonnés acceptent-ils le processus d'évaluation ?
- Les supérieurs peuvent-ils se libérer de leurs tâches pour réaliser les évaluations ? Disposent-ils du matériel nécessaire ? Sont-ils récompensés d'une manière ou d'une autre pour leurs évaluations complètes et objectives ?
- Applique-t-on adéquatement les processus d'évaluation ? Existe-t-il des méthodes de vérification ?
- Existe-t-il des moyens de réviser l'ensemble du système et d'en apprécier le degré d'efficacité ? A-t-on déterminé les buts et les objectifs visés par le système ? Existe-t-il des méthodes de collecte de données pour mesurer l'atteinte de ces objectifs ?

15.4.3 | **L'évaluation d'un programme de développement des compétences**

L'évaluation d'un programme de développement des compétences est cruciale, puisqu'elle permet de vérifier si les objectifs ont été atteints[24].

LES CRITÈRES D'ÉVALUATION

Il faut, bien sûr, appuyer toute évaluation sur des données et des critères pertinents. Pour évaluer un programme de développement des compétences, les sources de données sont nombreuses : les changements dans la productivité, l'information recueillie au cours des entrevues, les résultats aux tests, les résultats de l'évaluation du rendement, l'information obtenue grâce à des sondages sur les attitudes, les sommes épargnées et le bénéfice net.

Les organisations ont recours à différentes méthodes d'évaluation. En évaluation de la formation, le modèle de mesure proposé par Kirkpatrick[25] est le plus connu : un programme de formation s'avère fructueux lorsque les apprenants apprécient le cours (niveau 1 : réactions), lorsqu'ils ont appris (niveau 2 : apprentissages), lorsque leurs comportements au travail sont modifiés (niveau 3 : comportements) et lorsque l'organisation devient plus efficace (niveau 4 : efficacité). Pour évaluer un programme de formation, il convient donc de recueillir l'information pertinente sur ces quatre niveaux (voir l'encadré 15.14).

ENCADRÉ ▶ 15.14

Les quatre niveaux du modèle de mesure de l'efficacité de Kirkpatrick

- **Niveau 1 : les réactions des participants**

  Que pensent les participants du contenu de la formation, de la compétence des formateurs, de la méthode utilisée, etc. ?

- **Niveau 2 : le niveau d'apprentissage**

  Jusqu'à quel point les participants ont-ils assimilé la matière ? Ont-ils acquis les connaissances et les habiletés visées par la formation ?

- **Niveau 3 : la modification des comportements**

  Les participants ont-ils modifié certains de leurs comportements au travail ? Ces changements sont-ils attribuables à la formation ? Les participants peuvent-ils accomplir des tâches qu'ils ne pouvaient pas faire avant la formation ?

- **Niveau 4 : les résultats**

  Y a-t-il une amélioration tangible de la productivité (au sens large) : assiduité, qualité, sommes épargnées, temps de réaction, etc. ?

Le choix des critères et des méthodes dépend du type d'évaluation[26]. Voyons quelques exemples.

- Pour évaluer la satisfaction des participants, un bref sondage sur les attitudes peut être suffisant. Cependant, on n'obtiendra aucune information sur l'apprentissage, la modification des comportements et les résultats. Par ailleurs, il ne faut pas oublier le contexte de la formation : si la période d'apprentissage a été stressante et difficile pour les participants, leurs réactions ne pourront être que négatives.

- Pour évaluer les connaissances acquises, les tests écrits constituent le plus souvent une méthode adéquate. Il existe d'autres techniques : l'épreuve du courrier, le jeu de rôles et l'analyse de cas. Bien qu'ils puissent confirmer l'apprentissage, ces exercices ne renseignent aucunement sur l'usage des nouvelles habiletés au travail.

- Pour évaluer les changements dans le comportement et dans le rendement au travail, il faut préférer à ces exercices les mesures de la productivité, les évaluations des superviseurs et les sondages sur les attitudes.

LES DEVIS D'ÉVALUATION

Le directeur des ressources humaines doit non seulement déterminer les critères d'évaluation, mais également choisir un devis d'évaluation approprié à la situation. Le devis d'évaluation est crucial, car il aide les professionnels des ressources humaines à déceler les améliorations, s'il y a lieu, et à déterminer si celles-ci découlent vraiment du programme de formation. Les meilleurs devis sont généralement ceux qui font intervenir un groupe témoin (des employés qui ne suivent pas la formation, mais qui feront l'objet d'une évaluation à des fins de comparaison). Examinons en détail l'encadré 15.15.

Devis d'évaluation de la formation

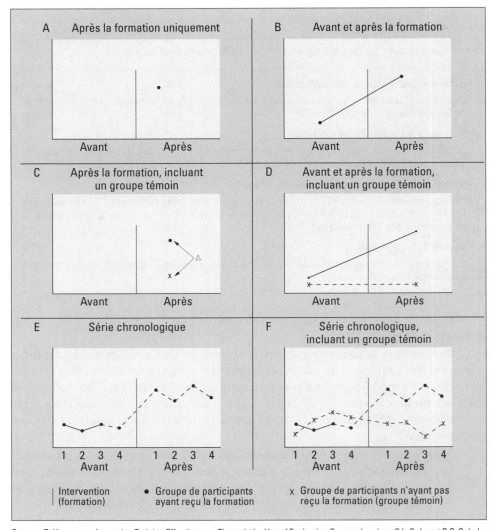

Source : R. Haccoun, « Improving Training Effectiveness Through the Use of Evaluation Research », dans S.L. Dolan et R.S. Schuler (sous la dir. de), *Canadian Readings in Personnel and Human Resource Management*, St. Paul (Minnesota), West Publishing, 1987, p. 294. Traduction et reproduction autorisées.

- La figure A illustre un devis d'évaluation couramment utilisé. Il s'agit du devis le moins adéquat pour juger de l'efficacité d'un programme de formation, puisqu'on ne sait rien des connaissances ou des habiletés des participants avant la formation.

- La figure B illustre un devis plus efficace que le précédent, puisqu'on obtient de l'information sur les connaissances, les habiletés et les aptitudes des employés avant et après la formation. On peut donc observer les changements éventuels, sans toutefois pouvoir les attribuer avec certitude à la formation.

- La figure C illustre un devis d'évaluation après formation, qui fait appel à un groupe témoin. Cette façon de procéder permet de comparer deux groupes similaires, mais il faut rester prudent lorsqu'on explique les changements survenus chez les employés qui ont reçu la formation.

- La figure D illustre un processus d'évaluation complet : on a évalué les participants avant et après la formation et on peut comparer leurs résultats à ceux d'un groupe témoin. La formation a été efficace, puisqu'il y a eu un changement important, ce qui n'est pas le cas chez le groupe témoin.
- La figure E illustre le devis d'une suite chronologique d'évaluations. La courbe donne des informations importantes sur l'évolution des compétences avant et après la formation.
- La figure F illustre le devis d'une suite chronologique d'évaluations effectuées aussi auprès d'un groupe témoin. Outre les avantages du devis précédent, celui-ci permet de faire des comparaisons avec des employés qui n'ont pas suivi la formation.

Chaque série fournit une séquence de mesures initiales relatives aux connaissances, aux habiletés et aux aptitudes des employés. On peut suivre les changements survenus après une certaine période de formation. La courbe ainsi formée donne des informations importantes sur l'évolution des compétences, avant et après la formation. Les devis efficaces sur le plan de la formation permettent de détecter les formations inutiles en faisant ressortir les situations où l'expérience de travail suffit pour améliorer les connaissances, les habiletés et les aptitudes des employés au fil du temps (courbe de maturité). À cet égard, les devis incluant des groupes témoins sont donc considérés comme plus fiables. De plus, grâce aux évaluations longitudinales, on peut estimer le taux de rétention des apprentissages. Pour ces raisons, et pour d'autres encore, de nombreux experts recommandent de prendre plusieurs mesures, puisqu'elles réduisent au minimum les effets de l'interaction entre les mesures et l'intervention.

15.4.4 | L'évaluation de la gestion des carrières

Le système de gestion des carrières repose sur la conciliation des aspirations individuelles et des besoins de l'organisation. L'évaluation du système de gestion des carrières passe donc par le choix de critères qui tiennent compte de cette complémentarité. En tentant de répondre à des questions clés sur le sujet (voir l'encadré 15.16), on peut départager les aspects sur lesquels l'organisation devrait se pencher. Bien entendu, aucune organisation ne peut offrir des possibilités illimitées d'acquisition des compétences et de croissance individuelle, mais la volonté manifeste d'élaborer des stratégies de carrière individualisées et de mettre en place des pratiques de gestion des carrières pour soutenir les employés dans leur cheminement de carrière ne peut que leur être bénéfique, tant à court terme qu'à long terme.

15.4.5 | L'évaluation des activités de rémunération

On peut dire qu'un système de rémunération est efficace lorsqu'il est bien géré, que les niveaux de salaire sont concurrentiels et que les employés considèrent qu'ils sont payés équitablement (voir l'encadré 15.17). En la matière, les pratiques doivent se conformer à la législation provinciale et fédérale sur les salaires et sur les heures de travail, et respecter l'équité salariale, l'équité interne et l'équité externe.

Les critères utilisés pour mesurer l'efficacité du système de gestion des carrières

Critères individuels	Critères organisationnels
• **Harmonie entre la carrière et l'individu.** Dans quelle mesure la carrière correspond-elle aux besoins, aux intérêts et aux valeurs de l'individu ?	• **Politiques liées à la gestion des carrières.** Quelles sont les politiques organisationnelles qui facilitent la planification et la conduite des carrières ? Sont-elles efficaces ? Évalue-t-on leur application à l'aide d'un processus de suivi ? Quelles sont les activités structurées du programme de planification des carrières (plan de relève, ateliers de travail, service de consultation, etc.) ?
• **Concordance de la carrière avec les exigences organisationnelles.** Dans quelle mesure la stratégie de carrière définie aide-t-elle l'individu à tirer parti de son potentiel dans l'organisation ?	• **Structures liées à la gestion des carrières.** Existe-t-il des structures organisationnelles pour évaluer et conseiller les employés ? Y a-t-il plus d'un système de promotion ? Si oui, ces structures sont-elles permanentes ?
• **Concordance de la carrière avec les exigences professionnelles.** Dans quelle mesure la stratégie de carrière aide-t-elle l'individu à tirer parti de son potentiel dans sa profession ?	• **Appui de la direction.** Les dirigeants de l'organisation soutiennent-ils les employés en leur offrant des possibilités de développement et d'avancement ? Si oui, quels sont les moyens mis en œuvre ?
• **Prise en compte des contraintes de l'environnement.** Dans quelle mesure la stratégie de carrière aide-t-elle l'individu à tirer parti des possibilités offertes, ainsi qu'à éviter les problèmes et les menaces potentielles de l'environnement ?	• **Système de rémunération.** Le système de rémunération de l'organisation s'adapte-t-il au cheminement de carrière des employés ? Encourage-t-on et récompense-t-on les employés qui acquièrent de nouvelles compétences ? Favorise-t-on certaines catégories d'emploi ?
• **Pertinence de la stratégie par rapport aux ressources disponibles.** Dans quelle mesure la stratégie de carrière est-elle adéquate, compte tenu du temps et du budget alloués ?	
• **Harmonie entre la carrière et l'entourage de l'individu.** Dans quelle mesure la stratégie de carrière permet-elle à l'individu de s'adapter aux préférences des personnes importantes de son entourage professionnel et familial ?	
• **Adéquation de la durée de la stratégie de carrière.** Dans quelle mesure la stratégie permet-elle à l'individu d'atteindre ses buts au rythme qu'il s'est fixé ?	
• **Efficacité de la stratégie de carrière.** Dans quelle mesure la stratégie permet-elle à l'individu d'atteindre ses objectifs de carrière ?	

Les objectifs du système de rémunération

- Attirer des candidats qualifiés.
- Motiver les employés.
- Garder les employés qualifiés.
- Gérer la rémunération dans le cadre juridique en vigueur.
- Faciliter l'atteinte des buts stratégiques de l'organisation.
- Contrôler les coûts de main-d'œuvre.

L'ÉVALUATION DE LA RÉMUNÉRATION DIRECTE

Il existe plusieurs moyens pour évaluer la rémunération globale d'une organisation :

- Comparer ses niveaux de salaire avec ceux des autres organisations
- Analyser la validité de la méthode d'évaluation des emplois
- Mesurer la perception que les employés ont de l'équité salariale, de l'équité interne, de l'équité externe, ainsi que de la concordance entre le salaire et le rendement
- Déterminer les niveaux de salaire pour un même emploi et pour les divers emplois

Indépendamment des conditions organisationnelles, on peut évaluer le régime de rémunération au rendement selon trois critères :

- La relation entre le rendement et la rémunération, c'est-à-dire le temps qui sépare le rendement et la paie
- Sa capacité de réduire les conséquences négatives d'un bon rendement, comme l'ostracisme social
- Sa capacité de véhiculer la perception que les récompenses non pécuniaires, comme la coopération et la reconnaissance, sont des facteurs de bon rendement

Ostracisme social
Attitude d'une personne ou d'une collectivité qui rejette ceux qui lui déplaisent ou ne lui conviennent pas.

Plus le régime de rémunération au rendement contribue à la perception que les récompenses sont liées au rendement tout en réduisant les effets pervers mentionnés plus haut, plus il est susceptible d'être motivant pour les employés.

L'ÉVALUATION DE LA RÉMUNÉRATION INDIRECTE

À cause de l'escalade des coûts, les employeurs sont contraints d'examiner de très près tous les aspects de la rémunération indirecte. Sur le plan organisationnel, il est plus facile d'obtenir un avantage concurrentiel par le contrôle très serré des coûts des avantages sociaux et la prise en compte des contraintes imposées par la concurrence. En ramenant les coûts de la rémunération indirecte au niveau de ceux des compétiteurs et en maintenant les niveaux de salaire, le bénéfice augmentera inévitablement. Dans le même ordre d'idées, l'organisation peut miser sur les régimes existants qui ont un effet positif sur la productivité, consolidant ainsi leur avantage concurrentiel sur le marché de l'emploi.

DANS LES FAITS

RBC Banque Royale a atteint sans contredit ses objectifs en instaurant un régime complet d'avantages sociaux. Il est reconnu que la rémunération indirecte attire les bons employés, motive leur productivité et réduit le roulement du personnel. Cette institution bancaire se veut proactive dans le choix des avantages offerts, ce qui reflète son intérêt pour le bien-être de son personnel.

Quoi qu'il en soit, l'organisation devrait s'interroger sur l'efficacité de ses régimes actuels. Quels sont les objectifs de la rémunération indirecte ? Quels résultats peut-on raisonnablement attendre de l'application d'un régime donné ? En quoi la rémunération indirecte peut-elle aider l'entreprise à devenir et à demeurer compétitive sur les nouveaux marchés internationaux ? Les réponses à ces questions devraient faciliter l'évaluation de la pertinence du système de rémunération indirecte. L'organisation qui décide de financer un régime d'avantages sociaux devrait s'assurer qu'il atteint les objectifs visés. Par exemple, un régime d'avantages sociaux flexible ou dont les avantages sont optionnels peut répondre aux besoins des jeunes employés comme des employés âgés, sans égard à l'étape de carrière.

L'employeur bénéficie des effets d'une telle rémunération indirecte : les travailleurs sont en bonne santé, ils considèrent que leur milieu de travail est motivant et l'entreprise jouit d'une bonne réputation dans la société. Par ailleurs, l'organisation devrait prêter attention aux attitudes des employés à l'égard des régimes offerts. Il faut savoir que les employés ont tendance à sous-évaluer les avantages dont ils profitent et à sous-estimer les coûts des régimes pour l'entreprise. La satisfaction des employés est d'autant plus grande que les régimes sont diversifiés ; par contre, l'insatisfaction croît avec l'augmentation de la participation individuelle. On reconnaît généralement que les employés qui sont depuis longtemps au service de la même entreprise sont satisfaits de leur rémunération indirecte. Voilà autant de raisons qui devraient pousser l'entreprise à bien informer ses nouveaux employés sur le contenu et la valeur réelle de ses régimes, soit en s'adressant directement à eux, soit en menant une campagne d'information.

15.4.6 | L'évaluation des relations du travail

Étant donné que les relations patronales-syndicales sont assujetties à un réseau de lois fédérales et provinciales, on mesure l'efficacité de la gestion des ressources humaines en matière de relations du travail en évaluant la capacité de l'entreprise à se conformer à la législation, tout en maintenant des relations de travail productives. Soulignons que l'entreprise qui possède des établissements dans plus d'une province doit tenir compte des différences entre les lois. Les responsables des ressources humaines ont le devoir de rester vigilants et de respecter les règlements et les lois.

On peut apprécier l'efficacité d'une entreprise par la façon dont le directeur des ressources humaines négocie et administre les conventions collectives. On peut mesurer l'efficacité du processus de négociation en évaluant le succès de la procédure de règlement des griefs ou en mesurant l'aptitude des parties à résoudre les sujets de mésentente en dehors du mécanisme prévu par la convention collective.

L'EFFICACITÉ DE LA NÉGOCIATION

Comme l'objectif premier d'une négociation est de parvenir à un accord, l'efficacité du processus devrait être liée à cette entente. Un processus de négociation sain et efficace encourage le dialogue entre les parties. De plus, les concessions accordées pour arriver à une entente sont une mesure du bon fonctionnement de ce processus. De part et d'autre, les indicateurs sont nombreux : grève, lock-out, durée des conflits, recours à la médiation, à la conciliation ou à l'arbitrage, qualité des relations patronales-syndicales, etc. Il est certain que la mise sur pied de programmes conjoints pour améliorer la productivité et la qualité de vie au travail est un critère de réussite des relations du travail.

L'EFFICACITÉ DE LA PROCÉDURE DE RÈGLEMENT DES GRIEFS

On peut évaluer de diverses façons l'efficacité d'une procédure de règlement des griefs. Ainsi, la direction peut considérer comme un critère d'efficacité le dépôt d'un petit nombre de griefs et le règlement en sa faveur de la majorité des griefs. Par contre, un syndicat peut considérer comme un critère d'efficacité le fait d'avoir déposé un grand nombre de griefs. En dépit de la divergence des points de vue, on constate que la mesure de l'efficacité de la procédure de règlement des griefs repose d'abord sur l'analyse des différends qui opposent la direction et les employés. On peut retenir les mesures suivantes : la fréquence des griefs, l'étape de la procédure à laquelle les griefs sont résolus, la fréquence des grèves ou des ralentissements de travail pendant qu'une convention collective est en vigueur, le taux d'absentéisme, le taux de roulement, le sabotage et l'intervention gouvernementale.

On apprécie le succès de l'arbitrage d'un grief à l'aide de divers critères : le degré d'acceptation de la décision par les parties, leur satisfaction quant à la décision rendue, le degré d'innovation dont l'arbitre fait preuve dans sa décision et le degré d'objectivité de cette dernière. Par ailleurs, l'efficacité de l'intervention d'une tierce partie dépend, dans une certaine mesure, de la capacité à éviter ou à mettre fin à une grève, puisque cette intervention se fait souvent dans un contexte de grève, imminente ou entamée.

15.4.7 | L'évaluation des activités en santé et sécurité du travail

Il existe diverses variables pour évaluer l'efficacité des mesures adoptées en santé et sécurité[27]. Il est crucial, cependant, de distinguer entre les stratégies visant à réduire le nombre d'accidents et les stratégies de prévention et de traitement des maladies professionnelles. Il est tout aussi important de faire la distinction entre le milieu physique et le milieu psychosocial. En effet, les variables de l'évaluation de l'efficacité ne sont pas les mêmes dans les deux cas. L'encadré 15.18 donne un aperçu des différents risques en santé et sécurité ; il expose également les conséquences pour les travailleurs, les conséquences pour l'organisation et des solutions. Seuls quelques exemples de variables caractéristiques sont donnés pour chacune des catégories. Les solutions proposées ne s'excluent pas nécessairement et les conséquences pourraient s'appliquer à tous les risques environnementaux.

Il existe de nombreuses variables pour mesurer l'efficacité des stratégies en matière de santé et sécurité du travail, notamment le taux d'absentéisme, le taux de roulement, le nombre, la nature et les montants des réclamations de frais médicaux, le taux d'indemnisation des accidents du travail, le coût total, le rendement et l'efficacité du personnel en général, le taux d'accident et la fréquence de certaines maladies. On peut mesurer l'efficacité relative d'un programme en en comparant le coût et les avantages. Par exemple, on estime généralement que le coût d'acquisition de sièges ergonomiques sera amplement compensé par les avantages qu'on en retirera. Puisque l'ergonomie de l'environnement de travail relève en majeure partie de l'employeur, la proactivité est certes la meilleure approche dans le domaine. Dans le même ordre d'idées, on peut comparer les coûts d'un programme de formation en prévention et d'une campagne publicitaire avec les résultats obtenus au cours d'une période donnée.

Les risques en matière de santé et de sécurité du travail

RISQUES DU MILIEU	CONSÉQUENCES SUR LA SANTÉ DES TRAVAILLEURS	CONSÉQUENCES SUR L'ORGANISATION	SOLUTIONS
Accidents	Perte d'un membre Blessure au dos Mort	Roulement Absentéisme Insatisfaction	Évaluation ergonomique Comité de sécurité Formation Surveillance et évaluation Équipement de protection
Maladies			
• D'origine chimique	Déficience auditive Troubles de la vue Affections cutanées	Frais médicaux	Dépistage génétique préventif Contrôle de l'exposition aux produits chimiques Programme d'aide
• D'origine biologique	Hépatite B Sida Maladies contagieuses	Frais d'indemnisation des travailleurs	Contrôle de l'exposition aux produits Programme d'aide
• D'origine physique	Maladies du cœur Ulcères Déficience auditive	Manque de participation	Évaluation ergonomique
• D'origine organisation-nelle	Maux de dos Épuisement professionnel Fatigue	Rendement déficient	Modification des politiques organisationnelles Amélioration des horaires de travail Évaluation ergonomique
• D'origine psychologique	Épuisement professionnel Suicide	Suicide	Programme d'information sur la gestion du stress Programme d'aide

RÉSUMÉ

Il est important d'évaluer la gestion des ressources humaines puisqu'elle contribue à la performance organisationnelle. Cette évaluation s'impose comme un préalable tant aux décisions de contrôle des coûts qu'aux décisions d'investissement.

On peut évaluer la performance organisationnelle à l'aide de critères internes et externes, différents des critères utilisés pour mesurer l'efficacité de la gestion des ressources humaines. Selon Le Louarn et Wils, les ressources humaines apportent à l'organisation une valeur ajoutée de manière naturelle ou de manière indirecte.

Le processus d'évaluation de la gestion des ressources humaines varie selon l'objet et l'envergure de l'évaluation. Il comporte cinq étapes : la détermination des critères d'évaluation ; la détermination de l'objet de l'évaluation ; le choix de la méthode et des évaluateurs ; la conduite de l'évaluation ; l'analyse des résultats, l'établissement de mesures correctives et l'analyse de la pertinence des indicateurs. Le choix de l'évaluateur dépend du type et de l'ampleur de l'évaluation à effectuer ; on peut recourir à un évaluateur interne ou externe. Au Québec, les ordres professionnels, comme l'Ordre des conseillers en ressources humaines et en relations industrielles agréés du Québec (ORHRI), doivent avoir un comité d'inspection professionnelle.

On regroupe les méthodes d'évaluation de la gestion des ressources humaines selon deux approches : l'approche qualitative et l'approche quantitative. Le tableau de bord constitue une démarche systématique qu'on doit examiner à part. Les méthodes qualitatives (par exemple la vérification, l'analyse du travail et la budgétisation) sont basées sur les opinions et les jugements d'un petit nombre de personnes appartenant à l'organisation. Les méthodes quantitatives (par exemple les indices de ressources humaines, l'analyse coûts-bénéfices, l'analyse de l'utilité et la comptabilisation des ressources humaines) mesurent l'efficacité chiffres à l'appui. Les données recueillies selon l'approche client enrichissent l'évaluation tant quantitative que qualitative. Le tableau de bord combine l'approche quantitative et l'approche qualitative, puisqu'il permet de vérifier la qualité des activités de gestion des ressources humaines implantées dans le but de soutenir la stratégie de l'organisation. À l'aide de 15 à 25 mesures financière et non financières, il permet d'analyser la performance selon quatre dimensions : la perspective financière ; la perspective opérationnelle (ou perspective des processus internes) ; la perspective des clients ; et la capacité stratégique.

L'évaluation des activités, des programmes ou des pratiques de gestion des ressources humaines peut mener à leur maintien, à leur amélioration, ou encore à leur remplacement. Les principales activités visées par l'évaluation touchent le recrutement et la sélection, l'évaluation du rendement, le développement des compétences, la gestion des carrières, la rémunération, les relations du travail, ainsi que la santé et la sécurité du travail.

Questions de révision et d'analyse

1. Décrivez la contribution de la gestion des ressources humaines à la performance organisationnelle.

2. Quels sont les objectifs de l'évaluation des activités de gestion des ressources humaines ? Expliquez-en l'importance.

3. Comparez l'évaluation interne et l'évaluation externe de manière à en faire ressortir les avantages et les inconvénients respectifs.

4. Énumérez les principaux éléments utilisés pour faire la vérification (ou l'audit) de la gestion des ressources humaines. Quelles sont les forces et les faiblesses de cette approche ?

5. Décrivez une des méthodes d'évaluation quantitative de la gestion des ressources humaines.

6. Pourquoi l'approche client jouit-elle d'une popularité croissante auprès des organisations ?

7. Expliquez pourquoi et comment on devrait évaluer une activité de la gestion des ressources humaines choisie par vous.

ÉTUDE DE CAS

LE PROCESSUS DE SÉLECTION DES AGENTS DE SÉCURITÉ

Chaque année, Sécuritat, qui fournit des services d'agents de sécurité et qui effectue des enquêtes pour le compte des entreprises et des particuliers, doit évaluer plus de 30 000 candidats afin de répondre à ses propres besoins et à ceux de ses clients. Le processus de sélection le plus rigoureux est celui qu'on emploie pour sélectionner les 75 agents qui doivent assurer la sécurité au Gala des stars. Étant donné le nombre important de vedettes américaines et européennes qui s'y présentent, l'entreprise accorde une grande importance à cet événement annuel ; elle recrute alors les meilleurs agents pour effectuer un travail qui requiert une grande vigilance, mais aussi beaucoup de discrétion.

Le processus de sélection qui a été adopté consiste en une approche à cinq étapes.

1. À la première étape du processus, on rencontre les candidats pour mieux les connaître. Au cours de cette entrevue, on les invite à préciser leur niveau de scolarité, à parler de leur expérience de travail et de leur capacité à assurer la sécurité dans un gala.

2. À la deuxième étape, les candidats doivent passer un test d'honnêteté ; il s'agit d'un test écrit, d'une durée d'à peu près 30 minutes, qui mesure la disposition des candidats à faire preuve d'honnêteté et à respecter les consignes. Environ 40 % des candidats échouent à ce test.

3. La troisième étape consiste en une entrevue structurée, effectuée sur ordinateur ; elle dure 10 minutes. Les candidats fournissent des informations plus détaillées sur des aspects qui seront traités ultérieurement au cours de l'entrevue qu'ils auront individuellement avec les représentants de l'agence.

4. La quatrième étape est une entrevue traditionnelle pendant laquelle l'interviewer met l'accent sur des aspects personnels ou techniques particuliers à chacun des candidats.

5. La cinquième étape est celle où on effectue la vérification des références fournies par les candidats.

Si la personne est sélectionnée, elle fera partie de l'équipe des agents qui veillera à la sécurité des personnes invitées au Gala des stars. Tout échec lors de l'une ou l'autre des étapes comprises dans le processus de sélection entraîne la disqualification du candidat.

QUESTIONS

1. Que pensez-vous du processus de sélection de Sécuritat ?

2. Comment évalueriez-vous son efficacité ?

NOTES ET RÉFÉRENCES

1. E.M. Morin, A. Savoie et G. Beaudin, *L'efficacité de l'organisation : théories, représentations et mesures,* Montréal, Gaëtan Morin, 1994. J.-Y. Le Louarn et T. Wils. *L'évaluation de la gestion des ressources humaines : du contrôle des coûts au retour sur l'investissement humain,* Paris, Liaisons, 2001. A. Gosselin et S. St-Onge, « Gestion et évaluation de la performance : un enjeu stratégique », *Gestion,* vol. 19, n° 3, 1994, p. 14-16.

2. J. Fitz-enz, *How to Measure Human Resources Management,* New York, McGraw-Hill, 1995.

3. J.-Y. Le Louarn et T. Wils, *op. cit.*

4. D. Ulrich, « Measuring Human Resources : An Overview of Practice and a Prescription for Results », *Human Resources Management,* 1997, vol. 36, n° 3, p. 303-320. J. Fitz-enz, *How to Measure Human Resources Management,* 2e éd., New York, McGraw-Hill, 1995. D. Ulrich (sous la dir. de), *Delivering Results : A New Mandate for Human Resource Professionals,* Boston, HBS Press, 1998. Deborah Dwyer, « Un audit des ressources humaines… ça vaut la peine », *Effectif,* vol. 5, n° 3, juin-juillet-août 2002.

5. J.J. Phillips, *Handbook of Training Evaluation and Measurement Methods,* 3e éd., Woburn, Butterworth-Heinemann, 1997. D. Roy, « Pour une évaluation renouvelée de la performance de l'entreprise », *Gestion,* vol. 21, n° 1, 1996.

6. Adapté de S. Gagné, « Les 50 sociétés les mieux gérées », *Les Affaires,* dossier spécial, 10 février 2007, p. 40.

7. Ordre des conseillers en ressources humaines et en relations industrielles du Québec, *De premier ordre,* vol. 6, n° 3, www.orhri.org/services/inspection/pdf/DPO_Vol6No3.pdf.

8. « Défi Meilleurs Employeurs 2006 : les employeurs qu'on aime », *Affaires Plus,* vol. 29, n° 10, octobre 2006, p. 45.

9. R. Soparnot, « L'évaluation des modèles de gestion du changement organisationnel : de la capacité de gestion du changement à la gestion des capacités de changement », *Gestion* , vol. 29, n° 4, 2005, p. 31-42.

10. J.E. Hunter, F.L. Schmidt, R.C. McKenzie et T.W. Muldraw, « Impact of Valid Selection Procedures on Work Force Productivity », *Journal of Applied Psychology*, vol. 64, n° 1, 1979, p. 107-118. J. Fitz-enz, *op. cit.*

11. A. Belout et S.L. Dolan, « L'évaluation des directions des ressources humaines dans le secteur public québécois », *Relations industrielles,* vol. 51, n° 4, 1996, p. 726-755.

12. P. Cappelli et D. Neumark, « Do "High-Performance" Work Practices Improve Establishment-Level Outcomes ? », *Industrial and Labor Relations Review*, vol. 54, n° 4, 2001, p. 737-775.

13. C.-A. Ramsay, « Lean, Six Sigma et HPT, pas le même combat : tour d'horizon des trois principaux programmes d'amélioration de la productivité », *Les Affaires,* cahier spécial, 14 octobre 2006, p. B11.

14. Cette section s'inspire largement de L. Hansell et T. Saba, « Les tableaux de bord », *Effectif,* vol. 5, n° 3, juin -juillet-août 2002.

15. B.E. Becker, M.A Huselid et D. Ulrich, *The HR Scorecard : Linking People, Strategy, and Performance,* Boston, HBS Press, 2000.

16. R.S. Kaplan et D. Norton, *The Balanced Scorecard : Translating Strategy into Action,* Harvard Business School Press, Boston, 1996.

17. Procurement Executive's Association, *Guide to a Balanced Scorecard Performance Management Strategy*, United States Government, 1999.

18. J.O. Creelman, *Building and Implementing a Balanced Scorecard : International Best Practice in Strategy Implementation,* Business Intelligence, 1998, p. 207-254.

19. Pour approfondir le sujet, voir J. Fitz-enz, *op. cit.,* et J.-Y. Le Louarn et T. Wils, *op. cit.*

20. A. Bédard et D. Berthelette, « L'évaluation d'interventions : un défi à relever », *Effectif,* vol. 5, n° 3, juin-juillet-août 2002.

21. J.-Y. Le Louarn et T. Wils, *op, cit.,* p. 177-180.

22. P. Joron, « Pour démontrer sa contribution à la performance organisationnelle… », *Effectif,* vol. 5, n° 3, juin-juillet-août 2002, p. 21-25.

23. T.A. Judge et G.R. Ferris, « Social Context of Performance Evaluation Decisions », *Academy of Management Journal,* vol. 36, 1993, p. 80-105. S. Brutus et N. Brassard, « Un bilan de l'évaluation multisource », *Gestion* , vol. 30, n° 1, 2005, p. 24-30.

24. R.R. Haccoun, C. Jeanrie et A.M. Saks, « Concepts et pratiques contemporaines en évaluation de la formation : vers un modèle de diagnostic des impacts », *Gestion,* vol. 22, n° 3, 1997, p. 108-112. C. Benabou, « L'évaluation de l'effet de la formation sur la performance de l'entreprise : l'approche coûts-bénéfices », *Gestion* , vol. 22, n° 3, 1997, p. 101-106.

25. D.L. Kirkpatrick, *Evaluating Training Programs : The Four Levels,* 2e éd., San Francisco, Berrett-Koehler, 1998.

26. G. Le Boterf, « Construire la compétence collective de l'entreprise », *Gestion,* vol. 22, n° 3, automne 1997, p. 82-85. M. Dessureault et J.-F. Roussel, « Le retour sur investissement en formation : le calculer, c'est payant ! », *Effectif,* vol. 5, n° 3, juin-juillet-août 2002.

27. G. Lévesque et D. Berthelette, « Les effets du programme québécois de santé sur les mesures d'élimination des sources de danger », *Travail et santé,* 1998, vol. 14, n° 1, S6-S10.

LES SYSTÈMES D'INFORMATION
ET LA CYBERGESTION
DES RESSOURCES HUMAINES

Les nouvelles technologies de l'information et de la communication (TIC) jouent un rôle de plus en plus important en gestion des ressources humaines. On peut dire que cette tendance s'est dessinée vers la fin du 20ᵉ siècle avec l'avènement des systèmes informatiques d'échange d'information, notamment le courrier électronique et les boîtes vocales, suivis par un large éventail de solutions informatiques utiles en gestion des ressources humaines.

De nos jours, les organisations ont un vaste choix d'outils à leur disposition : entre autres, les systèmes d'information sur les ressources humaines (SIRH), les applications spécialisées et les systèmes intégrés de gestion des ressources humaines (SIGRH), qu'on appelle aussi couramment *systèmes informatisés de gestion des ressources humaines,* et qui assurent l'arrimage entre la fonction ressources humaines et les autres fonctions organisationnelles. Au départ, les SIRH servaient surtout de source d'information pour les preneurs de décisions. Cependant, grâce aux spectaculaires progrès technologiques, en particulier le développement du Web à la fin des années 1990, la fonction ressources humaines a pu se doter de moyens et de systèmes fort utiles autant aux employés qu'aux gestionnaires. Cette cybergestion des ressources humaines poursuit ainsi un double objectif : d'abord, faciliter l'accès aux données et aux ressources, ce qui permet aux gestionnaires et aux professionnels de la gestion des ressources humaines une prise de décision plus rapide et plus efficace ainsi qu'une meilleure application des pratiques de gestion des ressources humaines ; ensuite, procurer aux employés un accès personnalisé à de nombreuses applications offertes par le service des ressources humaines. Les exemples concrets sont nombreux et diversifiés : poser sa candidature à un poste vacant, suivre une formation, acheter des actions de l'entreprise selon les programmes offerts, se renseigner sur les services couverts par le régime de soins dentaires, demander un remboursement de frais médicaux, planifier sa carrière au sein de l'organisation, etc.

Système d'information en gestion des ressources humaines (SIRH)

Système constitué de procédés permettant d'acquérir, de stocker, de traiter et de diffuser les éléments d'information pertinents aux ressources humaines dans le cadre du fonctionnement d'une organisation.

Système intégré de gestion des ressources humaines (SIGRH)

Système informatisé, propre à une organisation, qui regroupe des informations en provenance de ses différentes entités, notamment des ressources humaines.

16.1

LES TECHNOLOGIES DE L'INFORMATION ET DE LA COMMUNICATION EN GESTION DES RESSOURCES HUMAINES

Dans cette section, nous passons en revue les divers systèmes informatiques utilisables en gestion des ressources humaines et leur utilité. Nous terminons par un tour d'horizon des domaines d'application.

16.1.1 | Les possibilités d'utilisation des TIC en GRH

L'utilisation des TIC en gestion des ressources humaines est multiple. Elle offre aux professionnels du domaine d'intéressantes possibilités d'application dans la mise en œuvre des diverses activités de gestion des ressources humaines.

D'abord conçu pour l'analyse de l'information relative aux ressources humaines, un SIRH améliore la planification et, de ce fait, consolide la prise de décision grâce aux nombreuses données pertinentes qu'il fournit. Il faut savoir que son but ultime est de soutenir le service des ressources humaines dans l'atteinte des objectifs organisationnels à court et à long terme. Cependant, les organisations n'exploitent pas nécessairement toutes les capacités de leur système. Ainsi, certaines s'en servent essentiellement pour constituer une base de données sur leurs employés, alors que d'autres cherchent plutôt à en maximiser l'utilisation en effectuant des prévisions et en faisant profiter les gestionnaires et les autres preneurs de décisions de cette information.

Un progiciel de gestion intégré ou PGI (en anglais, *Enterprise Resource Planning* ou *ERP*) est, selon le *Grand dictionnaire terminologique,* un « logiciel qui permet de gérer l'ensemble des processus d'une entreprise, en intégrant l'ensemble des fonctions de cette dernière dont la gestion des ressources humaines, la gestion comptable et financière, l'aide à la décision, mais aussi la vente, la distribution, l'approvisionnement, le commerce électronique ».

Le principe fondateur d'un PGI est de construire des applications informatiques (paie, comptabilité, gestion des stocks, etc.) de manière modulaire (modules indépendants) tout en partageant une base de données unique et commune. Cela crée une différence importante avec la situation préexistante (les applications sur mesure existant avant les PGI), car les données sont désormais supposées standardisées et partagées, ce qui élimine les saisies multiples et évite (en théorie) l'ambiguïté des données multiples de même nature. L'autre principe qui caractérise un PGI est l'usage systématique de ce qu'on appelle un *moteur de déroulement des opérations* (qui n'est pas toujours visible par l'utilisateur) et qui permet, lorsqu'une donnée est entrée dans le système d'information, de la propager dans tous les modules en fonction d'une préprogrammation[1].

Par ailleurs, l'organisation peut préférer un système unique de gestion de l'information dans l'entreprise, dont fera partie le SIRH. Il peut alors s'agir d'un progiciel de gestion intégré (PGI ou ERP[2]). Qu'il s'agisse d'un ERP ou d'un SIGRH, les applications sont plus sophistiquées et aident les professionnels de la gestion des ressources humaines à prendre des décisions. Il est fréquent que la mise en place d'un système intégré d'information en gestion des ressources humaines soit précédée d'une réingénierie de la fonction ressources humaines. L'encadré 16.1 fait ressortir les différences entre un SIRH et un SIGRH.

De nos jours, les technologies du Web offrent de multiples applications de cybergestion aux professionnels de la gestion des ressources humaines[3]. Cyberservices, services électroniques, services en ligne, services en direct : les synonymes sont nombreux et les possibilités, diversifiées. La cybergestion des ressources humaines (ou e-GRH) englobe toutes les possibilités d'application des technologies du Web dans les diverses activités, notamment la cyberdotation, la cyberformation, la cybergestion de carrière, la cyberrémunération, etc. On se sert couramment de l'expression pour parler des applications intégrant les technologies de l'information et de la communication dans la gestion des ressources humaines d'une entreprise. Contrairement aux SIRH, les technologies et les processus de cybergestion sont particulièrement orientés vers les individus afin de leur permettre de réaliser eux-mêmes des tâches auparavant dévolues aux professionnels de la gestion des ressources humaines. La cyberformation ou le cyberapprentissage, par lequel le travailleur peut suivre une session de formation de façon autonome, ou le recrutement électronique, par lequel un individu remplit son dossier de recrutement à distance (informations personnelles et tests préliminaires), constituent des exemples d'application de cybergestion (voir la section 16.4).

Les PME du Québec ont fort à faire pour prendre le virage électronique

Plus de la moitié des PME (52,4 %) n'ont pas de ressource interne dédiée à la gestion informatique et 39 % n'ont jamais eu recours à une aide extérieure (fournisseur de services ou aide gouvernementale).

Les entreprises qui font des affaires électroniques en ayant recours à des organismes publics ou à des entreprises privées le font dans les activités suivantes selon le pourcentage indiqué.

Marketing	42,7 %
Recherche et développement	31,1 %
Ventes	29,1 %
Gestion des opérations	28,2 %
Gestion du savoir	26,2 %
Études de marché	24,3 %
Gestion financière	22,3 %
Gestion des ressources humaines	**20,4 %**
Gestion de la clientèle	19,4 %
Achats	18,5 %
Service après-vente	16,5 %
Logistique	8,7 %[4]

Les différences entre un système d'information sur les ressources humaines et un système intégré de gestion des ressources humaines

Système d'information sur les ressources humaines (SIRH)	Système intégré de gestion des ressources humaines (SIGRH)
Il comporte généralement quatre composantes. 1. Une base de données sur le personnel : l'identification des employés, leur code d'emploi et leur niveau de salaire. 2. Une fonction d'entrée et de mise à jour des données. 3. Une fonction de production de rapports basés sur le choix des données et ayant une forme facilement utilisable. 4. Un système administratif de maintien et de sécurité des données qui respecte les exigences légales en matière d'accès à l'information et aux renseignements confidentiels de nature organisationnelle ou individuelle.	C'est un système qui intègre des systèmes experts facilitant la prise de décision. Il comporte deux composantes. 1. Une base de données commune qui contient de l'information tant sur les ressources humaines que sur les variables organisationnelles. Idéalement, un même langage et l'intégration de tous les services permettent son exploitation par toutes les fonctions de gestion des ressources humaines. 2. Une connaissance des algorithmes à la base de la prise de décision en gestion des ressources humaines. Exemples : choix du processus de sélection ou détermination des méthodes les plus efficaces pour améliorer la productivité d'un employé. **Caractéristiques** • Des analyses automatisées et des méthodes d'évaluation : des questionnaires permettent de recueillir des données sur les personnes, les postes et l'organisation. • Un système d'aide à la prise de décision en ce qui a trait aux activités de gestion des ressources humaines. Exemple : classer des candidats en fonction du rendement attendu. • L'intégration des applications : chaque fonction peut utiliser les données générées par une application. • La convivialité : le système est facilement utilisable par les professionnels des ressources humaines, les gestionnaires et les employés ; il est généralement décentralisé et accessible à partir d'un poste de travail grâce à un réseau ; la clarté des graphiques et des menus en facilite l'utilisation. • L'accès aux données des systèmes d'information sur les ressources humaines.

Source : L.M. Spencer Jr. *Reengineering Human Resources*, New York, John Wiley & Sons, 1995.

16.1.2 | L'utilité des TIC en GRH

Les nouvelles technologies de l'information et de la communication (TIC) ont entraîné de nombreux changements organisationnels, permettant ainsi de réduire les coûts et d'améliorer les services. En gestion des ressources humaines, on n'a évidemment pas échappé à ce nouvel impératif. C'est ainsi qu'on s'est défait de certaines tâches administratives pour se concentrer davantage sur les activités à plus grande valeur ajoutée, notamment les activités d'importance stratégique[5]. L'introduction des TIC se fait dans l'espoir de déléguer les opérations de nature transactionnelle aux employés et aux cadres, qui pourront s'en acquitter directement, libérant ainsi les professionnels des ressources humaines des tâches routinières et administratives[6]. La progression d'Internet n'a fait qu'accélérer et généraliser ce phénomène. Ainsi, grâce aux connexions Internet sur les lieux de travail, les employés peuvent facilement échanger des informations, c'est-à-dire en fournir et s'en procurer. En fait, la fonction ressources humaines subit une importante transformation dans les services rendus à ses clients internes et externes (voir l'encadré 16.2).

**Les répercussions des nouvelles technologies sur les services rendus
par le service des ressources humaines**

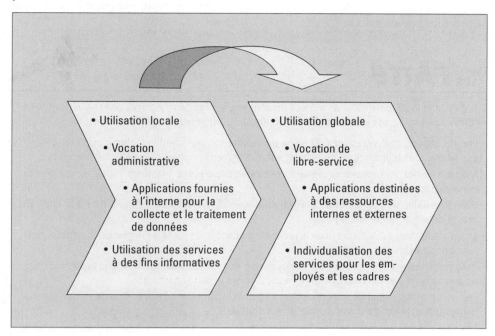

Les applications des TIC en gestion des ressources humaines permettent essentiellement :

- de maximiser l'efficacité administrative du service en automatisant des processus manuels répétitifs, comme la saisie et le traitement des données sur la paie ou le suivi du temps de travail ;
- d'archiver et de retrouver de façon rapide les informations individuelles sur les employés ;
- de diffuser et de mettre à jour en temps réel les informations destinées aux employés ;
- de déléguer certaines tâches administratives du service aux employés eux-mêmes ;
- d'observer en temps réel la variation des indicateurs clés en matière de gestion, tels que le taux de roulement, le taux d'absentéisme, le temps de travail, la masse salariale ;
- d'anticiper l'impact de décisions stratégiques, comme celles qui sont liées à la rémunération, à l'aide d'un système de simulation ou de prévoir l'évolution de l'effectif en fonction de la pyramide des âges ou du taux d'attrition ;
- de permettre aux professionnels de la gestion des ressources humaines de se consacrer davantage aux activités à plus grande valeur ajoutée pour l'organisation, telles que la participation à la gestion stratégique, la facilitation des changements organisationnels, la consultation des gestionnaires, l'assainissement des systèmes de gestion ;

- d'intégrer les processus de ressources humaines dans le système d'information de l'organisation ;
- de responsabiliser les employés et de promouvoir l'utilisation des moyens de communication internes visant l'amélioration des relations entre les employés et les gestionnaires.

DANS LES **FAITS**

Entre le 20 et le 30 mars 2006, on a mené un sondage auprès des membres de l'Ordre des CRHA et CRIA du Québec. Les réponses des 577 répondants ont permis d'établir les constats suivants.

- Encore beaucoup d'entreprises (32 %) ne possèdent aucune solution technologique de gestion des ressources humaines, et ce constat est plus marqué pour les plus petites entreprises.
- Même dans les entreprises possédant une solution, plusieurs fonctions sont toujours gérées manuellement.
- Divers modèles de gestion et de gouvernance semblent exister en ce qui a trait à la mise en œuvre de solutions technologiques.
- La sensibilisation à l'importance de la technologie dans le domaine de la gestion des ressources humaines semble bien établie.
- Près de la moitié des répondants ont l'intention d'acquérir une ou des solutions technologiques de gestion des ressources humaines, et ce, dans un avenir rapproché.
- Les considérations budgétaires constituent l'obstacle principal à l'acquisition de solutions technologiques et le critère d'acquisition le plus considéré.
- Les applications mises au point à l'interne dominent dans plusieurs fonctions. Lorsque la taille d'entreprise est prise en compte, le pourcentage des applications conçues à l'interne diminue grandement, tandis que le pourcentage d'utilisation des systèmes de gestion des ressources humaines (SGRH) complets augmente.
- Bien que plusieurs transactions soient effectuées en libre-service et les centres de services partagés, l'implication du professionnel des ressources humaines demeure importante sur le plan des transactions et des fonctions à faible valeur ajoutée.
- Aucun motif particulier ne semble se dégager dans l'acquisition de solutions technologiques. Il apparaît cependant que les motifs économiquement plus « tangibles » se situent en bas de la liste.
- Les répondants sont en majorité « assez satisfaits » ou « satisfaits » de leur solution TIRH (technologie informatisée de ressources humaines)[7].

16.1.3 | Les domaines d'application des TIC en GRH

L'encadré 16.3 présente les différentes facettes de l'utilisation des technologies de l'information et de la communication en gestion des ressources humaines. Soulignons que les sources de données des applications peuvent être internes ou externes. Les applications, comme les portails individualisés, le libre-service et la gestion du savoir, prennent de plus en plus d'importance par le fait qu'elles s'adressent à la fois aux gestionnaires des ressources humaines, aux cadres et aux employés. Il est évident que les nouvelles technologies continueront de contribuer à la mise en œuvre des activités de gestion des ressources humaines qui utilisent déjà Internet comme moyen de communication et de gestion de l'information.

L'utilisation des technologies de l'information et de la communication en gestion des ressources humaines

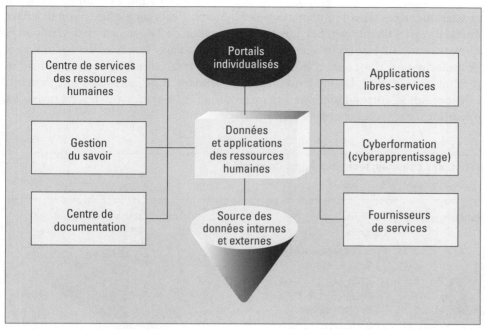

Source : adapté de A.J. Walter, (sous la dir. de), *Web-Based Human Resources*, New York, McGraw-Hill, 2001, p. XVI.

 **16.2**

L'IMPLANTATION DES TECHNOLOGIES DE L'INFORMATION ET DE LA COMMUNICATION

Certes, les TIC peuvent améliorer l'efficacité de la gestion des ressources humaines et en réduire les coûts, qu'il s'agisse de dotation, de formation, de gestion des carrières, d'évaluation du rendement, etc. Or, leur implantation comporte certaines difficultés. Nous présentons d'abord ces défis à relever pour ensuite examiner les facteurs de succès d'une telle implantation[8].

16.2.1 | Les défis à relever

De façon évidente, l'informatique est déjà un outil de travail pour la majorité des professionnels de la gestion des ressources humaines. Il est tout aussi clair que la rapidité d'accès à l'information utile constitue un atout stratégique dans l'orientation des actions organisationnelles. Or, l'implantation des TIC en gestion des ressources humaines passe par la détermination, d'une part, de cette information utile et, d'autre part, des applications nécessaires pour répondre aux priorités organisationnelles.

Les professionnels de la gestion des ressources humaines ont donc deux défis importants à relever : prendre conscience du fait que la gestion de l'information constitue un atout fondamental ; s'engager dans le processus de conception et d'implantation des systèmes d'information. Le travail en équipe est un déterminant crucial du succès dans l'implantation des systèmes technologiques[9], en particulier quand il s'agit d'un intranet. Les projets d'implantation de TIC en gestion des ressources humaines doivent être réalisés en étroite collaboration avec le service des technologies de l'information. C'est cette collaboration qui permet de créer un projet, de choisir un produit et de le gérer dès son lancement[10]. Cependant, il est essentiel d'intégrer dans le processus d'autres fonctions organisationnelles, notamment les finances, les opérations, etc. (voir l'encadré 16.4).

ENCADRÉ ▶ **16.4**

La responsabilité de l'implantation des solutions technologiques de gestion des ressources humaines

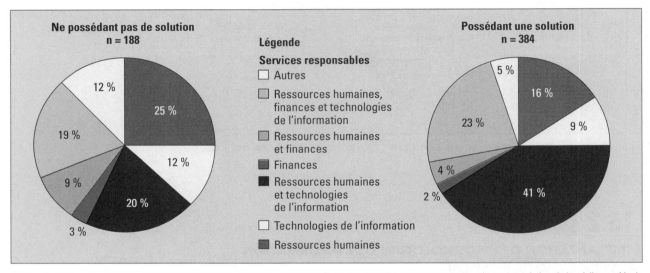

Source : D. Sheehy, « Technologie et ressources humaines – sondage », mars 2006, Ordre des conseillers en ressources humaines et en relations industrielles agréés du Québec, www.orhri.org/guide/ficheAuteur.aspx?p=271930.

La conception et l'implantation d'un système d'information sur les ressources humaines (SIRH) sont souvent longues et laborieuses. Le grand nombre de données à traiter exige du service de gestion des ressources humaines une grande disponibilité ainsi qu'une excellente capacité d'organisation et d'anticipation tout au long de l'intégration des systèmes existants, particulièrement au cours de la saisie de données. Ainsi, on doit fréquemment importer les données de systèmes ou de bases de données déjà en place. Soulignons toutefois que les applications Internet sont souvent plus rapides à implanter, moins coûteuses, plus flexibles et, en général, étonnamment efficaces.

16.2.2 | Les facteurs de succès

Examinons brièvement les principaux facteurs de succès dans l'implantation d'un SIRH.

D'abord, la situation financière de l'entreprise détermine évidemment le choix du système et les conditions de sa mise en place. Ainsi, un budget serré poussera l'entreprise à accorder une grande importance à l'atteinte des résultats plutôt qu'à la manière de procéder pour en arriver à une bonne compréhension du système (soutien, formation, information, participation des employés, etc.).

Par ailleurs, la structure organisationnelle joue un rôle important dans l'implantation d'un SIRH. En effet, certains phénomènes peuvent en compromettre le succès, comme une restructuration, des changements de grande envergure dans l'organisation du travail ou la réduction de l'effectif. Il faut donc s'assurer d'établir certaines conditions favorables, notamment un climat propice à l'implantation.

Il faut aussi considérer certains aspects de la culture organisationnelle. Par exemple, la gestion participative et la gestion décentralisée favorisent le succès de l'implantation d'un SIRH. C'est pourquoi il est bon de permettre aux employés et aux cadres d'exercer un certain contrôle sur les divers modules qui seront utilisés dans le cadre de la gestion des activités de gestion des ressources humaines.

Enfin, il ne faut pas négliger le processus de mise en place du SIRH. Par exemple, la désignation d'une personne-ressource ou d'un porte-parole qui a déjà la confiance des gestionnaires et des employés favorisera, bien sûr, le succès du projet. Une telle personne pourra alors plus facilement, à l'aide des commentaires et des suggestions de l'ensemble des employés, donner des explications complémentaires ou apporter les modifications nécessaires. Dans le même ordre d'idées, il faut décharger le chef de projet de ses tâches habituelles pour le rendre suffisamment accessible et disponible[11].

DANS LES FAITS

Les 10 règles à suivre pour améliorer l'efficacité d'un intranet

Plus d'une décennie après leur arrivée en Amérique du Nord, les intranets uniquement accessibles aux employés n'ont toujours pas rempli leurs promesses. En fait, la plupart ne sont toujours pas exploités à leur plein potentiel. Pourtant, l'intranet est l'un des outils les plus avancés en entreprise pour diffuser l'information et mettre à la disposition des employés toutes sortes de documents, comme les règlements d'entreprise, les offres d'emploi à l'interne, le répertoire du personnel, etc.

Voici donc 10 règles à suivre pour améliorer l'efficacité d'un intranet.

1. Présentez un contenu dynamique.
2. Dotez-vous d'un bon outil de gestion de contenu.
3. N'essayez pas de contrôler toute l'information.
4. Limitez l'utilisation des anciennes méthodes de diffusion de l'information.
5. Faites en sorte que la direction soit convaincue de l'utilité du projet et très engagée envers l'intranet.
6. Nommez des responsables de l'intranet.
7. Faites constamment la promotion de l'intranet auprès des utilisateurs.
8. Sondez les intranautes annuellement.
9. Intégrez dans l'intranet de vrais services à valeur ajoutée.
10. Ne multipliez pas les intranets[12].

16.3

LES APPLICATIONS DES TECHNOLOGIES DE L'INFORMATION ET DE LA COMMUNICATION

Passons en revue les applications des TIC selon les diverses activités de la gestion des ressources humaines.

16.3.1 | La gestion prévisionnelle des ressources humaines

Parmi les nombreuses applications des TIC en gestion prévisionnelle des ressources humaines, deux sont particulièrement importantes : les prévisions de main-d'œuvre et la planification de la relève (voir l'encadré 16.5). Ces applications peuvent soit faire partie d'un SIRH ou d'un SIGRH, soit constituer des activités autonomes.

CONSULTEZ INTERNET

www.gchrms.gc.ca

Site du groupe de concertation SGRH du gouvernement du Canada, dont le mandat consiste à élaborer et à tenir à jour le système de ressources humaines utilisé dans la fonction publique.

La planification de la relève à l'aide d'un système d'information sur les ressources humaines

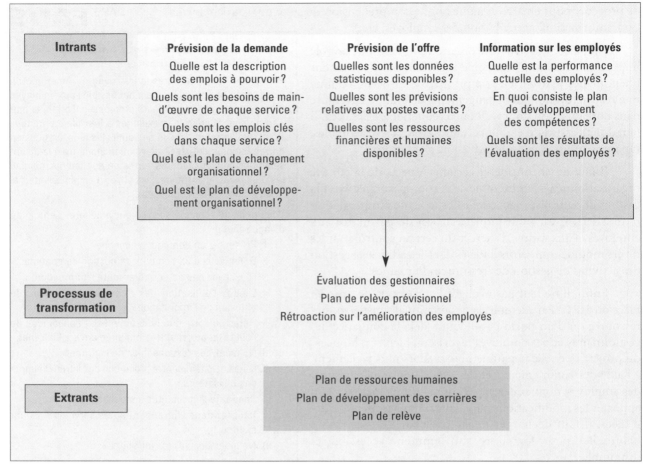

Intrants

Prévision de la demande

Quelle est la description des emplois à pourvoir?

Quels sont les besoins de main-d'œuvre de chaque service?

Quels sont les emplois clés dans chaque service?

Quel est le plan de changement organisationnel?

Quel est le plan de développement organisationnel?

Prévision de l'offre

Quelles sont les données statistiques disponibles?

Quelles sont les prévisions relatives aux postes vacants?

Quelles sont les ressources financières et humaines disponibles?

Information sur les employés

Quelle est la performance actuelle des employés?

En quoi consiste le plan de développement des compétences?

Quels sont les résultats de l'évaluation des employés?

Processus de transformation

Évaluation des gestionnaires
Plan de relève prévisionnel
Rétroaction sur l'amélioration des employés

Extrants

Plan de ressources humaines
Plan de développement des carrières
Plan de relève

Source : G.M. Rampton, L.J. Turnbull et J.A. Doran, *Human Resource Management Systems,* Toronto, ITP Nelson, 1997.

CONSULTEZ
INTERNET

www.strategis.ic.gc.ca

(Séquence d'hyperliens : Index, PME en direct, Ressources humaines, Administration, Technologies, Systèmes d'information)

Section du site de Strategis (Industrie Canada) présentant quelques applications types de systèmes informatisés utilisés en ressources humaines : système de paie ; rapports de dépenses ; gestion du temps ; système intégré de gestion des ressources humaines, etc.

Pour établir les prévisions, les spécialistes de la planification font habituellement usage de tableurs et de programmes statistiques. Actuellement, on utilise peu les quelques programmes de prévisions sur le marché, car ils sont difficilement adaptables ou applicables.

On peut facilement adapter un logiciel informatique de planification de la relève aux besoins organisationnels. Il est d'ailleurs souvent plus avantageux d'acquérir un système et de le modifier que d'en concevoir un. Par exemple, le système ithink, un logiciel de modélisation dynamique conçu par l'entreprise américaine High Performance Systems, comporte une vaste gamme d'applications, telles que la réorganisation des activités commerciales, l'apprentissage organisationnel, la gestion des ressources humaines, la planification stratégique, etc. La direction de la recherche de la Commission de la fonction publique l'a adapté pour établir des prévisions en matière de ressources humaines. On a utilisé ce logiciel pour la macrosimulation de scénarios à partir des tendances historiques et courantes touchant les mouvements de personnel (par exemple, le recrutement, les promotions, les cessations d'emploi et les départs à la retraite[13]).

16.3.2 | Le recrutement et la sélection

Les demandes d'emploi non sollicitées sont chose très courante. C'est une excellente pratique de les conserver dans le but de réduire les efforts de recrutement. Un système informatisé permet d'en assurer facilement le suivi. L'organisation soucieuse de son image devrait émettre un accusé de réception pour chaque demande ainsi reçue.

Un SIRH facilite la production de rapports sur le respect des normes d'équité en matière d'emploi et assure un contrôle sur les activités de recrutement. Il permet à l'organisation de faire l'inventaire des compétences de ses employés ainsi que d'assurer le contrôle interne de l'affichage des postes et le suivi de groupes désignés.

Certains sites Internet traitent directement les candidatures reçues pour des postes vacants. Un système intégré de gestion répertorie les demandes, produit les accusés de réception à envoyer et procède à un tri préliminaire pour déterminer les candidatures à retenir.

Les applications informatiques en sélection du personnel ont connu une expansion considérable, surtout pour l'administration de tests. Délaissant les tests papier-crayon, les organisations utilisent de plus en plus les tests informatisés qu'on trouve sur le marché. Les avantages de cette approche sont nombreux (voir l'encadré 16.6). Par exemple, on réduit le temps de passation des tests, sans compter qu'on accroît la fiabilité et la validité des instruments d'évaluation. Par ailleurs, certains tests informatisés sont très perfectionnés et incluent même des simulations.

CONSULTEZ INTERNET

www.bombardier.com
www.alcan.com
www.bnc.ca
www.desjardins.com
www.emplois.rona.ca

Quelques exemples de sites de grandes entreprises qui recrutent en ligne.

ENCADRÉ ▶ **16.6**

Les avantages des tests informatisés comparativement aux tests traditionnels

- Élimination des erreurs de codage ou de transcription.
- Réduction du risque d'erreurs qui faussent les résultats grâce à une plus grande validité et à une plus grande fiabilité.
- Réduction de la dépendance de l'organisation à l'égard des consultants externes, grâce à l'administration des tests par le service de ressources humaines.
- Standardisation des résultats qui favorise l'équité en matière d'emploi, par exemple, le contrôle plus serré du respect d'une condition donnée, telle que la durée d'un test d'aptitude.
- Obtention immédiate des résultats, ce qui accélère la prise de décision et la transmission de la rétroaction aux candidats.
- Accroissement de l'intérêt porté à la passation des tests : très à l'aise avec les ordinateurs, les nouvelles générations préfèrent souvent les tests informatisés aux tests traditionnels.
- Possibilité d'établir une base de données avec les résultats, ce qui permet à l'entreprise de parfaire l'utilisation des tests en modifiant, par exemple, le seuil de réussite.

On peut relier un programme informatisé de rémunération au mérite à la liste de paie. Ce système établit la rémunération au mérite de chaque employé en fonction du rapport entre la notation individuelle et la notation du groupe ou entre les taux de salaire et le budget alloué aux augmentations. Les interfaces graphiques permettent la visualisation, l'analyse et la comparaison des données statistiques ainsi que la distribution des résultats chiffrés.

Une firme californienne de Palo Alto a conçu le logiciel Performance Mentor, un guide qui facilite la tâche au supérieur qui fait passer des entrevues d'évaluation du rendement. Le gestionnaire peu expérimenté en la matière peut ainsi effectuer tout le processus en très peu de temps[14].

La compilation informatisée des résultats de l'évaluation du rendement s'est considérablement répandue au cours des dernières années. La plupart des techniques présentées dans le chapitre 7 sont maintenant informatisées. On peut ainsi relier beaucoup plus facilement les activités et les fonctions de gestion des ressources humaines. Par exemple, certains logiciels permettent de mettre en corrélation les augmentations de salaire et l'évaluation annuelle du rendement.

L'utilisation de l'informatique, y compris l'accès aux multiples banques de données, contribue à améliorer la validité et la fiabilité de l'évaluation du rendement. Ainsi, il existe de plus en plus de moyens pour détecter la présence de facteurs liés à certains comportements, tels que la toxicomanie ou l'épuisement professionnel. Comme ils sont sensibles au changement de comportement de leurs collègues, les employés constituent une bonne source d'information complémentaire pour l'évaluation du rendement. Grâce au système informatisé d'évaluation, le gestionnaire peut anticiper certains problèmes des employés et les traiter rapidement. Par ailleurs, la technologie informatique peut grandement faciliter la préparation des entrevues d'évaluation.

16.3.4 | Le développement des compétences

Un SIRH peut servir à analyser les besoins de formation initiaux des employés et à élaborer un programme de formation (voir l'encadré 16.7). L'inventaire informatisé des compétences peut servir à déterminer les personnes admissibles à un tel programme.

ENCADRÉ ▶ 16.7

Exemples de logiciels utilisés pour le développement des compétences

Exemple de logiciel de développement des compétences:

- Le logiciel SolutionRH.net a été conçu par le Comité sectoriel de main-d'œuvre des industries des portes et fenêtres, du meuble et des armoires de cuisine. C'est un outil permettant de mieux gérer le développement de la formation continue en milieu de travail, la reconnaissance des compétences des travailleurs et l'amélioration de leur employabilité. Le portail comprend un extranet donnant accès gratuitement à des conseils, à des ressources, à des outils d'aide, à des profils de compétence, à du matériel de formation et à un logiciel de gestion.
- Le logiciel ETWeb formation et développement permet aux responsables de la formation et aux gestionnaires de gérer les besoins de l'organisation en matière de formation. Il permet également de superviser les différentes étapes des programmes et recommande aux utilisateurs les formations adaptées grâce à l'outil d'analyse des écarts de compétences.
- TaskArchitect est un outil destiné à concevoir des systèmes de formation ainsi qu'à créer la documentation et le matériel de formation à partir d'une analyse des tâches.

Sources: www.solutionsrh.net/quoi_de_neuf/01.html, www.executrack.com/fr/Solutions/Formation_Developpement/Formation_Developpement.php, www.taskarchitect.com/FR/produits.html.

Pour être vraiment efficace, la cyberformation doit cependant être complétée par des ateliers de travail et des séances de dynamique de groupe. Les programmes informatiques interactifs répondent parfaitement aux besoins de formation des employés qui doivent réagir rapidement aux changements de leur environnement de travail. Ces programmes satisfont les besoins des gestionnaires qui désirent améliorer leurs techniques de prise de décision au moyen d'une série de simulations. On utilise couramment les programmes de simulation de gestion (ou jeux d'entreprise) pour la formation en milieu de travail. Le choix est très varié : certains couvrent l'ensemble des fonctions de gestion (marketing, finances, production, ressources humaines, etc.), alors que d'autres ne portent que sur certaines activités.

16.3.5 | La gestion des carrières

Les applications informatiques abondent aussi en gestion des carrières (voir l'encadré 16.8) et elles jouissent d'une popularité grandissante. Soulignons que la plupart de ces applications ont été mises au point par des chercheurs universitaires ou par des centres de recherche du secteur privé.

ENCADRÉ ▶ **16.8**

Quelques applications informatiques en gestion des carrières

- Autoévaluation de la situation actuelle, des buts fixés et du plan d'intervention. On peut facilement gérer ce processus à l'aide d'un ordinateur.
- Évaluation complexe des objectifs de carrière, des compétences et des valeurs du personnel. La communication directe de l'information et le traitement rapide des données au moyen d'instruments de recherche, comme la recherche autodirigée de Holland, ont permis de résoudre un problème important : la vérification et la quantification de l'évaluation. De plus, on peut sauvegarder facilement l'information et y accéder rapidement dans un but d'analyse.
- Exploration des bases de données. L'accès aux données relatives aux emplois est facile et rapide. L'analyse informatique de ces données s'avère très efficace pour harmoniser les intérêts des employés et ceux de l'organisation. De plus, on peut emmagasiner une grande quantité d'informations sur les descriptions de poste, les profils de compétences, les caractéristiques organisationnelles, le taux de roulement, etc.

Source : S.E. Forrer et Z.B. Leibowitz, *Using Computers in Human Resources*, San Francisco, Jossey-Bass, 1991, p. 87-91.

16.3.6 | La rémunération

Les ordinateurs ont carrément révolutionné le travail des administrateurs de la rémunération en leur permettant d'effectuer plus rapidement et plus efficacement des tâches autrefois lourdes, telles que l'élaboration de la structure salariale, les prévisions budgétaires pour la rémunération au mérite et l'analyse de sondages. Par ailleurs, les systèmes informatisés d'évaluation des emplois (SIEE) accélèrent la réalisation de cette activité et en améliorent l'objectivité et la cohérence. Grâce à leur analyse complexe, ils permettent de réduire les conflits liés à l'évaluation.

L'élaboration d'un questionnaire et la collecte des données sont probablement les dimensions les plus importantes de l'évaluation des emplois. On recourt habituellement à des questionnaires structurés dont les questions fermées comportent des choix multiples ou appellent des réponses quantitatives précises. En général, les réponses sont transmises à l'ordinateur au moyen d'un lecteur optique, d'un traitement en lots ou d'une saisie manuelle. La validation des données et les rapports de vérification sont des caractéristiques normales d'un système informatique. Les programmes de contrôle statistique vérifient la cohérence des réponses d'un individu ou effectuent le recoupement des réponses des individus appartenant à une même famille d'emplois ou à un même niveau hiérarchique.

L'évaluation informatisée des emplois exige l'utilisation d'un modèle statistique. Le modèle le plus courant est dérivé d'analyses de régression multiple ou effectué par tracé direct. Dans une analyse de régression multiple, les données recueillies à partir des emplois repères sont analysées et font l'objet d'une régression par rapport à une variable dépendante, telle que les taux de salaire du marché, la rémunération courante, les points milieux de la rémunération courante ou les pondérations utilisées en évaluation. Les systèmes informatisés simplifient également la mise à jour et la gestion des régimes de rémunération.

De nombreux systèmes sur le marché intègrent d'autres caractéristiques intéressantes : la gestion des dossiers du personnel, des données de sondages organisationnels et de la structure salariale ; les analyses de régression multiple ; la création de graphiques ; la production des descriptions de tâches ; l'élaboration de diagrammes organisationnels à partir des données recueillies à l'aide de questionnaires structurés.

Il ne faut cependant pas oublier que, malgré tous les avantages de ces systèmes, le jugement humain demeure essentiel, particulièrement dans le choix des données ainsi que dans la révision et l'approbation du portrait final des résultats. En gestion de la rémunération, un système informatisé n'est pas complet en lui-même ; il doit faire partie d'un programme intégré.

Les systèmes informatisés favorisent l'équité de l'évaluation tant interne qu'externe. Plusieurs analystes en matière de rémunération sont devenus experts dans l'utilisation des chiffriers électroniques. Grâce à cette compétence, ils sont en mesure de prévoir les effets des augmentations salariales sur le coût de la main-d'œuvre.

Les logiciels utilisés à des fins de gestion de la rémunération sont nombreux[15]. Certains systèmes compilent les données des enquêtes sur la rémunération et aident les entreprises à établir leurs échelles de salaires en fonction des taux du marché. D'autres facilitent l'élaboration des structures salariales, en attribuant un coût à divers scénarios. Il existe des programmes pour aider les professionnels à faire des prévisions budgétaires, à déterminer les augmentations selon certains critères donnés et à exprimer les résultats en coefficients de comparaison et en d'autres données statistiques. Enfin, certains programmes permettent de traiter la rémunération des cadres supérieurs : régime d'option d'achat d'actions, programme de primes ou rémunération différée. Grâce à un système de données sur les ressources humaines, de nombreuses projections sont possibles : réforme de la rémunération, coefficients de comparaison, coût total du régime d'avantages sociaux, coût de la rémunération directe ou indirecte en fonction de différents taux d'inflation, etc.

Grâce à la technologie, les entreprises peuvent mieux planifier un régime de rémunération indirecte par l'analyse de ses différentes composantes (soins dentaires et médicaux, vacances, congés de maladie, retraite et participation aux bénéfices). Les entreprises qui offrent des programmes d'avantages sociaux ont découvert de nombreux outils innovateurs pour estimer le rendement d'un régime de retraite. Par exemple, l'analyse attributive permet d'évaluer le taux de rendement de la rémunération indirecte en fonction de la politique de l'entreprise et de sa gestion courante.

16.3.7 | La santé et la sécurité du travail

Les lois relatives au droit à l'information des employés ont conduit à la conception de douzaines de logiciels destinés à aider les organisations à effectuer diverses tâches : tenir à jour un inventaire des produits chimiques dangereux, imprimer des fiches d'information sur la sécurité des produits, assurer le suivi de la formation en matière de sécurité donnée aux travailleurs exposés à des accidents ou à un risque d'exposition aux produits chimiques et produire les rapports exigés par les différents gouvernements.

Les cédéroms permettent un accès facile et rapide à de grandes quantités d'information. Cette information est mise à jour sur une base trimestrielle et peut être imprimée ou emmagasinée selon les besoins de l'utilisateur. Certaines données se trouvent sur le site de la Commission de la santé et de la sécurité du travail du Québec.

De nombreux programmes sur le marché permettent d'évaluer différents aspects du style de vie (comme le régime alimentaire, l'exercice et le tabagisme) de façon à en déterminer les risques pour la santé. Certains logiciels proposent des conseils aux utilisateurs en vue de diminuer ces risques. Il y a une dizaines d'années, une entreprise montréalaise a conçu un logiciel innovateur servant à diagnostiquer le stress et l'épuisement professionnel au travail (voir l'encadré 16.9).

ENCADRÉ ▶ **16.9**

Un programme de gestion du stress

Le logiciel *Stress Diagnosis Inventory (SDI)* aide le professionnel de la santé à dépister les individus ou les groupes à risque et propose quelques secteurs clés pour intervenir. À plusieurs occasions, ce programme a guidé la Commission des lésions professionnelles du Québec (CLP), appelée à se prononcer dans des cas d'épuisement professionnel.

Source : R. Swaak, « Today's Expatriate Families : Dual Careers and Other Obstacles », *Compensation and Benefits Review*, vol. 27, nº 3, mai 1995, p. 21-26.

16.3.8 | Les relations du travail

Les ordinateurs portables sont de plus en plus populaires et performants. Ils ont leur place dans les séances de négociation de conventions collectives. Les simples tableurs ou les progiciels complexes permettent d'évaluer sur-le-champ les propositions et d'en déterminer assez précisément le coût.

Des logiciels spécialisés permettent de surveiller l'application générale d'une convention collective, d'assurer le suivi des griefs ou celui des mesures disciplinaires. Des simulations informatisées servent à la formation des négociateurs : selon des scénarios préétablis, le participant joue, tour à tour, le rôle du représentant syndical et celui du représentant patronal, l'ordinateur assumant l'autre rôle ; le formateur peut ensuite analyser le processus et en discuter avec le participant.

16.4 LES APPLICATIONS DE LA CYBERGESTION DES RESSOURCES HUMAINES

La cybergestion des ressources humaines comporte de nombreuses applications grâce, entre autres, aux multiples possibilités des technologies du Web (voir l'encadré 16.10).

ENCADRÉ ▶ **16.10**

Les applications de la cybergestion des ressources humaines

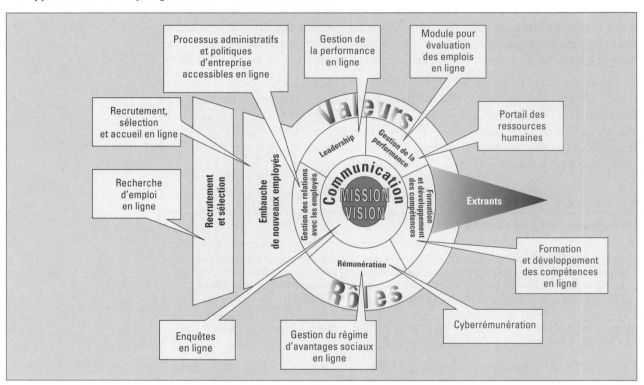

16.4.1 | Le recrutement et la sélection en ligne

Les nouvelles technologies ont transformé radicalement le système de la dotation, en particulier les activités de recrutement et de sélection (voir l'encadré 16.11). La publication électronique des offres d'emploi a subi un véritable éclatement, ce qui a profité autant aux entreprises qu'aux chercheurs d'emploi. Le recrutement en ligne (ou recrutement électronique) sur les portails organisationnels a connu un tel succès qu'il a mis en péril les bases de données et les sites Internet consacrés aux offres d'emploi.

Le recrutement et la sélection en ligne

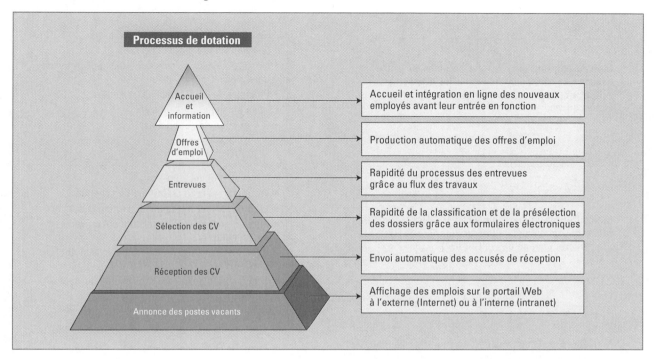

Un recrutement électronique efficace doit d'abord attirer les visiteurs dans la section Carrières du site Web de l'organisation. L'entreprise doit donc veiller à son image sur son site. Ensuite, il faut convaincre les candidats potentiels du savoir-faire réel de l'entreprise en matière de recrutement : transmission anonyme de candidature, respect de la vie privée, confidentialité, etc. La saisie et le traitement de l'information doivent être simples et efficaces : facilité de transmission de la candidature, rapidité de traitement, génération de bassins de candidatures, etc.

La présélection en ligne réduit considérablement les coûts du recrutement tout en rendant le processus beaucoup plus efficace. La société iLogos Research s'est penchée sur les meilleures pratiques utilisées dans la section Carrières des entreprises de Fortune 500 et des 500 organisations européennes les plus importantes sur une période de 3 ans. On a d'abord déterminé les pratiques qui génèrent le plus de valeur pour l'organisation, pour isoler ensuite les meilleures pratiques d'embauche, c'est-à-dire celles qui permettent à l'organisation d'embaucher les candidats les plus compétents avant ses concurrents. Les pratiques qualifiées de « meilleures » comportent les avantages suivants : réduction des coûts, optimisation des processus et amélioration de la qualité des candidatures (voir l'encadré 16.12).

Les experts reconnaissent cependant que le cyberrecrutement comporte des inconvénients : la transmission des CV peut surcharger le réseau informatique de l'entreprise ; il y a discrimination à l'égard des individus qui ne sont pas branchés sur Internet ou qui ne veulent pas utiliser les services en ligne ; il n'y a aucun contact humain. Voici quelques suggestions pour améliorer le cyberrecrutement[16] :

Les meilleures pratiques liées à l'amélioration du recrutement en ligne

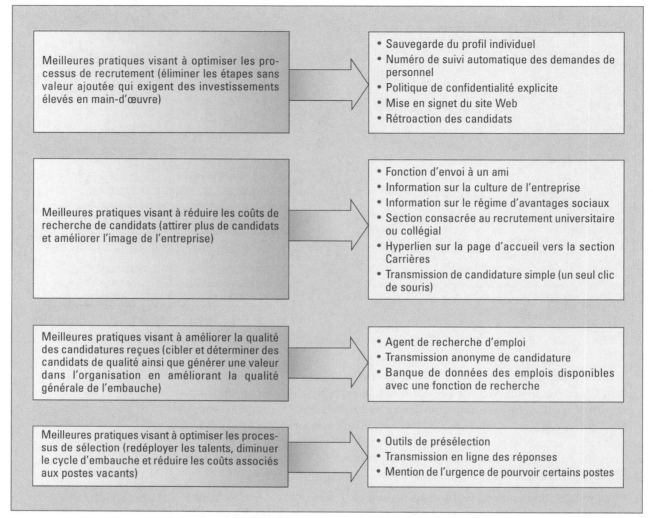

Meilleures pratiques visant à optimiser les processus de recrutement (éliminer les étapes sans valeur ajoutée qui exigent des investissements élevés en main-d'œuvre)

- Sauvegarde du profil individuel
- Numéro de suivi automatique des demandes de personnel
- Politique de confidentialité explicite
- Mise en signet du site Web
- Rétroaction des candidats

Meilleures pratiques visant à réduire les coûts de recherche de candidats (attirer plus de candidats et améliorer l'image de l'entreprise)

- Fonction d'envoi à un ami
- Information sur la culture de l'entreprise
- Information sur le régime d'avantages sociaux
- Section consacrée au recrutement universitaire ou collégial
- Hyperlien sur la page d'accueil vers la section Carrières
- Transmission de candidature simple (un seul clic de souris)

Meilleures pratiques visant à améliorer la qualité des candidatures reçues (cibler et déterminer des candidats de qualité ainsi que générer une valeur dans l'organisation en améliorant la qualité générale de l'embauche)

- Agent de recherche d'emploi
- Transmission anonyme de candidature
- Banque de données des emplois disponibles avec une fonction de recherche

Meilleures pratiques visant à optimiser les processus de sélection (redéployer les talents, diminuer le cycle d'embauche et réduire les coûts associés aux postes vacants)

- Outils de présélection
- Transmission en ligne des réponses
- Mention de l'urgence de pourvoir certains postes

Source : adapté de Taleo, *Value Creation Through Corporate Careers Websites,* 2003, www.taleo.com.

- accès multilingue dans le contexte de la mondialisation de la main-d'œuvre ;
- fonction de recrutement en temps réel, accessible sur un appareil Internet sans fil grâce aux fournisseurs de services applicatifs (ASP) ;
- transmission d'information aux candidats pour rendre compte du traitement de leur dossier ;
- personnalisation du recrutement par l'envoi de messages, un peu comme cela se fait en gestion de la clientèle ;
- conception de nouveaux outils de mesure, d'analyse et de comparaison permettant d'évaluer le taux de réussite du recrutement électronique en fonction des stratégies organisationnelles.

16.4.2 | La cyberformation et le cyberapprentissage

La formation et le développement des employés représentent un coût important pour la plupart des entreprises. Par ailleurs, le manque de compétences des employés constitue un obstacle important à leur croissance. Comme les besoins de formation et de développement augmentent continuellement, les organisations ont constaté que les technologies du Web offraient des solutions avantageuses et peu coûteuses de formation en ligne ou d'apprentissage en ligne. En effet, on élimine les frais de voyages et on réduit les frais indirects liés à l'absence durant la formation ; de plus, on évite les coûts de production du matériel didactique et les frais relatifs à la tenue des séances de formation.

Par ailleurs, les autres avantages de la cyberformation pour l'entreprise ne sont pas à négliger : elle améliore la rapidité et la qualité de l'apprentissage ; les contraintes de temps et d'espace sont réduites au minimum ; le contrôle et l'évaluation de la formation sont plus efficaces ; les compagnons Web fournissent un soutien tout au long du processus d'apprentissage, ce qui constitue toujours un élément précieux ; le matériel est toujours disponible et facilement accessible.

La cyberformation est tout aussi intéressante pour l'employé : elle est généralement accessible 24 heures sur 24 ; le matériel en ligne est interactif et la rétroaction est continue ; l'apprenant décide lui-même de son inscription, de son rythme de travail, etc., ce qui constitue un atout considérable dans la dynamique actuelle du monde des affaires ; comme on peut vérifier l'assiduité de l'employé, celui-ci peut bénéficier du soutien nécessaire au moment de son évaluation.

Comme les technologies avancées sont de plus en plus populaires, le nombre d'entreprises qui recourent à la cyberformation est en augmentation. Quels en sont les désavantages ? Certains experts reprochent à la formation en ligne le rendement insuffisant des utilisateurs. Par ailleurs, tous les employés ne sont pas forcément à l'aise avec la formation en ligne et certains regrettent les échanges sociaux de la formation plus traditionnelle. Enfin, on peut trouver que les trop nombreuses « distractions » (courriels, appels téléphoniques, etc.) perturbent l'apprentissage.

DANS LES **FAITS**

L'apprentissage en ligne gagne du terrain au Québec

Peu coûteux, facile d'accès, le *eLearning* séduit de plus en plus d'entreprises

En entreprise, l'apprentissage virtuel a rapidement gagné des adeptes en raison de ses nombreux avantages : facilité d'utilisation, accès rapide à la formation pour les employés, uniformité des contenus, développement efficace et pointu du capital-savoir de l'organisation, bon retour sur investissement s'il y a une masse critique de travailleurs.

Jusqu'à maintenant, ces solutions se sont surtout développées au sein des grandes entreprises, en raison de leurs coûts d'implantation élevés. La formation en ligne pose des défis importants aux PME. [...] La solution pourrait passer par le regroupement d'entreprises. [...]

L'industrie québécoise du *eLearning* compte une soixantaine d'entreprises qui emploient 1 000 personnes. Leur chiffre d'affaires est évalué entre 50 et 65 M $[17].

16.4.3 | La cybergestion des carrières

Les applications liées à la gestion des carrières offrent le précieux avantage de laisser aux employés le soin de déterminer leur évolution professionnelle tout en leur procurant l'information nécessaire sur les compétences requises pour occuper les diverses fonctions organisationnelles (particulièrement si l'entreprise utilise le recrutement électronique sur son intranet). On peut ainsi tenir les employés au courant des emplois à pourvoir et de leurs exigences. Grâce aux technologies du Web, les employés peuvent s'autoévaluer et constater par eux-mêmes l'écart entre leurs connaissances actuelles et celles qu'ils devraient acquérir. De plus, Internet leur permet d'établir des réseaux et des relations professionnelles à l'interne comme à l'externe. Enfin, soulignons que la responsabilisation des employés dans l'évolution de leur carrière est tout à fait conforme aux tendances présentées dans les sections 9.1 et 9.2.

Les instruments d'analyse des compétences sont de plus en plus accessibles. On peut même intégrer ces tests, qu'on trouve souvent sur Internet, au SIRH de l'entreprise. Quand vient le temps des affectations et des promotions, les décideurs ont ainsi l'information nécessaire sous la main. Certains systèmes comportent un module de planification des carrières qui permet le suivi de la formation et des activités de développement des employés. Cette information est importante dans les décisions de mouvements internes.

16.4.4 | La cybercommunication

Les technologies du Web ont grandement ébranlé les barrières géographiques en permettant la création et le développement de réseaux entre les employés d'une même entreprise dispersés dans plusieurs régions ou pays, ce qui les a rendus plus efficaces. Les communications électroniques par Internet ou intranet, dans les entreprises tant nationales qu'internationales, facilitent les échanges, y compris sur les orientations stratégiques. La communication a toujours été à la base de la poursuite des objectifs stratégiques, notamment en permettant de faire circuler l'information opérationnelle, d'enquêter sur les opinions et les réactions et de faciliter l'implantation des changements organisationnels. Or, l'utilisation des technologies du Web a révolutionné la rapidité d'accès et de diffusion de l'information. De plus, Internet rend tout à fait

DANS LES FAITS

Qu'est-ce que la cyberculture ?

La cyberculture, c'est la culture issue des nouvelles technologies, la culture de la communication par voie électronique — communication numérique ou cybercommunication. Le monde des affaires fait grandement usage des réseaux de communication électronique. La cyberculture renvoie à la capacité de transmettre l'information dans le monde entier. Elle sert à créer des réseaux, à partager des processus d'affaires et des données avec une telle rapidité qu'elle a modifié les façons de diriger les organisations. Ainsi, la circulation de l'information permet de réduire la hiérarchie pour laisser plus de place à la collaboration entre toutes les fonctions en vue d'un plus important rythme d'innovation[18].

naturelle la communication multidirectionnelle. On n'a qu'à penser aux nombreux sondages éclairs effectués auprès des employés pour vérifier des comportements, des attitudes ou des opinions, aux conférences en ligne qui donnent à chacun toute la latitude dont il a besoin pour participer activement ou effectuer ses tâches, le partage des agendas qui facilite le travail en équipe et les applications qui permettent à plusieurs personnes de travailler simultanément sur un même document.

16.4.5 | La cybergestion de la rémunération et des avantages sociaux

La masse salariale, qui inclut les salaires et les avantages sociaux, constitue l'une des plus importantes dépenses dans une organisation. On évalue généralement les avantages sociaux à 41 % de la masse salariale globale. Or, les technologies du Web permettent de réduire les coûts administratifs de la rémunération et des avantages sociaux. On peut affirmer que l'administration des avantages sociaux a radicalement changé depuis l'intégration d'Internet dans les processus organisationnels.

Les bénéfices de la cybergestion de la rémunération et des avantages sociaux sont nombreux, tant pour les employeurs que pour les employés :

- augmentation de l'engagement et de la rémunération grâce à la possibilité d'achat d'actions par les employés et les gestionnaires ;
- amélioration du niveau de rémunération grâce à l'octroi de primes associées à l'acquisition de nouvelles compétences ou à un bon niveau de rendement ;
- amélioration de l'efficacité de la gestion de la rémunération grâce à l'information accessible et à jour sur les journées d'absence et les congés ;
- meilleure qualité de vie grâce aux horaires flexibles et au cumul des heures travaillées ;
- facilité des choix et des modifications en ligne dans le régime d'avantages sociaux.

La tendance actuelle des applications de cybergestion des avantages sociaux est au libre-service sur l'intranet organisationnel. Ce processus en devenir réduit la bureaucratie et assouplit l'administration du régime.

16.4.6 | La télésanté au travail

La santé et la sécurité au travail sont une préoccupation importante pour toute organisation. On constate de plus en plus que les technologies de l'information et de la communication ont des effets pervers sur la santé des individus, notamment les problèmes de vision ou du système musculosquelettique. Les applications de la télésanté qu'on propose aux employés n'éliminent pas ce genre de problèmes, mais les conseils donnés peuvent être fort utiles pour une meilleure santé : postures recommandées, exercice de renforcement ou de relaxation, etc. Ces applications peuvent aussi conseiller les travailleurs de laboratoire qui manipulent des substances dangereuses : manipulation des produits, marche à suivre en cas d'accident, etc.

En fait, la télésanté au travail s'intègre dans le cadre plus large de la télésanté tout court. Cependant, on en regroupe généralement les applications en cinq catégories : les services d'information, le commerce électronique, la connectivité, les applications en réseau et les applications médicales (ou télémédecine).

16.5

LE RÔLE DES RESSOURCES HUMAINES À L'ÈRE DE LA CYBERGESTION

Les professionnels des ressources humaines sont-ils en train de devenir des professionnels de la cybergestion des ressources humaines (voir l'encadré 16.13) ?

ENCADRÉ ▶ **16.13**

Le mode d'exécution de la majorité des requêtes et des transactions

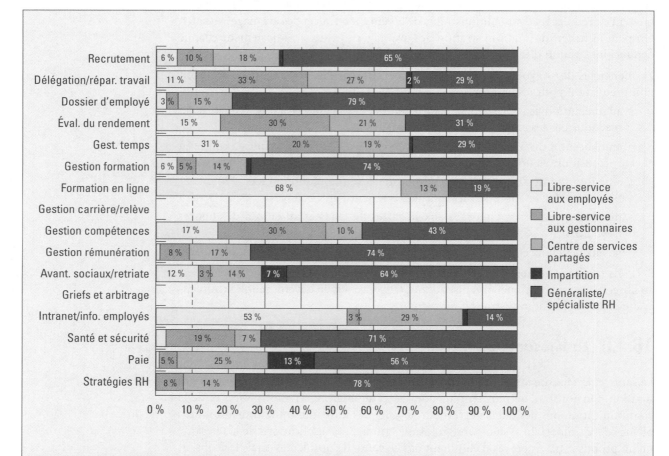

Note : Il s'agit d'un sondage effectué auprès des membres de l'Ordre des CRHA et CRIA du Québec, entre le 20 et le 30 mars 2006. Le sondage a été envoyé à 6300 membres et 577 d'entre eux ont répondu.

Fonctions gestion des carrières et relève (n = 10) ainsi que griefs et arbitrage (n = 12) retirées de la figure. Recrutement (n = 130) ; délégation et répartition du travail (n = 70) ; dossiers d'employé (n = 184) ; évaluation du rendement (n = 57) ; gestion du temps, présences et absences (n = 144) ; gestion de la formation (n = 83) ; formation en ligne (n = 31) ; gestion des compétences (n = 30) ; gestion de la rémunération (n = 114) ; avantages sociaux et retraite (n = 110) ; intranet et information des employés (n = 109) ; santé et sécurité (n = 31) ; paie (n = 163) ; stratégies des ressources humaines (n = 36).

Source : D. Sheehy, « Technologie et ressources humaines – sondage », mars 2006, Ordre des conseillers en ressources humaines et en relations industrielles agréés du Québec, www.orhri.org/guide/ficheAuteur.aspx ? p=271930.

L'introduction massive des systèmes intégrés de gestion des ressources humaines accompagnés d'applications accessibles par les technologies du Web exige certaines nouvelles compétences, modifie le rôle des professionnels de la gestion des ressources humaines à plusieurs égards et impose de nouvelles façons de concevoir la gestion des ressources humaines[19].

Dans un contexte de cybergestion des ressources humaines, les professionnels doivent présenter des habiletés analytiques, des aptitudes en affaires et des connaissances avancées en matière d'utilisation des ordinateurs et des systèmes afin d'être en mesure de traduire les exigences de la fonction ressources humaines en solutions informatiques répondant ainsi non seulement aux besoins internes, mais aussi aux changements liés au contexte.

L'implantation et l'utilisation réussies des systèmes informatisés en gestion des ressources humaines requièrent une grande capacité de communication de la part des professionnels du domaine. En effet, pour contrer la résistance au changement et favoriser la cybergestion, il convient d'expliquer les changements attendus aux premiers intéressés, les employés. Les agents de la cybergestion des ressources humaines doivent donc être capables de répondre aux questions, d'où qu'elles viennent dans l'organisation.

L'implantation des nouvelles technologies de la communication et de l'information permet d'enrichir le répertoire des cours de formation de l'entreprise. Or, comme il est généralement responsable de cette formation, le service de gestion des ressources humaines doit mettre en œuvre une formation continue sur l'actualisation des connaissances en la matière et faciliter ainsi l'acquisition de nouvelles compétences au plus grand nombre possible de personnes.

Généralement, les utilisateurs des systèmes informatisés en gestion des ressources humaines acceptent une plus grande responsabilité quant à la véracité des données qu'ils fournissent et aux décisions qu'ils prennent. Or, pour améliorer les services offerts dans le contexte des technologies de l'information et de la communication, la fonction ressources humaines doit toujours s'assurer de la qualité des données et des informations. Ainsi, la gestion sera plus saine, puisqu'elle s'appuiera sur des données fiables et, par conséquent, les clients internes seront plus satisfaits.

Dans ce même ordre d'idées, le service des ressources humaines doit mesurer régulièrement la satisfaction de la clientèle sur l'accès, les applications et l'efficacité des systèmes de cybergestion des ressources humaines, ce qui l'aidera d'ailleurs à assurer la maintenance des systèmes.

Enfin, soulignons que l'informatisation des processus devrait faciliter aux professionnels de la gestion des ressources humaines, puisqu'elle les décharge de nombreuses tâches administratives, la pleine satisfaction de leur rôle de partenaires stratégiques.

RÉSUMÉ

Les nouvelles technologies de l'information et de la communication (TIC) jouent un rôle de plus en plus important en gestion des ressources humaines. Les organisations ont un vaste choix d'outils à leur disposition : les systèmes d'information sur les ressources humaines (SIRH), les applications spécialisées et les systèmes intégrés de gestion des ressources humaines (SIGRH).

L'utilisation des TIC en gestion des ressources humaines est multiple. D'abord, les professionnels du domaine peuvent profiter des grandes possibilités d'un système d'information sur les ressources humaines (SIRH). Par ailleurs, l'organisation peut préférer un système unique de gestion de l'information dans l'entreprise, dont fera partie le SIRH.

Les TIC peuvent améliorer l'efficacité de la gestion des ressources humaines et en réduire les coûts, qu'il s'agisse de dotation, de formation, de gestion des carrières, d'évaluation du rendement, etc. Or, leur implantation comporte certaines difficultés. Les professionnels de la gestion des ressources humaines ont donc deux défis à relever : prendre conscience du fait que la gestion de l'information constitue un atout fondamental ; s'engager dans le processus de conception et d'implantation des systèmes d'information. Les principaux facteurs de succès de cette implantation sont les suivants : l'arrimage du système choisi avec la situation financière de l'entreprise, la structure organisationnelle, la culture organisationnelle et le processus de mise en place.

Les principales applications des TIC touchent la planification des ressources humaines, le recrutement et la sélection, l'évaluation du rendement, le développement des compétences, la gestion des carrières, la rémunération, la santé et la sécurité du travail ainsi que les relations du travail.

La cybergestion des ressources humaines s'avère utile et efficace dans le recrutement et la sélection en ligne, la cyberformation, la cybergestion des carrières, la cybercommunication, la cybergestion de la rémunération et des avantages sociaux ainsi que dans la télésanté au travail.

Les nouvelles technologies transforment le travail des professionnels de la gestion des ressources humaines. Ils doivent acquérir de nouvelles compétences, leur rôle change à plusieurs égards et la perception même de leur travail se modifie. De plus, ils doivent savoir comment contrer la résistance au changement dans l'organisation.

Questions de révision et d'analyse

1. De quelle façon les nouvelles technologies touchent-elles les fonctions et les activités de gestion des ressources humaines ?

2. La gestion des ressources humaines poursuit des objectifs de plus en plus stratégiques. Comment les nouvelles technologies aident-elles à réaliser cette transition ?

3. Quelle est la différence entre SIRH, SIGRH et cybergestion ?

4. Expliquez en détail les défis à relever dans l'implantation des nouvelles technologies en gestion des ressources humaines.

5. Quelles sont les nouvelles compétences que doivent acquérir les professionnels en cybergestion des ressources humaines ? Quels sont leurs nouveaux rôles ? Expliquez vos réponses.

6. Quels sont les avantages et les inconvénients de la cyberdotation, de la cyberformation, de la cybergestion des carrières et de la cybergestion de la rémunération ? Comment peut-on amenuiser ces désavantages ?

ÉTUDE DE CAS

CYBER

Adnane Belout
Professeur, École de relations industrielles, Université de Montréal

Cyber est une PME québécoise de 250 employés qui conçoit des logiciels pour les architectes depuis les années 1980. Les employés sont syndiqués et l'entreprise comporte 4 directions principales : finances et comptabilité (20 employés), affaires commerciales (180 employés), développement et production (35 employés), ressources humaines (15 employés). La structure organisationnelle de Cyber s'apparente à une structure fonctionnelle plutôt souple. Contrairement à plusieurs sociétés de même taille dans cette industrie, la communication entre les directions n'a jamais été déficiente. Comme le souligne avec fierté le président de Cyber, M. Tremblay, l'intégration des opérations a toujours été facilitée dans le passé par des circuits d'information formels et informels ainsi que par un bon climat de travail. Le taux de roulement moyen des huit dernières années est très faible. L'âge moyen des employés est de 45 ans.

La direction des ressources humaines (DRH) joue un rôle stratégique important dans l'entreprise. Traditionnellement, elle joue un rôle dans les décisions stratégiques, car la fonction ressources humaines est considérée comme primordiale pour le succès organisationnel. Les principales activités de la DRH sont la planification des ressources humaines, les programmes de formation (notamment, de la force de vente, des ingénieurs informaticiens et des programmeurs) et l'évaluation du rendement des employés. La DRH, qui gère plusieurs projets ou programmes de ressources humaines, s'est donné le rôle de trait d'union entre la direction et les employés. Cette attitude lui donne une crédibilité certaine auprès du syndicat, des employés et de M. Tremblay.

L'informatisation de Cyber se déroule progressivement depuis 1988. Elle devait durer six ans et visait toutes les directions. Aujourd'hui, seule la direction du développement et de la production est totalement informatisée (100 %). On peut estimer à 50 % l'informatisation des activités reliées à la paie et aux relations avec la clientèle (facturation, bons de commande, gestion de la publicité, études de marché et traitement des données relatives aux clients). La DRH, mis à part la gestion de la paie, a peu bénéficié du processus d'informatisation. Son directeur,

M. Charles, n'avait d'ailleurs pas été sensibilisé (comme beaucoup d'autres cadres) aux avantages directs qu'un tel processus lui aurait procurés dans le cadre de son travail. Pourtant, cet ancien diplômé en relations industrielles est à la tête de cette direction depuis 1990 et il avait soutenu avec vigueur le plan général d'informatisation de Cyber.

Chaque direction dispose actuellement de cinq ordinateurs reliés en grappe (PC reliés entre eux, mais isolés des ordinateurs des autres directions). Malgré ces premiers efforts d'informatisation, l'investissement de Cyber reste minime par rapport aux profits croissants de la société (augmentation de 50 % au cours des trois dernières années). De plus, exception faite de la direction du développement et de la production, certaines unités ont maintenu l'ancien système d'information malgré l'achat des ordinateurs et les recommandations des informaticiens. Ainsi, dans certains services, il est courant de voir un employé traiter des données manuellement et informatiquement pour produire ainsi deux rapports non standardisés pour une même opération. La phase de transition de l'ancien système au système actuel a été très lente. Enfin, le manque d'intégration du système d'information général commence à causer des problèmes depuis que la quantité des données à traiter et à échanger entre les directions s'est accrue (l'information ne remonte pas toujours jusqu'aux centres de décision). La situation est d'autant plus contraignante que certains circuits d'information sont encore traditionnels (stockage des données sur des fiches, report d'écritures à la main, transfert physique de documents, etc.).

Récemment, on a enregistré des plaintes liées à l'exécution des opérations du plan stratégique de Cyber : non-respect des délais de certains contrats majeurs, retards dans la production des états financiers, difficultés pour comptabiliser les fiches de temps de tous les employés, mauvaise affectation des ressources humaines aux tâches de travail, etc. Dans ce contexte, la direction des affaires commerciales, par le biais de son directeur, demande une informatisation généralisée et intégrée des activités de la société. Il prétend que sa direction, le fer de lance de Cyber, obtient des informations désuètes sur les besoins du marché et dans une forme peu exploitable, si bien que la performance de son unité est diminuée. Il rappelle que les mises à jour dans les fichiers clients n'apparaissent pas rapidement sur les factures, faute d'intégration des données du système d'information en place.

Par ailleurs, la DRH, qui prévoit plusieurs embauches au cours des deux prochaines années, anticipe des difficultés croissantes pour établir ses prévisions quantitatives et qualitatives en personnel par catégories d'emploi. M. Charles affirme que ses besoins en information (collecte, stockage, traitement et diffusion des données) sont énormes, compte tenu que Cyber est en pleine expansion. La gestion de la paie reste à compléter, car on n'a pas tenu compte du statut particulier de certains employés. Le suivi des programmes de formation est très difficile (notamment, pour séparer et compiler les coûts fixes et les coûts variables de façon à obtenir les coûts totaux par activité ou par lot de fabrication). Enfin, l'établissement des fiches individuelles est à revoir pour respecter les modifications apportées à la loi.

Devant cette situation critique, le président réunit les directeurs pour attirer leur attention sur les nouveaux besoins de Cyber en matière de système d'information. Il préconise la révision globale de la politique d'informatisation et se dit prêt à investir pour améliorer la gestion de l'information. Il se demande s'il faut changer tout le système d'information, modifier la structure organisationnelle ou simplement adapter et améliorer le système existant (logiciels et matériel). Les représentants syndicaux sont sensibles à ces préoccupations, mais ils insistent sur le fait que le nouveau système d'information ne doit en aucun cas centraliser davantage les décisions.

NOTES ET RÉFÉRENCES

1. Wikipédia, « Progiciel de gestion intégré », fr.wikipedia.org/wiki/Progiciel_de_gestion_int%C3%A9gr%C3%A9.

2. En français, on utilise le sigle PGI ou son équivalent anglais, ERP (*Enterprise resource planning*).

3. A.J. Walter (sous la dir. de), *Web-Based Human Resources,* New York, McGraw-Hill, 2001, p. XVI.

4. F. Huot, « Un coup de barre nécessaire », *PME,* vol. 22, n° 2, mars 2006, p. 22. Source des données : Secor Taktik, mars 2005.

5. L.M. Spencer Jr, *Reengineering Human Resources*, New York, John Wiley & Sons, 1995. R. Charbonneau, « L'impartition des processus d'affaires en ressources humaines : vers une reconfiguration du modèle traditionnel de services, *Effectif,* vol. 8, n° 3, juin-juillet-août 2005.

6. A. Yeung et W. Brockbank, « Reengineering HR Through Information Technology », *Human Resource Planning,* vol. 18, n° 2, 1995, p. 24-37. R. Charbonneau, « Tour d'horizon pour le choix d'une solution technologique en gestion des ressources humaines », 2004, Ordre des conseillers en ressources humaines et en relations industrielles agréés du Québec, www.orhri.org/guide/ficheAuteur.aspx?p=271928.

7. D. Sheehy, « Technologie et ressources humaines – sondage », mars 2006, Ordre des conseillers en ressources humaines et en relations industrielles agréés du Québec, www.orhri.org/guide/ficheAuteur.aspx?p=271930.

8. E. Lee, « Perceived Importance of IS Success Factors : A Meta-analysis of Group Differences », *Information and Management*, vol. 32, n° 1, 1997, p. 15-28.

9. G. Paré et M. Tremblay, « The Influence of High Involvement HR Practices, Procedural Justice, Organizational Commitment, and OCB-Helping Behaviors on IT Professionals' Turnover Intentions », *Group & Organization Management,* vol. 32, n° 3, 2007, p. 326-357.

10. M. Martinko, J. Henry et R. Zmud, « An Attributional Explanation of Individual Resistance to the Introduction of IT in the Workplace », *Behaviour and IT*, vol. 15, n° 5, 1996, p. 313-330.

11. G.M. Rampton, I.J. Turnbull et J.A. Doran, *Human Resource Management Systems : A practical Approach*, 3e éd., Carswell, 2007.

12. J. Plantevin, « Les 10 commandements de l'intranet efficace », *Les Affaires*, 20 janvier 2007, p. 20.

13. Pour en savoir davantage sur le modèle *ithink*, visitez le site Web de la Commission de la fonction publique (www.psc-cfp.gc.ca/prcb/rd/index_f.htm).

14. P. Lewis, « Job Performance Set (Performance Mentor) Aids Managers : Bosses Told How to Handle Interviews », *Vancouver Sun*, 2 mai 1990, p. D2.

15. S.E. Forrer et Z.B. Leibowitz, *Using Computers in Human Resources,* San Francisco, Jossey-Bass, 1991, p. 98-99. J.-M. Peretti, *Gestion des ressources humaines assistée par ordinateur*, Paris, Liaisons, 1993.

16. www.taleo.com.

17. S. Lemieux, « L'apprentissage en ligne gagne du terrain au Québec : peu coûteux, facile d'accès, le e-learning séduit de plus en plus d'entreprises », *Les Affaires, Entreprendre,* 1er juillet 2006, p. 16.

18. « La transformation de la gestion dans la nouvelle économie », entretien avec Rosabeth Moss Kanter, *Harvard Deusto Business Review*, n° 105, novembre-décembre 2001.

19. R. Gunther, R. Parayre, J. Schramm, F. Schuurmans et M. Seitchik, *2015 : Scenarios for the Future of Human Resource Management,* Alexandria (Virginie).

17

LA GESTION DES RESSOURCES HUMAINES
DANS LES ENTREPRISES
INTERNATIONALES

La mondialisation des marchés a une influence cruciale sur la gestion des ressources humaines. Les échanges commerciaux sont de plus en plus nombreux sur le plan international, grâce aux traités, aux fusions d'entreprises, aux acquisitions et aux alliances stratégiques avec des entreprises étrangères. La communauté européenne ne cesse de s'élargir et d'accueillir de nouveaux pays. Étant donné l'accroissement des activités internationales d'un grand nombre d'organisations, les gestionnaires comprennent qu'ils doivent être au fait des pratiques de gestion adoptées par les autres pays et qu'ils doivent savoir gérer les entreprises internationales[1]. Les professionnels de la gestion des ressources humaines ont un rôle important à jouer dans l'établissement et la gestion des activités internationales. Ils doivent veiller notamment à l'harmonisation des pratiques dans les unités dispersées sur le plan géographique, ainsi qu'à la mise en œuvre de certains processus de gestion centralisés dont, par exemple, des programmes de mobilité internationale, de rémunération, de gestion des talents et de recrutement international. Dans ce chapitre, nous examinons les enjeux de la gestion des entreprises internationales. Si la tâche qui incombe aux gestionnaires des ressources humaines peut se comparer à celle qu'ils accomplissent dans une entreprise locale, elle est à plusieurs égards plus difficile et plus complexe, puisqu'il s'agit d'élaborer et de mettre en place des pratiques de gestion qui tiennent compte des enjeux stratégiques internationaux, ainsi que de la diversité culturelle des pays dans lesquels l'entreprise a choisi de s'établir.

17.1

LE PROCESSUS D'INTERNATIONALISATION DES ENTREPRISES ET LES STRATÉGIES INTERNATIONALES

Dans cette section, nous expliquons le phénomène d'internationalisation des entreprises, les étapes que doivent franchir les entreprises internationales et les stratégies qui s'imposent à elles.

17.1.1 | Les entreprises internationales au cœur de la mondialisation

Alors que l'internationalisation de l'économie a eu lieu au cours des années 1950 et 1960 et d'une partie des années 1970, la mondialisation est davantage associée aux transformations économiques qui sont survenues à partir des années 1980; celles-ci sont attribuables entre autres aux politiques de déréglementation et à l'avènement des technologies de l'information. Les économistes de l'OCDE placent les entreprises internationales au cœur du mouvement de la mondialisation, surtout en raison de la forte concurrence à laquelle elles se livrent à l'échelle planétaire. D'abord, on a constaté qu'à partir des années 1980 les mouvements de capitaux ont augmenté substantiellement pour atteindre vers le début des années 2000 une ampleur exceptionnelle. Plus encore, l'internationalisation de la production s'est renforcée du fait que les éléments nécessaires à la fabrication d'un produit peuvent avoir des origines diverses, ce qui établit entre les sociétés des liens d'interdépendance plus nombreux et plus complexes. Si on estime que les entreprises internationales sont au cœur du phénomène de la mondialisation, c'est essentiellement parce que la multiplication des filiales à l'étranger favorise les échanges entre les sociétés appartenant au même groupe. Contrairement à ce qu'on pouvait observer au 20e siècle, le commerce ne constitue plus le vecteur exclusif de la mondialisation, car il faut y ajouter des données non matérielles et plus difficilement quantifiables, par exemple l'investissement direct, la diffusion des technologies et les transferts de capitaux (voir l'encadré 17.1).

L'interdépendance des différents niveaux de mondialisation

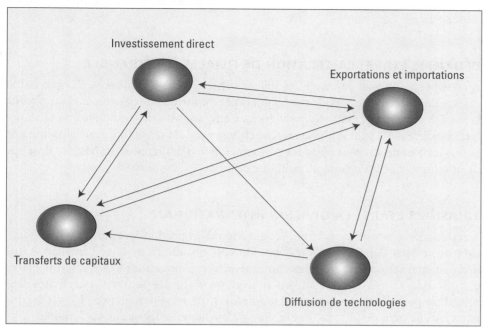

Investissement direct

Exportations et importations

Transferts de capitaux

Diffusion de technologies

Source : adapté de T. Hatzichronoglou, *La mondialisation des marchés dans les pays de l'OCDE*, rapport de recherche, Direction de la science, de la technologie et de l'industrie, OCDE, 1999.

En résumé, le processus d'internationalisation des entreprises passe par trois phases qui influent sur les stratégies internationales, et par conséquent sur la gestion des ressources humaines. La première phase est celle des échanges commerciaux, tout particulièrement des exportations. La deuxième se rapporte à la délocalisation des entreprises vers l'étranger et la troisième phase à la mondialisation de l'innovation technologique au moyen de la multiplication des centres de recherche et développement situés à l'étranger.

17.1.2 | Les étapes de l'évolution des entreprises internationales

Une fois qu'elle a pris la décision de se déployer sur les marchés internationaux, l'organisation peut entreprendre de nombreuses démarches. La transformation d'une organisation nationale en organisation internationale comporte généralement les étapes suivantes[2].

PREMIÈRE ÉTAPE : L'EXPORTATION DES BIENS OU DES SERVICES

Dans cette première étape, l'organisation explore le marché avec prudence. On confie la responsabilité du produit à un intermédiaire, par exemple à un exportateur ou à un distributeur étranger. Les organisations peuvent également décider de faire distribuer leurs produits par une entreprise installée dans la région où on compte avoir des activités commerciales pour observer la réaction des consommateurs aux produits et aux services. Généralement, la dernière phase de cette étape fait intervenir la mise sur pied d'un service des exportations dont le personnel supervise les activités à partir du siège social.

DEUXIÈME ÉTAPE : LA CRÉATION DE FILIALES À L'ÉTRANGER

À cette étape, on met sur pied des filiales sur les marchés étrangers. L'organisation décide alors si le personnel de ces filiales doit être formé de ressortissants du pays de la société mère ou de ceux des pays hôtes. Cette décision dépend de la connaissance que la société mère peut avoir du marché étranger et de la sensibilité dont elle témoigne envers les besoins du pays hôte, des problèmes liés aux différences de langue, ainsi que de questions d'ordre juridique, politique et social.

TROISIÈME ÉTAPE : LA DIVISION INTERNATIONALE

À cette étape, on passe de la commercialisation d'un produit à l'étranger à la production de ce bien dans le pays étranger. On crée ensuite au sein de l'entreprise une division internationale regroupant toutes les activités internationales, qui seront gérées par des cadres supérieurs travaillant au siège social. Si elle poursuit ses activités dans plus d'un pays, l'organisation tend à employer des ressortissants des pays d'origine parce qu'elle peut de cette façon exercer une meilleure emprise sur ses activités.

DANS LES **FAITS**

Aluminium et emballages : des solutions innovatrices à l'échelle mondiale

En 1902, Alcan était synonyme de production d'aluminium. Aujourd'hui, elle offre bien davantage. Alcan est devenue l'un des principaux fournisseurs mondiaux de bauxite, d'alumine et d'aluminium, et un fournisseur de produits usinés et d'emballages de premier plan. Elle permet à ses clients, partout dans le monde, d'accroître leur productivité, leur compétitivité et leur rentabilité. Aujourd'hui, Alcan compte quelque 65 000 employés dans 61 pays et régions. Alcan, dont le siège social est à Montréal, au Canada, est une société ouverte dont les actions sont négociées aux Bourses de Toronto, de New York, de Londres, de Paris et de la Suisse, et dont le chiffre d'affaires était de 20,3 G $ en 2005[3].

QUATRIÈME ÉTAPE : LA MONDIALISATION DU PRODUIT ET LA CRÉATION DE DIVISIONS RÉGIONALES

L'entreprise aborde cette étape lorsque l'envergure de ses activités internationales l'oblige à se doter d'une structure plus complexe. On crée des unités de production, de recherche et développement ainsi que des sièges sociaux régionaux dans les continents et les régions géographiques où l'organisation est implantée ou compte étendre le champ de ses activités. Les entreprises internationales recourent aux gestionnaires du siège social et aux employés du pays hôte pour influencer les décisions relatives à la normalisation et à la diversification des produits. La maîtrise des activités sur le plan local doit parfois être plus forte à cause des différences regardant les marchés, les besoins des consommateurs, la culture, ou encore en raison de l'existence de problèmes juridiques particuliers. Il arrive souvent que des décisions importantes continuent à relever du siège social. L'organisation des ressources humaines se transforme parce que bien des fonctions exercées auparavant par le siège social sont confiées aux filiales, au fur et à mesure que celles-ci s'adaptent aux exigences propres au pays hôte.

La place des sociétés multinationales dans les échanges

L'évolution de la multinationalisation des firmes s'est fortement accélérée depuis 1945. Elles réalisent aujourd'hui près des deux tiers des échanges commerciaux, en partie sous forme d'exportations, en partie sous forme d'échanges interentreprises entre société mère et filiales. Les flux d'investissements directs, en très forte croissance, témoignent de leur importance, puisque la masse de ces investissements représente aujourd'hui plus de 2 800 milliards de dollars, contre un peu moins de 70 milliards il y a 30 ans. L'ONU recense actuellement plus de 63 000 entreprises multinationales qui fédèrent un réseau de plus de 680 000 filiales. Près de 45 % des 600 plus grandes multinationales du monde sont américaines, 16 % d'entre elles sont japonaises et près de 10 % sont françaises. La majorité des entreprises multinationales sont de grande taille, cependant, un nombre croissant d'entreprises de plus petite taille ont lancé des activités à l'échelle internationale grâce à une mobilité plus grande des marchandises, des hommes, des capitaux, et grâce aux progrès des technologies de l'information[4].

Multinationale

Entreprise qui investit des capitaux et qui exerce ses activités dans plusieurs pays.

17.1.3 | Les stratégies et les caractéristiques des entreprises internationales

Dans le contexte international, il est primordial de bien comprendre les différentes phases de l'internationalisation des entreprises, leurs stratégies et leurs caractéristiques, afin de mieux saisir ensuite de quelle manière ce processus touche les stratégies de gestion des ressources humaines et de cerner les enjeux qui se posent à chacune des étapes de l'évolution des activités internationales.

Selon Bartlett et Ghoshal, la stratégie internationale des entreprises internationales se définit en fonction, d'une part, du niveau d'intégration des activités mondiales en vue atteindre un maximum de cohérence interne et, d'autre part, du niveau d'adaptation au pays d'accueil dans le but de mieux comprendre les exigences et les besoins locaux[5].

L'encadré 17.2 définit les principales stratégies que peuvent adopter les entreprises internationales. Il s'agit des stratégies dites « multidomestiques », « méganationales » ou « transnationales ».

Aux premières étapes de l'internationalisation, les entreprises ont tendance à opter pour une faible intégration avec le pays d'accueil, car elles sont davantage soucieuses de conserver leur emprise sur les activités à l'étranger[6]. Comme la nécessité d'harmoniser ces activités avec l'environnement local se fait peu sentir, la stratégie des ressources humaines émanera du siège social, car il n'est pas impératif de faire preuve de souplesse. Les activités de gestion des ressources humaines adoptées dans les filiales seront fortement calquées sur celles que le siège social utilise et considère comme efficaces ; il s'agit alors d'une « stratégie internationale ».

Par ailleurs, au fur et à mesure que l'entreprise acquiert de expérience sur la scène internationale et que l'harmonisation des activités avec le pays d'accueil s'établit, l'autorité du siège social a tendance à s'estomper, ce qui laisse une plus grande marge de

CHAPITRE 17   La gestion des ressources humaines dans les entreprises internationales | 597

Les caractéristiques organisationnelles selon les stratégies internationales

Eléments de la stratégie organisationnelle	Type d'entreprise internationale			
	Stratégies internationales	Stratégies multidomestiques	Stratégies méganationales	Stratégies transnationales
Rôle des unités à l'étranger	Adaptation et diffusion des compétences du siège social	Exploitation des occasions offertes au niveau local	Mise en œuvre des stratégies du siège social	Apports variés des unités locales aux activités internationales intégrées
Acquisition et diffusion des connaissances	Mise au point des connaissances au siège social et transmission aux unités opérationnelles	Mise au point et conservation des connaissances au sein de chacune des unités	Mise au point et conservation des connaissances au siège social	Mise au point des connaissances conjointement avec les unités et mise en commun à l'échelle mondiale
Configuration de l'actif et des capacités	Centralisation des compétences cruciales, décentralisation des autres	Décentralisation et autosuffisance au niveau national	Centralisation et évaluation des résultats à l'échelle mondiale	Dispersion, interdépendance et spécialisation

manœuvre à la gestion des ressources humaines effectuée au niveau local. Dans la stratégie dite « multidomestique », les dirigeants veillent à réaliser une meilleure harmonie entre les différentes unités opérationnelles et l'environnement de chaque région et à assurer plus de flexibilité à l'organisation[7]. Dans la « stratégie méganationale », les unités opérationnelles se déploient dans des régions dispersées sur le plan géographique ; néanmoins, le siège social dicte pour une bonne part les stratégies et les façons de faire. L'organisation fonctionne dans le pays étranger à peu de choses près comme elle le fait dans le pays d'origine. La multinationale applique toutefois un système de contrôle strict en raison de la stratégie mondiale qui est la sienne et du flot de produits et de personnel qui circule entre les filiales et le siège social. Cette configuration semble correspondre aux caractéristiques des entreprises internationales japonaises, qui ont la réputation d'exercer un contrôle rigoureux sur les activités internationales à partir du siège social.

Dans le contexte international, il est courant également de voir les différentes unités opérationnnelles prendre l'initiative de l'élaboration stratégique et de collaborer pour la mener à bien avec les autres unités opérationnelles ou avec le siège social. C'est le cas des entreprises dites « transnationales » dont les unités réparties dans le monde ne poursuivent pas nécessairement les mêmes stratégies compétitives que le siège social[8]. C'est l'étape la plus avancée dans le processus d'internationalisation. Elle se caractérise par l'interdépendance, par delà les frontières nationales, des ressources et des responsabilités revenant aux différentes composantes de l'organisation, ainsi que par la forte identité de l'entreprise. La multinationale ABB est reconnue comme la transnationale par excellence. La taille réduite de son siège social et la grande autonomie de ses filiales témoignent de la décentralisation de cette organisation.

17.2

LES ACTIVITÉS DE GESTION DES RESSOURCES HUMAINES DANS LES ENTREPRISES INTERNATIONALES

Nous analysons dans cette section les principaux éléments qui influencent la gestion des ressources humaines dans les entreprises internationales. Nous traitons, dans un premier temps, des enjeux de la gestion internationale des ressources humaines. Dans un deuxième temps, nous abordons les stratégies ou les approches qui rendent compte des orientations des actions organisationnelles. Nous terminons par l'examen des pratiques qui accompagnent les stratégies internationales de gestion des ressources humaines.

17.2.1 | Les enjeux de la gestion internationale des ressources humaines dans les entreprises internationales

Dans les entreprises internationales, le rôle joué par la gestion des ressources humaines se diversifie au rythme de la mise en place de mécanismes permettant à l'entreprise de traiter des problèmes associés à la maîtrise des activités et aux rapports interculturels, tant à l'intérieur qu'à l'extérieur de l'entreprise.

LA RECHERCHE DE L'ÉQUILIBRE ENTRE ADAPTATION ET FLEXIBILITÉ

Les concepts d'adaptation et de flexibilité aident à mieux analyser les gigantesques défis auxquels font face les entreprises internationales : dispersion géographique, enjeux interculturels, compétition à l'échelle mondiale et, bien souvent, compétition entre les filiales.

L'harmonisation de la stratégie de l'entreprise, de sa structure et de ses ressources humaines s'impose à toute entreprise internationale. Pour instituer des pratiques de ressources humaines qui soient efficaces sur le plan stratégique, il faut gérer simultanément deux processus d'adaptation, un processus externe et un processus interne. L'adaptation externe désigne les rapports qui s'instaurent entre les activités de gestion des ressources humaines et le contexte organisationnel, à chaque étape du développement de l'organisation. On parle d'adaptation interne lorsque les diverses fonctions des ressources humaines — par exemple la sélection, la formation, l'évaluation du rendement et la rémunération — s'accordent les unes avec les autres et se complètent. En ce qui concerne l'adaptation externe, il faut noter qu'un des principaux objectifs visés par les pratiques de gestion internationale des ressources humaines est de favoriser l'interaction interculturelle. Les entreprises internationales doivent composer non seulement avec un environnement multiculturel, mais aussi avec un environnement multinational modelé par les exigences sociales, juridiques et politiques des pays dans lesquels elles poursuivent leurs activités.

L'APPRIVOISEMENT DE LA DIVERSITÉ CULTURELLE

L'influence de la culture au sein des entreprises internationales a fait couler beaucoup d'encre[9]. Les gestionnaires des ressources humaines doivent comprendre la notion de diversité culturelle, aussi bien dans ses aspects théoriques que dans ses aspects pratiques ; ils pourront ainsi mieux saisir les difficultés possibles quand vient le temps d'instaurer des pratiques de gestion dans des milieux différents sur le plan culturel ou encore d'affecter des employés à l'international[10].

L'une des recherches les plus marquantes est sans doute celle que Hofstede[11] a réalisée au sein d'une grande multinationale américaine implantée dans 64 pays. L'idée centrale en est que la culture se définit comme la programmation mentale des valeurs partagées par les membres d'une société. La recherche dégage quatre dimensions à partir desquelles il est possible de cerner les différences culturelles: l'écart hiérarchique, l'importance de l'individualisme ou du collectivisme, la primauté des valeurs masculines ou des valeurs féminines et l'aptitude à tolérer l'incertitude. À ces quatre dimensions s'en est ajoutée plus récemment une cinquième, l'orientation vers le long terme ou vers le court terme. Hofstede propose une construction théorique qui définit les caractéristiques culturelles de certaines sociétés à partir de ces cinq dimensions. L'auteur rappelle que ces facteurs découlent d'un cadre général qui met en lumière les faits les plus apparents de la relativité culturelle entre les différents pays. L'encadré 17.3 illustre l'utilité des études de Hofstede: elles permettent de se livrer à des comparaisons entre les pays en se servant des cinq dimensions que nous venons d'énumérer.

La distance hiérarchique. Cet indice permet de mesurer comment une société accepte la distribution inégale du pouvoir. Le degré de distance hiérarchique d'un pays ou d'une région a des répercussions sur son organisation sociale et institutionnelle. Dans l'entreprise, la relation fondamentale est celle des rapports hiérarchiques entre le supérieur et son subordonné. Cette relation est vécue en fonction de l'interprétation et de la conception que chacun des protagonistes a de son rôle. Ainsi, dans les pays à faible distance hiérarchique, comme ceux de l'Amérique du Nord, la communication est informelle et circule dans les deux sens. Les subordonnés sont encouragés à exprimer leur opinion et à coopérer avec leurs collègues de travail.

L'individualisme ou le collectivisme. Les sociétés humaines diffèrent selon les rapports que les individus entretiennent avec les autres membres de la collectivité. À une extrémité du continuum, on trouve un type de société qui accorde une très grande liberté à ses membres, par exemple les sociétés nord-américaines; tout s'y rapporte à l'individu, au « je ». À l'autre extrémité, on trouve des sociétés dans lesquelles il existe des liens très solides entre les individus. Chacun appartient à un groupe qui lui confère son identité et sa raison d'être; on s'intéresse surtout au « nous ». Tout se rapporte au groupe et au clan d'appartenance.

La primauté des valeurs masculines ou des valeurs féminines. Cette dimension s'inspire de la division des rôles entre l'homme et la femme. Dans les sociétés « masculines » comme celles de l'Amérique du Nord ou du Japon, les valeurs sociales masculines traditionnelles imprègnent toute la société. On met l'accent sur les réalisations individuelles, sur la nécessité d'avoir des revenus considérables et sur l'importance de ce qui est « grand et beau ». Dans les sociétés dites « féminines », les valeurs dominantes, pour les hommes comme pour les femmes, sont celles qui sont plus traditionnellement associées au rôle de la femme: valorisation des relations personnelles plus que de l'argent, souci de la qualité de vie et de la préservation du milieu, disposition à aider autrui, en particulier les faibles, et valorisation de « ce qui est petit est beau » *(small is beautiful)*.

Les cinq dimensions définissant les différences culturelles entre les pays, selon Geert Hofstede

Pays	Distance hiérarchique	Individualisme ou collectivisme	Masculinité ou féminité	Rejet de l'incertitude	Orientation vers le long terme ou vers le court terme
Afrique de l'Est**	64	27	41	52	25
Afrique de l'Ouest	77	20	46	54	16
Afrique du Sud**	49	65	63	49	
Allemagne	35	67	66	65	31
Australie	36	90	61	51	31
Belgique	65	75	54	94	
Brésil	69	38	49	76	65
Canada	39	80	52	48	23
Chine*	80	20	66	30	118
Corée du Sud	60	18	39	85	75
Espagne	57	51	42	86	
États-Unis	40	91	62	46	29
France	68	71	43	86	
Grèce	60	35	57	112	
Inde	77	48	56	40	61
Iran	58	41	43	59	
Italie	50	76	70	75	
Jamaïque	45	39	68	13	
Japon	54	46	95	92	80
Mexique	81	30	69	82	
Monde arabe**	80	38	52	68	
Pakistan	55	14	50	70	0
Royaume-Uni	35	89	66	35	25
Russie*	93	39	36	95	
Suède	31	71	5	29	33
Suisse	34	68	70	58	
Taiwan	58	17	45	69	87
Vietnam*	70	20	40	30	80

* Valeurs estimées
** Valeurs régionales estimées
– Monde arabe : Égypte, Iraq, Koweït, Liban, Libye, Arabie Saoudite, Émirats arabes unis
– Afrique de l'Est : Éthiopie, Kenya, Tanzanie, Zambie
– Afrique de l'Ouest : Ghana, Nigeria, Sierra Leone

Source : www.geert-hofstede.com/hofstede_dimensions.php

L'aptitude à tolérer l'incertitude. Cet indice mesure la capacité dont font preuve une société et une culture à accepter l'incertitude au sujet de ce que réserve l'avenir ; si la tolérance est faible, la volonté de maîtriser le cours des événements est forte, et inversement. Les sociétés réagissent différemment à l'égard du peu d'emprise qu'elles ont sur leur avenir. À travers les règles de tolérance ou de non-tolérance, cette dimension influe sur l'exercice du pouvoir dans les entreprises. Plus on tente de réduire la part de l'incertitude, comme on le fait dans les pays d'Amérique du Nord, plus on observe dans les organisations une répartition rigide des rôles, une spécialisation des fonctions et un découpage précis des tâches.

L'orientation vers le long terme ou vers le court terme. Il s'agit d'une dimension qui a été ajoutée récemment aux précédentes, à la suite de critiques adressées à Hofstede ; on lui reprochait notamment de tenir davantage compte des valeurs des sociétés de l'Europe de l'Ouest et de l'Amérique du Nord que de celles des autres sociétés. La cinquième dimension découle d'une étude effectuée auprès d'étudiants provenant de 23 pays et qui se fonde sur un questionnaire élaboré par des chercheurs chinois. Il s'agit d'établir les différences entre les cultures selon qu'elles accordent plus d'importance à la vertu ou à la vérité. L'orientation vers le long terme véhiculerait la valorisation de la persévérance, alors que l'orientation vers le court terme serait associée au respect de la tradition, des obligations sociales, et mettrait l'accent sur la nécessité de « sauver la face ». Ces valeurs émanent des enseignements de Confucius.

Les cultures organisationnelles. Dans les entreprises internationales, la définition de la culture organisationnelle prend davantage de poids. Hofstede a également défini six variables qui permettent de concrétiser la culture organisationnelle. L'organisation peut privilégier les procédés de travail plus que les résultats, être davantage orientée vers les employés que vers les tâches, adopter un style professionnel par opposition à un style anticonformiste, mettre en place un système ouvert plutôt qu'un système fermé, être fortement ou faiblement gérée, ou encore avoir auprès des clients une approche pragmatique au lieu d'une approche normative. D'après Hofstede, il ne faut pas fermer les yeux sur les différences culturelles, mais les utiliser à l'avantage de l'organisation. Celles-ci peuvent avoir une influence déterminante quand il s'agit de décider de la forme de l'organisation du travail dans une filiale, de l'implantation d'équipes transnationales ou de la sélection du personnel susceptible d'avoir du succès dans une affectation internationale[12].

17.2.2 | Les approches utilisées en gestion internationale des ressources humaines

Les approches relatives à la gestion des ressources humaines dans les entreprises internationales peuvent se répartir en quatre grandes catégories[13]. Ces approches ont des effets sur les pratiques et les stratégies de gestion des ressources humaines[14]. L'encadré 17.4 illustre les enjeux internationaux en gestion des ressources humaines qui accompagnent les étapes d'internationalisation des entreprises et qui déterminent les approches que nous nous proposons d'examiner dans les paragraphes suivants.

L'APPROCHE ETHNOCENTRIQUE

Les entreprises internationales qui adoptent une approche ethnocentrique en gestion des ressources humaines sont celles qui croient fermement que le siège social doit avoir la haute main sur l'ensemble des activités liées à la gestion des ressources humaines. Les filiales sont gérées principalement par des employés expatriés en provenance du

Les enjeux internationaux en gestion des ressources humaines

- Exportation des biens et des services
- Entreprises internationales
  - Filiales à l'étranger
    → **Gérer la mobilité à l'échelle internationale**
- Entreprises multidomestiques
  - Divisions internationales
  - Divisions régionales
    → **Apprivoiser les différences culturelles**
- Entreprises transnationales
    → **Développer le leadership international**

Ethnocentrisme

Géocentrisme

---

pays d'origine. La gestion des ressources humaines qui s'inscrit dans une approche ethnocentrique favorise le recrutement et la formation des employés du siège social. La culture et les processus de travail adoptés au siège social sont imposés tels quels aux unités situées dans les pays d'accueil.

Approche ethnocentrique

Attitude basée sur la conviction que le peuple auquel on appartient, de même que ses croyances, ses traditions, ses valeurs, représente un modèle universel.

L'APPROCHE POLYCENTRIQUE

La gestion des ressources humaines au sein des entreprises qui se servent d'une approche polycentrique repose sur la prémisse que les valeurs, les normes et les coutumes varient d'un pays à l'autre. La gestion des unités locales aurait donc de meilleures chances de réussir si des cadres locaux s'en chargeaient. Les filiales disposent d'une certaine latitude dans la gestion des activités courantes. Le siège social conserve sa mainmise sur certains aspects de la gestion, notamment de la gestion financière. Chaque pays est traité comme une entité séparée. Bien que la filiale soit gérée par des ressortissants du pays hôte, la carrière des gestionnaires locaux ne franchit pas le seuil des unités locales et ils sont rarement promus à la société mère.

L'APPROCHE « RÉGIOCENTRIQUE »

Dans le cadre de l'approche régiocentrique, on harmonise les pratiques de gestion des ressources humaines entre les filiales appartenant à la même région. Le personnel peut être promu dans les unités régionales, mais il obtient rarement un poste au siège social.

L'APPROCHE GÉOCENTRIQUE

On parle d'approche géocentrique lorsque les pratiques mises en œuvre dans l'ensemble des unités de l'organisation favorisent les échanges d'information, d'idées et de processus de travail. L'organisation sélectionne et emploie les ressources compétentes à l'échelle mondiale, sans égard au pays d'origine des cadres.

Le recours à ces différentes approches devrait permettre à la fonction de gestion des ressources humaines d'élaborer de nouvelles pratiques, ainsi que des procédés de travail et des techniques propres à assurer la réussite du processus de mondialisation. L'encadré 17.5 présente le tableau des activités et des structures d'un service international de gestion des ressources humaines.

Approche géocentrique

En gestion des ressources humaines, approche qui favorise les échanges d'information, d'idées et de processus de travail entre les unités appartenant à la même entreprise internationale. L'organisation vise l'égalité des chances en sélectionnant et en embauchant des ressources compétentes à l'échelle mondiale, sans égard au pays d'origine des employés.

Les approches adoptées par les entreprises internationales et leur influence sur les activités de gestion des ressources humaines dans les filiales

	Approche ethnocentrique	Approche polycentrique	Approche géocentrique
Structure de l'organisation	Complexe au siège social, simple dans les filiales	Diversifiée et fondée sur l'indépendance	Plus complexe et plus interdépendante que les autres
Autorité exercée par le siège social	Totale	Relativement faible	Collaboration avec les filiales
Évaluation et contrôle	Selon les critères établis par le siège social	Déterminés localement	En fonction des normes universelles et locales
Rémunération et incitatifs financiers	Élevés au siège social, faibles dans les filiales	Très variés dans les filiales	Cadres locaux et internationaux rémunérés en fonction de l'atteinte des objectifs locaux et mondiaux
Communication et flux d'information	Fort volume allant du siège social vers les filiales	Faible volume, aussi bien en provenance du siège social que vers le siège social à partir des filiales et d'une filiale à l'autre	Fort volume circulant entre le siège social et les filiales, de même qu'entre les dirigeants des filiales
Statut de l'entreprise	Selon la nationalité du propriétaire ou selon l'emplacement du siège social	Selon la nationalité du pays d'accueil	International, mais on met l'accent sur les intérêts du pays d'accueil
Renouvellement des effectifs	Recrutement et formation des employés du siège social pour occuper des postes dans le monde	Formation d'employés locaux pour occuper des postes dans leur pays	Recherche de candidats talentueux dans le monde pour occuper des postes dans le monde

Source : T. Saba, « La GRH dans les entreprises internationales : une réalité complexe et des exigences nouvelles », *Effectif*, vol. 4, n° 1, 2001, p. 22-30.

17.2.3 | Les activités de gestion des ressources humaines accompagnant les stratégies internationales

DANS LES FAITS

Les entreprises internationales font face à des difficultés particulières, car elles exercent leur activité dans une culture, une langue, un système de valeurs et un environnement d'affaires différents de ceux du pays d'origine. La gestion des ressources humaines est alors influencée par une foule de facteurs[15]. Dans les pays où les entreprises internationales sont à l'œuvre, des problèmes plus importants se posent, concernant les compétences, les attitudes et la motivation du personnel, les politiques gouvernementales, les lois du travail relatives à la rémunération, à l'embauche,

McDonalds représente un bon exemple d'une entreprise internationale extrêmement prospère. Bien qu'elle soit très décentralisée, son fonctionnement est semblable d'un pays à l'autre. Cette situation est attribuable à son remarquable système de formation (la « Hamburger University »). Celui-ci vise à donner une formation à l'échelle mondiale ; il comprend l'envoi de conseillers dans les diverses unités locales et les mutations des gestionnaires de ressources humaines ainsi que la transmission des données des unités vers le siège social. Toutefois, McDonalds se heurte parfois à des difficultés, comme ce fut le cas au moment de la mise sur pied de ses activités en Russie.

au congédiement, à la syndicalisation et aux relations de travail, et, enfin, on doit s'intéresser aux questions d'éthique, de responsabilité sociale et d'intervention gouvernementale.

LE RECRUTEMENT ET LA SÉLECTION

Cette activité centrale de la gestion internationale des ressources humaines fait intervenir la recherche de candidats, ainsi que l'évaluation et la prise de décision au sujet des personnes à embaucher. Les besoins en main-d'œuvre qui existent dans les entreprises internationales sont différents de ceux que connaissent les entreprises nationales ; il convient donc d'établir une politique de dotation en personnel particulière dans les entreprises internationales. Des questions comme celles du recrutement et de la sélection des employés locaux, de même que celles du recrutement et du rapatriement des employés en poste à l'étranger, doivent également être prises en considération.

Selon l'approche ethnocentrique de la dotation, c'est au personnel chargé des ressources humaines qu'il incombe de trouver des employés pour une affectation à l'étranger et de les préparer, de même que leurs familles, aux conditions de vie et de travail existant dans ce pays[16]. Les gestionnaires des ressources humaines auront la responsabilité de s'occuper de questions comme celles du logement, des activités familiales et de l'éducation. Il est essentiel de bien choisir les candidats et de les préparer adéquatement, car l'échec d'un employé expatrié coûte cher à l'entreprise.

Nombre d'entreprises japonaises ont déjà pris de l'expansion sur la scène mondiale ; pourtant, même celles qui ont des activités internationales importantes s'en tiennent à une attitude plutôt ethnocentrique. Ces entreprises forment leurs propres gestionnaires pour les postes à l'étranger et le succès de ces gestionnaires expatriés détermine le succès ou l'échec de l'affectation[17]. Un certain nombre d'études montrent qu'un grand pourcentage des échecs peuvent être attribués à des problèmes familiaux[18]. Aussi est-il essentiel que la famille du candidat soit intégrée au programme préparatoire si on veut s'assurer que l'affectation de l'employé à l'étranger constituera une réussite.

DANS LES **FAITS**

Y'a du génie québécois là-dedans !

Négocier avec des cheiks, des généraux et des banquiers n'a plus de secrets pour les petits génies de SNC-Lavalin, qui ont discrètement hissé leur entreprise au deuxième rang mondial. Recette d'une *success story* : le soleil ne se couche jamais sur SNC-Lavalin. C'est dans le gratte-ciel de taille moyenne de la rue Saint-Alexandre, au centre-ville de Montréal, que se dessinent les premières ébauches d'alumineries au Mozambique, de centrales nucléaires chinoises, de camps militaires en Afghanistan ou d'usines pharmaceutiques belges. Les 12 800 employés de SNC-Lavalin — dont 40 % sont québécois — exportent leur savoir-faire sur les cinq continents, dans 120 pays et dans presque toutes les langues[19].

L'approche polycentrique peut émerger de l'approche ethnocentrique au fur et à mesure que les employés du pays d'accueil sont formés pour gérer les filiales locales. Cette solution élimine un certain nombre de problèmes, comme les barrières de langue, l'adaptation des travailleurs en poste à l'étranger, etc. Le service de gestion des ressources humaines, qui avait pour mission de soutenir ces employés, a dorénavant celle d'appuyer et de superviser les filiales. Il est essentiel que le personnel des filiales continue à avoir le sentiment qu'il fait partie intégrante de la société mère. La gestion des ressources humaines peut jouer un rôle à cet égard en effectuant une certaine forme de planification de carrière dans les filiales, de manière à nourrir le sentiment d'appartenance chez les membres de son personnel.

On appelle dotation géocentrique celle qui ne tient pas compte des considérations nationales ou identitaires au moment du recrutement international. Comme les entreprises mettent l'accent sur l'embauche de personnes compétentes, sans égard à leur pays d'origine, les employés du siège social ne sont donc pas nécessairement sélectionnés quand on décide d'une promotion ou d'une mutation géographique à un poste plus important. Malgré l'importance des coûts engendrés par les mutations internationales, une politique favorisant la mobilité internationale sert à donner aux cadres une vue d'ensemble de l'organisation et à développer leur leadership sur le plan international. C'est pourquoi les affectations internationales font partie intégrante de la planification de carrière des cadres des entreprises internationales. L'organisation a souvent recours à des ressortissants étrangers, ou *résidents d'un pays tiers* (*third country nationals*), pour occuper un poste dans une filiale de l'entreprise située dans un pays autre que celui du siège social ou du pays d'origine de la personne recrutée. Par exemple, le siège social d'une multinationale canadienne retiendra la candidature d'un employé français pour occuper un poste dans une filiale située en Afrique du Nord. L'approche régiocentrique consiste donc à mettre de l'avant une politique régionale qui tienne compte de la nationalité des cadres ; les employés des différentes unités peuvent être affectés à des postes dans les autres unités de la région, mais rarement à des postes au siège social.

Résident d'un pays tiers

Employé qui est affecté dans une filiale d'une entreprise internationale et qui est originaire d'un pays autre que le pays où est situé le siège social.

L'ÉVALUATION DU RENDEMENT

Dans une organisation internationale, l'évaluation du rendement doit tenir compte de la compétence des employés, mais elle doit aussi s'intéresser à leurs aptitudes personnelles et interculturelles, à leur sensibilité aux normes et aux valeurs étrangères et à leur capacité de s'adapter à des environnements qui ne leur sont pas familiers. On doit s'assurer que les objectifs organisationnels ont été atteints, tout en respectant les coutumes et les lois du pays hôte[20]. L'encadré 17.6 présente les considérations propres à l'évaluation du rendement effectuée dans les entreprises internationales.

ENCADRÉ ▶ 17.6

Les considérations propres à l'évaluation du rendement effectuée dans les entreprises internationales

- Le rendement mondial doit être pris en compte tout autant que le rendement de la filiale sur le marché régional.
- Il n'est pas toujours possible de comparer les données des filiales, puisque les tarifs s'appliquant aux importations, les lois du travail et les conditions du marché peuvent jouer sur les résultats.
- Un marché croît plus ou moins rapidement et avec plus ou moins de difficulté en fonction notamment du soutien que la filiale reçoit de la société mère.

Des études ont permis de dégager 11 facteurs servant à mesurer la réussite des gestionnaires travaillant au sein des entreprises internationales : (1) l'aptitude à gérer des situations complexes ; (2) la motivation et l'orientation vers les résultats ; (3) la capacité à gérer du personnel ; (4) la qualité d'exécution ; (5) le jugement ; (6) l'aptitude à composer avec la pression ; (7) la maturité ; (8) les connaissances techniques ; (9) l'aptitude à entretenir des rapports interpersonnels ; (10) la capacité de communiquer avec les autres ; et (11) la capacité d'influencer les événements, autrement dit la capacité de surmonter les obstacles[21].

L'ACQUISITION ET LA TRANSMISSION DES COMPÉTENCES

Une fois qu'elle a conçu sa stratégie mondiale, l'entreprise s'applique à choisir des employés qui s'inscrivent dans cette perspective. Les gestionnaires des ressources humaines doivent établir les profils personnels et professionnels requis et trouver des employés qui répondent à ces exigences. Il leur faut ensuite former et éduquer ces employés, à la fois dans l'environnement culturel du pays hôte et au siège social[22].

De nombreuses organisations ont délaissé la gestion verticale traditionnelle. Les nouvelles structures accordent à tous les gestionnaires une plus grande part de responsabilités. Dans les entreprises internationales, il faut que les gestionnaires appartenant à chacun des niveaux soient formés en vue d'une affectation internationale. La responsabilité de cette formation repose sur les gestionnaires des ressources humaines ; ceux-ci doivent savoir que, pour donner de bons résultats, cette formation doit être offerte aux employés du pays hôte aussi bien qu'à ceux du pays de la société mère.

Les décisions relatives à l'accroissement des compétences se prennent en rapport avec l'étape à laquelle est parvenue l'entreprise. À l'étape de l'exportation des biens et des services, l'entreprise peut répondre à un grand nombre de besoins en ayant recours à des groupes ou à du personnel de l'extérieur, par exemple à des sociétés d'import-export, à des représentants ou à des professionnels en poste dans le pays hôte. Une entreprise ayant des filiales nationales en est à l'étape où l'accroissement des compétences profite d'abord aux ressortissants du pays de la société mère puis, après un certain temps, aux ressortissants du pays hôte, qui sont formés pour gérer les entreprises affiliées. Une entreprise parvenue à l'étape transnationale doit savoir harmoniser les différences culturelles et géographiques afin de concevoir des stratégies d'ensemble. Habituellement, les cadres supérieurs ont vécu à divers endroits de la région et, en vertu de la formation reçue, sont aptes à exercer le leadership requis[23]. À l'heure actuelle, la clé du succès sur le marché international est la connaissance d'une ou de plusieurs langues étrangères, l'ouverture aux problèmes environnementaux et une grande compétence interculturelle. Dans les entreprises transnationales, les services des ressources humaines doivent mettre l'accent sur la mise en commun de l'information concernant les tendances économiques, sociales, politiques et technologiques. Ils doivent aussi encourager la collaboration entre les équipes poursuivant des activités commerciales connexes, entre les divers services et entre les nations et les régions[24].

LA RÉMUNÉRATION

Dans une entreprise d'envergure mondiale, la rémunération représente l'un des plus grands défis que l'équipe des ressources humaines doive relever. Une gestion efficace de la rémunération et des avantages sociaux requiert une bonne connaissance des lois, des coutumes, de l'environnement et des pratiques d'embauche des pays étrangers. Il faut prendre en considération ces facteurs, tout en gardant à l'esprit les pratiques financières et juridiques, ainsi que les coutumes qui s'appliquent au siège social[25]. Le problème qui se pose, pour les gestionnaires des ressources humaines, est d'assurer un traitement équitable à tous les employés, bien qu'il y ait des divergences entre les règles et les lois en vigueur dans les différents pays. Ainsi, pour mettre au point des systèmes de rémunération permettant de garder les employés clés, on facilitera les mutations entre les unités dispersées sur le plan géographique et on motivera les employés ; il est nécessaire de faire appel tout autant à des notions d'équité nationale qu'à des notions d'équité internationale. Ces objectifs ne sont pas toujours faciles à atteindre. Une foule de problèmes surgissent lorsqu'une entreprise passe du cadre de rémunération national au cadre de rémunération international, mais deux d'entre eux ont une importance particulière. D'abord, les questions de rémunération doivent s'inscrire dans la perspective des stratégies à long terme d'une multinationale ; ensuite, ces programmes doivent favoriser la compétitivité internationale de l'entreprise.

LE DÉVELOPPEMENT DU LEADERSHIP INTERNATIONAL

La plupart des entreprises internationales doivent être en mesure d'acquérir et de soutenir les capacités organisationnelles indispensables pour gérer leurs activités. Si elles veulent atteindre cet objectif, il leur faut amener les gestionnaires à modifier les processus cognitifs utilisés pour analyser les problèmes d'affaires. Le gestionnaire qui raisonne de façon internationale attache beaucoup de valeur à la circulation de l'information, du savoir et de l'expérience au travers des frontières nationales, fonctionnelles et organisationnelles. Il cherche à atteindre un équilibre entre les priorités des pays, des organisations et des fonctions qui émergent dans le processus de gestion internationale et qui sont en compétition. Or, la mentalité internationale n'est pas une caractéristique innée, mais elle s'acquiert grâce à l'expérience professionnelle, souvent aux dépens de l'organisation[26]. C'est aux dirigeants et aux professionnels des ressources humaines qu'il revient de s'entendre sur la pertinence d'avoir des gestionnaires internationaux, en créant un environnement propice à l'éclosion de ce type de mentalité. La formation à l'exercice du pouvoir au niveau international devra mettre l'accent sur la création d'occasions permettant aux employés d'améliorer leurs aptitudes à diriger. Il conviendra donc de favoriser les affectations à l'étranger, les affectations à des équipes multiculturelles et à des équipes de projets. Les programmes de formation dans les entreprises internationales devront favoriser l'apprentissage sur le terrain, ou apprentissage par la pratique, qui représente l'un des meilleurs moyens d'acquérir les compétences nécessaires pour travailler à l'échelle internationale. L'acquisition des compétences devrait également inclure certains aspects de la socialisation facilitant l'émergence de l'aptitude à diriger au niveau international. Pour y parvenir, les entreprises devraient encourager la création de réseaux d'échange afin de stimuler l'intégration et la coordination entre les unités locales. Plus la coopération entre les employés appartenant à différentes unités est forte, plus la possibilité s'accroît de faire naître chez eux une vision commune, de créer une culture homogène et d'assurer la réussite de projets communs[27] (voir l'encadré 17.7).

LES RELATIONS DU TRAVAIL ET LES DROITS DES EMPLOYÉS

L'internationalisation des marchés exerce d'énormes pressions sur les relations de travail, notamment sur la structure, le processus de négociation et le contenu des conventions collectives. Les syndicats, appelés à défendre leurs membres dans un contexte où les entreprises menacent constamment de déplacer leurs activités vers des pays où

Le programme de développement du leadership international chez Siemens

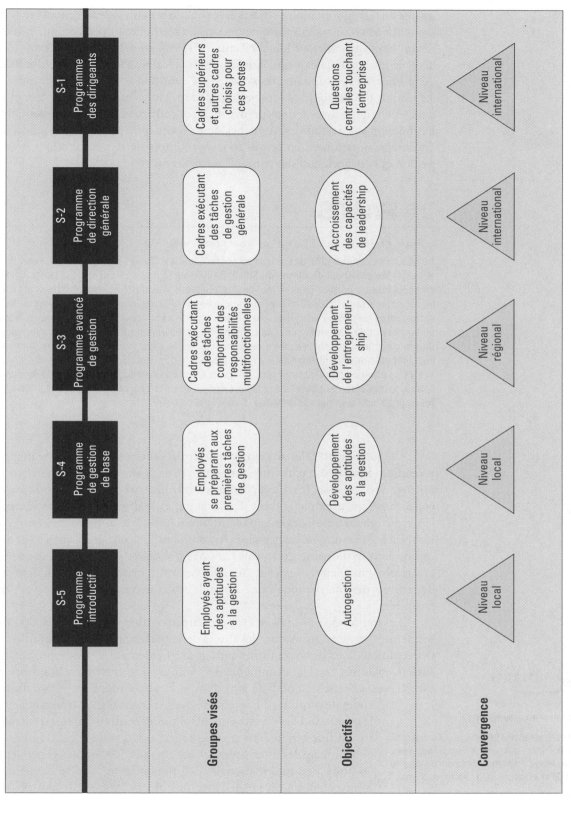

	S-5 Programme introductif	S-4 Programme de gestion de base	S-3 Programme avancé de gestion	S-2 Programme de direction générale	S-1 Programme des dirigeants
Groupes visés	Employés ayant des aptitudes à la gestion	Employés se préparant aux premières tâches de gestion	Cadres exécutant des tâches comportant des responsabilités multifonctionnelles	Cadres exécutant des tâches de gestion générale	Cadres supérieurs et autres cadres choisis pour ces postes
Objectifs	Autogestion	Développement des aptitudes à la gestion	Développement de l'entrepreneur-ship	Accroissement des capacités de leadership	Questions centrales touchant l'entreprise
Convergence	Niveau local	Niveau local	Niveau régional	Niveau international	Niveau international

Source : M. Bellman, « Siemens Management Learning : A Highly Integrated Model to Align Learning Processes With Business Needs », dans Y. Boshyk (sous la dir. de), *Business Driven Action Learning – Global Best Practices*, 2000, p. 140-151.

les lois du travail sont moins strictes et le coût de la main-d'œuvre moins élevé, doivent consentir à certains assouplissements dans les méthodes de production, tout en maintenant les acquis, surtout lorsque l'entreprise entend délocaliser[28]. C'est toutefois sur la scène internationale que les inquiétudes syndicales se font le plus sentir. Bien au fait de la mobilité des capitaux, les syndicats se sont donné des structures qui dépassent les limites des entreprises, des secteurs, des régions, et même des pays, et qui leur permettent de se livrer à une épreuve de force contre les entreprises internationales[29]. La fonction des ressources humaines doit s'adapter au fait que le syndicat s'affirme davantage, notamment en ce qui concerne l'implantation de certaines pratiques de gestion et la négociation des conventions collectives[30].

DANS LES **FAITS**

« Pour ne jamais oublier d'où l'on vient. » (Guy Laliberté)

Au début des années 1980, des amuseurs publics, jeunes, rêveurs et entrepreneurs autodidactes, ont eu l'idée et le goût du Cirque du Soleil. Bien avant le jour où ils allaient stimuler l'imaginaire des spectateurs partout dans le monde, les premiers artisans du Cirque du Soleil présentaient leur spectacle dans la rue. Bâti sur l'audace, le risque et l'imagination, leur rêve s'est réalisé entre autres parce qu'un jour des plus vieux ont cru en eux, sans préjugé quant à leur âge, leur image ou leur statut de saltimbanque. Les fondements et les valeurs à la base de l'action sociale du Cirque s'appuient sur cette histoire où jeunesse, risque, rêve et marginalité se rencontrent pour imaginer un monde meilleur. Aujourd'hui, alors que le Cirque du Soleil a les moyens de ses rêves et qu'il se produit un peu partout sur la planète, il a choisi de s'engager auprès des jeunes en difficulté, particulièrement auprès des jeunes de la rue. Le Cirque consacre chaque année 1 % des revenus à l'action sociale auprès des jeunes en difficulté[31].

Les luttes syndicales au sein des entreprises internationales ont trait à plusieurs revendications. On souhaite entre autres inclure dans les accords commerciaux de libre-échange des clauses sur le respect des droits fondamentaux des travailleurs et travailleuses, concernant par exemple le droit d'association et le droit à la négociation collective, l'interdiction du travail des enfants et du travail forcé, la non-discrimination en emploi. L'encadré 17.8 énumère les principes inscrits dans l'Accord nord-américain de coopération dans le domaine du travail (ANACT), signé en 1993 par les gouvernements américain, canadien et mexicain. Ces efforts visent à éviter que les avantages comparés des entreprises internationales ne se fondent sur les conditions de travail les moins favorables.

Les mouvements syndicaux se préoccupent également de la protection de l'environnement et de la protection des droits de la personne; c'est pourquoi ils forment des coalitions avec des organismes non gouvernementaux et des représentants de la société civile sur tous les continents. On voit ainsi se mettre en branle de grandes campagnes à l'échelle mondiale afin d'imposer aux entreprises internationales des codes de conduite qui soient efficaces et coercitifs. Des mouvements faisant la promotion des investissements éthiques et du commerce équitable garantissent une rémunération décente aux petits producteurs du tiers-monde en éliminant les intermédiaires gourmands, représentés généralement par les puissantes multinationales de l'alimentation. Il en va de même pour le mouvement en faveur des investissements éthiques. Il faut certes recon-

CONSULTEZ INTERNET

www.union-network.org

Site de l'International Federation of Commercial, Clerical, Professional and Technical Employees, regroupement international existant depuis janvier 2000 et ayant son siège social en Suisse.

Les principes relatifs au travail inscrits dans l'ANACT

Les principes suivants, que les parties ont à cœur de promouvoir, sous réserve de leur législation intérieure, n'ont pas pour but d'établir des normes minimales communes aux fins de leurs législations intérieures respectives. Ils ne sont fournis qu'à titre indicatif des grands domaines dans lesquels elles ont, chacune à sa façon, établi des lois, des réglementations, des procédures et des pratiques pour protéger les droits et les intérêts des travailleurs.

1. Liberté d'association et protection du droit d'organisation
2. Droit de négociation collective
3. Droit de grève
4. Interdiction du travail forcé
5. Protections accordées aux enfants et aux jeunes gens en matière de travail
6. Normes minimales d'emploi
7. Élimination de la discrimination en matière d'emploi
8. Égalité de rémunération entre les hommes et les femmes
9. Prévention des accidents du travail et des maladies professionnelles
10. Indemnisation en cas d'accidents du travail et de maladies professionnelles
11. Protection des travailleurs migrants

Source : www.naalc.org/french/objective.shtml.

naître que le mouvement syndical déploie ses énergies surtout au niveau national. Force est de constater qu'il met sur pied des structures et des stratégies d'action internationales, qui lui permettront à terme d'opposer un contrepoids significatif à la puissance des entreprises multinationales[32].

17.3
LE RÔLE DES EXPATRIÉS ET LES PRATIQUES DE GESTION DES RESSOURCES HUMAINES FAVORISANT LA RÉUSSITE DES AFFECTATIONS INTERNATIONALES

Étant donné l'importance de la gestion de la mobilité à l'échelle internationale, en particulier au cours des premières étapes de l'internationalisation des activités, nous examinons dans cette section le rôle que jouent, au sein des entreprises internationales, les employés affectés à l'étranger, leurs difficultés d'adaptation au nouveau contexte de travail et les pratiques susceptibles de les aider à réaliser leur mission internationale[33].

17.3.1 | Le rôle des employés affectés à l'étranger

Les cadres internationaux sont généralement désignés par l'entreprise pour occuper un poste dans une unité ou dans une filiale située à l'étranger. L'affectation internationale implique donc un déplacement géographique d'une durée déterminée ; dans la plupart des cas, celle-ci varie entre six mois et trois ans.

Le nombre de carrières internationales devrait s'accroître, puisque les petites et moyennes entreprises ressentent à présent la nécessité d'élargir leurs horizons, tout comme les entreprises multinationales. Parmi les perspectives de carrière internationale évoquées dans les études réalisées sur ce sujet, mentionnons un certain nombre de rôles que les cadres peuvent être appelés à jouer, qui d'ailleurs ne s'excluent pas les uns les autres. On pense à la fonction de contrôleur des activités internationales[34]. Un deuxième rôle, plus commun, attribue aux cadres la responsabilité de transmettre le savoir-faire de la société mère à la nouvelle filiale[35]. À ces deux rôles s'ajoutent les missions d'expansion. Ainsi, les cadres peuvent se voir confier la responsabilité d'assumer le développement organisationnel des unités opérationnelles ou encore être chargés de la conquête de nouveaux marchés[36]. Un quatrième rôle de coordination consiste à entretenir des liens et des échanges entre la société mère et les unités opérationnelles lorsque les activités internationales sont bien établies (c'est ce qui se produit au sein d'entreprises telles que ABB et Nestlé)[37]. Inculquer la culture organisationnelle dans le pays hôte de la multinationale compte parmi les rôles attribués aux cadres travaillant dans des organisations transnationales. Des sociétés comme l'American Telegraph and Telephone Company, Motorola, Johnson and Johnson et Pepsi, par exemple, affirment qu'une culture d'entreprise florissante atténue les différences culturelles entre les pays[38].

Si les perspectives de carrière internationale énumérées plus haut sont les plus traditionnelles, d'autres formes émergent. Derr et Oddou[40] attribuent aux cadres internationaux deux fonctions majeures. D'une part, les cadres se voient confier une mission internationale pour régler un problème précis (forme plus traditionnelle) et, d'autre part, certains d'entre eux acceptent les affectations internationales dans le but de réorienter leur carrière et d'accéder à des postes plus élevés. L'objectif premier de l'affectation consiste pour les cadres à acquérir de nouvelles habiletés et connaissances pouvant être utilisées dans l'exercice de leurs fonctions à la suite de leur rapatriement au siège social. Dans le même ordre d'idées, l'acquisition d'une mentalité internationale compte parmi les objectifs qui se font jour.

17.3.2 | Les difficultés d'adaptation observées lors des affectations internationales

Quelles que soient les raisons de l'expatriation, les cadres internationaux réussissent dans leur mission s'ils parviennent à conserver la haute main sur les activités qui se déroulent dans le pays d'accueil, à s'adapter au nouveau contexte culturel, à transmettre leurs connaissances et à ressentir de la satisfaction quant à leur mission. Une mauvaise adaptation entraîne une baisse de performance, ou encore l'échec de la mission, qui peut occasionner un retour prématuré ou une démission[41]. Ajoutons à cela que la plupart des études portant sur l'adaptation des cadres à une carrière internationale font état de l'importance de la satisfaction au travail en tant que facteur susceptible d'accroître la performance, d'inciter les cadres à accomplir leur mission et de les conduire à en accepter d'autres[42].

Les études consacrées aux difficultés d'adaptation vécues par les cadres internationaux expliquent que ces problèmes ne sont pas ressentis de la même manière par tous les cadres. En fait, une panoplie de caractéristiques individuelles facilitent ou entravent l'adaptation des cadres à leur affectation internationale.

17.3.3 | Les activités de gestion des ressources humaines qui favorisent la réussite des affectations internationales

Il existe six grandes catégories de pratiques destinées à préparer les cadres aux affectations internationales : l'information fournie à propos de l'affectation, la formation, le mentorat, l'accueil et la socialisation, l'évaluation et la rémunération (voir l'encadré 17.9).

ENCADRÉ ▶ 17.9

La gestion de la mobilité internationale

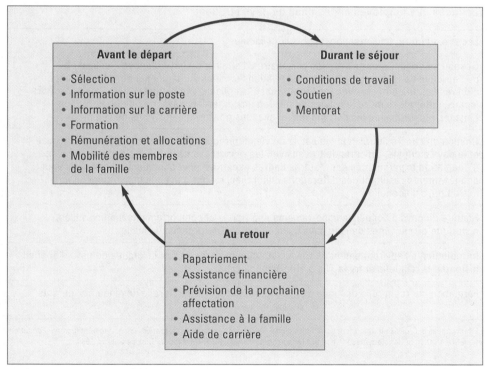

Source : T. Saba et G. Vallée, « Gérer la mobilité internationale des cadres, des aspects juridiques à ne pas ignorer », *Gestion*, vol. 25, nº 1, 2000, p. 23-31.

L'INFORMATION FOURNIE À PROPOS DE L'AFFECTATION

Cette activité, qui se déroule généralement avant que l'employé accepte l'affectation, revêt un caractère particulièrement important. Parmi les pratiques de communication, notons celles qui visent à donner des informations concernant le pays d'accueil, les tâches à accomplir et les objectifs stratégiques de l'entreprise. On peut aussi offrir au cadre, et idéalement à sa famille, d'entreprendre un voyage d'exploration dont l'objectif est d'accélérer son adaptation en le familiarisant avec certains aspects du pays d'accueil[43].

LES PRATIQUES DE FORMATION

Formation interculturelle

Programmes de formation offerts dans le cadre des affectations internationales et ayant pour but d'initier l'employé aux cultures étrangères.

Elles figurent parmi les pratiques qui enseignent au cadre la manière d'établir des relations d'affaires et de négocier avec les employés et les divers intervenants du pays d'accueil (fournisseurs, agents du gouvernement, clients, etc.). La formation interculturelle se charge généralement d'initier les cadres aux caractéristiques culturelles et religieuses, aux coutumes et aux habitudes de vie qui distinguent le pays d'origine du pays d'accueil[44]. Cette formation a pour but d'expliquer aux cadres les différences culturelles existant entre le pays d'origine et le pays d'accueil et de les aider à communiquer avec les ressortissants du pays d'accueil. Finalement, la formation linguistique procure aux cadres une connaissance suffisante de la langue du pays d'accueil pour qu'ils puissent y travailler efficacement[45] (voir l'encadré 17.10).

ENCADRÉ ▶ **17.10**

Les pratiques de formations destinées aux employés mutés dans un pays étranger

Formation linguistique	Lecture, écriture, conversation, expressions locales
Formation technique	Gestion de crise, rapports avec les partenaires d'affaires du pays d'accueil, utilisation de l'épreuve de force, établissement de relations fondées sur la confiance, mise en place d'un réseau de contacts avec les fournisseurs, les clients, etc., attentes des consommateurs locaux, différences entre les styles de gestion des différents pays, rôle de la corruption dans les rapports avec les partenaires ou avec les gouvernements (pots de vin, etc.)
Formation interculturelle	Gestion du choc culturel, nouveau style de vie, différences majeures entre le pays d'accueil et le pays d'origine, rapports de travail avec les ressortissants du pays d'accueil, scénarios d'adaptation expérimentés par d'autres cadres expatriés, environnement religieux, risques de mésentente résultant des différences culturelles, rapports avec le gouvernement local, lois du pays d'accueil
Formation portant sur des aspects généraux	Histoire du pays d'accueil, comportements appropriés et comportements inadmissibles, historique des activités dans le pays d'accueil et culture organisationnelle
Formation portant sur des aspects particuliers	Introduction à l'environnement de travail, attentes par rapport aux collègues du pays d'accueil, histoire des relations entre la filiale et le siège social
Formation destinée à la famille	Formation interculturelle destinée à l'épouse, formation interculturelle destinée aux enfants

Source : adapté de R. Chua et T. Saba, « The Effectiveness of Cross-Cultural Practices in International Assignments », dans *Globalization : Impact on Management Education, Research and Practices*, Actes de l'International Federation of Scholarly Association of Management (IFSAM), CD-ROM, Madrid, Diaz de Santos, 1998.

LE MENTORAT

Deux types de mentorat sont décrits dans les études portant sur la gestion internationale des ressources humaines. Le premier type fait référence à la désignation d'un mentor au siège social. Ce dernier a pour mandat de conseiller le cadre dans l'exercice de ses fonctions et de le tenir au courant des changements survenus au siège social. Idéalement, le mentor est un cadre supérieur ayant lui-même acquis antérieurement une expérience internationale[46]. Le second type de mentorat consiste à assigner un mentor dans le pays d'accueil. Une personne choisie parmi les cadres locaux agit à titre de conseiller, tant en ce qui concerne les activités dans le pays d'accueil qu'en ce qui regarde les relations avec le personnel local[47].

LES PROGRAMMES D'ACCUEIL ET DE SOCIALISATION

S'ils sont des pratiques dont les retombées sont profitables lors de l'affectation à un nouveau poste (embauche, promotion, mutation, etc.), les programmes d'accueil et de socialisation revêtent une importance accrue quant il s'agit d'une affectation internationale. Les programmes d'accueil et d'orientation s'appliquent alors aux activités qui visent à faire connaître les aspects culturels et touristiques du pays d'accueil[48]. Les pratiques de socialisation permettent également au cadre international de tisser un réseau avec des familles d'expatriés établies dans le pays, ou encore avec des cadres locaux. Souvent, ces activités fournissent du soutien moral aux cadres expatriés ainsi qu'à leur famille, mais elles les renseignent également sur divers aspects de la logistique (approvisionnement, système de transport, etc.) du pays d'accueil[49].

LES PRATIQUES D'ÉVALUATION

Les pratiques d'évaluation permettent de déceler les problèmes et les difficultés d'adaptation qui surviennent et d'y remédier. L'évaluation du cadre international peut s'effectuer en fonction de deux dimensions : la première est celle de son adaptation culturelle et sociale dans le pays d'accueil, et la deuxième touche sa performance dans l'exercice de ses fonctions[50].

LES PRATIQUES DE RÉMUNÉRATION DES EMPLOYÉS AFFECTÉS À L'ÉTRANGER

La question la plus fréquemment posée en gestion des ressources humaines, et il s'agit habituellement de la première qui vient à l'esprit des cadres appartenant aux entreprises internationales, est la suivante : « Comment payerons-nous les employés que nous envoyons à l'étranger pour nous établir outre-mer ? » Dans la plupart des cas, personne ne connaît la réponse et chacun propose une solution. Au bout d'un certain temps, la multinationale s'enquiert des modalités salariales auprès d'autres entreprises, pour ensuite conclure les premières ententes de rémunération à l'essai. Les dépenses à prévoir à l'occasion des affectations internationales sont présentées dans l'encadré 17.11.

Le climat économique change si rapidement que la gestion des ressources humaines doit être créatrice et mettre au point des modes de rémunération diversifiés. L'approche fondée sur le bilan est le système le plus utilisé pour pondérer le pouvoir d'achat des employés, quel que soit le pays où ils travaillent[51].

Les entreprises internationales doivent faire à leurs gestionnaires en poste à l'étranger des offres de rémunération globales qui soient concurrentielles à tous les égards, aussi bien sur le plan du salaire, de l'impôt, des avantages sociaux que des rentes. En raison de la charge financière que représente la rémunération des employés expatriés, le nombre d'entreprises qui s'établissent dans ces pays s'accroît sans cesse, car elles souhaitent faire appel au personnel local et ne plus avoir à assumer une partie des dépenses énumérées ci-dessus.

Un autre aspect du problème financier qui se pose à une entreprise en expansion, ou qui a décidé de s'installer dans un autre pays et doit par conséquent réduire son personnel, a trait aux indemnités de départ. Dans ce cas, les

CONSULTEZ INTERNET

www.mercer.com
www.hewitt.com
www.runzheimer.com

Sites fournissant des informations sur le coût de la vie à l'étranger, sur la rémunération et les avantages sociaux offerts aux employés qui y sont affectés.

Les diverses façons d'établir la rémunération des expatriés

Approche fondée sur le bilan (négociation de la rémunération)

La rémunération comprend le salaire de base selon les échelles du pays d'origine, auquel on ajoute une indemnisation pour les fluctuations de prix des biens et des services (logement, transport, écoles, etc.). Cette approche vise à préserver le pouvoir d'achat de l'expatrié et elle favorise la mobilité.

Approche forfaitaire

La rémunération comprend le salaire de base, auquel on ajoute un montant forfaitaire (jusqu'à 30 % du salaire de base) comme prime de déplacement. Cette prime peut être attribuée en plusieurs versements.

Approche de type cafétéria

La rémunération comprend le salaire de base, auquel on ajoute des primes dont l'employé peut se prévaloir, selon ses besoins, jusqu'à un certain montant.

gestionnaires des ressources humaines doivent se conformer à la politique de l'entreprise, tout en tenant compte des aspects juridiques.

Il est arrivé que des entreprises nord-américaines résilient les contrats de gestionnaires en ne leur accordant que quelques semaines de salaire, alors que dans la plupart des pays européens la loi prévoit l'octroi de coquettes indemnités en cas d'annulation de contrats.

17.4

LA GESTION DU RAPATRIEMENT DES EMPLOYÉS AFFECTÉS À L'INTERNATIONAL

La gestion du rapatriement revêt une importance capitale, puisque c'est l'activité qui permet à l'entreprise d'enrichir ses compétences sur le plan international en s'appuyant sur des employés qui ont acquis une expérience internationale. Dans cette section[52], nous examinerons les problèmes liés au rapatriement — dont on doit impérativement se préoccuper — et les moyens organisationnels qui permettent d'y remédier.

17.4.1 | Les problèmes vécus lors du rapatriement

Les études portant sur le phénomène du rapatriement font référence à deux types de problèmes vécus par les employés lorsqu'ils rentrent dans leur pays d'origine, à la suite d'une affectation internationale. D'une part, des problèmes professionnels qui sont liés directement à l'emploi occupé par l'employé à son retour dans l'entreprise et, d'autre part, des problèmes personnels, d'ordre familial, pécuniaire ou encore psychologique (voir l'encadré 17.12).

Les problèmes consécutifs au rapatriement des employés de multinationales

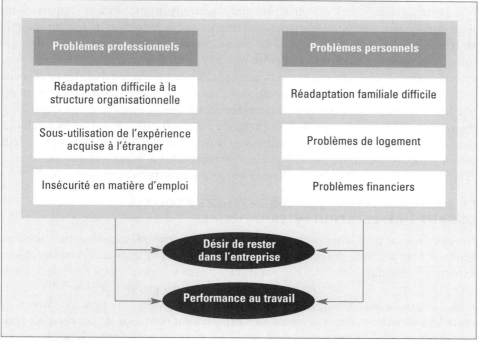

Source : adapté de T. Saba et R. Chua, « Gérer la mobilité internationale : problèmes de rapatriement et pratiques de gestion », *Management International*, vol. 3, n° 2, 1999, p. 57-68.

Dans le domaine professionnel, on a cerné trois grands problèmes : l'insécurité concernant l'obtention d'un poste attrayant au retour, la difficulté à se réadapter à la structure de la société mère et la sous-utilisation des compétences acquises durant le séjour à l'étranger.

L'INSÉCURITÉ CONCERNANT L'OBTENTION D'UN POSTE ATTRAYANT AU RETOUR

L'acceptation d'une affectation internationale risque de nuire à la carrière entreprise au siège social. Une étude empirique montre que 56 % des personnes interrogées étaient d'avis que les affectations internationales n'avaient aucun effet sur leur carrière ou avaient un effet négatif[53]. Dans le même ordre d'idées, Mendenhall et Oddou[54] estiment que moins de 25 % des cadres ont un emploi assuré à leur retour. Or, cette incertitude constitue l'une des principales raisons qui entravent la mobilité des cadres et restreignent le bassin des candidats performants désireux d'avoir un poste à l'étranger.

Contraintes de trouver des solutions à la dernière minute, les entreprises affectent souvent les cadres rapatriés à des emplois temporaires ne comportant pas de responsabilités bien définies[55]. Ce type d'emploi intérimaire exacerbe le sentiment d'insécurité de ces cadres et les démotive, d'autant plus qu'à l'étranger ils occupaient des postes offrant de grands défis ou qu'ils rentrent au pays après avoir conclu des affaires lucratives pour l'entreprise, fréquemment dans des conditions difficiles.

LA DIFFICULTÉ À SE RÉADAPTER À LA STRUCTURE DE LA SOCIÉTÉ MÈRE

Pour assurer le succès du rapatriement des cadres, il ne suffit pas de leur atttribuer un bon poste au siège social. D'autres problèmes peuvent surgir. Black et Gregersen ont noté que 46 % des employés rapatriés accueillent mal la réduction de leur autonomie au travail[56]. Selon la même étude, 77 % des cadres ont, en fait, connu une rétrogradation, alors que seulement 11 % d'entre eux ont fait l'objet d'une promotion à leur retour au siège social. Les auteurs indiquent également que cette baisse de statut social a eu des effets négatifs sur la réadaptation au travail des cadres rentrés de l'étranger; elle leur a montré qu'il était peu intéressant d'enrichir sa carrière d'une expérience internationale. En outre, comme ils ont échappé à la rigidité de la structure hiérarchique durant leur séjour à l'étranger, les cadres ont souvent de la difficulté à l'accepter à leur retour au siège social. Le cadre doit alors se réhabituer à la surveillance rigoureuse exercée par des supérieurs hiérarchiques qui sont en contact direct avec eux.

LA SOUS-UTILISATION DES COMPÉTENCES ACQUISES DURANT L'AFFECTATION INTERNATIONALE

Il s'agit là d'un problème commun aux cadres rapatriés. Ces derniers s'attendent généralement à ce que l'organisation mette à contribution leurs compétences et leur expérience internationales dans le but d'accroître sa compétitivité à l'étranger. Lorsqu'elles omettent de le faire, les organisations donnent à penser que pour elles l'expérience internationale n'est pas aussi précieuse que les cadres auraient pu l'imaginer avant leur départ. Or, ceux qui ont choisi l'expatriation l'ont souvent fait pour acquérir une expérience à l'étranger qui leur fournisse des atouts professionnels additionnels. D'ailleurs, Gregersen et Black[57] affirment, dans une étude récente, que la volonté des cadres expatriés de demeurer au service de la société mère est fortement liée à l'intérêt dont l'entreprise fait preuve à l'égard de leur expérience internationale.

Dans le domaine personnel, les spécialistes de la question font état également d'un certain nombre de problèmes.

LA DIFFICULTÉ À SE RÉADAPTER AU MODE DE VIE NORD-AMÉRICAIN

La difficulté de réintégrer le pays d'origine est souvent assimilée à l'expérience vécue lors du séjour à l'étranger, soit l'adaptation au pays d'accueil. Or, ce problème touche aussi bien les cadres rapatriés que leur famille.

LA DIFFICULTÉ À RENONCER AU STYLE DE VIE ADOPTÉ DANS LE PAYS D'ACCUEIL

Certains auteurs ont noté la difficulté qu'éprouvent les cadres rapatriés à renoncer à certains privilèges et à certaines habitudes acquises lors de leur séjour à l'étranger. En effet, le style de vie des cadres expatriés comporte souvent un certain nombre de privilèges (indemnité de logement, allocation de dépenses, réceptions, aide à domicile, etc.). Or, une fois de retour au pays, les cadres sont privés de ces privilèges, ce qui n'est pas sans avoir un effet sur leur niveau de vie.

LES DIFFICULTÉS FINANCIÈRES ET LES PROBLÈMES DE LOGEMENT

Le même phénomène est susceptible de se présenter en ce qui a trait aux conditions de logement. Dans le pays d'accueil, ces dernières ont souvent été supérieures à celles que les expatriés ont connues dans leur pays d'origine. En outre, certains cadres qui ont accepté des affectations plus longues ont dû vendre leur maison. À leur retour, ils doivent en acquérir une autre, dans des conditions économiques qui fréquemment ont changé. Ainsi, le rapatriement donne lieu à des problèmes de logement qui, associés à des ennuis financiers, constituent une source de stress et d'insatisfaction pour les cadres rapatriés.

17.4.2 | La nécessité de se préoccuper du rapatriement

Afin de mettre en œuvre des stratégies de mondialisation, les entreprises doivent chercher à conserver les cadres dotés de compétences en gestion pour les affecter à l'étranger. Les entreprises internationales déploient de grands efforts pour gérer l'expatriation et assurer le succès des cadres internationaux au cours de leur mission à l'étranger, mais elles négligent la gestion du rapatriement, qui fait pourtant partie intégrante du processus de gestion de la mobilité internationale[58]. Ces dernières années, un nombre croissant d'auteurs ont souligné la nécessité de garder les cadres expatriés une fois qu'ils sont de retour au siège social ; il faut pour cela se préoccuper de leur carrière et leur offrir des postes dans lesquels les compétences acquises à l'étranger seront utilisées à bon escient[59]. La gestion du rapatriement devient alors essentielle, puisqu'elle concourt à l'amélioration de la capacité de diriger au sein des organisations et qu'elle contribue à l'élaboration des stratégies internationales[60]. En assurant une gestion adéquate du rapatriement des cadres, l'entreprise montre qu'elle accorde une grande importance à l'expérience acquise à l'étranger, suscite la création d'une culture internationale et encourage les employés à accepter plus facilement les affectations internationales[61].

DANS LES **FAITS**

Un plus grand nombre d'hommes que de femmes acceptent la mobilité pour des raisons d'ordre financier, alors que plus de femmes que d'hommes optent pour la mobilité en raison des pratiques visant le soutien et la socialisation et assurant les conditions du rapatriement[62].

17.4.3 | Les activités de gestion des ressources humaines qui facilitent le rapatriement

Les activités qui visent à gérer le rapatriement se divisent en deux grands groupes. D'une part, on trouve les activités de gestion qui s'adressent aux cadres expatriés avant leur retour au siège social et, d'autre part, celles dont ils peuvent bénéficier après leur retour.

Dans le premier groupe d'activités, on mentionne dans la documentation que les pratiques qui visent à permettre aux cadres de rester en contact avec la société mère et celles qui visent à planifier et à gérer leur carrière lorsqu'ils seront rentrés ont le plus souvent des effets positifs sur l'adaptation des cadres et sur leur performance au travail. Les auteurs qui traitent des théories de l'adaptation affirment que les individus s'habituent mieux à un nouvel environnement de travail lorsqu'ils réussissent à réduire l'incertitude qu'ils ressentent face à ce nouveau milieu. Pour y arriver, les cadres doivent disposer de l'information pertinente sur les enjeux, les défis à affronter, les actions à entreprendre, etc. Or, si elles se sont penchées sur la question de l'information avant le départ des cadres, les organisations ont par contre beaucoup moins mis l'accent sur l'information à transmettre lors du rapatriement, car le fait de se préoccuper d'une personne qui regagne son pays d'origine semble plutôt banal. Or, les situations se modifient aujourd'hui si rapidement que les cadres tenus à l'écart risquent de perdre tout contact avec la réalité organisationnelle de la société mère.

Quant aux activités de soutien destinées aux cadres qui rentrent dans leur pays d'origine, elles prennent la forme d'activités d'accueil et de socialisation comparables à celles qu'on prévoit pour les employés nouvellement embauchés, ou encore elles sont constituées de pratiques d'aide pécuniaire qui aident les cadres à s'acheter une nouvelle maison. La planification financière, le counseling, ou bien les activités au cours desquelles les cadres ont l'occasion de faire part de leurs frustrations et de leurs inquiétudes ont également pour effet de mieux intégrer les cadres rapatriés. On peut aussi leur accorder une période de réadaption pour leur permettre de s'accoutumer au nouveau contexte de travail et organiser des séances de travail durant lesquelles ils auront l'occasion de s'entretenir de leur expérience internationale avec des collègues de la société mère.

17.5 LE RÔLE DES PROFESSIONNELS DE LA GESTION DES RESSOURCES HUMAINES AU SEIN DES ENTREPRISES INTERNATIONALES

L'intérêt que portent les entreprises à la mondialisation de leurs activités engendre, il va sans dire, des bouleversements dans les orientations de la fonction ressources humaines. Dans le passé, cette fonction, qui est chargée des activités d'une multinationale, était décentralisée et répondait directement aux besoins des unités. Cette approche obéissait à une certaine logique, puisque la majorité des employés des unités locales étaient recrutés sur place ; ils étaient imprégnés de la culture locale et assujettis à la réglementation et à l'environnement du pays. Or, malgré son caractère raisonnable, cette approche devient dans une certaine mesure préjudiciable à la fonction ressources humaines, puisqu'elle l'empêche de se déployer sur le plan international et la cantonne aux activités locales[63]. Or, il semble de plus en plus évident que la mondialisation de la fonction ressources humaines passe nécessairement par la mondialisation de la direction de cette fonction. Les défis auxquels fait face cette fonction sont de trois ordres ; elle doit :

- Assurer l'émergence d'une mentalité internationale au sein de la fonction ressources humaines, tout particulièrement d'une profonde compréhension de l'environnement international et de ses effets sur le milieu des affaires et sur les employés.
- Favoriser l'harmonisation des processus et des activités de gestion des ressources humaines considérées comme cruciales en raison des nouvelles exigences de la compétition internationale, tout en étant à l'écoute des besoins exprimés par les unités locales.
- Élargir les compétences et les capacités internationales à l'intérieur de la fonction ressources humaines pour que celle-ci puisse jouer un rôle de partenaire stratégique et être en mesure de repérer rapidement les occasions d'expansion qui se manifestent dans l'arène internationale.

À cet effet, des programmes de mobilité internationale devraient être à la disposition des professionnels de la gestion des ressources humaines afin qu'ils puissent résoudre sur le terrain les problèmes que vivent les employés dans différents environnements multiculturels. Les affectations internationales devraient faire partie intégrante des plans de carrière des professionnels des ressources humaines. Cela représente un défi difficile à relever, étant donné que les emplois de début sont surtout créés au niveau local, bien qu'il soit possible de le relever, puisqu'il existe des postes en ressources humaines dans les diverses unités et au siège social. Cependant, les critères de sélection devraient tenir compte du potentiel de croissance des employés, de leur volonté et de leur capacité de comprendre différentes cultures et de composer avec celles-ci. En somme, la pierre angulaire de la mise en œuvre des capacités de gestion à l'échelle internationale liées à la fonction ressources humaines est de représenter un modèle de direction internationale. Cette fonction doit avoir à son tour réussi à acquérir des compétences à l'échelle internationale afin de gagner la crédibilité des autres fonctions et de les convaincre de la nécessité d'acquérir des capacités de gestion à l'échelle internationale[64].

CONSULTEZ INTERNET

www.ihrim.org

Site de l'International Association for Human Ressource Information, qui permet d'effectuer des échanges sur la gestion des ressources humaines à l'échelle internationale et sur les systèmes d'information.

RÉSUMÉ

L'expansion rapide de la concurrence internationale force les entreprises à réexaminer continuellement la situation afin de sélectionner les moyens permettant à la fonction ressources humaines de soutenir les efforts organisationnels mis en œuvre dans le cadre de la mondialisation.

Les entreprises qui se livrent une compétition sur la scène internationale font face à une multitude de nouvelles exigences liées aux structures organisationnelles et aux ressources humaines. Les professionnels de la gestion des ressources humaines font l'objet de demandes stratégiques souvent contradictoires. Dans le but de survivre et de prospérer dans un environnement compétitif international, les entreprises se soumettent à une intégration et à une coordination de leurs activités régionales et mondiales de plus en plus poussées. Bien davantage qu'auparavant, les organisations doivent s'adapter à leur environnement local, faire preuve de flexibilité et être toujours en mesure de répondre rapidement à la demande. Les entreprises cherchent à faire leur apprentissage organisationnel en stimulant la créativité, l'innovation et les échanges d'information et d'idées par delà les frontières. Pour réussir dans l'arène internationale, les organisations doivent faire régner en leur sein un climat mobilisateur, qui prône l'ouverture d'esprit et s'accompagne du désir de mettre de l'avant une culture compétitive.

L'élément clé pour déclencher le processus d'internationalisation est celui de la capacité des gestionnaires des entreprises internationales à travailler dans un contexte international. La création et la préservation d'un avantage compétitif dépendent de l'aptitude de la fonction ressources humaines à mettre en œuvre des stratégies complexes et compétitives au sein des unités organisationnelles. Si les capacités organisationnelles représentent le principal instrument de la compétition internationale, le défi le plus important en gestion des ressources humaines consiste à proposer des politiques et des pratiques qui assureront rapidement le succès du processus de mondialisation, qui favoriseront l'acquisition de capacités permettant de participer à la concurrence internationale et qui apporteront leur soutien à la fois à la sélection, au maintien et à la motivation des futurs dirigeants à l'échelle mondiale.

Questions de révision et d'analyse

1. Quelles étapes l'entreprise est-elle susceptible de franchir avant de devenir une véritable multinationale?

2. Quelles sont les différences entre les caractéristiques des entreprises dites internationales, méganationales, multidomestiques et transnationales?

3. Résumez les principales caractéristiques des approches ethnocentrique, polycentrique, régiocentrique et géocentrique de la gestion des ressources humaines en matière de recrutement et de sélection. Décrivez ensuite les différentes pratiques de gestion qui y sont associées.

4. Quels sont les enjeux qui se présentent aux professionnels de la gestion des ressources humaines dans la gestion des entreprises internationales?

5. Déterminez les paramètres clés de la rémunération en ce qui concerne les entreprises internationales.

6. Expliquez le rôle que les employés affectés à l'étranger jouent au sein de l'entreprise multinationale.

7. Décrivez les difficultés qu'éprouvent les employés relativement à la mobilité internationale et proposez quelques solutions pour y remédier.

8. Pourquoi est-il si important de s'occuper du rapatriement? Justifiez votre réponse en précisant quelles actions organisationnelles devraient être mises de l'avant.

9. Quelles sont les principales caractéristiques des rôles que les professionnels de la gestion des ressources humaines sont appelés à jouer au sein des entreprises internationales? Seriez-vous prêt à relever ce type de défi?

ÉTUDE DE CAS

EXPERTISE INC.

Tony Toufic
Chargé d'enseignement, Département de management,
Faculté des sciences de l'administration, Université Laval

L'entreprise Expertise inc. se fait remarquer depuis de nombreuses années sur les marchés canadiens et internationaux, dans le domaine des nouvelles technologies. Elle propose des solutions d'affaires, élaborées au Canada, à des clients répartis dans le monde.

L'entreprise souscrit depuis le début à la même stratégie: lorsqu'elle met au point une nouvelle solution d'affaires qui remporte du succès au Canada, elle l'adapte pour les marchés internationaux. Par la suite, elle mandate un

jeune conseiller pour effectuer la prospection de marchés dans les pays où l'entreprise est présente ou dans ceux où elle l'a été. Ces conseillers débutants doivent voyager durant deux ou trois mois pour visiter tous les pays, mais ces déplacements ne constituent pas un problème pour eux, car ils appartiennent pour la plupart à la génération «Y», en quête de défis et ouverte sur le monde. Le taux de réussite de cette prospection est de 25%, mais la valeur des contrats obtenus compense largement le coût de la prospection. Une fois les contrats signés, un conseiller d'expérience est affecté durant deux à trois ans dans le pays, avec sa famille, afin de mettre en place et de transmettre les solutions d'affaires.

Notons par ailleurs que l'entreprise, qui connaît une forte croissance depuis quelques mois et qui espère que cette tendance se maintiendra, fait cependant face aujourd'hui à de nombreux défis.

Les conseillers d'expérience, qui pour la plupart étaient présents au moment de la création de l'entreprise, ont une moyenne d'âge de 50 ans. On doit songer à assurer la relève. De jeunes conseillers ont été pressentis, mais il faut instaurer des programmes de mentorat afin de leur permettre d'acquérir les compétences requises.

Lorsqu'ils sont engagés, les conseillers débutants doivent d'abord travailler durant cinq ans dans le domaine de la recherche et du développement et dans le domaine de la prospection. Alors que leurs compétences en prospection de clientèle sont optimales et qu'il est possible de désigner ceux qui pourraient devenir des conseillers d'expérience, bon nombre d'entre eux quittent l'entreprise (50 % des conseillers qu'on souhaitait garder ont démissionné au bout de trois ans). L'entreprise fait donc face à un taux de roulement très élevé. Deux raisons sont invoquées lors des entrevues de départ : premièrement, les conseillers viennent souvent de fonder une famille et les longs séjours à l'étranger ne les intéressent plus ; deuxièmement, on ne leur offre pas de boni lorsqu'ils décrochent des contrats. Ils estiment aussi que les conseillers d'expérience travaillant sur le terrain jouissent de conditions beaucoup plus avantageuses qu'eux. Outre leur salaire annuel, les conseillers d'expérience reçoivent diverses indemnités, notamment :

- Une indemnité de poste (pour couvrir le coût de la vie à l'étranger) qui peut représenter jusqu'à 40 % du salaire annuel

- Une indemnité de logement
- Une indemnité destinée à couvrir les frais d'éducation des enfants

Quand les conseillers d'expérience rentrent au pays, la majorité d'entre eux (65 %) ne veulent plus retourner sur le terrain, et cela pour diverses raisons. Si les conditions financières sont intéressantes, ils allèguent qu'ils ne peuvent pas profiter des occasions de progresser dans leur carrière qui se présentent chez eux, car ils sont en affectation hors du pays, et que les réalisations accomplies à l'étranger ne sont pas reconnues lorsqu'ils sont de retour au siège social. En effet, il n'existe actuellement au sein des entreprises aucun processus qui permette de reconnaître et de mettre en valeur les résultats obtenus par les conseillers d'expérience. De plus, l'affectation à l'étranger engendre également des problèmes familiaux. Les conjoints (ou conjointes) qui accompagnent les conseillers d'expérience ne veulent plus repartir, car ils ont dû mettre en veilleuse leur propre carrière et à leur retour ils éprouvent énormément de difficultés à réintégrer le marché du travail. Ceux qui réussissent à poursuivre leur carrière ne veulent plus revivre pareille expérience et nombre d'entre eux doivent se contenter d'un emploi qui ne correspond pas à leurs attentes. Enfin, les conseillers d'expérience constatent que leur sentiment d'engagement envers l'entreprise a considérablement diminué en raison de la distance avec le siège social ; ils ne reconnaissent plus l'entreprise, qui a évolué durant leur séjour à l'étranger et qui n'a pas tenu compte de leur absence...

QUESTIONS

1. Selon vous, l'entreprise doit-elle s'interroger sur ses pratiques et, dans l'affirmative, pourquoi ?

2. Quelles sont les activités de la gestion des ressources humaines qui sont touchées par cette problématique ?

3. Si l'entreprise vous proposait de mettre au point un plan d'action, que lui proposeriez-vous ?

1. Dans ce chapitre, les entreprises internationales sont aussi désignées par l'expression « entreprises multinationales », selon la définition qu'en donne l'Organisation des Nations unies ; on appelle ainsi les entreprises qui détiennent une bonne part du capital des filiales ou des sociétés apparentées situées à l'étranger.

2. J.M. Stopford et T. Wells, *Managing the Multinational Enterprise*, Londres, Longman, 1972. R. Royer, « Mondialisation et gestion », *Gestion*, vol. 20, n° 3, septembre 1995, p. 28-30. Y.H Derick Sohn, « Striking a Balance Between Global Integration and Local Responsiveness : The Case of Toshiba Corporation in Redefining Regional Headquarters' Role », *Organizational Analysis*, 2004, vol. 12, n° 4, 2004, p. 347-359.

3. www.alcan.com/web/publishing.nsf/content/About+Alcan+Home_fr.

4. Adapté de l'article « Multinationale (société) », Encyclopédie Microsoft Encarta, 2006, fr.encarta.msn.com.

5. C.A. Bartlett et S. Ghoshal, *Managing Across Borders : The Transnational Solution*, Cambridge (Massachusetts), Harvard Business School Press, 1991.

6. P.A.L. Evans, « Dosing the Glue : Applying Human Resource Technology to Build the Global Organization », *Research in Personnel and Human Resources Management*, suppl. 3, 1993, p. 21-54.

7. J.C. Jarillo et J.I. Martinez, « Different Roles for Subsidiaries : The Case of Multinational Corporations in Spain », *Strategic Management Journal*, vol. 11, 1990, p. 501-512.

8. R.S. Schuler et I. Tarique, « International Human Resource Management : A North American Perspective, A Thematic Update dans Suggestions for Future Research », *International Journal of Human Resource Management*, vol. 18, n° 5, 2007, p. 717-745. R.S. Schuler, P.J. Dowling et H. De Cieri, « An Integrative Framework of Strategic International Human Resource Management », *Journal of Management*, vol. 19, n° 2, 1993, p. 419-459.

9. R L. Tung, « Le défi global des ressources humaines : la gestion de la diversité dans les milieux internationaux », *Revue de gestion des ressources humaines*, n° 15, mai 1995, p. 27-37.

10. F. Luthans, P.A. Marsnik et K.W Luthans, « A Contingency Matrix Approach to IHRM », *Human Resource Management*, vol. 36, n° 2, 1997, p. 183-199.

11. G. Hofstede, *Culture's Consequences, Comparing Values, Behaviors, Institutions, and Organizations Across Nations*, 2e éd., Newbury Park (Californie), Sage, 2003.

12. G. Hofstede, « Cultural Dimensions in People Management : The Socialization Perspective », dans *Globalizing Management : Creating and Leading the Competitive Organization*, V. Pucik, N. Tichy et C. Barnett (sous la dir. de), New York, John Wiley and Sons, 1992. G. Hofstede et G.J Jan Hofstede, *Cultures and Organizations, Software of the Mind : Intercultural Cooperation and Its Importance for Survival*, New York, McGraw-Hill, 2004.

13. H.V. Perlmutter, « The Tortuous Evolution of the Multinational Corporation », *Columbia Journal of World Business*, vol. 4, n° 1, 1969, p. 9-18.

14. T. Saba, « La GRH dans les entreprises internationales : une réalité complexe et des exigences nouvelles », *Effectif*, vol. 4, n° 1, 2001, p. 22-30.

15. P.J. Dowling et D.E. Welch, *International Human Resource Management : Managing People in a Multinational Context*, 4e éd., Londres, Thomson Learning, 2004. R.S. Schuler, P.J. Dowling et H. De Cieri, *op. cit.*

16. M.J. Dupuis, V. Haines et T. Saba, « Dual-Earner Family Ties and International Mobility », *International Journal of Human Resource Management*, (sous presse). R. Swaak, « Today's Expatriate Families : Dual Careers and Others Obstacles », *Compensation and Benefits Review*, vol. 27, n° 3, mai 1995, p. 21-26.

17. C.A. Bartlett et H. Yoshihara, « New Challenges for Japanese Multinationals : Is Organization Adaptation Their Achilles Heel ? », dans V. Pucik, N. Tichy et C. Bartlett (sous la dir. de), *Globalizing Management : Creating and Leading the Competitive Organization*, New York, John Wiley and Sons, 1992. R.J. Stone, « Expatriate Selection and Failure », *Human Resource Planning*, vol. 14, n° 1, 1991, p. 9-18.

18. J. Richardson, « Self-directed Expatriation : Family Matters », *Personnel Review*, vol. 35, n° 4, 2006, p. 469-486. R.J. Stone, *op. cit.*

19. J.-B. Nadeau, *L'Actualité*, vol. 31, n° 19, 2006, p. 50.

20. M. Janssens, « Evaluating International Managers' Performance : Parent Company Standards as Control Mechanisms », *The International Journal of Human Resource Management*, vol. 5, n° 4, décembre 1994, p. 853-873.

21. J.R. Fulkerson et R.S. Schuler, « Managing People Worldwide Diversity at Pepsi-Cola International », dans S.E. Jackson et autres, *Diversity in the Workplace : Human Resources Initiatives*, New York, Guilford Press, 1992. W. Arthur Jr. et W. Bennett Jr., « The International Assignee : The Relative Importance of Factors Perceived to Contribute to Success », *Personnel Psychology*, vol. 48, 1995, p. 99-114.

22. R.P. Kanungo, « Cross-Cultural [?] and Business : Are They Coterminous or Cross-Verging ? », *Cross-Cultural Management*, vol. 13, n° 1, 2006, p. 23-31. L. Celaya, J.S. Swift, « Pre-departure Cultural Training : US Managers in Mexico », *Cross Cultural Management*, vol. 13, n° 3, 2006, p. 230-243. J. Yanouzas et S. Boukis, « Transporting Management Training into Poland : Some Surprises and Disappointments », *Journal of Management Development*, vol. 12, n° 1, 1993, p. 64-71.

23. J. Laabs, « How Gillette Grooms Global Talents », *Personnel Journal*, août 1993, p. 64-76.

24. C. M. Vance et Y. Paik, « Forms of Host-country National Learning for Enhanced MNC Absorptive Capacity », *Journal of Managerial Psychology*, vol. 20, n° 7, 2005, p. 590-606. V. Oltra, « Knowledge Management Effectiveness Factors : The Role of HRM », *Journal of Knowledge Management*, vol. 9, n° 4, 2005, p. 70-86. D.B. Minbaeva, S. Michailova, « Knowledge Transfer and Expatriation in Multinational Corporations : The Role of Disseminative Capacity », *Employee Relations*, vol. 26, n° 6, 2004, p. 663-679

25. S. St-Onge, M. Magnan, C. Prost et S.-P. Biouele, « Gérer la rémunération dans un contexte de mobilité internationale : l'art de jongler avec différentes perspectives », *Gestion*, vol. 27, n° 1, 2002, p. 41-55. J. Cartland, « Rewards Policies in a Global Corporation », *Business Quarterly*, automne 1993, p. 93-96.

26. R. Doucet, « Les programmes de développement des leaders dans les entreprises mondiales », *Gestion*, vol. 27, n° 1, 2002, p.86-97. E. Kohonen, « Developing Global Leaders Through International Assignments : An Identity Construction Perspective », *Personnel Review*, vol. 34, n° 1, 2005, p. 22-36.

27. V. Pucik, « La formation de leaders d'envergure internationale », dans S.L.Dolan, T. Saba, S.E. Jackson, R.S. Schuler, *Gestion des ressources humaines : tendances, enjeux et pratiques actuelles*, 3e éd., Saint-Laurent (Québec), Éditions du Renouveau Pédagogique, 2002. G. Hernez-Broome et R.L. Hughes, « Leadership Development : Past, Present and Future », *Human Resource Planning*, vol. 27, n° 1, 2004, p. 24-32.

28. T. Royle, « Multinational Corporations, Employers' Associations and Trade Union Exclusion », *Employee Relations*, vol. 24, n° 4, 2002, p. 437-460. G. Murray et P. Verge, « Transformation de l'entreprise et représentation syndicale », *Relations industrielles*, vol. 48, n° 1, 1993, p. 3-53.

29. R.P. Chaaykowsky et G.Anthony, « Globalization, Work and Industrial Relations, *Relations industrielles*, vol. 53, n° 1, 1998.

30. J.P. Katz et E.W. Stanley, « A Framework for Assessing International Labor Relations : What Every HR Manager Needs to Know », *Human Resource Planning*, vol. 20, n° 4, 1997, p. 16-25.

31. www.cirquedusoleil.com/CirqueDuSoleil/fr/company/socialaction/default.htm.

32. A. Leclerc, « Les syndicats peuvent-ils survivre au règne absolu des multinationales ? », communication présentée au Colloque sur la gestion des ressources humaines à l'international, le 8 décembre 2000. C. Huxley, « Local Union Responses to Continental Standardization of Production and Work in GM's North American Truck Assembly Plant », *Multinational Companies and Global Human Resource Strategies*, Westport (Connecticut), Quorum Books, 2003, p. 223-247.

33. Cette section s'inspire largement de T. Saba et R. Chua, « Une carrière à l'international : difficultés d'adaptation et pratiques de gestion », *Psychologie du travail et des organisations*, vol. 5, n° 1 et 2, 1999, p. 5-34.

34. J.M. Hannon, I.C. Huang et B.S. Jaw, « International Human Resource Strategy and Its Determinants : The Case of Subsidiaries in Taiwan », *Journal of International Business Studies*, vol. 26, n° 2, 1991, p. 227-244.

35. B.C. Derr et G.R. Oddou, « Are U.S. Multinationals Adequately Preparing Future American Leaders for Global Competition ? », *International Journal of Human Research Mnagement*, vol. 2, n° 2, 1991.

36. D. Welch, L. Welch et V. Worm, « The International Business Traveler : A Neglected but Strategic Human Resource », *International Journal of Human Resource Management*, vol. 18, n° 5, 2007, p. 173-184.

37. V. Pucik, « Globalization and Human Resource Management », dans V. Pucik, N. Tichy et C. Barnett, *Globalizing Management : Creating and Leading the Competiveness Organization*, New York, John Wiley and Sons, 1992.

38. V. Pucik et T. Saba, « Developing Global Versus Expatrite Managers : A Review of the State-of-the-Art », *Human Resource Planning*, vol. 21, n° 4, 1998, p. 40-54. C. Marmer Solomon, « Transplanting Corporate Cultures Globally », *Personnel Journal*, octobre 1993, p. 78-88.

39. A. Cloutier et S. Baichoo, « Le HIMP, un plan de carrière pour nos futurs dirigeants », *Effectif*, vol. 4, n° 1, 2001, p. 38-40.

40. B.D. Derr et G.R. Oddou, *op. cit.*

41. L. Stroh, « Predicting Turnover Among Repatriates : Can Organizations Affect Retention Rates ? », *The International Journal of Human Resource Management*, vol. 6, n° 2, mai 1995, p. 443-456.

42. T. Saba et V. Haines, « Des cadres prêts à accepter des affectations internationales : les résultats d'une enquête », *Gestion,* vol. 27, n° 1, 2002, p. 33-40.

43. S.L. O'Sullivan, S.H. Appelbaum et C. Abikhzer, « Expatriate Management "Best Practices" in Canadian MNCs : A Multiple Case Study », *Career Development International*, vol. 7, n° 2, 2002, p. 79-95. M.E. Mendenhall et G. Oddou, « Toward a Comprehensive Model of International Adjustment : An Integration of Multiple Theoretical Perspective », *Academy of Management Review*, vol. 16, n° 2, 1991, p. 291-317.

44. R. Chua et T. Saba, « The Effectiveness of Cross-Cultural Practices in International Assignments », dans *Globalization : Impact on Management Education, Research and Practices*, Actes de l'International Federation of Scholarly Associations of Management (IFSAM), CD-ROM, Madrid, Diaz de Santos. 1998.

45. S.H. Rhinesmith, « Open the Door to a Global Mindset », *Training and Development*, mai 1995, p. 35-43.

46. B.D. Derr et G.R. Oddou, *op. cit.* M.E. Mendenhall et G. Oddou, *op. cit.*

47. T. Saba et R. Chua, « Une carrière à l'international : difficultés d'adaptation et pratiques de gestion », *Psychologie du travail et des organisations*, vol. 5, n°s 1 et 2, 1999, p. 5-34.

48. J.S. Black, H.B. Gregerson et M.E. Mendelhall, *Global Assignments : Successfully Expatriating and Repatriating International Managers*, San Francisco, Jossey-Bass, 1992.

49. J.-L. Cerdin et J.M. Peretti, « Les cadres français expatriés : principaux déterminants d'une adaptation réussie », dans M. Tremblay et B. Sire, *GRH face à la crise ? GRH en crise*, Montréal, HEC, 1997.

50. C. Marmer Solomon, « Success Abroad Depends on More than Job Skills », *Personnel Journal*, avril 1994, p. 52.

51. B. Berthelot, « Loin des yeux, loin du cœur », *Effectif*, juin-juillet-août 2000, p. 28-31.

52. Cette section s'inspire largement de T. Saba et R. Chua, « Gérer la mobilité internationale : problèmes de rapatriement et pratiques de gestion », *International Management*, vol. 3, n° 2, 1999, p. 57-68.

53. C.G. Howard, « Profile of the 21th Century Expatriate Manager », *HR Magazine*, juin 1992, p. 93-100.

54. M.E. Mendenhall et G. Oddou, *op. cit.*

55. J.S. Black, H.B. Gregerson et M.E. Mendelhall, *op. cit.*

56. J.C. Black et H.B. Gregensen, « When Yankees Come Home : Factors Related to Expatriate and Spouse Repatriation Adjustment », *Journal of International Business Studies*, vol. 22, 1991, p. 671-694.

57. H.B. Gregersen et J.S. Black, « Keeping High Performers after International Assignments : A Key to Global Executive Development », *Journal of International Management*, vol. 1, n° 1, 1995, p. 3-31.

58. T. Saba et R. Chua, *op. cit.*

59. N.J. Adler et S. Bartholomew, *op. cit.*

60. V. Pucik et T. Saba, *op. cit.*

61. C. Marmer Solomon, « How Does Your Global Talent Measure Up ? », *Personnel Journal*, octobre 1994, p. 96-108. T.S. Chan, « Developing International Managers : A Partnership Approach », *Journal of Management Development*, vol. 13, n° 3, 1994, p. 40-50.

62. T. Saba et V. Haines, « Des cadres prêts à accepter des affectations internationales : les résultats d'une enquête », *Gestion*, vol. 27, n° 1, 2002, p. 33-40.

63. C. Brewster et V. Suutari, « Global HRM : Aspects of a Research Agenda », *Personnel Review,* vol. 34, n° 1, 2005, p. 5-21.

64. V. Pucik, « La formation de leaders d'envergure internationale », dans S.L. Dolan, T. Saba, S.E. Jackson, R.S. Schuler, *Gestion des ressources humaines : tendances, enjeux et pratiques actuelles*, 3e éd., Saint-Laurent (Québec), Éditions du Renouveau Pédagogique, 2002.

GLOSSAIRE

Accès à l'égalité en emploi Processus global visant à assurer l'équité de représentation de groupes désignés sur les lieux de travail, de même qu'à corriger et à prévenir les effets de la discrimination intentionnelle et de la discrimination systémique.

Aide au relogement Indemnité ou allocation accordée par l'employeur à un employé qui doit déménager en raison d'une mutation dans un autre établissement de l'entreprise ou d'un licenciement.

Analyse de cause à effet Analyse qui permet d'établir des liens entre les causes d'un événement et ses répercussions.

Analyse de Pareto Loi dite « des 80/20 », selon laquelle 20 % des causes produisent 80 % des effets ; cette loi suppose qu'en déterminant les causes qui produisent le maximum d'effets on parvient à élaborer les solutions les plus efficaces.

Apprentissage continu Processus permettant de se tenir à jour dans son domaine en fournissant des efforts assidus et en participant à diverses activités de formation et d'éducation.

Approche à prédicteur unique Méthode de sélection des candidats se fondant sur un seul élément d'information.

Approche à prédicteurs multiples Méthode de sélection des candidats combinant plusieurs tests ou types d'information.

Approche ethnocentrique Attitude basée sur la conviction que le peuple auquel on appartient, de même que ses croyances, ses traditions, ses valeurs, représente un modèle universel.

Approche géocentrique En gestion des ressources humaines, approche qui favorise les échanges d'information, d'idées et de processus de travail entre les unités appartenant à la même entreprise internationale. L'organisation vise l'égalité des chances en sélectionnant et en embauchant des ressources compétentes à l'échelle mondiale, sans égard au pays d'origine des employés.

Approche par compétences Méthode de sélection des candidats se fondant sur un profil de compétences préalablement déterminé en fonction des orientations stratégiques de l'entreprise.

Arbitrage Procédure de règlement d'un litige faisant appel à un tiers impartial qui étudie l'état de la négociation, prend connaissance des positions de l'employeur et du syndicat, recueille l'information nécessaire, puis rend une décision qui lie généralement les deux parties.

Aspirations de carrière Ensemble des besoins, des motivations et des intentions d'un individu au sujet de sa carrière.

Assurance emploi Rémunération directe qui fait partie des régimes de sécurité du revenu et qui est destinée à assurer la sécurité de l'employé et de sa famille dans l'éventualité où il cesserait de recevoir son revenu.

Avantage concurrentiel Avantage résultant du fait que le coût global d'exécution de toutes les activités de la chaîne de valeur est inférieur à celui des concurrents.

Avantages sociaux (ou avantages accessoires) Partie de la rémunération globale comprenant les vacances, les divers congés rémunérés, les régimes de retraite et d'assurance collective.

Baby-boom Forte augmentation du taux de natalité, particulièrement de celle qui a suivi la Seconde Guerre mondiale dans les pays industrialisés.

Cercueils dorés Avantages financiers accordés aux cadres supérieurs d'une organisation lors du décès de membres de leur famille ; ils comprennent le remboursement des frais funéraires et des dépenses connexes.

Classification nationale des professions Ouvrage publié par le gouvernement fédéral, renfermant des définitions détaillées sur les emplois occupés au Canada.

Coefficient de corrélation (ou coefficient de stabilité) Mesure du degré de correspondance entre deux variables : par exemple, les résultats d'un employé à un test et son rendement au travail.

Comité paritaire Comité formé d'un nombre égal de représentants des travailleurs et des employeurs. Ces représentants sont désignés par les syndicats et par les associations d'employeurs signataires d'une convention collective.

Comparaison par paires Méthode qui consiste à comparer directement deux catégories d'emplois.

Conciliation Procédure faisant intervenir un tiers dont le rôle consiste à aider les négociateurs syndicaux et patronaux à parvenir à un accord lors de la négociation de la convention collective. On l'utilise principalement en cas de conflits importants.

Contamination d'un formulaire Présence, dans un formulaire d'évaluation, d'éléments qui en diminuent l'efficacité, par exemple de mesures ou dimensions sans lien avec le poste, de préjugés ou de croyances non fondées.

Déficience d'un formulaire Manque de cohérence ou de pertinence dans un formulaire d'évaluation, ce qui empêche de mesurer efficacement les connaissances ou le profil du candidat.

Déréglementation Réduction ou suppression de la réglementation de nature économique, dans un secteur donné, ayant pour but de laisser jouer les forces du marché. La déréglementation vise à éliminer les entraves au marché libre, à stimuler la concurrence et à encourager les innovations.

Développement des carrières Ensemble des programmes conçus par l'organisation pour aider les employés à harmoniser leurs aspirations, leurs compétences et leurs buts personnels avec les perspectives d'avancement, actuelles et futures, offertes par l'organisation.

Diagramme de dispersion Représentation graphique permettant de reproduire les écarts entre la valeur d'une caractéristique et celle d'une autre. Le diagramme de dispersion permet de tracer deux variables numériques l'une par rapport à l'autre, par exemple le nombre d'absences par catégorie d'âge.

Discrimination intentionnelle (ou discrimination directe) Traitement inégal des personnes résultant de pratiques ou de décisions d'embauche, de promotions ou de congédiements. La discrimination au travail peut se fonder sur le sexe, l'âge, l'état matrimonial, la race, les croyances religieuses, ou sur toute autre caractéristique n'ayant aucun lien direct avec le rendement des employés.

Discrimination systémique Politique en apparence neutre, qui a cependant un effet défavorable sur les membres des groupes désignés dans la législation sur les droits de la personne.

Données d'intervalles Données obtenues par le classement d'éléments selon une séquence logique : par exemple un ensemble de nombres x compris entre a et b.

Données ordinales Données obtenues par le classement d'éléments selon l'ordre de grandeur d'un de leurs attributs. Une donnée ordinale est définie par une relation d'ordre entre les données ou entre des catégories.

Dossier de réalisations Document qui décrit l'ensemble des actions et des projets entrepris et réalisés par un employé dans le cadre de son travail.

Droits à l'intégrité de la personne, à la vie privée et à la liberté d'opinion et d'expression Ensemble des dispositions juridiques qui protègent les travailleurs ou que ceux-ci revendiquent afin de faire valoir leurs droits fondamentaux au travail.

Échelle d'évaluation conventionnelle Méthode d'évaluation du rendement qui utilise des indicateurs renvoyant essentiellement à des qualités personnelles ou à des traits de caractère ; elle peut également comprendre des indicateurs de production ou de comportement.

Échelles d'évaluation fondées sur le comportement (EEFC) Méthode descriptive s'appuyant sur un formulaire où les normes d'évaluation des diverses dimensions du comportement au travail sont plus détaillées que dans le formulaire d'évaluation conventionnelle.

Échelles d'observation du comportement (EOC) Méthode d'évaluation descriptive du rendement qui vise à mesurer la fréquence d'apparition de certains comportements au travail.

Économie du savoir Nouvelle économie, appelée aussi « économie de la connaissance ». Axée sur les nouvelles technologies et sur Internet, elle s'oppose à l'économie traditionnelle. Les secteurs de l'informatique, des télécommunications et de la biotechnologie en font partie, ainsi que toutes les entreprises qui s'adaptent aux nouvelles façons de faire. Comme elle marque le passage d'une économie des ressources et des matières premières à une économie de la valeur ajoutée et de la matière grise, dans le cadre de la transformation de notre structure industrielle on l'appelle parfois « nouvelle économie des connaissances et de la communication ».

Effet d'ordre Première impression ou dernière impression.

Effet de contraste Déformation de l'évaluation résultant de la succession de candidats de capacités différentes. Ainsi, un bon candidat apparaîtra excellent s'il est évalué à la suite de candidats moyens ou médiocres, et apparaîtra moyen s'il est comparé avec un groupe de candidats exceptionnels.

Effet de contraste Tendance à surévaluer ou à sous-évaluer un employé en le comparant avec d'autres employés.

Effet de débordement Tendance de l'évaluateur à accorder une grande importance aux évaluations antérieures dans l'évaluation du rendement d'un employé.

Effet de halo Tendance de l'évaluateur à apprécier globalement un employé en fonction de son rendement exceptionnellement élevé ou exceptionnellement bas dans une dimension du comportement. L'impression favorable ou défavorable qui se dégage de l'évaluation de cette dimension influence le jugement de l'évaluateur et est source de distorsion ou d'erreur.

Effet de la dernière impression Effet d'ordre causé par la tendance de l'interviewer à accorder à la dernière information reçue ou à l'information récente un poids excessif par rapport aux autres éléments d'information. L'interviewer se rappellera ainsi avec plus de netteté le rendement des derniers candidats évalués que celui des premiers, et son évaluation pourra en être influencée.

Effet de la première impression Effet d'ordre causé par la tendance de l'interviewer à accorder une importance primordiale à l'information initiale qu'il a reçue ou à ses premières impressions, au détriment de l'information subséquente. L'interviewer peut ainsi être porté à évaluer les candidats en s'appuyant sur l'information initiale.

Effet de primauté Effet d'ordre causé par la tendance de l'évaluateur à accorder un poids excessif à l'information initiale qu'il a reçue ou à ses premières impressions, au détriment de l'information subséquente. L'évaluateur peut ainsi être porté à évaluer l'employé en s'appuyant surtout sur l'information initiale.

Effet de récence Effet d'ordre causé par la tendance de l'évaluateur à accorder un poids excessif à la dernière information reçue, ou à l'information récente, au détriment de l'information précédente. L'évaluateur se rappellera ainsi avec plus de netteté le rendement récent, ce qui peut influer sur son appréciation.

Effet Pygmalion Tendance des employés à se conformer à l'image que les supérieurs se font d'eux.

Élargissement des bandes salariales Structure salariale modifiée, qui transforme un grand nombre d'échelons et de classes salariales en un nombre restreint de bandes salariales.

Emploi repère Poste servant de norme de comparaison lors de l'évaluation et de la classification des postes d'une organisation.

Employabilité Probabilité de se trouver un emploi pour une personne qui cherche du travail. Les facteurs de l'employabilité sont l'âge, le sexe, l'état de santé, la situation de famille, la qualification professionnelle et les conditions économiques générales. L'employabilité se mesure en fonction du temps nécessaire pour trouver un emploi, c'est-à-dire par la durée du chômage.

Entente de la dernière chance   Entente proposée aux représentants de l'employeur et à ceux des salariés, qui constitue la dernière possibilité de conclusion d'un accord entre les parties.

Entretien de carrière   Rencontre d'un employé avec son supérieur pour déterminer ses objectifs de carrière en fonction des possibilités et des besoins organisationnels.

Entrevue axée sur le comportement (EAC)   Entrevue au cours de laquelle le candidat explique, exemples à l'appui, comment il s'est acquitté de ses responsabilités par le passé.

Entrevue axée sur le stress   Entrevue au cours de laquelle l'intervieweur cherche intentionnellement à contrarier ou à embarrasser le candidat pour pouvoir apprécier sa résistance et ses réactions au stress.

Entrevue d'information et d'écoute   Entrevue d'évaluation du rendement au cours de laquelle le supérieur communique à un subordonné son appréciation de ses forces et de ses faiblesses, tout en l'invitant à s'exprimer.

Entrevue d'information et de persuasion (ou entrevue directive)   Entrevue d'évaluation du rendement au cours de laquelle le supérieur communique à un subordonné son appréciation de son rendement et s'efforce de le convaincre d'établir des objectifs d'amélioration.

Entrevue de connaissances   Entrevue au cours de laquelle le candidat est soumis à des questions visant à évaluer ses capacités et ses connaissances pour occuper une fonction ou un poste déterminé.

Entrevue de résolution de problèmes   Entrevue d'évaluation participative du rendement au cours de laquelle l'évaluateur et l'employé évalué s'efforcent de comprendre et de résoudre les problèmes de rendement.

Entrevue en comité   Entrevue réalisée par plusieurs intervieweurs.

Entrevue en profondeur   Entrevue au cours de laquelle l'intervieweur formule un nombre limité de questions globales et qui requiert de l'interviewé des réponses détaillées.

Entrevue mixte   Entrevue d'évaluation du rendement combinant les caractéristiques de plusieurs formes d'entrevue, par exemple des objectifs d'information, d'écoute et de persuasion.

Entrevue situationnelle   Entrevue au cours de laquelle le candidat explique ce qu'il ferait dans une situation hypothétique donnée.

Équité externe   Principe de détermination des taux de salaire des différents postes d'une organisation qui tient compte de la valeur que leur attribuent d'autres organisations.

Équité interne   Principe de détermination des taux de salaire des différents postes d'une organisation qui tient compte de leur valeur relative.

Ergonomie   Étude scientifique des postes de travail en vue d'adapter le plus efficacement possible l'environnement physique à l'activité pratiquée. Il s'agit d'obtenir des titulaires de postes un rendement optimal en réduisant au minimum les efforts et la fatigue.

Erreur d'indulgence   Tendance de l'évaluateur à faire preuve d'une indulgence excessive à l'égard d'un employé, ce qui se traduit par l'attribution d'une note supérieure au rendement réel.

Erreur de sévérité   Tendance de l'évaluateur à faire preuve d'une exigence excessive à l'égard d'un employé, ce qui se traduit par l'attribution d'une note inférieure au rendement réel.

Erreur de similitude   Tendance de l'évaluateur à évaluer de manière favorable un employé qui a certaines affinités avec lui.

Erreur de tendance centrale   Tendance de l'évaluateur à n'accorder aucune note supérieure ou médiocre, mais à attribuer plutôt à tous les employés une note moyenne, sans tenir compte du rendement réel.

Étalonnage   Évaluation des biens, des services ou des pratiques d'une organisation, établie par comparaison avec les modèles qui sont reconnus comme des normes.

Évaluation descriptive (ou évaluation narrative)   Méthode d'évaluation du rendement selon laquelle le supérieur présente un rapport sur les forces et les faiblesses de la personne évaluée ainsi que des suggestions d'amélioration.

Familles d'emplois (ou classes d'emplois)   Regroupement des postes similaires et de valeur égale visant à établir une structure salariale reflétant l'équité interne de l'organisation.

Fidélité   Qualité d'un instrument de mesure (par exemple, d'un test ou d'un élément d'un test) qui permet d'obtenir un résultat de façon constante, à la suite de mesures répétées dans des conditions identiques.

Fidélité du test-retest   Relation entre les résultats d'un même test effectué à deux moments différents.

Fidélité par cohérence interne   Mesure du degré de correspondance ou d'homogénéité entre des éléments, des dimensions ou des énoncés censés se rapporter à un même objet : par exemple, les 10 éléments d'un test d'aptitude mécanique ou d'une mesure de contrôle de la réussite à un emploi.

Filière professionnelle   Ensemble de postes qui constituent une progression dans un domaine de spécialisation.

Fonction organisationnelle   Service ou direction d'une organisation, dont l'autorité et les responsabilités sont bien déterminées et qui est lié aux autres services ou directions : par exemple, fonction marketing, fonction production, fonction ressources humaines, fonction finances, etc.

Formation interculturelle   Programmes de formation offerts dans le cadre des affectations internationales et ayant pour but d'initier l'employé aux cultures étrangères.

Formulaire biographique   Formulaire destiné à recueillir des renseignements portant sur les réalisations, les intérêts et les préférences du candidat. Il complète le formulaire de demande d'emploi.

Formulaire de choix forcé   Méthode d'évaluation descriptive du rendement selon laquelle l'évaluateur choisit dans plusieurs paires d'énoncés celui qui décrit le mieux le comportement de la personne évaluée.

Gel de l'embauche Suspension du processus de dotation pour une durée déterminée, généralement pour des raisons économiques.

Gestion par objectifs (GPO) Méthode d'évaluation du rendement axée sur les résultats et fondée sur l'attribution à chaque employé d'objectifs susceptibles de l'aider à atteindre un meilleur rendement au travail.

Graphologie Technique d'interprétation de l'écriture manuscrite permettant de déceler la personnalité de son auteur.

Histogramme Représentation graphique de la distribution d'une variable continue. Après avoir fait choix d'une unité sur un axe, on porte sur cet axe les limites des classes dans lesquelles on a réparti les observations et on trace une série de rectangles ayant pour base chaque intervalle de classe et ayant une aire proportionnelle à l'effectif ou à la fréquence de la classe.

Intelligence émotionnelle Compétences attribuables à la conscience de soi, à la maîtrise de soi, à la conscience sociale et à la gestion des relations avec les autres.

Justice d'interaction (ou justice interactionnelle) Perception qu'entretient l'employé au sujet du traitement reçu de la part de son employeur et du mode de communication de celui-ci.

Justice distributive Perception selon laquelle les décisions issues des processus organisationnels sont justes et équitables ; par exemple, le salaire reçu par un employé est perçu comme juste s'il est proportionnel à sa contribution à l'organisation, ainsi qu'au salaire et à la contribution des autres employés.

Justice procédurale Perception selon laquelle un processus ayant mené à une décision est juste et équitable.

Licenciement Rupture unilatérale et définitive du contrat de travail effectuée par l'employeur, pour des motifs généralement d'ordre économique ou technique, sans rapport avec le salarié. Les licenciements collectifs touchent un nombre important de travailleurs appartenant à la même organisation et ils surviennent à la suite, entre autres, de conversions industrielles ou de changements technologiques et économiques.

Liste pondérée d'incidents critiques Méthode d'évaluation descriptive du rendement apparentée à la *méthode des incidents critiques*, qui permet de distinguer l'importance relative des incidents critiques.

Main-d'œuvre polyvalente Travailleurs capables d'exécuter différentes tâches et de remplacer, au besoin, des travailleurs spécialisés.

Marge de règlement négative Absence de zone de chevauchement entre les niveaux de résistance de l'employeur et du syndicat, c'est-à-dire entre les demandes du second et les offres du premier, ce qui ne laisse aucun terrain d'entente possible.

Marge de règlement positive Zone de chevauchement entre les niveaux de résistance de l'employeur et du syndicat, à savoir entre les offres du premier et les demandes du second, dont l'existence rend possible la conclusion d'un règlement acceptable pour les deux parties.

Menottes dorées Avantages financiers considérables faisant partie de la rémunération indirecte et visant à décourager les cadres supérieurs de quitter l'organisation. Les options d'achat d'actions et les régimes de retraite sont les formes les plus courantes de ce type de rémunération.

Méthode analytique d'évaluation des emplois Méthode d'évaluation des emplois complexes qui consiste à évaluer les catégories d'emploi à partir de critères précis.

Méthode d'évaluation des compétences Méthode d'évaluation qui vise à déterminer les compétences spécialisées, les compétences assurant une certaine polyvalence, les compétences interpersonnelles et les compétences de direction qui sont associées aux postes dans l'organisation.

Méthode de classification Méthode similaire à la méthode de rangement, à la différence qu'elle implique la détermination de classes, ou de niveaux, à l'intérieur desquels on situe les postes.

Méthode de comparaison par paires Méthode d'évaluation comparative du rendement qui implique que l'on confronte les résultats de chaque employé avec ceux de tous les autres, deux à deux, en utilisant une norme unique pour désigner le meilleur des deux dans chaque cas.

Méthode de la distribution forcée Méthode d'évaluation comparative du rendement consistant à classer les employés dans des groupes dont les proportions sont définies à l'avance (souvent selon une courbe normale).

Méthode de rangement Méthode consistant à établir une hiérarchie entre les postes à partir d'une analyse fondée sur les exigences requises pour les occuper. Ce classement doit refléter les équivalences de fonctions propres à l'organisation.

Méthode de rangement (ou méthode de rangement direct) Méthode d'évaluation comparative du rendement utilisée pour classer les employés dans l'ordre du rendement global décroissant.

Méthode de rangement alternatif Méthode d'évaluation comparative du rendement à étapes successives et consistant à classer alternativement tous les employés en fonction de leur rendement, en retenant chaque fois le meilleur et le moins performant, jusqu'à épuisement de la liste.

Méthode des incidents critiques Méthode d'analyse des postes et d'évaluation descriptive du rendement fondée sur l'observation et la description des comportements de l'employé qui ont des répercussions notables sur son rendement. À l'aide d'une liste prédéterminée d'incidents critiques, l'évaluateur consigne les résultats de son observation des comportements caractéristiques d'un rendement satisfaisant, moyen ou insatisfaisant.

Méthode des indices directs Méthode d'évaluation basée sur des critères objectifs, tels que les retards, les absences, la productivité, etc.

Méthode globale d'évaluation des emplois Méthode qui permet de hiérarchiser les emplois après examen de chaque catégorie d'emploi dans son ensemble.

Méthode par points et facteurs Méthode consistant à assigner des valeurs en points à des critères d'évaluation préétablis. Le total des points détermine la valeur respective des postes et sert à établir les échelles de salaires. Qu'il s'agisse de points bruts (les critères d'évaluation ont tous la même valeur) ou de points pondérés (les critères d'évaluation ont des poids différents), la méthode permet d'obtenir des échelles de salaires adaptées, qui reflètent à la fois les taux du marché du travail et l'importance relative des postes découlant d'une évaluation subjective.

Mobilité qualifiante   Approche de la conception des tâches qui n'entraîne pas de changement de poste, mais plutôt le déplacement des employés d'un poste à un autre pour favoriser leur apprentissage des diverses fonctions organisationnelles et diversifier leur expérience de travail.

Modèle à étapes multiples   Processus de sélection du personnel exigeant du candidat un niveau de compétence déterminé pour plusieurs tests ou pour plusieurs prédicteurs. Dans ce modèle, l'ordre des tests est préétabli.

Modèle à seuils multiples   Processus de sélection du personnel comportant plusieurs seuils de réussite et exigeant du candidat un niveau de compétence déterminé pour chacun d'entre eux. Dans ce modèle, l'ordre des tests est variable.

Modèle conceptuel   Représentation des liens entre variables servant à expliquer les flux de données qui décrivent les événements auxquels le système réagit ou les processus qui sont stimulés par ces flux de données et qui provoquent une réaction du système. Le modèle conceptuel peut servir, entre autres, à confirmer les objectifs d'un projet.

Mouvements de croissance   Ensemble de pratiques de gestion des carrières qui visent à encourager la mobilité organisationnelle. Citons, par exemple, la participation à des projets spéciaux, la rétrogradation, la mutation géographique, etc.

Multinationale   Entreprise qui investit des capitaux et qui exerce ses activités dans plusieurs pays.

Négociation avec concessions   Négociation à la baisse, caractéristique des situations économiques difficiles, dans laquelle le syndicat est forcé de faire des concessions à l'employeur, notamment pour assurer le maintien des emplois.

Négociation collective   Processus au cours duquel les représentants des employés et ceux de l'employeur négocient les salaires, les heures de travail, ainsi que d'autres conditions d'emploi.

Négociation continue   Processus de négociation entre les représentants du syndicat et ceux de l'employeur se déroulant de façon régulière et planifiée et portant sur des questions d'intérêt commun.

Négociation coordonnée   Négociation se déroulant entre plusieurs syndicats et un seul employeur.

Négociation de branche   Négociation collective se déroulant entre un groupe d'employeurs et un syndicat et portant sur les conditions d'emploi qui s'appliqueront à toute une industrie.

Négociation distributive (ou négociation avec répartition des avantages)   Forme de négociation collective dans laquelle l'employeur et le syndicat s'efforcent d'atteindre des buts qui se traduiront par un gain pour l'une des parties et une perte pour l'autre.

Négociation intégrative   Forme de négociation collective dans laquelle l'employeur et le syndicat s'efforcent de résoudre un problème à l'avantage des deux parties.

Négociation intra-organisationnelle   Processus dans lequel les équipes de négociation définissent le mandat de négociation de leur partie respective.

Négociation multipatronale   Négociation collective se déroulant entre un groupe d'employeurs et un syndicat local.

Négociation raisonnée   Négociation favorisant une relation de coopération entre les représentants de l'employeur et ceux des employés, et reposant sur un processus de résolution de problèmes, non sur un processus conflictuel.

Négociation sur la productivité   Forme de négociation intégrative dans laquelle les employés acceptent, en échange d'avantages divers, l'implantation de nouvelles méthodes de travail à la suite de changements technologiques.

Niveau cible   Évaluation réaliste, par le syndicat, du niveau de salaire et des conditions de travail qu'il est possible d'obtenir de la direction au cours de la négociation.

Niveau de résistance   Niveau minimal que le syndicat peut accepter au nom de ses membres, ou niveau maximal des concessions que la direction accepte de faire au cours de la négociation.

Normes de rendement   Critères servant à déterminer le niveau de qualité d'un travail, exécuté par un salarié (ou par un professionnel), nécessaire pour satisfaire aux exigences de l'exercice d'une profession.

Obsolescence des connaissances   Désuétude des connaissances causée par les innovations techniques, commerciales, organisationnelles, ou par l'inadaptation aux nouveaux besoins.

Offres initiales   Propositions initiales de l'employeur concernant les salaires et les conditions de travail, se situant généralement à un niveau inférieur à celui des conditions de règlement attendues.

Organisation apprenante (ou organisation intelligente) Organisation qui possède l'aptitude à créer, à acquérir et à transmettre des connaissances, ainsi qu'à modifier son comportement, afin de refléter de nouvelles connaissances et de nouvelles manières de voir les choses.

Organisation de coopération et de développement économiques (OCDE)   Organisation internationale qui aide les gouvernements à relever les défis économiques, sociaux et environnementaux posés par la mondialisation de l'économie. L'OCDE regroupe de nombreux pays : en plus des pays européens, mentionnons les États-Unis, le Canada, le Japon, l'Australie et Nouvelle-Zélande. Son rôle est multiple et peut se résumer à trois objectifs : assurer la plus forte expansion possible de l'économie et de l'emploi ainsi que la progression du niveau de vie dans les pays membres tout en maintenant la stabilité financière ; contribuer à l'expansion économique des pays en voie de développement, qu'ils soient ou non membres de l'organisation ; contribuer à l'expansion du commerce mondial de façon multilatérale et non discriminatoire.

Ostracisme social Attitude d'une personne ou d'une collectivité qui rejette ceux qui lui déplaisent ou ne lui conviennent pas.

Parachutes dorés Avantages financiers considérables offerts aux cadres supérieurs, généralement sous forme d'indemnités de départ, qui visent à leur assurer une sécurité financière dans l'éventualité d'un licenciement survenant dans le cadre d'une fusion d'entreprises ou de l'acquisition de l'entreprise par une autre.

Parcellisation du travail Division du travail en opérations simples.

Pénurie de main-d'œuvre État de l'économie d'un pays, d'une région ou d'une communauté plus restreinte, dans lesquels l'offre d'emploi l'emporte sur le nombre de travailleurs disponibles. La pénurie de main-d'œuvre peut exister dans un secteur déterminé d'activité professionnelle, ou dans quelques-uns d'entre eux, tandis qu'il y a surplus, donc chômage, dans d'autres secteurs ou dans l'ensemble des secteurs. Une telle situation se présente lorsqu'il y a une mobilité insuffisante de la main-d'œuvre ou un manque de coordination entre l'industrie et les organismes chargés de la formation professionnelle.

Plafond de verre Ensemble des obstacles — et barrières artificielles — dressés par les têtes dirigeantes des organisations, dont les attitudes, souvent inconscientes, ont pour effet de bloquer l'accès des femmes aux postes de pouvoir.

Plafonnement de carrière Situation dans laquelle les étapes de la carrière et les perspectives de promotion se réduisent, ce qui laisse entrevoir une carrière sans avenir.

Plan de carrière Processus comprenant l'analyse des compétences des employés, de leurs objectifs professionnels, de leurs forces et de leurs faiblesses (planification de carrière), ainsi que la possibilité pour les employés d'avoir accès à un ensemble d'expériences de travail favorisant la satisfaction de leurs besoins (étapes de carrière).

Plan Scanlon Régime incitatif qui est offert à l'ensemble des membres d'une organisation et qui met l'accent sur les relations de coopération existant entre l'employeur et les employés. Selon ce régime, la participation des employés aux bénéfices est considérée comme le résultat de leur contribution à l'accroissement de la productivité.

Politique disciplinaire à caractère progressif Principe selon lequel l'employeur applique des mesures disciplinaires progressives pour sanctionner les fautes répétées commises par un employé.

Politiques de gestion des ressources humaines Mesures établies en vue de diffuser l'application de certaines activités ou pratiques de gestion des ressources humaines et de les rendre plus cohérentes.

Pratiques de gestion Ensemble de mesures et de procédés qui permettent de mettre en œuvre les différentes activités de gestion.

Prédicteur Test ou élément d'information utilisé en ressources humaines pour prédire le degré de succès potentiel d'un candidat.

Processus cognitif Fonction complexe et multiple, regroupant l'ensemble des activités mentales (pensée, perception, action, volonté, mémorisation, rappel, apprentissage); elles font partie de la relation de l'être humain avec son environnement et lui permettent d'acquérir et d'utiliser des connaissances (associations, rétroaction, traitement de l'information, résolution de problèmes, prise de décisions, etc.).

Programme d'aide aux employés (PAE) Programme conçu pour venir en aide aux employés aux prises avec des difficultés personnelles aiguës ou chroniques (par exemple problèmes conjugaux ou alcoolisme) ayant des répercussions sur leur rendement et sur leur présence au travail.

Programme de contrats fédéraux (PCF, ou Programme d'obligation contractuelle d'équité en emploi) Dans le cadre du programme d'obligation contractuelle auquel elles sont soumises lorsqu'elles obtiennent du gouvernement du Québec un contrat ou une subvention de 100 000 $ et plus, les entreprises employant 100 personnes et plus doivent mettre sur pied un programme visant à assurer aux groupes désignés l'égalité d'accès aux emplois et à éliminer les pratiques discriminatoires associées aux processus de recrutement, de sélection et de promotion et se rapportant à la race, aux croyances religieuses, au sexe ou à l'origine nationale.

Qualité de vie au travail (QVT) Processus d'humanisation du travail par lequel tous les membres de l'organisation peuvent intervenir, au moyen de canaux de communication appropriés, pour adapter leurs conditions de travail à leurs besoins, en particulier en ce qui a trait à la conception de leurs tâches. Les principaux aspects de la qualité de vie au travail sont le poste lui-même, l'environnement physique et l'environnement social du travail, les relations interpersonnelles au travail, le système de gestion de l'organisation ainsi que les relations entre la vie professionnelle et la vie extraprofessionnelle.

Rajustement de vie chère Modification des salaires en fonction de l'évolution des conditions économiques, habituellement de l'indice des prix à la consommation.

Rapport de dépendance démographique Rapport de l'effectif des moins de 20 ans et des 60 ans et plus, divisé par la population d'âge actif.

Rationalisation des opérations Révision des modes d'organisation du travail en vue d'une meilleure efficacité, d'une meilleure efficience et d'une meilleure utilisation du capital et de la main-d'œuvre.

Régime complémentaire d'assurance emploi Prestations accordées par l'entreprise pendant une période déterminée aux employés touchés par un licenciement permanent, ou dans le cas d'une mise à pied temporaire jusqu'au moment de leur rappel au travail.

Régime complémentaire de retraite Un régime complémentaire de retraite est un contrat écrit auquel l'employeur seul ou l'employeur et les travailleurs participants sont tenus de se conformer en versant des cotisations; celles-ci ont pour but de procurer aux retraités un revenu qui complète celui des régimes publics.

Régime d'incitation à la vente Régime conçu pour le personnel du secteur de la vente, prévoyant essentiellement une rémunération à la commission.

Régime de rémunération au rendement Régime associant le salaire au rendement. Il peut s'agir d'un régime de rémunération à caractère incitatif ou d'un régime de rémunération au mérite.

Régime de retraite anticipée Régime de retraite offert à une personne qui s'est volontairement retirée de la vie professionnelle avant l'âge normal de la retraite, établi généralement à 65 ans.

Régime enregistré d'épargne-retraite (REER) Régime de retraite permettant à un particulier de différer le paiement d'impôts en plaçant en vue de sa retraite des sommes qui ne seront imposables qu'au moment où il les retirera.

Régime Improshare Régime collectif de rémunération qui repose sur la mesure de la productivité physique. La formule de primes est basée sur la division du nombre d'heures de travail estimées par le nombre d'heures de travail réelles.

Régime Rucker Régime collectif de rémunération variable, selon lequel on tient compte des coûts de la main-d'œuvre et de la valeur ajoutée à la production pour calculer la productivité et établir les primes.

Rémunération à la journée Régime de rémunération à caractère incitatif, comportant l'établissement de normes de production (celles-ci ne sont pas déterminées aussi précisément que dans le cas du régime à la pièce) et le versement d'un salaire conforme à ces normes.

Rémunération à la pièce Les employés reçoivent, en vertu de ce régime, une rémunération fixe par unité produite.

Rémunération à normes horaires L'un des modes de rémunération à caractère incitatif les plus courants. Il s'agit essentiellement d'un régime à la pièce dont les normes sont établies en fonction du temps nécessaire à la production d'une unité plutôt qu'en fonction de la quantité produite.

Rémunération directe Rémunération comprenant le salaire de base et le salaire fondé sur le rendement, qui est constitué de la rémunération au mérite et de la rémunération à caractère incitatif.

Rémunération globale Ensemble des rémunérations directe et indirecte, comprenant le salaire, les avantages sociaux et des avantages non pécuniaires.

Rémunération indirecte Rémunération dite complémentaire, comprenant les régimes de sécurité du revenu, les absences rémunérées et les services et privilèges offerts aux employés pour leur contribution à l'organisation. On désigne également cette rémunération par le terme avantages sociaux.

Renforcement positif Régime incitatif fondé sur le principe selon lequel il est possible de comprendre et de modifier le comportement des travailleurs à partir des conséquences qui en résultent pour eux. Ce régime, qui ne comprend aucune rémunération en espèces, consiste à communiquer aux employés une appréciation de leur rendement au regard des objec-

tifs visés et à récompenser leurs progrès par des éloges et des marques de reconnaissance.

Réorientation de carrière Possibilité donnée à un employé d'acquérir de nouvelles perspectives, attitudes, apprentissages, compétences et habiletés en vue d'améliorer son rendement au travail.

Résident d'un pays tiers Employé qui est affecté dans une filiale d'une entreprise internationale et qui est originaire d'un pays autre que le pays où est situé le siège social.

Résistance au changement Phénomène psychologique qui se manifeste chez les salariés, les cadres et les dirigeants habitués depuis de longues années à effectuer le même type de travaux, dans les mêmes conditions. Bien que les innovations proposées aient pour but de rendre leur travail plus simple ou plus attrayant, ils refusent de les adopter et s'y opposent par tous les moyens.

Responsabilisation Processus par lequel des employés d'une organisation acquièrent la maîtrise des moyens qui leur permettent de mieux utiliser leurs ressources professionnelles et de renforcer leur autonomie d'action.

Retraite anticipée Retraite prise avant l'âge normal, qui est généralement de 65 ans.

Sentiment d'appartenance Capacité de se considérer comme membre à part entière d'un groupe, d'une famille ou d'un ensemble.

Simulation de situation de travail (ou test d'exécution) Instrument de sélection consistant à assigner au candidat des tâches à réaliser dans des conditions analogues à celles du poste sollicité.

Six sigma Approche élaborée par Motorola, visant l'amélioration de la qualité et de l'efficacité des processus organisationnels.

Stratégies conjointes de négociation patronales-syndicales Ensemble d'objectifs et de moyens qui sont choisis conjointement par les représentants de l'employeur et par ceux des salariés, et qui orientent à moyen et à long terme les activités d'une personne, d'un groupe, d'une entreprise ou d'un organisme.

Stratification Opération qui consiste à diviser une population donnée en strates, ce qui permet d'axer l'analyse sur les éléments les plus importants et de réduire la taille de l'échantillon.

Structuration des attitudes Durant la négociation collective, adoption d'attitudes par l'employeur et les employés à l'égard de l'autre partie, suivant un processus relationnel.

Succès de carrière Perception, positive ou négative, qu'entretient l'employé quant à sa progression au cours des étapes plus ou moins ordonnées qu'il lui reste à parcourir avant d'arriver au sommet de ses compétences et de ses responsabilités, et de bénéficier d'un statut social enviable. On peut mesurer objectivement le succès de la carrière d'une personne à l'aide d'indicateurs comme le niveau du poste ou le salaire, ou encore subjectivement en évaluant sa satisfaction à l'égard de la progression de sa carrière.

Système d'information en gestion des ressources humaines (SIRH) Système constitué de procédés permettant d'acquérir, de stocker, de traiter et de diffuser les éléments d'information pertinents aux ressources humaines dans le cadre du fonctionnement d'une organisation.

Système intégré de gestion des ressources humaines (SIGRH) Système informatisé, propre à une organisation, qui regroupe des informations en provenance de ses différentes entités, notamment des ressources humaines.

Tableau de contrôle Représentation de l'ensemble des postes de travail permettant de suivre la progression des activités et l'état d'avancement de chaque commande de fabrication ou d'un ensemble d'activités planifiées, sur le modèle du diagramme de Gantt. Ces tableaux sont constitués par des éléments mobiles, faciles à modifier pour pouvoir rajuster les prévisions en fonction des réalisations et des changements intervenus dans les besoins ou les moyens. Il en existe de nombreux modèles, qui se différencient essentiellement par le mode de figuration des prévisions et par les détails de construction. Dans tous les modèles, des lignes horizontales, fixées sur le tableau les unes au-dessus des autres, comportent une échelle des temps, intégrée ou parallèle aux lignes, et généralement un fil mobile vertical indiquant la date.

Taux d'indemnisation Tableau des primes ou des taux de primes applicables aux divers risques assurables pour compenser une perte de salaire à la suite d'une maladie professionnelle, d'une invalidité causée par un accident du travail ou du décès consécutif à un accident du travail.

Taux de roulement Rapport, exprimé en pourcentage, entre le nombre de travailleurs qui, au cours d'une période donnée, ont quitté une organisation et le nombre moyen de travailleurs que l'organisation a employés au cours de la même période. On obtient ce taux en multipliant par cent le nombre total des employés qui ont quitté l'organisation et en le divisant par le nombre moyen des employés durant la période de référence.

Technique du centre d'évaluation Méthode d'évaluation des compétences d'un candidat par l'observation des comportements dans des situations de travail simulées.

Technologies de l'information et de la communication (TIC) Technologies de l'information qui se caractérisent par des développements récents dans les domaines des télécommunications (notamment les réseaux) et du multimédia, ainsi que par la grande convivialité des produits et services destinés à un large public de non-spécialistes. L'expression désigne l'évolution fulgurante de ces technologies, marquée par l'avènement des autoroutes de l'information (notamment par l'utilisation d'Internet) et par l'explosion du multimédia. On les appelle aussi « nouvelles technologies de l'information et de la communication (NTIC) ».

Travailleur autonome (ou travailleur indépendant) Travailleur qui exerce une activité professionnelle pour son propre compte et sous sa propre responsabilité.

Unité d'accréditation Groupe distinct de salariés, ne comprenant pas nécessairement la totalité des salariés d'une entreprise, mais ayant des intérêts communs sur le plan du travail. Une fois qu'elle a été acceptée, l'unité d'accréditation devient l'unité de négociation ; le processus de négociation menant à une convention collective qui porte sur les conditions de travail et les salaires de l'ensemble des travailleurs de cette unité peut débuter.

Unité de négociation Groupe de salariés à l'égard duquel une association de salariés détient le monopole de représentation, lorsqu'elle est accréditée.

Valeur sociale Disposition de l'esprit selon laquelle on choisit pour réagir telle action plutôt que telle autre en fonction de règles issues de la conscience, de l'intelligence, du cœur, de l'éducation, de l'expérience ou d'un mélange de ces éléments.

Validité Degré auquel un prédicteur (par exemple, un test de sélection) ou un critère mesure effectivement ce qu'il est censé mesurer. La validité d'un test de sélection pour un poste donné est généralement démontrée par l'existence d'un lien significatif entre les prédictions du test sur le rendement d'un candidat et son rendement réel, une fois qu'il est en poste.

Validité de construit (ou validité conceptuelle) Degré auquel un test mesure les concepts (ou construits) jugés essentiels au titulaire d'un poste pour exercer adéquatement ses fonctions et fournir un rendement satisfaisant.

Validité de contenu Estimation de la pertinence d'un test pour mesurer une bonne proportion des compétences nécessaires à l'accomplissement des fonctions requises par un poste.

INDEX

▼ B

▼ C

F

▼ H

▼ T

▼ U

▼ V

▼ W

▼ Z